D1205381

WORD
SMART
I+II 한국어판

**WORD SMART I+II 한국어판**

지은이 애덤 로빈슨 & 프린스턴 리뷰팀
편　역 NEXUS 사전편찬위원회
펴낸이 안용백
펴낸곳 넥서스ENGLISH

초판　1쇄 발행 2001년 1월 22일
초판 50쇄 발행 2006년 1월 15일

출판신고 2005년 5월 30일 제313-2005-00111호
121-840 서울시 마포구 서교동 394-2
Tel (02)330-5500 Fax (02)330-5555

ISBN 89-8220-824-0 93740

가격은 뒤표지에 있습니다.

잘못 만들어진 책은 바꾸어 드립니다.

www.nexusbook.com

# WORD SMART I+II 한국어판

1·2권 통합본

애덤 로빈슨 & 프린스턴 리뷰팀 지음
NEXUS사전편찬위원회 편역

넥서스

# WORD SMART는 이렇다

### 언어는 생각을 담는 그릇이다

우리가 사용하는 언어는 많은 것을 말해준다. 어떤 단어를 사용하느냐에 따라 세련되고 설득력 있으며 상당히 지적일 수 있다. 혹은 자신도 이해할 수 없는 단어를 쓰고 있음을 보여주기도 한다. 자신의 생각을 제대로 드러내는 키포인트는 어떤 단어를 어떻게 사용할지를 아는 것에 달려 있다.

우리는 말을 하거나 생각하기 위해서도 어휘를 사용한다. 정확한 단어를 모르면 정리된 생각을 할 수 없다. 자신의 어휘력은 스스로 생각할 수 있는 힘과 그 생각을 다른 사람과 교류할 수 있는 능력의 기초가 된다. 어휘력을 늘리면 자신을 둘러싼 세계를 이해하는 지적 능력을 개발할 수 있다.

### 왜 이 책이 필요한가

지금껏 나온 많은 어휘 책들의 대부분은 별로 유익하지 않다. 왜냐하면 어떤 책에는 단어가 너무 많거나 어떤 책들은 매우 어렵다. 노력하지 않고 쉽게 배울 수 있는 방법이나 요령만을 주장하는 것들도 있다. 그런 방법의 대부분은 사실 새로운 단어를 배우는 데 거의 도움이 되지 않는다. 이 책은 기존의 이런 책과 확실히 다르다.

우리는 SAT 교육기관인 PRINCETON REVIEW를 지난 7년간 운영해왔다. 여기서 6주간의 과정을 마친 학생들은 SAT에서 200점 이상 점수가 오르는 놀랄 만한 결과를 보여주었다. 이러한 성공은 훌륭한 교습법의 결과라고 생각한다.

# 이 책의 구성

『WORD SMART I · II』의 핵심은 지성인이 꼭 알아야 할 약 2천여 개 가량의 단어를 포괄하는 주요 섹션에 있다(「WORD SMART」 원서는 두 권으로 구성되어 있다. 이 책의 PART A는 원서의 첫째권, PART B는 원서의 둘째권을 주요 내용으로 옮겨묶은 것이다-옮긴이주) PART A · B는 각 단어의 뜻과 이해를 돕고 올바로 활용하기 위한 한 개 이상의 예문으로 구성되어 있다. 관련 단어뿐 아니라 숨은 뜻도 부분적으로 제시되어 있다. 아울러 자연스럽게 어휘력을 강화할 수 있도록 훈련을 위한 퀴즈도 덧붙였다.

PART C에서는 SAT와 GRE에서 자주 출제되었던 단어들만을 엄선했으며, 반드시 알아야 할 어근, 흔히 저지르는 실수들, 신문과 잡지에 자주 등장하는 약어와 예술 용어, 외래어 등도 실었다.

### 어떤 방법으로 단어를 선택했는가

이 책에 제시된 단어들은 SAT와 GRE를 비롯하여 각종 간행물을 조사한 결과, 난이도가 높으면서도 자주, 규칙적으로 등장하는 단어들이다. 또한 일선 학교의 선생님들과 작가들, 그밖의 전문가들로부터 자문을 받았다.

### 단어의 정의와 서술 방법

각 항목은 우선 보편적으로 받아들여지는 발음(실제로 여러 방법으로 발음되는 단어들도 있는데, 대체로 사전에서 제일 먼저 제시되는 발음)으로 시작한다. 간혹 사전의 발음과 보편적으로 인지되는 발음이 틀린 경우가 있는데, 그럴 경우 다양한 참고서를 살펴보고, 전문가의 조언을 들어 취사선택했다. 큰 소리로 여러 번 반복해서 발음해보기 바란다.

각 단어의 변화형의 발음에도 유의하기 바란다. 대개의 단어는 명사나 동사나 형용사로 같이 쓰이는 경우가 많이 있는데, 변화형에 따라 발음으로 구별이 되는 일이 많다.

『WORD SMART I · II』 모두 단어의 정의와 동의어를 실었다. 꼭 알고 넘어가야 하는 단어라면 어려운 단어라도 신중히 생각해서 제시어의 정의에 관련단어로 첨부했다.

단어를 이해하기 위해서는 구체적인 문맥 속에서 볼 필요가 있다고 믿기 때문에, 단어의 정의 다음에는 제시어의 올바른 쓰임을 보여주는 예문을 적어도 한 개 이상씩 실었다. 또한 제시어의 역사적 고찰이나 관련 단어들도 검토했다.

마지막으로 제시어의 변화형을 보여주고, 발음이 현저하게 다른 경우는 발음기호도 명시했다.

### 이 책의 활용방법

알파벳순으로 꾸준히 공부하는 것만이 좋은 방법이라고 생각하지 않는다. (먼저 Quick Quiz를 풀어보고 틀린 단어를 찾아 앞의 제시어로 다시 돌아가는 것도 좋은 공부법이 될 수 있다) Princeton Review의 학생들 중 몇몇은 책의 말미에 나오는 최종 연습문제부터 먼저 시작한 뒤, 틀린 단어를 찾아가는 순서로 공부했다. 또는 어근 공부부터 하는 사람들도 있었다.

기본적으로 우리가 말하고 싶은 것은 바로 이것이다. 이 책을 공부할 때는 어떤 방식이든 자신이 원하는 대로 하면 된다!

### 이 책을 효과적으로 활용하는 방법

처음부터 이 책을 단숨에 끝내려고 하지 마라. 정해진 일정 분량만큼 지속적으로 공부하는 방법이 더 효과적이다. 한 단어를 제대로 이해했다고 확신이 들기 전에는 다음 단계로 건너뛰지 마라. 당황해 하는 실수의 대부분은 확신을 갖고 대담하게 사용하는 어휘가 사실은 틀리다는 데 있다. 대략 열 개 정도의 단어를 공부한 뒤 Quick Quiz를 통해 확실히 다져두기 바란다.

시험에 대비하기 위해 어휘력을 향상시키려면 처음부터 끝까지 자신의 수준에 맞는 계획을 세워 같은 방법으로 공부하라. 단순히 어휘력 향상이 목적이라면 임의대로 흥미 있는 부분을 파고들어도 좋다. 또한 책을 읽거나 다른 사람과 이야기를 나누다가 모르는 단어와 부딪히지 않도록 도와줄 사전으로 써먹어도 좋다.

이 책을 공부하고 나면 미국 대학 졸업 수준 이상의 실력을 갖추게 될 것이다. 그러나 거기서 멈추지 말고 앞으로 더 정진하기 바란다.

### 왜 WORD SMART II가 필요한가?

대부분의 어휘 책들은 사람들이 거의 사용하지 않는 단어들까지 너무 많은 어휘를 다루면서도, 학교나 일상에서 실제로 만나게 되는 단어들은 충분히 다루고 있지 못하다. 우리는 WORD SMART I에서 교양 있고 지적인 사람들이라면 꼭 알아야 할 가장 중요한 단어들만을 엄선했다.

어휘를 늘리는 것은 무엇보다 중요하다. 하지만 무엇부터 시작할 것인가? 영어에는 수십만 개의 단어가 있다. 어떤 단어가 꼭 필요한 단어인지 알기 위해서 Princeton Review사는 일정정도 교육을 받은 지성인들의 어휘를 연구했다. 또한 「The New York Times」에서 「The Wall Street Journal」에 이르기까지 여러 신문과 「Time」을 비롯한 잡지, 최근의 베스트셀러와 고전에 이르기까지 다양한 도서들을 함께 분석했다. 대부분의 사람들이 알고 있는 단어들을 제시하고 사람들이 잘못 이해하거나 잘못 사용하는 단어에 초점을 맞췄다. 이를 토대로 가장 빈번하게 쓰이는 823개의 단어를 골랐다.

1988년 『WORD SMART I』을 쓴 이후 거의 25만 명의 사람들이 이 책을 구입했다. 그러나 『WORD SMART I』(이 책의 PART A)에 실린 단어에서만 그치지 않고 더 많은 것을 문의해왔다. 그래서 『WORD SMART I』을 쓸 때와 같은 연구과정을 거쳐 일단의 단어들을 다시 묶어 『WORD SMART II』(이 책의 PART B)를 만들었다. 여전히 사용빈도가 높은 단어에 초점을 맞췄지만, 최종적으로 단어들을 선택하는 데 몇 가지 중요한 차이점이 있다.
『WORD SMART II』의 단어를 선택하는 데 영향을 끼친 또다른 사항은 학생들과 성인, 그들의 언어사용과 실수를 지켜본 경험의 증가에 있다. 『WORD SMART II』에 실린 많은 단어들은 대부분의 지성인들이라면, 정확하게 사용할 것으로 생각되어 『WORD SMART I』에서는 제외되었던 단어들이다.
학생이나 성인들은 문맥 속에서 단어를 배운다. 그들은 자신들이 모르는 단어가 포함된 문단이나 문장을 통해서 어려운 단어의 일반적 정의를 도출한다. 『WORD SMART II』에는 언뜻 쉬운 듯 보여서 교양인들이 잘못 이해하고 있거나 실수를 범하는, 더러 다른 단어와 혼동하기도 하는 단어들을 묶었다.
『WORD SMART II』의 단어들도 『WORD SMART I』만큼이나 중요한 것들이다. 『WORD SMART II』의 단어들이 약간 더 어렵기도 하고 활용하는 빈도수도 적을 수 있다. 그러나 『WORD SMART II』 수록 단어 모두 분명 교육용 어휘임을 잊지 마라.

# 새로운 단어를 공부하는 법

**놀이에서 찾은 어휘 공부법**

아이들은 주위 사람들이 말하는 것을 흉내냄으로써 새로운 어휘를 배운다. 세 살배기 아기는 자신의 흥미를 끄는 새로운 단어를 듣게 되면, 그 단어에 익숙해질 때까지 하루나 이틀 동안 그 단어를 반복적으로 사용한다. 아이는 문맥에서, 실험과 실수를 반복하며 단어의 의미를 파악한다.

아이들은 어른보다 새로운 단어를 배우는 시간이 훨씬 빠르다. 주위 환경에서 언어를 빨아들이듯 습득하는 마법과도 같은 능력은 아동기를 지나면 점점 쇠퇴하는 듯하다. 그러나 이처럼 아이들이 처음으로 언어를 배우는 과정은 어른들에게도 어휘력을 강화시키는 데 유효한 방법이다.

**어휘는 사용할 때만이 유용성을 갖는다**

맨 처음 아이들이 말을 배울 때처럼 어른들도 마찬가지로 계속 중얼거리면서 반복해야 한다. 철저한 연습과 규칙적인 훈련을 해야만 새로운 단어를 자신의 것으로 만들 수 있다.

새로운 어휘를 습득하는 데는 동기부여도 중요하다. 시험을 앞둔 학생이라면 어렵게 생각되는 단어를 확실히 알 때까지 계속 반복하여 암기해야 한다. 글쓰기나 말하는 기술을 높이려는 목표도 어휘 공부의 중요한 동기가 될 수 있다.

어쨌든 자신의 어휘력을 향상시키려면 아이들이 새로운 단어를 배울 때처럼 일상생활 속에서 자꾸 반복하여 사용해야 한다.

**읽고, 읽고, 또 읽어라!**

어렵고 복잡한 어휘를 습득하는 가장 좋은 방법은 무엇보다 열의를 갖고 반복해서 읽는 것이다. 그러다 보면 두뇌를 자극하게 되고 이해력도 향상된다. 광범위한 독서를 꾸준히 하다 보면 어느새 자신의 어휘 실력이 향상되어 있을 것이다. 새로운 단어를 자꾸 접하다 보면 전염되듯 익숙해지는데, TV보다는 확실히 독서가 좋은 방법이다. 「Time」지를 비롯하여 좋은 글이 많이 실린 여러 종류의 잡지나 신문 역시 많은 도움이 된다.

**문맥에만 의존하는 방법의 위험성**

문맥 속에서 그 단어가 어떻게 사용되는지를 파악하는 것도 중요하지만, 단어의 뜻을 유추할 때 문맥에만 의존하게 되면 함정에 빠질 우려가 있다. 노련한 저자나 연사라도 부적절한 언어를 사용하거나 아니면 강조나 극적인 효과를 위해 의도적으로 틀린 단어를 사용하는 일도 가끔 있기 때문에 반드시 정확한 의미로 단어를 사용했다고는 단정할 수 없다.

그보다 중요한 것은 대부분의 단어들이 서로 다른 뜻을 함께 갖거나 의미상 미묘한 차이가 있다는 점이다. 그래서 문맥을 통해 추정한 단어의 뜻이 다른 경우에도 그대로 적용된다고 단정할 수는 없다.

또한 문맥은 그 자체로 잘못 해석될 수도 있다. 단어가 빠진 문장이 주어지고 그것을 채워야 할 때 문맥에 맞는 단어를 선택하더라도 본래의 정답과는 거리가 멀어지는 경우가 있다. 이럴 때 사전이 필요하다.

**두꺼운 책**

어휘공부를 끝내야겠다는 의욕에 사로잡혀 사전을 들고 앉아 첫 페이지부터 읽기 시작한다. 그러나 이 방식으로 시작한 학생들의 대부분은 첫 페이지를 좀처럼 넘기지 못하고 포기하기 쉽다. 사실 이 방법으로 새로운 단어를 공부한다는 것은 불가능하다. 보다 쉽고 효과적인 방법인 이 책으로 시작해보자.

**학생이라면 항상 사전을 휴대해야 한다**

어딜 가든 작은 휴대용 사전을 꼭 갖고 다니자. 모르는 단어를 접했을 때 현장에서 바로 찾아보면 더 오래 기억에 남을 것이다.

하지만 최고의 사전일지라도 항상 정확한 것만은 아니다. 권위 있는 사전을 접할 수 있다면 다시 한 번 그 뜻을 확인해두는 것도 좋다. 이 책에서 쓰인 어법과 단어의 정의는 『The American Heritage Dictionary』 『Webster's Third New

International Dictionary』『Webster's Seventh New Collegiate Dictionary』『The Random House College Dictionary』 등을 참조했다. 사전 찾는 것을 귀찮게 여기거나 어렵게 생각하지 마라.

### WORD SMART의 단어는 왜 사전과 다른가

우선 이 책은 사전이 아니다. 부피가 큰 사전보다 이해하기 쉽게 만들려고 애썼다. 일차적으로 사전에 기초하고 있지만 그만큼 복잡하고 자세하지는 않다. 대신 기본 단어의 뜻을 정의하고 때로는 관련 단어를 충분히 다뤘다. 그리고 무엇보다 중요한 것은 단어의 실제 활용방법을 보여주기 위해 적어도 한 개 이상의 예문을 제시했다는 것이다.

### 이 책을 읽기 위하여

사전이나 단어 숙어 사전을 통해 어휘를 공부하는 것은 좋은 방법이지만, 시간이 너무 많이 걸린다. 이러한 난제를 해결하는 데 적절한 책이 바로 『WORD SMART I · II』이다.

『WORD SMART』의 주요 섹션은 핵심 단어들만—교육용 어휘를 마스터할 수 있게 도와주는—엄선했다. 다년간 수천 명의 학생들과 공부하는 과정을 통해 어떤 방법이 능률적이고 그렇지 않은지를 터득했다.

### 시작하기 전에, 명심해야 할 것

새로운 언어를 공부하는 것은 다이어트를 하는 것과 같다. 정말 쉬운 방법이란 없다. 몸무게를 줄이고자 한다면, 반드시 적게 먹고 운동을 많이 해야 한다. 안일한 생각이나 작은 알약으로 되는 것이 아니다.

지적 어휘를 습득하고자 할 때도 많은 노력이 필요하다. 이러한 학습법을 통해 많은 사람들이 상당한 성공을 거두었으며, 여타의 방법보다 더 효과적이라고 생각한다. 물론 저절로 얻어지는 것은 없다. 모두 값진 노력의 대가인 것이다.

지난 수년간 학생들을 지켜보면서 성공적인 몇 가지 방법을 소개하고자 한다. 각자에게 가장 적합한 방식을 선택하여 활용하기 바란다.

#### 방법1 : 기억증진에 관한 요령

arithmetic이라는 단어를 암기하기 위해 "A Rat In The House Might Eat Tom's Ice Cream"이라는 문장을 외운다. 아주 기초적이고 우스꽝스러운 이 문장에서 각 단어의 첫 글자를 따면 arithmetic이 되는 것이다. 철자나 역사적 사건의 연대를 암기하는 방법도 있다.

기억력 증진법은 어떻게 작용하는가

모든 기억력 증진법은 같은 방식으로 작용한다. 자신이 기억하려는 것과 이미 알고 있는 다른 어떤 것이나 기억하기 쉬운 것을 연관시켜 생각한다. 일정한 형태나 운율은 기억하기 쉽기 때문에 기억력 증진법 중의 하나로 이용된다.

#### 방법2 : 보는 것이 기억하는 것이다

새로운 단어의 생생한 영상을 머리 속에 남기는 것 또한 기억술의 한 방법이다. 여기서 강조하는 것은 철자의 동일시나 재치 있는 약자가 아니라 머리 속에 연상되는 그림을 의미한다. 예를 들어보자. abridge라는 단어는 짧게 줄이거나 압축한다는 의미이다. 이 단어를 생각할 때, 순간적으로 어떤 이미지가 떠오르는가? 답은 간단하다. 바로 a bridge(다리)이다. '다리'와 abridge의 의미(짧게 만들다, 압축하다)를 연결시켜줄 그림을 만들 필요가 있다. 공룡이 다리 한가운데를 물어뜯었다면? 폭탄이 다리 위에서 폭발했다면? 어 그림을 선택하느냐 하는 것은 전적으로 여러분에게 달려있다.

머리 속의 이미지가 비정상적일수록 더 잘 기억된다

정상적인 것은 평범하고 재미가 없다. 따라서 비정상적이고 우스꽝스러운 것보다 기억하기 어렵다.

#### 방법3 : 어원에 의한 실마리

영어에는 수십만 개의 단어가 있지만 같은 어원에서 갈라져 나와 의미상 관계가 있는 그룹으로 나눌 수 있는 것들이 많이 있다. 비슷한 어원을 갖고 있는 단어로 분류할 수 있다면, 훨씬 쉽게 단어를 암기할 수 있을 것이다. 예를 들면,

mnemonic: device to help you remember something.
amnesty: a general pardon for offenses against a government(an official "forgetting")
amnesia: loss of memory

이 세 단어는 기억을 의미하는 mne를 공통적으로 갖고 있다.

어원연구의 강점

어원을 풀이하는 방법으로 단어를 공부하는 방법이 효과가 있는 이유는 어원이 실제로 단어의 뜻과 관련이 깊기 때문이다. (그런 의미에서 이미지 연상방법과는 대립되는 방법이다.)

어원 연구는 수세기에 걸친 역사가 있는 단어의 이야기에 빠져들게 만들고 같은 뿌리를 가진 단어들에 흥미를 갖게 한다.

어원공부의 함정

어원은 단어에 대해서 무엇인가를 말해주는 것이기는 하지만 단어의 정의를 직접 제시하는 것은 아니다. 그리고 어원을 오해하는 경우도 있다.

예를 들면, verdant라는 단어를 보고 verify, verdict, verisimilitude, veritable와 같이 진실이나 사실을 의미하는 어원을 갖고 있다고 추정한다. 그러나 verdant는 초록색을 의미하는 프랑스의 고어 vert에서 유래한 것이다. pedestrian, pedal, pedestal, pedometer, impede, expedite에서 ped는 발과 관련된 것을 의미하지만 pediatrician는 소아과 의사를 의미한다.

어원연구는 어휘 공부에 유익한 도구이기는 하지만, 모르는 단어의 의미를 단정하기에는 위험한 도구이기도 하다.

**방법4 : 손으로 쓰거나 그림을 그리거나 도표 만들기**

많은 사람들은 손으로 직접 쓰면서 더 쉽게 새로운 정보를 기억한다. 글씨를 쓰는 물리적인 동작이 머리 속에 각인되는 것을 돕는 듯하다. 아마도 글씨를 쓰면서 단어에 대해 어떤 느낌을 형성하는 것 같다.

보조 기억장치나 영상 이미지, 그리고 어원이 생각난다면, 적어두어라. 그림을 그리거나 도표를 만들 수도 있을 것이다.

**방법5 : 플래시카드와 공책에 모두 적어두기**

플래시카드란 앞면에는 단어를 적고 뒷면에는 그 단어의 뜻을 적어놓은 단순한 카드이다. 글자를 처음 배울 때나 처음으로 외국어를 공부할 때 흔히 이용한다. 이 카드를 이용하여 서로 퀴즈를 내면서 자투리 시간을 이용하면 공부를 게임처럼 할 수 있다.

또한 카드 뒷면 한쪽 귀퉁이에 우리가 앞서 해온 기억술에 관한 방법들을 첨가하면 카드를 꺼내볼 때마다 재미도 있고 공부도 더 잘 될 것이다. 이제 카드를 주머니에 넣어두고 버스를 탈 때나 음악을 들을 때처럼 남는 시간을 최대한 이용하기 바란다. 물론 플래시 카드보다는 어휘 자체를 일상생활에서 자꾸 사용해보는 것이 기억에 더 오래 남고 공부가 된다는 것은 말할 나위 없다.

## 노트의 이용에 관하여

학생들은 새로운 단어를 접하면 언제나 노트에 적어둔다. 한 페이지 가득 단어를 공부하는 동안에 두뇌에 기록될 것이다.

잡지를 뒤적거리다 공부하고 있는 단어를 발견하게 되면, 노트에 그 문장을 적어둘 수도 있다. 문맥 속에서 단어가 활용되고 있는 새로운 예를 얻는 것이다.

이전에 배운 단어를 자신이 정리한 노트 속에서 다시 보게 되면 성취감을 느낀다고 한다. 어휘에 관한 정리노트는 스스로 진전되고 있다는 명백한 증거이다.

## 단어 공부를 위한 게임 방법—단계적 접근법

1단계: 문맥에서 단어의 의미를 추론한다

문맥은 간혹 오답을 만들기도 하지만, 추론은 사고의 연마를 돕고 글을 읽을 때 이해력을 높일 수 있다.

2단계: 사전을 찾는다

대부분의 사람들은 이 단계를 건너뛰고 싶어하지만 어휘의 정확한 의미를 알기 위해서는 반드시 통과해야 하는 과정이다.

3단계: 스펠링을 써본다

단어의 스펠링을 써보고 변화형도 함께 알아둔다. 단어의 스펠링을 보면 비슷한 단어나 관계가 있는 단어들도 연상될 것이다.

4단계: 큰 소리로 말해본다

독백으로가 아니라 다른 사람에게 말해야 한다.

5단계: 주요한 뜻을 읽는다. 부차적인 뜻풀이까지 자세히 읽어야 한다.

사전의 풀이는 중요한 순서에 따라 쓰여졌다. 그러나 단어를 완전하게 이해하기 위해서는 부수적인 뜻풀이까지 모두 읽어보는 것이 좋다.

6단계: 시간이 허락하면, 동의어의 쓰임과 뜻까지도 비교해본다.

7단계: 자신이 이해한 언어로 뜻을 풀이한다.

8단계: 문장 속에서 배운 단어를 활용해 본다.
단어의 뜻을 이해했다면 적절한 문장을 만들어본다. 단어의 암기력을 높이는 연상법 등을 활용하는 문장도 괜찮다.

9단계: 그 단어에 기억력을 강화시키는 연상장치나 머리 속의 이미지, 그밖의 암기를 돕는 방법을 고안하여 연결해본다.
8단계를 거치면서 이미 암기된 단어라도 연상 기억술을 통해 확고하게 기억하는 것이 좋다.

10단계: 플래시카드를 작성하고 노트에 정리한다.
특히, 단기간에 많은 양의 어휘를 습득하고자 할 때는 이 방법이 매우 효과가 있다.

11단계: 기회가 닿는 대로 그 단어를 사용한다.
과감하게 반복적으로 사용하라. 새로 알게 된 지식을 굳건히 하지 않는다면, 결코 자신의 것이 될 수 없을 것이다.

마지막으로 덧붙이고 싶은 말은 항상 의구심을 갖도록 한다. 아무리 알고 있는 단어라고 해도 방심해서는 안 된다. 정말로 확실하게 알고 있는지 되짚어보기 바란다. 자신은 익숙한 단어라고 확신하지만, 사실은 부정확하게 알고 있기 때문에 종종 황당한 실수들이 발생한다. 자, 이제 시작해보자. 욕심 내지 말고 한번에 조금씩만 도전하면, 많은 것을 얻게 될 것이라는 사실을 기억하라.

CONTENTS

## PART A



## PART B



## PART C

PART

# The Words

주요 단어와 예문들

1

**ABASH** [əbǽʃ] v **to make ashamed ; to embarrass** **부끄럽게 하다 ; 당혹하게 하다**

Meredith felt *abashed* by her inability to remember her lines in the school chorus of "Old McDonald Had a Farm."

학교 합창단에서 "Old McDonald Had a Farm."이라는 노래를 부르면서 자신의 음정도 기억하지 못했던 것 때문에 메리디스는 부끄러움을 느꼈다.

To do something without shame or embarrassment is to do it *unabashedly*. Ken handed in a term paper that he had unabashedly copied from the *National Enquirer*.

부끄러워하거나 난처해하지 않고 어떤 일을 하는 것은 그것을 뻔뻔하게 하는 것이다. 켄은 뻔뻔스럽게도 학기말 리포트를 내셔널 인콰이어러 지를 베껴서 제출했다.

**ABATE** [əbéit] v **to subside ; to reduce** **가라앉다 ; 줄이다**

George spilled a pot of hot coffee on his leg. It hurt quite a bit. Then, gradually, the agony *abated*.

조지는 다리에 뜨거운 커피를 한 주전자나 쏟았다. 꽤 아팠지만, 조금 있으니 점차 통증이 가라앉았다.

Bad weather *abates* when good weather begins to return. A rain storm that does not let up continues unabated.

날씨가 개이기 시작하면 악천후가 누그러지는 것이다. 그치지 않는 폭우는 수그러들 줄 모르고 계속되는 것이다.

A tax *abatement* is a reduction in taxes. Businesses are sometimes given tax *abatements* in return for building factories in places where there is a particular need for jobs.

tax abatement 란 '세금감면' 을 뜻한다. 사업체가 특별히 고용창출이 필요한 곳에 공장을 세우면 그 대가로 종종 (정부로부터)세금감면 조치를 받는다.

**ABDICATE** [ǽbdəkèit] v **to step down from a position of power or responsibility**
**책임이나 권력의 지위를 버리다, 양위하다**

When King Edward VIII of England decided he would rather be married to Wallis Warfield Simpson, an American divorcee, than be king of England, he turned in his crown and *abdicated*.

영국의 국왕인 에드워드 8세가 영국의 왕이 되기보다는 미국인 이혼녀인 웰리스 와필드 심슨과의 결혼을 결심했을 때, 그는 왕관을 내놓고 국왕의 자리를 포기했다.

Even people who aren't monarchs can abdicate duties and responsibilities. Mary *abdicated* her responsibility as a baby-sitter by locking the five-year-old in a closet and flying to the Bahamas.

군주가 아닌 평범한 사람도 자신의 책임과 의무를 포기할 수 있다. 메리는 베이비시터로서의 책임을 저버리고, 다섯 살 짜리 아이를 벽장에 가두고는 바하마로 날아가 버렸다.

**ABERRATION** [æ̀bəréiʃən] n **something not typical ; a deviation from the standard**
**전형적이지 않은 것 ; 표준으로부터 이탈한 것**

Tom's bad behavior was an *aberration*. So was Harry's good behavior. That is, Tom was usually good and Harry was usually bad.

탐의 못된 행동은 평소와는 다른 것이었다. 해리의 착한 행동도 마찬가지였다. 즉, 탐은 평소 착한 아이였고, 반대로 해리는 평소에 나쁜 아이였다.

A snowstorm in June is an *aberration* ; snow doesn't normally fall in June.
유월의 눈보라는 이상현상이다 ; 정상대로라면, 유월에는 눈이 오지 않는다.

The chef at this restaurant is dreadful ; the good meal we just had was an *aberration*.
이 레스토랑의 주방장은 끔찍하다 ; 우리가 방금 먹은 음식은 정말 기이했다.
* 형용사는 aberrant [əbérənt].

Tom's behavior was *aberrant*.
탐의 행동은 정도에서 벗어난 것이었다.

The summer snowstorm was *aberrant*.
한여름의 그 눈보라는 정상이 아니었다.
* 발음에 주의할 것.

## ABHOR [æbhɔ́ːr] v to hate very, very much ; to detest 몹시 싫어하다 ; 혐오하다

To abhor something is to view it with horror. Hating a person is almost friendly in comparison with *abhorring* him or her.
abhor는 아주 혐오스럽게 여긴다는 뜻이다. hating은 abhorring과 비교하면 오히려 우호적인 것이다.

Emanuel *abhorred* having anvils dropped on his head.
엠마뉴엘은 귓속의 뼈가 울려 머리를 두드리는 것을 아주 혐오했다.

To abhor raw chicken livers is to have an *abhorrence* of them or to find them *abhorrent*.
닭의 생간을 abhor하는 것은 그것을 몹시 싫어하거나 그것이 혐오스럽다고 느끼는 것이다.

## ABJECT [ǽbdʒekt] adj hopeless ; extremely sad and servile ; defeated ; utterly bummed out 절망적인 ; 아주 비참하고 비굴한 ; 패배한 ; 완전히 낙담한

An *abject* person is one who is crushed and without hope. A slave would be *abject*, in all likelihood.
an abject person은 짓밟혀 희망이 없는 사람이다. 노예는 십중팔구 아마도 비참할 것이다.

Perhaps 90 percent of the time, when you encounter this word it will be followed by the word *poverty*. *Abject poverty* is hopeless, desperate poverty. The phrase "abject poverty" is overused. Writers use it because they are too lazy to think of anything more novel.
여러분이 이 단어를 접하는 경우의 대략 90%는 빈곤이라는 단어와 함께 붙어있을 것이다. abject poverty는 절망적인 가난을 의미한다. abject poverty라는 어구는 남용되는 경향이 있다. 작가들은 좀더 새로운 표현을 생각하는 게 귀찮아서 이 어구를 많이 사용한다.

## ABNEGATE [ǽbnəgèit] v to deny oneself things ; to reject ; to renounce 어떤 것을 자제하다 ; 거절하다 ; (권리 등을) 포기하다

Samantha *abnegated* desserts for one month after getting on the scale.
사만다는 저울에 올라가 몸무게를 재보고는 한달 동안 디저트를 자제했다.

*Self-abnegation* is giving up oneself, usually for some higher cause. Ascetics practice *self-abnegation* because they believe it will bring them closer to spiritual purity.
자기억제란 대체로 더 고귀한 목적 때문에 자기자신을 포기하는 것이다. 금욕주의자들은 자기억제를 통해서 영적인 순수함에 더 가까이 이를 수 있다고 믿기 때문에, 이를 실천한다.

## ABORTIVE [əbɔ́ːrtiv] adj unsuccessful 실패한

Mary and Elisabeth made an *abortive* effort to bake a birthday cake ; that is, their effort did not result in a birthday cake.
메리와 엘리자베스는 생일 케이크를 만드는데 실패했다 ; 즉, 그들의 노력은 생일 케이크라는 결과에 이르지 못했다.

Fred's attempt to climb the mountain was *abortive* ; he fell off when he was halfway up.
그 산을 등정하려던 프레드의 시도는 실패로 끝났다 : 그는 반쯤 올라갔을 때 굴러 떨어졌다.

To *abort* something is to end it before it is completed. An *aborted* pregnancy, called an *abortion*, is one that is ended before the baby is born. An *abortion* in this sense doesn't have to be the result of a controversial medical procedure.
abort something은 완성도 하기 전에 일을 끝내버리는 것을 말한다. 보통 abortion이라고 말하는 중지된 임신은 태아가 출생하기 전에 임신의 상태가 끝나는 것이다. 이와 같은 의미에서의 abortion은 반드시 오늘날 쟁점이 되고 있는 의학적 처리(중절수술)의 결과인 것은 아니다. (즉, 자연유산을 의미할 수도 있다)

## ABRIDGE [əbrídʒ] v to shorten ; to condense 단축하다 ; 요약하다

The thoughtful editor had *abridged* the massive book by removing the boring parts.
사려깊은 편집자는 지루한 부분을 삭제해서 그 두꺼운 책을 짧게 줄였다.

An *abridged* dictionary is one that has been shortened to keep it from crushing desks and people's laps.
an abridged dictionary는 사람들의 무릎과 책상을 보호하기 위해 내용을 줄인 축약본 사전이다.

An *abridgment* is a shortened or condensed work.
축약본은 작품을 짧게 줄이거나 요약한 것을 말한다.

## ABSOLUTE [ǽbsəlù:t] adj total ; unlimited ; perfect 총체적인 ; 제한 없는 ; 완전한

An *absolute* ruler is one who is ruled by no one else. An *absolute* mess is a total mess. An *absolute* rule is one that has no exceptions and that you must follow, no two ways about it.
절대군주는 어느 누구에 의한 통제도 받지 않는다. an absolute mess는 총체적인 혼란을 의미한다. an absolute rule은 예외가 없을뿐더러, 누구나 지켜야만 하는, 다른 길이란 있을 수 없는 규칙을 말한다.

*Absolute* is also a noun. It means something that is total, unlimited, or perfect. Death, for living things, is an *absolute*. There just isn't any way around it.
absolute는 명사로도 쓰인다. 그것은 총체적이거나, 제한이 없는 것, 또는 완전한 것을 의미한다. 생명체에게 있어 죽음은 절대적인 것이다. 죽음 외의 다른 지향점이란 있을 수 없다.

## ABSOLVE [æbvzálv, -sálv] v to forgive or to free from blame ; to free from sin ; to free from an obligation 용서하거나 비난을 면하게 하다 ; 죄를 용서하다 ; 의무를 면제하다

The priest *absolved* the sinner who had come to church to confess his sin.
신부님은 교회에 찾아와 고해성사를 한 죄인을 용서했다.

Tom's admission of guilt *absolved* Dick, who had originally been accused of the crime.
탐이 범행을 자백했기 때문에, 원래 범인으로 기소되었던 딕은 풀려나게 되었다.

It is also possible to *absolve* someone of a responsibility. Bill *absolved* Mary of her obligation to go to the prom with him. That is, he told her it was all right if she went with the captain of the football team instead.
누군가를 의무감에서 벗어나게 해줄 수도 있다. 빌은 댄스파티에 반드시 함께 가야 한다는 의무감에서 메리를 벗어나게 해주었다. 즉, 그는 자기 대신에 축구팀 주장과 함께 가도 좋다고 말해주었던 것이다.

* 명사형은 absolution[æ̀bsəlú:ʃən] (사면, 면제).

## QUICK QUIZ 

Match each word in the first column with its definition in the second column. Check your answers in the back of the book.

| | |
|---|---|
| 1. abash | a. step down from power |
| 2. abate | b. hopeless |
| 3. abdicate | c. unsuccessful |
| 4. aberration | d. forgive |
| 5. abhor | e. total |
| 6. abject | f. subside |
| 7. abnegate | g. detest |
| 8. abortive | h. shorten |
| 9. abridge | i. deviation |
| 10. absolute | j. embarrass |
| 11. absolve | k. renounce |

**ABSTINENT** [ǽbstənənt] adj **abstaining ; voluntarily not doing something, especially something pleasant that is bad for you or has a bad reputation** 삼가는 ; 자발적으로 어떤 일을 하지 않는, 특히 즐겁긴 하지만 명예롭지 못하거나 본인에게 좋지 않은 일을 삼가는

Beulah used to be a chain-smoker ; now she's *abstinent*(it was just too hard to get those chains lit).
뷸라는 한때 골초였다 ; 지금은 자제하고 있다(그렇게 연달아서 담뱃불을 붙이는 일이 너무 힘들었다 ).

Cynthia, who was dieting, tried to be *abstinent*, but when she saw the chocolate cake she realized that she would probably have to eat the entire thing.
다이어트 중인 신시아는 식욕을 억제하느라 애를 쓰고 있었다. 그러나, 초콜릿 케이크를 보는 순간, 그걸 전부 먹어버릴 수밖에 없다는 사실을 깨달았다.

* an abstainer는 무엇인가를 삼가고 있는 사람이다.

**ABSTRACT** [æbstrǽkt] adj **theoretical ; impersonal** 이론상의 ; 일반적인

To like something in the *abstract* is to like the idea of it. He liked oysters in the *abstract*, but when he actually tried one he became nauseated.
like something in the abstract는 대상을 추상적으로 좋아한다는 뜻이다. 그는 추상적으로(막연하게) 굴을 좋아했다. 그러나 실제로 먹어보고는 욕지기를 하게 되었다.

**ABSTRUSE** [æbstrúːs] adj **hard to understand** 난해한

The professor's article, on the meaning of meaning, was very *abstruse*. Michael couldn't even pronounce the words in it.
의미의 의미에 관한, 그 교수의 논문은 대단히 이해하기 어려웠다. 마이클은 심지어 논문에 나와있는 단어조차도 읽을 수가 없었다.

Nuclear physics is a subject that is too *abstruse* for most people.
핵물리학은 평범한 대부분의 사람들에게는 너무 어려운 학문이다.

**ABYSMAL** [əbízməl] adj **extremely hopeless or wretched ; bottomless** 아주 비참한, 또는 희망 없는 ; 끝없이 깊은

An *abyss*[əbís] is a bottomless pit, or something so deep that it seems bottomless. *Abysmal* despair is despair so deep that no hope seems possible.
abyss는 끝없이 깊은 구덩이나, 너무 깊어서 바닥을 알 수 없는 것을 의미한다. abysmal despair는 모든 희망이 사라진 것 같은 깊은 절망이다.

The nation's debt crisis was *abysmal* ; there seemed to be no possible solution to it.
그 나라의 채무 위기는 절망적이었다 ; 아무런 해결책도 없는 것 같았다.

*Abysmal* is often used somewhat sloppily to mean very bad. You might hear a losing baseball team's performance referred to as *abysmal*. This isn't strictly correct, but many people do it.
abysmal은 대충 '아주 나쁘다' 라는 의미로 자주 사용된다. 야구경기에서 패한 팀의 성적을 abysmal이라고 표현하는 것을 들어본 적이 있을 것이다. 이것은 엄밀히 말하자면 올바른 표현은 아니다. 하지만 많은 사람들이 그렇게 쓰고 있다.

**ACCOLADE** [ǽkəlèid] n **an award ; an honor** 상, 상품, 상금 ; 영예

This word is generally used in the plural. The first break-dancing troupe to perform in Carnegie Hall, the Teflon Toughs, received the *accolades* of the critics as well as of the fans.
이 단어는 일반적으로 복수로 쓰인다. 최초로 카네기홀에서 브레이크댄스를 공연한 팀, 테프론 터프스는 팬들은 물론 비평가들에게도 호평을 받았다.

**ACCOST** [əkɔ́ːst] v **to approach and speak to someone** 다가가서 말을 걸다

Amanda karate chopped the stranger who *accosted* her in the street and was embarrassed to find he was an old blind man.
아만다는 거리에서 그녀에게 다가와 말을 건 낯선 사람을 가라데로 한 방 먹였는데 그가 눈이 먼 노인이라는 사실을 깨닫고 당황했다.

**ACERBIC** [əsə́ːrbik] adj **bitter ; sour ; severe** 쓴맛의 ; 신맛의 ; 심한, 신랄한

Barry sat silently as our teacher read aloud her *acerbic* comments on his paper.
선생님이 배리의 논문에 적은 신랄한 비평을 큰 소리로 읽는 동안, 그는 말없이 앉아 있었다.
* acerb와 acerbic은 동의어이다. acerbity는 쓴맛이나 신랄함을 의미한다.

**ACQUIESCE** [æ̀kwiés] v **to comply passively ; to accept ; to assent ; to agree** 수동적으로 응하다 ; 받아들이다 ; 동의하다 ; 찬성하다

To *acquiesce* is to do something without objection—to do it quietly. As the similarity of their spellings indicates, the words *acquiesce* and *quiet* are closely related. They are both based on Latin words meaning rest or be quiet.
acquiesce는 이의를 제기하지 않고 어떤 일을 하는 것 — 묵묵히 그 일을 하는 것이다. 철자의 유사함이 보여주듯이, acquiesce와 quiet는 서로 밀접한 관련이 있다. 두 단어 모두 안식이나 조용함을 의미하는 라틴어에 뿌리를 두고 있다.

The pirates asked Pete to walk the plank ; he took one look at their swords and then *acquiesced*.
해적들은 피트에게 배 밖으로 걸쳐진 판자 위를 걸으라고 명령했다 ; 그는 해적들의 칼을 힐끗 돌아보고는 말없이 명령을 받아들였다.

*Acquiesce* is sometimes used sloppily as a simple synonym for *agree* in situations where it isn't really appropriate. For example, it isn't really possible to *acquiesce* noisily, enthusiastically, or eagerly. Don't forget the *quiet* in the middle.
acquiesce는 때때로 실제로는 적절치 못한 상황인데도, 별다른 의미 없이 단순하게 agree의 동의어로 사용되기도 한다. 예를 들면, 소리를 지르며, 열광적으로, 열렬히 묵인하다는 것은 사실 불가능하다. 이 단어의 중심에 'quiet' 가 있다는 사실을 잊지 말아라.

**ACRID** [ǽkrid] adj **harsh ; like acid** 역겨운, 불쾌한 ; 산과 같은, 톡 쏘는, 신랄한

The chili we had at the party had an *acrid* taste ; it was harsh and unpleasant.
파티에서 우리가 먹은 칠리는 맛이 역겨웠다 : 그것은 역하고 불쾌했다.

Long after the fire had been put out, we could feel the *acrid* sting of smoke in our nostrils.
화재가 진압되고 한참이나 지났지만, 여전히 콧구멍을 자극하는 매캐한 연기를 느낄 수 있었다.

*Acrid* is used most often with tastes and smells, but it can be used more broadly to describe anything that is offensive in a similar way. A comment that stung like *acid* could be called acrid. So could a harsh personality.
acrid는 대체로 맛이나 냄새와 연관되어 쓰인다. 그러나 무엇이든 그와 비슷하게 불쾌한 것을 표현하는 데 보다 더 폭넓게 사용될 수 있다. 산처럼 톡 쏘는 논평은 acrid('신랄한'의 뜻)하다고 할 수 있다. a harsh personality(모진 성격)의 경우도 마찬가지로 acrid라는 표현을 쓸 수 있다.

**ACRIMONIOUS** [æ̀krəmóuniəs] adj **full of spite ; bitter ; nasty** 앙심을 품은 ; 신랄한 ; 험악한

George and Elizabeth's discussion turned *acrimonious* when Elizabeth introduced the subject of George's perennial, incorrigible stupidity.
엘리자베스가 도대체 개선될 조짐이 보이지 않는 조지의 끊임없는 어리석음에 대한 이야기를 꺼내자, 조지와 엘리자베스의 토론 분위기는 험악하게 변해버렸다.

Relations between the competing candidates were so *acrimonious* that each refused to acknowledge the presence of the other.
경쟁하고 있는 후보간의 관계는 지독히도 적대적이어서, 그들은 상대방의 존재조차 인정하려 하지 않았다.

**ACUMEN** [ǽkju:mən/əkjú:-] n **keenness of judgment ; mental sharpness** 판단의 예리함 ; 정신적 날카로움

A woman who knows how to turn a dollar into a million dollars overnight might be said to have a lot of business *acumen*.
하루 밤 동안에 일 달러를 백만 달러로 만들 수 있는 여자라면, 사업적 통찰력이 대단하다고 말할 수 있을 것이다.

Ernie's near-total lack of *acumen* led him to invest all his money in a company that had already gone out of business.
어니는 통찰력이라곤 전혀 없는 탓에 이미 망해버린 회사에 자신의 모든 돈을 투자하게 되었다.
* 발음에 주의할 것.

## QUICK QUIZ 2

Match each word in the first column with its definition in the second column. Check your answers in the back of the book.

| | |
|---|---|
| 1. abstinent | a. hard to understand |
| 2. abstract | b. voluntarily avoiding |
| 3. abstruse | c. wretched |
| 4. abysmal | d. bitter(2) |
| 5. accolade | e. comply |
| 6. accost | f. harsh |
| 7. acerbic | g. mental sharpness |
| 8. acquiesce | h. theoretical |
| 9. acrid | i. award |
| 10. acrimonious | j. approach someone |
| 11. acumen | |

**ACUTE** [əkjúːt] adj **sharp ; shrewd** **날카로운 ; 빈틈없는, 예리한**

If your eyesight is *acute*, you can see things that other people can't. You have visual *acuity* [əkjúːəti]. An *acute* mind is a quick, intelligent one. You have mental *acuity*. An *acute* pain is a sharp pain.
여러분의 시각이 예리하다면, 다른 사람들이 보지 못하는 것을 볼 수도 있다. 여러분은 시각적인 예리함이 있다. an acute mind는 민첩하고 지적 능력이 뛰어난 사람이다. 여러분은 지적 예리함도 있다. an acute pain은 격렬한 통증을 의미한다.

*Acute* means sharp only in a figurative sense. A knife, which is sharp enough to *cut*, is never said to be *acute*.
acute는 단지 비유적인 의미에서의 날카로움을 의미한다. 물건을 자를 수 있을 만큼 날카로운 칼을 표현할 때는 acute라는 단어를 사용하지 않는다.

*Acute* is a word doctors throw around quite a bit. An *acute* disease is one that reaches its greatest intensity very quickly and then goes away. What could a disease be if it isn't *acute*? See *chronic*.
acute는 의사들이 상당히 많이 남발하는 단어이다. an acute disease는 급속도로 최악의 상태에 이르고는 곧 사라져버리는 질병을 의미한다. 급성질환이 아닌 질병은 무엇일까? chronic(만성의, 고질의)을 참조하라.

**ADAMANT** [ǽdəmənt] adj **stubborn ; unyielding ; completely inflexible** **완고한 ; 굴복하지 않는 ; 절대로 구부러지지 않는**

Candice was *adamant*: she would never go out with Paul again.
캔디스는 강경했다 : 그녀는 다시는 폴과 데이트를 하려 하지 않았다.

A very hard substance, like a diamond, is also *adamant*.
다이아몬드처럼 아주 단단한 물질도 또한 adamant하다고 한다.
* adamantine과 adamant는 동의어이다. 명사형은 adamancy.

## ADDRESS [ədrés] v to speak to ; to direct one's attention to 말을 걸다 ; ~에 주의를 돌리다

To *address* a convention is to give a speech to the convention. To *address* a problem is to face it and set about solving it. Ernie *addressed* the problem of *addressing* the convention by sitting down and writing his speech.

address a convention은 집회에 나가 연설한다는 뜻이다. address a problem은 문제에 직면하여 그것을 풀기 시작한다는 의미이다. 어니는 집회 참가자들에게 연설을 해야 하는 당면 문제를 해결하기 위해 우선 자리에 앉아 연설문을 작성하기 시작했다.

## ADHERENT [ædhíərənt] n follower ; supporter ; believer 추종자 ; 지지자 ; 신봉자, 신자

* 발음에 주의할 것.

The king's *adherents* threw a big birthday party for him, just to show how much they liked him.

왕의 추종자들은 단지 그들의 충성심을 보일 목적으로 왕을 위해 성대한 생일파티를 열었다.

To *adhere* to something is to stick to it. *Adherents* are people who *adhere* to, or stick to, something or someone. Following someone or something, especially rules or laws, is *adherence*.

adhere은 무언가에 강하게 집착하는 것이다. adherents는 어떤 사람이나 사물을 고수하거나 신봉하는 사람들을 의미한다. 사람이나 무언가를, 특히 규칙이나 법률을 따르는 것을 adherence라 한다.

A religion could be said to have *adherents*, assuming there are people who believe in it. Governments, causes, ideas, people, philosophies, and many other things can have *adherents*, too.

믿는 사람들이 있는 종교라면, '신자가 있다' 라는 표현을 쓸 수 있다. 정부나 대의명분, 이념, 사람, 철학, 그밖에 다른 많은 것들도 역시 신봉자를 가질 수 있다.

## ADMONISH [ædmɑ́niʃ, əd-] v to scold gently ; to warn 점잖게 야단치다 ; 경고하다

The boys' mother *admonished* them not to eat the pie she had just baked. When they did so anyway, she *admonished* them for doing it. In the first sentence *admonish* means warn ; in the second it means scold gently. Consider yourself *admonished* not to misuse this word.

엄마는 아이들에게 그녀가 방금 구어 낸 파이를 먹지 말라고 경고했다. 아이들이 말을 듣지 않고 먹어버리자, 엄마는 아이들의 행동에 대해 점잖게 타일렀다. 첫 번째 문장에서 admonish는 '경고하다' 를 의미한다 ; 두 번째 문장에서 admonish는 '점잖게 야단치다' 라는 뜻이다. 이 단어를 잘못 사용하지 않도록 자신에게 경고해두는 것이 어떨까.

* 명사형과 형용사형은 각각 admonition과 admonitory이다.

## ADROIT [ədrɔ́it] adj skillful ; dexterous ; clever ; shrewd ; socially at ease 능숙한 ; 솜씨 좋은 ; 영리한 ; 기민한 ; 허물없이 편한

*Adroit* comes from droit, which is the French word for *right* (the opposite of *left*). *Dexterous*, which means pretty much the same thing as *adroit*, comes from *dexter*, which is the Latin word for *right* (the opposite of *left*). Right-handed people were once thought to be more *dexterous* and *adroit* than left-handed people. In fact, left-handed people were once thought to be downright evil, or *sinister*, which is the Latin word for *left* (the opposite of *right*). To say nowadays that right-handed people are better than left-handed people would be considered *gauche*, which means graceless, crude, socially awkward, or clumsy. *Gauche*[gohsh] is the French word for *left* (the opposite of *right*). A synonym for *gauche* is *maladroit*.

adroit는 '우측(좌측에 반대되는 개념으로)' 을 뜻하는 프랑스어 droit에서 유래한 단어이다. adroit와 같은 뜻을 가진 단어 dexterous는 '우측(좌측에 반대되는 개념으로)' 을 뜻하는 라틴어 dexter에서 유래한 단어이다. 옛날에는 오른손잡이들이 왼손잡이들보다 더 솜씨 있고 빈틈이 없다고 생각했다. 사실, 옛날 사람들은 왼손잡이들을 아주 사악하다고(sinister ; 우의 반대개념으로서 좌를 의미하는 라틴어)' 생각했다. 오늘날에는 오른손잡이가 왼손잡이보다 우월하다고 말한다면, gauche하다고 여겨질 것이다. gauche는 '왼쪽' 을 뜻하는 프랑스어로 '품위가 없거나, 세련되지 못하거나, 사교성이 떨어지거나, 서투르다' 는 의미를 담고 있다. gauche의 동의어는 maladroit.

Got all that? Here it is again. It would be *gauche* to go to the ball wearing your right shoe on your left foot and your left shoe on your right foot. It would also be hard to dance *adroitly* with your shoes that way. If you were sufficiently *dexterous*, you might be able to switch and retie your shoes while you were dancing, but your dancing partner might think you were up to something *sinister* down there and ask you to keep both your right hand and your left hand to yourself.

전부 이해했는가? 다시 해보자. 오른쪽과 왼쪽의 신발을 바꿔 신고 무도회에 가는 것은 눈치없는 짓일 것이다. 그렇게 하고서는 능숙하게 춤을 추기도 어려울 것이다. 당신이 꽤 눈치가 있는 사람이라면, 춤추다가 사실을 알아차리고 신발을 바꿔 신고 끈을 다시 맬 수 있을 것이다. 그러나, 댄스파트너는 당신이 뭔가 좋지 못한 일을 하기 위해 손을 아래로 내렸다고 생각해서 양손을 가만히 제자리에 두라고 요구할지도 모른다.

**ADULATION** [ædʒəléiʃən] n **wild or excessive admiration ; flattery** 열광적이고 과대한 칭찬 ; 아첨

The boss thrived on the *adulation* of his scheming secretary.
사장은 교활한 비서의 아첨에 의기양양했다.

The rock star grew to abhor the *adulation* of his fans.
그 록스타는 팬들의 열광적인 환호를 혐오하게 되었다.

There is a note of insincerity in *adulation*, as there is in *flattery*. The verb is *adulate* [ǽdʒəlèit].
아첨과 마찬가지로, 지나친 칭찬에도 위선적인 측면이 있다. 동사형은 adulate.

## QUICK QUIZ 3

Match each word in the first column with its definition in the second column. Check your answers in the back of the book.

| | |
|---|---|
| 1. acute | a. sharp |
| 2. adulation | b. follower |
| 3. adamant | c. socially awkward |
| 4. address | d. scold gently |
| 5. adherent | e. speak to |
| 6. admonish | f. skillful(2) |
| 7. adroit | g. unyielding |
| 8. dexterous | h. wild admiration |
| 9. gauche | |

**ADULTERATE** [ədʌ́ltərèit] v **to contaminate ; to make impure** 오염시키다 ; 불순물을 섞다

We discovered that our orange juice had radioactive waste in it ; we discovered, in other words, that our orange juice had been *adulterated*.
우리는 오렌지 주스에 방사능 물질이 들어있다는 것을 발견했다 ; 다시 말해서 우리는 그 주스가 오염되었다는 것을 알아냈다.

Vegetarians do not like their foods *adulterated* with animal fats.
채식주의자들은 동물성 지방이 들어간 음식을 좋아하지 않는다.

*Unadulterated* means pure. *Unadulterated* joy is joy untainted by sadness.
unadulterated는 순수한 상태를 의미한다. unadulterated joy란 한 점 슬픔이라곤 없는 최고의 즐거움을 의미한다.

## ADVERSE [ædvə́ːrs] adj unfavorable ; antagonistic 불리한 ; 상반되는

Airplanes often don't fly in *adverse* weather.
악천후일 때, 비행기는 종종 결항한다.

We had to play our soccer match under *adverse* conditions: it was snowing and only three members of our team had bothered to show up.
우리는 불리한 조건에서 축구 경기를 치러야만 했다: 눈이 오고 있어서 우리 팀 선수는 세 명밖에 나타나지 않았다.

An airplane that took off in bad weather and reached its destination safely would be said to have overcome *adversity*. *Adversity* means misfortune or unfavorable circumstances. To do something "in the face of *adversity*" is to undertake a task despite obstacles. Some people are at their best in *adversity*, because they rise to the occasion.
악천후 속에 이륙하여 무사히 목적지에 도착한 비행기는 adversity(역경)를 극복한 것이라고 말할 수 있다. adversity는 불운이나 불리한 상황을 의미한다. '역경을 무릅쓰고' 어떤 일을 한다는 것은 여러 장애에도 불구하고 임무를 수행하는 것이다. 난국에 결연히 맞서기 때문에 역경 속에서 오히려 빛을 발하는 사람들도 있다.

A word often confused with *adverse* is *averse*[əvə́ːrs]. The two are related but they don't mean quite the same thing. A person who is *averse* to doing something is a person who doesn't want to do it. To be *averse* to something is to be opposed to doing it-to have an *aversion* to doing it.
adverse와 자주 혼동하는 단어로 averse가 있다. 두 단어는 관련은 있지만, 같은 의미는 아니다. 어떤 일을 하는 것을 averse하는 사람은 그 일을 하기 싫어하는 사람이다. 무엇인가를 averse한다는 것은 그것을 하기 싫어한다는 의미이다.

## AESTHETIC [esθétik] adj having to do with artistic beauty ; artistic 예술적 미에 관계된, 미적인 ; 예술적인

Our art professor had a highly developed *aesthetic* sense ; he found things to admire in paintings that, to us, looked like garbage.
우리 미술교수는 예술적 감각이 대단히 발달된 사람이었다 : 우리 눈에는 쓰레기처럼 보이는 그림에서도 교수는 감탄할만한 요소들을 찾아내곤 했다.

Someone who admires beautiful things greatly can be called an *aesthete*[ésθiːt]. *Aesthetics* is the study of beauty or principles of beauty.
아름다운 것을 매우 찬미하는 사람은 탐미주의자라고 부를 수 있다. 미학은 미 또는 미의 원리를 연구하는 학문이다.

## AFFABLE [ǽfəbl] adj easy to talk to ; friendly 붙임성 있는 ; 친절한

Susan was an *affable* girl ; she could strike up a pleasant conversation with almost anyone.
수잔은 붙임성 있는 소녀였다 : 그녀는 어느 누구와도 유쾌하게 대화를 시작할 수 있었다.

The Jeffersons' dog was big but *affable* ; it liked to lick little children on the nose.
제퍼슨네 개는 덩치는 커다랗지만 붙임성이 있었다 : 그 개는 꼬마들의 코를 핥는 것을 좋아했다.

* 명사형은 affability[æ̀fəbíləti].

## AFFECTATION [æ̀fektéiʃən] n unnatural or artificial behavior, usually intended to impress 대체로 남에게 보이기 위해 의도된, 부자연스럽거나 인위적인 행동

Bucky's English accent is an *affectation*. He spent only a week in England, and that was several years ago.
버키의 영국식 악센트는 가식이다 : 그는 영국이라곤 단지 일주일간 머물렀을 뿐이며, 그것도 수년 전에 있었던 일이다.

Elizabeth had somehow acquired the absurd *affectation* of pretending that she didn't know how to turn on a television set.
엘리자베스는 웬일인지 텔레비전을 켜는 방법을 모르는 척하는 우스꽝스러운 가식적 태도가 생겼다.

A person with an *affectation* is said to be *affected*.
겉으로 꾸며서 행동하는 사람은 affected하다고 말한다.

To *affect* a characteristic or habit is to adopt it consciously, usually in the hope of impressing other people. Edward affected to be more of an artist than he really was. Everyone hated him for it.
성격이나 습관을 가장하는 것은 대개 다른 사람들에게 인상적으로 보이기를 바라는 마음에서 의식적으로 그렇게 하는 것이다. 에드워드는 실제보다 더 화가인 척했다. 그것 때문에 다들 그를 미워했다.

**AFFINITY** [əfínəti] n **sympathy ; attraction ; kinship ; similarity** **동정, 공감 ; 끌림 ; 친족 관계, 유사 ; 유사성**

Ducks have an *affinity* for water ; that is, they like to be in it.
오리는 물을 좋아한다 ; 즉, 오리는 물 속에 들어가 있는 것을 좋아한다.

Children have an *affinity* for trouble ; that is, they often find themselves in it.
아이들은 장난을 좋아한다 ; 다시 말하면, 그들은 종종 장난을 친다.

Magnets and iron have an *affinity* for each other ; that is, each is attracted to the other.
자석과 철은 서로 끄는 힘을 가지고 있다 ; 즉, 자석과 철은 서로를 끌어당긴다.

*Affinity* also means similarity or resemblance. There is an *affinity* between snow and sleet.
affinity는 또한 유사성이나 닮음을 의미하기도 한다. 눈과 진눈깨비는 서로 유사한 점이 있다.

**AFFLUENT** [ǽfluənt, əflú:-] adj **rich ; prosperous** **부유한 ; 번창하는**

* 발음에 주의할 것.

A Person can be *affluent* ; all it takes is money. A country can be *affluent*, too, if it's full of *affluent* people.
사람은 부자가 될 수 있다 ; 돈만 있으면 된다. 모든 국민이 부자가 된다면, 국가도 역시 부자가 될 수 있다.

*Affluence* means the same thing as wealth or prosperity.
affluence는 부나 번영을 뜻한다.

**AGENDA** [ədʒéndə] n **program ; the things to be done** **일정, 계획 ; 해야 할 일들, 안건**

What's on the *agenda* for the board meeting? A little gossip, then lunch.
중역회의의 일정은 어떻게 되는가? 간단한 잡담을 하고 점심을 먹는 것이다.

A politician is often said to have an *agenda*. The politician's *agenda* consists of the things he or she wishes to accomplish.
정치가는 종종 안건을 가지고 있다고 말해진다. 정치가의 안건은 그가 완수하고자 하는 일들로 구성되어 있다.

An *agenda*, such as that for a meeting, is often written down, but it doesn't have to be. A person who has sneaky ambitions or plans is often said to have a secret or hidden *agenda*.
가령 회의 같은 것의 안건은 종종 문건으로 기록되곤 하지만 반드시 그런 것만은 아니다. 은밀한 야망이나 계획을 가지고 있는 사람은 종종 비밀스럽게 감추어진 안건을 따로 지니고 있다고도 한다.

**AGRARIAN** [əgrέəriən] adj **relating to land ; relating to the management or farming of land** **땅(토지)에 관련된 ; 경작이나 농업에 관련된**

*Agrarian* usually has to do with farming. Think of agriculture.
agrarian은 대체로 농사와 관계가 있다. agriculture(농업)라는 단어를 생각해 보라.

Politics in this country often pit the rural, *agrarian* interests against the urban interests.
이 나라의 정책은 종종 농촌의 농민들과 도시에서 생활하는 사람들의 이해관계를 대립시키곤 한다.

## QUICK QUIZ 

Match each word in the first column with its definition in the second column. Check your answers in the back of the book.

| | |
|---|---|
| 1. adulterate | a. opposed to |
| 2. adverse | b. friendly |
| 3. averse | c. rich |
| 4. aesthetic | d. unnatural behavior |
| 5. affable | e. artistic |
| 6. affectation | f. contaminate |
| 7. affinity | g. sympathy |
| 8. affluent | h. unfavorable |
| 9. agenda | i. program |
| 10. agrarian | j. relating to land |

**AGGREGATE** [ǽgrigət] n **sum total ; a collection of separate things mixed together**
**합계 ; 분리된 것을 전부 섞어서 모아놓은 것**

Chili is an *aggregate* of meat and beans.
칠리는 고기와 콩을 혼합한 요리이다.

*Aggregate* [ǽgrigèit] can also be a verb or an adjective. You would make chili by aggregating meat and beans. Chili is an *aggregate* [ǽgrigət] food.
aggregate는 동사나 형용사로도 쓰인다. 여러분은 고기와 콩을 혼합해서 칠리를 만들 것이다. 칠리는 혼합음식이다.

Similar and related words include *congregate*, *segregate*, and *integrate*. To *aggregate* is to bring together, to *congregate* is to get together, to *segregate* is to keep apart (or separate), to *integrate* is to unite.
이 단어와 유사한 뜻을 갖고 있거나 관계 있는 단어로 congregate, segregate, integrate 등이 있다. aggregate는 모으다, congregate는 모이다, segregate는 격리하다(또는 분리하다), integrate는 통합하다의 뜻이다.

A church's *congregation* is the group of people that gets together inside it on Sunday.Racial *segregation* is the separation of different races. School systems in which blacks and whites attend different schools are called *segregated*.
교회의 congregation은 주일에 교회에 모이는 사람들의 무리를 일컫는다. racial segregation은 서로 다른 인종간의 분리를 의미한다. 백인과 흑인이 서로 다른 학교에 다니는 학교제도는 segregated(인종 차별을 하는)하다고 말한다.

The act of opening those schools to members of all races is called *integration*.
그런 학교를 모든 인종의 사람들에게 개방하는 조치를 integration(인종 차별 폐지)이라 한다.

**AGNOSTIC** [ægnástik] n **one who believes that the existence of a god can be neither proven nor disproven** **신의 존재는 증명된 것도, 안된 것도 아니라고 믿는 사람(불가지론자)**

An *atheist* is someone who does not believe in a god. An *agnostic*, on the other hand, isn't sure. He doesn't believe but he doesn't not believe, either.

무신론자는 신의 존재를 믿지 않는 사람이다. 반면에 불가지론자는 신의 존재에 대한 확신이 없는 사람이다. 그는 신의 존재를 믿지도 않지만 그렇다고 해서 꼭 안 믿는 것도 아니다.

* 명사형은 agnosticism [ægnástəsizm].

**ALACRITY** [əlǽkrəti] n **cheerful eagerness or readiness to respond** 밝게 기꺼이 또는 쉽게 응함

* 발음에 주의할 것.

David could hardly wait for his parents to leave ; he carried their luggage out to the car with great *alacrity*.

데이비드는 부모님이 떠날 때까지 기다리고 있을 수가 없었다 : 그는 아주 기꺼이 그들의 짐을 들고 나가 차에 실었다.

**ALLEGE** [əlédʒ] v **to assert without proof** 증거 없이 주장하다

If I say, "Bill *alleges* that I stole his hat," I am saying two things:
1. Bill says I stole his hat.
2. I say I didn't do it.
To *allege* something is to assert it without proving it. Such an assertion is called an *allegation* [æligéiʃən].

"빌은 내가 자기의 모자를 훔쳤다고 주장한다." 라는 말은, 다음 두 가지 사실을 말하고 있는 것이다.
1. 빌은 내가 그의 모자를 훔쳤다고 말한다.
2. 나는 훔치지 않았다고 말한다.
allege는 증명되지 않은 사실을 주장하는 것이다. 그 같은 주장을 allegation이라 한다.

The adjective is *alleged* [əlédʒ(i)d]. If the police accuse someone of having committed a crime, newspapers will usually refer to that person as an *alleged* criminal. The police have *alleged* that he or she committed the crime, but a jury hasn't made a decision yet.

형용사는 alleged. 경찰이 누군가에게 범죄를 저질렀다는 혐의를 둔다면, 언론은 일반적으로 그 사람을 혐의자라고 부를 것이다. 경찰은 그 사람이 범행을 저질렀다고 (충분한 증거 없이) 주장했지만 배심원은 아직 결론을 내리지 않은 것이다.

**ALLEVIATE** [əlíːvièit] v **to relieve, usually temporarily or incompletely ; to make bearable ; to lessen** 대체로 일시적으로, 또는 불완전하게 덜어주다 ; 견딜만하게 해주다 ; 줄이다

Aspirin *alleviates* headache pain. When your headache comes back, take some more aspirin.

아스피린은 두통을 완화시켜 준다. 두통이 재발하면, 아스피린을 좀더 복용해라.

Visiting the charming pet cemetery *alleviated* the woman's grief over the death of her canary.

잘 꾸며진 애완동물 묘지를 방문하고 나서야, 여인은 카나리아를 잃은 슬픔을 덜 수 있었다.

**ALLOCATE** [ǽləkèit] v **to distribute ; to assign ; to allot** 분배하다 ; 할당하다 ; 배당하다

The long car trip had been a big failure, and David, Doug, and Jan spent several hours attempting to *allocate* the blame. In the end, they decided it had all been Jan's fault.

긴 자동차 여행은 크게 실패했다. 데이비드와 더그와 잔은 실패의 책임 여부를 따지느라 몇 시간을 허비했다. 결국, 그들은 모든 것이 전부 잔의 잘못이라고 결론을 내렸다.

The office manager had *allocated* just seven paper clips for our entire department.

국장은 우리 부서 전체에 서류철을 단지 일곱 개만 할당해 주었다.

**ALLOY** [ǽlɔi] n **a combination of two or more things, usually metals** 대개 금속 물질을 두 개 혹은 그 이상 혼합한 것

Brass is an *alloy* of copper and zinc. That is, you make brass by combining copper and zinc.

황동은 구리와 아연의 합금이다. 즉, 구리와 아연을 혼합해서 황동을 만든다.

*Alloy*[əlɔ́i] is often used as a verb. To *alloy* two things is to mix them together. There is usually an implication that the mixture is less than the sum of the parts. That is, there is often something undesirable or debased about an *alloy* (as opposed to a pure substance).

alloy는 종종 동사로도 쓰인다. to alloy two things는 두 가지의 물체를 서로 섞는 것이다. 여기에는 일반적으로 그 혼합물이 개별적인 두 물질의 단순한 합보다 더 열등하다는 의미가 내포되어 있다. 다시 말해서, 혼합물(순수한 물질에 반대되는 개념으로)에는 흔히 바람직하지 못하거나 가치가 저하된 것이 있다는 뜻이다.

*Unalloyed* means undiluted or pure. *Unalloyed* dislike is dislike undiminished by any positive feelings ; *unalloyed* love is love undiminished by any negative feelings.

unalloyed는 이물질이 섞이지 않았거나 순수하다는 뜻이다. unalloyed dislike는 어떠한 긍정적인 느낌에 의해서도 줄어들지 않는 순수한 혐오를 의미한다 ; unalloyed love는 어떠한 부정적인 느낌에 의해서도 줄어들지 않는 순수한 사랑이다.

## QUICK QUIZ 5

Match each word in the first column with its definition in the second column. Check your answers in the back of the book.

| | |
|---|---|
| 1. aggregate | a. get together |
| 2. congregate | b. unite |
| 3. segregate | c. someone unconvinced about the existence of a god |
| 4. integrate | d. relieve |
| 5. agnostic | e. keep apart |
| 6. alacrity | f. combination of metals |
| 7. allege | g. sum total |
| 8. alleviate | h. distribute |
| 9. allocate | i. assert |
| 10. alloy | j. cheerful eagerness |

**ALLUSION** [əlúːʒən] n **an indirect reference(often to a literary work) ; a hint** **간접적인 언급(종종 문학 작품에 대한) ; 암시, 귀띔**

To *allude* to something is to refer to it indirectly. When Ralph said, "I sometimes wonder whether to be or not to be," he was *alluding* to a famous line in *Hamlet*. If Ralph had said, "As Hamlet said, 'To be or not to be, that is the question,' "his statement would have been a direct reference, not an *allusion*.

allude to something은 무언가를 간접적으로 언급하는 것이다. "나는 가끔 사느냐 죽느냐하는 문제에 대해 생각해."라고 랄프가 말했다면, 그는 햄릿의 유명한 구절을 암시하는 것이다. 만약 랄프가 "햄릿이 말했듯이 '사느냐 죽느냐, 그것이 문제로다'"라고 말했다면, 그 말은 암시가 아니라 직접적인 인용이 되었을 것이다.

An *allusion* is an *allusion* only if the source isn't identified directly. Anything else is a reference or a quotation.

allusion은 출처를 직접적으로 밝히지 않는 경우에만 allusion이 된다. 언급, 그 외의 경우는 reference(지시)나 quotation(인용)이다.

If Andrea says, "I enjoyed your birthday party," she isn't *alluding* to the birthday party ; she's referring to it, or mentioning it. But if she says, "I like the way you blow out candles," she is *alluding* to the party.

"너네 생일 파티 즐거웠어"라고 안드리아가 말한다면, 그녀는 생일 파티에 대해 간접적으로 언급하고 있는 것이 아니다 : 그녀는 직접 그것에 대해 언급하고 있는 것이다. 그러나, "너의 촛불 끄는 방법이 마음에 들었어"라고 그녀가 말한다면, 그녀는 파티에 대해 간접적으로 언급하고 있는 것이다.

**ALOOF** [əlúːf] adj **uninvolved ; standing off ; keeping one's distance** **관여(참여)하지 않는 ; 멀리 떨어진 ; 거리를 유지하는**

Al, on the roof, felt very *aloof*.
지붕 위의 알은 혼자 외떨어졌다는 느낌을 받았다.

To stand *aloof* from a touch-football game is to stand on the sidelines and not take part.
터치 풋볼 경기에 stand aloof 하는 것은 경기에 참여하지 않고 방관자적 입장에 있는 것을 의미한다.

Cats are often said to be *aloof* because they usually mind their own business and don't crave the affection of people.
고양이는 대개 자신의 일에만 열중하고, 사람들에게 사랑을 받으려고 애쓰지 않는다는 이유로 쌀쌀맞은 동물이라는 얘기를 자주 듣는다.

**ALTRUISM** [ǽltruìzm] n **selflessness ; generosity ; devotion to the interests of others** **이기심이 없음 ; 관대함 ; 타인의 이익을 위한 헌신**

The private foundation depended on the *altruism* of the extremely rich old man. When he decided to start spending his money on his new eighteen-year-old girlfriend instead, the foundation went out of business.
그 사단법인은 아주 부유한 노인의 이타심에 의존하고 있었다. 그러나, 노인이 자신의 재산을 단체에 기부하는 대신 열 여덟 살 짜리 새 애인에게 써야겠다고 결정하자, 재단은 파산하고 말았다.

To be *altruistic* is to help others without expectation of personal gain. Giving money to charity is an act of *altruism*. The *altruist* does it just to be nice, although he'll probably also remember to take a tax deduction.
altruistic한 것은 사적인 이득을 바라지 않고 남을 도와주는 것이다. 자선단체에 돈을 기부하는 것은 이타주의를 실천하는 것이다. 아마도 나중에 세금 공제 받는 것을 기억해낸다고 할지라도, 이타주의자는 단지 지금 그것이 좋은 일이기 때문에 그 일을 하는 것이다.

An *altruistic* act is also an act of philanthropy, which means almost the same thing.
이타적인 행동은 또한 philanthropy(박애주의)의 실천이다. philanthropy는 altruism과 거의 같은 의미의 단어.

**AMBIENCE** [ǽmbiəns] n **atmosphere ; mood ; feeling** **분위기 ; 느낌**

By decorating their house with plastic beach balls and Popsicle sticks, the Cramers created a playful *ambience* that delighted young children.
크레이머 부부는 플라스틱 물놀이공과 아이스크림 막대기로 집을 장식해서, 아이들을 즐겁게 해주는 장난스런 분위기를 연출했다.

A restaurant's *ambience* is the look, mood, and feel of the place. People sometimes say that a restaurant has "an atmosphere of *ambience*." To do so is redundant—*atmosphere* and ambience mean the same thing.
레스토랑의 ambience란 외관과 분위기와 그 장소의 느낌이다. 사람들은 가끔 레스토랑이 "an atmosphere of ambience"를 가지고 있다고 말한다. 그렇게 말하는 것은 중복된 표현이다. atmosphere와 ambience는 같은 뜻이기 때문이다.

*Ambience* is a French word that can also be pronounced "ɑ̀ːmbiɑ́ːns" The adjective *ambient* [ǽmbiənt] means surrounding or circulating.
ambience는 "ɑ̀ːmbiɑ́ːns"라 발음되는 프랑스어이기도 하다. 형용사 ambient는 '주위의, 또는 (주변을) 맴돌고 있는'의 의미이다.

**AMBIGUOUS** [æmbígjuəs] adj **unclear in meaning ; confusing ; capable of being interpreted in different ways** 의미가 분명치 않은 ; 혼란시키는 ; 여러 가지로 해석할 수 있는

We listened to the weather report, but the forecast was *ambiguous* ; we couldn't tell if the day was going to be rainy or sunny.
우리는 일기 예보에 귀를 기울였지만, 예측은 모호했다 ; 그날 비가 올지 맑을지 알 수가 없었다.

The poem we read in English class was *ambiguous* ; no one had any idea what the poet was trying to say.
우리가 영어 시간에 읽은 시는 그 의미가 모호했다 ; 시인이 무엇을 말하려 하고 있는지 아무도 알지 못했다.
* 명사형은 ambiguity.

**AMBIVALENT** [æmbívələnt] adj **undecided ; neutral ; wishy-washy** 결정되지 않은 ; 어느 쪽으로도 치우치지 않은 ; 주저하는

Susan felt *ambivalent* about George as a boyfriend. Her frequent desire to break up with him reflected this *ambivalence*.
수잔은 조지를 남자친구라고 확실하게 결정하지 못하고 있었다. 그와의 관계를 끝내고 싶어하는 마음이 자주 생긴다는 사실이 그녀의 동요를 반영하고 있었다.

## QUICK QUIZ 

Match each word in the first column with its definition in the second column. Check your answers in the back of the book.

| | |
|---|---|
| 1. allusion | a. atmosphere |
| 2. aloof | b. standoffish |
| 3. altruism | c. confusing |
| 4. ambience | d. generosity |
| 5. ambiguous | e. indirect reference |
| 6. ambivalent | f. undecided |

**AMELIORATE** [əmí:ljərèit] v **to make better or more tolerable** 개선하거나 더 견딜만하게 만들다

The condition of the prisoners was *ameliorated* when the warden gave them color television sets and keys their cells.
교도소장이 컬러 텔레비전과 독방 열쇠를 지급함으로써 재소자들의 형편은 개선되었다.

My great-uncle's gift of several million dollars considerably *ameliorated* my financial condition.
종조부께서 주신 수백만 달러 덕분에 나의 재정 상태는 상당히 호전되었다.

**AMENABLE** [əmíːnəbl] adj **obedient ; willing to give in to the wishes of another ; agreeable** 순종하는 ; 다른 사람의 요구에 기꺼이 양보하는 ; 기꺼이 동의하는

* 발음에 주의할 것.

I suggested that Bert pay for my lunch as well as for his own and, to my surprise, he was *amenable*.
나는 버트가 자신의 점심값 뿐만 아니라 내 것까지도 내줄 것을 제안했다. 놀랍게도, 그는 기꺼이 응했다.

The plumber was *amenable* to my paying my bill with jelly beans, which was lucky, because I had more jelly beans than money.
배관공은 수리비를 젤리사탕으로 지불하고 싶다는 내 생각을 기꺼이 받아들였다. 나는 돈보다는 젤리사탕을 더 많이 갖고 있었기 때문에, 그것은 참으로 다행한 일이었다.

**AMENITY** [əménəti, -míːn-] adj **pleasantness ; attractive or comfortable feature** 쾌적함 ; 마음을 끌거나 편안하게 해주는 특별제공품

The *amenities* at the local club include a swimming pool, a golf course, and a fallout shelter.
그 지역클럽의 설비로는 수영장과 골프장, 방사성 낙진 지하 대피소 등이 있다.

If an older guest at your house asks you where the *amenities* are, he or she is probably asking for directions to the bathroom. Provide them.
당신의 집에 온 나이든 손님이 the amenities가 어디 있느냐고 물어본다면, 그는 아마도 화장실이 어디 있는지를 가르쳐 달라고 하고 있는 것일 것이다. 화장실의 위치를 가르쳐 드려라.

Those little bars of soap and bottles of shampoo found in hotel rooms are known in the hotel business as *amenities*. They are meant to increase your comfort. People like them because people like almost anything that is free (although, of course, the cost of providing such *amenities* is simply added to the price of hotel rooms).
호텔 객실에 배치하는 여러 개의 작은 비누와 샴푸는 호텔업계에서는 amenities라고 한다. 그것들은 손님의 편의를 증대시키기 위한 것이다. 사람들은 공짜라면 무엇이나 좋아하기 때문에, 그런 물품들을 좋아한다. (물론, 그런 물품을 제공하는 비용은 호텔 객실료에 다 포함되어 있음에도 불구하고)

**AMIABLE** [éimiəbl] adj **friendly ; agreeable** 친절한 ; 상냥한

Our *amiable* guide made us feel right at home in what would otherwise have been a cold and forbidding museum.
가이드의 친절 덕분에 그렇지 않았더라면 춥고 싫었을 박물관에서 우리는 내집 안에 있는 것처럼 편안함을 느꼈다.

The drama critic was so *amiable* in person that even the subjects of negative reviews found it impossible not to like her.
드라마 비평가인 그녀는 사람이 워낙 상냥해서 부정적인 평론을 쓰더라도 미워할 수가 없었다.

*Amicable* is a similar and related word. Two not very *amiable* people might nonetheless make an *amicable* agreement. *Amicable* means politely friendly, or not hostile. Two countries might trade *amicably* with each other even while technically remaining enemies. Jeff and Clarissa had a surprisingly *amicable* divorce and remained good friends even after paying their lawyers' fees.
비슷하고 관계가 있는 단어로 amicable이 있다. 별로 사이가 좋지 않은 두 사람이라도 그것에 관계없이 우호적인 협정을 맺을 수도 있을 것이다. amicable은 적대적이지 않거나 예의를 갖추어 친절하다는 의미를 갖고 있다. 두 국가는 법적으로는 적대국으로 남아있을지라도, 상대국과 평화적으로 무역거래를 할 수도 있다. 제프와 클라리사는 놀랄 만큼 평화적으로 이혼을 했다. 그리고 변호사비까지 다 지불한 이후에도 여전히 좋은 친구로 남았다.

**AMNESTY** [ǽmnəsti] n **an official pardon for a group of people who have violated a law or policy** 법이나 정책을 위반했던 일단의 사람들에 대한 공식적인 면죄(사면, 특사)

*Amnesty* comes from the same root as *amnesia*, the condition that causes characters in movies to forget everything except how to speak English and drive their cars.
amnesty는 amnesia와 동일한 어원에서 나온 단어이다. 후자는, 영어를 말하고 운전을 할 수 있다는 것을 제외하고는 모든 기억을 잃어버리는 기억상실증에 걸린 영화 속 인물들의 상태를 뜻하는 단어이다.

An *amnesty* is an official forgetting. When a state government declares a tax *amnesty*, it is saying that if people pay the taxes they owe, the government will officially "forget" that they broke the law by not paying them in the first place.
amnesty는 공식적인 망각이다. 주 정부가 a tax amnesty를 선언한다는 것은, 주민들이 체납된 세금을 납부하면 주 정부는 애초에 세금을 납부하지 않아 법을 위반한 사실을 공식적으로 "잊어주겠다"는 의미이다.

The word *amnesty* always refers to a pardon given to a group or class of people. A pardon granted to a single person is simply a pardon.
amnesty라는 단어는 항상 일정한 무리의 사람들에게 주어지는 용서(사면)를 일컫는다. 단지 한 사람에게 주어지는 사면은 단순히 pardon이라고 한다.

**AMORAL** [eimɔ́:rəl] adj **lacking a sense of right and wrong ; neither good nor bad, neither moral nor immoral ; without moral feelings 옳고 그름에 대한 의식이 없는 ; 선도 악도 아닌, 도덕적이지도 비도덕적이지도 않은 (도덕과 관계가 없는) ; 도덕 관념이 없는**

Very young children are *amoral*, when they cry, they aren't being bad or good, they're merely doing what they have to do.
아주 어린 아기들은 도덕이라는 개념조차 없다. 아기들이 울 때는, 착하거나 못됐다는 의미와는 관계가 없다. 아기들은 그저 해야만 할 일을 하고 있을 뿐이다.

A *moral* person does right ; an *immoral* person does wrong ; an *amoral* person simply does.
moral person은 올바른 행동을 하는 사람이다 ; immoral person은 품행이 나쁜 사람이다 ; amoral person은 단순히 어떤 행동을 하는 사람이다.

**AMOROUS** [ǽmərəs] adj **feeling loving, especially in a sexual sense ; in love ; relating to love 사랑을 느끼는, 특히 성적인 의미에서 ; 연애중인 ; 사랑의**

The *amorous* couple made quite a scene at the movie. The movie they were watching, *Love Story*, was pretty *amorous* itself. It was about an *amorous* couple, one of whom died.
그 사랑하는 한 쌍은 영화 속에서 볼만한 장면을 연출했다. 그들이 보고 있었던 러브스토리라는 영화는 그야말로 사랑이야기 그 자체였다. 그것은 사랑하고 있는 한 쌍에 관한 이야기였으며, 그들 중 한사람은 죽었다.

**AMORPHOUS** [əmɔ́:rfəs] adj **shapeless ; without a regular or stable shape ; bloblike 무형의 ; 규칙적이거나 안정적인 형태가 없는 ; 얼룩 같은**

Ed's teacher said that his term paper was *amorphous* ; she said that it was as shapeless and disorganized as a cloud.
선생님은 에드가 낸 학기말 리포트가 엉성하다고 말했다 ; 그녀는 그것이 구름처럼 정형이 없고 혼란스럽다고 평가했다.

The sleepy little town was engulfed by an *amorphous* blob of glowing protoplasm—a higher intelligence from outer space.
잠들어 있던 그 작은 마을은 선명한 붉은 빛을 내는 뚜렷한 형체가 없는 원형질 덩어리 — 외계에서 날아온 인류보다 높은 지능을 가진 생명체 — 에 의해 삼켜져 버렸다.

To say that something has an "*amorphous* shape" is a contradiction. How can a shape be shapeless?
어떤 물건이 "amorphous shape(형태가 없는 형태)"를 가졌다고 말하는 것은 모순이다. 형체가 어떻게 형체가 없을 수 있겠는가?

**ANACHRONISM** [ənǽkrənìzm] n **something out of place in time or history ; an incongruity 시대나 역사에 맞지 않는 것 ; 부조화**

In this day of impersonal hospitals, a family doctor who will visit you at home seems like an *anachronism*.
오늘날과 같은 일반 병원의 시대에, 집으로 방문하는 가정 주치의는 시대에 뒤떨어진 것처럼 보인다.

In these modern, liberated times, some women disdain the *anachronistic* practice of a man's holding open a door for a woman.
어떤 여성들은 현대와 같이 자유로운 시대에 남자들이 여성에게 문을 열어주는 것은 시대착오적인 관습이라고 경멸한다.

**ANALOGY** [ənǽlədʒi] n **a comparison of one thing to another ; similarity** 다른 것에의 비유 ; 유사(성)

To say having an allergy feels like being bitten by an alligator would be to make or draw an *analogy* between an allergy and an alligator bite. *Analogy* usually refers to similarities between things that are not otherwise very similar. If you don't think an allergy is at all like an alligator bite, you might say, "That *analogy* doesn't hold up." To say that there is no *analogy* between an allergy and an alligator bite is to say that they are not *analogous* [ənǽləgəs].
알레르기가 있는 것을 악어에게 물리는 것과 같은 느낌이라고 표현하는 것은, 알레르기를 악어에게 물어뜯기는 느낌에 비유하는 것이다. analogy는 일반적으로, 아주 똑같지 않은 비교대상에서 유사점을 언급하는 것이다. 만약 여러분이 알레르기와 악어의 물어뜯기가 전혀 비슷하지 않다고 생각한다면, "그 유추는 유효하지 않다"고 말해도 좋다. 알레르기와 악어의 물어뜯기 사이에 유사점이 없다고 말한다면, 그 둘이 비슷하지 않다고 말하는 것이다.

Something similar in a particular respect to something else is its *analog* [ǽnəlɔ̀ːg], sometimes spelled *analogue*.
어떤 특정한 점에 있어서 무엇인가와 비슷한 것을 그것의 analog(유사물)이라고 하는데, 때로는 analogue라고 쓰기도 한다.

## QUICK QUIZ 7

Match each word in the first column with its definition in the second column. Check your answers in the back of the book.

| | |
|---|---|
| 1. ameliorate | a. pleasantness |
| 2. amenable | b. comparison |
| 3. amenity | c. obedient |
| 4. amiable | d. without moral feeling |
| 5. amicable | e. feeling loving |
| 6. amnesty | f. make better |
| 7. amoral | g. shapeless |
| 8. amorous | h. politely friendly |
| 9. amorphous | i. official pardon |
| 10. anachronism | j. friendly |
| 11. analogy | k. incongruity |

**ANARCHY** [ǽnərki] n **absence of government or control ; lawlessness ; disorder** 무정부 상태, 또는 통제를 벗어난 상태 ; 무법천지 ; 무질서

The country fell into a state of *anarchy* after the rebels kidnapped the president and locked the legislature inside the Capitol.
반란군이 대통령을 납치하고 국회의원들을 국회의사당 안에 감금하자 그 나라는 무정부상태에 빠졌다.

The word doesn't have to be used in its strict political meaning. You could say that there was *anarchy* in the kindergarten when the teacher stepped out of the door for a moment. You could say it, and you would probably be right.
이 단어를 엄격하게 정치적인 의미로만 사용할 필요는 없다. 선생님이 잠시 동안 문 밖으로 나가 자리를 비우자, 유치원은 무정부 상태가 되었다.' 고 표현할 수도 있다. 그렇게 말할 수 있는 것이고, 아마 그렇게 말해도 무방할 것이다.

The words *anarchy* and *monarchy* are closely related. *Anarchy* means no leader ; *monarchy*, a government headed by a king or queen, means one leader.
anarchy와 monarchy는 밀접한 관련이 있다. anarchy는 지도자가 없는 것을 의미한다 ; monarchy는 한 명의 지도자, 즉 왕이나 여왕이 이끌어 가는 정부형태를 의미한다.

**ANECDOTE** [ǽnikdòut] n **a short account of a humorous or revealing incident** **익살스럽거나 무언가를 말해주는 사건에 관한 짧은 이야기**

The old lady kept the motorcycle gang thoroughly amused with *anecdote* after *anecdote* about her cute little dog.
노부인은 그녀의 작고 귀여운 강아지에 대한 일화를 연이어 이야기해주어 오토바이족들을 아주 재미있게 해주었다.

Fred told an *anecdote* about the time Sally got her big toe stuck in a bowling ball.
프레드는 샐리의 엄지발가락이 볼링 공에 끼었던 일화를 얘기했다.

The vice president set the crowd at ease with an *anecdote* about his childhood desire to become a vice president.
부통령은 부통령이 되고 싶어했던 그의 어린 시절에 관한 일화를 이야기해서 군중들을 편안하게 해 주었다.

To say that the evidence of life on other planets is merely *anecdotal* is to say that we haven't captured any aliens, but simply heard a lot of stories from people who claimed to have been kidnapped by flying saucers.
'다른 행성의 생명체의 증거는 그저 일화일 뿐이다' 라는 말은, 우리가 어떤 외계생명체를 포착한 것이 아니라, 비행접시에 납치된 적이 있다고 주장하는 사람들에게서 많은 이야기들을 들었을 뿐이라는 뜻이다.

**ANGUISH** [ǽŋgwiʃ] n **agonizing physical or mental pain** **괴로운 육체적, 정신적 고통**

Theresa had been a nurse in the emergency room for twenty years, but she had never gotten used to the *anguish* of accident victims.
테레사는 이십 년 동안 병원 응급실 간호사였다. 그러나 사고 환자의 격심한 고통에는 익숙해지지가 않았다.

**ANIMOSITY** [æ̀nəmɑ́səti] n **resentment ; hostility ; ill will** **원한 ; 적의 ; 악의**

Loulou hates Eric so much that she would like to stuff him in a mail sack and throw him out of an airplane. Loulou is full of *animosity*.
루루는 에릭을 우편 마대에 쑤셔 넣어 비행기 밖으로 집어던지고 싶을 정도로 그를 미워한다. 루루는 증오로 가득하다.

A person whose look could kill is a person whose *animosity* is evident.
살인이라도 할 것 같은 모습을 지닌 사람은 증오가 외적으로 분명하게 드러난 사람이다.

The rivals for the state championship felt great *animosity* toward each other. Whenever they ran into each other, they snarled.
주 챔피언 결정전의 경쟁자들은 서로에게 강한 적의를 느꼈다. 그들은 서로 부딪히기만 하면 언제나 으르렁거렸다.

**ANOMALY** [ənɑ́məli] n **an aberration ; an irregularity ; a deviation** **탈선 ; 변칙 ; 일탈**

A snowy winter day is not an *anomaly*, but a snowy July day is.
겨울에 눈이 오는 것은 이상한 일이 아니지만, 7월에 눈이 오는 것은 이례적인 일이다.

A house without a roof is an *anomaly*—a cold, wet *anomaly*. A roofless house could be said to be anomalous. Something that is *anomalous* is something that is not normal or regular.
지붕이 없는 집이란 이례적인 것이다. — 추위와 비가 그대로 들이닥치는 변칙적인 것이다. 지붕 없는 집은 anomalous하다고 말할 수 있다. anomalous한 것은 비정상적이거나 변칙적인 것을 의미한다.

**ANTECEDENT** [æ̀ntəsí:dənt] n **someone or something that went before ; something that provides a model for something that came after it**
**앞선 것, 또는 사람 ; 이후에 올 것을 위해 본보기가 된 것(전례, 선례)**

Your parents and grandparents could be said to be your *antecedents* ; they came before you.
부모와 조부모는 여러분의 선조라고 말할 수 있다 ; 그들은 여러분에 앞서서 이 세상에 오셨던 분들이다.

The horse-drawn wagon is an *antecedent* of the modern automobile.
마차는 오늘날의 자동차의 전신이다.

*Antecedent* can also be used as an adjective. The oil lamp was *antecedent* to the light bulb.
antecedent는 형용사로도 쓰인다. 전구가 발명되기 전에는 기름 램프가 사용되었다.

In grammar, the *antecedent* of a pronoun is the person, place, or thing to which it refers. In the previous sentence, the *antecedent* of it is *antecedent*. In the sentence "Bill and Harry were walking together, and then he hit him," it is impossible to determine what the *antecedents* of the pronouns (he and him) are.
문법에서 대명사의 선행사는 그것이 가리키는 사람, 장소, 사물 등이다. 앞의 문장에서 it의 선행사는 antecedent이다. "빌과 해리는 함께 걷고 있었는데, 갑자기 그가 그를 때렸다."라는 문장에서는, he와 him이라는 두 개의 대명사가 지시하는 선행사가 무엇인지를 알 수가 없다.
* antecedent는 뜻이 비슷한 단어인 precedent와 관계가 있다.

**ANTIPATHY** [æntípəθi] n **firm dislike ; a dislike** **확고한 혐오 ; 혐오**

* 발음에 주의할 것.

I feel *antipathy* toward bananas wrapped in ham. I do not want them for dinner. I also feel a certain amount of *antipathy* toward the cook who keeps trying to force me to eat them. My feelings on these matters are quite *antipathetic* [æ̀ntipæ̀θik].
나는 햄 속에 들어있는 바나나가 싫다. 저녁 식사로 그것을 먹고 싶지는 않다. 나는 또한 나에게 그것을 억지로 먹으라고 강요하는 요리사에게도 어느 정도 반감이 있다. 이 문제에 관한 한 나는 정말이지 너무나 싫다.

I could also say that ham-wrapped bananas and the cooks who serve them are among my *antipathies*. My *antipathies* are the things I don't like.
나는 또한 바나나를 넣은 햄과 그것을 먹으라고 주는 요리사, 둘 다 내가 혐오하는 것들 중에 포함된다고 말할 수 있다. 내가 혐오하는 것들은 내가 좋아하지 않는 것들이다.

**ANTITHESIS** [æntíθəsis] n **the direct opposite** **정반대**

* 발음에 주의할 것.

Erin is the *antithesis* of Erika: Erin is bright and beautiful ; Erika is dull and plain.
에린은 에리카와 정반대로 대조를 이룬다: 에린은 총명하고 아름다운데 에리카는 우둔하고 못생겼다.

**APARTHEID** [əpá:rtheìt, -hàit] n **the abhorrent policy of racial segregation and oppression in the Republic of South Africa** **남아공화국에서 행해지는 혐오스러운 인종차별과 억압정책**

The word *apartheid* is related to the word *apart*. Under *apartheid* in South Africa, blacks are kept apart from whites and denied all rights.
apartheid는 apart라는 단어와 관계가 있다. 남아프리카의 아파르트헤이트 정책 하에서 흑인들은 백인과 분리되며 모든 권리를 거부당한다.

The word *apartheid* is sometimes applied to less radical forms of racial injustice and to other kinds of separation. Critics have sometimes accused American public schools of practicing educational *apartheid*, by providing substandard schooling for nonwhites.
apartheid라는 단어는 덜 과격한 형태의 인종차별이나 그 밖의 다른 종류의 차별을 의미할 때도 적용된다. 비평가들은 미국의 공립학교들이 교육에 있어 백인이 아닌 학생들에게 수준이하의 교육을 제공함으로써 인종차별을 하고 있다고 때때로 비난해왔다.

## QUICK QUIZ 8

Match each word in the first column with its definition in the second column. Check your answers in the back of the book.

| | |
|---|---|
| 1. anarchy | a. resentment |
| 2. monarchy | b. racial oppression |
| 3. anecdote | c. firm dislike |
| 4. anguish | d. irregularity |
| 5. animosity | e. what went before |
| 6. anomaly | f. agonizing pain |
| 7. antecedent | g. amusing account |
| 8. antipathy | h. government by king or queen |
| 9. antithesis | i. lawlessness |
| 10. apartheid | j. direct opposite |

**APATHY** [ǽpəθi] n **lack of interest ; lack of feeling** **무관심 ; 냉정함, 냉담함**

The members of the student council accused the senior class of *apathy* because none of the seniors had bothered to sign up for the big annual bake sale.
학생위원회 위원들은 고학년들의 무관심을 비난했다. 왜냐하면 매년 열리는 빵 판매 행사에 기꺼이 참여한 상급생이 아무도 없었기 때문이었다.

Jill didn't care one bit about current events ; she was entirely *apathetic*.
질은 최근의 사건들에 조금도 관심이 없었다 ; 그녀는 아주 무관심했다.

**APHORISM** [ǽfərìzm] n **a brief, often witty saying ; a proverb** **짧고, 흔히 재치 있는 격언, 경구 ; 금언**

Benjamin Franklin was fond of *aphorisms*. He was frequently *aphoristic*.
벤자민 프랭클린은 격언을 좋아했다. 그는 자주 경구를 사용했다.

**APOCALYPSE** [əpάkəlips] n **a prophetic revelation, especially one concerning the end of the world** **예언적인 계시, 특히 세계의 종말과 관련된 것**

In strict usage, *apocalypse* refers to specific Judeo-Christian writings from ancient times, but most people use it more generally in connection with predictions of things like nuclear war, the destruction of the ozone layer, and the spread of fast-food restaurants to every corner of the universe.
정확한 어법으로는, apocalypse는 고대 유대교의 특정 저작들을 일컫는 단어이다. 그러나 대부분의 사람들은 일반적으로 핵전쟁이나 오존층의 파괴, 세계 구석구석까지 패스트푸드 식당들이 퍼져 나가는 것과 같은 것들의 예언들과 관련하여 이 단어를 더 많이 사용한다.

To make such predictions, or to be deeply pessimistic, is to be *apocalyptic*[əpὰkəlíptik].
그런 예언을 하거나 지독히 염세적인 것을 apocalyptic이라고 표현한다.

**APOCRYPHAL** [əpάkrəfəl] adj **of dubious authenticity ; fictitious ; spurious** **출처가 의심스러운 ; 허구의 ; 위조의**

An *apocryphal* story is one whose truth is not proven or whose falsehood is strongly suspected. Like *apocalypse*, this word has a religious origin. The *Apocrypha* are a number of "extra" books of the Old Testament that Protestants and Jews don't include in their Bibles because they don't think they're authentic.
apocryphal story란 진실여부가 아직 증명되지 않았거나 허위임이 강하게 의심되는 이야기이다. apocalypse처럼 이 단어도 종교와 관련해서 나온 말이다. The Apocrypha(외경)는 신교도들과 유대교도들이 믿을 수 없다고 생각해서 그들의 성서에 포함시키지 않는 구약성서의 많은 경외서들이다.

**APOTHEOSIS** [əpὰθióusis] n **elevation to divine status ; the perfect example of something** **신격화 ; 완전무결한 본보기(극치)**

Some people think that the Corvette is the *apotheosis* of American car making. They think it's the ideal.
어떤 사람들은 코르벳이야말로 미국 자동차 산업의 극치라고 생각한다. 그들은 그것을 가장 이상적인 것으로 생각한다.

Geoffrey is unbearable to be with. He thinks he's the *apotheosis* of masculinity.
제프리는 정말 봐줄 수가 없다. 그는 자신이 남성다움의 전형이라고 생각한다.

**APPEASE** [əpíːz] v **to soothe ; to pacify by giving in to** **달래다 ; 양보해서 진정시키다**

Larry *appeased* his angry mother by promising to make his bed every morning without fail until the end of time.
래리는 엄마의 화를 누그러뜨리기 위해 매일 아침 반드시 정해진 시간 안에 침대를 정리하겠다고 약속했다.

The trembling farmer handed over all his grain, but still the emperor was not *appeased*.
겁을 먹은 농부는 모든 곡식을 넘겨주었다. 그러나 황제의 노여움은 여전히 가라앉지 않았다.

We *appeased* the angry juvenile delinquents by permitting them to slash the tires of Jerry's father's car.
우리는 제리 아버지의 차 타이어를 난도질하도록 내버려두어서 성난 그 비행청소년들을 진정시켰다.
* 명사형은 appeasement.

**APPRECIATE** [əpríːʃièit] v **to increase in value** **가치가 상승하다, 값이 오르다**

The Browns bought their house twenty years ago for a hundred dollars, but it has *appreciated* considerably since then ; today it's worth almost a million dollars.
브라운 씨 부부는 이십 년 전에 백 달러를 주고 자신들의 집을 샀다. 그러나 집 값은 그때 이후로 상당히 올랐다 : 요즘, 그 집은 거의 백만 달러를 호가한다.

Harry bought Joe's collection of old chewing-tobacco tins as an investment. His hope was that the tins would *appreciate* over the next few years, enabling him to turn a profit by selling them to someone else.
해리는 조가 수집한 오래된 씹는 담배통을 투자 목적으로 사들였다. 그는 몇 년 정도 지나서 그 담배통의 가치가 오르면, 다른 사람에게 담배통을 팔아서 이익을 얻을 수 있기를 바랬다.

The opposite of *appreciate* is *depreciate*. When a new car loses value over time, we say it has *depreciated*.
appreciate의 반의어는 depreciate. 새 자동차가 시간이 지나면서 가치가 떨어지게 되었을 때, 그것이 depreciate했다고 표현한다.

## APPREHENSIVE [æprihénsiv] adj worried ; anxious 걱정하는 ; 불안한

The *apprehensive* child clung to his father's leg as the two of them walked into the main circus tent to watch the lion tamer.
아이는 아버지와 함께 사자 조련사를 보러 곡예단 중앙 텐트로 걸어 들어가면서 불안한 듯 아버지의 다리에 꽉 매달렸다.

Bill was *apprehensive* about the exam, because he had forgotten to go to class for several months. As it turned out, his *apprehensions* were justified. He couldn't answer a single question on the test.
빌은 수개월 동안 수업에 들어가지 않았기 때문에 시험 치를 일이 걱정스러웠다. 결국 그의 걱정은 현실로 드러났다. 그는 한 문제도 답을 쓸 수가 없었다.

A *misapprehension* is a misunderstanding. Bill had no *misapprehensions* about his lack of preparation ; he knew perfectly well he would fail abysmally.
misapprehension은 오해를 의미한다. 빌은 자신의 준비 부족을 제대로 알고 있었다 : 그는 자신이 비참하게 실패할 것이라는 사실을 아주 잘 알고 있었다.

### QUICK QUIZ 9

Match each word in the first column with its definition in the second column. Check your answers in the back of the book.

| | |
|---|---|
| 1. apathy | a. of dubious authenticity |
| 2. aphorism | b. misunderstanding |
| 3. apocalypse | c. increase in value |
| 4. apocryphal | d. lack of interest |
| 5. apotheosis | e. soothe |
| 6. appease | f. prophetic revelation |
| 7. appreciate | g. decrease in value |
| 8. depreciate | h. the perfect example |
| 9. apprehensive | i. witty saying |
| 10. misapprehension | j. worried |

**APPROBATION** [æ̀prəbéiʃən] n **approval ; praise** **승인 ; 칭찬**

The crowd expressed its *approbation* of what the team had done by gleefully covering the field with chicken carcasses.
관중들은 환호성을 지르며 운동장에다 병아리 시체를 가득 채워서 그 팀이 한 것에 대해 찬동의 표시를 했다.

The ambassador's actions met with the *approbation* of his commander in chief.
대사의 조치는 조직에서 상관의 승인을 받았다.

*Approbation* is a fancy word for *approval*, to which it is closely related. *Disapprobation* is disapproval.
approbation은 아주 밀접한 관련이 있는 approval(찬성, 승인)의 뜻을 좀더 멋을 내어 쓰는 단어이다. disapprobation은 disapproval.

**APPROPRIATE** [əpróuprièit] v **to take without permission ; to set aside for a particular use** **허락 없이 가지다 ; 특별히 사용하기 위해 비축해두다**

Nick *appropriated* my lunch ; he grabbed it out of my hands and ate it. So I *appropriated* Ed's.
닉이 내 점심도시락을 빼앗아 먹었다 : 그는 내 손에서 도시락을 빼앗아가서 먹어버렸다. 그래서 나는 에드의 것을 빼앗아 먹었다.

The deer and raccoons *appropriated* the vegetables in our garden last summer. This year we'll build a better fence.
작년 여름에는 사슴과 너구리들이 우리 밭의 채소를 훔쳐먹었다. 올해는 좀더 튼튼한 울타리를 칠 예정이다.

Don't confuse the pronunciation of the verb to *appropriate* with the pronunciation of the adjective *appropriate* [əpróupriət]. When Congress decides to buy some new submarines, it *appropriates* money for them. That is, it sets some money aside. The money thus set aside is called an *appropriation*.
형용사일 때의 발음과 동사일 때의 발음을 혼동하지 말아라. 의회가 새 잠수함을 구입하기로 결정하면, 의회는 잠수함 구입에 필요한 비용의 지출을 승인하는 것이다. 다시 말해서, 얼마간의 돈을 따로 비축한다는 뜻이다. 이렇게 비축된 돈을 appropriation(의회가 승인한 예산)이라고 부른다.

When an elected official takes money that was supposed to be spent on submarines and spends it on a Rolls-Royce and a few mink coats, he is said to have *misappropriated* the money.
선출된 공무원이 잠수함을 구입하기로 예정된 돈을 가져가 롤스로이스와 밍크코트를 사는 데 쓴다면, 그가 공금을 횡령했다고 표현한다.

When the government decides to build a highway through your backyard, it *expropriates* your property for this purpose. That is, it uses its official authority to take possession of your property.
정부가 당신의 뒷마당을 통과하는 고속도로를 건설하기로 결정한다면, 정부는 그러한 목적 때문에 당신의 재산을 징발하는 것이다. 즉, 정부는 당신의 재산을 점유하기 위해 공권력을 사용하는 것이다.

**APTITUDE** [ǽptətùːd/-tjùːd] n **capacity for learning ; natural ability** **배울 수 있는 능력(적성) ; 타고난 능력**

Princeton Review students have a marked *aptitude* for taking the Scholastic Aptitude Test. They earn high scores.
프린스턴 리뷰 학생들은 대학진학 적성시험에 뛰어난 능력을 발휘한다. 그들은 높은 점수를 받는다.

I tried to repair my car, but as I sat on the floor of my garage surrounded by mysterious parts, I realized that I had no *aptitude* for automobile repair.
나는 차를 수리하려고 했다. 그러나 알 수 없는 부속품들에 둘러싸여 차고바닥에 주저앉아 있으려니, 내가 자동차 수리에는 별로 소질이 없다는 것을 깨닫게 되었다.
* aptitude의 반의어는 ineptitude.

**ARBITER** [ɑ́ːrbətər] n **one who decides ; a judge** **결정하는 사람 ; 판사, 심판관, 중재자**

A judge is an *arbiter*.
판사는 심판자이다.

An *arbiter* of fashion is someone who determines what other people will wear by wearing it herself.
arbiter of fashion은 자신이 스스로 그 옷을 입음으로써 다른 사람들이 입을 옷을 결정하는 사람이다.

An *arbiter arbitrates*, or weighs opposing viewpoints and makes decisions. The words *arbiter* and *arbitrator* mean the same thing. An *arbiter* presides over an *arbitration*, which is a formal meeting to settle a dispute.
중재자는 arbitrate한다. 즉, 상반되는 견해를 재량하여 결론을 내린다. arbiter와 arbitrator는 같은 의미이다. 중재인은 분쟁을 해결하기 위한 공식적인 자리인 중재재판을 관장한다.

**ARBITRARY** [ɑ́:rbətrèri, -trəri] adj **random ; capricious** 임의의, 자의적인 ; 변덕스러운

The grades Mr. Simone gave his English students appeared to be *arbitrary* ; they didn't seem to be related to anything the students had done in class.
시몬느 선생님은 영어반 학생들에게 제멋대로 점수를 준 것 같았다 ; 점수는 학생들이 수업시간에 했던 것과는 아무런 관계도 없는 것 같았다.

The old judge was *arbitrary* in sentencing criminals ; there was no sensible pattern to the sentences he handed down.
그 늙은 판사는 범죄자들에게 제멋대로 형을 선고했다 ; 그가 선고한 판결들에는 사리에 맞는 유형이 없었다.

**ARCANE** [ɑ:rkéin] adj **mysterious ; known only to a select few** 비밀의 ; 선택된 소수에게만 알려진

The rites of the secret cult were *arcane* ; no one outside the cult knew what they were.
그 비밀 종파의 의식들은 비밀에 부쳐져 있었다 ; 그 종파에 속하지 않는 사람들은 누구도 그 의식들이 어떤 것인지 알지 못했다.

The *arcane* formula for the cocktail was scrawled in blood on a faded scrap of paper.
그 칵테일을 만드는 비밀 제조법은 빛 바랜 종이 조각 위에 피로 휘갈겨 써있었다.

We could make out only a little of the *arcane* inscription on the old trunk.
우리는 고목나무에 새겨진 난해한 비문을 아주 조금만 해독할 수 있었다.

**ARCHAIC** [ɑ:rkéiik] adj **extremely old ; ancient ; outdated** 아주 오래된 ; 고대의 ; 구식의

The tribe's traditions are *archaic*. They have been in force for thousands of years.
그 부족의 전통들은 아주 오래된 것이다. 그것들은 수천 년을 이어온 것이다.

*Archaic* civilizations are ones that disappeared a long time ago.
고대문명은 이미 오래 전에 사라진 문명이다.

An *archaic* meaning of a word is one that isn't used anymore.
단어의 고어적인 의미란 이제 더 이상은 그 뜻으로는 사용되지 않는 것이다.

## QUICK QUIZ 10

Match each word in the first column with its definition in the second column. Check your answers in the back of the book.

| | |
|---|---|
| 1. approbation | a. misuse public money |
| 2. appropriate | b. extremely old |
| 3. misappropriate | c. take without permission |
| 4. expropriate | d. weigh opposing views |
| 5. aptitude | e. mysterious |
| 6. arbiter | f. approval |
| 7. arbitrate | g. random |
| 8. arbitrary | h. take property officially |
| 9. arcane | i. judge |
| 10. archaic | j. natural ability |

## ARCHETYPE [á:rkitàip] n an original model or pattern 원형, 전형

* 발음에 주의할 것.

An *archetype* is similar to a *prototype*. A *prototype* is a first, tentative model that is made but that will be improved in later versions. Henry Ford built a *prototype* of his Model T in his basement. His mother kicked him out, so he had no choice but to start a motor car company.
archetype은 prototype과 유사하다. prototype는 애초에 시범적으로 만들었으나 나중에 다른 형태로 개선될 원형을 일컫는다. 헨리 포드는 자신의 집 지하실에서 모델 T의 원형을 만들었다. 그의 어머니가 그를 밖으로 내쫓았기 때문에, 그는 자동차 회사를 시작하는 것 말고는 달리 선택할 것이 없었다.

An *archetype* is usually something that precedes something else. Plato is the *archetype* of all philosophers.
archetype는 일반적으로 다른 것에 우선하는 것을 의미한다. 플라톤은 모든 철학자들의 원형이다.

An *archetype* is *archetypal* or *archetypical*.
archetype는 archetypal하거나 archetypical한 것이다(즉 archetype의 형용사형은 archetypal 또는 archetypical이다).

## ARDENT [á:rdənt] adj passionate 열렬한

Larry's *ardent* wooing finally got on Cynthia's nerves, and she told him to get lost.
래리의 끈질긴 구애는 드디어 신시아의 신경을 폭발하게 했다. 그래서 그녀는 그에게 그만 꺼져버리라고 말했다.

Blanche happily stuffed badgers from morning to night. She was an *ardent* taxidermist.
블랑시는 아침부터 저녁까지 즐거운 마음으로 오소리의 속을 채웠다. 그녀는 정열적으로 일하는 박제사였다.

To be *ardent* is to have *ardor*. The young lovers were oblivious to everything except their *ardor* for each other.
열렬하다는 것은 열정을 갖고 있다는 것이다. 젊은 연인들은 서로에 대한 열정을 제외하고는 어느 것에도 깊이 신경을 쓰지 않았다.

## ARDUOUS [á:rdʒuəs] adj hard ; difficult 힘드는 ; 어려운

Climbing the mountain was *arduous*. We were so exhausted when we got to the top that we forgot to enjoy the view.
그 산을 오르기는 너무나 힘이 들었다. 정상에 도달했을 때, 우리는 너무나 지쳐서 경치를 즐기는 것조차 잊어버렸다.

The *arduous* car trip was made even more difficult by the fact that all four tires went flat, one after another.
자동차 바퀴 네 개가 차례 차례로 바람이 빠지는 통에 힘든 자동차 여행은 훨씬 더 어려워졌다.

## ARISTOCRATIC [ərìstəkrǽtik/ǽrəs-] adj noble birth ; snobbish 귀족으로 태어난 ; 신사인 체하는, 속물의

Prince Charles is *aristocratic*. He is a member of the British *aristocracy*, a small class of privileged people.
찰스 왕자는 귀족으로 태어났다. 그는 소수의 특권 받은 계층인 영국 귀족의 일원이다.

Polo, which Prince Charles enjoys, is often said to be an *aristocratic* sport, because it is typically played by dukes, marquises, and other privileged people.
찰스 왕자가 즐기는 폴로경기는 귀족적인 스포츠라는 말을 자주 듣는다. 일반적으로 공작들이나 후작들, 그 밖에 특권계층의 사람들이 주로 폴로경기를 하기 때문이다.

It is possible to be an *aristocrat*[ərístəkræ̀t/ǽrəs-] without being rich, although *aristocrats* tend to be quite wealthy. There is nothing you can do to become an *aristocrat*, short of being born into a family of them.
비록 귀족들이 일반적으로 상당히 부자인 경향이 있다고는 해도, 부자가 아닌 귀족도 얼마든지 있을 수 있다. 귀족 가문에서 태어나지 않는 한 귀족이 되기 위하여 할 수 있는 일이란 아무 것도 없다.(귀족은 태어나는 것이므로 후천적으로 노력해서 얻어지는 것이 아니다)

People who act as though they think they are better than everyone else are often said to be *aristocratic*. A person with an "*aristocratic* bearing" is a person who keeps his or her nose in the air and looks down on everyone else.
자신이 다른 사람들보다 우월하다고 생각하는 것처럼 행동하는 사람들을 종종 귀족 티를 내는 거만한 사람이라고 표현한다. "aristocratic bearing(귀족적인 태도)"를 가진 사람은 콧대가 세서 다른 사람들을 무시하는 사람을 일컫는다.

## ARTFUL [á:rtfəl] adj crafty ; wily ; sly 교활한 ; 꾀가 많은 ; 음흉한

After dinner, the *artful* counselor told the campers that there was a madman loose in the woods, thus causing them to lie quietly in the tent.
저녁식사 후에, 약삭빠른 야영지 지도원은 숲에 미친 사람이 돌아다니고 있다고 야영자들에게 일러주었다. 그렇게 해서 사람들이 텐트에서 얌전하게 있도록 만들었다.

The *Artful* Dodger is a sly con man in Charles Dickens's *Oliver Twist*.
Artful Dodger는 찰스 디킨즈의 소설 올리버 트위스트에 나오는 교활한 사기꾼이다.

Someone who is *artless*, on the other hand, is simple and honest. Young children are charmingly *artless*.
반대로 교활함이 없는 사람은 소박하고 정직한 사람이다. 어린 아이들은 귀여울 정도로 순진하다.

## ARTIFICE [á:rtəfis] n a clever trick ; cunning 교활한 책략 ; 잔꾀

The Trojan Horse was an *artifice* designed to get the soldiers inside the walls.
트로이의 목마는 군인들을 성 내부로 잠입시키기 위해 고안된 술책이었다.

Mrs. Baker had to resort to *artifice* to get her children to take their baths: she told them that the bathtub was filled with sugar syrup and that they could drink it if they would take off their clothes and climb in.
베이커 여사는 아이들을 목욕시키려면 달갑지 않은 잔꾀를 써야만 했다: 그녀는 아이들에게 목욕통 안에 설탕시럽을 가득 채워놓았으니 옷을 벗고 뛰어들기만 하면 시럽을 마실 수 있다고 말했다.

* artifice와 artificial(인위적인, 거짓의)은 서로 관계 있는 단어이다.

## ASCENDANCY [əséndənsi] n supremacy ; domination 우위, 우월 ; 지배(권), 주도(권)

Small computers have been in *ascendancy* for the past few years.
소형 컴퓨터가 지난 몇 년간 주도권을 잡아왔다.

The *ascendancy* of the new regime had been a great boon for the economy of the tiny tropical kingdom.
새로 정권을 잡은 지배세력은 열대지역에 위치한 작은 왕국의 경제를 크게 호전시켰다.
* 형용사형은 ascendant.

## ASCETIC [əsétik] adj hermitlike ; practicing self-denial 수도자 같은 ; 금욕을 실천하는

The college professor's apartment, which contained no furniture except a single tattered mattress, was uncomfortably *ascetic*.
너덜해진 침대 하나를 제외하면 가구라곤 없는 교수의 아파트는 살기 불편한 금욕주의자의 집 같았다.

In his effort to save money, Roy led an *ascetic* existence: he never went out, he never ate anything but soup, and he never had any fun.
돈을 모으기 위해 로이는 금욕적인 생활을 했다: 그는 결코 외출하지 않았으며, 스프 외에는 결코 먹지 않았고, 결코 어떤 놀이도 즐기는 법이 없었다.

*Ascetic* can also be a noun. A person who leads an *ascetic* existence is an ascetic. An *ascetic* is someone who practices *asceticism*.
ascetic은 명사로도 쓰인다. 금욕적인 생활을 영위하는 사람을 금욕주의자라고 한다. 금욕주의자란 금욕주의를 실천하는 사람이다.

A similar-sounding word with a very different meaning is *aesthetic*[esθétik]. Don't be confused.
비슷하게 들리지만 아주 다른 뜻을 가진 단어로 aesthetic(심미적인)이 있다. 혼동하지 말아라.

## ASSIDUOUS [əsídʒuəs] adj hardworking ; busy ; quite diligent 근면한 ; 바쁜 ; 아주 부지런한

The workmen were *assiduous* in their effort to get nothing done ; instead of working, they drank coffee all day long.
일꾼들은 아무 것도 하지 않고 시간을 보내는 일에만 열중하느라 바빴다 ; 그들은 일은 하지 않고 하루종일 커피만 마셔댔다.

Wendell was the only *assiduous* student in the entire math class ; all the other students had to copy their homework from him.
웬델은 전체 수학반 학생들 중에서 유일하게 부지런한 학생이었다 : 다른 학생들은 모두 그에게 숙제를 빌려 베껴야만 했다.

## QUICK QUIZ 

Match each word in the first column with its definition in the second column. Check your answers in the back of the book.

| | |
|---|---|
| 1. archetype | a. passionate |
| 2. ardent | b. of noble birth |
| 3. arduous | c. supremacy |
| 4. aristocratic | d. hardworking |
| 5. artful | e. difficult |
| 6. artifice | f. trickery |
| 7. ascendancy | g. hermitlike |
| 8. ascetic | h. crafty |
| 9. assiduous | i. original model |

**ASSIMILATE** [əsíməlèit] v **to take in ; to absorb ; to learn thoroughly** 섭취하다 ; 흡수하다 ; 철저하게 배우다

To *assimilate* an idea is to take it in as thoroughly as if you had eaten it. (Your body *assimilates* nutrients from the food you eat.) To *assimilate* knowledge is to absorb it, to let it soak in.
아이디어를 assimilate하는 것은 마치 그 아이디어를 먹어버린 듯 철저하게 자신의 것으로 이해한다는 뜻이다. (우리의 몸은 먹은 음식물에서 영양분을 흡수하므로) 지식을 assimilate하는 것은 지식을 빨아들이는 것, 지식을 흡수하는 것이다.

People can be *assimilated*, too. Margaret didn't have any friends when she first went to the new school, but she was gradually *assimilated*—she became part of the new community. When she was chosen for the cheerleading squad, her *assimilation* was complete.
사람들도 역시 동화될 수 있다. 마가렛은 새로운 학교에 처음 갔을 때, 친구가 전혀 없었다. 그러나 그녀는 차츰 동화되어 갔다. — 그녀는 새로운 공동체의 일원이 되었다. 치어리더 팀에 뽑히게 되면서, 그녀의 새로운 학교에 대한 융화는 완전하게 이루어졌다.

**ASSUAGE** [əswéidʒ] v **to soothe ; to pacify ; to ease the pain of ; to relieve** 달래다 ; 진정시키다 ; 고통을 누그러뜨리다 ; 덜어주다

* 발음에 주의할 것.

Beth was extremely angry, but I *assuaged* her by promising to leave the house and never return.
베스는 아주 많이 화가 났다. 그러나 내가 집을 떠나서 다시는 돌아오지 않겠다고 약속을 하자 그녀는 진정되었다.

The thunderstorm made the baby cry, but I *assuaged* her fears by singing her a lullaby.
아기는 번개와 폭우소리에 울기 시작했다. 나는 자장가를 불러주어 아기의 두려움을 달래주었다.

**ASTUTE** [əstúːt/-stjúːt] adj **shrewd ; keen in judgment** 기민한 ; 판단력이 예리한

Morris was an *astute* judge of character ; he was very good at seeing what people are really like.
모리스는 사람들의 성격을 판단하는 데 날카롭다 ; 그는 아주 능숙하게 사람들의 실체를 파악한다.

Amanda, who notices everything that is important and many things that other people don't see, is an *astute* observer.
아만다는 다른 사람이 보지 못하는 많은 것들과 진짜로 중요한 것들을 인지할 수 있는 능력이 있다. 그녀는 예리한 관찰자이다.

**ATTRITION** [ətríʃən] n **gradual wearing away, weakening, or loss ; a natural or expected decrease in numbers or size** 점차로 닳거나, 약해지거나, 없어지는 것(마모) ; 크기나 수량의 자연적 감소, 또는 예측되는 감소

Mr. Gregory did not have the heart to fire his workers even though his company was losing millions each year. He altruistically preferred to lose workers through *attrition* when they moved away, retired, or decided to change jobs.
비록, 회사는 매년 수백만 달러씩 적자를 보고 있었지만, 그레고리씨는 노동자들을 해고할 강심장의 소유자가 못 되었다. 이타적인 성격의 그는 직원들이 멀리 이사를 가거나, 퇴직하거나, 또는 이직을 결정하는 등의 자연적인 감소를 통해서만 노동자의 수를 줄여나가기를 더 원했다.

**AUDACITY** [ɔːdǽsəti] n **boldness ; reckless daring ; impertinence** 대담함 ; 무모한 용기 ; 건방짐

Edgar's soaring leap off the top of building was an act of great audacity.
빌딩 꼭대기에서 뛰어내린 에드가의 행동은 무모하기 짝이 없었다.

Ivan had the *audacity* to tell that nice old lady to shut up. A Person with *audacity* is said to be *audacious*. Bert made the *audacious* decision to climb Mt. Everest in bowling shoes.
이반은 기품 있는 노부인에게 무례하게도 입 닥치라는 말을 했다. 무모한 사람을 audacious하다고 표현한다. 버트는 볼링용 신발을 신고 에베레스트산에 올라가겠다는 무모한 결정을 내렸다.

**AUGMENT** [ɔːgmént] v **to make bigger ; to add to ; to increase** 더 크게 만들다 ; 늘리다 ; 증가하다

The army *augmented* its attack by sending in a few thousand more soldiers.
그 군대는 수천 명의 군인들을 더 보내 공격력을 배가시켰다.

To *augment* a record collection is to add more records to it.
레코드 수집품을 augment하는 것은 수집품에 더 많은 레코드를 더하는 것이다.

Adding another example to this definition would *augment* it.
이러한 정의에 또 다른 예를 첨가하는 것은 그것을 augment한다고 표현할 수 있다.
* 명사형 '증가시키는 행위' 는 augmentation으로 쓴다.

**AUSPICIOUS** [ɔːspíʃəs] adj **favorable ; promising ; pointing to a good result** 유리한 ; 유망한 ; 좋은 결과를 가리키는

A clear sky morning is an *auspicious* sign on the day of a picnic.
소풍 가는 날의 쾌청한 아침 하늘은 길조이다.

The first quarter of the football game was not *auspicious* ; the home team was outscored by seventy points.
풋볼 경기의 첫 번째 쿼터는 순조롭지 못했다 ; 홈팀은 칠십 점이나 뒤져 있었다.

**AUSTERE** [ɔːstíər] adj **unadorned ; stern ; forbidding ; without excess** 장식이 없는 ; 엄격한 ; 무서운 ; 지나침이 없는

The Smiths' house was very *austere* ; there was no furniture in it, and there was nothing hanging on the walls.
스미스네 집은 거의 꾸미지 않았다 ; 내부에는 가구도 없고, 벽에도 뭐 하나 걸려 있지 않았다.

Quentin, with his *austere* personality, didn't make many friends. Most people were too intimidated by him to introduce themselves and say hello.
엄한 성격의 소유자인 퀀틴은 많은 친구를 사귀지 못했다. 대부분의 사람들은 그에게 너무 겁을 먹어서 그에게 자신을 소개하거나 인사하려고 하지 않았다.

The noun *austerity*[ɔːstérəti] is generally used to mean roughly the same thing as poverty. To live in *austerity* is to live without comforts. Conditions in Austria were very *austere* after the war.
명사형 austerity는 일반적으로 가난과 거의 같은 것을 표현할 때 사용된다. live in austerity는 궁핍하게 생활하는 것을 말한다. 전쟁이 끝난 후 오스트리아의 상황은 매우 궁핍했다.

**AUTOCRATIC** [ɔ̀ːtəkrǽtik] adj **ruling with absolute authority ; extremely bossy 절대 권력으로 통치하는(독재의) ; 극단적으로 두목 행세하는**

* 발음에 주의할 것.

The ruthless dictator's *autocratic* reign ended when the rebels blew up his palace with a few thousand pounds of plastic explosive.
반란군이 수천 파운드의 가소성 폭약으로 독재자의 궁전을 폭파하자, 무자비한 독재권력을 행사하던 정권도 마침내 막을 내렸다.

A two-year-old can be very *autocratic*—he wants what he wants when he wants it.
두 살 짜리 아기도 매우 독재적일 수 있다.— 아기는 원하는 것이 생기면 그것을 요구한다.

No one at our office liked the *autocratic* manager. He always insisted on having his own way, and he never let anyone make a decision without consulting him.
우리 사무실 사람들은 독단적인 부장을 아무도 좋아하지 않았다. 그는 항상 자기 방식만을 고집했으며, 자신의 의견을 듣지 않고는 어느 누구도 마음대로 의사결정을 할 수 없도록 했다.

An *autocrat* is an absolute ruler. *Autocracy*[ɔːtɑ́krəsi], a system of government headed by an *autocrat*, is not democratic—the people don't get a say.
autocrat는 절대적인 통치자이다. 독재자를 수반으로 하는 정부 체계인 독재주의 국가는 민주적이지 않다. — 국민은 한마디도 할 수 없다.

## QUICK QUIZ 12

Match each word in the first column with its definition in the second column. Check your answers in the back of the book.

| | |
|---|---|
| 1. assimilate | a. shrewd |
| 2. assuage | b. boldness |
| 3. astute | c. favorable |
| 4. attrition | d. make bigger |
| 5. audacity | e. soothe |
| 6. augment | f. extremely bossy |
| 7. auspicious | g. absorb |
| 8. austere | h. unadorned |
| 9. autocratic | i. gradual wearing away |

## AUTONOMOUS [ɔːtánəməs] adj acting independently 독립적으로 행동하는

The West Coast office of the law firm was quite *autonomous* ; it never asked the East Coast office for permission before it did anything.
그 법률 회사의 태평양 연안 사무소는 상당히 자율적으로 운영되었다 ; 어떤 일을 하기 전에 동부 사무소의 인가를 받는 일은 결코 없었다.

An *autonomous* nation is one that is independent—it governs itself.
autonomous nation은 독립적인 — 자치권을 가진 — 나라이다. 그 나라는 타국의 지배를 받지 않는다.

To act *autonomously* is to act on your own authority. If something happens *autonomously*, it happens all by itself.
autonomously하게 행동하는 것은 자신의 재량권에 따라 행동하는 것이다. 어떤 일이 독립적으로 발생한다면, 그것은 사건이 다른 것의 개입 없이 저절로 일어난다는 의미이다.

## AVARICE [ǽvəris] n greed ; excessive love of riches 탐욕 ; 재물에 대한 과도한 애착

The rich man's *avarice* was annoying to everyone who wanted to lay hands on some of his money.
그 갑부의 돈에 대한 집착은 그의 재산에 손을 대려던 모든 사람들에게는 성가신 것이었다.
* avarice의 반의어는 generosity, philanthropy.

To be *avaricious* is to love wealth above all else and not to share it with other people.
avaricious한 것은 다른 어느 것보다도 우선하여 부를 사랑하는 것이며, 다른 사람들과 그 부를 나누려 하지 않는 것이다.

## AVOW [əváu] v to claim ; to declare boldly ; to admit 주장하다 ; 대담하게 선언하다 ; 인정하다

At the age of twenty-five, Louis finally *avowed* that he couldn't stand his mother's apple pie.
스물 다섯 살이 되어서야 비로소 루이스는 어머니가 만든 사과파이는 도저히 참을 수 없노라고 고백했다.

To *avow* something is to declare or admit something that most people are reluctant to declare or admit. Mr. Smith *avowed* on television that he had never paid any income tax. Shortly after this *avowal*, he received a lengthy letter from the Internal Revenue Service.
무엇인가를 avow하는 것은 대부분의 사람들이 공언하거나 인정하기를 주저하는 것을 용기 있게 선언하거나 인정하는 것이다. 스미스씨는 한번도 소득세를 낸 적이 없었다고 텔레비전에 나와 고백했다. 그의 고백이 있은 후 얼마 지나지 않아 그는 국세청으로부터 장문의 편지를 받았다.

An *avowed* criminal is one who admits he is a criminal. To *disavow* is to deny or repudiate someone else's claim. The mayor *disavowed* the allegation that he had embezzled campaign contributions.
avowed criminal은 자신이 범인임을 인정하는 사람이다. disavow는 다른 누군가의 주장을 거부하거나 부인하는 것을 의미한다. 시장은 선거운동 기부금을 착복했다는 세간의 주장을 부인했다.

## AVUNCULAR [əvʌ́ŋkjulər] adj like an uncle, especially a nice uncle 삼촌 같은, 특히 좋은 삼촌 같은

* 발음에 주의할 것.

What's an uncle like? Kind, helpful, generous, understanding, and so on, in an uncle-y sort of way. This is a fun word to use, although it's usually hard to find occasions to use it.
삼촌은 어떤 사람일까? 친절하고, 도움을 주고, 관대하고, 이해심 있고, 등등의 삼촌이라는 어감이 주는 그런 종류의 것들을 가진 사람이다. 일상에서 이 단어를 사용하는 경우를 찾기는 힘들지만, 그래도 재미있게 사용할 수 있는 단어이다.

## AWRY [ərái] adj off course ; twisted to one side 진로를 벗어난 ; 한 쪽으로 꼬여있는

The hunter's bullet went *awry*. Instead of hitting the bear, it hit another hunter.
사냥꾼의 총알은 빗나갔다. 총알은 곰을 맞추지 못하고, 대신 다른 사냥꾼을 맞추었다.

When we couldn't find a restaurant, our dinner plans went *awry*.
레스토랑을 찾을 수 없었기 때문에, 우리의 저녁식사 계획은 빗나갔다.

The old man's hat was *awry* ; it had dipped in front of his left eye.
노인의 모자는 비뚜름했다 : 모자는 왼쪽 눈앞까지 기울어져 있었다.

**AXIOM** [ǽksiəm] n **a self-evident rule or truth ; a widely accepted saying** 자명한 원리 또는 진실 ; 널리 받아들여지는 격언

"Everything that is living dies" is an *axiom*.
"살아 있는 생명체는 모두 죽게 되어 있다"는 말은 자명한 원리이다.

An *axiom* in geometry is a rule that doesn't have to be proved, because its truth is accepted as obvious, self-evident, or unprovable.
기하학에서의 axiom은 진실 여부가 명백하고 자명한 것이나, 증명이 불가능한 것으로 이미 인정되어서 증명할 필요가 없는 법칙이다.

That the rich get richer is an *axiom*. It is unquestionable ; it is *axiomatic*.
'부가 더 큰 부를 부른다'는 말은 널리 인정되는 격언이다. 그것은 의심할 나위 없이 자명한 사실이다.

## QUICK QUIZ 13

Match each word in the first column with its definition in the second column. Check your answers in the back of the book.

| | |
|---|---|
| 1. autonomous | a. greed |
| 2. avarice | b. like an uncle |
| 3. avow | c. self-evident truth |
| 4. avuncular | d. acting independently |
| 5. awry | e. claim |
| 6. axiom | f. off course |

**BANAL** [bənǽl, béinəl, bənɑ́:l] adj **unoriginal ; ordinary** 독창적이지 못한 ; 평범한

The dinner conversation was so *banal* that Amanda fell asleep in her dessert dish.
만찬석의 대화는 너무나 진부해서 아만다는 디저트를 먹다가 잠이 들었다.

A *banal* statement is a boring, trite, and uncreative statement. It is a *banality*.
banal statement는 지루하고 진부하며 창의적이지 못한 진술이다. 그것은 진부한 말이다.

What made Amanda fall asleep was the *banality* of the dinner conversation.
아만다를 잠들게 만든 것은 만찬 중에 있었던 대화의 진부함이었다.

**BANE** [bein] n **poison ; torment ; cause of harm** 독 ; 고통의 원인 ; 손상의 원인

*Bane* means poison (wolfbane is a kind of poisonous plant), but the word is usually used figuratively. To say that someone is the *bane* of your existence is to say that person poisons your enjoyment of life.
bane은 독을 의미한다. (바곳은 독성이 있는 식물 종류이다)그러나 이 단어는 대개 비유적인 의미로 사용된다. 어떤 사람을 가리켜 여러분에게 있어 독소( 주: 혹은 암적인 존재)라고 표현하는 것은 그 사람이 여러분의 유쾌한 생활에 해를 끼친다는 뜻이다.
* baneful 은 '해롭다' 는 뜻의 형용사.

**BASTION** [bǽstʃən/-tiən] v **stronghold ; fortress ; fortified place** 성채 ; 요새 ; 견고하게 보강한 장소

Mrs. Garnett's classroom is a *bastion* of banality ; that is, it's a place where originality seldom if ever makes its way inside.
가네트 여사의 교실은 진부함의 요새이다 : 즉, 독창성이라곤 거의 발을 붙이지 못하는 곳이라는 뜻이다.

The robbers terrorized the village for several weeks, then escaped to their *bastion* high in the treacherous mountains.
강도들은 수 주일 동안 마을을 공포의 도가니로 몰아넣었다. 그리고는 위험한 산 속에 높이 있는 요새로 도망쳐 버렸다.

**BEGET** [bigét] v **to give birth to ; to create ; to lead to ; to cause** 자식을 낳다 ; 창조하다 ; 초래하다 ; 일으키다

Those who lie should be creative and have good memories, since one lie often *begets* another lie, which *begets* another.
거짓말하는 사람들은 창의적이고 기억력이 좋아야만 한다. 하나의 거짓말은 흔히 또 다른 거짓말을 낳고, 그것은 다시 또 다른 거짓말을 낳기 때문이다.

**BELABOR** [biléibər] v **to go over repeatedly or to an absurd extent** 반복하거나 불합리한 정도까지 되풀이하다

For more than an hour, the boring speaker *belabored* his point about the challenge of foreign competition.
외부 경쟁상대의 도전에 대하여 연사는 자신의 입장을 한시간 이상 지루하게 되풀이해서 말했다.

Mr. Irving spent the entire period *belaboring* the obvious ; he made the same dumb observation over and over again.
어빙씨는 명백한 사실을 여러 번 되풀이하느라 모든 시간을 다 허비했다 ; 그는 같은 주장을 여러 번 반복하는 어리석음을 저질렀다.

**BELEAGUER** [bilí:gər] v **to surround ; to besiege ; to harass** 둘러싸다 ; 포위 공격하다 ; 괴롭히다

No one could leave the *beleaguered* city ; the attacking army had closed off all the exits.
누구도 포위된 도시를 떠날 수가 없었다 ; 공격군이 모든 출구를 봉쇄했던 것이다.

Oscar felt *beleaguered* at work. He was months behind in his assignments, and he had little hope of catching up.
오스카는 자신이 일에 포위되었다는 느낌을 받았다. 몇 달 간의 업무가 밀려 있었지만, 따라잡을 가망성은 거의 없었다.

The *beleaguered* president seldom emerged from the Oval Office as he struggled to deal with the growing scandal.
점점 불거지고 있는 스캔들 처리에 고심중인 대통령은 집무실 바깥으로는 거의 모습을 드러내지 않았다.

**BELIE** [bilái] v **to give a false impression of ; to contradict** 그릇된 인상을 주다 ; 모순되다

Melvin's smile *belied* the grief he was feeling ; despite his happy expression he was terribly sad inside.
멜빈의 미소는 그가 느끼고 있는 슬픔과는 모순되었다 ; 행복한 듯한 표정에도 불구하고, 그의 마음은 몹시도 슬펐다.

The messy appearance of the banquet table *belied* the huge effort that had gone into setting it up.
잔치상은 너저분하게 보여서 그것을 차리기 위해 들어간 막대한 노력을 제대로 보여주지 못했다.

A word that is sometimes confused with *belie* is *betray*. To rework the first example above: Melvin was smiling, but a small tear in one eye *betrayed* the grief he was feeling.
간혹 belie와 혼동되는 단어로 betray가 있다. 위의 첫 번째 예문을 고쳐 써보자 : 멜빈은 미소짓고 있었다. 그러나 한 쪽 눈에 맺힌 작은 눈물방울이 그가 느끼고 있는 슬픔을 드러내 주었다.

**BELITTLE** [bilítl] v **to make to seem little ; to put someone down** 작게 보이게 하다 ; 얕잡아보다

We worked hard to put out the fire, but the fire chief *belittled* our efforts by saying he wished he had brought some marshmallows.
우리는 화재를 진압하기 위해 열심히 일했다. 그러나 소방대장은 마시멜로를 가져와 구워 먹으면 좋았을 정도로 쉬운 일이었다며 우리의 수고를 깎아내렸다.

The chairman's *belittling* comments made everyone feel small.
얕보는 듯한 의장의 발언에 사람들은 모두 주눅이 들었다.

## QUICK QUIZ 14

Match each word in the first column with its definition in the second column. Check your answers in the back of the book.

| | |
|---|---|
| 1. banal | a. make to seem little |
| 2. bane | b. unoriginal |
| 3. bastion | c. go over repeatedly |
| 4. beget | d. stronghold |
| 5. belabor | e. poison |
| 6. beleaguer | f. give a false impression |
| 7. belie | g. surround |
| 8. belittle | h. give birth to |

**BELLIGERENT** [bəlídʒərənt] adj **combative ; quarrelsome ; waging war** 호전적인 ; 싸우기 좋아하는 ; 전쟁중인

A bully is *belligerent*. To be belligerent is to push other people around, to be noisy and argumentative, to threaten other people, and generally to make a nuisance of oneself.
깡패는 걸핏하면 싸우려 든다. belligerent한 것은 다른 사람을 괴롭히고, 시비를 걸어 소란을 피우거나 타인을 위협해서 대체로 남에게 폐를 끼치는 것을 의미한다.

Al was so *belligerent* that the convention had the feel of a boxing match.
알이 너무나 호전적이어서 집회는 마치 권투시합을 방불케 했다.

Opposing armies in a war are referred to as *belligerents*. Sometimes one *belligerent* in a conflict is more *belligerent* than the other.
전쟁에서 서로 대립하고 있는 양쪽 군대를 교전당사자라고 한다. 전투에서는 때때로 한쪽 교전당사자가 상대방보다 더 호전적인 경우가 있다.

**BEMUSED** [bimjú:zd] adj **confused ; bewildered** 당황한 ; 어리둥절한

To *muse* is to think about or ponder things. To be *bemused*, then, is to have been thinking about things to the point of confusion.
muse는 생각하다, 또는 심사숙고하다. to be bemused는 혼란스러울 정도로 뭔가에 대해 생각하고 있다는 뜻이다.

The two stood *bemused* in the middle of the parking lot at Disneyland, trying to remember where they had parked their car.
두 사람은 디즈니랜드 주차장 한가운데에서 어리둥절한 채로 서 있었다. 그들은 자신의 차를 주차시킨 곳을 기억하려고 애썼다.

Ralph was *bemused* when all lights and appliances in his house began switching on and off for no apparent reason.
집안에 있는 모든 전등과 전기기구들이 별다른 이유 없이 켜졌다가 꺼졌다가 하는 오작동을 일으키자 랄프는 어찌할 바를 몰랐다.

People often use the word *bemused* when they really mean amused, but *bemusement* is no laughing matter. *Bemused* means confused.
사람들은 실제로는 '즐거워하다' 는 말을 하고 싶으면서 bemused라는 단어를 자주 사용한다. 그러나 bemusement는 혼란이나 당황함을 가리키는 단어로 즐거운 일과는 거리가 멀다. bemused는 '당황한' 이라는 뜻이다.

## BENEFACTOR [bénəfæ̀ktər] n one who provides help, especially in the form of a gift or donation 은혜를 베푸는 사람, 특히 선물이나 기부금의 형태로

To give benefits is to be a *benefactor*. To receive benefits is to be a *beneficiary*. People very, very often confuse these two words. It would be to their benefit to keep them straight.
은혜를 베푸는 것은 benefactor가 되는 것이다. 도움을 받는 것은 수혜자가 되는 것이다. 사람들은 이 두 단어를 너무나 자주 혼동한다. 이 두 단어를 정확히 해두는 것이 유익할 것이다.

If your next-door neighbor rewrites his life insurance policy so that you will receive all his millions when he dies, then you become the *beneficiary* of the policy. If your neighbor dies, he is your *benefactor*.
이웃집 사람이 자신의 생명보험증권를 고쳐 써서 그가 사망한 후에 수백만 달러의 보험금을 당신이 받을 수 있도록 한다면, 당신은 그 보험의 수혜자가 되는 것이다. 당신의 이웃이 죽는다면, 그 이웃은 당신에게 증여자가 되는 것이다.

A *malefactor*[mǽləfæ̀ktər] is a person who does bad things. Batman and Robin made life hell for *malefactors* in Gotham City.
malefactor는 나쁜 일을 하는 사람이다. 배트맨과 로빈은 고담 시에 있는 악당들의 삶을 지옥으로 만들었다.

## BENEVOLENT [bənévələnt] adj generous ; kind ; doing good deeds 관대한 ; 친절한 ; 선행을 하는

Giving money to the poor is a *benevolent* act. To be *benevolent* is to bestow benefits.
가난한 사람들에게 돈을 주는 것은 자선행위이다. to be benevolent는 은전을 베푸는 것이다.

The United Way, like any charity, is a *benevolent* organization.
여느 자선 단체와 마찬가지로, The United Way도 좋은 일을 하는 기구이다.

*Malevolent*[məlévələnt] means evil, or wishing to do harm.
malevolent는 악의로 가득하거나 남에게 해를 입히고 싶어한다는 의미이다.

## BENIGN [bináin] adj gentle ; not harmful ; kind ; mild 예의바른 ; 해를 끼치지 않는 ; 친절한 ; 온화한

Betty has a *benign* personality ; she is not at all unpleasant to be with.
베티는 온화한 성격의 소유자이다 ; 그녀와 함께 있으면 불쾌해질 일이라곤 없다.

The threat of revolution turned out to be *benign* ; nothing much came of it.
혁명의 징후는 온건한 결과로 나타났다 ; 별다른 일이 발생하지 않았다.

Charlie was worried that he had cancer, but the lump on his leg turned out to be *benign*.
찰리는 암에 걸렸을까봐 걱정이 되었다. 그러나 다리의 종양은 양성으로 판명이 났다.

The difference between a *benign* person and a *benevolent* (see separate entry) one is that the *benevolent* one is actively kind and generous while the *benign* one is more passive. *Benevolence* is usually active generosity or kindness, while *benignancy* tends to mean simply not causing harm.
benign person과 benevolent person(별도의 표제어로 나와 있음)의 차이점은 전자가 소극적인 데 반해, 후자는 적극적으로 친절함과 관대함을 드러내는 것이다. benignancy가 단순히 남에게 해가 되지 않는다는 것을 뜻하는 경향이 있는 반면에, benevolence는 적극적인 관용이나 호의를 베푸는 것을 의미한다.

The opposite of a *benign* tumor is a *malignant* one. This is a tumor that can kill you. A *malignant* personality is one you wish a surgeon would remove. *Malignant* means nasty, evil, full of ill will. The word *malignant* also conveys a sense that evil is spreading, as with a cancer. An adjective that means the same thing is *malign*.
a benign tumor(양성 종양)의 반의어는 a malignant tumor(악성 종양)이다. 후자는 당신을 죽일 수도 있다. 악성의 성격을 가진 종양은 외과의사가 수술로 제거해주었으면 하고 바라는 성질의 것이다. malignant는 심술궂거나 사악하고 악의로 가득한 것을 의미한다. malignant는 또한 암의 경우처럼 나쁜 것이 퍼지고 있다는 의미를 지닌다. 같은 의미의 형용사는 malign(해로운, 악의가 있는).

As a verb, *malign* has a different meaning. To *malign* someone is to say unfairly bad things about that person, to injure that person by telling evil lies about him or her. *Slander* and *malign* are synonyms.
malign이 동사로 쓰이면 의미가 달라진다. 누군가를 malign하는 것은 그 사람에 대해서 부당하게 나쁜 말을 하는 것이다. 또 그 사람에 대한 악의적인 거짓말을 해서 상처를 입힌다는 의미이기도 하다. slander와 malign은 중상하다라는 의미에서 동의어이다.

## QUICK QUIZ 15

Match each word in the first column with its definition in the second column. Check your answers in the back of the book.

| | |
|---|---|
| 1. belligerent | a. intending harm |
| 2. bemused | b. donor |
| 3. benefactor | c. not harmful |
| 4. beneficiary | d. deadly |
| 5. benevolent | e. confused |
| 6. benign | f. generous |
| 7. malignant | g. combative |
| 8. malign | h. injure with lies |
| 9. malevolent | i. one who receives benefits |
| 10. malefactor | j. evildoer |

**BEQUEST** [bikwést] n **something left to someone in a will** 유언으로 남긴 것(유산, 유물)

If your next-door neighbor leaves you all his millions in a will, the money is a *bequest* from him to you. It is not polite to request a *bequest*. Just keep smiling and hope for the best.
옆집 사람이 그의 전재산인 수백만 달러를 유언으로 당신에게 남긴다면, 그 돈은 이웃사람이 당신에게 준 유산이다. 유산을 요구하는 것은 예의에 어긋난다. 그저 미소를 유지하며 희망을 버리지 말아라.

To leave something to someone in a will is to bequeath it. A bequest is something that has been bequeathed.
bequeath는 '유언으로 무언가를 남기다' 라는 뜻. 유산이란 유언을 통해서 증여된 재산이다.

**BEREAVED** [birí:vd] adj **deprived or left desolate, especially through death** 특히 죽음때문에, 홀로 남겨지거나 불행한

The new widow was still *bereaved* when we saw her. Every time anyone mentioned her dead husband's name, she burst into tears.
우리가 보았을 때도 그 미망인은 여전히 (남편의 죽음을) 슬퍼하고 있었다. 누군가가 죽은 남편의 이름을 언급하기라도 하면, 그녀는 언제나 눈물을 터뜨렸다.

The children were *bereaved* by the death of their pet. Then they got a new pet.
아이들은 애완동물의 죽음으로 상심했다. 아이들은 곧이어 다시 새 애완동물을 얻었다.
* bereft 는 bereaved와 같은 뜻이다.

**BESET** [bisét] v **to harass ; to surround** 괴롭히다 ; 둘러싸다

The bereaved widow was *beset* by grief.
미망인은 남편을 잃은 슬픔으로 고통스러웠다.

Problems *beset* the expedition almost from the beginning, and the mountain climbers soon returned to their base camp.
거의 탐험 시작부터 문제가 생겨 등산가들을 괴롭혔기 때문에, 등정대원들은 곧바로 베이스캠프로 돌아왔다.

The little town was *beset* by robberies, but the police could do nothing.
그 작은 마을이 강도들에게 시달림을 받았지만, 경찰은 아무 것도 할 수 없었다.

**BLASPHEMY** [blǽsfəmi] n **irreverence ; an insult to something held sacred ; profanity**
**신에 대한 불경 ; 신성에 대한 모독 ; 신성모독**

In the strictest sense, to commit *blasphemy* is to say nasty, insulting things about God. The word is used more broadly, though, to cover a wide range of nasty, insulting comments.
아주 엄밀한 의미로, to commit blasphemy는 하느님에 대하여 불쾌하고 모욕적인 말을 한다는 뜻이다. 그러나 이 단어는 범위를 넓혀 불쾌하고 모욕적인 말을 모두 아우르는 좀더 넓은 의미로 사용된다.

To *blaspheme* [blæsfíːm] is to use swear words or say deeply irreverent things. A person who says such things is *blasphemous*.
to blaspheme는 욕을 하거나 아주 불경스런 것을 말하는 것이다. 이와 같은 말을 하는 사람은 불경스러운 사람이다.

**BLATANT** [bléitənt] adj **unpleasantly or offensively noisy ; glaring** **불쾌하거나 무례할 정도로 시끄러운 ; 야단스러운**

David was *blatantly* critical of our efforts, that is, he was noisy and obnoxious in making his criticisms.
데이비드는 불쾌할 정도로 요란하게 우리의 성과를 비판했다. 다시 말해서, 그의 비판은 시끄럽고 불쾌감을 주었다.

*Blatant* is often confused with flagrant, since both words mean glaring. A *blatant* act is usually also a *flagrant* one, but a *flagrant* act isn't necessarily blatant. You might want to refer to the listing for *flagrant*.
blatant 와 flagrant는 둘 다 '야단스러워 눈에 거슬린다' 는 의미를 포함하고 있기 때문에 자주 혼동되는 단어이다. blatant act는 대개 flagrant act(악명을 떨치는 행동)이기도 하다. 그러나 flagrant act가 반드시 blatant act가 되는 것은 아니다. 이 책의 flagrant항목에서 다시 언급할 것이다.

## QUICK QUIZ 16

Match each word in the first column with its definition in the second column. Check your answers in the back of the book.

| | |
|---|---|
| 1. bequest | a. left desolate |
| 2. bequeath | b. something left in a will |
| 3. bereaved | c. harass |
| 4. beset | d. offensively noisy |
| 5. blasphemy | e. leaving in a will |
| 6. blatant | f. irreverence |

**BLIGHT** [blait] n **a disease in plants ; anything that injures or destroys** **식물에 나타나는 질병 ; 상처를 입히거나 파괴하는 것**

An early frost proved a *blight* to the citrus crops last year, so we had no orange juice for breakfast.
이른 서리가 지난해 감귤농사를 망치게 했다. 그래서 우리에겐 아침식사에 마실 오렌지 주스가 남아있지 않았다.

**BLITHE** [blaið] adj **carefree ; cheerful** 걱정이 없는 ; 즐거운

* 발음에 주의할 것.

The *blithe* birds in the garden were making so much noise that Paul began to think about the shotgun in the attic.
정원의 새들은 즐거운 듯 노래하지만 하도 시끄러워서 폴은 다락방에 있는 새총으로 쏘아버릴까 하고 생각했다.

The children were playing *blithely* in the hazardous-waste dump. While they played, they were *blithely* unaware that they were doing something dangerous.
아이들은 위험한 폐기물 더미 안에서 즐겁게 놀고 있었다. 아이들은 노는 동안에는 태평스럽게도 자신들이 위험한 짓을 하고 있다는 인식조차 없었다.

To be *blithely* ignorant is to be happily unaware.
to be blithely ignorant는 '태평스럽게, 유쾌하게 모르고 있다' 는 의미이다.

**BOURGEOIS** [buərʒwά:] adj **middle class, usually in a pejorative sense ; boringly conventional** 중산층, 대개 경멸하는 의미로 ; 따분하고 틀에 박힌

* 발음에 주의할 것.

The original *bourgeoisie* [bùərʒwɑ:zí:] were simply people who lived in cities, an innovation at the time. They weren't farmers and they weren't nobles. They were members of a new class-the middle class. Now the word is used mostly in making fun of or sneering at people who seem to think about nothing but their possessions and other comforts and about conforming with other people who share those concerns.
원래 '부르주아지' 라는 단어는 단순히 도시에 살고 있는, 그 시대에는 혁신적이었던 사람들을 일컫는 말이었다. 그들은 농부도 아니고 귀족도 아니었다. 그들은 새로 등장한 중간 계층이었던 것이다. 오늘날 이 단어는 자신의 소유물과 안락 외에는 아무런 관심도 없는 사람들, 또 그러한 관심사를 함께 나눌 수 있는 사람들과의 교류만 생각하는 것 같은 사람들을 놀리거나 비꼬아 말할 때 주로 사용한다.

A hip young city dweller might reject life in the suburbs as being too *bourgeois*. A person whose dream is to have a swimming pool in his backyard might be called *bourgeois* by someone who thinks there are more important things in life. Golf is often referred to as a *bourgeois* sport.
세련된 젊은 도시사람은 도시 근교에서 사는 것을 지나치게 속물적이라고 거부할 수도 있다. 인생에는 더 중요한 것이 있다고 생각하는 사람들은 수영장이 있는 마당을 갖고 싶어하는 꿈을 지닌 사람을 속물이라고 부를 것이다. 골프는 종종 돈 많은 속물들의 스포츠라는 말을 듣는다.

**BOVINE** [bóuvain] adj **cow related ; cowlike** 소와 관련된 ; 소 같은, 둔한

Cows are *bovine*, obviously. Eating grass is a bovine concern.
암소는 분명 소과의 동물이다. 풀을 먹는 것이 소과 동물의 일이다.

A fat or mooing person might be said to be *bovine*, too.
뚱뚱하거나 어리숙한 사람을 소 같다고 말할 수도 있다.

The woman's *bovine* figure made her very unpopular with the man sitting next to her on the airplane.
그녀는 소 같이 둔한 외모 때문에 비행기에서 옆에 앉아 있던 남자에게 아무런 인기가 없었다.

There are a number of similar words based on other animals:
비슷한 방식으로 동물에 의거해서 만들어진 단어들은 많이 있다.

*canine* [kéinain, kǽn-] : dogs 개 같은, 송곳니
*equine* [í:kwain, ék-] : horses 말 같은
*feline* [fí:lain] : cats 고양이 같은, 교활한, 음흉한
*piscine* [pí:sain] : fish 어류의
*porcine* [pɔ́:rsain, -sin] : pigs 돼지의, 불결한, 주접스러운
*ursine* [ə́:rsain, -sin] : bears 곰 같은, 강모에 덮인

**BREVITY** [brévəti] n **briefness** 간결함

The audience was deeply grateful for the *brevity* of the after-dinner speaker's remarks.
참석자들은 식사 후의 연설을 간결하게 끝낸 것에 대해서 대단히 감사해 마지않았다.

The reader of this book may be grateful for the *brevity* of this example.
이 책의 독자들은 짧은 예문에 고마워할 것이다.

*Brevity* is related to the word abbreviate.
brevity는 abbreviate(줄여 쓰다, 생략하다)라는 단어와 관계가 있다.

**BROACH** [broutʃ] v **to open up a subject for discussion, often a delicate subject** 토론의 주제, 종종 민감한 주제를 내놓다

Henrietta was proud of her new dress, so no one knew how to *broach* the subject with her of how silly grandmothers look in leather.
헨리에타는 새 옷을 자랑하고 다녔다. 그래서, 할머니들이 가죽옷을 입는 것이 얼마나 주책없이 보이는지에 대해서 그녀에게 어떻게 얘기를 해야 할지 아무도 알지 못했다.

**BUCOLIC** [bjuːkɑ́lik] adj **charmingly rural ; rustic ; countrylike** 매혹적으로 목가적인 ; 시골의 ; 촌스러운

The changing of the autumn leaves, old stone walls, distant views, and horses grazing in green meadows are examples of *bucolic* splendor.
형형색색의 가을 낙엽과 낡은 돌담과 멀리 펼쳐진 전망, 푸른 초원에서 풀을 뜯고 있는 말 등은 아름다운 전원 풍경의 전형적인 예이다.

The *bucolic* scene didn't do much for the city child, who preferred screaming fire engines and honking horns to the sounds of a babbling brook.
졸졸 흐르는 개울 소리보다 자동차의 경적소리나 소방차의 사이렌 소리를 더 좋아하는 그 도시 아이에게 시골 풍경은 별 의미가 없었다.

**BUREAUCRACY** [bjurɑ́krəsi] n **a system of government administration consisting of numerous bureaus or offices, especially one run according to inflexible and inefficient rules, any large administrative system characterized by inefficiency, lots of rules, and red tape** 수많은 국이나 부로 구성된 정부의 행정체계, 특히 융통성이 없고 비효율적인 규정에 의해서 운영되는 것 ; 비능률, 수많은 규제, 형식주의로 대변되는 대규모의 행정 체계

The Department of Motor Vehicles is a *bureaucracy*. Every clerk you speak with hands you a printed form and tells you to stand in line somewhere else. No one can answer all of your questions. At lunch time, when the lines are longest, half the clerks disappear. The forms you have to fill out all request unnecessary information. After you finally get everything all filled out and handed in, you don't hear another word from the department for many months.
자동차국은 관료조직이다. 당신이 만나는 모든 사무원은 인쇄된 서식을 주며 다른 어딘가에 가서 줄을 서서 기다리라고 한다. 누구도 당신의 모든 질문에 대답하지 못한다. 점심 시간이 되면 줄의 길이는 최고조에 이르는데, 사무원 중 절반은 어디론가 사라진다. 당신이 작성해야 하는 서류는 모두 필요도 없는 정보를 요구하고 있다. 당신이 마침내 모든 서류를 작성해서 제출하고 나면, 수개월이 지나도록 감감무소식일 뿐이다.

The people who work in a *bureaucracy* are called *bureaucrats*. These people and the inefficient procedures they follow might be called *bureaucratic*. Administrative systems outside the government can be *bureaucratic*, too. A high school principal who required teachers and students to fill out forms for everything might be called *bureaucratic*.
관료조직에서 일하는 사람들을 관료라고 한다. 관료와 그들이 따르는 비효율적인 절차를 관료적이라 한다. 정부 외에 다른 행정조직들도 또한 관료적일 수 있다. 매사에 선생과 학생들에게 서식을 작성할 것을 요구하는 고등학교 교장도 또한 관료적이라고 말할 수 있다.

**BURGEON** [bə́:rdʒən] v **to expand ; to flourish** **확장하다 ; 번창하다**

* 발음에 주의할 것.

The *burgeoning* weeds in our yard soon overwhelmed the grass.
우리 마당에서 무성하게 자라고 있던 잡초는 곧 잔디밭을 점령했다.

**BURLESQUE** [bərlésk] n **a ludicrous, mocking, or exaggerated imitation** **우스꽝스럽거나 조롱하는, 또는 과장된 흉내**

Vaudeville actors frequently performed *burlesque* works on the stage.
희극 배우들은 익살스런 연극을 무대에 자주 올렸다.

*Burlesque*, *parody*, *lampoon*, and *caricature* share similar meanings.
익살극, 풍자극, 풍자시, 캐리커처 등은 비슷한 의미를 나눠 갖고 있다.

## QUICK QUIZ 17

Match each word in the first column with its definition in the second column. Check your answers in the back of the book.

| | |
|---|---|
| 1. blight | a. flourish |
| 2. blithe | b. bearlike |
| 3. bourgeois | c. carefree |
| 4. bovine | d. catlike |
| 5. canine | e. cowlike |
| 6. feline | f. charmingly rural |
| 7. equine | g. middle class |
| 8. piscine | h. horselike |
| 9. porcine | i. briefness |
| 10. ursine | j. piglike |
| 11. brevity | k. inflexible administration |
| 12. broach | l. fishlike |
| 13. bucolic | m. doglike |
| 14. bureaucracy | n. plant disease |
| 15. burgeon | o. open a subject |
| 16. burlesque | p. ludicrous imitation |

**CACOPHONY** [kəkɑ́fəni] n **harsh-sounding mixture of words, voices, or sounds**
**귀에 거슬리는 말이나 목소리, 소리 등의 혼합(불협화음)**

A *cacophony* isn't just a lot of noise—it's a lot of noise that doesn't sound good together. A steam whistle blowing isn't a *cacophony*. But a high school orchestra that had never rehearsed together might very well produce a *cacophony*. The roar of engines, horns, and sirens all shouting at once would produce a *cacophony*.
cacophony는 단순히 수많은 소음의 합성은 아니다. 모여서 좋은 소리를 내지 못하는 소음의 합성일 뿐이다. 기적 소리는 불협화음이 아니다. 그러나 모여서 한번도 예행연습을 하지 못했던 고등학교 오케스트라가 불협화음을 내는 것은 어쩌면 당연한 일이다. 엔진의 굉음소리, 경적, 사이렌 소리 등이 모두 동시에 소리를 낸다면, 불협화음이 만들어질 것이다.
* euphony는 듣기 좋은 음조를 뜻하는 말로 cacophony의 반의어이다.

**CADENCE** [kéidəns] n **rhythm ; the rise and fall of sounds** **운율 ; 음의 오르내림, 억양**

We wished the tone of Irwin's words would have a more pleasing *cadence*, but he spoke in a dull monotone.
어윈이 말투에 좀더 기분 좋은 운율을 띠면서 했으면 좋았을 텐데, 그러나 그는 단조롭고 지루한 어조로 말을 했다.

**CAJOLE** [kədʒóul] v **to persuade someone to do something he or she doesn't want to do** **하기 싫어하는 일을 설득하여 하게 만들다**

I didn't want to give the speech, but Joel *cajoled* me into doing it by telling me what a good speaker I am. As it turned out, he simply hadn't been able to find anyone else.
나는 연설을 하고 싶지 않았다. 그러나 조엘은 나를 훌륭한 연설가라고 부추기고 설득해서 연설을 하도록 만들었다. 나중에 드러난 바에 따르면, 그는 단지 (연설을 할 만한) 다른 사람을 찾을 수 없었기 때문에 나에게 그렇게 한 것이었다.

**CALLOW** [kǽlou] adj **immature** **미숙한**

To be *callow* is to be youthfully naive, inexperienced, and unsophisticated.
callow하다는 것은 어리기 때문에 순진하고 경험과 지식이 부족하다는 뜻이다.

A teenager might show *callow* disregard for the feelings of adults.
십대들은 어른들의 감정을 무시하는 미숙함을 드러낼 수도 있다.

Driving fast cars and hanging out in the parking lot at the 7-Eleven are *callow* pursuits.
차를 빠르게 몰고 가서 세븐 일레븐 주차장에서 죽치는 것은 애들이나 즐겨하는 일이다

The patient was alarmed by the *callowness* of the medical staff. The doctors looked too young to have graduated from high school, much less from medical school.
그 환자는 의료진이 미숙해 보이는 것에 놀랐다. 의사들은 의과 대학원은커녕 고등학교나 제대로 졸업했나 싶게 어려 보였던 것이다.

## CANDOR [kǽndər] n truthfulness ; sincere honesty 정직 ; 진심 어린 정직함

My best friend exhibited *candor* when he told me that for many years now he has believed me to be a jerk.
나의 가장 친한 친구는 지난 수년 동안, 나를 세상물정 모르는 바보라고 생각하고 있었다고 아주 정직하게 말해 주었다.

Teddy appreciated Ross's *candor* ; Teddy was glad to know that Ross thought Teddy's sideburns looked stupid.
테디는 로스의 정직함을 고맙게 생각했다 ; 테디는 자신의 구레나루가 바보처럼 보인다는 로스의 생각을 알게 돼서 기뻤다.

To show *candor* is to be *candid*. What is *candid* about the camera on *Candid Camera*? The camera is *candid* because it is truthful in showing what people do when they can't turn off the coffee machine in the office where they're applying for a job. *Candid* does *not* mean concealed or hidden, even though the camera on *Candid Camera* is concealed. To be *candid* is to speak frankly.
정직함을 보이는 것은 솔직한 것이다. '몰래카메라(Candid Camera)'의 카메라에서는 무엇이 솔직한가? 취직하러 간 사무실에서 커피 자판기를 멈추게 할 수 없게 되었을 때 사람들이 하는 행동을 숨김없이 보여주기 때문에 그 카메라는 솔직한 것이다. 비록 '몰래카메라'에서 카메라 자체는 숨기고 촬영하는 것이지만, candid는 숨겨지거나 감추어진 것을 의미하지는 않는다. candid하다는 것은 솔직하게 말하는 것이다.

## CAPITALISM [kǽpətəlìzm] n free enterprise ; an economic system in which businesses are owned by private citizens (not by the government) and in which the resulting products and services are sold with relatively little government control

**자유 기업 ; 기업체를 사적 개인(정부가 아니라)이 소유하고, 생산된 재화와 용역을 비교적 정부의 간섭 없이 판매하는 경제체제**

The American economy is *capitalistic*. If you wanted to start a company to sell signed photographs of yourself, you could. You, and not the government, would decide how much you would charge for the pictures. Your success or failure would depend on how many people decided to buy your pictures.
미국 경제는 자본주의이다. 만약 당신이 자신의 사인이 담긴 사진을 판매하는 사업체를 설립하고자 한다면, 언제라도 할 수 있다. 정부가 아니라 바로 당신이 그 사진의 가격을 결정하게 된다. 당신이 성공하느냐 실패하느냐는 얼마나 많은 사람들이 당신의 사진을 사는가에 달려 있다.

## CAPITULATE [kəpítʃəlèit] v to surrender ; to give up or give in 항복하다 ; 양보하거나 굴복하다

I urged him and urged him to take off his cap ; when I threatened to knock his head off, he *capitulated*.
나는 그에게 모자를 벗으라고 계속해서 명령했다 ; 내가 때려서 벗기겠다고 위협하자, 그때서야 그는 내 말을 들었다.

On the twentieth day of the strike, the workers *capitulated* and went back to work without a new contract.
파업이 이십 일째로 접어들자, 노동자들은 파업을 포기하고 새로운 합의도 없이 업무에 복귀했다.

To *recapitulate* is not to *capitulate* again. To *recapitulate* is to summarize.
recapitulate는 다시 항복하다의 뜻이 아니라, '요약하다'라는 의미이다.

So few students paid attention to Mr. Jones that he had to *recapitulate* his major points at the end of the class.
존스 선생님의 수업을 주목하고 있는 학생들은 거의 없었기 때문에, 선생님은 수업 말미에 중요한 것들을 다시 요약해주어야만 했다.

**CAPRICIOUS** [kəpríʃəs] adj **unpredictable ; likely to change at any moment 예측 불가능한 ; 언제라도 변할 가능성이 있는**

* 발음에 주의할 것.

Bill was very *capricious*. One minute he said his favorite car was a Chevy Caprice ; the next minute he said it was a Camaro.
빌은 아주 변덕스러웠다. 언젠가는 자신이 좋아하는 차는 체비 카프리스라고 하더니 바로 돌아서서는 카마로가 좋다고 말했다.

The weather is often said to be *capricious*. One minute it's snowing, the next minute it's 120 degrees in the shade.
날씨는 종종 예측 불가능하다는 말을 듣는다. 한순간 눈이 내리다가도, 돌아서자마자 응달에서도 화씨 120도까지 올라간다.
* caprice는 변덕이다.

Penny attempted a quadruple somersault off the ten-meter diving board as a *caprice*. It was a painful *caprice*.
페니는 마음을 바꿔 10미터 높이의 다이빙보드에서 4회전 공중제비를 시도했다. 그것은 고통을 가져온 변덕이었다.

**CARICATURE** [kǽrikətʃər] n **a portrait or description that is purposely distorted or exaggerated, often to prove some about its subject 종종 대상의 실체를 드러내는, 고의적으로 왜곡하거나 과장해서 그린 초상화나 그림**

Editorial cartoonists often draw *caricatures*. Big noses, enormous glasses, floppy ears, and other distortions are common in such drawings. A politician who has been convicted of bribery might be depicted in a prison uniform or with a ball and chain around his ankle. If the politician has big ears to begin with, the ears might be drawn vastly bigger.
만평을 그리는 만화가들은 캐리커처를 자주 그린다. 큰 코와 커다란 안경, 늘어진 귀, 그 외에도 여러 형태의 왜곡된 모습 등은 그런 그림에서 흔히 볼 수 있다. 뇌물 수뢰로 유죄판결을 받은 정치가는 죄수복을 입거나 발목에 족쇄를 차고 있는 모습으로 묘사될 것이다. 무엇보다도, 그 정치가의 귀가 크다면, 귀는 아주 더 크게 그려질 것이다.

A *caricature* uses exaggeration to bring out the hidden character of its subject.
캐리커처는 대상의 숨겨진 특징을 끄집어내기 위해 과장법을 사용한다.

The word can also be used as a verb. To *caricature* someone is to create such a distorted portrait.
이 단어는 동사로도 쓰인다. 누군가를 caricature 하는 것은 왜곡된 초상화를 그리는 것이다.

**CASTIGATE** [kǽstəgèit] v **to criticize severely ; to chastise 심하게 비난하다 ; 벌하다**

Jim's mother-in-law *castigated* him for forgetting to pick her up at the airport.
장모는 공항으로 마중 나오는 것을 잊어버렸다고 짐을 호되게 꾸짖었다.

**CATALYST** [kǽtəlist] n **in chemistry, something that changes the rate of chemical reaction without itself being changed ; anyone or anything that makes something happen without being directly involved in it 화학에서, 스스로는 변하지 않고 화학 반응의 속도를 변화시키는 것(촉매) ; 직접적으로 사건에 개입하지 않으면서 사건을 유발하는 역할을 하는 사람 또는 그러한 사물(촉매제)**

When the mad scientist dropped a few grains of the *catalyst* into his test tube, the bubbling liquid began to boil furiously.
미친 과학자가 실험관에 아주 미세한 양의 촉매제를 떨어뜨리자 거품이 일던 액체가 마구 끓기 시작했다.

This word is often used outside the laboratory as well. The launching of *Sputnik* by the Russians provided the *catalyst* for the creation of the modern American space program.
이 단어는 실험실 밖에서도 자주 사용된다. 러시아가 발사한 스푸트니크 위성은 미국이 현대적인 우주계획을 세우는 데 촉매역할을 했다.

The tragic hijacking provided the *catalyst* for Congress's new anti-terrorist legislation.
비극적인 비행기 공중납치 사건은 의회가 새로이 반테러리스트법을 제정하는 데 촉매제가 되었다.

## QUICK QUIZ 18

Match each word in the first column with its definition in the second column. Check your answers in the back of the book.

| | |
|---|---|
| 1. cacophony | a. truthfulness |
| 2. cadence | b. harsh mixture of sounds |
| 3. cajole | c. surrender |
| 4. callow | d. distorted portrait |
| 5. candor | e. unpredictable |
| 6. capitalism | f. immature |
| 7. capitulate | g. free enterprise |
| 8. recapitulate | h. it makes things happen |
| 9. capricious | i. summarize |
| 10. caricature | j. persuade deceptively |
| 11. castigate | k. criticize severely |
| 12. catalyst | l. rhythm |

**CATEGORICAL** [kæ̀təgɔ́:rikəl] adj **unconditional ; absolute** 무조건적인 ; 절대적인

A *categorical* denial is one without exceptions—it covers every *category*. Crooked politicians often make *categorical* denials of various charges against them. Then they go to jail.
categorical denial은 모든 부문을 다 포함해서 예외 없이 거부하는 것이다. 정직하지 못한 정치가들은 그들에게 쏟아지는 여러 가지 비난을 무조건 부인하곤 한다. 그런 다음 그들은 감옥에 가는 것이다.

I *categorically* refuse to do anything whatsoever at any time, in any place, with anyone.
나는 언제, 어디서, 누구와 무슨 일을 하게 된다 할지라도 그것을 무조건 거부한다.

**CATHARSIS** [kəθɑ́:rsis] n **purification that brings emotional relief or renewal** 정서적 안정이나 쇄신을 가져오는 정신의 정화

To someone with psychological problems, talking to a psychiatrist can lead to a *catharsis*. A *catharsis* is a sometimes traumatic event after which one feels better.
정신적인 문제가 있는 사람에게는, 정신과 의사와의 상담이 카타르시스를 줄 수도 있다. 때때로 카타르시스는 사람들이 경험하고 나면 기분이 나아지는, 정신적 쇼크를 주는 일을 의미한다.

A *catharsis* is *cathartic*. Some people find emotional movies *cathartic*—watching one often allows them to release buried emotions. *Cathartic* can also be a noun. Young Teddy swallowed the contents of a bottle of shoe polish, so his mother gave him a raw egg as a *cathartic* to make him vomit.
catharsis의 형용사형은 cathartic이다. 어떤 사람들은 감동적인 영화에서 카타르시스를 얻는다. 그런 영화를 봄으로써 종종 내재하고 있던 감정을 방출할 수 있게 된다. cathartic은 명사로도 쓰인다. 어린 테디는 구두광택제 병 안에 들어있던 내용물을 삼켰다. 그래서 테디의 엄마는 테디가 먹은 것을 모두 게워낼 수 있도록 구토제로 날계란을 먹게 했다.

**CATHOLIC** [kǽθəlik] adj **universal ; embracing everything** **보편적인 ; 모든 것을 포용하는**

*Catholic* with a small c means universal. Da Vinci was a *catholic* genius who excelled at everything he did. *Parochial* means narrow-minded, so *parochial* and *catholic* are almost opposites.
소문자 c로 시작되는 catholic은 보편적이라는 뜻이다. 다빈치는 그가 이룩한 모든 분야에서 뛰어난 재능을 가진 다방면의 천재였다. parochial은 편협하다는 의미이다. 그러므로 parochial과 catholic은 거의 반대의 뜻이다.

**CAUSTIC** [kɔ́:stik] adj **like acid ; corrosive** **산(酸) 같은 ; 부식성의**

Paint remover is a *caustic* substance ; if you spill it on your skin, your skin will burn.
페인트 제거제는 부식성 물질이다 ; 피부에 쏟으면 화상을 입을 것이다.

The *caustic* detergent ate right through Henry's laundry.
그 산성 세제는 헨리의 세탁물에 구멍을 냈다.

*Caustic* can be used figuratively as well. A *caustic* comment is one that is so nasty or insulting that it seems to sting or burn the person to whom it is directed. The teacher's *caustic* criticism of Sally's term paper left her in tears.
caustic은 또한 비유적인 의미로도 쓰일 수 있다. caustic comment는 지목을 받은 사람이 가시에 찔리거나 불에 데인 것처럼 느낄 정도로 매우 험악하거나 모욕적인 말을 의미한다. 선생님이 샐리의 학기말 리포트를 신랄하게 비평했기 때문에, 그녀는 울고 말았다.

**CELIBACY** [séləbəsi] n **abstinence from sex** **성생활의 자제(종교적 의미에서)**

People who practice *celibacy* don't practice sex.
종교적인 독신을 실천하는 사람은 섹스를 하지 않는다.

*Celibacy* is one of the requirements for Catholic priesthood.
금욕적 독신생활은 카톨릭 성직자의 필수요건 중의 하나이다.

To practice *celibacy* is to be *celibate*. You will look a very long time in Hollywood before you find a *celibate* celebrity.
종교적 독신을 실천하는 것을 celibate하다고 한다. 할리우드 명사들 중에서 금욕적인 독신자를 찾기란 매우 어려울 것이다.

**CENSURE** [sénʃər] v **to condemn severely for doing something bad** **나쁜 일을 한 것에 대해서 혹독하게 비난하다**

The Senate sometimes *censures* senators for breaking laws or engaging in behavior unbecoming to an elected official.
때때로 상원의회는 법을 어기거나 선출된 공무원으로서의 본분을 망각한 행동을 한 상원의원들을 견책한다.

*Censure* can also be a noun. The clumsy physician feared the *censure* of his fellow doctors, so he stopped treating anything more complicated than the common cold.
censure는 또한 명사로도 쓰인다. 실력 없는 내과의사는 동료들의 비난이 무서웠다. 그래서 그는 일상적인 감기 외에 더 심각한 병을 치료하는 일을 그만 두었다.

A Senate that made a habit of *censuring* senators might be said to be *censorious*. To be *censorious* is to be highly critical—to do a lot of *censuring*.
의원들을 상습적으로 견책하는 상원은 censorious하다고 할 수 있다. censorious한 것은 대단히 비판적 — 남들에 대한 비판을 많이 하는 — 이라는 뜻이다 .

**CEREBRAL** [sərí:brəl, sérə-] adj **brainy ; intellectually refined** **머리가 좋은 ; 지적으로 세련된**

Your *cerebrum* is the biggest part of your brain. To be *cerebral* is to do and care about things that really smart people do and care about.
대뇌는 뇌 중에서 가장 큰 부분을 차지한다. cerebral한 것은 정말로 똑똑한 사람들이 행동하고 사고하는 것처럼 지적인 행동과 사고를 하는 것이다.

A *cerebral* discussion is one that is filled with big words and concerns abstruse matters that ordinary people can't understand.
cerebral discussion은 평범한 사람들은 이해하기 힘든 심오한 문제들을 다루는, 수준 높은 대화로 가득한 토론이다.

Bill was too *cerebral* to be a baseball announcer ; he kept talking about the existentialism of the outfield.
빌은 너무나 지적인 사람이라 야구를 중계하는 사람으로는 적절치 못했다 : 그는 계속해서 외야의 실존주의에 대해 이야기했다.

## CHAGRIN [ʃəgrín/ʃǽgrin] n humiliation ; embarrassed disappointment 굴욕 ; 난처한 실망

Much to my *chagrin*, I began to giggle during the eulogy at the funeral. Doug was filled with *chagrin* when he lost the race because he had put his shoes on the wrong feet.
정말 창피하게도, 장례식에서 고인에 대한 헌사를 낭독하고 있는데 나는 웃음이 나기 시작했다. 더그는 양쪽 신발을 거꾸로 신은 탓에 달리기 경주에서 지게 되자 매우 창피했다.

The word *chagrin* is sometimes used incorrectly to mean surprise. There is, however, a definite note of shame in *chagrin*.
chagrin은 '놀람'의 의미로 잘못 사용되기도 한다. 그러나 chagrin에는 '창피함'이라는 의미가 명확하게 들어 있다.

To be *chagrined* is to feel humiliated or mortified.
chagrined는 창피하거나 굴욕을 느껴 분하다는 뜻이다.

## CHARISMA [kərízmə] n a magical-seeming ability to attract followers or inspire loyalty 지지자들을 사로잡거나 충성심을 고무시키는 마법과도 같은 능력

The glamorous presidential candidate had a lot of *charisma* ; voters didn't seem to support him so much as be entranced by him.
매력적인 대통령 후보는 뛰어난 카리스마를 갖고 있었다 : 유권자들은 그를 지지한다기보다는 그에게 매혹 당한 것처럼 보였다.

The evangelist's undeniable *charisma* enabled him to bring in millions and millions of dollars in donations to his television show.
그 전도사는 부인할 수 없는 카리스마를 갖고 있어서 텔레비전 방송에 출연하여 수백만 달러의 기부금을 모금할 수 있었다.
* 형용사는 charismatic.

## QUICK QUIZ 19

Match each word in the first column with its definition in the second column. Check your answers in the back of the book.

| | |
|---|---|
| 1. categorical | a. unconditional |
| 2. catharsis | b. relieving purification |
| 3. catholic | c. abstinence from sex |
| 4. caustic | d. brainy |
| 5. celibacy | e. humiliation |
| 6. censure | f. magical attractiveness |
| 7. cerebral | g. corrosive |
| 8. chagrin | h. condemn severely |
| 9. charisma | i. universal |

### CHARLATAN [ʃáːrlətən] n **fraud ; quack ; con man** 사기꾼 ; 돌팔이 의사 ; 사기꾼

Buck was selling what he claimed was a cure for cancer, but he was just a *charlatan* (the pills were jelly beans).
스스로 주장하는 바에 의하면, 버크는 암을 치료하는 약을 팔고 있었다. 그러나 그는 단지 사기꾼에 지나지 않았다. (그 알약은 젤리사탕이었다).

The flea market usually attracts a lot of *charlatans* who sell phony products that don't do what they claim they will.
벼룩시장에는 대개 그들이 주장하는 것 같은 효능이라고는 전혀 없는 가짜 상품을 팔아먹는 수많은 사기꾼이 모여든다.

### CHASM [kǽzm] n **a deep, gaping hole ; a gorge** 깊고 크게 벌어진 구멍 ; 골짜기

* 발음에 주의할 것.

Bill was so stupid that his girlfriend wondered whether there wasn't a *chasm* where his brain should be.
빌이 하도 어리석어서, 그의 여자친구는 그의 뇌가 있어야 할 곳이 비어 있는 것은 아닌지 의심스러웠다.

The bad guys were gaining, so the hero grabbed the heroine and swung across the *chasm* on a slender vine.
악당들이 늘어나자, 남자주인공은 여자주인공을 붙잡고 가느다란 덩굴에 매달린채 골짜기를 건너 뛰었다.

### CHASTISE [tʃæstáiz] v **to inflict punishment on ; to discipline** 벌을 주다 ; 징계를 내리다

Mother *chastised* us for firing our bottle rockets through the livingroom window.
병으로 만들어 발사한 로켓이 거실 창문을 깼기 때문에 우리는 엄마에게 벌을 받았다.

*Chastising* the dog for sleeping in the fireplace never seemed to do any good ; the minute we turned our backs, he'd curl up in the ashes again.
벽난로에서 잤다고 개에게 벌을 주는 것은 전혀 효과가 없는 것 같았다 : 우리가 돌아서자마자 개는 또다시 난로 재 속에서 몸을 말고 누웠던 것이다.

**CHICANERY** [ʃikéinəri] n **trickery ; deceitfulness ; artifice, especially legal or political**
**속임수 ; 사기 ; 특히 법률적, 정치적인 책략**

* 발음에 주의할 것.

Political news would be dull were it not for the *chicanery* of our elected officials.
우리가 선출한 공직자들의 정치적 속임수가 없다면, 정치 뉴스는 재미없을 것이다.

**CHIMERA** [kaimíərə] n **an illusion ; a foolish fancy** **환상 ; 어리석은 공상, 망상**

* 발음에 주의할 것.

Susan's dream of becoming a movie star was just a *chimera*.
영화배우가 되겠다는 수잔의 희망은 단지 환상일 뿐이었다.

Could you take a picture of a *chimera* with a camera? No, of course not. It wouldn't show up on the film.
카메라를 가지고 환상을 사진으로 찍어낼 수 있나요? 물론 못하죠. 그것은 필름에는 나타나지 않을 겁니다.

Be careful not to mispronounce this word. Its apparent similarity to *chimn*ey is just a *chimera*.
이 단어를 잘못 발음하지 않도록 주의할 것. 언뜻 chimney(굴뚝)와 비슷하게 보이는 것은 단지 착각일 뿐이다.

**CHOLERIC** [kálərik] adj **hot-tempered ; quick to anger** **성급한 ; 화를 잘 내는**

The *choleric* watchdog would sink his teeth into anyone who came within biting distance of his doghouse.
그 감시견은 성질이 사나워서 개집 근처 사정거리에 들어오는 사람은 누구나 이빨로 물어뜯곤 했다.

When the grumpy old man was in one of his *choleric* moods, the children refused to go near him.
심술궂은 그 노인이 화가 나있는 분위기이면, 아이들은 그에게 가까이 다가가기를 꺼렸다

The *choleric* administrator kept all the secretaries in a state of terror.
성질 사나운 국장은 모든 비서들을 공포의 도가니로 몰아넣었다.

**CHRONIC** [kránik] adj **constant ; lasting a long time ; inveterate** **지속적인 ; 오랜 기간 계속되는 ; 만성의**

Someone who always comes in last could be called a *chronic* loser.
경주에서 항상 마지막으로 들어오는 사람은 a chronic loser(상습적인 패자)라고 부를 수 있다.

*Chronic* is usually associated with something negative or undesirable: *chronic* illness, *chronic* failure, *chronic* depression. You would be much less likely to encounter a reference to *chronic* success or *chronic* happiness, unless the writer or speaker was being ironic.
chronic은 일반적으로 부정적이고 바람직하지 못한 일들과 관련이 있다: 만성적 질환, 상습적인 실패, 만성적 불황. 작가나 화자가 반어적 표현으로 비꼬는 경우가 아니라면, 상습적인 성공이나 만성적 행복 같은 말들을 접하는 일은 거의 없을 것이다.

A *chronic* disease is one that lingers for a long time, doesn't go away, or keeps coming back. The opposite of a *chronic* disease is an *acute* disease. An *acute* disease is one that comes and goes very quickly. It may be severe, but it doesn't last forever.
chronic disease는 완전 치유되지 않고 발병을 반복하면서 오랫동안 남아있는 질환을 의미한다. 반의어는 acute disease. acute disease는 아주 급속히 발병했다가 아주 급속히 치유되는 질환이다. 병세가 심각할 수도 있지만 영원히 지속되는 것은 아니다.

**CHRONICLE** [kránikl] n **a record of events in order of time ; a history** **시간의 순서에 따라 사건을 기록한 것(연대기) ; 역사**

Sally's diary provided her mother with a detailed *chronicle* of her daughter's extracurricular activities.
엄마는 샐리의 일기를 통해서 딸의 과외활동에 관한 상세한 기록을 얻을 수 있었다.

*Chronicle* can also be used as a verb. The reporter *chronicled* all the events of the revolution. *Chronology* and *chronicle* are nearly synonyms: both provide a chronological list of events. *Chronological* means in order of time.

chronicle은 동사로도 쓰인다. 기자는 혁명의 전과정을 연대순으로 기록했다. chronology와 chronicle은 거의 의미가 같다: 둘 다 사건을 연대순으로 배열하는 것이다. chronological은 '연대순의' 라는 뜻이다.

## QUICK QUIZ 20

Match each word in the first column with its definition in the second column. Check your answers in the back of the book.

| | |
|---|---|
| 1. charlatan | a. in order of occurrence |
| 2. chasm | b. constant |
| 3. chastise | c. hot-tempered |
| 4. chicanery | d. punish |
| 5. chimera | e. account of past times |
| 6. chivalrous | f. list in time order |
| 7. choleric | g. illusion |
| 8. chronic | h. fraud |
| 9. chronological | i. gallant |
| 10. chronology | j. gaping hole |
| 11. chronicle | k. trickery |

**CIRCUITOUS** [sə:rkjú:ətəs] adj **roundabout ; not following a direct path** 우회적인 ; 직선로를 따라가지 않는

The *circuitous* bus route between the two cities went here, there, and everywhere, and it took an extremely long time to get anywhere.

두 도시를 연결하는 그 버스의 우회노선은 여기저기 모든 곳을 다 돌아 거쳐갔다. 그래서 어느 곳을 가려 해도 아주 시간이 많이 걸렸다.

The salesman's route was *circuitous*—it wound aimlessly through many small towns.

세일즈맨이 다녀야 하는 길은 빙 돌아가는 길이었다. — 정처 없이 작은 마을들을 수없이 구비구비 돌도록 되어 있었다.

A *circuitous* argument is one that rambles around for quite a while before making its point.

circuitous argument는 요점을 제시하기 전에 꽤 오랫동안 우회적인 이야기를 풀어놓는 것을 말한다.

A *circuitous* argument is very similar to a *circular* argument, which is one that ends up where it begins or attempts to prove something without offering any new information. To say "A majority is that which exists when there is a majority" is to give a circular, or tautological, definition of the word *majority*.

circuitous argument는 시작한 곳에서 끝이 나거나 새로운 정보를 전혀 제시하지 않고 무엇인가를 입증하려 하는 논법이라는 뜻의 circular argument(순환논법)와 아주 유사하다. "대다수란 대다수가 있을 때 존재하는 것이다" 라는 문장은 대다수라는 단어의 정의를 순환어법으로 또는 동어반복적으로 제시하는 것이다.

**CIRCUMLOCUTION** [sə̀ːrkəmloukjúːʃən] n **an indirect expression ; use of wordy or evasive language** 간접적인 표현 ; 장황하거나 둘러대는 말

The lawyer's *circumlocution* left everyone in the courtroom wondering what had been said.
변호사가 돌려 말했기 때문에 법정에 있던 사람들은 모두 그가 무슨 말을 했는지 잘 몰랐다.

The indicted executive evaded the reporters' questions by resorting to *circumlocution*.
피소된 이사는 적당히 둘러대서 기자들의 질문을 교묘히 피했다.

To use a lot of big, vague words and to speak in a disorganized way is to be *circumlocutory*.
범위가 넓고 모호한 단어를 사용하여 중구난방으로 뜻도 안 통하게 말하는 것을 circumlocutory하다고 표현한다.

**CIRCUMSCRIBE** [sə́ːrkəmskràib] v **to draw a line around ; to set the limits ; to define ; to restrict** 주위의 경계선을 그리다 ; 한계를 정하다 ; 한정하다 ; 제한하다

The Constitution clearly *circumscribes* the restrictions that can be placed on our personal freedoms.
헌법은 개인의 자유를 제한할 수 있는 규정을 분명히 정해놓고 있다.

A barbed-wire fence and armed guards *circumscribed* the movement of the prisoners.
가시철조망 울타리와 무장한 경비원이 수감자들의 움직임을 제한했다.

**CIRCUMSPECT** [sə́ːrkəmspèkt] adj **cautious** 조심성 있는

As a public speaker, Nick was extremely *circumspect* ; he always took great care not to say the wrong thing or give offense.
대중 연설가로서 닉은 아주 신중한 사람이었다 ; 그는 잘못된 것을 말하거나 무례를 범하지 않기 위해 항상 많은 주의를 기울였다.

The *circumspect* general did everything he could not to put his soldiers at unnecessary risk.
신중한 성격의 장군은 병사들을 불필요한 위험에 빠뜨리지 않기 위하여 자신이 할 수 있는 일이라면 뭐든지 다했다.

The word *circumspect* comes from Greek roots meaning around and look (as do the words *circle* and *inspect*). To be *circumspect* is to look around carefully before doing something.
circumspect는 (circle과 inspect처럼) around 와 look을 의미하는 그리스어의 어근들에서 나온 단어이다. circumspect한 것은 어떤 일을 하기 전에 조심스럽게 주위를 둘러보는 것을 의미한다.

**CIRCUMVENT** [sə̀ːrkəmvént] v **to frustrate as though by surrounding** 완전히 포위하는 것처럼 해서 실패하게 만들다

Our hopes for an early end of the meeting were *circumvented* by the chairperson's refusal to deal with the items on the agenda.
회의가 일찍 끝났으면 하는 우리의 바람은 의장이 의사 일정상의 안건들을 처리하기를 거부함으로써 이루어지지 못했다.

The angry school board *circumvented* the students' effort to install color television sets in every classroom.
화가 난 교육 위원회는 모든 교실마다 컬러 텔레비전을 설치하려던 학생들의 노력을 무위로 만들었다.

**CIVIL** [sívəl] adj **polite ; civilized ; courteous** 공손한 ; 교양이 있는 ; 예의 바른

Our dinner guests conducted themselves *civilly* when we told them we weren't going to serve them dinner after all. They didn't bang their cups on the table or throw their plates to the floor.
만찬에 참석한 손님들에게 식사를 제공하지 않을 것이라고 말했음에도 불구하고 손님들은 교양 있게 행동했다. 그들은 컵을 소리나게 테이블에 놓거나 접시를 마루에 집어던지는 일 따위는 하지 않았다.

The word *civil* also has other meanings. *Civil* rights are rights established by law. *Civil* service is government service. Consult your dictionary for the numerous shades of meaning.
civil이라는 단어는 다른 의미로도 쓰인다. civil rights는 법으로 확립된 시민권을 의미한다. civil service는 행정서비스를 의미한다. 여러 가지 의미의 차이는 사전에서 찾아보아라.

## CLEMENCY [klémənsi] n mercy ; forgiveness ; mildness 자비 ; 관용 ; 온화함

The judge displayed *clemency* in giving the student a suspended sentence for shooting Mr. Reed, his dreadful math teacher.
지독히 무서운 리드 수학선생님을 총으로 쏜 학생에게 판사는 집행유예를 선고해서 관용을 베풀었다.

The governor committed an act of *clemency* when he released all the convicts from the state penitentiary.
주지사는 주립교도소에 수감되어 있는 모든 죄수들을 석방하는 관용정책을 펼쳤다.

Mild weather is called *clement* weather ; bad weather is called *inclement*. You should wear a coat and carry an umbrella in *inclement* weather.
온화한 기후를 clement weather라 부른다 : 악천후는 inclement weather. 악천후에는 외투를 입고 우산을 휴대해야만 한다.

## CLICHÉ [kli:ʃéi] n an overused saying or idea 지나치게 사용되는 말이나 생각, 진부한 표현

* 이 프랑스어의 발음에 주의할 것.

The expression "You can't judge a book by it's cover" is a *cliché* ; it's been used so many times, its freshness has been worn away.
"표지만 보고 책을 평가할 수는 없다"라는 말은 진부한 표현이다 : 이 표현은 너무나 흔하게 쓰여서 신선미가 사라진 지 오래다.

*Clichés* are usually true. That's why they've been repeated often enough to become overused. But they are boring. A writer who uses a lot of *clichés*-referring to a foreign country as "a land of contrasts," describing spring as "a time of renewal," saying that a snowfall is "a blanket of white" -is not interesting to read, because there is nothing new about his observations.
진부한 표현들은 대체로 진실하다. 그렇기 때문에 남용된다라고 할 만큼 자주 반복해서 쓰여져온 것이다. 그러나 그러한 표현들은 따분하다. 외국을 언급할 때는 "우리와는 현저히 다른 나라", 봄을 묘사할 때는 "만물이 소생하는 때", 눈이 내리면, "하얀색의 담요" 식으로 진부한 표현을 많이 쓰는 작가의 글은 재미가 없다. 그의 관찰력에 새로운 것이 전혀 없기 때문이다.

## CLIQUE [kli:k] n an exclusive group bound together by some shared quality or interest 공통의 특질이나 이해관계로 함께 묶여있는 배타적인 무리

* 발음에 주의할 것.

The high school newspaper staff was a real *clique* ; they all hung out together and wouldn't talk to anyone else. It's hard to have fun at that school if you aren't a member of the right *clique*.
고등학교 교내 신문사 부원들은 진짜 배타적인 파벌이었다 ; 그들은 함께 몰려다니면서 다른 사람들과는 말도 하지 않으려 했다. 그 학교에서는 올바른 파벌에 끼지 않는다면, 학교생활이 재미있을 수가 없다.

The cheerleaders were *cliquish* as well.
치어리더들 역시 배타적이었다.

## QUICK QUIZ 21

Match each word in the first column with its definition in the second column. Check your answers in the back of the book.

| | |
|---|---|
| 1. circuitous | a. cautious |
| 2. circumlocution | b. draw a line around |
| 3. circumscribe | c. mercy |
| 4. circumspect | d. polite |
| 5. circumvent | e. roundabout |
| 6. civil | f. frustrate |
| 7. clique | g. overused saying |
| 8. clemency | h. indirect expression |
| 9. inclement | i. exclusive group |
| 10. cliché | j. bad, as in weather |

**COALESCE** [kòuəlés] v **to come together as one ; to fuse ; to unite** 하나로 모이다 ; 연합하다 ; 결합하다

When the dough *coalesced* into a big black blob, we began to wonder whether the cookies would be good to eat.
반죽이 하나의 큰 검은 덩어리로 뭉쳐버리자 쿠키가 제대로 먹을 수 있는 것이 될지 의심이 가기 시작했다.

The people in our neighborhood *coalesced* into a powerful force for change in the community.
우리의 이웃들은 하나로 뭉쳐 지역 사회를 변화시킬 수 있는 강력한 힘이 되었다.

A *coalition* is a group of people that has come together for some purpose, often a political one. Coal miners and cola bottlers might coalesce into a *coalition* for the purpose of persuading coal mine owners to provide cola machines in coal mines.
coalition(제휴, 연합)은 어떤 목적 — 종종 정치적인 목적 — 을 위하여 함께 모인 사람들의 집단을 일컫는다. 석탄 광부들과 콜라 제조업자들이 석탄 광산에 콜라자동판매기를 설치하기 위해 광산소유주를 설득하려는 목적으로 동맹을 맺을 수도 있을 것이다.

The southern *coalition* in Congress is the group of representatives from southern states who often vote the same way.
의회내의 남부연합은 종종 표결에서 연합 전선을 형성하는 남부 주 출신 의원들의 집단이다.

**COERCE** [kouə́:rs] v **to force someone to do or not to do something** 다른 사람을 강제하여 어떤 일을 하게 하거나 못하게 하다

Darth Vader tried flattery, Darth Vader tried gifts, Darth Vader even tried to *coerce*, but Darth Vader was never able to make Han Solo reveal the hidden rebel base.
다스 베이더는 달래도 보고 선물도 제시해보고 심지어 강제적인 방법도 써보았지만, 결코 한 솔로가 반란군의 비밀 기지를 자백하게 만들 수는 없었다.

* 명사형은 coercion.

## COGENT [kóudʒənt] v powerfully convincing 설득력이 강한

*Cogent* reasons are extremely persuasive ones.
cogent reasons란 아주 설득력이 강한 근거들이다.

Kojak was *cogent* in explaining why he needed another lollipop, so we gave him one.
코작은 막대사탕이 하나 더 필요하다는 이유를 아주 설득력 있게 설명했다. 그래서 우리는 그에게 막대사탕을 하나 더 주었다.

The lawyer's argument in his client's behalf was not *cogent*, so the jury convicted his client. The jury was persuaded by the *cogency* of the district attorney's argument.
의뢰인의 입장을 대변하는 변호사의 주장은 설득력이 없었다. 그래서 배심원은 그 의뢰인의 유죄를 결정했다. 배심원은 지방검사의 설득력 있는 주장을 받아들였다.

## COGNITIVE [kágnətiv] adj dealing with how we know the world around us through our senses ; mental 감각을 통해서 우리를 둘러싼 세계를 아는 방법을 다루는 ; 인식의, 정신의

Scientists study the *cognitive* apparatus of human beings to pattern how computers should gather information about the world.
과학자들은 인간의 인식 체계를 연구해 컴퓨터가 세계에 대한 정보를 모으는 방식을 정한다.
* cognition은 인식이라는 뜻의 명사.

## COGNIZANT [kágnəzənt] adj aware ; conscious 알고 있는 ; 의식하고 있는

To be *cognizant* of your responsibilities is to know what your responsibilities are.
당신의 책임을 cognizant 한다는 것은 당신의 책임이 무엇인지 알고 있다는 뜻이다.

Al was *cognizant* of the dangers of sword swallowing, but he tried it anyway and hurt himself quite badly.
알은 칼을 삼키는 일이 위험하다는 것을 알고 있었다. 그럼에도 불구하고 그는 그렇게 했고, 매우 심한 상처를 입게 되었다.

## COHERENT [kouhíərənt] adj holding together ; making sense 함께 붙어있는 ; 이치에 맞는

A *coherent* wad of cotton balls is one that holds together.
서로 엉겨붙은 목화솜 뭉치란 함께 붙어있는 것을 말한다.

A *coherent* explanation is an explanation that makes sense ; the explanation holds together.
coherent explanation은 이치에 맞는 설명을 뜻한다 ; 그런 설명은 응집력이 있다.

To hold together is to *cohere*.
응집하는 것은 cohere 한다고 한다.

## COLLOQUIAL [kəlóukwiəl] adj conversational ; informal in language 대화체의 ; 형식적이지 않은 언어의(구어체의)

A writer with a *colloquial* style is a writer who uses ordinary words and whose writing seems as informal as common speech.
구어체로 쓰는 작가란 일상의 언어를 사용하며, 글 또한 평소 말하는 것처럼 형식을 따지지 않고 쓰는 작가이다.

"The way I figure it" is a *colloquial* expression, or a *colloquialism*: people often say it but it isn't used in formal prose.
"The way I figure it"는 구어체적 표현, 또는 구어체라고 한다: 사람들이 자주 쓰는 말이지만 제대로 형식을 갖춘 문장에서는 쓰이지 않는 표현이다.

A *colloquy* [káləkwi] is a conversation or conference.
colloquy는 대화나 회의를 뜻한다.

## COLLUSION [kəlú:ʒən] n conspiracy ; secret cooperation 공모 ; 은밀한 협조(담합)

The increase in oil price was the result of *collusion* by the oilproducing nations.
유가 인상은 산유국들의 담합의 결과였다.

There was *collusion* among the owners of the baseball teams ; they agreed secretly not to sign any expensive free agents.
야구팀의 구단주들끼리 공모한 것이 있었다 : 그들은 비싼 자유계약 선수들과는 계약하지 않기로 비밀리에 의견을 모았다.

If the baseball owners were in *collusion*, then you could say that they had *colluded*. To *collude* is to conspire.
야구팀 구단주들이 담합하고 있다면, 그들이 colluded했다고 표현할 수 있다. collude는 공모하다라는 뜻.

## COMMENSURATE [kəménsərit] adj equal ; proportionate 같은 정도의 ; 균형잡힌

Ernie's salary is *commensurate* with his abilities: like his abilities, his salary is small.
어니의 월급은 자신의 능력에 딱 맞는 수준이다: 그의 능력만큼이나 급료도 적다.

The number of touchdowns scored by the team and number of its victories were *commensurate* (both zero).
그 팀이 터치다운한 개수나 게임에 승리한 횟수나 똑같았다(둘 다 영이다).

## COMPELLING [kəmpéliŋ] adj forceful ; causing to yield 힘으로 밀어 부치는 ; 굴복하게 만드는

A *compelling* argument for buying a videocassette recorder is one that makes you go out and buy a videocassette recorder.
VCR을 사야한다는 compelling argument(강제적인 주장)는 어쩔 수 없이 밖으로 나가 새 VCR를 사게 만드는 주장이다.

The recruiter's speech was so *compelling* that nearly everyone in the auditorium enlisted in the army when it was over.
신병을 모집하는 연설은 워낙 사람을 굴복시키는 힘이 있어서 그 연설이 끝나자 강당에 모인 거의 모든 사람들이 육군에 입대하게 되었다.

To *compel* someone to do something is force him or her to do it. Our consciences *compelled* us to turn the money we had found over to the authorities.
누군가에게 무엇인가를 하도록 compel하는 것은 그 사람에게 그 일을 하도록 강요하는 것이다. 양심의 가책 때문에 우리는 주운 돈을 관계 당국에 넘겨주었다.

The noun is *compulsion*, which also means an irresistible impulse to do something irrational.
명사형은 compulsion으로 이 또한 불합리한 일을 하고자 하는 억누를 수 없는 충동을 의미한다.

## COMPENDIUM [kəmpéndiəm] n a summary ; an abridgment 요약 ; 축약

A yearbook often contains a *compendium* of the offenses, foibles, and crimes of the members of the senior class.
연감에는 종종 고학년들의 규칙위반과 단점, 범법행위 같은 것들이 요약되어 담겨있다.

## QUICK QUIZ 22

Match each word in the first column with its definition in the second column. Check your answers in the back of the book.

| | |
|---|---|
| 1. coalesce | a. perceptive |
| 2. coalition | b. unite |
| 3. coerce | c. conversational |
| 4. cogent | d. force someone to do something |
| 5. cognitive | e. proportionate |
| 6. cognizant | f. making sense |
| 7. coherent | g. group with a purpose |
| 8. colloquial | h. powerfully convincing |
| 9. collusion | i. summary |
| 10. commensurate | j. forceful |
| 11. compelling | k. conspiracy |
| 12. compendium | l. dealing with how we know our environment |

**COMPLACENT** [kəmpléisənt] adj **self-satisfied ; overly pleased with oneself ; contented to a fault** 자기 만족의 ; 스스로에게 지나치게 만족하는 ; 지나칠 정도로 만족하고 있는

The *complacent* camper paid no attention to the bear prowling around his campsite, and the bear ate him up.
자만한 야영객은 야영지 주변을 배회하고 있는 곰한테는 전혀 주의를 기울이지 않았다. 결국 그는 곰에게 잡아 먹혔다.

The football team won so many games that it became *complacent*, and the worst team in the league snuck up and beat it.
그 풋볼 팀은 워낙 여러 번 이겼기 때문에 자만하게 되었다. 그러다가 결국, 리그 최하위 팀에게 허를 찔려 패배를 당했다.

To fall into *complacency* is to become comfortably uncaring about the world around you.
to fall into complacency는 당신을 둘러싼 세상에 대하여 마음 편하게 걱정하지 않게 되는 것이다.

The president of the student council was appalled by the *complacency* of his classmates ; not one of the seniors seemed to care whether the theme of the prom was "You Light up My Life" or "Color My World."
학생 회장은 동급생들의 자기만족적인 행동에 질려버렸다 : 댄스파티의 주제곡이 "You Light up My Life" 이건 "Color My World" 이건 상급생의 어느 누구도 신경 쓰지 않는 것 같았다.

Don't confuse *complacent* with *complaisant*[kəmpléizənt], which means eager to please.
complacent와 complaisant를 혼동하지 말아라. 후자는 기쁘게 해주려고 애쓴다는 의미이다.

## COMPLEMENT [kámpləmənt] v to complete or fill up ; to be the perfect counterpart
완성하다 또는 가득 채우다 ; 완벽한 상대가 되다

This word is often confused with *compliment*, which means to praise. It's easy to tell them apart. *Complement* is spelled like *complete*. The flower arrangement *complemented* the table decorations.
이 단어는 칭찬한다는 뜻인 compliment와 자주 혼동된다. 두 단어를 구별하는 방법은 쉽다. complement는 complete(완성하다)와 스펠링이 비슷하다. 그 꽃꽂이 작품 덕에 테이블 꾸미기가 비로소 완벽해졌다.

*Complement* can also be a noun. Fish-flavored ice cream was a perfect *complement* to the seafood dinner.
complement는 또한 명사로도 쓰인다. 생선 맛이 나는 아이스크림은 해산물로 꾸민 식사를 완벽하게 완성시켜 주었다.

## COMPLICITY [kəmplísəti] n participation in wrongdoing ; the act of being an accomplice 나쁜 행위에 참여함 ; 공범이 되는 행위

There was *complicity* between the bank robber and the dishonest teller. The teller neglected to turn on the alarm, and the robber rewarded him by sharing the loot.
은행강도와 정직하지 못한 출납계원 사이에 공모가 있었다. 출납계원은 일부러 경보기를 켜지 않았고, 강도는 약탈한 돈을 나누어 줘서 그에 대한 보상을 해주었다.

*Complicity* among the students made it impossible to find out which of them had set fire to the Spanish teacher.
학생들 사이에 공모가 이루어졌기 때문에, 스페인어 선생님을 화나게 한 범인을 찾아낼 수가 없었다.

## COMPREHENSIVE [kàmprihénsiv] adj covering or including everything 모든 것을 포함하는, 또는 넓게 포괄하는

The insurance policy was *comprehensive* ; it covered all possible losses.
그 보험증권은 포괄적이었다 ; 일어날 수 있는 모든 손실을 다 포함하고 있었다.

A *comprehensive* examination is one that covers everything in the course, or everything in a particular field of knowledge.
comprehensive examination은 전 과정을 다루는, 또는 특별한 분야의 지식을 모두 포괄하는 시험을 의미한다.

Mabel's knowledge of English was *comprehensive* ; she even understood what *comprehensive* means.
마벨은 영어에 대해서 폭넓은 지식을 갖고 있었다 ; 그녀는 심지어 comprehensive가 의미하는 바도 알고 있었다.

## COMPRISE [kəmpráiz] v to consist of ~으로 이루어져 있다

A football team *comprises* eleven players on offense and eleven players on defense.
풋볼 팀은 공격하는 선수 열한 명과 수비하는 선수 열한 명으로 구성되어 있다.

A company *comprises* employees.
회사는 피고용인으로 구성되어 있다.

This word is very misused. Be careful. Players do *not* "comprise" a football team, and employees do *not* "comprised" a company. Nor can a football team be said to be "*comprised* of" players, or a company to be "*comprised* of" employees. These are very common mistakes. Instead, you can say that players *constitute* or *compose* a team, and that employees *constitute* or *compose* a company. You can also say that a team *consists* of players or a company *consists* of employees.
이 단어는 잘못 사용되는 일이 잦다. 주의해라. 선수들이 풋볼 팀을 "포함하고" 있는 것이 아니며, 종업원들이 회사로 "이루어져 있는" 것이 아니다. 풋볼 팀이 선수들로 "comprised of" 되어 있거나 회사가 종업원들로 "comprised of" 되어 있다고 써서도 안 된다. 이것들은 아주 흔히 하는 실수이다. 대신, 선수들이나 종업원들은 팀을, 회사를 구성한다(constitute나 compose)로 쓸 수 있다. 또한 팀은(또는 회사는) 선수들로(또는 종업원들로) 이루어져 있다고 표현할 수 있다.
* comprise는 전체가 부분으로 이루어지다, 구성되다라는 뜻이다.

**CONCILIATORY** [kənsíliətɔ̀:ri/-təri] adj **making peace ; attempting to resolve a dispute through goodwill** 화해하는 ; 분쟁을 원만히 해결하려 하는

To be *conciliatory* is to kiss and make up. Come on- be *conciliatory*!
conciliatory한다는 것은 화해하는 것이다. 제발 화해해라!

The formerly warring countries were *conciliatory* at the treaty conference.
과거에 전쟁을 벌였던 그 나라들은 강화 조약 체결 회담에서 화해했다.

After dinner at the all-you-can-eat pancake house, the divorced couple began to feel *conciliatory*, so they flew to Las Vegas and were remarried.
실컷 먹을 수 있는 팬케이크 집에서 식사 후, 이혼한 부부는 화해하는 감정을 갖기 시작했다. 그래서 그들은 라스베가스로 날아가 재혼했다.

When peace has been made, we say that the warring parties have come to a *reconciliation* [rèkənsiliéiʃən]. To *reconcile* [rékənsàil] is to bring two things into agreement. The accountant managed to *reconcile* the company books with the cash on hand only with great creativity.
평화가 이루어지면, 전쟁 당사국들이 reconciliation(화해)에 이르렀다고 말한다. reconcile은 두 개의 다른 것을 합의하게 만드는 것이다. 회계사는 회사의 회계장부와 현재 남아 있는 현금을 대단히 독창적인 방법으로 겨우 일치시켰다.

**CONCISE** [kənsáis] adj **brief and to the points ; succinct** 간결하고 딱 들어맞는 ; 간명한

The scientist's explanation was *concise* ; it was brief and it helped us understand the difficult concept.
그 과학자는 간명하게 설명했다 : 그의 설명은 간결했으며 어려운 개념을 이해하는 데 도움이 되었다.

To be *concise* is to say much with few words.
concise한 것은 말은 적게 하면서도 많은 내용을 전달하는 것이다.

A *concise* speaker is one who speaks *concisely*, or who speaks with *concision*.
concise speaker는 간결하게 말하는 사람을 의미한다. ( concisely=with concision)

## QUICK QUIZ 23

Match each word in the first column with its definition in the second column. Check your answers in the back of the book.

| | |
|---|---|
| 1. complacent | a. covering everything |
| 2. complement | b. complete |
| 3. complicity | c. consist of |
| 4. comprehensive | d. make up (2) |
| 5. comprise | e. brief and to the points |
| 6. compose | f. making peace |
| 7. constitute | g. participation in wrongdoing |
| 8. conciliatory | h. self-satisfied |
| 9. concise | |

## CONCORD [kάnkɔːrd] n harmony ; agreement 조화 ; 일치

Nations that live in *concord* are nations that live together in peace.
조화를 이루며 살고 있는 민족들은 다 함께 평화로이 사는 민족들이다.

The war between the neighboring tribes ended thirty years of *concord*.
인접한 부족간의 전쟁은 삼십년간의 화합에 종지부를 찍었다.

The faculty meeting was marked by *concord* ; no one yelled at anyone else.
교직원 회의는 의견일치를 보았다 ; 아무도 다른 사람에게 큰소리를 지르지 않았다.

*Discord* is the opposite of *concord*. A faculty meeting where everyone yelled at one another would be a faculty meeting marked by *discord*. It would be a *discordant* meeting.
discord는 concord의 반의어이다. 모든 사람들이 서로에게 고함을 치고 있다면 교직원 회의는 의견충돌을 보이는 것이다. 그것은 시끄러운 회의가 될 것이다.

An *accord* is a formal agreement, usually reached after a dispute.
accord는 대개 논쟁 후에 도달하는 공식적인 합의이다.

## CONCURRENT [kənkə́ːrənt] adj happening at the same time ; parallel 동시에 발생하는 ; 병행하는

The criminal was sentenced to two *concurrent* fifteen-year sentences ; the sentences will run at the same time, and he will be out of jail in fifteen years.
그 범죄자는 동시에 진행되는 두 개의 15년형을 선고받았다 ; 형벌은 동시에 진행되며, 15년 동안 감옥에서 보내고 나면, 그는 풀려날 것이다.

High prices, falling demand, and poor weather were three *concurrent* trends that made life especially difficult for popcorn farmers last month.
높은 가격, 수요 하락, 악천후가 동시에 발생했다. 이것이 지난 달 옥수수 농가를 특히 어렵게 만든 세 가지 현상이었다.

To *concur* means to agree. The assistant wanted to keep his jobs, so he always *concurred* with his boss.
concur는 동의하는 것을 의미한다. 조수는 자신의 직업을 그대로 유지하고 싶었다. 그래서 그는 사장의 의견에 항상 동의했다.

## CONDESCEND [kὰndəsénd] v to stoop to someone else's level, usually in an offensive way ; to patronize 대개 불쾌한 방식으로 다른 사람의 수준으로 자기를 낮추다 ; 선심 쓰는 척하다

I was surprised that the president of the company had *condescended* to talk with me, a mere temporary employee.
회사의 사장이 단지 임시직일 뿐인 나에게 겸손하게 말을 건네서 나는 깜짝 놀랐다.

Many grown-ups make the mistake of *condescending* to young children, who usually prefer to be treated as equals, or at least as rational beings.
많은 어른들은 대개 동등하거나 아니면 적어도 이성을 갖춘 존재로 대해 주기를 원하는 나이 어린 아이들에게 스스로를 낮추는 실수를 범한다.

## CONDONE [kəndóun] v to overlook ; to permit to happen 너그럽게 보아주다 ; 사건을 용납하다

To *condone* what someone does is to look the other way while it happens, or to permit it to happen by not doing anything about it.
누군가가 하고 있는 일을 condone하는 것은 그 일이 진행되는 동안 못 본 척 다른 것을 보거나 그 일에 대하여 아무런 조치도 취하지 않음으로써 묵인하는 것이다.

The principal *condoned* the hoods' smoking in the bathroom ; he simply ignored it.
교장은 불량배들이 화장실에서 담배 피우는 것을 묵과했다 ; 그는 단지 못 본 척 무시해버렸다.

**CONDUCIVE** [kəndúːsiv/-djúː-] adj **promoting** **촉진시키는, 도움이 되는**

The chairs in the library are *conducive* to sleep. If you sit in them to study, you will fall asleep.
도서관의 의자들은 수면을 조장한다. 공부하려고 의자에 앉으면, 잠이 들 것이다.

The foul weather was not *conducive* to our having a picnic.
악천후는 소풍을 가는 데 전혀 도움이 되지 않았다.

The teacher's easygoing manner was *conducive* to chaos in the classroom.
선생님의 안이한 태도가 교실에 혼란만 가중시켰다.

**CONFLUENCE** [kάnfluəns] n **a flowing together, especially of rivers ; the place where they begin to flow together** **함께 흐르는 곳, 특히 강물의 합류점 ; 합쳐져서 흐르기 시작하는 곳**

The *confluence* of the Missouri and Mississippi rivers is at St. Louis ; that's the place where they join together.
미주리 강과 미시시피 강의 합류점은 세인트루이스이다 : 그 곳은 두 강이 함께 만나는 장소이다.

There is a remarkable *confluence* in our thoughts: we think the same way about almost everything.
우리의 사고에는 놀랄만한 합류점이 있다 : 우리는 거의 모든 것에 대해서 같은 방식으로 생각한다.

A *confluence* of many factors (no ice, bad food, terrible music) made it inevitable that the party would be a big flop.
많은 요인들(얼음의 미비, 형편없는 음식, 끔찍한 음악)이 합쳐졌기 때문에 파티는 실패를 면할 수 없었다.

**CONGENIAL** [kəndʒíːnjəl] adj **agreeably suitable ; pleasant** **기분 좋게 알맞은 ; 즐거운**

The little cabin in the woods was *congenial* to the writer ; he was able to get a lot of writing done there.
숲 속에 있는 작은 오두막은 그 작가에게 딱 맞는 곳이었다 : 그는 거기서 다량의 작품을 쓸 수 있었다.

The new restaurant has a *congenial* atmosphere. We enjoy just sitting there playing with the ice in our water glasses.
새 레스토랑은 쾌적한 분위기를 가졌다. 우리는 물 잔 속의 얼음을 가지고 놀면서 레스토랑에 앉아 분위기를 즐긴다.

When people get along together at a restaurant, and don't throw food at one another, they are being *congenial*.
사람들이 레스토랑에서 사이좋게 어울려 서로에게 음식물을 던지는 따위의 행동을 하지 않을 때 그들은 마음이 잘 맞는 것이다.

*Genial* and *congenial* share similar meanings. *Genial* means pleasing, kind, sympathetic, or helpful. You can be pleased by a *genial* manner or by a *genial* climate.
genial과 congenial은 비슷한 의미를 같이 갖고 있다. genial은 쾌적하거나 친절하거나 인정이 있거나 도움이 된다는 의미이다. 여러분은 친절한 태도나 온화한 기후에 기분이 좋아질 수 있다.

**CONGENITAL** [kəndʒénətl] adj **a trait or condition acquired between conception and birth ; innate** **임신과 출산 사이에 획득되어진 특성 혹은 상태 ; 선천적인**

A *congenital* birth defect is one that is present at birth but was not caused by one's genes.
congenital birth defect는 태어날 때부터 갖고 나온 것이지만 유전인자에 의해서 야기된 것은 아닌 결함이다.

The word is also used more loosely to describe any (usually bad) trait or behavior that is so firmly fixed it seems to be a part of a person's nature.
이 단어는 지나치게 확고하게 고정되어 있어서 태어날 때부터 갖고 나온 것처럼 보이는 (대개 나쁜) 특성이나 행동을 묘사하기 위해 보다 광범위하게 사용되기도 한다.

A *congenital* liar is a natural liar, a person who can't help but lie.
congenital liar는 타고난 거짓말쟁이, 즉 거짓말을 하지 않고는 못 배기는 사람이다.

## QUICK QUIZ 24

Match each word in the first column with its definition in the second column. Check your answers in the back of the book.

| | |
|---|---|
| 1. concord | a. agreeably suitable |
| 2. discord | b. innate |
| 3. concurrent | c. harmony |
| 4. condescend | d. flowing together |
| 5. condone | e. promoting |
| 6. conducive | f. stoop or patronize |
| 7. confluence | g. overlook |
| 8. congenial | h. happening at the same time |
| 9. congenital | i. disharmony |

**CONJECTURE** [kəndʒéktʃər] v **to guess ; to deduce or infer on slight evidence** **추측하다 ; 약간의 증거를 가지고 추론하다**

If forced to *conjecture*, I would say the volcano will erupt in twenty-four hours.
굳이 추측하라고 한다면, 나는 그 화산이 24시간 후에 폭발할 것이라고 말하겠다.

*Conjecture* can also be a noun. The divorce lawyer for Mr. Davis argued that the putative cause of the lipstick on his collar was mere *conjecture*.
conjecture는 명사이기도 하다. 데이비스 씨의 이혼을 담당한 변호사는 그의 깃에 묻어 있는 립스틱 자국의 추정상의 원인은 단지 추측일 뿐이라고 주장했다.
* 형용사는 conjectural.

**CONJURE** [kάndʒər] v **to summon or bring into being as if by magic** **마치 마법을 쓰듯이 불러 내거나 만들어 내다**

The chef *conjured*(or *conjured* up) a fabulous gourmet meal using nothing more than the meager ingredients in Lucy's kitchen.
주방장은 루시네 부엌에 있는 보잘것없는 재료들만을 가지고 마법이라도 쓴 듯 믿을 수 없을 만큼 맛있는 음식을 만들어냈다.

The wizard *conjured* (or *conjured* up) an evil spirit by mumbling some magic words and throwing a little powdered eye of newt into the fire.
마법사는 마법의 주문을 중얼거린 다음 분을 바른 영원의 작은 눈을 불 속에 집어던져서 악령을 불러냈다.
(주: 영원은 영원과의 동물로 도롱뇽과 비슷함. 북반구의 온대지역에 분포.)

**CONNOISSEUR** [kὰnəsə́ːr] n **an expert, particularly in matters of art or taste** **전문가, 특히 예술이나 맛을 감정하는 사람**

The artist's work was very popular, but *connoisseurs* rejected it as amateurish.
그 화가의 작품은 상당히 인기가 있었다. 그러나 전문가들은 그의 작품을 아마추어 수준이라고 퇴짜를 놓았다.

Frank was a *connoisseur* of bad movies. He had seen them all and knew which ones were genuinely dreadful and which ones were merely poorly made.
프랭크는 저질 영화의 전문가였다. 그는 그런 류의 영화는 죄다 보았고, 어느 영화가 진짜 끔찍한 것인지, 어느 것이 형편없이 만들어졌는지 구별할 줄 알았다.

The meal was exquisite enough to impress a *connoisseur.*
그 음식은 전문가를 감탄시킬 만큼 훌륭했다.

I like sculpture, but I'm no *connoisseur* ; I couldn't tell you why one statue is better than another.
나는 조각을 좋아하기는 하지만, 전문가는 아니다 ; 그래서 나는 어떤 조각작품이 다른 것보다 더 좋은 이유를 당신에게 설명할 수는 없다.

**CONSECRATE** [kánsəkrèit] v **to make or declare sacred** 신성하게 하거나 신성함을 공표하다

The Veterans Day speaker said the battlefield had been *consecrated* by the blood of the soldiers who had died there.
재향군인의 날, 연사는 그 곳에서 죽은 병사들의 피로 전투가 치러졌던 그 장소는 성지가 되었다고 말했다.

The priest *consecrated* the building by sprinkling holy water on it.
신부님은 그 빌딩에 성수를 뿌려 축성하였다.

The college chaplain delivered a sermon at the *consecration* [kànsəkréiʃən] ceremony for the new chapel.
대학의 목사는 새로운 예배당을 위한 축성식에서 설교를 했다.

The opposite of *consecrate* is *desecrate* [désikrèit], which means to treat irreverently. The vandals *desecrated* the cemetery by knocking down all the tombstones. Their act of vandalism was a *desecration.*
consecrate의 반의어는 desecrate. desecrate는 불경스럽게 다룬다는 뜻이다. 무뢰한들이 묘비들을 모두 쓰러뜨려 묘지의 신성함을 더럽혔다. 그들의 야만행위는 불경스런 행동이었다.

*Desecrate* can also be applied to areas outside religion.
desecrate는 종교 외적인 영역에도 적용할 수 있다.

Doodling in a book *desecrates* the book, even if the book isn't a Bible.
책에다 낙서를 하는 것은 비록 그 책이 성경이 아니라 할지라도 책의 고귀함을 더럽히는 불경스런 행동이다.

The wife *desecrated* a photograph of her husband by drawing a mustache on it.
아내는 남편의 사진에다 콧수염을 그려 넣어 남편의 사진을 불경스럽게 다뤘다.

The graffiti on the front door of the school is a *desecration.*
학교의 현관문에 낙서를 하는 것은 학교를 모독하는 행위이다.

**CONSENSUS** [kənsénsəs] n **unanimity or general agreement** 만장 일치 또는 일반적인 동의

When there is a *consensus*, everybody feels the same way.
의견의 일치가 있다는 말은 모든 사람들이 같은 방식으로 느낀다는 뜻이다.

Contrary to how the word is often used, *consensus* implies more than just a rough agreement or a majority opinion. Election results don't reflect a *consensus* unless everyone or nearly everyone votes for the same candidate.
이 단어가 자주 사용되는 의미와는 다르게, consensus는 단지 대강의 동의나 다수의 의견이라는 뜻 이상을 내포하고 있다. 모든 사람들 내지는 거의 모든 사람들이 같은 후보에게 투표하는 것이 아니라면, 선거 결과가 일반적인 합의를 나타낸다고 볼 수 없다.

**CONSONANT** [kánsənənt] adj **harmonious ; in agreement** 조화로운 ; 일치하는

Our desires were *consonant* with theirs ; we all wanted the same thing.
우리의 희망은 그들의 것과 일치했다 ; 우리는 모두 같은 것을 원했다.

The decision to construct a new gymnasium was *consonant* with the superintendent's belief in physical education.

새 체육관을 건설하자는 결정은 체육 교육에 대한 교장의 소신과 일치하는 것이었다.

The opposite of *consonant* is *dissonant*[dísənənt], which means inharmonious. *Dissonant* voices are voices that don't sound good together.
consonant의 반의어는 부조화를 의미하는 dissonant. dissonant voices는 함께 어우러져 좋은 소리를 내지 못하는 불협화음을 의미한다.

## QUICK QUIZ 25

Match each word in the first column with its definition in the second column. Check your answers in the back of the book.

| | |
|---|---|
| 1. conjecture | a. incompatible |
| 2. conjure | b. harmonious |
| 3. connoisseur | c. make sacred |
| 4. consecrate | d. unanimity |
| 5. desecrate | e. summon as if by magic |
| 6. consensus | f. treat irreverently |
| 7. consonant | g. artistic expert |
| 8. dissonant | h. guess |

## CONSTRUE [kənstrúː] v to interpret 해석하다

The meaning of the poem, as I *construed* it, had to do with the love of a man for his dog.
내가 해석한 바에 의하면, 그 시의 의미는 개에 대한 한 남자의 사랑과 관계가 있다.

Mickey *construed* his contract as giving him the right to do anything he wanted.
미키는 자신의 계약서를, 원하는 것은 무엇이나 할 수 있는 권리를 보장해주는 것으로 해석했다.

The law had always been *construed* as permitting the behavior for which Joe had been arrested.
법은 조의 체포동기가 된 행위를 인정하는 방향으로 항상 해석되어왔다.

To misconstrue is to misinterpret. Hank misconstrued Pamela's smile, but he certainly did not *misconstrue* the slap she gave him.
misconstrue는 잘못 해석하다. 행크는 파멜라의 미소를 잘못 해석했다. 그러나 그녀가 행크의 따귀를 때린 일은 분명히 제대로 해석했다.

## CONSUMMATE [kəsʌ́mit] adj perfect ; complete ; supremely skillful 완벽한 ; 완전한 ; 최고로 솜씨 좋은

* 발음에 주의할 것.

A *consummate* pianist is an extremely good one. Nothing is lacking in the way he or she plays.
consummate pianist는 최고의 솜씨를 자랑하는 피아니스트이다. 그의(그녀의) 연주솜씨는 더 바랄 것이 없다.

*Consummate*[kɑ́nsəmèit] is also a verb. Notice the different pronunciation. To *consummate* something is to finish it or make it complete. Signing a contract would *consummate* an agreement.
consummate는 동사로도 쓰인다. 발음상의 차이를 주목하라. 무엇인가를 consummate 하는 것은 그것을 끝내거나 완성하는 것이다. 계약서에 사인하는 것은 협정을 완벽하게 마무리짓는 일이다.

## CONTENTIOUS [kənténʃəs] adj **argumentative ; quarrelsome** 따지기 좋아하는 ; 싸우기 좋아하는

A person looking for a fight is *contentious*.
걸핏하면 싸우려 드는 사람을 contentious하다고 표현한다.

Two people having a fight are *contentious*.
싸움을 하고 있는 두 사람은 contentious(분쟁중인)라고 표현한다.

To be *contentious* in a discussion is to make a lot of noisy objections.
토론 중에 contentious하다는 것은 시끄러운 소리가 많이 오가며 서로의 의견에 반대하고 있는 것이다.

A *contender* is a fighter. To *contend* is to fight or argue for something. Someone who breaks the law may have to *contend* with the law
contender는 싸우고 있는 사람이다. content는 무언가를 위해서 싸우거나 논쟁하는 것이다. 법을 위반하는 사람은 법과 싸워야만 할 것이다.

## CONTIGUOUS [kəntígjuəs] adj **side by side ; adjoining** 인접한

Two countries that share a border are *contiguous*. So are two events that happened one right after the other.
국경선을 같이 나누고 있는 두 나라는 인접국이다. 연달아 일어난 두 사건에도 마찬가지로 contiguous라는 표현을 쓴다.

If two countries are *contiguous*, the territory they cover is contiguous. That is, it spreads or continues across both countries without any interruption.
두 나라가 인접하고 있다면, 그들의 영토가 서로 붙어 있다는 뜻이다. 즉, 두 나라의 영토는 중간에 다른 것이 없이 계속 이어져 있다는 뜻이다.

## CONTINGENT [kəntíndʒənt] adj **dependent ; possible** ~에 좌우되는 ; 가능한

Our agreement to buy their house is *contingent* upon the sellers' finding another house to move into. That is, they won't sell their house to us unless they can find another house to buy.
우리가 그들의 집을 구입할 수 있는 계약의 성사여부는 팔려고 내놓은 사람이 이사갈 새 집을 구하는 것에 달려있다. 즉, 판매자가 새로 살 집을 구하지 못한다면, 우리에게 집을 팔려고 하지 않을 것이다.

My happiness is *contingent* on yours ; if you're unhappy, I'm unhappy.
나의 행복은 전적으로 너의 행복에 달려있다 ; 네가 불행하다면, 나 또한 불행하다.

A *contingency* is a possibility or something that may happen but is at least as likely not to happen. Several *contingencies* stand between us and the successful completion of our business ; several things could happen to screw it up.
contingency는 일어날 수도 있지만 동시에, 최소한 같은 정도로는, 일어나지 않을 수도 있는 가능성이나 모종의 일을 뜻한다. 우리가 업무를 성공적으로 완수하기까지는 몇 가지 가능성들이 도사리고 있다 ; 몇몇 사건들이 발생해 일을 망칠 수도 있을 것이다.

The Joneses were prepared for any *contingency*. Their front hall closet contained a first-aid kit, a fire extinguisher, a life raft, a parachute, and a pack of sled dogs.
존스네 가족들은 어떠한 우발적 사고에도 대비해 두었다. 현관의 홀에 있는 벽장에는 구급함과 소화기와 고무로 만든 구명뗏목과 낙하산과 한 떼의 썰매를 끄는 개들이 들어 있었다.

## CONTRITE [kəntráit] adj **admitting guilts ; especially feeling remorseful** 죄를 인정하는 ; 특히 양심의 가책을 느끼는

To be *contrite* is to admit whatever terrible thing you did.
contrite한 것은 자신이 저지른 나쁜 일이 무엇이든지 간에 그것을 인정하는 것이다.

Sally was *contrite* about her mistake, so we forgave her.
샐리는 자신의 실수를 인정했다. 그래서 우리는 그녀를 용서했다.

A criminal who won't confess his crime is not *contrite*.
자신의 죄를 자백하려 하지 않는 범인은 죄를 뉘우치지 않는 것이다.

Saying that you're sorry is an act of *contrition*.
미안하다고 말하는 것은 자신의 잘못을 뉘우치는 행동이다.

## CONTRIVED [kəntráivd] adj **artificial ; labored** 인위적인 ; 부자연스런

Sam's acting was *contrived*: no one in the audience believed his character or enjoyed his performance.
샘의 연기는 부자연스러웠다 ; 그가 연기하는 인물에 공감하거나 그의 연기에 빠져드는 관객들은 아무도 없었다.

The artist was widely admired for his originality, but his paintings seemed *contrived* to me.
사람들은 그 화가가 독창성이 있다고 많이 칭찬했지만, 내 눈에는 그의 그림들이 부자연스러웠다.

No one laughed at Sue's *contrived* attempt at humor.
수가 억지로 웃음을 유도하려 했지만, 아무도 웃지 않았다.

A *contrivance* is a mechanical device, usually something rigged up.
contrivance는 대개 무언가 임시 변통으로 만든 기계적인 장치이다.

## CONVENTIONAL [kənvénʃənəl] adj **common ; customary ; unexceptional** 상투적인 ; 관습적인 ; 예외가 아닌, 판에 박힌

The architect's *conventional* designs didn't win him awards for originality.
그 건축가의 디자인은 상투적이었기 때문에 창의성 부족으로 수상권에 들지 못했다.

Tipping the waiter in a restaurant is a *conventional* courtesy.
레스토랑에서 웨이터에게 팁을 주는 것은 관례이다.

*Conventional* wisdom is what everyone thinks. The bland politician maintained his popularity by never straying far from the *conventional* wisdom about any topic.
일반적이고 전통적인 사고란 누구나 생각할 수 있는 것이다. 부드러운 성격의 정치가는 어떠한 주제에 대해서도 일반적인 사람들이 생각하는 방식을 결코 벗어나지 않음으로써 인기를 유지했다.

## CONVIVIAL [kənvíviəl] adj **fond of partying ; festive** 파티를 좋아하는 ; 축제의, 연회의

* 발음에 주의할 것.

A *convivial* gathering is one in which the people present enjoy eating, drinking, and being together.
연회란 참석자들이 함께 모여 먹고 마시고 노는 것을 즐기는 모임을 의미한다.

To be *convivial* is to be an eager but generally well-behaved party animal.
convivial한 것은 열렬히 파티를 좋아하는 족속이기는 하지만 보통은 품행이 단정하다는 의미이다.

A *convivial* person is the opposite of an antisocial person.
쾌활하고 다른 사람들과 어울리는 것을 좋아하는 사람은 비사교적인 사람의 반대 개념이다.

## COPIOUS [kóupiəs] adj **abundant ; plentiful** 풍부한

The champagne at the wedding reception was *copious* but not very good.
결혼피로연에 나온 샴페인은 양은 풍족했지만 맛은 그다지 좋지 않았다.

Harry had a *copious* supply of nails in his workshop. Everywhere you stepped, it seemed, there was a pile of nails.
해리의 작업실에는 못이 아주 많았다. 발을 내딛는 곳 어디에나 산더미 같은 못이 쌓여 있는 것 같았다.

We ate *copiously* at the banquet and went home feeling quite sick.
우리는 잔치에 가서 너무 많이 먹어서 불쾌감을 느낄 정도가 되어 집으로 돌아왔다.

## QUICK QUIZ 

Match each word in the first column with its definition in the second column. Check your answers in the back of the book.

| | |
|---|---|
| 1. construe | a. admitting guilt |
| 2. consummate | b. interpret |
| 3. contentious | c. perfect |
| 4. contiguous | d. labored |
| 5. contingent | e. dependent |
| 6. contrite | f. abundant |
| 7. contrived | g. adjoining |
| 8. conventional | h. argumentative |
| 9. convivial | i. festive |
| 10. copious | j. common |

**COROLLARY** [kɔ́:rəlèri/kərɔ́ləri] n **something that follows ; a natural consequence** **(필연적으로) 뒤따르는 것 ; 당연한 결과**

In mathematics, a *corollary* is a law that can be deduced without further proof from a law that has already been proven.
수학에서, corollary는 이미 증명된 기존의 법칙으로부터 더 이상의 증명 없이도 유추할 수 있는 법칙을 의미한다.

Bloodshed and death are *corollaries* of any declaration of war.
어떠한 선전포고에도 유혈참사와 죽음은 따르기 마련이다.

Higher prices were a *corollary* of the two companies' agreement not to compete.
두 회사가 경쟁하지 않기로 담합하자, 당연하게도 가격상승이 뒤따랐다.

**CORROBORATE** [kərɑ́bərèit] v **to confirm ; to back up with evidence** **확인하다 ; 명백한 증거로 뒷받침하다**

* 발음에 주의할 것.

I knew my statement was correct when my colleague *corroborated* it.
동료가 확실하게 확인을 해주어서 나는 내 진술이 옳았다는 것을 알았다.

Henny Penny's contention that the sky was falling could not be *corroborated*. That is, no one was able to find any fallen sky.
하늘이 무너질거라는 헤니 페니의 주장은 결코 확인될 수 없었다. 즉, 하늘이 무너진 것을 본 사람은 아무도 없었다.

The police could find no evidence of theft and thus could not *corroborate* Bill's claim that he had been robbed.
경찰은 절도의 증거를 찾을 수가 없었다. 그래서 도둑맞았다는 빌의 주장을 확인할 수 없었다.

## COSMOPOLITAN [kɑ̀zməpɑ́lətən] adj **at home in many places or situations ; internationally sophisticated** 많은 장소나 상황에서 편안한 ; 국제적으로 세련된

Huey's interests were *cosmopolitan*—he liked Greek wine, German beer, Dutch cheese, Japanese cars, and French fries.
휴이의 기호는 국제적이었다. 그는 그리스 와인과 독일 맥주, 네덜란드 치즈, 일본제 차, 프랑스식 감자튀김을 좋아했다.

A truly *cosmopolitan* traveler never feels like a foreigner anywhere on earth.
진정한 세계여행가는 지구 어느 곳에서도 결코 이방인처럼 느끼지 않는다.

New York is a *cosmopolitan* city ; you can hear nearly every language in the world spoken there.
뉴욕은 국제적인 도시이다 : 그 도시에서는 전세계에서 사용되는 거의 모든 언어를 들을 수 있다.

## COUNTENANCE [káuntənəns] n **face ; facial expression, especially an encouraging one** 용모 ; 표정, 특히 격려해주는 표정

His father's confident *countenance* gave Lou the courage to persevere.
아버지의 확신에 찬 표정을 보고, 루는 끝까지 인내할 수 있는 용기를 얻었다.

Ed's harsh words belied his *countenance*, which was kind and encouraging.
에드는 친절하고 호의적인 표정과는 반대로 거친 말을 사용했다.

*Countenance* can also be a verb. To *countenance* something is to condone it or tolerate it.
countenance는 동사로도 쓰인다. 무엇인가를 countenance하는 것은 그것을 묵인하거나 용인하는 것이다.

Dad *countenanced* our backyard rock fights even though he didn't really approve of them.
아빠는 실제적으로는 우리가 뒷마당에서 돌싸움하는 것을 허락하지는 않았지만 그것을 묵인하셨다.

## COUP [ku:] n **a brilliant victory or accomplishment ; the violent overthrow of a government by a small internal group** 찬란한 승리나 업적 ; 소수의 내부 그룹의 폭력에 의한 정부전복(쿠데타)

* 발음에 주의할 것.

Winning a gold medal at the Olympics was a real *coup* for the skinny, sick, fifty-year-old man.
병이 들어서 깡마르고 쉰 살이나 먹은 사람이 올림픽에서 금메달을 획득했다는 것은 대단한 성공이었다.

The student council's great *coup* was persuading the Rolling Stones to play at our prom.
학교 댄스파티에서 연주를 하도록 롤링 스톤즈를 설득한 것은 학생회의 대단한 성과였다.

In the attempted *coup* in the Philippines, some army officers tried to take over the government. The full name for this type of *coup* is *coup d'état*[kù:deitɑ́:]. A *coup de grace*[ku:dəgrɑ́:s] is a final blow or concluding event.
필리핀에서 몇 명의 군장교들이 정권을 찬탈하려 쿠데타를 기도했다가 미수에 그쳤다. 이러한 형태의 coup의 완전한 명칭은 coup d' etat(쿠데타)이다. coup de grace는 결정타, 또는 결말을 짓는 사건을 의미한다.

## COVENANT [kʌ́vənənt] n **a solemn agreement ; a contract ; a pledge** 엄숙한 합의 ; 계약(서) ; 맹세

The warring tribes made a *covenant* in which they agreed not to fight each other anymore.
전쟁을 벌이던 부족들은 더 이상 서로 싸우지 않겠다고 맹세했다.

We signed a *covenant* in which we promised never to drive Harry's father's car into the Murphys' living room again.
우리는 다시는 해리 아버지의 차를 끌고 나가 머피네 거실에다 처박지 않겠다고 약속하는 서약서에 사인했다.

**COVERT** [kʌ́vəːrt, kóu-] adj **secret ; hidden** 비밀의 ; 숨겨진

To be *covert* is to be covered.
covert한 것은 숨겨져 있는 것이다.

*Covert* activities are secret activities.
covert activities는 비밀 활동을 의미한다.

A *covert* military operation is one the public knows nothing about.
covert military operation은 일반 대중에게는 전혀 공개되지 않는 군사작전을 뜻한다.

Most of the activities of spies are *covert*.
대부분의 스파이 활동은 암암리에 이루어진다.
* 반의어는 overt(공개된).

**COVET** [kʌ́vit] v **to wish for enviously** 부러워서 탐내다

To *covet* thy neighbor's wife is to want thy neighbor's wife for thyself.
네 이웃의 아내를 탐한다는 것은 너의 이기심으로 이웃의 아내를 원한다는 뜻이다.

Billy *coveted* Bobby's bicycle and very nearly decided to steal it.
빌은 바비의 자전거가 탐이 나서, 그것을 훔치려는 마음을 먹을 뻔 했다.
* covetous는 '부러워하는, 탐내는' 의 뜻.

## QUICK QUIZ 27

Match each word in the first column with its definition in the second column. Check your answers in the back of the book.

| | |
|---|---|
| 1. corollary | a. worldly and sophisticated |
| 2. corroborate | b. face |
| 3. cosmopolitan | c. wish for enviously |
| 4. countenance | d. confirm |
| 5. coup | e. solemn agreement |
| 6. covenant | f. brilliant victory |
| 7. covert | g. natural consequence |
| 8. covet | h. secret |

**CREDULOUS** [krédʒələs] adj **eager to believe ; gullible** 믿고 싶어하는 ; 잘 속는

The *credulous* postal patron believed that he had won a million dollars from Publishers Clearing House.
남의 말을 잘 믿는 그 우편물 수령인은 자기가 클레어링 하우스 출판사로부터 백만달러의 상금을 받게 되었다고 믿었다.

Paula was so *credulous* that she simply nodded happily when Ralph told her he could teach her how to fly. Paula's *credulity*[kridú:ləti/-djú:-] was limitless.
폴라는 워낙 남의 말을 잘 믿기 때문에, 랠프가 하늘을 나는 방법을 가르쳐줄 수 있다고 했을 때 즐거운 마음으로 쉽게 고개를 끄덕였다. 폴라는 무제한으로 남의 말을 잘 믿었다.

*Credulous* should not be confused with *credible*. To be *credible* is to be believable.
credulous와 credible을 혼동하지 말 것. credible은 '믿을 수 있는' 이라는 뜻이다.

Almost anything, however *incredible*, is *credible* to a *credulous* person. Larry's implausible story of heroism was not *credible*. Still, *credulous* old Louis believed it.
아무리 믿을 수 없는 일들도 잘 속는 사람들에게는 거의 모두 믿을 만한 것이 된다. 래리가 이야기한 믿기 어려운 영웅담은 신뢰할 게 못되었다. 그러나, 남의 말에 잘 속는 루이스 노인은 그 이야기를 믿었다.

A story that cannot be believed is *incredible*. If you don't believe that story someone just told you, you are *incredulous*.
믿을 수 없는 이야기는 incredible로 표현한다. 누군가가 당신에게 한 이야기를 믿지 않는다면, 당신은 의심이 많은 사람이다.

If something is *credible*, it may gain *credence*[krí:dəns], which means belief or intellectual acceptance. The chemist's sound techniques inspired *credence* in the scientific world.
신뢰할 수 있는 것이라면, 그것은 믿음이나 지적인 수용을 의미하는 credence(믿음, 신용)를 얻을 것이다. 그 화학자의 믿을만한 기술은 과학계에서 신뢰를 받았다.

No one could prove Frank's theory, but his standing at the university helped it gain *credence*.
아무도 프랭크의 이론을 증명할 수 없었다. 그러나 대학에서의 그의 지위가 그의 이론이 신용을 얻는데 도움이 되었다.

Another similar word is *creditable*, which means worthy of credit or praise. Frances made a *creditable* effort to play on the boys' football team, even though she was ultimately forced to sit on the bench.
또 다른 비슷한 단어로 신용을 얻거나 칭찬 받을 만한 가치가 있다는 뜻의 creditable이 있다. 프랜시스는 결국엔 벤치에 앉게 되었지만, 소년들의 풋볼 팀에서 뛰기 위해 칭찬할 만한 노력을 했다.

Our record in raising money was very *creditable* ; we raised several thousand dollars every year.
기금 모금에서 우리가 세운 기록은 아주 칭찬 받을 만했다 ; 우리는 매년 수천 달러의 돈을 모았다.

## CRITERION [kraitíəriən] n **standard ; basis for judgment** 기준 ; 판단의 근거

When Garfield judges a meal, he has only one *criterion*: is it edible?
가필드는 음식을 평가할 때, 오로지 한가지 기준을 사용한다: 먹을 수 있는 것인가?

In choosing among the linemen, the most important *criterion* was quickness.
(미식축구의) 전위를 선택하는 데 있어서 가장 중요한 기준은 민첩성이었다.

The plural of *criterion* is *criteria*. You can't have one *criteria* ; you can only have one *criterion*. If you have two or more, you have *criteria*. There is no such thing as *criterions* and no such thing as a *criteria*.
criterion의 복수는 criteria. one criteria라는 말은 있을 수 없다 ; one criterion이 맞는 표현이다. 당신이 두 개나 그 이상의 기준을 갖고 있다면, criteria를 갖고 있는 것이다. criterions 라는 표현도 a criteria 라는 표현도 있을 수 없다.

## CRYPTIC [kríptik] adj **mysterious ; mystifying** 수수께끼 같은, 신비한 ; 사람을 미혹시키는

Elaine's remarks were *cryptic* ; everyone was baffled by what she said.
일레인의 말은 수수께끼 같았다 ; 그녀가 말하는 것에 모두들 당황했다.

A *cryptic* statement is one in which something important remains hidden. The ghost made *cryptic* comments about the *crypt* from which he had just emerged ; that is, no one could figure out what the ghost meant.
cryptic statement는 무언가 중요한 내용이 숨겨져 있는 진술을 의미한다. 유령은 자신이 방금 나타난 지하납골당에 대하여 수수께끼 같은 말을 했다 ; 다시 말해서, 아무도 유령이 뜻하는 바를 이해할 수 없었다.

**CULINARY** [kjú:lənèri/kʌ́lənèri] adj **relating to cooking or the kitchen** 요리나 부엌에 관계된

* 발음에 주의할 것.

A cooking school is sometimes called a *culinary* institute. Stan pursued his *culinary* interests by attending the *culinary* institute. His first meal, which was burned beyond recognition, was a *culinary* disaster.
요리학교를 때때로 culinary institute라 부른다. 스탠은 요리에 대한 호기심을 충족시키기 위해 요리학교에 다녔다. 그가 처음으로 만든 음식은 알아볼 수도 없이 타버려서 실패작이 되었다.

**CULMINATE** [kʌ́lmənèit] v **to climax ; to reach full effect** 최고조에 달하다 ; 완전한 결과에 이르다

Susan's years of practice *culminated* in a great victory at the international blow ball championship.
수잔은 수년간에 걸친 연습 덕분에, 마침내 세계 블로우볼 선수권대회에서 위대한 승리를 낚았다.

The masked ball was the *culmination* of our fund-raising effort.
가면무도회로 우리의 모금활동은 절정에 이르렀다.

## QUICK QUIZ 28

Match each word in the first column with its definition in the second column. Check your answers in the back of the book.

| | |
|---|---|
| 1. credulous | a. related to cooking |
| 2. credible | b. believable |
| 3. incredible | c. believability |
| 4. incredulous | d. worthy of praise |
| 5. credence | e. eager to believe |
| 6. creditable | f. unbelieving |
| 7. criterion | g. unbelievable |
| 8. cryptic | h. climax |
| 9. culinary | i. standard |
| 10. culminate | j. mysterious |

**CULPABLE** [kʌ́lpəbl] adj **deserving blame ; guilty** 비난받을 만한 ; 유죄의

A person who is *culpable* (a *culprit*) is one who can be blamed for doing something.
책잡힐 만한 사람이란 비난받을 만한 일을 한 사람이다.

The accountant's failure to spot the errors made him *culpable* in the tax-fraud case.
틀린 부분을 찾아내지 못함으로써 회계사는 세금포탈에 연루된 것으로 의심받게 되었다.

We all felt *culpable* when the homeless old man died in the door-way of our apartment building.
집도 없이 떠돌던 노인이 우리 아파트 입구에서 죽어 있는 것을 보고 우리는 모두 죄의식을 느꼈다.

To decide that a person is not *culpable* after all is to *exculpate*[ékskʌlpèit] that person. Lou's confession didn't exculpate Bob, because one of the things that Lou confessed was that Bob had helped him do it. The opposite of *exculpate* is *inculpate*. To *inculpate* is to accuse someone of something.
마침내 어떤 사람이 죄가 없다고 결론을 내리는 것을 그 사람을 exculpate한다고 한다. 루가 자백한 것 중에는 밥이 그 일을 하는 것을 도왔다는 내용이 포함되어 있기 때문에, 루의 자백은 밥의 무죄를 증명하지 못했다. exculpate의 반의어는 inculpate. inculpate는 누군가에게 어떤 죄목을 씌우는 것이다.

## CURSORY [kə́ːrsəri] adj **hasty ; superficial** 서두르는 ; 피상적인

To give a book a *cursory* reading is to skim it quickly without comprehending much.
책을 급히 읽는다는 것은 깊이 이해하지 못하고 빨리 대강대강 읽는다는 것이다.

To make a *cursory* attempt at learning French is to memorize a couple of easy words and then say "the heck with it"
불어공부에 성급하게 덤빈다고 하는 것은 쉬운 단어 두어 개를 암기해보고는 불어 따위는 지옥에나 가라고 말하는 식이다.

The *cursor* on Dave's computer made a *cursory* sweep across the data as he scrolled down the page.
데이브가 컴퓨터의 화면 내용을 순차적으로 내리자 컴퓨터의 커서는 데이터를 빠르게 휙 지나갔다.

## CURTAIL [kəːrtéil] v **to shorten ; to cut short** 줄이다 ; 짧게 하다

The vet *curtailed* his effort to cut the cat's tail with the lawn mower. That is, he stopped trying.
수의사는 잔디 깎는 기계로 고양이의 꼬리를 자르려는 시도를 길게 하지 않았다. 다시 말해서 중간에 그만두었다.

To *curtail* a tale is to cut it short.
이야기를 curtail하는 것은 그것을 짧게 줄이는 것이다.

## CYNIC [sínik] n **one who deeply distrusts human nature ; one who believes humans are motivated only by selfishness** 인간의 본성을 깊게 불신하는 사람 ; 인간이 오직 이기심만으로 움직인다고 믿는 사람, 냉소주의자

When the rich man gave a million dollars to the museum, *cynics* said he was merely trying to buy himself a reputation as a cultured person.
부자가 박물관에 백만 달러를 기부하자, 냉소주의자들은 그가 단지 교양 있는 사람이라는 평판을 사려 하고 있을 뿐이라고 비꼬았다.

To be *cynical* is to be extremely suspicious of the motivations of other people.
cynical한것은 다른 사람의 행동의 동기에 대해서 매우 의심스러워하는 것이다.

*Cynicism* is general grumpiness and pessimism about human nature.
Cynicism은 온통 불만 투성이이고 인간의 본성에 대해 비관적인 태도를 의미한다.

## QUICK QUIZ 29

Match each word in the first column with its definition in the second column. Check your answers in the back of the book.

| | |
|---|---|
| 1. culpable | a. free from guilt |
| 2. exculpate | b. shorten |
| 3. cursory | c. one who distrusts humanity |
| 4. curtail | d. hasty |
| 5. cynic | e. guilty |

**DAUNT** [dɔ:nt] v **to make fearful ; to intimidate** 두려워하게 만들다 ; 위협하다

The steepness of the mountain *daunted* the team of amateur climbers, who hadn't realized what they were in for.
무엇이 그들을 기다리고 있는지 알지 못했던 아마추어 등반팀은 그 산의 험준함에 기가 꺾였다.

The size of the players on the visiting team was *daunting* ; the players on the home team began to perspire nervously.
원정팀 선수들의 체격은 위협적이었다 ; 홈팀의 선수들은 초조해져서 식은땀을 흘리기 시작했다.

To be *dauntless* or *undaunted* is to be fearless or unintimidated. The rescue crew was *undaunted* by the flames and ran into the burning house to look for survivors. They were *dauntless* in their effort to save the people inside.
dauntless나 undaunted한 것은 겁이 없거나 기죽지 않는 것이다. 구조대원들은 화염을 겁내지 않고 생존자를 찾기 위해 불길에 휩싸인 집으로 뛰어들었다. 그들은 집 안에 남아 있던 사람들을 구하기 위해 아주 용감하게 행동했다.

**DEARTH** [dəːrθ] n **lack ; scarcity** 부족 ; 결핍

There is no *dearth* of comedy at a convention of clowns.
익살꾼들이 모인 곳에 유머의 결핍이란 있을 수 없다.

When there is a *dearth* of food, many people may starve.
먹을 것이 부족해지면, 많은 사람들이 굶어죽게 될 것이다.

There was a *dearth* of gaiety at the boring Christmas party.
그 따분한 크리스마스 파티에서는 기분이 나지 않았다.

**DEBACLE** [dəbɑ́:kl, -bǽkl, dei-] n **violent breakdown ; sudden overthrow ; overwhelming defeat** 격렬한 붕괴 ; 갑작스런 멸망 ; 대패

A football game can turn into a *debacle* if one team is suddenly being clobbered.
한 팀이 갑작스럽게 타격을 입게 되면 풋볼경기는 일방적인 완패로 끝날 수도 있다.

A political debate would become a *debacle* if the candidates began screaming and throwing dinner rolls at each other.
후보자들이 고함을 치고 서로에게 식탁 위의 빵을 집어던지기 시작하면, 정치토론은 깨져버릴 것이다.

The government fell as a result of a *debacle* instigated by a scheming general.
교활한 장군이 부추긴 패주의 결과로 정부는 붕괴되었다.

## DEBAUCHERY [dibɔ́ːtʃəri] n **wild living ; excessive intemperance** 방종한 삶 ; 지나친 방종

*Debauchery* can be expensive ; fortunately for William, his wallet matched his appetite for extravagant pleasures. He died a poor, albeit happy, man.
방탕한 생활은 돈이 많이 들 수도 있다 ; 다행히도, 윌리암의 지갑은 사치스런 쾌락을 추구하는 그의 욕구와 맞아떨어질 만큼 두둑했다. 그는 행복하기는 했지만 결국 가난하게 죽었다.

To *debauch* is to seduce or corrupt. Someone who is *debauched* has been seduced or corrupted.
debauch는 나쁜 길로 유혹하거나 타락하게 만든다는 뜻이다. 방탕한 사람은 유혹을 당했거나 타락한 것이다.

## DEBILITATE [dibílətèit] v **to weaken ; to cripple** 약화시키다 ; 무능하게 만들다

Hank *debilitated* Stu by hitting him on the head with a skillet.
행크는 프라이팬으로 스튜의 머리를 쳐서 그를 무력화시켰다.

The football player's career was ended by a *debilitating* injury to his knee.
무릎을 못쓰게 만든 부상으로 그 풋볼 선수의 선수 생명은 끝이 났다.

To become *debilitated* is to suffer a *debility*, which is the opposite of an ability. A surgeon who becomes *debilitated* is one who has lost the ability to operate on the *debilities* of other people.
become debilitated는 ability(능력)의 반의어인 debility(무능력)를 겪는 것이다. 무능력해진 외과의사란 다른 사람의 무능력을 수술해주던 능력을 상실한 사람이다.

## DECADENT [dékədənt, dikéidnt] adj **decaying or decayed, especially in terms of morals** 특히 도덕적인 면에서 부패시키거나 부패한

A person who engages in *decadent* behavior is a person whose morals have decayed or fallen into ruin.
퇴폐적인 행동에 빠져있는 사람은 도덕성이 썩었거나 황폐해진 사람이다.

Carousing in local bars instead of going to class is *decadent*.
학교에는 가지 않고 동네 술집에서 흥청망청 술을 마셔대는 것은 썩어빠진 행동이다.

*Decadent* behavior is often an affectation of bored young people.
퇴폐적인 행동은 종종 권태를 느끼는 젊은이들의 가식적인 태도이기도 하다.
* 명사형은 decadence.

## DECIMATE [désəmèit] v **to kill or destroy a large part of** ~의 대부분을 죽이거나 파괴하다

To *decimate* an army is to come close to wiping it out.
군대를 decimate 하는 것은 그 군대를 거의 전멸시키는 것이다.

When locusts attack a crop, they sometimes *decimate* it, leaving very little that's fit for human consumption.
메뚜기 떼가 농작물을 공격하면, 때로는 인간이 먹을 수 있는 것을 거의 남기지 않고 황폐화 시킨다.

You might say in jest that your family had *decimated* its turkey dinner on Thanksgiving, leaving nothing but a few crumbs and a pile of bones.
추수감사절에 가족들이 저녁으로 칠면조 요리를 먹을 때, 농담 삼아 몇몇 부스러기와 수북히 쌓인 뼈다귀 외에는 아무것도 남기지 않고 칠면조를 완전히 해치웠다고 말할 수도 있다.
* 명사형은 decimation.

## DECOROUS [dékərəs] adj proper ; in good taste ; orderly 예의바른 ; 품위 있는 ; 단정한

*Decorous* behavior is good, polite, orderly behavior.
decorous behavior는 훌륭하고, 예의바르고, 단정한 행동이다.

To be *decorous* is to be sober and tasteful.
decorous 한 것은 진지하고 점잖은 것이다.

The New Year's Eve crowd was relatively *decorous* until midnight, when they went wild.
섣달 그믐날에 군중들은 자정까지는 비교적 품위를 지켰지만 마침내 자정이 되자 그들은 이성을 잃고 열광했다.

To behave *decorously* is to behave with decorum[dikɔ́:rəm].
decorously하게 행동하는 것은 예의 바르게 행동하는 것이다.

## DEDUCE [didú:s/-djú:s] v to conclude from the evidence ; to infer 증거를 가지고 결론을 내리다 ; 추론하다

To *deduce* something is to conclude it without being told it directly.
무엇인가를 deduce 하는 것은 직접적으로 말을 듣지 않고 결론을 내리는 것이다.

From the footprints on the ground, the detective *deduced* that the criminal had feet.
땅에 찍힌 발자국을 보고 형사는 그것이 범인의 발자국이라는 결론을 내렸다.

Nancy *deduced* from the gun in Sluggo's hand that all was not well with their relationship.
낸시는 슬러고의 손에 들려진 권총을 보고 그들의 관계에 문제가 생겼다는 결론을 내렸다.

Daffy *deduced* from the shape of its bill that the duck was really a chicken.
대피는 부리의 모양을 보고 그것이 오리가 아니라 사실은 닭이라는 결론을 내렸다.

That the duck was really a chicken was Daffy's *deduction*.
그 오리가 사실은 닭이었다는 것이 대피의 추론이었다.

## DEFAME [diféim] v to libel or slander ; to ruin the good name of 중상하거나 비방하다 ; 명예를 훼손하다

To *defame* someone is to make accusations that harm the person's reputation.
누군가를 defame 하는 것은 그 사람의 명예를 손상시키는 비방을 하는 것이다.

The local businessman accused the newspaper of *defaming* him by publishing an article that said his company was poorly managed.
지역실업가는 그의 회사가 경영난을 겪고 있다는 기사를 실은 신문사를 출판물에 의한 명예훼손으로 고소했다.

To *defame* is to take away fame, to take away a good name.
defame은 명예나 좋은 평판을 훼손하는 것이다.

To suffer such a loss of reputation is to suffer *defamation*. The businessman who believed he had been defamed by the newspaper sued the paper's publisher for *defamation*.
그런 명예의 실추를 겪는 것은 defamation(명예 훼손)을 당하는 것이다. 그 신문 때문에 명예가 실추됐다고 믿고 있는 그 실업가는 신문사를 명예훼손죄로 고소했다.

## QUICK QUIZ 30

Match each word in the first column with its definition in the second column. Check your answers in the back of the book.

| | |
|---|---|
| 1. daunt | a. conclude from evidence |
| 2. dearth | b. lack |
| 3. debacle | c. kill a large part of |
| 4. debauchery | d. libel or slander |
| 5. debilitate | e. make fearful |
| 6. decadent | f. decaying or decayed |
| 7. decimate | g. proper |
| 8. decorous | h. weaken |
| 9. deduce | i. violent breakdown |
| 10. defame | j. wild living |

**DEFERENCE** [défərəns] n **submission to another's will ; respect ; courtesy** 다른 사람의 의지에 복종함 ; 존경 ; 경의

To show *deference* to another is to place that person's wishes ahead of your own.
다른 사람을 존중한다는 것은 그 사람이 원하는 바를 자신의 바람보다 앞에 둔다는 것이다.

The young man showed *deference* to his grandfather: he let the old man have first dibs on the birthday cake.
젊은이는 할아버지께 경의를 표했다: 그는 할아버지가 먼저 생일 케이크를 드시도록 했다.

Herbie stopped yodeling at the dinner table in *deference* to the wishes of his mother.
허비는 어머니의 바람을 존중하여 저녁을 먹으면서 요들송 부르는 것을 그만두었다.

To show *deference* to another is to *defer* to that person. Joe was supposed to go first, but he *deferred* to Steve, who had been waiting longer.
다른 사람에게 경의를 표하는 것은 그 사람에게 양보하는 것이다. 조는 먼저 가기로 되어있었지만 더 오래 기다린 스티브에게 양보했다.

To show *deference* is also to be *deferential*[dèfərénʃəl]. Joe was being *deferential* when he allowed Steve to go first.
경의를 표하는 것은 deferential하다고 표현할 수도 있다. 스티브를 먼저 가도록 배려했을 때, 조는 경의를 표한 것이었다.

**DEFINITIVE** [difínətiv] adj **conclusive ; providing the last word** 결정적인 ; 최종적인 말을 하는

Walter wrote the *definitive* biography of Keats ; nothing more could have been added by another book.
월터는 (존) 키이츠의 전기의 결정판을 썼다 ; 다른 책이 나온다고 해도 더 덧붙일 것은 없을 터였다.

The army completely wiped out the invaders ; its victory was *definitive*.
그 군대는 침략자들을 완전 소탕했다 ; 그 승리는 결정적이었다.

No one could find anything to object to in Cindy's *definitive* explanation of how the meteorite had gotten into the bathtub.
신디는 운석이 어떻게 목욕통으로 떨어지게 되었는가에 대해서 결정적인 설명을 했다. 아무도 그녀의 설명에 이의를 제기할 수 없었다.

## DEGENERATE [didʒénərèit] v to break down ; to deteriorate 쇠퇴하다 ; 타락하다

The discussion quickly *degenerated* into an argument.
토론은 급속도로 말싸움으로 변질됐다.

Over the years, the nice old neighborhood had *degenerated* into a terrible slum.
수년에 걸쳐, 깨끗하고 고풍스런 동네는 끔찍한 빈민가로 변질되었다.

The fans' behavior *degenerated* as the game went on.
경기가 지속됨에 따라 팬들의 행동은 점점 악화되었다.

A person whose behavior has *degenerated* can be referred to as a *degenerate*[didʒénərət]. The mood of the party was spoiled when a drunken *degenerate* wandered in from off the street.
행동이 망가진 사람은 degenerate라고 표현할 수 있다. 술에 만취하여 엉망이 된 사람이 거리에서 들어와 돌아다니며 파티의 분위기를 망쳐놓았다.

*Degenerate*[didʒénərət] can also be an adjective, meaning *degenerated*. The slum neighborhood was *degenerate*. The fans' *degenerate* behavior prompted the police to make several arrests.
degenerate 는 '타락한, 퇴보한' 을 의미하는 형용사로도 쓰인다. 빈민가는 황폐했다. 팬들의 저질스런 행동 때문에 경찰은 몇몇 사람을 체포하게 되었다.
* 위에 언급한 단어들의 발음에 주의할 것.

## DELETERIOUS [dèlətíəriəs] adj harmful 해로운

Smoking cigarettes is *deleterious* to your health. So is brushing your teeth with oven cleaner or washing your hair with gasoline.
흡연은 건강에 해롭다. 오븐 청소기로 이를 닦거나 휘발유로 머리를 감는 것도 마찬가지이다.

Is watching *Family Feud deleterious*? Of course not.
텔레비전 연속극 〈숙적인 집안〉을 보는 게 해로운가요? 물론 아닙니다.

## DELINEATE [dilínièit] v to describe accurately ; to draw in outline 정확하게 묘사하다 ; 윤곽을 그리다

After Jack had *delineated* his plan, we had no doubt about what he intended to do.
잭이 그의 계획을 상세히 설명하고 나자, 우리는 그가 무엇을 하려 하는지 확실히 알았다.

Sharon's peculiar feelings about her pet gorilla were *delineated* in the newspaper article about her.
애완용 고릴라에 대한 샤론의 각별한 애정은 그녀에 대한 신문 기사에서 상세히 다루어졌다.

The portrait artist *delineated* Sarah's features, then filled in the shading.
그 초상화가는 사라의 얼굴의 윤곽선을 먼저 그리고 나서 명암을 넣었다.
* 명사형은 delineation.

## DELUDE [dilúːd] v to deceive 속이다

The con man *deluded* us into thinking that he would make us rich. Instead, he tricked us into giving him several hundred dollars.
그 사기꾼은 우리를 속여 그가 우리를 부자로 만들어 줄 것이라고 믿게끔 만들었다. 대신 그는 우리를 속여서 수백 달러를 받아 냈다.

The *deluded* mental patient believed that he was a chicken sandwich.
그 망상적 정신병환자는 자신이 닭고기 샌드위치라고 믿었다.

Betty is so persuasive that she was able to *delude* Henrietta into thinking she was a countess.
베티는 뛰어난 말솜씨로 헨리에타를 속여서 자신이 백작부인이라고 믿게끔 만들 수 있었다.

To be *deluded* is to suffer from a *delusion*. That he was a great poet was the *delusion* of the English teacher, who could scarcely write two complete sentences in a row.
deluded 되는 것은 속임을 당하는 것이다. 자신이 위대한 시인이라는 것은 영어 선생님의 망상이었다. 그는 연달아서 두 개의 완전한 문장을 좀처럼 쓰지 못하는 사람이었다.

Bert, the well-known jerk, suffered from the *delusion* that he was a very great man.
유명한 얼간이인 버트는 자신이 매우 위대한 사람이라는 망상에 빠져 있었다.

---

**DELUGE** [déljuːdʒ] n **a flood ; an inundation** **홍수 ; 범람, 쇄도**

* 발음에 주의할 것.

A *deluge* is a flood, but the word is often used figuratively. The $ 1 million reward for the lost poodle brought in a *deluge* of hot leads. The distraught owner was *deluged* by phone calls all week.
deluge는 홍수를 의미한다. 그러나 이 단어는 비유적인 의미로 자주 사용된다. 잃어버린 푸들을 찾기 위해 백만 달러의 현상금을 걸자 최신의 단서를 주겠다는 연락이 쇄도했다. 마음이 산란한 개 주인은 일주일 내내 전화 벨소리에 묻혀 살았다.

---

**DEMAGOGUE** [déməgɔ̀ːg] vn **a leader of the people, but more a rabble rouser**
**민중의 지도자, 그러나 민중 선동가에 더 가까운 사람**

A *demagogue* is a leader, but not in a good sense of the word. He manipulates the public to support his aims, but he is little different from a dictator. A *demagogue* is often a despot.
demagogue는 지도자를 의미하지만 좋은 의미에서의 지도자가 아니다. demagogue는 자신의 목적을 지지하도록 대중을 조종하지만 독재자와 거의 차이가 없다. 선동 정치가는 흔히 독재자이기도 하다.

This word can also be spelled *demagog*. The methods a *demagogue* uses are *demagoguery*[déməgɑ̀gəri] or *demagogy*[déməgɑ̀gi].
demagogue로 표기하기도 함. 선동 정치가가 사용하는 방법을 demagoguery(민중선동) 또는 demagogy라 한다.

---

**DENIZEN** [dénəzən] n **inhabitant** **주민, 거주자**

To be a *denizen* of a country is to live there. A citizen of a country is usually also a *denizen*.
어느 나라의 주민이 된다는 것은 그 곳에 산다는 의미이다. 한 나라의 국민은 일반적으로 그 나라의 거주자이기도 하다.

To be a *denizen* of a restaurant is to go there often—so often that people begin to wonder whether you live there.
어떤 레스토랑의 denizen이라는 것은 그 레스토랑에 자주 간다는 의미이다. 너무 자주 가서 그 레스토랑에 사는 것이 아닌가 하고 다른 사람들이 의구심을 품을 정도이다.

Fish are sometimes referred to as "*denizens* of the deep." Don't refer to them this way yourself ; the expression is a cliché.
물고기는 때로 "심해의 거주자"라는 표현으로 불린다. 여러분은 이런 표현을 사용하지 말아라 : 그것은 진부한 표현이다.

---

**DEPRAVITY** [diprǽvəti] n **extreme wickedness or corruption** **극단적인 악행이나 부패**

Mrs. Prudinkle wondered whether the *depravity* of her class of eight-year-olds was the result of their watching Saturday morning television.
프루딩클 여사는 그녀가 가르치는 반의 여덟 살 짜리 꼬마들의 못된 행동이 토요일 아침에 텔레비전을 시청하기 때문이 아닐까 생각했다.

To exhibit *depravity* is to be depraved.
'타락한, 부패한' 이라는 의미의 형용사는 depraved이다.

---

**DEPRECATE** [déprikèit] n **to express disapproval of** **반대나 비난을 표현하다**

To *deprecate* a colleague's work is to risk making yourself unwelcome in your colleague's office.
동료의 일을 비난하는 것은 동료의 사무실에서 환영받지 못하리라는 것을 감수하는 것이다.

"This stinks!" is a *deprecating* remark.
"형편없어!"라는 말은 비난하는 말이다.

The critic's *deprecating* comments about my new novel put me in a bad mood for an entire month.
그 비평가는 나의 새 소설에 대해 비난조의 논평을 했다. 그 일로 나는 한달 내내 심기가 불편했다.

To be *self-deprecating* is to make little of one's own efforts, often in the hope that someone else will say, "No, you're swell!"
자기비하는 스스로 자신의 노력을 업신여기는 것이며, 종종 다른 누군가가 "그렇지 않아, 너는 굉장해"라고 말해주기를 바라는 것이다.

A very similar word is *depreciate* [deprí:ʃièit]. To *depreciate* a colleague's work would be to represent it as being of little value.
아주 유사한 단어로 depreciate가 있다. 동료의 작품을 비하한다는 말은 그 작품을 가치가 없는 것으로 말한다는 뜻이다.
* depreciate의 또 다른 의미들을 알고 싶으면, appreciate 항목을 보기 바란다.

## DERIDE [diráid] v **to ridicule ; to laugh at contemptuously** 비웃다 ; 경멸하는 의미로 비웃다

Barry *derided* Barbara's driving ability after their hair-raising trip down the twisting mountain road.
머리칼이 곤두설 정도로 무서워하면서 구불구불한 산길을 내려온 후, 배리는 바바라의 운전 실력을 비웃었다.

Sportswriters *derided* Columbia's football team, which hadn't won a game in many years.
스포츠 담당기자들은 수년 동안 한번도 이긴 적이 없는 콜럼비아 대학의 풋볼팀을 비웃었다.

The boss *derided* his secretary mercilessly, so she poisoned him. She was someone who could not accept *derision* [diríʒən].
사장은 그의 비서를 무자비하게 조롱했다. 그래서 그녀는 사장을 독살했다. 그녀는 조롱을 참아낼 수 없는 사람이었다.

## QUICK QUIZ 31

Match each word in the first column with its definition in the second column. Check your answers in the back of the book.

| | |
|---|---|
| 1. deference | a. deteriorate |
| 2. definitive | b. ridicule |
| 3. degenerate | c. describe accurately |
| 4. deleterious | d. respect |
| 5. delineate | e. conclusive |
| 6. delude | f. express disapproval of |
| 7. deluge | g. harmful |
| 8. demagogue | h. inhabitant |
| 9. denizen | i. deceive |
| 10. depravity | j flood |
| 11. deprecate | k. extreme wickedness |
| 12. deride | l. rabble-rousing leader |

**DEROGATORY** [dirágətɔ:ri] adj **disapproving ; degrading** 비난하는 ; 품위를 떨어뜨리는

*Derogatory* remarks are negative remarks expressing disapproval. They are nastier than merely critical remarks.
derogatory remarks는 비난의 의미를 담은 부정적인 말들(욕설)을 의미한다. 그 말들은 단순한 비판의 말보다 더 불쾌한 표현이다.

Oliver could never seem to think of anything nice to say about anyone ; virtually all of his comments were *derogatory*.
올리버는 어느 누구에 대해서도 좋은 말을 할 줄 모르는 것 같았다 ; 사실상 그가 하는 모든 말은 남을 비난하는 것이었다.

**DESICCATE** [désəkèit] v **to dry out** 완전히 말리다

The hot wind *desiccated* the few grapes remaining on the vine ; after a day or two, they looked like raisins.
더운 바람이 포도나무에 그나마 조금 남아 있던 포도를 다 말려버렸다 ; 하루나 이틀쯤 지나자 포도는 마치 건포도처럼 보였다.

After a week without water, the *desiccated* plant fell over and died.
물을 주지 않은 채로 일주일이 지나자 말라버린 식물은 축 늘어지더니 죽어버렸다.

Plums become prunes through a process of *desiccation*.
서양자두는 건조과정을 거쳐 말린 자두가 된다.

**DESPONDENT** [dispándənt] adj **extremely depressed ; full of despair** 몹시 의기소침한 ; 절망으로 가득한

The cook became *despondent* when the wedding cake exploded fifteen minutes before the reception.
피로연이 열리기 15분 전에 웨딩케이크가 폭발해버려서 요리사는 낙담했다.

After the death of his wife, the man was *despondent* for many months.
아내가 죽은 이후, 그 남자는 여러 달 동안 몹시 우울해했다.

The team fell into *despondency* after losing the state championship by a single point
주 선수권 대회에서 일 점 차로 지고 난 후, 팀은 의기소침했다.

**DESPOT** [déspət] n **an absolute ruler ; an autocrat** 절대적인 통치자 ; 독재자

The manager of the office was a *despot* ; workers who disagreed with him were fired.
사무소의 지점장은 독재자였다 ; 그의 의견에 반대하는 직원들은 해고되었다.

The island kingdom was ruled by a ruthless *despot* who executed suspected rebels at noon each day in the village square.
그 섬나라 왕국은 무자비한 폭군이 통치하고 있었다. 그는 반역의 혐의가 있는 사람들을 매일 정오에 마을 광장에서 처형했다.

To act like a *despot* is to be despotic. There was cheering in the street when the country's *despotic* government was overthrown.
폭군처럼 행동한다는 것은 despotic(despot의 형용사형)이다. 그 나라의 독재정권이 전복되자 거리에는 환호성이 넘쳐흘렀다.

**DESTITUTE** [déstətù:t/-tjù:t] adj **extremely poor ; utterly lacking** 매우 가난한 ; 아주 부족한

*Destitute* people are people without money or possessions, or with very little money and very few possessions.
destitute people은 돈이나 소유 재산이 없는 사람들, 또는 돈이나 소유재산이 거의 없는 사람들을 의미한다.

To be left *destitute* is to be left without money or property.
to be left destitute는 돈이나 재산이 하나도 없이 남겨진다는 의미이다.

The word can also be used figuratively. A teacher might accuse her students of being *destitute* of brains, or intellectually *destitute*.
이 단어는 비유적인 의미로도 사용할 수 있다. 선생님은 학생들을 머리가 없다거나 지적으로 빈곤하다고 꾸짖을 수도 있다.

**DESULTORY** [désəltɔ̀ːri/-təri] adj **without a plan or purpose ; disconnected ; random** **목적이나 계획이 없는 ; 일관성이 없는 ; 되는대로의**

* 발음에 주의할 것.

Phil made a few *desultory* attempts to start a garden, but nothing came of them.
필은 계획성도 없이 되는대로 채소를 재배하기 시작했다. 그러나 하나도 결실을 거두지 못했다.

In his *desultory* address, Jake skipped from one topic to another and never came to the point.
제이크는 요점을 전혀 짚지 못하고 이 얘기 저 얘기를 오가며 일관성 없게 연설을 했다.

The discussion at our meeting was *desultory* ; no one's comments seemed to bear any relation to anyone else's.
우리 모임의 토론은 산만했다 : 모든 사람의 의견이 서로 연관성이 없이 모두 제각각 달랐다.

**DIALECTICAL** [dàiəléktikəl] adj **relating to discussions ; relating to the rules and methods of reasoning ; approaching truth in the middle of opposing extremes** **토론과 관계 있는 ; 추론의 방법과 규칙에 관련된 ; 서로 반대되는 극단의 중립에서 진리에 접근해 가는**

The game of Twenty Questions is *dialectical*, in that the participants attempt to narrow down a chosen object by asking a series of ever more specific questions.
스무고개 게임은 변증법적인 게임이다. 게임의 참가자는 이전의 질문보다 더 구체적인 질문을 차례로 해나가면서 정답의 범위를 좁히려고 시도하는 것이다.
* 명사형은 dialectics.

**DICTUM** [díktəm] v **an authoritative saying ; an adage ; a maxim ; a proverb** **권위가 인정되는 말 ; 금언 ; 격언 ; 속담**

"No pain, no gain" is a hackneyed *dictum* of sadistic coaches everywhere .
"고통이 없으면 얻는 것도 없다"는 말은 세상 어느 곳에서나 가학적 성향의 운동코치들이 써먹는 진부한 격언이다.

**DIDACTIC** [daidǽktik] adj **intended to teach ; morally instructive ; pedantic** **가르치기 위한 ; 도덕적으로 교훈적인 ; 아는체 하는, 현학적인**

Luther's seemingly amusing talk had a *didactic* purpose ; he was trying to show his listeners the difference between right and wrong.
루터의 이야기는 표면적으로는 우스개 소리 같지만 교훈적인 의도를 담고 있었다 : 그는 듣는 사람들에게 옳고 그름의 차이를 알리고 싶었던 것이다.

The priest's conversation was always *didactic*. He never said anything that wasn't intended to teach a lesson.
그 신부님의 이야기는 항상 교훈적이었다. 그는 교훈을 가르치려는 의도가 담기지 않은 이야기는 결코 하지 않았다.

The new novel is painfully *didactic* ; the author's aim is always to instruct and never to entertain.
새로 나온 그 소설은 지겨울 정도로 교훈적이다 : 그 작가의 목적은 즐거움을 주기 위한 것이 아니라 항상 교육에 있다.

**DIFFIDENT** [dífədənt] adj **timid ; lacking in self-confidence** **소심한 ; 자신감이 부족한**

The *diffident* student never made a single comment in class. *Diffident* and *confident* are opposites.
소심한 그 학생은 수업 시간에 결코 발표를 하는 일이 없었다. diffident(자신 없는)은 confident(자신 있는)의 반의어이다.

Mary's stammer made her *diffident* in conversation and shy in groups of strangers.
메리는 말을 더듬는 버릇 때문에 낯선 사람들을 보면 수줍어하고 대화를 할 때면 자신 없어했다.

Amos's *diffidence* led many participants to believe he hadn't been present at the meeting, even though he had.
아모스의 자신감 없는 태도 때문에 실제로 그가 모임에 참석했음에도 불구하고 많은 참가자들은 그가 나오지 않았었다고 생각하게 되었다.

**DIGRESS** [daigrés] v **to stray from the main subject** **본 주제에서 옆길로 빗나가다**

Speaking metaphorically, to *digress* is to leave the main highway in order to travel aimlessly on back roads. When a speaker *digresses*, he departs from the main topic and tells a story only distantly related to it.
은유적으로 말하자면, digress는 목적 없이 여행하기 위하여 간선도로를 떠나 뒷길로 다니는 것이다. 이야기를 하고 있는 사람이 곁길로 샌다는 것은 본 주제를 벗어나 관계가 별로 없는 이야기를 하는 것이다.

Such a story is called a *digression*. Sometimes a writer's or speaker's *digressions* are more interesting than his or her main points.
위와 같은 이야기를 여담이라고 한다. 글쓴이나 화자의 여담이 그들이 진짜 말하려고 하는 본론보다 가끔은 더 재미있을 때도 있다.

After a lengthy *digression*, the lecturer returned to his speech and brought it to a conclusion.
장황한 여담이 이어진 후, 강사는 본론으로 돌아와 강연의 결론을 내렸다.

**DILETTANTE** [dilətɑ́:nt] n **someone with superficial knowledge of the arts ; an amateur ; a dabbler** **예술에 대해 표피적인 지식을 갖고 있는 사람 ; 비전문가 ; 취미 삼아 하는 사람**

To be a *dilettante* is to dabble in something rather than doing it in a serious way.
to be a dilettante는 어떤 일을 진지하게 하기보다는 그 일을 취미 삼아 하는 것이다.

Reginald said he was an artist, but he was merely a *dilettante* ; he didn't know a pencil from a paintbrush.
레지널드는 자신이 화가라고 말했지만, 사실 그는 단지 아마추어일 뿐이었다 ; 그는 연필과 화필도 구별하지 못했다.

Helen dismissed the members of the ladies' sculpture club as nothing more than a bunch of *dilettantes*.
헬렌은 아마추어들의 모임에 지나지 않는다는 이유로 여성 조각가 클럽을 해산시켰다.

## QUICK QUIZ 32

Match each word in the first column with its definition in the second column. Check your answers in the back of the book.

| | |
|---|---|
| 1. derogatory | a. without purpose |
| 2. desiccate | b. extremely depressed |
| 3. despondent | c. amateur |
| 4. despot | d. stray from main subject |
| 5. destitute | e. extremely poor |
| 6. desultory | f. timid |
| 7. dialectical | g. dry out |
| 8. dictum | h. disapproving |
| 9. didactic | i. absolute ruler |
| 10. diffident | j. intended to teach |
| 11. digress | k. relating to discussions |
| 12. dilettante | l. authoritative saying |

**DISCERN** [disə́ːrn] v **to have insight ; to see things clearly ; to discriminate ; to differentiate** 통찰하다 ; 사물을 분명하게 알다 ; 식별하다 ; 구별짓다

To *discern* something is to perceive it clearly. A writer whose work demonstrates *discernment* is a writer who is a keen observer.
무엇인가를 discern 하는 것은 그것을 분명하게 인지하는 것이다. 작품을 통해서 통찰력을 드러내는 작가는 날카로운 관찰력을 가진 작가이다.

The ill-mannered people at Louise's party proved that she had little *discernment* when it came to choosing friends.
루이스의 파티에서 무례하게 행동했던 사람들은 그녀가 친구들을 선택하는데 있어 분별력이 없다는 사실을 증명했다.

**DISCREET** [diskríːt] adj **prudent ; judiciously reserved** 신중한 ; 사리분별이 있는

To make *discreet* inquiries is to ask around without letting the whole world know you're doing it.
make discreet inquiries는 세상이 다 알도록 떠들썩하게 굴지 않고 신중하게 알아보는 것이다.

The psychiatrist was very *discreet* ; no matter how much we pestered him, he wouldn't gossip about the problems of his famous patients. He had *discretion* [diskréʃən].
그 정신과 의사는 매우 신중했다 ; 우리가 많이 피롭혔음에도 불구하고, 그는 유명한 자신의 환자들의 문제에 대해서 떠들고 다니지 않았다. 그는 분별력이 있는 사람이었다.

To be *indiscreet* is to be imprudent and especially to say or do things you shouldn't. It was *indiscreet* of Laura to tell Sally how much she hated Betty's new hairdo, because Sally always tells Betty everything.
indiscreet하다는 것은 경솔하다는 뜻이며, 특히 하지 말아야 할 말이나 행동을 하는 경우를 의미한다. 베티의 새로운 헤어스타일이 혐오스럽다고 샐리에게 얘기한 것은 로라의 경솔한 행동이었다. 왜냐하면 샐리는 항상 모든 것을 베티에게 말하기 때문이다.

When Laura told that to Sally, she committed an *indiscretion*.
로라가 샐리에게 그 말을 했다면, 그녀는 무분별한 행동을 저지른 것이다.

## DISCRETE [diskríːt] adj **unconnected ; separate ; distinct** 연결되지 않은 ; 분리된 ; 별개의

Do not confuse *discrete* with *discreet*. The twins were identical but their personalities were *discrete*.
discrete와 discreet를 혼동하지 말아라. 그 쌍둥이들은 똑같아 보였지만 성격은 서로 달랐다.

The drop in the stock market was not the result of any single force but of many *discrete* trends.
주가 하락은 어떤 하나의 요인에 의한 결과가 아니라 수많은 개별적인 흐름이 합쳐진 결과였다.

When things are all jumbled up together, they are said to be *indiscrete*, which means not separated or sorted.
모든 것들이 한 덩어리로 뒤범벅되었을 때, 분리되거나 구분되어 있지 않다는 의미로 indiscrete라는 표현을 사용한다.

## DISCRIMINATE [diskrímənèit] v **to notice or point out the difference between two or more things ; to discern ; to differentiate** 둘이나 그 이상의 사물에서 차이점을 인지하거나 지적하다 ; 식별하다 ; 구별짓다

A person with a refined aesthetic sense is able to *discriminate* subtle differences where a less observant person would see nothing. Such a person is *discriminating*. This kind of *discrimination* is a good thing. To *discriminate* unfairly, though, is to dwell on differences that shouldn't make a difference. It is unfair—and illegal—to *discriminate* between black people and white people in selling a house. Such a practice is not *discriminating* (which is good), but *discriminatory* (which is wrong).
관찰력이 뛰어나지 못한 사람들이 아무 것도 찾아내지 못하는 곳에서도, 미적 감각이 세련된 사람은 미묘한 차이점을 식별할 수 있다. 그와 같은 사람을 식별력이 있다고 한다. 이런 종류의 식별력은 좋은 자질이다. 그러나 부당하게 discriminate 하는 것은 차별을 두지 말아야 할 '차이점'을 강조 하는 것이다. 집을 판매하는 데 있어서 흑인과 백인을 차별하는 것은 부당하고도 불법적인 일이다. 그와 같은 행위는 좋은 의미의 구별이 아니라 나쁜 의미로 차별한다고 말할 수 있다.

*Indiscriminate* means not *discriminating* ; in other words, random or haphazard.
indiscriminate는 분별력이 없다는 의미이다 ; 다시 말해서, '닥치는 대로의' 또는 '함부로의' 라는 의미이다.

## DISDAIN [disdéin] n **arrogant scorn ; contempt** 거만하게 경멸함 ; 멸시

Bertram viewed the hot dog with *disdain*, believing that to eat such a disgusting food was beneath him.
버트럼은 핫도그를 경멸했다. 핫도그 같은 혐오식품을 먹는 것은 자신의 품위를 떨어뜨리는 일이라고 믿었다.

The millionaire looked upon the poor workers with evident *disdain*.
그 백만장자는 가난한 노동자들을 눈에 보일 정도로 분명하게 멸시했다.

*Disdain* can also be a verb. The millionaire in the previous example could be said to have *disdained* those workers.
disdain은 동사이기도 하다. 앞의 예는 '그 백만장자는 그 노동자들을 경멸했다' 라는 표현으로도 할 수 있다.
* 형용사는 disdainful.

## DISINTERESTED [disíntrəstid, disíntərestid] adj **not taking sides ; unbiased** 어느 편으로 치우치지 않는 ; 공평한

*Disinterested* should not be used to mean *uninterested*. If you don't care about knowing something, you are *uninterested*, not *disinterested*.
disinterested는 '무관심하다' 의 의미로 사용할 수 없다. 어떤 일에 대해서 알고자 하는 마음이 없을 때는, '사심이 없는' 이라는 표현을 쓰는 것이 아니라 '무관심한' 이라고 해야 한다.

A referee should be *disinterested*. He or she should not be rooting for one of the competing teams.
심판은 공평해야 한다. 심판은 서로 겨루고 있는 팀 중에서 어느 한 편을 지지해서는 안 되는 것이다.

A *disinterested* observer is one who has no personal stake in or attachment to what is being observed.
disinterested observer는 관찰되고 있는 대상에게 개인적인 이해관계나 애착이 전혀 없는, 제3자적인 관찰자를 의미한다.

Agatha claimed that the accident had been Lester's fault, but several *disinterested* witnesses said that Agatha had actually bashed into his car after jumping the median and driving in the wrong lane for several miles.
아가사는 레스터의 잘못으로 사고가 일어났다고 주장했다. 그러나 몇 명의 제삼자적인 목격자들이 사실은 아가사가 중앙선을 넘어 잘못된 차선으로 수 마일을 달리다가 레스터의 차를 들이받았다고 증언했다.

**DISPARAGE** [dispǽridʒ] v **to belittle ; to say uncomplimentary things about, usually in a somewhat indirect way** 얕보다 ; 일반적으로 약간 간접적인 방식으로 헐뜯는 말을 하다

The mayor *disparaged* our efforts to beautify the town square by saying that the flower bed we had planted looked somewhat worse than the weeds it had replaced.
우리는 도시 광장의 미화작업에 애를 썼지만, 시장은 우리의 노력을 헐뜯었다. 그는 우리가 심고 가꾼 화단이 교체되기 전의 잡초보다 더 형편없어 보인다고 말했던 것이다.

My guidance counselor *disparaged* my high school record by telling me that not everybody belongs in college.
진로 담당 상담선생님은 누구나 대학에 갈 수 있는 것은 아니라는 말로 나의 고등학교 성적을 깔보았다.

## QUICK QUIZ  33

Match each word in the first column with its definition in the second column. Check your answers in the back of the book.

| | |
|---|---|
| 1. discern | a. insight |
| 2. discreet | b. belittle |
| 3. discrete | c. not separated |
| 4. indiscrete | d. not taking sides |
| 5. discriminate | e. arrogant scorn |
| 6. disdain | f. prudent |
| 7. disinterested | g. unconnected |
| 8. disparage | h. differentiate |

**DISPARATE** [díspərət, dispǽr-] adj **different ; incompatible ; unequal** 다른 ; 양립할 수 없는 ; 같지 않은

* 발음에 주의할 것.

Our interests were *disparate*: Cathy liked to play with dolls and I liked to throw her dolls out the window.
우리의 관심사는 제각각 달랐다: 캐시는 인형놀이를 좋아하고, 나는 그녀의 인형을 창문 밖으로 던져버리기를 좋아했다.

The *disparate* interest groups were united only by their intense dislike of the candidate.
제각기 이해관계가 다른 집단들이 단지 그 후보자를 아주 싫어한다는 이유 하나만으로 연합을 결성했다.

The novel was difficult to read because the plot consisted of dozens of *disparate* threads that never came together.
그 소설은 합일점이 없는 수십 여 개의 개별적인 이야기들로 구성이 짜여 있어서 읽기가 쉽지 않았다.

The noun form of *disparate* is *disparity*[dispǽrəti]. *Disparity* means inequality. The opposite of *disparity* is *parity*.
명사형은 disparity. 상위를 의미한다. 반의어는 parity(동등)이다.

**DISSEMINATE** [disémənèit] v **to spread the seeds of something ; to scatter ; to make widely known** **어떤 것의 씨를 뿌리다 ; 흩뿌리다 ; 널리 알려지게 만들다**

News is *disseminated* through many media: radio, television, newspapers, magazines, and gossips.
뉴스는 여러 매체를 통해서 널리 퍼지게 된다: 라디오, 텔레비전, 신문, 잡지, 그리고 소문에 이르기까지.

**DISSIPATE** [dísəpèit] v **to thin out, drift away, or dissolve ; to cause to thin out, drift away, or dissolve ; to waste or squander** **없어지거나, 떠내려가거나, 용해되다 ; 없어지거나, 떠내려가거나, 용해되게 만들다 ; 낭비하거나 탕진하다**

The smoke *dissipated* as soon as we opened the windows.
우리가 창문을 열자마자 곧 연기는 사라졌다.

Rex's anger *dissipated* as the day wore on and he gradually forgot what had upset him.
날이 저물면서 자신을 화나게 했던 일도 조금씩 잊혀지고 렉스의 분노도 눈 녹듯 사라졌다.

The police *dissipated* the riotous crowd by spraying the demonstrators with fire hoses and firing bullets over their heads.
경찰은 폭동을 일으킨 시위군중에게 소방호스로 물을 뿌리고 머리 위로 총을 발사해 시위대를 해산시켰다.

Alex won the weekly lottery but *dissipated* the entire winnings in one abandoned, fun-filled weekend. We can also say that a person is *dissipated*, by which we mean that he indulges in wild living. Alex is *dissipated*.
알렉스는 주마다 하는 복권추첨에 당첨됐다. 그러나 모든 상금을 주말 동안에 흥청망청 노는 데 다 탕진했다. 제멋대로 방종한 생활을 하는 사람을 뜻할 때도 dissipated라는 표현을 쓸 수 있다. 알렉스는 방탕하다.

**DISSOLUTION** [dìsəlúːʃən] n **the breaking up or dissolving of something into parts ; disintegration** **해산, 또는 사물을 여러 부분으로 분해하는 것 ; 분열, 붕괴**

Nothing could prevent the *dissolution* of the Pee Wee Herman Fan Club after he retired to seek a political career.
피 위 허먼이 정치계에 입문하려고 은퇴하자 그의 팬클럽도 해산이 불가피했다.

A person who is *dissolute* has lived life in the fast lane too long. *Dissolute* and *dissipated* are synonyms in this sense.
dissolute한 사람은 너무나 오랫동안 방탕한 삶을 살아온 사람이다. dissolute와 dissipated가 이와 같은 의미로 쓰일 때 서로 같은 뜻이다.

**DISTEND** [disténd] v **to swell ; to extend a great deal** **부풀리다 ; 대단한 양으로 확장하다**

The tire *distended* alarmingly as the forgetful gas station attendant kept pumping more and more air into it.
주유소 직원이 깜박 잊어먹고 타이어에 공기를 계속해서 주입하는 바람에 타이어는 놀랄 만큼 부풀어올랐다.

A *distended* belly is one symptom of malnutrition.
불룩하게 부풀어오른 배는 영양실조 증상중의 하나이다.
* swelling은 distension과 동의어, 의미는 팽창.

**DISTINGUISH** [distíŋgwiʃ] v **to tell apart ; to cause to stand out** 구별하다 ; (특색을 나타내) 눈에 띄게 하다

The rodent expert's eyesight was so acute that he was able to *distinguish* between a shrew and a vole at more than a thousand paces.
그 설치동물 전문가는 워낙 예리한 시각을 갖고 있어서 천 보 이상 떨어진 거리에서도 뾰족뒤쥐와 들쥐를 구별할 수 있었다.

I studied and studied but I was never able to *distinguish* between *discrete* and *discreet*.
나는 정말 열심히 공부하고 또 했지만 discrete와 discreet를 구별할 수가 없었다.

His face had no *distinguishing* characteristics ; there was nothing about his features that stuck in your memory.
그의 얼굴은 남과 구별되는 특징이 없었다 ; 그의 외모는 기억에 남을 만한 부분이 전혀 없었다.

Lou's uneventful career as a dogcatcher was not *distinguished* by adventure or excitement.
들개사냥꾼으로서 별다를 것 없이 평탄하게 사는 루의 삶에 모험이나 새로운 자극이 나타나는 일은 전혀 없었다.

**DOCILE** [dάsəl/dóusail] adj **easily taught ; obedient ; easy to handle** 가르치기 쉬운 ; 순종하는 ; 다루기 쉬운

* 발음에 주의할 것.

The *docile* students quietly memorized all the lies their teacher told them.
그 학생들은 순종적이라 선생님이 말하는 거짓말까지도 모두 말없이 암기했다.

The baby raccoons appeared *docile* at first, but they were almost impossible to control.
미국너구리 새끼들은 처음에는 순종적인 것처럼 보였다. 그러나 그것들은 거의 통제가 불가능했다.

Louise's *docility* fooled the professor into believing that she was incapable of thinking for herself.
루이스의 유순함 때문에 교수는 그녀가 스스로는 생각할 줄도 모른다고 믿게끔 되었다.

**DOCTRINAIRE** [dὰktrənέər] adj **inflexibly committed to a doctrine or theory without regard to its practicality ; dogmatic** 실용성 여부는 따지지 않고 교리나 이론을 무조건적으로 헌신하고 옹호하는 ; 교조적인

A *doctrinaire* supporter of manned space flights to Pluto would be someone who supported such space flights even though it might be shown that such lengthy journeys could never be undertaken.
명왕성으로의 유인 우주 비행을 무조건적으로 옹호하는 지지자들은 그처럼 장기간의 여행이 실제로는 실행될 수 없다는 것이 밝혀진다고 해도 흔들림 없이 그런 우주비행 계획을 지지할 것이다.

A *doctrinaire* opponent of fluoridation of water would be someone whose opposition could not be shaken by proof that fluoride is good for teeth and not bad for anything else.
수돗물에 불소를 첨가하자는 안을 무조건 반대하는 사람들은 불소 성분이 치아를 건강하게 도와줄 뿐 다른 부분에는 아무런 해가 없다는 증거에도 불구하고 결코 그들의 반대 의견을 철회하지 않을 것이다.

A person with *doctrinaire* views can be called a doctrinaire.
독단적인 견해를 갖고 있는 사람을 doctrinaire라 한다.

**DOGMATIC** [dɔːgmǽtik] adj **arrogantly assertive of unproven ideas ; stubbornly claiming that something (often a system of beliefs) is beyond dispute** 증명되지 않은 견해를 오만할 정도로 고집하는 ; 무엇인가(흔히 어떤 신념 체계)가 논쟁의 여지가 없이 분명하다고 고집스럽게 주장하는

A *dogma* is a belief. A *dogmatic* person, however, is stubbornly convinced of his beliefs.
dogma(교의, 교리, 교조, 신조)는 신념이다. 그렇지만 dogmatic(독단적인)한 사람은 고집스럽게 자신의 신념을 확신하는 사람이다.

Marty is *dogmatic* on the subject of the creation of the world; he sneers at anyone whose views are not identical to his.
마티는 세상의 창조라는 주제에 대해 독단적인 입장을 갖고 있다. 그는 자신의 생각과 다른 의견을 가진 사람은 누구든지 비웃는다.

The philosophy professor became increasingly *dogmatic* as he grew older and became more firmly convinced of his strange theories.
그 철학 교수는 나이가 들어감에 따라 점점 더 독단적이 되어, 자신의 기묘한 이론을 점점 더 굳게 확신하게 되었다.

The opinions or ideas *dogmatically* asserted by a *dogmatic* person are known collectively as *dogma*.
독단적인 사람이 고집스럽게 주장하는 의견이나 이론을 한데 뭉뚱그려 dogma라 한다.

**DOMESTIC** [dəméstik] adj **having to do with the household or family ; not foreign 가족 또는 가정과 관계 있는 ; 외국이 아닌**

A home that enjoys *domestic* tranquillity is a happy home.
집안이 평온한 가정이 행복한 가정이다.

A maid is sometimes referred to as *domestic* engineer or simply as a *domestic*.
가정부는 때때로 가정관리사나 간단하게 하녀라고 불리기도 한다.

To be *domestic* is to enjoy being at home or to be skillful at doing things around the house.
domestic한 것은 집에 있는 것을 즐기거나 집안 일에 능숙한 것이다.

*Domestic* wine is wine from this country, as opposed to wine imported from, say, France.
국내산 포도주는 이를테면 프랑스 같은 외국에서 수입된 포도주에 대립되는 개념으로 국내에서 생산된 포도주를 의미한다.

The *domestic* steel industry is the steel industry in this country.
domestic steel industry는 국내의 철강산업을 뜻한다.

A country that enjoys *domestic* tranquility is a happy country.
국내의 상황이 안정된 나라가 행복한 나라이다.

## QUICK QUIZ 34

Match each word in the first column with its definition in the second column. Check your answers in the back of the book.

| | |
|---|---|
| 1. disparate | a. inharmonious |
| 2. disseminate | b. committed to a theory |
| 3. dissipate | c. thin out |
| 4. dissolution | d. of the household |
| 5. dissonant | e. firmly held system of ideas |
| 6. distend | f. easily taught |
| 7. distinguish | g. arrogantly assertive |
| 8. docile | h. swell |
| 9. doctrinaire | i. tell apart |
| 10. dogmatic | j. incompatible |
| 11. dogma | k. spread seeds |
| 12. domestic | l. disintegration |

**DORMANT** [dɔ́:rmənt] adj **inactive ; as though asleep ; asleep** 활동하지 않는 ; 마치 잠자는 것 같은 ; 잠자는

*Dormant*, like *dormitory*, comes from a root meaning sleep.
dormitory(기숙사)처럼 dormant도 잠을 의미하는 어근에서 나온 단어이다.

The volcano erupted violently and then fell *dormant* for several hundred years.
그 화산은 맹렬하게 폭발한 뒤 수백 년 동안 휴지기에 들어갔다.

Many plants remain *dormant* through the winter ; that is, they stop growing until spring.
많은 식물들은 겨울 동안 수면상태로 있게 된다 ; 다시 말해서, 식물들은 봄이 올 때까지 성장을 멈춘다.

Frank's interest in playing the piano was *dormant* and quite possibly, dead.
피아노 연주에 대한 프랭크의 관심은 가라앉은 듯했다. 아마도 완전히 없어졌을 것이다.

The snow fell silently over the *dormant* village, which became snarled in traffic jams the following morning.
고요한 마을에 눈이 소리 없이 내리고 있었다. 다음날 아침, 마을은 교통 체증으로 혼란에 빠졌다.

* 명사형은 dormancy.

**DUBIOUS** [dú:biəs/djú:-] adj **full of doubt ; uncertain** 의심하는 ; 확신하지 못하는

I was fairly certain that I would be able to fly if I could merely flap my arms hard enough, but Mary was *dubious* ; she said I'd better flap my legs as well.
팔을 날개처럼 아주 열심히 흔들 수만 있다면, 분명히 날 수 있을 것이라고 나는 확신했다. 그러나 메리는 믿지 않는 듯했다 ; 그녀는 다리도 퍼덕거리는 게 좋겠다고 말했다.

We were *dubious* about the team's chance of success and, as it turned out, our *dubiety* [du:báiəti] was justified: the team lost.
우리는 그 팀이 성공할 가망성이 있는지 의심스러웠다. 결국 우리의 의구심은 현실로 드러났다: 그 팀은 패배한 것이다.

*Dubious* and *doubtful* don't mean exactly the same thing. A *dubious* person is a person who has doubts. A *doubtful* outcome is an outcome that isn't certain to occur.
dubious와 doubtful은 정확하게 같은 의미는 아니다. dubious person은 의심을 하고 있는 사람이라는 뜻이다.(doubtful person은 수상쩍은 사람) doubtful outcome은 반드시 일어난다고 확신할 수 없는 결과이다.

Sam's chances of getting the job were *doubtful*, because the employer was *dubious* of his claim that he had been president of the United States while in high school.
샘이 그 직업을 얻을 가능성은 의심스러웠다. 고등학교 시절에 자신이 미국 대통령이었다는 샘의 주장을 고용주가 믿지 않았기 때문이었다.

Something beyond doubt is *indubitable*. A dogmatic person believes his opinions are *indubitable*.
의심할 나위 없이 분명하다는 의미는 indubitable. 독단적인 사람은 자신의 견해가 의심할 나위 없이 확실한 것이라고 믿는다.

**DUPLICITY** [du:plísəti/dju:-] n **the act of being two-faced ; double-dealing ; deception**
**이중적인 행동 ; 표리부동한 언행 ; 속임수**

Dave, in his *duplicity*, told us he wasn't going to rob the bank and then went right out and robbed it.
데이브는 표리부동하게도 우리에게는 은행을 털지 않을 것이라고 말하고는 곧장 은행으로 가서 강도짓을 했다.

Liars engage in *duplicity* all the time ; they say one thing and do another.
거짓말쟁이들은 언제나 표리부동한 언행을 한다 ; 그들은 말과 행동이 다른 사람들이다.

The *duplicitous* salesman sold the stuffed camel to someone else even though he had promised to sell it to us.
말과 행동이 다른 그 세일즈맨은 박제 낙타를 우리에게 팔겠다고 약속했음에도 불구하고 다른 사람에게 팔아버렸다.

## QUICK QUIZ 35

Match each word in the first column with its definition in the second column. Check your answers in the back of the book.

1. dormant — a. uncertainty
2. dubiety — b. double-dealing
3. duplicity — c. inactive

**EBULLIENT** [ibúljənt] adj **boiling ; bubbling with excitement ; exuberant 끓어 넘치는 ; 흥분으로 들끓는 ; 기운이 넘치는**

* 발음에 주의할 것.

A boiling liquid can be called *ebullient*. More often, though, this word describes excited or enthusiastic people.
끓고 있는 액체를 ebullient라고 말할 수 있다. 그러나 이 단어는 흥분상태이거나 열광적인 사람들을 묘사할 때 더 많이 사용된다.

The roaring crowd in a full stadium before the World Series might be said to be *ebullient*.
월드시리즈가 시작되기 전 야구장에 가득 들어찬 열광적인 관중들은 '흥분으로 들끓고 있다' 고 표현할 수 있다.

A person overflowing with enthusiasm might be said to be *ebullient*.
열정이 넘치는 사람도 ebullient라고 말할 수 있을 것이다.

Mabel was *ebullient* when her fairy godmother said she could use one of her three wishes to wish for three more wishes.
세 가지 소원 중 한가지를 사용해 세 가지 소원을 더 빌수 있다고 요정이 말하자 마벨은 흥분되었다.

Someone or something that is *ebullient* is characterized by ebullience
들끓고 있는 것이나 열광하고 있는 상태를 의미하는 명사형은 ebullience이다.

**ECCENTRIC** [ikséntrik, ek-] adj **not conventional ; a little kooky ; irregular 통상적이지 않은 ; 다소 괴벽스러운 ; 상도를 벗어난**

The *eccentric* inventor spent all his waking hours fiddling with what he said was a time machine but was actually just an old telephone booth.
그 별난 발명가는 그가 타임머신이라고 부르는, 하지만 실제로는 단지 낡은 전화부스에 불과한 기계를 만드느라 깨어있는 모든 시간을 허비했다.

Fred's political views are *eccentric* ; he believes that we should have kings instead of presidents and that the government should raise money by holding bake sales.
프레드의 정치적 견해는 별스럽다 ; 그는 대통령제보다는 왕정을 해야 하며 정부는 빵 판매장을 열어 돈을 거두어야 한다고 생각한다.

The rocket followed an *eccentric* course ; first it veered in one direction, then it veered in another, then it crashed.
로켓은 괴상한 궤도를 따르게 되었다 ; 먼저, 한쪽 방향으로 가다가는 다른 방향으로 바꾸었으며, 그리고 나서 곧 추락했다.

An *eccentric* person is a person who has *eccentricities* [èksentrísətiz].
별난 성격이나 행동을 가리키는 명사형은 eccentricities이다.

**ECLECTIC** [ikléktik] adj **choosing the best from many sources ; drawn from many sources 많은 자료 중에서 가장 좋은 것을 선택하는 ; 많은 자료 중에서 끄집어낸**

Zeke's taste in art was *eclectic*. He liked the Old Masters, the Impressionists, and Walt Disney.
제이크의 예술적 취향은 이것저것 폭이 넓었다. 그는 고전적 대가의 작품들도 좋아하고, 인상파의 작품도 좋아하며, 월트 디즈니의 만화도 좋아했다.

The *eclectic* menu included dishes from many different countries.
그 절충적인 메뉴는 많은 나라의 서로 다른 음식을 포함하고 있었다.

George's *eclectic* reading made him well rounded.
폭넓은 독서 덕분에 조지는 다방면에 걸친 균형잡힌 지식을 갖게 되었다.

**EDIFY** [édəfài] v **to enlighten ; to instruct, especially in moral or religious matters 계몽하다 ; 교육하다, 특히 도덕적이거나 종교적인 문제에 관하여**

We found the pastor's sermon on the importance of not eating beans to be most *edifying*.
콩을 먹지 않는 것의 중요성에 대한 목사님의 설교는 아주 교훈적이었다.

The teacher's goal was to *edify* her students, not to force a handful of facts down their throats.
선생님의 목적은 학생들에게 한줌의 지식을 억지로 집어 넣어주는 데 있는 것이 아니라 그들을 교화하는 데 있었다.

We would have felt lost at the art show had not the excellent and informative programs been provided for our *edification*.
우리의 교화를 위해 훌륭하고 유익한 프로그램이 제공되지 않았다면, 우리는 예술 박람회에서 어쩔 줄을 몰랐을 것이다.

**EFFACE** [iféis] v **to erase ; to rub away the features of 지우다 ; 모양을 문질러 없애다**

The inscription on the tombstone had been *effaced* by centuries of weather.
묘비의 비문은 수세기에 걸친 풍화작용으로 닳아 없어졌다.

The vandals *effaced* the delicate carving by rubbing it with sandpaper.
예술품 파괴자들이 그 섬세한 조각품을 사포로 마구 문질러 훼손했다.

We tried to *efface* the dirty words that had been written on the front of our house, but nothing would remove them.
우리는 집 앞에 낙서해 놓은 상스러운 말들을 지우려고 했다. 그러나 아무리 해도 낙서들을 지울 수가 없었다.

To be *self-effacing* is to be modest. Jennings is *self-effacing* : he won an Olympic gold medal and all he said was "Aw, shucks, I'm just a regular fella."
자기를 내세우지 않는다는 것은 겸손하다는 뜻이다. 제닝스는 겸손하다 : 올림픽에서 금메달을 따고도 그가 한 말이라곤 "이런, 나는 그저 평범한 남자일 뿐이에요"가 전부였다.

**EFFUSION** [ifjú:ʒən] n **a pouring forth 유출, 흘러나옴**

When the child was rescued from the well, there was an intense *effusion* of emotion from the crowd that had gathered around the hole.
아이가 우물에서 구출되자 그 주변에 몰려있던 사람들은 열광적으로 감격의 기쁨을 토로했다.

The madman's writings consisted of a steady *effusion* of nonsense.
그 미친 남자는 작품에다 한결같이 말도 안 되는 이야기만을 토로해 놓았다.

To be *effusive* is to be highly emotional. Sally's *effusive* thanks for our silly little present made us feel somewhat embarrassed, so we decided to move to a different city.
effusive 한 것은 감정이 매우 고양되어 있는 것이다. 샐리가 우리의 보잘것없는 작은 선물에 지나친 감사를 표시해서, 우리는 조금 당황했다. 그래서 우리는 다른 도시로 옮기기로 결정했다.

**EGALITARIAN** [igæ̀lətɛ́əriən] adj **believing in the social and economic equality of all people 모든 사람의 사회적 경제적 평등을 믿는, 인류 평등주의의**

People often lose interest in *egalitarian* measures when such measures interfere with their own interests.
사람들은 그들 자신의 이해관계와 충돌하는 평등주의적 정책에 대해서는 흔히 흥미를 잃는다.

*Egalitarian* can also be used as a noun to characterize a person. An egalitarian advocates *egalitarianism*.
egalitarian은 평등주의를 지향하는 성향을 가진 사람을 의미하는 명사로도 쓰인다. 평등주의자는 평등주의를 옹호한다.

## EGOCENTRIC [ìːgouséntrik, ègou-] adj selfish ; believing that one is the center of everything 이기적인 ; 자신이 모든 것의 중심이라고 믿는

Lou was so *egocentric* that he could never give anyone else credit for doing anything.
루는 워낙 자기 중심적인 인간이라 어떠한 일에 대해서도 남에게 공로를 돌리는 법이 없었다.

*Egocentric* Bill never read the newspaper unless there was something in it about him.
빌은 자기 중심적인 사람이어서, 자신에 대한 기사가 실리지 않으면 결코 신문을 보지 않았다.

It never occurred to the *egocentric* musician that his audiences might like to hear someone else's songs every once in a while.
그의 청중들이 이따금 다른 사람의 노래를 듣고 싶어할 수도 있다는 생각이 그 자기 중심적인 음악가에게는 한번도 떠오르지 않았다.

An *egoist* is an *egocentric* person. He believes the entire universe exists for his benefit.
이기주의자란 자기 중심적인 사람이다. 그는 온 세상이 자신의 이익을 위해서 존재한다고 믿는다.

An *egoist* is another type of *egocentric*. An *egotist* is an *egoist* who tells everyone how wonderful he is.
이기주의자는 자기 중심적인 사람의 또 다른 유형이다. 이기주의자는 모든 사람들에게 자신이 얼마나 잘났는가를 말하고 다니는 자기 중심적인 사람이다.

## EGREGIOUS [igríːdʒəs, -dʒiəs] adj extremely bad ; flagrant 몹시 나쁜 ; 악명 높은

Save this word for things that are worse than bad.
단순히 나쁘다는 뜻보다 더 나쁜 것을 말하고자 할 때 이 단어를 사용하라.

The mother's *egregious* neglect was responsible for her child's accidental cross-country ride on the freight train.
아이가 대륙 횡단 화물열차를 타게 된 사고는 아이에게 전혀 신경 쓰지 않은 태만한 엄마에게 책임이 있었다.

Stephen's manners were *egregious* ; he ate his mashed potatoes with his fingers and slurped the peas right off his plate.
스티븐의 매너는 아주 끔찍했다 ; 그는 감자 으깬 것을 손으로 집어먹었을 뿐만 아니라 접시에 입을 대고 소리내어 콩을 먹었다.

## QUICK QUIZ 36

Match each word in the first column with its definition in the second column. Check your answers in the back of the book.

| | |
|---|---|
| 1. ebullient | a. pouring forth |
| 2. eccentric | b. self-obsessed person |
| 3. eclectic | c. extremely bad |
| 4. edify | d. not conventional |
| 5. efface | e. drawn from many sources |
| 6. effusion | f. bubbling with excitement |
| 7. egalitarian | g. erase |
| 8. egocentric | h. selfish |
| 9. egotist | i. enlighten |
| 10. egregious | j. believing in social equality |

**ELICIT** [ilísit] v **to bring out ; to call forth** 이끌어 내다 ; 유도해 내다

The interviewer skillfully *elicited* our true feelings by asking us questions that got to the heart of the matter.
인터뷰를 하는 사람은 문제의 핵심을 찌르는 질문을 해서 우리가 진짜 심경을 말하도록 교묘하게 유도했다.

The defendant tried to *elicit* the sympathy of the jury by appearing at the trial in a wheelchair, but the jury convicted him anyway.
피고인은 재판정에 휠체어에 앉아 있는 모습으로 나타나 배심원의 동정을 유도하려고 했다. 그러나 그럼에도 불구하고 배심원단은 어쨌든 그의 유죄를 선언했다.
* illicit와 혼동하지 말 것.

**ELLIPTICAL** [ilíptikəl] adj **oval ; missing a word or words ; obscure** 타원형의 ; 말을 빼먹는(생략법의) ; 뜻이 모호한

This word has several meanings. Consult a dictionary if you are uncertain.
이 단어는 몇 가지 뜻이 있다. 확실히 알지 못하면 사전을 찾아보아라.

The orbit of the earth is not perfectly round ; it is *elliptical*.
지구의 공전 궤도는 완벽한 원은 아니다 : 그것은 타원이다.

An egg may have an *elliptical* shape.
달걀은 타원형이다.

An *elliptical* statement is one that is hard or impossible to understand, either because something is missing from it or because the speaker or writer is trying to be hard to understand. The announcement from the State Department was purposely *elliptical*—the government didn't really want reporters to know what was going on.
elliptical statement는 이해하기 어렵거나 혹은 이해가 불가능한 진술이다. 그 안에 생략된 내용이 있어서인 경우도 있고, 또 화자나 글쓴이가 일부러 이해하기 어렵게 만들려 하고 있기 때문이기도 하다. 국무성의 발표문은 고의적으로 모호한 표현을 사용했다. — 사실 정부는 현재 진행되고 있는 일을 기자들에게 알리고 싶어하지 않았다.

**ELUSIVE** [ilúːsiv] adj **hard to pin down ; evasive** 묶어두기 어려운, 달아나는 ; 회피하는

To be *elusive* is to elude, which means to avoid, evade, or escape.
to be elusive는 피하다, 모면하다, 달아나다 등의 뜻을 갖고 있다.

The answer to the problem was *elusive*, every time the mathematician thought he was close, he discovered another error. (Or, one could say that the answer to the problem *eluded* the mathematician.)
그 문제의 정답을 찾아내는 것은 어려웠다. 정답에 접근했다고 생각이 들 때마다 언제나 그 수학자는 또 다른 실수를 발견했다. (또는 '문제의 정답은 교묘하게 수학자를 피해갔다' 라고 표현할 수도 있을 것이다. )

The *elusive* criminal was next to impossible for the police to catch. (The criminal *eluded* the police.)
경찰이 교묘하게 법망을 피해 달아나는 그 범죄자를 잡기는 거의 불가능했다. (범죄자는 경찰을 따돌렸다.)

The team played hard, but victory was *elusive* and they suffered another defeat. (Victory *eluded* the hard-playing team.)
팀은 열심히 경기에 임했지만 승리는 그들을 외면했다. 그들은 또 한번 패배의 아픔을 겪었다. (승리는 열심히 뛴 그 팀을 빗겨갔다.)

**EMIGRATE** [éməgrèit] v **to move to a new country ; to move to a new place to live ; to expatriate** 새로운 나라로 이주하다 ; 새로운 곳으로 살러가다 ; 외국으로 이주하다

At the heart of this word is the word *migrate*, which means to move from one place or country to another. *Emigrate* adds to migrate the sense of moving *out of* some place in particular. Pierre *emigrated* from France because he had grown tired of speaking French. Pierre became an *émigré* [éməgrè].
이 단어의 핵심은 한 장소나 특정 나라에서 다른 곳으로 옮긴다는 뜻의 migrate라는 단어에 있다. emigrate는 특히 어떤 장소 밖으로 옮긴다는 의미를 migrate에 더한다. 피에르는 프랑스어를 쓰는 게 지겨워져서 프랑스 밖으로 이민갔다. 피에르는 이민자가 되었다.

The Soviet dissidents were persecuted by the secret police, so they sought permission to *emigrate*.
소련의 반체제 인사들은 비밀경찰의 박해를 받았다. 그래서 그들은 국외 이민 허가를 구했다.

On the other end of every *emigration* is an *immigration*, or "in-migration." When Pierre *emigrated* from France, he *immigrated* to the United States.
모든 종류의 국외 이주에 대한 반의어는 immigration, 즉 "in-migration"이다. 피에르는 프랑스를 떠나 미국으로 이주해 왔다.

To *emigrate* is to leave one country for another ; to *immigrate* is to arrive in one country from another.
emigrate는 한 나라에서 다른 나라로 가는 것이다 ; immigrate는 다른 나라에서 어느 나라로 오는 것이다.

**EMINENT** [émənənt] adj **well-known and respected ; standing out from all others in quality or accomplishment ; outstanding** 유명하고 존경받는 ; 자질이나 업적이 다른 모든 사람들에 앞서는 ; 현저한

The visiting poet was so *eminent* that our English teacher fell to the ground before him and licked his shoes. Our English teacher thought the poet was *preeminent* in his field.
우리를 방문중인 시인은 대단히 유명한 사람이어서 영어선생님은 그 앞에 엎드려 그의 신발을 핥았다. 영어 선생님은 그 시인을 자신의 분야에서 탁월한 사람이라고 생각했다.

The entire audience fell silent when the *eminent* musician walked onto the stage and picked up his banjo and bongo drums.
저명한 그 음악가가 무대 위로 걸어나와 밴조와 봉고 드럼을 집어들자 청중들은 모두 조용해졌다.
* imminent(임박한)와 혼동하지 말아라.

**EMPIRICAL** [empírikəl] adj **relying on experience or observation ; not merely theoretical** 경험이나 관찰에 의존하는 ; 단지 이론만은 아닌

The apple-dropping experiment gave the scientists *empirical* evidence that gravity exists.
사과의 낙하 실험은 과학자들에게 중력의 존재에 대한 경험적 증거를 제시해 주었다.

Huey's idea about the moon being made of pizza dough was not *empirical*.
달이 피자 반죽으로 만들어졌다는 휴이의 생각은 경험에 의하지 않은 상상이었다.

We proved the pie's deliciousness *empirically*, by eating it.
우리는 그 파이의 맛을 시식을 통해 경험적으로 확인했다.

## QUICK QUIZ 37

Match each word in the first column with its definition in the second column. Check your answers in the back of the book.

| | |
|---|---|
| 1. elicit | a. well-known |
| 2. elliptical | b. bring out |
| 3. elusive | c. hard to pin down |
| 4. emigrate | d. relying on experience |
| 5. immigration | e. move from a country |
| 6. eminent | f. moving into a country |
| 7. empirical | g. obscure |

**EMULATE** [émjulèit] v **to strive to equal or excel, usually through imitation** 대개 모방을 통해서 동등하거나 뛰어나려고 애쓰다, ~에 필적하다

To *emulate* someone is to try to be just as good as, or better than, him or her
누군가를 emulate 하는 것은 그 사람에 필적하거나 더 능가하려고 노력하는 것이다.

The American company *emulated* its successful Japanese competitor but never quite managed to do as well.
그 미국 회사는 성공을 거둔 경쟁사인 일본계 회사를 뛰어넘으려고 안간힘을 썼다. 그러나 결코 그렇게 잘되지 않았다.

Little Joey imitated his athletic older brother in the hope of one day *emulating* his success.
어린 조이는 언젠가 형의 성공을 능가하겠다는 희망으로 운동선수인 형을 열심히 흉내냈다.

I got ahead by *emulating* those who had gone before me
나보다 앞선 사람들을 열심히 쫓아가서 나는 선두가 되었다.

**ENCROACH** [enkróutʃ] v **to make gradual or stealthy inroads into ; to trespass** 서서히 또는 몰래 침입하다 ; 침해하다

As the city grew, it *encroached* on the countryside surrounding it.
도시가 성장함에 따라 점차로 도시 주변의 시골을 잠식해 들어갔다.

With an *encroaching* sense of dread, I slowly pushed open the blood-spattered door.
점점 조여오는 공포감으로, 나는 피범벅이 된 문을 천천히 밀어 열었다.

My neighbor *encroached* on my yard by building his new stockade fence a few feet on my side of the property line.
이웃사람은 마당의 경계선에서 우리 쪽으로 몇 피트 정도 들어온 지점에 새 울타리를 설치해서 우리 마당을 침범했다.

**ENDEMIC** [endémik] adj **native ; restricted to a particular region or era ; indigenous**
**토착의 ; 특정 지역이나 시기에 국한된 ; 지역 고유의**

You won't find that kind of tree in California ; it's *endemic* to our part of the country.
캘리포니아에서는 그런 종류의 나무는 발견하지 못할 것이다 : 그 나무는 우리 고장에만 있는 것이다.

That peculiar strain of influenza was *endemic* to a small community in South Carolina ; there were no cases anywhere else.
그 특이한 변종의 인플루엔자는 남부 캐롤라이나의 작은 마을에서만 발병하는 것이었다 : 다른 곳에서는 발병 사례가 없었다.

The writer Tom Wolfe coined the term "Me Decade" to describe the egocentricity *endemic* in the 1970s.
탐 울프라는 작가는 1970년대 특유의 자기중심적 사고방식을 묘사하는 "Me Decade('나'의 시대)"라는 새로운 용어를 고안했다.

**ENERVATE** [énərvèit] v **to reduce the strength or energy of, especially to do so gradually** **힘이나 에너지를 감소시키다, 특히 차츰차츰 그렇게 하다**

Mark felt *enervated* by his long ordeal and couldn't make himself get out of bed.
마크는 오랜 기간 시련을 겪으면서 기력이 점점 쇠약해져서 혼자서는 침대에서 일어날 수조차 없었다.

Clinging to a flagpole for a month without food or water *enervated* me, and one day I fell asleep and fell off.
한달 동안이나 음식이나 물도 없이 깃대에 매달려 있던 탓에 나는 기력이 쇠했다. 그러던 어느 날 잠이 들어 그만 떨어지고 말았다.

Life itself seemed to *enervate* the old man. He grew weaker and paler with every breath he drew.
삶 자체가 노인의 기운을 빼앗는 것 같았다. 그는 숨을 쉴 때마다 점점 더 약해지고 더 창백해졌다.

**ENFRANCHISE** [enfrǽntʃaiz] v **to grant the privileges of citizenship, especially the right to vote** **시민으로서의 특권, 특히 선거권을 주다**

In the United States, citizens become *enfranchised* on their eighteenth birthdays. American women were not *enfranchised* until the adoption of the Nineteenth Amendment in 1920, which gave them the right to vote.
미국에서는 모든 시민에게 열여덟 번째 생일이 되면 투표할 수 있는 권리를 부여한다. 비로소 여성에게 투표할 수 있는 권리를 부여한 1920년의 열아홉 번째 헌법수정안이 채택될 때까지 미국의 여성들은 참정권이 없었다.

To *disfranchise* (or *disenfranchise*) someone is to take away the privileges of citizenship or take away the right to vote. One of the goals of the reform candidate was to *disfranchise* the bodies at the cemetery, which had had a habit of voting for the crooked mayor.
누군가를 disfranchise (또는 disenfranchise) 하는 것은 시민으로서의 권리나 선거에 참여할 수 있는 권리를 박탈하는 것이다. 개혁파 후보의 당면목표 중의 하나는 묘지에 누워 있는 시신에게서 시민권을 박탈하는 것이었다. 그 시신들은(죽은 사람을 이용해서 찬성표를 만들어내는)부정선거를 저지르는 시장에게 언제나 찬성표를 찍어왔던 사람들이기 때문이었다.

**ENGENDER** [endʒéndər] v **to bring into existence ; to create ; to cause** **발생시키다 ; 만들어내다 ; 야기하다**

My winning lottery ticket *engendered* a great deal of envy among my co-workers ; they all wished that they had won.
내가 복권에 당첨되자 동료들은 대단히 부러워했다 : 그들은 모두 자신들이 복권에 당첨되었더라면 하고 바랐다.

Smiles *engender* smiles.
미소는 미소를 낳는다.

The bitter lieutenant *engendered* discontent among his troops.
중위의 혹독함이 부대 내에 불만을 야기했다.

## ENIGMA [ənígmə] n a mystery 수수께끼

Hal is an *enigma* ; he never does any homework but he always gets good grades.
할은 수수께끼 같은 인물이다 ; 그는 숙제 한번 하는 일이 없지만 언제나 좋은 성적을 받는다.

The wizard spoke in riddles and *enigmas*, and no one could understand what he was saying.
마법사가 불가사의하고 수수께끼 같은 말을 했지만 아무도 그가 말하는 것을 이해할 수가 없었다.

An *enigma* is *enigmatic* [ènigmǽtik]. Hal's good grades were *enigmatic*. So was the wizard's speech.
enigma의 형용사형은 enigmatic이다. 할이 좋은 성적을 받았다는 사실은 불가사의했다. 마법사의 말도 마찬가지였다.

## ENORMITY [inɔ́:rməti] n extreme evil ; a hideous offense ; immensity 극도의 사악함 ; 극악무도한 범죄 ; 엄청남

Hitler's soldiers stormed through the village, committing one *enormity* after another.
히틀러의 병사들은 마을을 습격해서 극악무도한 범죄행위를 계속해서 저질렀다.

"Hugeness" or "great size" is not the main meaning of *enormity*. When you want to talk about the gigantic size of something, use *immensity* instead.
'광대함' 이나 '거대한 크기' 는 enormity의 주요 의미는 아니다. 거대한 크기에 관해서 말하고 싶을 때는 immensity를 대신 사용할 것.

## EPHEMERAL [ifémərəl] adj lasting a very short time 아주 짧은 시간 동안 지속되는

*Ephemeral* comes from the Greek and means lasting a single day. The word is usually used more loosely to mean lasting a short time.
이 단어는 '단 하루만 이어진다' 는 의미의 그리스어에서 유래한 말이다. 그러나 대개는 좀더 막연하게 짧은 시간 동안 지속된다는 의미로 사용된다.

Youth and flowers are both *ephemeral*. They're gone before you know it.
젊음과 꽃은 둘 다 한때일 뿐이다. 그것들은 당신이 깨닫지 못하는 사이에 사라져 버린다.

Some friendships are *ephemeral*.
얼마 못 가는 우정도 있다.

The tread on those used tires will probably turn out to be *ephemeral*.
그 중고 타이어의 지면과 접하는 면은 아마도 얼마 못 갈 것이다.

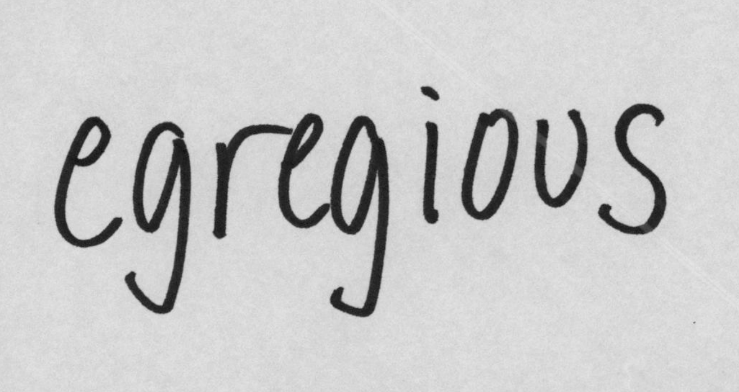
egregious

egregious

## QUICK QUIZ 

Match each word in the first column with its definition in the second column. Check your answers in the back of the book.

| | |
|---|---|
| 1. emulate | a. cause to exist |
| 2. encroach | b. mystery |
| 3. endemic | c. remove voting rights |
| 4. enervate | d. reduce the strength of |
| 5. enfranchise | e. native |
| 6. disfranchise | f. grant voting rights |
| 7. engender | g. strive to equal |
| | h. lasting a very short time |
| | i. extreme evil |
| | espass |

ally witty or satirical saying 짧고 재기 넘치거나 풍자적

r the difference between an *epigram* and an:
종 어려움을 겪는다.

beginning of a book or essay

on a grave

ne nature of something ; sometimes a disparaging term used to

시하는 느낌으로 묘사할 때 쓰이는 용어, 별명, 통칭

mǽtik].

**EPITOME** [ ... mary that captures the meaning of the whole ; the perfe... mple of something ; a paradigm** 전체의 의미를 포착하여 짧게 요약한 것, 개요 ; 완벽한 예 ; 모범, 전형**

The first paragraph of the new novel is an *epitome* of the entire book ; you could read it and understand what the author was trying to get across. It *epitomized* the entire work.
새로 나온 그 소설은 첫 단락에서 책 전체의 개요를 드러낸다 ; 그것을 읽어보면 작가가 전달하고자 하는 바를 이해할 수 있을 것이다. 첫 단락이 작품의 전체를 요약한 것이다.

Luke's freshman year was the *epitome* of the college experience; he made friends, missed classes, fell in love, and flunked out.
루크에게는 1학년 신입생 시절에 그가 경험한 대학생활의 전부가 다 들어 있었다. 그는 1학년 때, 친구들과 어울리고 수업을 등한시했으며, 사랑에 빠졌고 결국 학교에서 성적불량으로 퇴학당했다.

Eating corn dogs and drinking root beer is the *epitome* of the good life, as far as Wilson is concerned.
윌슨에게 있어서, 옥수수 핫도그와 저알콜 맥주를 마시는 것은 안락한 생활의 축도인 셈이다.

**EQUANIMITY** [èːkwəníməti] n **composure ; calm** **평정, 침착함 ; 평온함**

The entire apartment building was crumbling, but Rachel faced the disaster with *equanimity*. She ducked out of the way of a falling beam and made herself a chocolate sundae.
아파트 건물 전체가 힘없이 무너져 내렸지만, 레이첼은 그러한 재난에 침착하게 대처했다. 그녀는 기둥이 무너지는 길을 용케 피해 나와 초콜릿 아이스크림을 만들어 먹었다.

The mother of twelve boys viewed the mudball fight with *equanimity* ; at least they weren't shooting bullets at one another.
열두 명의 사내아이를 둔 엄마는 아이들의 머드볼 싸움을 태연하게 지켜보고만 있었다 ; 적어도 아이들이 서로에게 총알을 쏘고 있는 것은 아니었기 때문이다.

**EQUITABLE** [ékwətəbl] adj **fair** **공정한**

King Solomon's decision was certainly *equitable* ; each mother would receive half the child.
솔로몬 왕의 판결은 아주 공정했다 ; 두 엄마에게 각각 아이의 반쪽씩을 갖도록 했다.

The pirates distributed the loot *equitably* among themselves, so that each pirate received the same share as every other pirate.
해적들은 전리품을 서로가 공정하게 나눠가졌다. 그래서 모든 해적들은 다른 사람들과 똑같이 분배받았다.

The divorce settlement was quite *equitable*. Sheila got the right half of the house and Tom got the left half.
이혼 협의는 아주 공정했다. 실라가 집의 오른쪽 반을 갖고, 탐이 왼쪽 반을 갖게 되었다.

*Equity* is fairness ; *inequity* is unfairness. *Iniquity* and *inequity* both mean unfair, but *iniquity* implies wickedness as well. By the way, *equity* has a meaning in business.
equity는 공평함을 의미한다 ; inequity는 불공정. iniquity와 inequity는 둘 다 공정하지 못하다는 의미를 갖고 있지만, 전자는 거기에 덧붙여서 사악하다는 의미가 함축되어 있다. 한편 equity는 업무와 관련되어 쓰인다.

**EQUIVOCAL** [ikwívəkəl] adj **ambiguous ; intentionally confusing ; capable of being interpreted in more than one way** **모호한 ; 고의적으로 혼동시키는 ; 여러 가지 의미로 해석될 수 있는**

*Ambiguous* means unclear. To be *equivocal* is to be intentionally ambiguous. Joe's response was *equivocal* ; we couldn't tell whether he meant yes or no, which is precisely what Joe wanted.
ambiguous는 분명하지 않다는 뜻. to be equivocal은 고의적으로 모호하게 만든다는 뜻이다. 조의 대답은 분명치 않았다 ; 우리는 그가 의미하는 것이 긍정인지 부정인지 알 수가 없었는데, 그것이 바로 조가 바랐던 것이다.

The doctor's *equivocal* diagnosis made us think that he had no idea what Mrs. Johnson had.
의사가 애매모호한 진단을 내렸기 때문에, 우리는 그가 존슨 부인의 병명을 모르고 있다는 생각이 들었다.

* 동사형은 equivocate.

To *equivocate* is to mislead by saying confusing or ambiguous things. When we asked Harry whether that was his car that was parked in the middle of the hardware store, he *equivocated* and asked, "In which aisle?"
equivocate는 분명치 않거나 혼란을 야기하는 말을 써서 오해하게 만드는 것이다. 철물점 중간에 주차되어 있는 차가 그의 것이냐고 우리가 해리에게 물었을 때, 그는 얼버무리면서 "어느 통로에 있는 것?" 하고 물었다.

**ERUDITE** [érədàit] adj **scholarly ; deeply learned** **박식한 ; 학식이 깊은**

The professor said things *erudite* that none of us had the slightest idea of what he was saying.
그 교수는 어떤 것에 대해 아주 박식하게 설명했다. 그런데 우리 중에 그가 말하고 있는 것을 조금이라도 아는 사람은 아무도 없었다.

The *erudite* biologist was viewed by many of his colleagues as a likely winner of the Nobel Prize.
그 생물학자는 대단히 학식이 깊어서 대다수의 동료들은 그를 노벨상 감이라고 여겼다.

To be *erudite* is to possess *erudition* [èrədíʃən], or extensive knowledge. Mr. Jones's vast library was an indication of his *erudition*.
erudite 하다는 것은 학식이나 광범위한 지식을 가지고 있다는 것이다. 존스 씨의 방대한 서재는 그의 박식함을 말해주었다.
* 이 단어의 발음에 주의할 것.

## QUICK QUIZ 39

Match each word in the first column with its definition in the second column. Check your answers in the back of the book.

| | |
|---|---|
| 1. epigram | a. brief summary |
| 2. epigraph | b. fair |
| 3. epitaph | c. composure |
| 4. epithet | d. intentionally confusing |
| 5. epitome | e. apt quotation |
| 6. equanimity | f. say confusing things |
| 7. equitable | g. inscription on a grave |
| 8. equivocal | h. scholarly |
| 9. equivocate | i. brief, witty saying |
| 10. erudite | j. characterizing term |

**ESOTERIC** [èsətérik] adj **hard to understand ; understood by only a select few ; peculiar** 난해한 ; 선택된 소수에게만 이해되는 ; 특별한

Chicken wrestling and underwater yodeling were just two of Bob's *esoteric* hobbies.
닭싸움과 수중 요들송은 비밀에 부쳐진 밥의 취미 중 두가지 였다.

The author's books were so *esoteric* that no one except his mother ever bought any of them.
그 작가의 책들은 너무나 난해해서 그의 엄마를 제외하곤 어느 누구도 그의 책들을 사지 않았다.

**ESPOUSE** [espáuz] v **to support ; to advocate** 지지하다 ; 주장하다

The Mormons used to *espouse* bigamy, or marriage to more than one woman.
몰몬교도들은 중혼 즉 여러 여성과의 결혼을 주의로 채택했었다.

Bert *espoused* so many causes that he sometimes had trouble remembering which side he was on.
버트는 너무나 많은 사회운동을 지지하고 있어서 때로는 자신이 어느 편인지 헷갈려 애를 먹을 때가 있었다.

The candidate for governor *espoused* a program in which all taxes would be abolished and all the state's revenues would be supplied by income from bingo and horse racing.
주지사 후보는 모든 세금제도를 폐지하고 주의 세입은 복권과 경마에서 들어오는 수입으로 충당하자는 공약을 내걸었다.

**ETHEREAL** [iθíriəl] adj **heavenly ; as light and insubstantial as a gas or ether** 천상의 ; 기체나 에테르 같이 가볍고 실체가 없는

The *ethereal* music we heard turned out to be not angels plucking on their harps but the wind blowing past our satellite-television antenna.
우리가 들었던 천국의 소리 같은 음악은 천사가 하프를 뜯는 소리가 아니라 바람이 텔레비전 위성 안테나를 스치고 지나가는 소리로 밝혀졌다.

The *ethereal* mist on the hillside was delicate and beautiful.
산허리에 걸친 희뿌연 안개는 섬세하고 아름다웠다.

**EUPHEMISM** [júːfəmìzm] n **a pleasant or inoffensive expression used in place of an unpleasant or offensive one** 불쾌감을 주거나 무례한 표현 대신에 사용하는 완곡한 표현

Aunt Gladys, who couldn't bring herself to say the word *death*, said that Uncle George had taken the big bus uptown. "Taking the big bus uptown" was her *euphemism* for dying.
'죽음'이라는 단어를 결코 사용하지 않는 글래디스 숙모는 조지 삼촌이 높은 곳으로 가는 버스를 탔다고 말했다. "높은 곳으로 가는 버스를 타는 것"은 그녀가 죽음을 완곡어법으로 표현한 것이었다.

The sex-education instructor wasn't very effective. She was so embarrassed by the subject that she could only bring herself to speak *euphemistically* about it.
강사의 성교육 강의는 별 효과가 없었다. 그녀는 '성'이라는 주제가 너무 난처해서 단지 완곡한 표현만을 사용했던 것이다.

**EVANESCENT** [èvənésənt] adj **fleeting ; vanishing ; happening for only the briefest period** 덧없는 ; 사라지는 ; 아주 짧은 순간에만 발생하는

Meteors are *evanescent*: they last so briefly that it is hard to tell whether one has actually appeared.
별똥별은 순간적으로 사라진다 : 그것은 너무나 빨리 사라지기 때문에 실제로 나타난 건지 아닌지 구별하기 어렵다.

**EXACERBATE** [igzǽsərbèit] v **to make worse** 악화시키다

Dipping Austin in lye *exacerbated* his skin condition.
오스틴을 알칼리성 세제에 담가 씻겼더니 그의 피부병이 더 악화되었다.

The widow's grief was *exacerbated* by the minister's momentary inability to remember her dead husband's name.
목사가 한순간 죽은 그녀의 남편 이름을 기억하지 못하자 미망인의 슬픔은 더욱 커졌다.

The fender-bender was *exacerbated* when a line of twenty-five cars plowed into the back of Margaret's car.
마가렛의 차 뒤로 스물 다섯 대나 줄지어 추돌 사고를 일으키는 바람에 경미한 접촉 사고는 대형사고로 바뀌었다.

**EXACTING** [igzǽktiŋ] adj **extremely demanding ; difficult ; requiring great skill or care** 매우 극단적으로 무리한 요구를 하는 ; 어려운 ; 대단한 기술이나 주의를 요하는

The *exacting* math teacher subtracted points for even the most unimportant errors.
아주 가혹한 수학 선생은 진짜 하찮은 실수에도 가차없이 감점 처리했다.

Weaving cloth out of guinea-pig hair is an *exacting* occupation, because guinea pigs are small and their hair is short.
모르모트의 털로 옷감을 짜는 것은 대단한 기술을 요하는 일이다. 모르모트들이 워낙 작고 털 또한 아주 짧기 때문이다.

The surgeon's *exacting* task was to reconnect the patient's severed eyelashes.
외과의사에게 맡겨진 고난도의 임무는 환자의 끊어진 속눈썹을 다시 연결하는 것이었다.

**EXALT** [igzɔ́:lt] v **to raise high ; to glorify** 높이 올리다 ; 칭찬하다

The manager decided to *exalt* the lowly batboy by asking him to pitch in the opening game of the World Series.
감독은 월드 시리즈 첫 경기에 투수로 팀의 잡일을 보는 그 소년을 지명해서 그의 지위를 올려주기로 결정했다.

The adjective *exalted* is used frequently. Being queen of England is an exalted occupation.
형용사 exalted는 자주 사용되는 단어이다. 영국의 여왕이라는 것은 고귀한 자리이다.

Larry felt *exalted* when he woke up to discover that his great-uncle had left him $100 million.
어느 날 깨어나서 종조부가 1억 달러를 남겨주었다는 사실을 알게 되었을 때, 래리는 신바람이 났다.

Cleaning out a septic tank is not an *exalted* task.
오수 정화조를 청소하는 일은 고상한 업무는 아니다.

* 후에 나오는 exult라는 단어와 혼동하지 않도록 주의하라.

**EXASPERATE** [igzǽspərèit] v **to annoy thoroughly ; to make very angry ; to try the patience of** 대단히 화나게 하다 ; 매우 화나게 하다 ; ~의 인내심을 시험하다

The child's insistence on hopping backward on one foot *exasperated* his mother, who was in a hurry.
아이는 한발로 껑충껑충 뛰면서 뒤로 가려고 고집을 부려서 황급히 서두르고 있던 엄마를 화나게 만들었다.

The algebra class's refusal to answer any questions was extremely *exasperating* to the substitute teacher.
대수학 시간의 학생들이 어떤 질문에도 대답하기를 거부해서 그 대리 교사는 무척이나 화가 났다.

**EXEMPLIFY** [igzémpləfài] v **to illustrate by example ; to serve as a good example** 예를 들어 설명하다 ; 좋은 예가 되다

Fred participated in every class discussion and typed all of his papers. His teacher thought Fred *exemplified* the model student ; Fred's classmates thought he was sycophantic.
프레드는 학급 회의에 매번 참여했으며 숙제도 모두 타이프를 쳐서 제출했다. 선생님은 프레드가 모범적인 학생의 본보기라고 생각했다 ; 프레드의 같은 반 친구들은 그를 아첨꾼이라고 생각했다.

An *exemplar* [igzémplər] is an ideal model or a paradigm.
exemplar 는 이상적인 본보기나 전형이라는 뜻이다.

*Exemplary* [igzémpləri] means outstanding, or worthy of imitation.
exemplary는 뛰어나다, 또는 본받을 만한 가치가 있다는 의미이다.

**EXHAUSTIVE** [igzɔ́:stiv] adj **thorough ; rigorous ; complete ; painstaking** 철저한 ; 엄밀한 ; 완전한 ; 수고를 아끼지 않는

Before you use a parachute, you should examine it *exhaustively* for defects. Once you jump, your decision is irrevocable.
낙하산을 사용하기 전에, 결함이 없는지 속속들이 검사를 해봐야 한다. 일단 뛰어내리고 나면, 결과는 돌이킬 수 없다.

**EXHORT** [igzɔ́:rt] v **to urge strongly ; to give a serious warning to** 강력하게 권하다 ; 심각하게 경고하다

The coach used his bullhorn to *exhort* us to try harder.
코치는 확성기를 사용하여 우리에게 더 열심히 노력하라고 재촉했다.

The fearful forest ranger *exhorted* us not to go into the cave, but we did so anyway and became lost in the center of the earth.
무시무시한 산림 경비원이 우리더러 동굴 속으로 들어가지 말라고 경고했지만, 우리는 어쨌든 들어가 보았다. 그리고 우리는 땅속에서 길을 잃었다.

* 형용사는 hortatory [hɔ́:rtətɔ̀:ri/-təri].

## QUICK QUIZ 40

Match each word in the first column with its definition in the second column. Check your answers in the back of the book.

| | |
|---|---|
| 1. esoteric | a. peculiar |
| 2. espouse | b. make worse |
| 3. ethereal | c. extremely demanding |
| 4. euphemism | d. raise high |
| 5. evanescent | e. inoffensive substitute term |
| 6. exacerbate | f. urge strongly |
| 7. exacting | g. annoy thoroughly |
| 8. exalt | h. heavenly |
| 9. exasperate | i. advocate |
| 10. exemplify | j. fleeting |
| 11. exhaustive | k. illustrate by example |
| 12. exhort | l. thorough |

**EXIGENCY** [éksədʒənsi] n **an emergency ; an urgency** 비상사태 ; 긴급사태

An academic *exigency*: you haven't opened a book all term and the final is tomorrow morning.
학업의 위기: 학기 내내 책 한번 열어보지 않았는데, 기말 시험이 내일 아침일 때.

* exigent 는 아주 급박하고 다급함을 의미한다.

**EXISTENTIAL** [ègzisténʃəl] adj **having to do with existence ; having to do with the body of thought called existentialism, which basically holds that human beings are responsible for their own actions but is otherwise too complicated to summarize in a single sentence** 존재에 관한 ; 실존주의라 불리는 일단의 사상에 관한, 실존주의란 인간은 자기 자신의 행동에 책임을 져야 한다는 내용을 기본으로 하는 사상이다. 그렇게 정리하지 않으면 너무나 복잡해서 한 문장으로 요약할 수 없다.

This word is overused but under-understood by virtually all of the people who use it. Unless you have a very good reason for throwing it around, you should probably avoid it.
이 단어를 남용하는 경향이 있다. 그러나, 사실 이 단어를 사용하는 사람들 모두 그 뜻을 제대로 이해하고 있지는 않다. 이 단어를 사용해야 할 아주 적합한 상황이 아니라면, 아마도 피하는 것이 좋을 것이다.

**EXONERATE** [igzάnərèit] v **to free completely from blame ; to exculpate** **책임을 완전히 면제해주다 ; 무죄로 하다**

The suspect was *exonerated* when the district attorney's fingerprints were found on the murder weapon.
지방검사의 지문이 살인에 사용된 흉기에서 발견되자 용의자는 혐의를 벗게 되었다.

The defendant, who had always claimed he wasn't guilty, expected to be *exonerated* by the testimony of his best friend.
항상 자신이 무죄라고 주장했던 피고인은 가장 친한 친구의 증언으로 혐의가 벗겨지기를 기대했다.

Our dog was *exonerated* when we discovered that it was in fact the cat who had eaten all the chocolate-chip cookies.
초콜릿칩 쿠키를 몽땅 먹어치운 놈이 사실은 고양이였다는 사실이 밝혀지면서 우리집 개의 무죄가 입증되었다.

**EXPATRIATE** [ekspéitrièit/-pǽt-] v **to throw (someone) out of his or her native land ; to move away from one's native land ; to emigrate** **조국에서 추방하다 ; 조국을 떠나 외국으로 이주하다 ; 이민하다**

The rebels were *expatriated* by the nervous general, who feared that they would cause trouble if they were allowed to remain in the country.
소심한 장군은 반란군을 국외로 추방했다. 그는 반란군을 그대로 국내에 있게 하면, 말썽을 일으킬 것이라고 두려워했다.

Hugo was fed up with his native country and so *expatriated* to America. In doing so, Hugo became an *expatriate* [ekspéitriət/-pǽt-].
휴고는 자신의 고국에 싫증이 났다. 그래서 미국으로 이민을 갔다. 그렇게 해서 휴고는 국적을 상실하게 되었다.

To *repatriate* [ri:péitrièit/-pǽt-] is to return to one's native citizenship ; that is, to become a *repatriate* [ri:péitriət/-pǽt-].
repatriate는 고국의 시민으로 다시 돌아오는 것을 의미한다 ; 다시 말해서, 본국으로 귀환한 사람이 된다는 뜻이다.

**EXPEDIENT** [ikspí:diənt] adj **providing an immediate advantage ; serving one's immediate self-interest ; practical** **즉시 편의를 제공하는, 상책의 ; 즉각적인 이익을 주는 ; 실용적인**

Since the basement had nearly filled with water, the plumber felt it would be *expedient* to clear out the drain.
지하실에 물이 거의 가득 들어찼기 때문에, 배관공은 빨리 배수로를 뚫어주는 게 상책이라고 생각했다.

The candidate's position in favor of higher pay for teachers was an *expedient* one adopted for the national teachers' convention and abandoned shortly afterward.
그 후보가 교사들의 임금 인상안을 찬성하는 입장을 취한 것은 전국 교사 대회에 대비해 정략적 방편으로 채택한 것이었고 얼마 안 있어 그는 자신의 입장을 포기했다.

*Expedient* can also be used as a noun for something *expedient*. The car repairman did not have his tool kit handy, so he used chewing gum as an *expedient* to patch a hole.
expedient는 명사로도 쓰인다. 차량 정비사는 주변에 쓸만한 도구들을 가지고 있지 않았다. 그래서 그는 임시방편으로 구멍을 메우기 위해 껌을 사용했다.

The noun *expedience* or *expediency* is practicality, or being especially suited to a particular goal.
명사형은 expedience나 expediency. 이 단어들은 실용성을 의미하거나, 특정 목적에 특히 적합하다는 의미를 갖고 있다.

**EXPEDITE** [ékspədàit] v **to speed up or ease the progress of** **일을 쉽게 하거나 진행을 빠르게 하다, 촉진시키다**

The post office *expedited* mail delivery by hiring more letter carriers.
우체국은 집배원을 더 많이 고용하는 방법으로 우편물 배달을 더 신속하게 하게 되었다.

The lawyer *expedited* the progress of our case through the courts by bribing a few judges.
변호사는 몇몇 판사에게 뇌물을 주는 방법으로 우리 재판진행을 진척시켰다.

Our wait for a table was *expedited* by a waiter who mistook Angela for a movie star.
식당에서 안젤라를 영화배우로 착각한 웨이터 덕분에 우리는 기다리지 않고 빨리 자리를 얻었다.

**EXPLICIT** [iksplísit] adj **clearly and directly expressed** **분명하고도 직접적으로 표현된, 명백한**

The sexually *explicit* movie received an X rating.
그 영화는 노골적인 성애영화라서 X 등급을 받았다.

The machine instructions were *explicit*—they told us exactly what to do.
기계 설명서는 분명했다 — 무엇을 해야 할지 정확하게 일러주었다.

No one *explicitly* asked us to set the barn on fire, but we got the impression that that was what we were supposed to do.
아무도 우리에게 헛간에 불을 지르라고 드러내놓고 당부하지는 않았지만, 우리는 그게 바로 우리가 할 일이라는 인상을 받았다.

*Implicit* means indirectly expressed or implied. Gerry's dissatisfaction with our work was *implicit* in his expression, although he never criticized us directly.
implicit는 간접적으로 표현되거나 암시된 것을 의미한다. 게리는 결코 우리를 직접적으로 비난하지는 않았지만, 그의 표현에는 우리가 한 일에 대한 불만이 함축되어 있었다.

**EXTOL** [ikstóul] v **to praise highly ; to laud** **격찬하다 ; 칭송하다**

The millionaire *extolled* the citizen who returned his gold watch, and then rewarded him with a heartfelt handshake.
백만장자는 자신의 금시계를 돌려준 시민을 극구 칭찬했다. 그리고 그와 진심에서 우러난 악수를 했다.

**EXTRANEOUS** [ikstréiniəs] adj **unnecessary ; irrelevant ; extra** **불필요한 ; 관계없는 ; 여분의**

To be *extraneous* is to be extra, but always with the sense of being unnecessary. Extra ice cream would never be *extraneous*, unless everyone had already eaten so much that no one wanted any more.
extraneous 하다는 것은 여분의 것이라는 의미이다. 그러나 이것은 언제나 불필요하다는 의미에서 그렇다. 모든 사람들이 이미 아이스크림을 충분히 많이 먹어서 아무도 더 먹고 싶어하지 않는 상황이 아니라면, 여분의 아이스크림은 extraneous(불필요한)한 것이 아니다. (주 : 여기서의 extra는 특별하다는 뜻이다. extraneous를 쓸 수 없다.)

The book's feeble plot was buried in a lot of *extraneous* material about a talking dog.
그 책의 허술한 구성은 말하는 개에 대한 수많은 불필요한 소재 속에 묻혀졌다.

The soup contained several *extraneous* ingredients, including hair, sand, and a single dead fly.
수프에는 죽은 파리 한 마리를 비롯해서 머리카락과 모래 등 몇 가지 불필요한 성분들이 들어있었다.

**EXTRAPOLATE** [ikstrǽpəlèit] v **to project or deduce from something known ; to infer**
**알려진 사실로부터 추정하거나 추론하다 ; 추측하다**

George's estimates were *extrapolated* from last year's data ; he simply took all the old numbers and doubled them.
조지가 내린 견적은 지난해의 데이터에서 추정한 것이었다 : 그는 단순히 이전의 숫자들을 빌려와 두 배로 계산한 것이다.

Jacob came up with a probable recipe by *extrapolating* from the files he had eaten at the store.
제이콥은 가게에서 먹었던 음식에 대한 정보로부터 추론해서 그럴듯한 요리법을 만들어냈다.

By *extrapolating* from a handful of pottery fragments, the archaeologists formed a possible picture of the ancient civilization.
부서진 도자기 조각들을 보고 추정하여, 고고학자들은 그럴싸한 고대문명의 모습을 만들어냈다.

To *extrapolate*, a scientist uses the facts he has to project to facts outside ; to interpolate [intə́ːrpəleit], he tries to fill the gaps within his data.
외삽(外揷)하기 위해서 과학자는 그가 알고 있는 사실들을 이용하여 기존의 범위 외의 사실들에 투사하며, 내삽하기 위해서 자신이 가지고 있는 자료들 내부의 공백을 메우려 한다.

**EXTRICATE** [èkstrəkèit] v **to free from difficulty** 곤경에서 벗어나게 하다

It took two and a half days to *extricate* the little girl from the abandoned well into which she had fallen.
버려진 우물에 빠진 어린 소녀를 구하는 데 이틀 하고도 반나절이나 걸렸다.

Sam had to pretend to be sick to *extricate* himself from the blind date with the mud wrestler.
진흙 레슬링 선수와의 블라인드 데이트에서 벗어나기 위해 샘은 아픈 척해야만 했다.

Mary had no trouble driving her car into the ditch, but she needed a tow truck to *extricate* it.
메리는 별 어려움 없이 차를 몰아 도랑 속으로 들어갔지만, 거기에서 벗어나기 위해서는 견인 트럭이 필요했다.

Something that is permanently stuck is *inextricable* [inékstrikəbl].
영구히 헤어날 수 없는 것을 inextricable하다고 한다.

**EXTROVERT** [ékstrəvə̀ːrt] n **an open, outgoing person ; a person whose attention is focused on others rather than on himself or herself** 개방적이고 사교적인 사람, 외향적인 사람 ; 자신보다는 남에게 더 많이 관심을 두고 있는 사람

The little girl was quite an *extrovert* ; she walked boldly into the roomful of strange adults and struck up a friendly conversation.
그 어린 소녀는 상당히 외향적이었다 ; 그녀는 낯선 어른들로 가득한 방에 대담하게 걸어 들어가 상냥하게 대화를 시작했다.

Hal was an *extrovert* in the sense that he was always more interested in other people's business than in his own.
자신의 일보다는 항상 남의 일에 더 많이 관심을 갖는다는 의미에서 볼 때, 할은 외향적인 사람이었다.

An *introvert* [íntrəvə̀ːrt] is a person whose attention is directed inward and who is concerned with little outside himself or herself. Bud was an *introvert* ; he spent virtually all his time in his room, writing in his diary and talking to himself. An *introvert* is usually introspective.
내성적인 사람이란 관심이 자신의 내부에만 머물러 있고 자기 외부에는 관심을 거의 드러내지 않는 사람이다. 버드는 내성적인 사람이었다 : 그는 거의 대부분의 시간을 자신의 방안에서 일기를 쓰거나 자기 자신과 대화하면서 보냈다. 내성적인 사람은 대개 자기 성찰적인 성향을 갖고 있다.

**EXULT** [igzʌ́lt] v **to rejoice, to celebrate** 기뻐하다 ; 축제 기분에 젖다

The women's team *exulted* in its victory over the men's team at the badminton finals. They were *exultant.*
여성팀은 배드민턴 결승전에서 남성팀을 누르고 승리하여 무척 기뻤다. 그들은 의기양양했다.

## QUICK QUIZ 41

Match each word in the first column with its definition in the second column. Check your answers in the back of the book.

| | |
|---|---|
| 1. exigency | a. free from blame |
| 2. existential | b. clearly expressed |
| 3. exonerate | c. indirectly expressed |
| 4. expatriate | d. having to do with existence |
| 5. expedient | e. outgoing person |
| 6. expedite | f. speed up |
| 7. explicit | g. infer |
| 8. implicit | h. free from difficulty |
| 9. extol | i. immediately advantageous |
| 10. extraneous | j. unnecessary |
| 11. extrapolate | k. inwardly directed person |
| 12. extricate | l. throw out of native land |
| 13. extrovert | m. emergency |
| 14. introvert | n. rejoice |
| 15. exult | o. praise highly |

**FABRICATION** [fæbrəkéiʃən] n **a lie ; something made up** **거짓말 ; 조작된 것**

My story about being the Prince of Wales was a *fabrication*. I'm really the king of Denmark.
내가 영국의 황태자라는 얘기는 거짓말이었다. 나는 실제로는 덴마크의 왕이다.

The suspected murderer's alibi turned out to be an elaborate *fabrication* ; in other words, he was lying when he said that he hadn't killed the victim.
살인 용의자의 알리바이는 정교하게 조작된 것임이 드러났다 ; 다시 말해서 피해자를 죽이지 않았다는 그의 말은 거짓말이었다.

To create a *fabrication* is to fabricate.
거짓말을 꾸며대다라는 뜻의 동사는 fabricate.

**FACETIOUS** [fəsíːʃəs] adj **humorous ; not serious ; clumsily humorous** **우스운 ; 진지하지 않은 ; 우스꽝스러운**

David was sent to the principal's office for making a *facetious* remark about the intelligence of the French teacher.
불어 선생님의 지능에 관한 우스개 소리를 해서 데이비드는 교장실로 불려갔다.

Our proposal about shipping our town's garbage to the moon was *facetious*, but the first selectman took it seriously.
마을의 쓰레기를 달로 운반하자는 우리의 제안은 그저 웃자고 한 소리였다. 그러나 도시행정위원장은 그 안을 진지하게 받아들였다.

**FACILE** [fǽsil/-sail] adj **fluent ; skillful in a superficial way ; easy** **유창한 ; 표면적으로는 능숙한 ; 쉬운**

* 발음에 주의할 것.

To say that a writer's style is *facile* is to say both that it is skillful and that it would be better if the writer exerted himself or herself more. The word *facile* almost always contains this sense of superficiality.
작가의 문체가 facile하다는 말은 솜씨가 뛰어나다는 뜻과 작가가 좀더 노력한다면 훨씬 더 좋아질 것이라는 뜻 두 가지를 모두 말하는 것이다. 이 단어는 거의 언제나 이처럼 피상적이라는 의미를 담고 있다.

Joe's poems were *facile* rather than truly accomplished ; if you read them closely, you soon realized they were filled with clichés.
조의 시들은 조예가 깊다기 보다는 쉽게 만들어진 것이었다 ; 자세히 읽어보면, 진부한 표현으로 가득하다는 것을 금방 알 수 있을 것이다.

The bank president was a *facile* speaker. He could speak engagingly on almost any topic with very little preparation. He spoke with great *facility*.
은행장은 달변가였다. 그는 준비가 거의 없이도 어떤 주제에 대해서든 남의 마음을 끌 수 있게 말할 수 있었다. 그는 대단히 유창한 달변가였다.

**FACTION** [fǽkʃən] n **a group, usually a small part of a larger group, united around some cause ; disagreement within an organization** 파벌, 대개 어떤 목적을 위해서 모인 큰 그룹내의 소규모 모임 ; 조직 내의 분쟁, 내분

At the Republican National Convention, the Ford *faction* spent much of its time shouting at the Reagan *faction*.
공화당 전당대회에서 포드파는 레이건파에 소리만 질러대느라 많은 시간을 허비했다.

The faculty was relatively happy, but there was a *faction* that called for higher pay.
교직원들은 비교적 만족했다. 그러나 임금 인상을 요구하는 집단도 있었다.

When the controversial topic of the fund drive came up, the committee descended into bitterness and *faction*. It was a *factious* topic.
기금모금에 관해 논란의 여지가 있는 주제가 제기되자, 위원회는 내분과 상호비방으로 이어졌다. 그것은 내분을 낳는 주제였다.

**FARCICAL** [fáːrsikəl] adj **absurd ; ludicrous** 터무니없는 ; 우스꽝스러운

*Farcical* means like a farce, which is a mockery or a ridiculous satire.
farcical은 조롱거리나 우스꽝스런 풍자극 같다는 뜻이다.

The serious play quickly turned *farcical* when the leading man's belt broke and his pants fell to his ankles.
주인공의 허리띠가 끊어져 바지가 발목까지 흘러내리자 심각하던 연극은 우스꽝스럽게 변해버렸다.

The formerly secret documents detailed the CIA's *farcical* attempt to discredit Fidel Castro by sprinkling his shoes with a powder that was supposed to make his beard fall out.
신발에 파우더를 뿌려놓아 수염을 떨어지게 함으로써 피델 카스트로를 웃음거리로 만들려고 했던 CIA의 터무니없는 작전에 대해서는 과거의 비밀문서에 자세히 적혀 있다.

**FASTIDIOUS** [fæstídiəs/fəs-] adj **meticulous ; demanding ; finicky** 지나치게 세심한 ; 요구사항이 많은 ; 까다로운

Mrs. Brown was a *fastidious* housekeeper ; she cleaned up our crumbs almost before they hit the floor.
브라운 여사는 지나치게 세심한 주부였다 ; 그녀는 빵 부스러기가 마룻바닥에 떨어지기가 무섭게 깨끗이 치웠다.

Jeb was so *fastidious* in his work habits that he needed neither a wastebasket nor an eraser.
제브는 쓰레기통도 지우개도 필요 없을 만큼 작업습관이 지나치게 세심했다.

The *fastidious* secretary was nearly driven mad by her boss, who used the floor as a file cabinet and his desk as a pantry.
지나치게 깔끔했던 비서는 사장 때문에 거의 미칠 지경이었다. 사장은 마룻바닥에 서류를 아무렇게나 쌓아두고 책상을 식품 저장실처럼 사용했다.

**FATALIST** [féitəlist] n **someone who believes that future events are already determined and that humans are powerless to change them** 미래의 일은 이미 결정돼 있고, 인간은 그것을 바꿀 힘이 없다고 믿는 사람, 운명론자

*Fatalist* is closely related to the word *fate*. A *fatalist* is someone who believes that *fate* determines everything.
fatalist는 fate(운명)이라는 단어와 밀접한 관련이 있다. 운명론자는 운명이 모든 것을 결정한다고 믿는 사람이다.

The old man was a *fatalist* about his illness, believing there was no sense in worrying about something over which he had no control.
자신이 통제할 수 없는 일에 대해서 걱정하는 것은 의미 없는 일이라고 믿으면서 노인은 자신의 병을 운명이라고 받아들였다.

Bill was such a *fatalist* that he never wore a seat belt ; he said that if he were meant to die in a car accident, there was nothing he could do to prevent it.
빌은 결코 안전벨트를 매지 않는 철저한 운명론자였다 ; 그는 자신이 교통사고로 죽을 운명이라면 그것을 막을 수 있는 방법은 아무 것도 없다고 말했다.

* 형용사는 fatalistic.

## FATUOUS [fǽtʃuəs] adj **foolish ; silly ; idiotic** 바보 같은 ; 어리석은 ; 천치 같은

Pauline is so pretty that her suitors are often driven to *fatuous* acts of devotion. They are *infatuated* with her.
폴라인이 너무나 예뻐기 때문에 구혼자들은 종종 바보처럼 헌신적인 행동을 한다. 그들은 그녀에게 넋이 나가 있다.

## FAUNA [fɔ́:nə] n **animals** 동물들

We saw little evidence of *fauna* on our walk through the woods. We did, however, see plenty of *flora*, or plants.
숲 속을 걷고 있는 동안에 우리는 동물들의 흔적을 거의 보지 못했다. 반면에 식물은 많이 보았다.

"*Flora* and *fauna*" means plants and animals. The terms are used particularly in describing what lives in a particular region or environment.
"flora 와 fauna"는 식물군과 동물군을 의미한다. 이 용어들은 특히 특정지역이나 환경에서 사는 것들을 지칭할 때 사용된다.

Arctic *fauna* are very different from tropical *fauna*.
극지방의 동물들은 적도 지방의 동물들과 매우 다르다.

In Jim's yard, the *flora* consists mostly of weeds.
짐의 마당에는, 식물이라고 해봐야 거의 잡초뿐이다.

It's easy to remember which of these words means what. Just remember *fawns* and *flowers*.
이들 단어가 각각 무엇을 의미하는 지를 암기하는 것은 쉽다. 그저 fawns(새끼 사슴들)와 flowers(꽃들)를 기억하라.

## FECUND [fí:kənd, fék-] adj **fertile ; productive** 비옥한 ; 다산의, 생산적인

The *fecund* mother rabbit gave birth to hundreds and hundreds of little rabbits.
다산성인 어미 토끼들은 수백 마리의 새끼를 낳고 또 낳았다.

The philosopher's imagination was so *fecund* that ideas hopped out of him like so many baby rabbits.
그 철학자의 상상력은 대단히 풍부해서 수많은 새끼 토끼처럼 아이디어가 퐁퐁 솟아 나왔다.

Our compost heap became increasingly *fecund* as it decomposed.
퇴비더미는 썩어가면서 점점 비옥해졌다.

* 명사형은 fecundity [fi:kʌ́ndəti].

## QUICK QUIZ 42

Match each word in the first column with its definition in the second column. Check your answers in the back of the book.

| | |
|---|---|
| 1. fabrication | a. plants |
| 2. facetious | b. fertile |
| 3. facile | c. absurd |
| 4. faction | d. one who believes in fate |
| 5. farcical | e. humorous |
| 6. fastidious | f. animals |
| 7. fatalist | g. superficially skillful |
| 8. fatuous | h. group with a cause |
| 9. fauna | i. lie |
| 10. flora | j. meticulous |
| 11. fecund | k. foolish |

**FELICITY** [filísəti] n **happiness ; skillfulness, especially at expressing things ; adeptness** 행복 ; 능숙한 솜씨, 특히 표현 방법에 있어 ; 숙련

Love was not all *felicity* for Glen and Pam ; they argued all the time. In fact their relationship was characterized by *infelicity*.
글렌과 팜의 사랑은 행복한 것만은 아니었다 : 그들은 내내 싸웠다. 사실 그들 관계의 특징은 불행 그 자체라고 할 수 있었다.

Shakespeare wrote with great *felicity*. His works are filled with *felicitous* expressions.
셰익스피어는 대단히 솜씨 있게 글을 썼다. 그의 작품은 적절한 표현으로 가득하다.

**FERVOR** [fə́:rvər] n **great warmth or earnestness ; ardor ; zeal** 대단한 열의나 진지함 ; 열정 ; 열중, 열의

Avid baseball fans frequently display their *fervor* for the game by throwing food at bad players.
광적인 야구팬들 중에는 실력 없는 선수들에게 음식물을 집어던져 경기에 대한 자신들의 열정을 보이는 사람들이 종종 있다.

**FETTER** [fétər] v **to restrain ; to hamper** 제한하다, 억제하다 ; 방해하다

In his pursuit of the Nobel Prize for physics, Professor Jenkins was *fettered* by his near-total ignorance of the subject.
젠킨스 교수는 노벨 물리학상을 받기를 원했지만, 그 연구과제에 관해 거의 완전히 무지했기 때문에 수상을 하지 못했다.

To be *unfettered* is to be unrestrained or free of hindrances. When his parents went to Europe for a few months, Jimmy invited all his friends for some *unfettered* partying in the empty house.
unfettered 하다는 것은 제약이 없거나 방해받지 않는다는 뜻이다. 부모님이 수개월 동안 유럽에 가자, 지미는 빈집에서 자유를 만끽할 수 있는 파티를 열어 모든 친구들을 초대했다.

A *fetter* is literally a chain (attached to the foot) that is used to restrain a criminal or, for that matter, an innocent person. A figurative *fetter* can be anything that hampers or restrains someone. The housewife's young children were the *fetters* that prevented her from pursuing her love affair with the washing-machine repairman.

fetter는 원래 범죄자이건 아니면 무고한 사람이건 간에 구속하기 위해 사용되는, 문자 그대로 발에 감는 족쇄를 의미한다. 비유적인 의미로 쓰인 fetter는 누군가를 방해하거나 속박하는 모든 것을 의미한다. 세탁기 수리공과 사랑에 빠지려는 주부에게는 어린 자식들이 족쇄가 되었다.

## FIDELITY [fidéləti] n **faithfulness ; loyalty** 성실 ; 충성심

The motto of the United States Marine Corps is *semper fidelis*, which is Latin for always loyal.

미 해병의 좌우명은 변함없는 충성을 의미하는 라틴어인 'semper fidelis' 이다.

A *high-fidelity* record player is one that is very faithful in reproducing the original sound of whatever was recorded.

high-fidelity 오디오란 어떤 소리가 녹음되더라도 원음을 아주 충실하게 재생할 수 있는 오디오를 의미한다.

The crusader's life was marked by *fidelity* to the cause of justice.

그 개혁운동가의 삶은 정의를 위한 투쟁으로 점철되어 있었다.

The soldiers couldn't shoot straight, but their *fidelity* to the cause of freedom was never in question.

군인들은 총조차 똑바로 쏠 수 없었지만, 자유를 향한 충성심은 결코 의문의 여지가 없었다.

*Infidelity* means faithlessness or disloyalty. Marital *infidelity* is another way of saying adultery. Early phonograph records were marked by *infidelity* to the original.

infidelity는 배신, 불충. 부부간의 배신은 간통이라는 말의 또 다른 표현이다. 초기의 축음기는 원음을 제대로 재생하지 못했다.

## FIGURATIVE [fígjərətiv] adj **based on figures of speech ; expressing something in terms usually used for something else ; metaphorical** 말의 상징에 기초한 ; 일반적으로 다른 사물을 일컫는 용어로 표현하는 ; 은유의

To say that the autumn hillside was a blaze of color is to use the word *blaze* in a *figurative* sense. The hillside wasn't really on fire, but the colors of the leaves made it appear (somewhat) as though it were.

가을산 언덕이 색채의 불꽃이었다고 하는 것은 불꽃이라는 단어를 비유적인 의미로 사용하는 것이다. 산등성이에 실제로 불이 난 것은 아니고 나뭇잎의 색깔이 마치 불붙는 것처럼 보였던 것이다.

When the mayor said that the housing market had sprouted wings, he was speaking *figuratively*. The housing market hadn't really sprouted wings; it had merely grown so rapidly that it had almost seemed to fly.

시장은 비유적인 표현을 사용해 주택시장이 날개를 달았다고 말했다. 주택시장이 실제로 날개를 달게 된 것은 아니었다 : 주택시장의 성장속도가 아주 빨라서 거의 날아가는 것 같았다는 의미이다.

A *figurative* meaning of a word is one that is not *literal*. A *literal* statement is one in which every word means exactly what it says. If the housing market had *literally* sprouted wings, genuine wings would somehow have popped out of it.

단어의 비유적인 의미는 문자 그대로의 뜻은 아니다. literal statement는 모든 단어들이 바로 글자 그대로의 의미를 갖고 있는 표현이다. 주택시장이 문자 그대로 날개가 생겼다면, 진짜 날개가 주택시장에서 불쑥 튀어나와야 했을 것이다.

People very, very often confuse these words, using one when they really mean the other. Andy could *literally* eat money if he chewed up and swallowed a dollar bill. Andy's car eats money only *figuratively*, in the sense that it is very expensive to operate.

사람들은 진짜로 말하고 싶은 것을 다른 표현을 사용해서 말하기 때문에, 이런 단어들을 매우 자주 혼동한다. 만약 앤디가 일 달러 짜리 지폐를 씹어 삼킨다면, 그는 글자 그대로 돈을 먹을 수도 있을 것이다. 앤디의 차가 돈을 먹는다는 것은 자동차 운영비가 매우 비싸게 든다는 의미를 단지 비유적으로 표현한 것뿐이다.

**FINESSE** [finés] n **skillful maneuvering ; subtlety ; craftiness** 교묘한 처리, 교묘함 ; 교활함, 술책, 책략

The doctor sewed up the wound with *finesse*, making stitches so small one could scarcely see them.
의사는 사람들이 거의 알아볼 수 없을 정도로 작은 바느질로 상처를 아주 정교하게 꿰맸다.

The boxer moved with such *finesse* that his opponent never knew what hit him.
그 권투선수는 아주 교묘하게 움직여서, 상대편 선수는 무엇이 자신을 때리는지도 알지 못했다.

**FLAGRANT** [fléigrənt] adj **glaringly bad ; notorious ; scandalous** 지독히 나쁜 ; 악명 높은 ; 명예롭지 못한

A *flagrant* theft is stealing a car, for example, from the lot behind the police station. A *flagrant* spelling error is one that jumps right off the page. See the listing for *blatant*.
악명 높은 절도행각이란, 예를 들자면 경찰서 뒷마당에서 차를 훔치는 일 같은 것이다. 창피하기 짝이 없는 철자법 실수란 페이지를 건너뛰는 것 같은 실수를 뜻한다. blatant 항목을 참조하라.

**FLAUNT** [flɔːnt] v **to show off ; to display ostentatiously** 과시하다 ; 여봐란 듯이 내보이다

The brand-new millionaire annoyed all his friends by driving around his old neighborhood to *flaunt* his new Rolls-Royce.
신흥 백만장자는 이전에 살던 곳에 자신의 새 롤스로이스를 과시라도 하듯이 몰고 와서 친구들을 화나게 했다.

Colleen *flaunted* her engagement ring, shoving it in the face of almost anyone who came near her.
콜린은 가까이 있는 거의 모든 사람들의 면전에 대고 약혼 반지를 내밀어 자랑했다.

This word is very often confused with *flout*.
이 단어는 flout(모욕하다)와 흔히 혼동된다.

**FLOUT** [flaut] v **to disregard something out of disrespect** 경멸하듯 무시하다, 멸시하다

A driver *flouts* the traffic laws by driving through red lights and knocking down pedestrians.
운전자가 교통 법규를 무시하고 적색등에서 달리다가 보행자를 치는 사고를 낸다.

To *flaunt* success is to make certain everyone knows that you are successful. To *flout* success is to be contemptuous of success or to act as though it means nothing at all.
성공을 과시한다는 말은 자신의 성공을 모든 사람들이 알 수 있게 만드는 것이다. 성공을 비웃는 것은 성공을 경멸하거나, 또는 성공이 아무 의미도 없다는 것처럼 행동하는 것이다.

**FOIBLE** [fɔ́ːibl] n **a minor character flaw** 사소한 성격적 결함, 약점

Barbara's *foibles* included a tendency to prefer dogs to people.
사람보다 개를 더 좋아하는 성향은 바바라의 결점중의 하나였다.

The delegates to the state convention ignored the candidates' positions on the major issues and concentrated on their *foibles*.
주 전당대회에 파견된 대표들은 주요 쟁점에 관한 후보자들의 견해는 무시하고 그들의 약점에만 관심을 쏟았다.

**FOMENT** [foumént] v **to stir up ; to instigate** 자극하다 ; 선동하다

The bad news from abroad *fomented* pessimism among professional investors.
외국으로부터 들어온 나쁜 소식이 전문 투자자들 사이에 비관론을 조장했다.

The radicals set off several bombs in an effort to *foment* rebellion among the peasants.
급진파는 농민 폭동을 선동하기 위해 몇 개의 폭탄을 터뜨렸다.

## QUICK QUIZ 43

Match each word in the first column with its definition in the second column. Check your answers in the back of the book.

| | |
|---|---|
| 1. felicity | a. loyalty |
| 2. fervor | b. stir up |
| 3. fetter | c. restrain |
| 4. fidelity | d. meaning exactly what it says |
| 5. figurative | e. minor character flaw |
| 6. literal | f. show off |
| 7. finesse | g. based on figures of speech |
| 8. flagrant | h. to disregard contemptuously |
| 9. flaunt | i. skillful maneuvering |
| 10. flout | j. happiness |
| 11. foible | k. glaringly bad |
| 12. foment | l. zeal |

**FORBEAR** [fɔːrbέər] v **to refrain from ; to abstain** 삼가다 ; 억제하다

Stephen told me I could become a millionaire if I joined him in his business, but his company makes me nervous so I decided to *forbear*.
스티븐은 내가 그의 사업에 동참하면 백만장자가 될 수 있을 거라고 말했다. 그러나 나는 그의 회사가 불안스러웠기 때문에, 결국 동업을 자제하기로 했다.

George *forbore* to punch me in the nose, even though I had told him that I thought he was a sniveling idiot.
나는 조지를 코나 훌쩍이는 바보 천치로 생각한다고 본인에게 직접 말해주었다. 그럼에도 불구하고, 그는 내 얼굴에 주먹을 날리지 않았다.

* 명사형은 forbearance.

A *forebear*[fɔ́ːrbὲər]—sometimes also spelled *forbear*—is an ancestor. William's *forebears* came to America on the *Mayflower*.
forebear — 때론 역시 forbear로 표기되기도 한다 — 는조상이라는 뜻. 윌리암의 조상들은 메이플라워호를 타고 미국으로 건너온 사람들이다.

**FORGO** [fɔːrgóu] v **to do without ; to forbear** ~없이 살다 ; 삼가다

We had some of the chocolate cake, and some of the chocolate mousse, and some of the chocolate cream pie, but we were worried about our weight so we decided to *forgo* the chocolate-covered potato chips. That is, we *forwent* them.
우리는 약간의 초콜릿 케이크와 초콜릿 무스와 초콜릿 크림파이를 먹었다. 그러나 몸무게가 걱정이 돼서, 우리는 초콜릿을 바른 감자칩은 자제하기로 결심했다. 다시 말해서, 우리는 감자칩을 먹지 않고 버텼다.

## FORSAKE [fɔːrséik] v to abandon ; to renounce ; to relinquish 포기하다

We urged Buddy to *forsake* his life with the alien beings and return to his job at the drugstore.
우리는 버디에게 외계인들과 사는 생활은 이제 그만두고 약사로서의 직업인으로 돌아오라고 권했다.

All the guru's followers had *forsaken* him, so he became a real estate developer and turned his temple into an apartment building.
그 스승의 추종자들이 모두 그를 버리고 떠나자 그는 부동산 개발업자가 되어 자신의 사원을 아파트로 바꾸었다.

## FORTUITOUS [fɔːrtúːətəs/-tjúː-] adj accidental ; occurring by chance 우연한 ; 우연히 일어나는

The program's outcome was not the result of any plan but was entirely *fortuitous*.
프로그램의 결과는 계획된 것이 아니라 전적으로 우연에 의한 것이었다.

The object was so perfectly formed that its creation could not have been *fortuitous*.
그 물체는 너무나 완벽한 모습을 하고 있어서 결코 우연에 의해 만들어진 것일 수가 없었다.

*Fortuitous* is often misused to mean lucky or serendipitous. Don't make that same mistake. It means merely accidental.
fortuitous를 행운이나 뜻밖의 발견이라는 의미로 사용하는 실수를 자주 범한다. 그런 실수를 하지 말라. 이 단어는 단지 '우연한'이라는 의미를 갖고 있을 뿐이다.

## FOUNDER [fáundər] v to fail ; to collapse ; to sink 실패하다 ; 붕괴하다 ; 가라앉다

The candidate's campaign for the presidency *foundered* when it was revealed that he had once been married to an orangutan.
한때 오랑우탄과 결혼한 적이 있다는 사실이 드러나자, 그 후보자의 대통령 선거전은 실패로 끝났다.

Zeke successfully struggled through the first part of the course but *foundered* when the final examination was given.
제크는 그 과목의 앞부분을 고군분투하며 용케도 끝마쳤다. 그러나 기말시험에서는 실패하고 말았다.

The ship *foundered* shortly after its hull fell off.
선체가 부서져 떨어져 나간 후 얼마 안 가 배는 가라앉았다.

Be careful not to confuse this word with *flounder*, which means to move clumsily or in confusion. Our field hockey team *floundered* helplessly around the field while the opposing team scored point after point.
꼴사납게 움직이거나 당황하여 허둥대는 것을 의미하는 단어인 flounder와 혼동하지 않도록 주의해라. 상대팀이 계속해서 점수를 올리는 동안, 우리 필드하키 팀은 속수 무책으로 허둥대며 운동장을 돌아다녔다.

The witness began to *flounder* as the attorney fired question after question.
검사가 연달아 질문을 해대자 목격자는 당황하여 허둥대기 시작했다.

If you want to remember the difference between the two words, think that when a person *flounders*, he is flopping around like a flounder.
두 단어 사이의 차이를 암기하기를 원한다면, '사람이 당황하여 허둥댈 때는 가자미처럼 퍼덕거린다'라고 생각하라.

## FRATERNAL [frətə́ːrnəl] adj like brothers 형제 같은

The *fraternal* feeling among the meeting's participants disappeared when one of them stood up at dinner and began firing a machine gun.
모임의 참가자들 중에서 한사람이 식탁에서 일어나 기관총을 쏘기 시작하자 그들 사이의 형제같은 우애는 사라져버렸다.

A *fraternity* is an organization of men who have bound themselves together in a relationship analogous to that of real brothers.
남학생 사교클럽이란 진짜 형제들과 비슷한 관계로 서로를 단결시킨 남자들의 조직체이다.

**FRENETIC** [frənétik] adj **frantic ; frenzied** **광란의 ; 열광한**

There was a lot of *frenetic* activity in the office, but nothing ever seemed to get accomplished.
사무실에서는 열성적인 많은 활동이 있었지만, 지금까지 제대로 완성된 일은 아무 것도 없는 것처럼 보였다.

The bird's *frenetic* attempt to free itself from the thorn bush finally exhausted it. Then the cat strolled over and ate it.
새는 가시덤불을 빠져나가려고 미친 듯이 몸부림쳤지만 결국 지치고 말았다. 그때 고양이가 어슬렁거리며 다가와 그 새를 잡아먹었다.

**FRUGAL** [frúːgəl] adj **economical ; penny-pinching** **절약하는 ; 인색하게 구는**

Laura was so *frugal* that she even tried to bargain with the checkout girl at the supermarket.
로라는 워낙 아끼는 편이라 심지어 슈퍼마켓의 계산원에게 깎아 달라고 흥정을 하기도 했다.

We were as *frugal* as we could be, but we still ended up several thousand dollars in debt.
우리는 할 수 있는 한 최선을 다해 절약을 했지만, 그럼에도 수천 달러의 빚을 지고 말았다.

Hannah's *frugality* annoyed her husband, who loved nothing better than spending money.
돈 쓰는 것말고는 좋아하는 일이 없는 한나의 남편은 아내의 구두쇠 노릇에 화가 났다.

**FURTIVE** [fə́ːrtiv] adj **secretive ; sly** **은밀한 ; 교활한**

Cal wiggled his ears while the countess was talking to him in a *furtive* attempt to catch our attention.
백작부인이 칼에게 얘기하는 동안 칼은 우리의 주의를 끌려는 은밀한 시도로 자신의 귀를 흔들었다.

The burglars were *furtive*, but not *furtive* enough ; the alert policeman grabbed them as they carried the color TV through the Washingtons' back door.
밤도둑들은 은밀하게 행동했지만 완벽하지는 못했다 ; 그들은 워싱턴 씨네 뒷문으로 컬러 TV를 내가다가 순찰중인 경찰에게 붙잡혔다.

## QUICK QUIZ 44

Match each word in the first column with its definition in the second column. Check your answers in the back of the book.

| | |
|---|---|
| 1. forbear | a. economical |
| 2. forebear | b. ancestor |
| 3. forgo | c. move in confusion |
| 4. forsake | d. do without |
| 5. fortuitous | e. refrain from |
| 6. founder | f. sink |
| 7. flounder | g. secretive |
| 8. frenetic | h. accidental |
| 9. frugal | i. abandon |
| 10. furtive | j. frantic |

**FUTILE** [fjú:tl/-tail] adj **useless ; hopeless** 쓸모 없는 ; 가망 없는

A D+ average and no extracurricular interests to speak of meant that applying to Harvard was *futile*, but Lucinda hoped against hope.

특별한 과외활동도 하지 않았으며 성적도 평점 D+밖에 되지 않는다는 사실이 의미하는 바는 하버드대에 지원해봐야 쓸데없는 짓거리라는 것이었다. 그러나 루신다는 될 법하지도 않은 일에 희망을 걸었다.

Something *futile* is a *futility* [fju:tíləti]. Lucinda doesn't know what a *futility* it is.

futility는 쓸데없는 일이나 사물. 루신다는 그것이 얼마나 쓸데없는 일인지 알지 못한다.

**GARRULOUS** [gǽrələs] adj **talkative ; chatty** **말많은 ; 수다스러운**

Gillette is gregarious and *garrulous* ; he loves to hang out with the gang and gab.
질레트는 사교적이고 수다스럽다 : 그는 사람들과 어울려서 수다를 떠는 것을 좋아한다.

**GENRE** [ʒɑ́:nrə] n **a type or category, especially of art or writing** **유형이나 범주, 특히 예술이나 문학분야에서**

The novel is one *genre*. Poetry is another. Alan displayed a great talent for a particular *genre*: the bawdy limerick.
소설은 하나의 장르이다. 시는 또 다른 장르이다. 앨런은 특이한 장르에 뛰어난 재능을 보였다: 바로 음란한 오행시 분야이다.

**GENTEEL** [dʒentí:l] adj **refined ; polite ; aristocratic ; affecting refinement** **품위 있는 ; 예의 바른 ; 귀족적인 ; 고상한 척하는**

The ladies at the ball were too *genteel* to accept our invitation to the wrestling match.
무도회장의 숙녀분들은 고상한 척하느라 레슬링 경기를 보러 가자는 우리의 제안을 받아들이지 않았다.

Jake had been born in a slum but now, in his mansion, his life was *genteel*.
제이크는 빈민가에서 태어났지만, 이제는 맨션에서 고상하게 살고 있었다.
* 고상한 성품이나 상류출신인 척하는 태도를 의미하는 명사는 gentility.

**GESTICULATE** [dʒestíkjulèit] v **to make gestures, especially when speaking or in place of speaking** **제스처를 사용하다, 특히 말할 때나 말 대신에**

Harry *gesticulated* wildly on the other side of the theater in an attempt to get our attention.
해리는 우리의 주의를 끌려고 극장 반대편에서 요란하게 제스처를 보냈다.

The after-dinner speaker *gesticulated* in such a strange way that the audience paid more attention to his hands than to his words.
식후 연설을 한 사람은 아주 이상한 제스처를 사용하며 얘기를 해서 청중들은 그의 말보다는 제스처에 더 주목했다.
* 명사형은 gesticulation(손짓, 몸짓).

**GLUT** [glʌt] n **surplus ; an overabundance** **과다 ; 남아 돌아갈 만큼의 양**

The international oil shortage turned into an international oil *glut* with surprising speed.
국제적 원유 부족난은 놀랄만한 속도로 국제간 원유공급과잉으로 돌아섰다.

We had a *glut* of contributions but a *dearth*, or scarcity, of volunteers ; it seemed that people would rather give their money than their time.
우리는 넘칠 정도로 많은 기부금을 받았다. 그러나 자원봉사자는 태부족했다 : 사람들은 시간을 들이기보다는 돈을 기부하려는 것 같았다.

**GRANDILOQUENT** [grændíləkwənt] adj **pompous ; using a lot of big, fancy words in an attempt to sound impressive** 과장하는 ; 깊은 인상을 남기기 위해 과장하거나 터무니 없는 말을 하는

The president's speech was *grandiloquent* rather than eloquent ; there were some six-dollar words and some impressive phrases, but he really had nothing to say.
의장의 연설은 웅변적이라기보다는 과장이 심했다 : 가치 있는 말과 인상적인 문구들도 있었지만 실제로 말하고자 하는 내용이 하나도 담겨있지 않았다.

The new minister's *grandiloquence* got him in trouble with deacons, who wanted him to be more restrained in his sermons.
신임 목사는 과장된 어법 때문에 집사들과 충돌이 생겼다. 집사들은 목사가 설교를 좀더 차분하게 하기를 원했다.

**GRANDIOSE** [grǽndious] adj **absurdly exaggerated** 불합리하게 과장된, 웅대한

The scientist's *grandiose* plan was to build a huge shopping center on the surface of the moon.
그 과학자의 웅대한 계획은 달 표면에 거대한 쇼핑센터를 건립하는 것이었다.

Their house was genuinely impressive, although there were a few *grandiose* touches: a fireplace the size of a garage, a kitchen with four ovens, and a computerized media center in every room.
조금 과장된 면이 있긴 했지만, 그들의 집은 정말 인상적이었다 : 차고만한 크기의 벽난로에, 부엌에는 오븐이 네 개나 있었으며, 모든 방마다 컴퓨터 설비를 갖춘 통신장치가 있었다.
* 명사형은 grandiosity [grӕ̀ndiɑ́səti].

**GRATUITOUS** [grətú:ətəs/-tjú:-] adj **given freely (said of something bad) ; unjustified ; unprovoked ; uncalled for** (나쁜 의미로) 무료로 주어지는 ; 정당성이 없는 ; 이유 없는 ; 불필요한

The scathing review of the movie contained several *gratuitous* remarks about the sex life of the director.
그 영화에 대한 무자비한 비난 중에는 감독의 성생활에 대한 근거 없는 이야기들도 들어 있었다.

Their attack against us was *gratuitous* ; we had never done anything to offend them. *Gratuitous* is often misunderstood because it is confused with gratuity.
그들의 공격은 정당하지 못했다 : 우리는 결코 그들의 감정을 상하게 한 적이 없었다. gratuitous는 gratuity(선물, 보수, 팁)와 혼동하기 쉬워서 자주 실수하게 된다.

A *gratuity* is a tip, like the one you leave in a restaurant. A gratuity is a nice thing. *Gratuitous*, however, is not nice. Don't confuse these words.
gratuity는 사람들이 레스토랑에서 주는 것 같은 팁을 의미한다. 팁은 좋은 것이다. 그러나 gratuitous는 좋은 것이 아니다. 혼동하지 말 것.

**GRAVITY** [grǽvəti] n **seriousness** 심각함

Not the force that makes apples fall down instead of up, but a different sort of weightiness.
사과를 위가 아닌 아래로 떨어지게 하는 힘을 의미하는 것이 아니라 다른 종류의 무거움을 의미한다.

The anchorman's nervous giggling was entirely inappropriate, given the *gravity* of the situation.
심각한 상황에서 앵커맨은 신경에 거슬리는 웃음소리로 킬킬댔다. 정말이지 부적절한 행동이었다.

No one realized the *gravity* of Myron's drug addiction until it was much too late to help him.
너무 늦어서 어쩔 수 없게 될 때까지, 마이런의 심각한 약물중독을 아무도 알지 못했다.

At the heart of the word *gravity* is the word *grave*, which means serious.
gravity라는 단어의 핵심은 심각하다는 뜻의 grave에 있다.

**GREGARIOUS** [grigέəriəs] adj **sociable ; enjoying the company of others** 사교적인 ; 다른 사람과의 교류를 즐기는

Dirk was too *gregarious* to enjoy the fifty years he spent in solitary confinement.
딕은 남들과 어울리기를 좋아하는 사람이라서 혼자 고립되어 보내야 하는 50년 세월은 견디기가 힘이 들었다.

Anna wasn't very *gregarious* ; she went to the party, but she spent most of her time hiding in the closet.
안나는 그다지 사교적이지 못한 사람이었다 ; 그녀는 파티에 갔지만 대부분의 시간을 화장실 안에 숨어서 보냈다.

In biology, *gregarious* is used to describe animals that live in groups. Bees, which live together in large colonies, are said to be *gregarious* insects.
생물학에서는, gregarious는 군집을 이루어 사는 동물을 묘사할 때 쓰인다. 큰 집단을 이루어 생활하는 꿀벌을 gregarious insects(군생 곤충)이라고 한다.

**GUILE** [gail] n **cunning ; duplicity ; artfulness** 교활함 ; 사기 ; 간특함

José used *guile*, not intelligence, to win the spelling bee: he cheated.
조세는 철자법대회에서 우승하기 위해 실력이 아니라 교활한 방법을 썼다: 그는 부정행위를 했던 것이다.

Stuart was shocked by the *guile* of the automobile mechanic, who had poked a hole in his radiator and then told him that it had sprung a leak.
자동차 정비사는 일부러 구멍을 내고는 라디에이터가 샌다고 스튜어트에게 말했다. 스튜어트는 그의 교활함에 충격을 받았다.

To be *guileless* is to be innocent or naive. *Guileless* and *artless* are synonyms.
guileless는 결백하거나 순진하다는 뜻이다. guileless와 artless는 동의어이다.

The word *beguile* also means to deceive, but in a charming and not always bad way. Clarence found Mary's beauty so *beguiling* that he did anything she asked of him.
beguile 역시 속인다는 뜻이지만 매료시킨다는 의미도 있어서 항상 나쁜 의미로만 사용되는 것은 아니다. 클래런스는 메리의 아름다움에 너무나 매료돼서 그녀가 부탁하는 것은 무엇이나 들어주었다.

## QUICK QUIZ 45

Match each word in the first column with its definition in the second column. Check your answers in the back of the book.

| | |
|---|---|
| 1. futile | a. chatty |
| 2. garrulous | b. surplus |
| 3. genre | c. cunning |
| 4. genteel | d. unjustified |
| 5. gesticulate | e. seriousness |
| 6. glut | f. make gestures |
| 7. grandiloquent | g. hopeless |
| 8. grandiose | h. refined |
| 9. gratuitous | i. sociable |
| 10. gravity | j. pompous |
| 11. gregarious | k. absurdly exaggerated |
| 12. guile | l. type of art |

**HACKNEYED** [hǽknid] adj **overused ; trite ; stale** 너무 흔하게 사용되는 ; 진부한 ; 신선하지 못한

"As cold as ice" is a *hackneyed* expression.
"얼음처럼 차갑다"라는 문구는 진부한 표현이다.

Michael's book was full of clichés and *hackneyed* phrases.
마이클의 책은 진부한 표현과 낡아빠진 문구로 가득했다.

The creationism issue had been discussed so much as to become *hackneyed*.
창조론에 관한 주제는 진부해질 만큼 많이 논의되어 왔다.

**HAPLESS** [hǽplis] adj **unlucky** 불운한

Joe's *hapless* search for fun led him from one disappointment to another. Alex led a *hapless* existence that made all his friends' lives seem fortunate by comparison.
조는 즐거운 일을 찾았지만 불행히도 실망의 연속이었다. 알렉스는 상대적으로 친구들의 삶이 운이 좋은 것처럼 보이게 만들 정도로 불운한 삶을 살았다.

**HARBINGER** [hάːrbindʒər] n **a forerunner ; a signal of** 선구자 ; 조짐

* 발음에 주의할 것.

Warm weather is the *harbinger* of spring.
따뜻한 날씨는 봄의 전조이다.

A cloud of bad breath and body odor, which preceded him by several yards everywhere he went, was Harold's *harbinger*.
어느 곳을 가든지 몇 야드 정도 앞서서 나타나는 불쾌한 입냄새와 나쁜 체취는 헤롤드의 등장을 알리는 신호였다.

**HEDONISM** [híːdənizm] n **the pursuit of pleasure as a way of life** 삶의 한 방식으로 쾌락을 추구하는 것, 쾌락주의

A *hedonist* practices *hedonism* twenty-four hours a day.
쾌락주의자는 하루 24시간 내내 쾌락주의를 실천한다.

**HEGEMONY** [hidʒéməni/-gém-] n **leadership, especially of one nation over another** 주도권, 특히 한 국가의 다른 국가에 대한

* 발음에 주의할 것.

America once held an unchallenged nuclear *hegemony*.
미국은 한때 핵에 관하여 절대적인 주도권을 잡고 있었다.

Japan and Germany vie for *hegemony* in the foreign-car market.
일본과 독일은 외제차 시장에서 주도권 싸움을 하고 있다.

**HERESY** [hérəsi] n **any belief that is strongly opposed to established beliefs** 기존의 신념에 강력하게 대립하는 다른 신념

Galileo was tried for the *heresy* of suggesting that the sun did not revolve around the earth. He was almost convicted of being a *heretic*, but he recanted his *heretical* [hərétikəl] view.
갈릴레오는 태양이 지구의 주위를 도는 것이 아니라는 지동설을 주장했기 때문에 이단으로 몰려 재판을 받았다. 그는 거의 이단자로 유죄판결을 받을 뻔했지만 스스로 자신의 새로운 견해를 철회했다.

**HERMETIC** [həːrmétik] adj **impervious to external influence ; airtight** 외부의 영향을 받지 않는 ; 밀폐된

The president led a *hermetic* existence in the White House, as his advisers attempted to seal him off from the outside world.
참모진들이 대통령을 바깥 세계와 완전히 격리시키려 했기 때문에, 대통령은 백악관 내에서 외부와 단절된 생활을 했다.

The old men felt vulnerable and unwanted outside the *hermetic* security of their club.
안전하고 외부와 단절되어 있는 그들만의 클럽을 벗어나면, 노인들은 스스로를 상처받기 쉽고 쓸모 없는 것처럼 느꼈다.

The poisonous substance was sealed *hermetically* inside a glass cylinder.
유독 물질은 유리 실린더 안에 완전히 밀봉되어 있었다.

**HEYDAY** [héidei] n **golden age ; prime** 황금기 ; 전성기

In his *heyday*, Vernon was a world-class athlete ; today he's just Vernon.
전성기 때 버논은 세계적인 선수였다 ; 오늘날, 그는 그저 버논이라는 사람일 뿐이다.

The *heyday* of the British Navy ended a long, long time ago.
영국 해군의 전성기는 아주 오래 전에 끝이 났다.

**HIATUS** [haiéitəs] n **a break or interruption, often from work** 작업 도중의 휴식이나 일시적 중지

* 발음에 주의할 것.

Spencer looked forward to spring break as a welcome *hiatus* from the rigors of campus parties.
학교 파티의 고됨을 피해서 휴식을 얻기 위해 스펜서는 봄방학을 애타게 기다렸다.

**HIERARCHY** [háiərɑːrki] n **an organization based on rank or degree ; pecking order** 지위나 등급에 기반을 둔 조직체계 ; 사회의 서열

George was very low in the State Department *hierarchy*. In fact, his phone number wasn't even listed in the State Department directory.
조지는 국무성의 지위체계에서 말단이었다. 사실상, 그의 전화번호는 국무성 전화번호부에도 나와 있지 않았다.

There appeared to be no *hierarchy* in the newly discovered tribe ; there was no leader and, for that matter, no followers.
최근에 발견된 부족 내에는 계급체계가 없는 것 같았다 ; 지도자도 부하들도 없었다.

* 형용사는 hierarchical.

**HISTRIONIC** [histriánik] adj **overly dramatic ; theatrical** 지나치게 연극적인 ; 연극의

Adele's *histrionic* request for a raise embarrassed everyone in the office. She gesticulated wildly, jumped up and down, pulled out handfuls of hair, threw herself to the ground, and groaned in agony.
임금 인상을 요구하는 아델의 극적인 행동은 사무실의 모든 사람들을 놀라게 했다. 그녀는 거친 손짓을 하며 팔딱팔딱 뛰어다니다가 머리칼을 잡아뜯더니 바닥에 쓰러져 고통에 찬 신음소리를 냈다.

The chairman's *histrionic* presentation convinced no one.
누구도 의장의 극적인 발표를 납득하지 못했다.

*Histrionic* behavior is referred to as *histrionics*. The young actor's *histrionics* made everyone in the audience squirm.
연극적인 행동을 histrionics라 한다. 신출내기 배우의 연극은 모든 관객들을 어색하게 만들었다.

**HOMILY** [háməli] n **a sermon** 설교

The football coach often began practice with a lengthy *homily* on the virtues of clean living.
풋볼팀 코치는 종종 깨끗한 삶의 미덕에 관한 장황한 설교로 훈련을 시작하곤 했다.

**HOMOGENEOUS** [hòumədʒíːniəs] adj **uniform ; made entirely of one thing** 균일한 ; 완전히 하나의 것으로 만들어진

*Homogenized* [həmádʒənàizd] milk is milk in which the cream, which usually floats on top, has been permanently mixed with the rest of the milk. (Skim milk is milk from which the layer of cream has been skimmed off.) When milk is *homogenized*, it becomes a *homogeneous* substance—that is, it's the same throughout, or uniform.
균질 우유란 우유 표면에 뜨는 우유지방분이 나머지 부분과 완전히 섞여 있는 우유를 의미한다. (탈지유는 우유에서 이 지방분을 걷어낸 우유이다.) 우유가 균질화하면, 균등질의 물질이 된다. — 다시 말해서 우유 전체가 완전히 동일하거나 일정하다는 의미이다.

The kindergarten class was extremely *homogeneous*: all the children had blond hair, blue eyes, red shoes, and the same last name.
그 유치원은 극도로 균질적이었다: 모든 아이들은 금발머리에 푸른 눈을 하고, 빨간 신발을 신었으며, 성씨마저도 같았다.

To be *heterogeneous* [hètərədʒíːniəs] is to be mixed or varied. On Halloween the children amassed a *heterogeneous* collection of candy, chewing gum, popcorn, cookies, and razor blades.
to be heterogeneous는 혼합되거나 다양화되었다는 의미이다. 아이들은 할로윈 날에 사탕과 껌과 팝콘과 쿠키와 면도날을 다양하게 모았다.
* 명사형은 각각 homogeneity [hòumədʒəníːəti] 와 heterogeneity [hètəroudʒiníːəti].

**HUSBANDRY** [hʌ́zbəndri] n **thrifty management of resources ; livestock farming** 자산의 알뜰한 관리 ; 목축

*Husbandry* is the practice of conserving money or resources. To *husband* is to economize. Everyone *husbanded* oil and electricity during the energy crisis of the seventies.
husbandry는 돈이나 자원을 보존하는 일이다. husband는 절약하다라는 뜻이다. 70년대의 에너지 위기 당시, 모든 사람들은 석유와 전기를 아껴 사용했다.

**HYPERBOLE** [haipə́ːrbəli] n **an exaggeration used as a figure of speech ; exaggeration** 수사법으로 사용되는 과장법 ; 과장된 표현

* 발음에 주의할 것.

When Joe said "I'm so hungry I could eat a horse," he was using *hyperbole* to convey the extent of his hunger.
"너무 배가 고파 말이라도 먹을 수 있겠다." 라고 조가 말했을 때 그는 배고픔의 정도를 알리기 위해 과장법을 사용한 것이었다.

The candidate was guilty of *hyperbole* ; all the facts in his speech were exaggerated.
그 후보자는 과장된 표현에 관한 한 유죄였다 : 그의 연설에 나오는 사실들은 모두 과장된 것이었다.

**HYPOTHETICAL** [hàipəθétikəl] adj **uncertain ; unproven** **불확실한 ; 증명되지 않은**

Ernie's skill as a baseball player was entirely *hypothetical*, since he had never played the game.
어니가 야구선수로서 재능이 있는지의 여부는 확실치 않았다. 왜냐하면 어니는 한번도 경기를 해본 적이 없었기 때문이다.

There were several *hypothetical* explanations for the strange phenomenon, but no one could say for certain what had caused it.
이상현상에 대한 몇 개의 가설이 있었다. 그러나 아무도 이상현상의 원인에 대해 확실하게 말할 수 있는 사람이 없었다.

A *hypothetical* explanation is a *hypothesis* [haipáθəsis], the plural of which is *hypotheses*.
hypothesis는 가설을 뜻한다. 복수는 hypotheses.

## QUICK QUIZ 46

Match each word in the first column with its definition in the second column. Check your answers in the back of the book.

| | |
|---|---|
| 1. hackneyed | a. leadership |
| 2. hapless | b. uniform |
| 3. harbinger | c. airtight |
| 4. hedonism | d. forerunner |
| 5. hegemony | e. pecking order |
| 6. heresy | f. overused, trite |
| 7. hermetic | g. exaggeration |
| 8. heyday | h. golden age |
| 9. hiatus | i. varied |
| 10. hierarchy | j. obstruction |
| 11. hindrance | k. unlucky |
| 12. histrionic | l. uncertain, unproven |
| 13. homily | m. overly dramatic |
| 14. homogeneous | m. break |
| 15. heterogeneous | o. sermon |
| 16. husbandry | p. thrifty management of resources |
| 17. hyperbole | q. lifelong pursuit of pleasure |
| 18. hypothetical | r. strongly contrary belief |

## ICONOCLAST [aikánəklæ̀st] n one who attacks popular beliefs or institutions
**우상이나 관습을 공격하는 사람**

*Iconoclast* comes from Greek words meaning image breaker. The original *iconoclasts* were opponents of the use of *icons*, or sacred images, in certain Christian churches. Today the word is used to refer to someone who attacks popular figures and ideas—a person to whom "nothing is sacred."

iconoclast는 성상을 깨뜨리는 사람을 의미하는 그리스어에서 유래한 단어이다. iconoclasts는 원래, 특정의 기독교 교회에서 성상이나 우상의 사용을 반대하던 사람들이었다. 오늘날, 이 단어는 우상과 관습을 공격하는 사람 — 성스러운 것은 없다고 생각하는 사람 — 을 가리키는 말로 쓰인다.

The popular columnist was an inveterate *iconoclast*, avidly attacking public figures no matter what their party affiliation.

그 칼럼니스트는 인기는 있었지만, 정파에 관계없이 공인들을 열심히 공격하는 상습적인 우상파괴자였다.

To study and go to class is to be an *iconoclast* on that campus, which has a reputation for being the biggest party school in the country if not the world.

세계는 아니지만 적어도 국내에서는 최대 규모의 정당학교로 유명한 그 대학에서는, 수업시간에 들어가 공부하는 것이 곧 인습타파자가 되는 것이다.

Herbert's *iconoclastic*[aikánəklæ̀stik] views were not popular with the older members of the board.

구습을 타파하자는 허버트의 견해는 평의회의 나이든 의원들에게는 인기가 없었다.

## IDEOLOGY [àidiálədʒi, íd-] n a system of social or political ideas **사회적, 정치적 사상체계**

Conservatism and liberalism are competing *ideologies*.

보수주의와 자유주의는 대립적인 사상이다.

The candidate never managed to communicate his *ideology* to the voters, so few people were able to grasp what he stood for.

그 후보자는 결코 자신의 이데올로기를 유권자들에게 제대로 전달하지 못했다. 그래서 그가 표방하고 있는 노선을 아는 사람들이 거의 없었다.

The senator's tax proposal had more to do with *ideology* than with common sense ; his plan, though consistent with his principles, was clearly impractical.

그 상원의원의 조세법안은 일반의 상식보다는 이데올로기와 더 많은 관련이 있었다 ; 비록 원칙을 고수하고 있기는 하지만, 그의 계획안은 명백하게 비실용적이었다.

A dogmatic person attached to an *ideology* is an *ideologue*[áidiəlɔ̀(:)g, íd-]. An *ideologue* is doctrinaire.

특정 이데올로기를 고수하는 독단적인 사람을 ideologue라 한다. ideologue는 교조주의자.

**IDIOSYNCRASY** [ìdiəsíŋkrəsi] n **a peculiarity ; an eccentricity** 특징 ; 기벽

Eating green beans drenched in ketchup for breakfast was one of Jordana's *idiosyncrasies*.
아침식사로 케첩에 담근 강낭콩을 먹는 것은 조르다나의 별난 습관중의 하나였다.

The doctor's interest was aroused by an *idiosyncrasy* in Bill's skull: there seemed to be a coin slot in the back of his head.
의사는 빌의 두개골에서 발견된 특이한 현상에 흥미를 느꼈다: 그의 머리 뒷부분에는 자동판매기의 동전 넣는 구멍 같은 홈이 있는 것 같았다.

A person who has an *idiosyncrasy* is said to be *idiosyncratic* [ìdiəsiŋkrǽtik]. Tara's driving was somewhat *idiosyncratic* ; she sometimes seemed to prefer the sidewalk to the street.
기벽을 지닌 사람을 가리킬 때 idiosyncratic이라는 말을 쓴다. 테라는 다소 기이하게 운전을 했다 ; 때때로 그녀는 도로보다는 인도를 더 좋아하는 것 같았다.

**IDYLLIC** [aidílik] adj **charming in a rustic way ; naturally peaceful** 매력적인 전원풍의 ; 자연 그대로 평온한

They built their house on an *idyllic* spot. There was a babbling brook in back and an unbroken view of wooded hills in front.
그들은 전원에 집을 지었다. 앞으로는 관목이 우거진 야산의 풍경이 그대로 들어오고, 뒤로는 시냇물이 졸졸 흘렀다.

Our vacation in the country was *idyllic* ; we went for long walks down winding dirt roads and didn't see a newspaper all week.
우리는 시골에서 목가적으로 휴가를 보냈다 ; 우리는 오랫동안 구불구불하게 굽은 비포장길을 걸어내려가기도 하고, 일주일 내내 신문도 보지 않았다.

An *idyllic* vacation or other experience could also be called an idyll.
전원에 묻혀 휴가를 보내거나 시골을 경험하는 것을 idyll이라고 부른다.

**IGNOMINY** [ígnəmìni] n **deep disgrace** 심각한 불명예

* 발음에 주의할 것.

After the big scandal, the formerly high-flying investment banker fell into a life of shame and *ignominy*.
독직사건이 크게 터지고 난 후, 지금까지 야심만만하던 투자은행가는 치욕과 불명예의 나락으로 떨어졌다.

The *ignominy* of losing the spelling bee was too much for Arnold, who decided to give up spelling altogether.
아놀드는 철자법대회에서 패배하자 너무나 깊은 수치심을 느꼈다. 그래서 그는 철자법 공부 자체를 포기하기로 했다.

Something that is deeply disgraceful is *ignominious* [ìgnəmíniəs]. The massacre of the farm family was an *ignominious* act.
극히 수치스러운 것을 ignominious라 한다. 그 농가를 몰살시킨 것은 너무나 수치스러운 행위였다.

**ILLICIT** [ilísit] adj **illegal ; not permitted** 불법의 ; 허가 받지 않은

Criminals engage in *illicit* activities.
범죄자란 불법적인 활동에 종사하는 사람이다.

Don't confuse this word with *elicit*, listed previously. The police interviewed hundreds of witnesses, trying to *elicit* clues that might help them stop an *illicit* business.
앞서 나온 elicit라는 단어와 혼동하지 말아라. 경찰은 불법적인 사업을 막는 데 도움이 될 만한 단서를 얻기 위해 수백 명의 목격자를 조사했다.

**IMMINENT** [ímənənt] adj **just about to happen** 곧 일어날 것 같은, 임박한

The pink glow in the east made it clear that sunrise was *imminent*.
동쪽에 번진 분홍빛은 일출이 곧 있을 것임을 분명하게 보여주었다.

George had a feeling that disaster was *imminent*, but he couldn't figure out why ; then the jumbo jet crashed into his garage.
조지는 재앙이 임박했음을 느꼈지만, 그 이유를 알 수는 없었다 : 곧이어 점보 제트기가 그의 차고로 추락했다.
* 앞서 나온 eminent와 혼동하지 말것.

**IMMUTABLE** [imjúːtəbl] adj **unchangeable** **불변의**

Jerry's mother had only one *immutable* rule: no dancing on the dinner table.
제리의 어머니는 변하지 않는 단 한가지 규칙을 가지고 있었다: 식탁 위에서 춤추지 않기.

The statue of the former principal looked down on the students with an *immutable* scowl.
전임 교장의 동상은 변함없이 찌푸린 얼굴로 학생들을 굽어보고 있었다.

Something that is changeable is said to be *mutable*. The *mutable* shoreline shifted continually as the tides moved sand first in one direction and then in another.
변하는 것은 mutable이라 한다. 해안선은 조류가 밀려와 모래를 이리저리 이동시켜 끊임없이 모양을 바꿨다.

Helena's moods were *mutable* ; one minute she was kind and gentle, the next minute she was screaming with anger.
헬레나의 기분은 변화무쌍했다 : 어느 순간에는, 친절하고 예의바르다가 다음 순간에는 갑자기 화를 내며 소리를 질렀다.

Both *immutable* and *mutable* are based on a Latin root meaning change. So are *mutation* and *mutant*.
immutable과 mutable은 변화를 의미하는 라틴어에 뿌리를 두고 있다. mutation과 mutant도 마찬가지이다.

**IMPARTIAL** [impáːrʃəl] adj **fair ; not favoring one side or the other ; unbiased** **공정한 ; 어느 한쪽으로 치우치지 않는 ; 편견이 없는**

Jurors are supposed to be *impartial* rather than *partial* ; they aren't supposed to make up their minds until they've heard all the evidence.
배심원은 편파적이지 않고 공정해야 한다 : 그들은 모든 증언을 다 듣고 난 후에 비로소 결정을 내려야 한다.

Beverly tried to be an *impartial* judge at the beauty contest, but in the end she couldn't help selecting her own daughter to be the new Pork Queen.
비벌리는 미인대회에서 공정한 심사를 하려고 애썼다. 그러나 결국엔 그녀도 자신의 딸을 새로운 포크퀸으로 선정하지 않을 수 없었다.
* 명사형은 impartiality [impàːrʃiǽləti] .

**IMPECCABLE** [impékəbl] adj **flawless ; entirely without sin** **흠이 없는 ; 전적으로 무죄인**

The children's behavior was *impeccable* ; they didn't set fire to the cat, and they didn't pour dye into the swimming pool.
아이들의 행동은 나무랄 데가 없었다 : 아이들은 고양이한테 불을 붙이지도 않았고, 수영장에 물감을 풀어놓는 일 따위도 하지 않았다.

Hal's clothes were always *impeccable* ; even the wrinkles were perfectly creased.
할의 의상은 언제나 나무랄 데가 없었다 : 주름마저도 완벽하게 잡혀 있었다.

By the way, *peccable* means liable to sin. And while we're at it, a *peccadillo* is a minor sin.
한편, peccable은 죄를 짓기 쉽다는 뜻이다. 그리고 말이 나온 김에 덧붙이자면, peccadillo는 가벼운 죄를 의미한다.

**IMPERIAL** [impíəriəl] adj **like an emperor or an empire** **황제나 제국 같은**

*Imperial*, *emperor*, and *empire* are all derived from the same root. England's *imperial* days are over, now that the British Empire has crumbled away.
imperial, emperor, empire는 모두 같은 어원에서 유래한 단어들이다. 대영제국이 무너졌으므로 영국의 제국 시대는 끝났다.

The palace was decorated with *imperial* splendor.
궁전은 제국의 호화로움으로 꾸며져 있었다.

George's *imperial* manner was inappropriate, since he was nothing more exalted than the local dogcatcher.
조지의 황실 매너는 가당찮은 것이었다. 그는 지방의 들개사냥꾼에 지나지 않았다.

A similar word is *imperious*[impíəriəs], which means bossy and, usually, arrogant. The director's *imperious* style rubbed everyone the wrong way ; he always seemed to be giving orders, and he never listened to what anyone said.
imperious는 비슷하게 생겼지만, 대개 거만하거나 으스댄다는 뜻으로 쓰이는 단어이다. 거만한 스타일인 감독은 모든 사람들을 화나게 했다 ; 그는 명령만 내리는 것 같았고 남의 말은 전혀 듣지 않았다.

## QUICK QUIZ 47

Match each word in the first column with its definition in the second column. Check your answers in the back of the book.

| | |
|---|---|
| 1. iconoclast | a. peculiarity |
| 2. ideology | b. naturally peaceful |
| 3. idiosyncrasy | c. like an emperor |
| 4. idyllic | d. flawless |
| 5. ignominy | e. attacker of popular beliefs |
| 6. illicit | f. just about to happen |
| 7. imminent | g. fair |
| 8. immutable | h. system of social ideas |
| 9. impartial | i. bossy |
| 10. impeccable | j. deep disgrace |
| 11. imperial | k. unchangeable |
| 12. imperious | l. illegal |

**IMPERVIOUS** [impə́ːrviəs] adj **not allowing anything to pass through ; impenetrable**
**통과를 허락하지 않는 ; 꿰뚫을 수 없는**

A raincoat, if it is any good, is *impervious* to water. It is made of an *impervious* material.
좋은 제품이라면, 우비는 물이 스며들지 않는다. 우비는 방수천으로 만들어진다.

David was *impervious* to criticism—he did what he wanted to do no matter what anyone said.
데이비드는 비평에 무감각했다. — 그는 남들이 뭐라고 하건 자기가 하고 싶은 일을 했다.

**IMPETUOUS** [impétʃuəs] adj **impulsive ; extremely impatient** **충동적인 ; 지독히 참을성이 없는**

*Impetuous* Dick always seemed to be running off to buy a new car, even if he had just bought one the day before.
바로 어제 새 차를 구입했다고 하더라도, 딕은 연달아 새 차를 또 구입하려 들 만큼 충동적이었다.

Samantha was so *impetuous* that she never took more than a few seconds to make up her mind.
사만다는 어떤 일을 결정하는 데 단 몇 초도 걸리지 않을 만큼 충동적이었다.

**IMPLEMENT** [ímpləmənt] v **to carry out** **수행하다**

Leo developed a plan for shortening the grass in his yard, but he was unable to *implement* it because he didn't have a lawn mower.
레오는 마당의 잔디를 깎아야겠다는 생각이 들었다. 그러나 그에게는 잔디 깎는 기계가 없었기 때문에 계획을 실천할 수가 없었다.

The government was better at creating new laws than at *implementing* them.
정부는 법을 실행하기보다는 새 법안을 만드는 데 더 능했다.

**IMPOTENT** [ímpətənt] adj **powerless ; helpless ; unable to perform sexual intercourse**
**힘이 없는 ; 무기력한 ; 성관계를 할 수 없는**

* 발음에 주의할 것.

*Impotent* means not *potent*—not powerful.
impotent는 힘이 없고 강하지 못하다는 뜻이다.

Joe and Betty made a few *impotent* efforts to turn aside the steamroller, but it squished their vegetable garden anyway.
조와 베티는 스팀롤러를 돌려놓으려고 힘에 부치는 노력을 했지만 결국엔 채소밭만 망쳐놓았다.

We felt *impotent* in the face of their overpowering opposition to our plan.
우리가 세운 계획이 강력한 반대에 부딪혔기 때문에 우리는 기운을 잃었다.

*Omnipotent*[ɑmnípətənt] means all powerful. After winning a dozen games in a row, the football team began to feel *omnipotent*.
omnipotent 는 절대적인 힘이 있는 것을 의미한다. 연속으로 수십 번의 경기에서 승리하고 난 후에, 풋볼 팀은 무엇이든지 할 수 있다는 절대적인 힘을 느끼기 시작했다.

**IMPUGN** [impjúːn] v **to attack, especially to attack the truth or integrity of something**
**공격하다, 특히 무엇인가의 진실성이나 정직성을 공격하다**

The critic *impugned* the originality of Jacob's novel, claiming that long stretches of it had been lifted from the work of someone else.
비평가는 제이콥의 소설에 대하여 독창성 여부에 관한 이의를 제기했다. 그는 제이콥의 소설 중 상당부분이 다른 사람의 작품에서 온 것이라고 주장했다.

Fred said I was *impugning* his honesty when I called him a dirty liar, but I told him he had no honesty to *impugn*. This just seemed to make him angrier, for some reason.
프레드를 더러운 거짓말쟁이라고 부르자, 그는 내가 자신의 정직성을 공격했다고 말했다. 그러나 그에게는 공격받을 정직성조차 없다고 나는 잘라 말했다. 무슨 이유에서인지, 이 말이 그를 더 화나게 만든 것 같았다.

**INANE** [inéin] adj **silly ; senseless** **어리석은 ; 지각없는**

Their plan to make an indoor swimming pool by flooding their basement was *inane*.
그들은 어리석게도 지하실에 물을 채워 수영장을 만들 생각을 했다.

Mel made a few *inane* comments about the importance of chewing only on the left side of one's mouth, and then he passed out beneath the table.
멜은 입안에서 왼쪽으로만 씹는 것이 중요하다는 것에 대해 쓸데없는 이야기를 몇 마디 하고는 식탁 밑에서 취해 떨어졌다.
* 명사형 '어리석은 것' 은 an inanity.

**INAUGURATE** [inɔ́:gjərèit] v **to begin officially ; to induct formally into office** **공식적으로 시작하다 ; 정식으로 취임시키다**

The mayor *inaugurated* the new no-smoking policy and then celebrated by lighting up a big cigar.
시장은 공식적으로 금연정책을 시작하면서 기념으로 커다란 시가를 피워 물었다.

The team's loss *inaugurated* an era of defeat that lasted for several years.
그 팀의 패배는 수년간 이어지는 패배의 시대를 여는 서막이었다.

To *inaugurate* a president is to make him take the oath of office and then give him the keys to the White House.
대통령의 취임식은 당선자가 대통령 선서를 하고 나면, 백악관의 열쇠를 받는 것으로 되어 있다.

## QUICK QUIZ 48

Match each word in the first column with its definition in the second column. Check your answers in the back of the book.

| | |
|---|---|
| 1. impervious | a. begin officially |
| 2. impetuous | b. carry out |
| 3. implement | c. powerless |
| 4. impotent | d. impenetrable |
| 5. impugn | e. silly |
| 6. inane | f. attack the truth of |
| 7. inaugurate | g. impulsive |

**INCANDESCENT** [ìnkəndésənt] adj **brilliant ; giving off heat or light** **빛나는 ; 열이나 빛을 발산하는**

An *incandescent* light bulb is one containing a wire or filament that gives off light when it is heated. An *incandescent* person is one who gives off light or energy in a figurative sense.
백열전구란 열을 내면서 빛을 발산하는 철사나 필라멘트가 들어 있는 전구를 말한다. 비유적인 의미로 빛이나 에너지를 발산하는 사람을 가리킬 때 incandescent person이라 한다.

Jan's ideas were so *incandescent* that simply being near her made you feel as though you understood the subject for the first time.
단순히 잔의 근처에 있기만 해도 마치 그 문제에 관하여 처음으로 이해한 듯한 느낌을 갖게 될 만큼 잔의 아이디어는 빛났다.

**INCANTATION** [ìnkæntéiʃən] n **a chant ; the repetition of statement or phrases in a way reminiscent of a chant** **노래, 주문 ; 타령조로 말하는 어구나 문장의 반복**

Much to our delight, the wizard's *incantation* eventually caused the small stone to turn into a sleek black BMW.
정말 기쁘게도, 마법사의 주문으로 마침내 작은 돌은 윤기 나는 검은색 BMW로 변했다.

The students quickly became deaf to the principal's *incantations* about the importance of school spirit.
학생들은 학교정신의 중요성에 관한 교장의 타령을 금세 새겨듣지 않게 되었다.

**INCENSE** [inséns] v **to make very angry** **매우 화나게 하다**

Jeremy was *incensed* when I told him that even though he was stupid and loathsome, he would always be my best friend.
나는 제레미에게 그의 어리석은 성격이 지겹기조차 하지만 그래도 언제나 가장 좋은 친구라고 말해 주었다. 그러자 그는 나의 말에 화를 냈다.

My comment about his lovely painting of a tree *incensed* the artist, who said it was actually a portrait of his mother.
나무 한 그루를 그린 멋진 그림에 대해서 나는 호평을 했지만, 그 말이 화가를 화나게 만들었다. 그의 말에 의하면 사실 그 그림은 자신의 어머니의 초상화였던 것이다.

**INCESSANT** [insésənt] adj **unceasing** **끊임 없는**

I will go deaf and lose my mind if you children don't stop your *incessant* bickering.
어린이 여러분들이 끊임 없는 싸움을 멈추지 않는다면, 나는 귀머거리가 되고 정신을 잃게 될 것입니다.

The noise from the city street was *incessant* ; there always seemed to be a fire engine or a police car screaming by.
도심의 도로에서 들려오는 소음은 끝이 없었다 : 항상 소방차나 경찰차가 비명을 지르며 지나가는 것 같았다.
* 중지를 나타내는 명사형은 cessation.

**INCIPIENT** [insípiənt] adj **beginning ; emerging** **시작하는 ; 초기의**

Sitting in class, Henrietta detected an *incipient* tingle of boredom that told her she would soon be asleep.
교실에 앉아 있으면서, 헨리에타는 곧 잠에 빠질 것임을 알려주는 권태의 초기 증상을 탐지했다.

Support for the plan was *incipient*, and the planners hoped it would soon grow and spread.
그 계획안에 대한 지지가 시작되었다. 입안자들은 그 지지가 곧 발전을 거듭해 널리 확산되기를 바랐다.

The *inception* of something is its start or formal beginning.
무엇인가의 inception은 그것의 시작이나 공식적인 개시를 의미한다.

**INCISIVE** [insáisiv] adj **cutting right to the heart of the matter** **문제의 핵심을 바로 찌르는, 날카로운**

When a surgeon cuts into you, he or she makes an *incision*. To be *incisive* is to be as sharp as a scalpel in a figurative sense.
외과의사가 수술을 하려면, 칼로 절개를 해야 한다. to be incisive는 비유적인 의미로 수술용 메스만큼 날카롭다는 뜻이다.

After hours of debate, Louis offered a few *incisive* comments that made it immediately clear to everyone how dumb the original idea had been.
몇 시간의 논쟁 끝에, 루이스는 상당히 날카로운 결론을 내렸다. 그녀의 말을 듣자마자 곧 사람들은 처음의 생각이 얼마나 어리석었는지 분명히 알게 되었다.

Lloyd's essays were always *incisive* ; he never wasted any words, and his reasoning was always sharp and persuasive.
로이드의 수필은 언제나 날카로웠다 : 그는 단어를 함부로 사용하는 법이 없었으며, 논법은 항상 예리하고 설득력이 있었다.

**INCONGRUOUS** [inkáŋgruəs] adj **not harmonious ; not consistent ; not appropriate ; not fitting in** 조화되지 않은 ; 일치하지 않는 ; 적절하지 않은 ; 맞지 않는

The ultramodern kitchen seemed *incongruous* in the restored eighteenth-century farmhouse. It was an *incongruity* [ìnkaŋgrú:əti].
복원된 18세기 농가에 초현대식 부엌이 있는 것은 어울리지 않았다 : 그것은 부조화의 전형이었다.

Bill's membership in the motorcycle gang was *incongruous* with his mild personality and his career as a management consultant.
빌이 폭주족의 일원이라는 사실은 그의 온화한 성품으로 보나 경영 컨설턴트라는 직업으로 보나 어울리지가 않았다.

**INCORRIGIBLE** [inkɔ́:ridʒəbl] adj **incapable of being reformed** 교정시킬 수 없는, 제멋대로 구는

The convict was an *incorrigible* criminal ; as soon as he got out of prison, he said, he was going to rob another doughnut store.
피고인은 상습범이었다. 그는 감옥에서 나오자마자 또 다른 도넛 가게를 털러 갈 것이라고 말했다.

Bill is *incorrigible*—he eats three bags of potato chips every day even though he knows that eating two would be better for him.
빌은 개선의 여지가 없다. — 그는 두 봉지만 먹는 것이 자신에게 좋다는 것을 잘 알고 있으면서도 감자칩을 세 봉지씩이나 날마다 먹어 치운다.

The ever-cheerful Annie is an *incorrigible* optimist.
언제나 즐거운 애니는 바뀔 수 없는 낙관론자이다.

Think of *incorrigible* as incorrectable. The word *corrigible* is rarely seen or used these days.
incorrigible를 incorrectable로 생각해라. corrigible 이라는 단어는 오늘날에는 거의 보이지도 않고 잘 쓰이지도 않는다.

**INCREMENT** [ínkrəmənt] n **an increase ; one in a series of increases** 증가 ; 일련의 증가한 것, 이득, 증가량

Bernard received a small *increment* in his salary each year, even though he did less and less work with every day that passed.
날이 갈수록 일은 점점 더 적게 했음에도 불구하고, 버나드의 급료는 매년 조금씩 증가했다.

This year's fund-raising total represented an *increment* of 1 percent over last year's. This year's total represented an *incremental* change from last year's.
올해의 총 기금 모금액은 지난해보다 1퍼센트의 증가량을 보였다. 올해, 기금의 합계가 지난해와 비교해 증가했다는 뜻이다.

Orville built up his savings account *incrementally*, one dollar at a time.
오빌은 한번에 1달러 씩 그의 예금을 늘려나갔다.

**INDIFFERENT** [indífərənt] adj **not caring one way or the other ; apathetic ; mediocre** 어떤 일에 관심을 두지 않는 ; 냉담한 ; 그저 그런

Red was *indifferent* about politics ; he didn't care who was elected to office so long as no one passed a law against "Monday Night Football".
레드는 정치에 무관심했다 : 그는 Monday Night Football이라는 프로그램을 반대하는 법안을 통과시키는 사람만 아니라면 누가 선출되어도 상관없었다.

Henry's *indifference* was extremely annoying to Melissa, who loved to argue but found it difficult to do so with people who had no opinions.
멜리사는 헨리의 무관심에 화가 났다. 그녀는 논쟁하기를 무척 좋아했지만, 아무런 의견도 없는 사람과 논쟁을 할 수는 없다는 것을 깨달았다.

We planted a big garden but the results were *indifferent* ; only about half of the flowers came up.
우리는 넓은 정원에 꽃을 심었다. 하지만 결과는 별로 신통치 않았다 : 겨우 반 정도만이 꽃을 피웠다.

The painter did an *indifferent* job, but it was good enough for Susan, who was *indifferent* about painting.
화가는 대단찮은 그림을 그렸지만, 그림에 문외한인 수잔에게는 충분히 괜찮은 작품이었다.

## QUICK QUIZ 49

Match each word in the first column with its definition in the second column. Check your answers in the back of the book.

1. incandescent
2. incantation
3. incense
4. incessant
5. incipient
6. incisive
7. incongruous
8. incorrigible
9. increment
10. indifferent

a. increase
b. make very angry
c. beginning
d. chant
e. not harmonious
f. incapable of being reformed
g. not caring ; mediocre
h. cutting right to the heart
i. unceasing
j. brilliant

**INDIGENOUS** [indídʒənəs] adj **native ; originating in that area** 토착의 ; 그 지역 원산의

Fast-food restaurants are *indigenous* to America, where they were invented.
패스트푸드 식당은 미국이 원산지이다. 그것은 미국에서 처음 시작되었다.

The grocer said the corn had been locally grown, but we didn't believe him because it didn't appear to be *indigenous*.
점원은 그 옥수수가 그 지역에서 자란 것이라고 말했다. 하지만, 그 지역 고유의 것으로는 보이지 않았기 때문에 우리는 그 말을 믿지 않았다.

The botanist said that the small cactus was *indigenous* but that the large one had been introduced to the region by Spanish explorers.
작은 선인장은 재래종이지만, 큰 것은 스페인 정복자에 의해 이 지역에 전래된 것이라고 식물학자는 설명했다.

**INDIGENT** [índidʒənt] adj **poor** 가난한

The *indigent* family had little to eat, nothing to spend, and virtually nothing to wear.
그 빈곤가정에는 먹을 것도 거의 없었으며, 쓸 돈은 전혀 없었고 입을 옷도 거의 없었다.

Rusty had once been a lawyer but now was *indigent* ; he spent most of his time sleeping on a bench in the park.
러스티는 한 때 변호사였지만, 이제는 빈털터리였다 : 그는 공원 벤치에 누워 잠을 자면서 대부분의 시간을 보냈다.
* 위에 나온 indigenous 와 혼동하지 말 것.

**INDIGNANT** [indígnənt] adj **angry, especially as a result of something unjust or unworthy ; insulted** 성난, 특히 공정치 못한 일이나 가치 없는 일의 결과로 ; 모욕감을 느끼는

Bruno became *indignant* when the policewoman accused him of stealing the nuclear weapon.
핵무기를 훔쳤다는 죄목으로 여자 경관이 브루노를 기소하자 그는 무척 화가 났다.

Isabel was *indignant* when we told her all the nasty things that Blake had said about her over the public address system at the big party.
큰 파티에서 블레이크가 확성기에 대고 공개적으로 이사벨에 관하여 늘어놓았던 추잡한 말들을 모두 본인에게 전해주자 그녀는 몹시 화를 냈다.

---

**INDOLENT** [índələnt] adj **lazy** 게으른

The *indolent* teenagers slept late, moped around, and never looked for summer jobs.
나태한 십대들은 늦게까지 자고, 할 일없이 거리를 배회하면서도, 여름방학에 할 만한 일자리를 찾으려 하지 않았다.

Inheriting a lot of money enabled Rodney to do what he loved most: pursue a life of *indolence*.
로드니는 상속받은 돈 덕분에 그가 가장 하고 싶어하던 일을 할 수 있게 되었다: 나태한 생활의 영위가 바로 그것.

---

**INDULGENT** [indʌ́ldʒənt] adj **lenient ; yielding to desire** 관대한 ; 요구를 다 들어주는

The nice mom was *indulgent* of her children, letting them have all the candy, cookies, and ice cream that they wanted, even for breakfast.
마음씨 좋은 엄마는 아이들이 원하는 것을 다 들어주었다. 사탕이나 과자, 아이스크림 등을 원하는 대로, 심지어 아침식탁에서도 먹을 수 있도록 허락했다.

Our *indulgent* teacher never punished us for not turning in our homework. She was nice. She didn't want us to turn into ascetic grinds.
관대한 우리 선생님은 숙제를 제출하지 않았다고 해서 우리에게 벌을 주지는 않으셨다. 그녀는 멋졌다. 선생님은 우리가 고행하는 공부벌레가 되기를 바라지는 않으셨다.

Someone who is *self-indulgent* yields to his or her every desire.
제멋대로 구는 사람은 자신의 욕구마다 굴복하고 마는 사람이다.

---

**INEFFABLE** [inéfəbl] adj **incapable of being expressed or described** 이루 말할 수 없는

The simple beauty of nature is often so *ineffable* that it brings tears to our eyes.
자연의 소박한 아름다움은 종종 눈물이 날 만큼 말로 다 표현할 수 없다.

The word *effable*—expressible—is rarely used.
표현할 수 있다는 뜻의 effable은 거의 사용되지 않는 단어이다.

---

**INEPT** [inépt] adj **clumsy ; incompetent, gauche** 서투른 ; 무능한 ; 세련되지 못한

Joshua is an *inept* dancer ; he is as likely to stomp on his partner's foot as he is to step on it.
조슈아는 춤 솜씨가 형편없다. 마치 파트너의 발 위가 스텝을 찍어야 하는 곳이라도 되는 듯, 그는 파트너의 발을 밟을 것 같다.

Julia's *inept* attempt at humor drew only groans from the audience.
관객을 웃겨보려는 줄리아의 어색한 시도는 단지 비웃음만 샀을 뿐이었다.

To be *inept* is to be characterized by *ineptitude*, which is the opposite of aptitude. The woodworking class's *ineptitude* was both broad and deep ; there was little that they were able to do, and nothing that they were able to do well.
to be inept는 aptitude(재능이나 적성)의 반의어인 ineptitude(어리석음, 부적당함)을 특징으로 한다는 뜻이다. 목공반의 어리석음은 넓고도 깊었다 : 그들이 할 수 있는 일은 거의 없었고, 잘 할 수 있는 일이란 아예 없었다.

The opposite of *inept* is *adept* [ədépt]. *Adept* and *adroit* are synonyms.
inept 와 adept(숙달한)는 서로 반의어. adept 와 adroit는 숙련된 것을 의미하는 동의어.

**INERT** [inə́ːrt] adj **inactive ; sluggish ; not reacting chemically** 활동적이지 못한 ; 게으른 ; 화학적인 반응이 없는

The baseball team seemed strangely *inert* ; it was as though they had lost the will not only to win but also even to play.
야구팀은 이상하게도 활동이 둔했다 : 그들은 경기에 이기겠다는 의지뿐만 아니라 경기를 할 의욕조차 잃어버린 것 같았다.

Having colds made the children *inert* and reluctant to get out of bed.
감기 때문에 아이들은 기운이 없어서인지 침대 밖으로 나오려 하지 않았다.

Helium is an *inert* gas : it doesn't burn, it doesn't explode, and it doesn't kill you if you inhale it.
헬륨은 불활성 기체이다: 타지도 않고 폭발하지도 않으며 들이마신다고 해도 사람을 죽일 만큼 치명적이지 않다.

To be *inert* is to be characterized by inertia. As it is most commonly used, *inertia* means lack of get-up-and-go, or an inability or unwillingness to move.
to be inert는 타성이 붙어 활발하지 못한 성질이 있다는 뜻이다. 흔히 쓰이는 것처럼, inertia 는 적극성이 부족하거나 움직일 수 있는 힘이나 의지가 없는 것을 의미한다.

In physics, *inertia* refers to an object's tendency to continue doing what it's doing (either moving or staying still) unless it's acted on by something else.
물리학에서의 inertia는 외부의 힘이 작용하지 않는다면, 움직이던 물체는 계속 움직이려 하고 정지해 있던 물체는 계속 정지하려는 경향 — 관성 — 을 의미한다.

**INEXORABLE** [inéksərəbl] adj **relentless ; inevitable ; unavoidable** 냉정한 ; 필연의 ; 피할 수 없는

* 발음에 주의할 것.

The *inexorable* waves pounded the shore, as they have always pounded it and as they always will pound it.
무정한 파도만이 해안을 때렸다. 과거에도 항상 그랬던 것처럼, 또 앞으로도 언제나 그러할 것처럼.

Eliot drove his father's car slowly but *inexorably* through the grocery store, wrecking aisle after aisle despite the manager's anguished pleading.
엘리어트는 아버지의 차를 몰고 나가 천천히 운전했다. 그러나, 지배인의 간곡한 부탁에도 불구하고 무정하게 통로마다 충돌사고를 내며 식품점을 돌아다녔다.

*Inexorable* death finds everyone sooner or later.
피할 수 없는 죽음은 일찍 오는가 늦게 오는가의 문제일 뿐, 누구에게나 찾아오는 것이다.

**INFAMOUS** [ínfəməs] adj **shamefully wicked ; having an extremely bad reputation ; disgraceful** 무서울 정도로 사악한 ; 지독히 악명높은 ; 불명예스러운

* 발음에 주의할 것.

To be *infamous* is to be *famous* for being evil or bad. An *infamous* cheater is one whose cheating is well known.
to be infamous는 사악함이나 나쁜 것으로 유명하다는 뜻이다. 악명 높은 사기꾼은 사기 행각으로 유명한 사람이다.

Deep within the prison was the *infamous* torture chamber, where hooded guards tickled their prisoners with feathers until they confessed.
감옥 깊은 곳에 악명 높은 고문실이 있었다. 그 곳에서는 두건을 쓴 간수들이 깃털을 가지고 죄수들이 자백할 때까지 간지럼을 태웠다.

*Infamy* is the state of being *infamous*. The former Nazi lived the rest of his life in *infamy* after the court convicted him of war crimes and atrocities.
infamy는 불명예스러운 상태. 전 나치당원은 전쟁 범죄와 잔혹한 행위에 대하여 법정에서 유죄를 받은 후, 남은 여생을 불명예스럽게 살았다.

President Roosevelt said that the date of the Japanese attack on Pearl Harbor would "live in *infamy*".
루즈벨트 대통령은 일본이 진주만을 공격했던 날은 치욕스럽게 기억 될 것이라고 말했다.

**INFATUATED** [infǽtʃuèitid] adj **foolish ; foolishly passionate or attracted ; made foolish ; foolishly in love** 바보 같은 ; 바보 같을 정도로 열정적이거나 푹 빠져 있는 ; 바보가 되어버린 ; 어리석도록 사랑에 빠진

To be *infatuated* is to be *fatuous* or foolish. I was so *infatuated* with Polly that I drooled and gurgled whenever she was near.
to be infatuated 얼이 빠진 듯하거나 바보 같다는 의미이다. 나는 폴리 근처에만 가도 침이 나와 목으로 꼴깍 넘어갈 정도로 그녀에게 바보같이 푹 빠져 있었다.

The *infatuated* candidate thought so highly of himself that he had the ceiling of his bedroom covered with his campaign posters.
그 후보자는 침실 천장을 자신의 선거 포스터로 도배를 할 만큼 바보 같이 자신을 과대평가하고 있었다.

My ride in Boris's racing car *infatuated* me ; I knew immediately that I would have to have a racing car, too.
보리스의 경주용 자동차를 타보고, 나는 완전히 반해버렸다 : 곧바로 나도 경주용 자동차를 가져야겠다는 생각이 들었다.

## QUICK QUIZ 

Match each word in the first column with its definition in the second column. Check your answers in the back of the book.

| | |
|---|---|
| 1. indigenous | a. native |
| 2. indigent | b. inactive |
| 3. indignant | c. lazy |
| 4. indolent | d. foolish |
| 5. indulgent | e. shamefully wicked |
| 6. ineffable | f. poor |
| 7. inept | g. relentless |
| 8. inert | h. angry |
| 9. inexorable | i. clumsy |
| 10. infamous | j. lenient |
| 11. infatuated | k. inexpressible |

**INFER** [infə́:r] v **to conclude ; to deduce** 결론짓다 ; 추론하다

Ruth said she loved the brownies, but I *inferred* from the size of the piece left on her plate that she had actually despised them.
루스는 아몬드가 들어있는 초콜릿을 좋아한다고 말했다. 하지만 접시에 남아 있는 초콜릿의 양을 보고서 나는 그녀가 사실은 초콜릿을 싫어한다는 결론을 내렸다.

She hadn't heard the score, but the silence in the locker room led her to *infer* that we had lost.
그녀는 경기의 득점상황을 듣지는 못했지만, 조용한 라커룸의 분위기를 보고서 우리가 경기에 졌다는 것을 눈치챘다.

*Infer* is often confused with *imply*. To *imply* something is to hint at it, or state it indirectly. To *infer* something is to figure out what it is without being told directly.

infer는 imply(함축하다, 암시하다)와 자주 혼동된다. to imply something은 힌트를 주거나 간접적으로 설명해주는 것이다. 반면에, to infer something은 직접적으로 말해진 바가 없는 것을 스스로 추리해서 알아채는 것이다.

An *inference* is a deduction or conclusion.
inference는 추론이나 결론을 뜻한다.

**INFINITESIMAL** [infinitésəməl] adj **very, very, very small ; infinitely small** **아주, 아주, 아주 작은 ; 무한히 작은**

* 발음에 주의할 것.

*Infinitesimal* does not mean huge, as some people incorrectly believe.
infinitesimal은 몇몇 사람들이 잘못 생각하는 것처럼 거대하다는 의미가 아니다.

Dumb old Willy's brain, if he had one at all, was undoubtedly *infinitesimal*.
그에게도 두뇌라는 것이 있는지 모르겠지만, 늙은 얼간이 윌리의 뇌는 틀림없이 아주, 아주 작았을 것이다.

An *infinitesimal* bug of some kind crawled into Heather's ear and bit her in a place she couldn't scratch.
아주 작은 종류의 벌레가 히서의 귀 안으로 기어들어 갔다. 그리고는 손이 닿지 않는 깊숙한 곳을 깨물었다.

Our chances of winning were *infinitesimal*, but we played our hearts out anyway.
우리가 우승할 가능성은 거의 없었다. 그러나 우리는 어쨌든 최선을 다해 경기에 임했다.

**INGENUOUS** [indʒénjuəs] v **frank; without deception ; simple ; artless ; charmingly naive** **솔직한 ; 속이지 않는 ; 순수한 ; 꾸밈이 없는 ; 소박해서 마음이 끌리는**

A young child is *ingenuous*. He doesn't know much about the ways of the world, and certainly not enough to deceive anyone.
어린 아이는 순수하다. 아이는 세상의 질서에 대해 많은 것을 알지 못한다. 적어도 남을 속일 만큼 아는 것이 없다는 사실만은 확실하다.

An *ingenue*[ǽnʒənu:] is a somewhat naive young woman, especially a young actress.
ingenue는 다소 순수한 여성, 그 중에서도 특히 젊은 여배우를 일컫는다.

*Disingenuous* means crafty or artful. The movie producer was being *disingenuous* when he said, "I don't care if I make a cent on this movie. I just want every man, woman, and child in the country to see it."
disingenuous는 교활하고 약삭빠르다는 뜻이다. 제작자는 "나는 이 영화로 한 푼이라도 벌 수 있을지는 신경 쓰지 않아요. 그저 이 나라의 모든 남자와 여자와 아이들이 이 영화를 보기를 바랄 뿐이에요"라고 말하는 교활함을 보였다.

**INHERENT** [inhíərənt/-hér-] adj **part of the essential nature of something ; intrinsic** **본질적 천성의 한 부분 ; 고유의**

* 발음에 주의할 것.

Wetness is an *inherent* quality of water. (You could also say that wetness is *inherent* in water.)
습기는 물의 본질적인 성질이다.( 또한 '습기는 물에 본질적이다' 라는 표현도 가능)

There is an *inherent* strength in steel that is lacking from cardboard.
마분지에는 없는 본질적인 강도가 철에는 있다.

The man's *inherent* fatness, jolliness, and beardedness made it easy for him to play the part of Santa Claus.
그 남자는 원래 비만체질인데다 명랑하고 수염까지 길러서 산타클로스 역할에 딱 들어맞았다.

**INJUNCTION** [indʒʌ́ŋkʃən] n **a command or order, especially a court order** 명령이나 지시, 특히 법원의 명령

Wendy's neighbors got a court *injunction* prohibiting her from playing her radio loud.
웬디의 이웃들은 그녀가 라디오를 크게 틀어놓지 못하도록 하는 법원의 명령을 얻어냈다.

Herbert, lighting up, disobeyed his doctor's *injunction* to stop smoking.
허버트는 다시 담배에 불을 붙이며 금연을 하라는 의사의 지시를 어겼다.

**INNATE** [inéit] adj **existing since birth; inborn ; inherent** 출생과 함께 가지고 있는 ; 타고난

Joseph's kindness was *innate* ; it was part of his natural character.
조셉의 친절함은 타고난 것이었다 : 그것은 그의 본성의 일부분이었다.

Bill has an apparently *innate* ability to throw a football. You just can't teach someone as well as he can.
빌은 공을 던지는 데 확실히 천부적인 재능이 있다. 여러분은 누구를 가르쳐도 빌만큼 잘 가르칠 수는 없을 것이다.

There's nothing *innate* about good manners ; all children have to be taught to say "please" and "thank you."
좋은 매너란 절대 타고나는 것이 아니다 : 모든 아이들은 "부탁합니다"와 "고맙습니다"라고 말하는 법을 배워야만 한다.

**INNOCUOUS** [inάkjuəs] adj **harmless ; banal** 해롭지 않은 ; 평범한

*Innocuous* is closely related, in both origin and meaning, to *innocent*.
innocuous는 innocent(순결한)와 어원이나 의미에 있어서 밀접한 관련이 있다.

The supposedly obscene record sounded pretty *innocuous* to us ; there weren't even any four-letter words in it.
외설적이라고 알려진 레코드는 우리가 보기엔 그다지 해가 없는 것 같았다 : 그 안에는 네 글자 말(주: fuck, shit 등의 비속어)조차 없었다.

The speaker's voice was loud but his words were *innocuous* ; there was nothing to get excited about.
연사의 목소리는 컸지만, 내용은 평범했다 : 흥분할 만한 내용은 아무 것도 없었다.

Meredith took offense at Bruce's *innocuous* comment about the saltiness of her soup.
수프가 짜다는 브루스의 심상한 말에 메레디스는 화를 냈다.

**INORDINATE** [inɔ́:rdənit] adj **excessive ; unreasonable** 과도한 ; 불합리한

The young math teacher paid an *inordinate* amount of attention to the pretty blond senior.
신출내기 수학선생은 금발머리의 예쁜 선배에게 지나친 관심을 보였다.

The limousine was *inordinately* large, even for a limousine ; there was room for more than a dozen passengers.
아무리 리무진이라고는 하지만 그 차는 지나치게 거대했다 : 열두 명이 타고도 남을 만큼 실내가 넓었다.

Romeo's love for Juliet was perhaps a bit *inordinate*, given the outcome of their relationship.
로미오의 줄리엣에 대한 사랑은 그 결과를 놓고 볼 때, 다소 지나친 감이 있는 것 같았다.

**INSATIABLE** [inséiʃəbl] adj **hard or impossible to satisfy ; greedy ; avaricious** 만족시키기 어렵거나 불가능한 ; 욕심 많은 ; 탐욕스러운

Peter had an *insatiable* appetite for chocolate macadamia ice cream ; he could never get enough. Not even a gallon of chocolate macadamia was enough to *sate*[seit] or *satiate*[séiʃièit] his craving. Peter's addiction never reached *satiety*[sətáiəti].

피터는 초콜릿 마카다미아 아이스크림을 계속 탐했다 ; 그는 결코 만족을 몰랐다. 1 갤런의 아이스크림도 그의 탐욕을 만족시킬 수는 없었을 것이다. 피터의 탐닉은 끝이 없었다.

## QUICK QUIZ 51

Match each word in the first column with its definition in the second column. Check your answers in the back of the book.

| | |
|---|---|
| 1. infer | a. hard or impossible to satisfy |
| 2. imply | b. intensify |
| 3. infinitesimal | c. part of the nature of |
| 4. inflame | d. hint at |
| 5. ingenuous | e. artless |
| 6. inherent | f. inborn |
| 7. injunction | g. conclude |
| 8. innate | h. excessive |
| 9. innocuous | i. harmless |
| 10. inordinate | j. infinitely small |
| 11. insatiable | k. court order |

**INSIDIOUS** [insídiəs] adj **treacherous ; sneaky** **배반하는 ; 속이는, 몰래 하는**

The spy's *insidious* plan was to steal all the kryptonite in Metropolis.
스파이의 음흉한 계획은 메트로폴리스에 있는 크립토나이트를 몽땅 훔치는 것이었다.

Winter was *insidious* ; it crept in under the doors and through cracks in the windows.
겨울은 모르는 사이에 다가왔다 ; 문 밑의 틈으로, 창문의 깨진 틈을 통해서 살며시 기어 들어왔다.

Cancer, which can spread rapidly from a small cluster of cells, is an *insidious* disease.
작은 세포조직에서부터 급속도로 확산되는 암은 잠행성 질병이다.

**INSINUATE** [insínjuèit] v **to hint ; to creep in** **넌지시 알리다 ; 살며시 스며들다**

When I told her that I hadn't done any laundry in a month, Valerie *insinuated* that I was a slob.
내가 한달 동안 빨래를 한번도 하지 않았다고 말을 하니까, 발레리는 나보고 굼벵이라고 넌지시 말했다.

He didn't ask us outright if we would leave ; he merely *insinuated*, through his tone and his gestures, that it was time for us to go.
그는 우리가 떠났으면 하고 드러내놓고 부탁하지는 않았다 ; 단지 그는 말투와 행동으로 우리가 떠날 때가 되었음을 암시해 주었다.

Jessica *insinuated* her way into the conversation by moving her chair closer and closer to where we were sitting.
제시카는 우리가 앉아 있는 곳으로 의자를 점점 더 가까이 끌어당겨 슬며시 대화에 끼어 들었다.

Before we realized what was happening, the stray cat had *insinuated* itself into our household.
무슨 일이 일어났는지 깨닫기도 전에, 길 잃은 고양이가 집 안으로 슬며시 들어왔다.

* 명사형은 insinuation.

**INSIPID** [insípid] adj **dull ; bland ; banal** **무미건조한 ; 재미없는 ; 평범한**

Barney's jokes were so *insipid* that no one in the room managed to force out so much as a chuckle.
바니의 농담이 너무나 재미가 없었기 때문에 방안에 있던 어느 누구에게서도 킥킥 웃는 웃음조차 나오지 않았다.

We were bored to death at the party ; It was full of *insipid* people making *insipid* conversation.
우리는 파티가 지겨워 죽을 지경이었다 : 파티에는 무미건조한 대화를 나누는 재미없는 사람들만이 가득했다.

The thin soup was so *insipid* that all the spices in the world could not have made it interesting.
멀건 수프는 워낙 맛이 없어서 세상의 어떠한 양념을 넣는다 해도 그 맛을 개선할 수 없었을 것이다.

**INSOLENT** [ínsələnt] adj **arrogant ; insulting** **오만한 ; 무례한**

The ill-mannered four-year-old was so *insolent* that even adults were tempted to kick him in the rear end.
네 살바기 꼬마가 워낙 무례하고 버릇이 없어서 심지어 어른들조차도 아이의 궁둥이를 차주고 싶은 유혹을 느낄 정도였다.

The *insolent* sales clerk said she was sorry but the store did not accept cash.
무례했던 점원이 미안하다고 사과까지 했지만, 그 가게는 돈을 받지 않았다.

**INSTIGATE** [ínstəgèit] v **to provoke ; to stir up** **유발하다 ; 선동하다**

The strike was *instigated* by the ambitious union president, who wanted to get his name into the newspapers.
자신의 이름을 신문에 내고 싶어하는 야심만만한 노조조합장이 그 파업을 선동했다.

The CIA tried unsuccessfully to *instigate* rebellion in the tiny country by distributing pamphlets that, as it turned out, were printed in the wrong language.
CIA는 그 작은 나라에 팸플릿을 뿌려 반란을 조장하다가 실패했다. 알려진 바에 따르면, 팸플릿은 틀린 언어로 적혀 있었다고 한다.

**INSULAR** [ínsələr/-sjə-] adj **like an island ; isolated** **섬 같은 ; 고립된**

The Latin word for island is *insula*. From it we get the words *peninsula* ("almost an island"), *insulate* (insulation makes a house an island of heat), and *insular*, among others.
'섬' 의 라틴어는 insula이다. insula에서 peninsula(반도-대부분이 바다로 둘러싸여 섬 같은, 예를 들면 한반도), insulate( 고립된 집은 열섬현상이 있게 된다), insular 같은 단어가 생긴 것이다.

Lying flat on his back in bed for twenty-seven years, the 1,200-pound man led an *insular* existence.
몸무게가 1200파운드인 한 남자는 27년 동안 침대에 등을 대고 똑바로 누운 채 고립된 삶을 누렸다.

The *insular* little community had very little contact with the world around it.
그 작은 섬마을은 외부 세상과의 연계가 거의 없었다.

Something that is *insular* has *insularity*. The *insularity* of the little community was so complete that it was impossible to buy a big-city newspaper there.
섬 같이 외부와 단절되어 편협해진 것을 가리켜 섬나라근성이 있다고 표현한다. 작은 마을은 대도시의 신문을 구할 수 없을 정도로 완벽하게 고립되어 있었다.

**INSURGENT** [insə́ːrdʒənt] n **a rebel ; someone who revolts against a government** 반역자 ; 정부에 대항하여 반란을 일으키는 사람

The heavily armed *insurgents* rushed into the presidential palace, but they paused to taste the fresh blueberry pie on the dinner table and the president's bodyguards captured them.
중무장한 반란군이 대통령궁으로 돌진했다. 그러나 반란군은 식탁 위에 놓인 신선한 블루베리 파이를 먹기 위하여 잠시 멈추었다가 대통령 경호원들에게 붙잡혔다.

This word can also be an adjective. A rebellion is an *insurgent* activity. *Insurgency* is another word for rebellion ; so is insurrection.
이 단어는 형용사로도 쓰인다. 반란은 반역적인 행동이다. insurgency, rebellion, insurrection은 폭동이나 반란을 의미하는 동의어.

**INTEGRAL** [íntigrəl] adj **essential** 본질적인, 필수의

A solid offense was an *integral* part of our football team ; so was a strong defense.
충실한 공격은 우리 풋볼 팀의 필수조건이었다 ; 철저한 수비도 마찬가지였다.

Dave was *integral* to the organization ; it could never have gotten along without him.
데이브는 그 조직에서 없어서는 안될 사람이었다 ; 조직은 데이브 없이는 잘 굴러가지 않았을 것이다.

**INTRACTABLE** [intrǽktəbl] adj **uncontrollable ; stubborn ; disobedient** 통제할 수 없는 ; 고집스러운 ; 순종하지 않는

The *intractable* child was a torment to his nursery school teacher.
고집이 센 그 아이는 유아원 선생님의 골칫거리였다.

Bill was *intractable* in his opposition to pay increases for the library employees ; he swore he would never vote to give them a raise.
빌은 도서관 직원에 대한 임금을 인상하자는 안에 고집스럽게 반대했다 : 그는 결코 임금인상안에 찬성하지 않겠다고 다짐했다.

The disease was *intractable*. None of the dozens of medicines the doctor tried had the slightest effect on it.
그 병은 고치기 어려운 난치병이었다. 의사는 수십 가지 처방을 했지만, 어느 것도 효과가 없었다.
* intractable의 반의어는 tractable.

**INTRANSIGENT** [intrǽnsədʒənt] adj **uncompromising ; stubborn** 비타협적인 ; 완고한

Roy was an *intransigent* hard-liner, and he didn't care how many people he offended with his views.
로이는 비타협적인 강경파였다. 그는 자신의 견해가 얼마나 많은 사람을 불쾌하게 만드는가 하는 것에는 신경 쓰지 않았다.

The jury was unanimous except for one *intransigent* member, who didn't believe that anyone should ever be forced to go to jail.
누군가 한사람은 억지로라도 감옥으로 가야 한다는 생각을 믿지 않는 비타협적인 한 사람을 제외하고는, 배심원은 모두 의견의 일치를 보았다.
* 명사형은 intransigence.

## QUICK QUIZ 

Match each word in the first column with its definition in the second column. Check your answers in the back of the book.

| | |
|---|---|
| 1. insidious | a. hint |
| 2. insinuate | b. uncontrollable |
| 3. insipid | c. treacherous |
| 4. insolent | d. essential |
| 5. instigate | e. provoke |
| 6. insular | f. like an island |
| 7. insurgent | g. rebel |
| 8. integral | h. dull |
| 9. intractable | i. uncompromising |
| 10. intransigent | j. arrogant |

**INTRINSIC** [intrínsik, -zik] adj **part of the essential nature of something ; inherent 본질적인 천성의 일부분인 ; 고유의**

Larry's *intrinsic* boldness was always getting him into trouble.
래리는 타고난 대담함 때문에 항상 문제를 일으켰다.

There was an *intrinsic* problem with Owen's alibi: it was a lie.
오웬의 알리바이는 본질적으로 문제가 있었다: 알리바이는 거짓이었다.
* 반의어는 extrinsic(비본질적인, 외부로부터의).

**INTROSPECTIVE** [ìntrəspéktiv] adj **tending to think about oneself : examining one's feelings 자신에 대하여 생각하는 경향이 있는, 내성적인 ; 자신의 감정을 고찰하는, 자기 반성의**

The *introspective* six-year-old never had much to say to other people but always seemed to be turning over something in her mind.
내성적인 여섯 살짜리 소녀는 다른 사람들에게 말을 많이 하지 않았다. 대신에 항상 속으로만 무언가를 곰곰이 생각하는 것 같았다.

Randy's *introspective* examination of his motives led him to conclude that he must have been at fault in the breakup of his marriage.
랜디는 자신의 행동을 성찰한 결과, 결혼생활의 파탄의 책임은 자신에게 있었다는 결론을 내렸다.
* 앞서 나온 extrovert 항목을 참조할 것.

**INUNDATE** [ínəndèit, -nʌn-] v **to flood ; to cover completely with water ; to overwhelm 범람하다 ; 물로 완전히 덮다 ; 가라앉히다 ; 압도하다, 쇄도하다**

The tiny island kingdom was *inundated* by the tidal wave. Fortunately, no one died from the deluge.
작은 섬 왕국은 해일이 덮쳐 물에 잠겼다. 다행히도, 침수로 인해 죽은 사람은 아무도 없었다.

The fifteen-year-old girl was *inundated* with telegrams and gifts after she gave birth to octuplets.
열다섯 살짜리 소녀는 여덟 쌍둥이를 낳은 후 쇄도하는 전보와 선물에 파묻혔다.

**INVECTIVE** [invéktiv] n **insulting or abusive speech** 모욕적인 말이나 독설

The critic's searing review was filled with bitterness and *invective*.
그 비평가의 신랄한 평론에는 비난과 독설이 난무했다.

Herman wasn't much of an orator, but he was brilliant at *invective*.
허먼은 말이 많은 연설가는 아니었지만, 뛰어난 독설가였다.

**INVETERATE** [invétərit] adj **habitual ; firm in habit ; deeply rooted** 습관적인 ; 상습적인 ; 뿌리 깊은

Eric was such an *inveterate* liar on the golf course that when he finally made a hole-in-one, he marked it on his score card as a zero.
에릭은 골프를 치는 중에 워낙 상습적으로 거짓말을 하곤 했는데, 마침내 홀인원을 하자 점수 카드에 0이라고 기입할 정도였다.

Larry's practice of spitting into the fireplace became *inveterate* despite his wife's protestations.
숱한 아내의 항의가 있었음에도 불구하고 래리의 벽난로에 침 뱉는 행동은 고질적인 습관이 되었다.

**IRASCIBLE** [irǽsəbl, air-] adj **easily angered or provoked ; irritable** 쉽게 화를 내거나 흥분하는 ; 화를 잘 내는, 민감한

A grouch is *irascible*. The CEO was so *irascible*, his employees were afraid to talk to him for fear he might hurl paperweights at them.
잘 토라지는 사람은 화를 잘 낸다. 최고경영자는 너무나 화를 잘 내는 사람이라, 직원들은 그가 문진이라도 집어 던질까봐 무서워서 그와 이야기하기를 꺼렸다.

**IRONIC** [airánik] adj **meaning the opposite of what you seem to say ; using words to mean something other than what they seem to mean** 말하고 있는 것과는 반대 내용을 의미하는 ; 뜻과는 다른 의미를 담고 있는 단어를 사용하는

Don't use the alternate form, *ironical*.
이 단어를 대체하려고 ironical을 사용하지 말아라.

Eddie was being *ironic* when he said he loved Peter like a brother ; in truth, he hated him.
에디는 반어적인 의미로 피터를 형제처럼 사랑한다고 말했다 ; 사실 에디는 피터를 미워했다.

Blake's discussion of Reagan's brilliance was, of course, *ironic* ; he really thinks that Reagan is idiotic. Blake is a writer known for his *irony*.
블레이크가 레이건의 명석함에 관한 논의를 꺼낸 것은 물론 비꼬기 위함이었다 ; 그는 사실 레이건을 바보 같다고 생각하고 있다. 블레이크는 풍자로 유명한 작가이다.

Credulous George never realized that the speaker was being *ironic* as he discussed what he called his plan to put a nuclear-missile silo in every backyard in America.
남의 말을 잘 믿는 조지는 연설자가 반어적으로 말했다는 것을 깨닫지 못했다. 연사는 미국의 모든 집 뒷 마당마다 핵미사일 발사대를 설치할 것을 요구하는 내용의 연설을 했었다.

**IRREVOCABLE** [irévəkəbl] adj **irreversible** 철회할 수 없는

* 발음에 주의할 것.

To *revoke* [rivóuk] is to take back. Something *irrevocable* cannot be taken back. My decision not to wear a Tarzan costume and ride on a float in the Macy's Thanksgiving Day Parade is *irrevocable*, there is absolutely nothing you could do or say to make me change my mind.
revoke는 철회하다라는 뜻이다. irrevocable 한 것은 되돌릴 수 없는 것을 의미한다. 메이시스 백화점의 추수감사절 행진에 타잔 의상을 입고 뗏목을 타는 역할을 하지 않겠다는 결정을 나는 철회할 수 없다. 네가 어떤 말이나 행동을 한다고 해도 내 마음은 절대로 바뀌지 않을 것이다.

Shortly after his car began to plunge toward the sea, Tom decided not to drive off the cliff after all, but by that point his decision to do so was *irrevocable*.
탐의 차가 바다로 곤두박질하기 시작하자마자, 그는 마침내 낭떠러지에서는 운전하지 않겠다고 마음먹었다. 그때는 이미 낭떠러지에서 운전하기로 한 결정을 돌이킬 수 없는 상태였다.

Something that can be reversed is *revocable* [révəkəbl].
취소할 수 있는 것은 revocable.

## ITINERANT [aitínərənt] adj moving from place to place 이곳 저곳을 돌아다니는, 순회하는

The life of a traveling salesman is an *itinerant* one.
이곳 저곳을 돌아다니는 외판원 생활은 an itinerant life.

The *itinerant* junk dealer passes through our neighborhood every month or so, pulling his wagon of odds and ends.
여기저기 돌아다니는 고물장수는 왜건에 잡동사니를 잔뜩 싣고서 대략 매달 한번씩 우리 동네를 다녀간다.

The international banker's *itinerant* lifestyle began to seem less glamorous to him after his first child was born.
첫아이가 태어난 후, 은행원은 세계를 돌아다니며 일하는 자신의 생활방식이 덜 매력적으로 보이기 시작했다.

A closely related word is *itinerary*, which is the planned route or schedule of a trip. The traveling salesman taped his *itinerary* to the refrigerator before every trip so that his wife would know how to reach him on the telephone.
밀접한 관련이 있는 단어로 itinerary가 있다. 이 단어는 여행 스케줄이나 예정된 경로를 의미한다. 이동 판매원은 아내와 전화연락이 닿을 수 있도록 언제나 여행을 가기 전에 냉장고에 일정을 써서 붙여놓았다.

## QUICK QUIZ 53

Match each word in the first column with its definition in the second column. Check your answers in the back of the book.

| | |
|---|---|
| 1. intrinsic | a. irreversible |
| 2. introspective | b. insulting speech |
| 3. inundate | c. planned trip route |
| 4. invective | d. flood |
| 5. inveterate | e. inherent |
| 6. irascible | f. examining one's feelings |
| 7. ironic | g. meaning other than what's said |
| 8. irrevocable | h. moving from place to place |
| 9. itinerant | i. irritable |
| 10. itinerary | j. habitual |

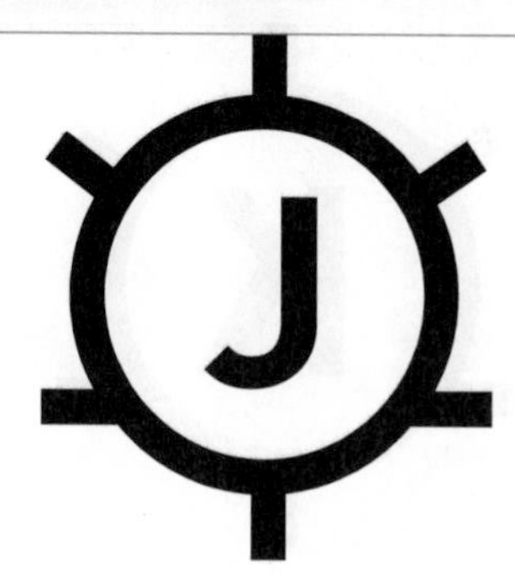

## JUDICIOUS [dʒuːdíʃəs] adj **exercising sound judgment** 현명한 판단을 하는

The judge was far from *judicious* ; he told the jury that he thought the defendant looked guilty and said that anyone who would wear a red bow tie into a courtroom deserved to be sent to jail.
판사는 결코 현명한 판단을 하는 사람이 아니었다 : 그는 배심원에게 피고인이 유죄인 것 같다는 자신의 생각을 전했을 뿐만 아니라 법정에 빨간 나비넥타이를 매고 온 사람은 모두 감옥으로 보내야 한다고 말했던 것이다.

The firefighters made *judicious* use of flame-retardant foam as the burning airplane skidded along the runway.
불이 붙은 비행기가 활주로를 따라 미끄러질 때, 소방수들은 현명하게 화염을 억제하는 포말을 사용했다.

The mother of twin boys *judiciously* used an electron microscope and a laser to divide the ice cream into equal parts.
쌍둥이 사내아이들의 엄마는 아이스크림을 똑같이 나누어주기 위해 현명하게도 전자 현미경과 레이저를 이용했다.

The word *judicial* is obviously closely related, but there is a critically important difference in meaning between it and *judicious*. A judge is *judicial* simply by virtue of being a judge ; *judicial* means having to do with judges, judgement, or justice. But a judge is *judicious* only if he or she exercises sound judgment.
judicial은 judicious와 확실히 밀접한 관련이 있는 단어이다. 그러나 의미상 결정적으로 중요한 차이가 있다. 판사는 단순히 판사임으로 해서 judicial이라 할 수 있다 : judicial은 법관이나 재판, 사법권과 관련이 있다는 의미이다. 그러나 판사가 현명한 판결을 내릴 때에만 judicious라는 표현을 쓸 수 있다.

## JUXTAPOSE [dʒʌ́kstəpòuz] v **to place side by side** 나란히 놓다

Comedy and tragedy were *juxtaposed* in the play, which was alternately funny and sad.
그 연극에는 희극과 비극이 나란히 배치되어 있어서 번갈아 가며 웃겼다 울렸다 했다.

*Juxtaposing* the genuine painting and the counterfeit made it much easier to tell which was which.
진품과 위조된 그림을 나란히 배치해두어서 어느 것이 진짜인지, 어느 것이 가짜인지 더 쉽게 알 수 있었다.

The final examination requires students to *juxtapose* two unrelated works of fiction.
기말시험의 문제는 관계없는 두 개의 소설을 병렬 배치하는 것이다.

* 명사형은 juxtaposition [dʒʌ̀kstəpəzíʃən].

**KINETIC** [kinétik, kai-] adj **having to do with motion ; lively ; active** **움직임과 관련된 ; 활발한 ; 활동적인**

*Kinetic* energy is energy associated with motion. A speeding bullet has a lot of *kinetic* energy.
운동에너지는 움직임과 관련된 에너지이다. 빠른 속도로 날고 있는 총알은 다량의 운동에너지를 갖고 있다.

*Kinetic* art is art with things in it that move. A mobile is an example of *kinetic* art.
Kinetic art는 예술 작품 안에 움직이는 어떤 요소가 들어 있는 것이다. 모빌은 키네틱 아트의 한 예이다.

A *kinetic* personality is a lively, active, moving personality.
kinetic personality는 생동감 있고, 활동적이며, 직접 움직이기 좋아하는 성격을 뜻한다.

## LABYRINTH [lǽbərinθ] n a maze ; something like a maze 미로 ; 미로 같은 것

Each of the fifty floors in the office building was a *labyrinth* of dark corridors and narrow passageways.
50층짜리 업무용 건물은 층마다 어두운 복도와 좁은 통로로 돼 있어 미궁 같았다.

The bill took many months to pass through the *labyrinth* of congressional approval.
그 법안이 미로 같은 국회의 승인 절차를 통과하는 데 여러 달이 걸렸다.

A *labyrinth* is *labyrinthine*, or mazelike. Before beginning construction on the new house, the contractor had to weave his way through the *labyrinthine* [læ̀bərínθi(:)n/-θain] bureaucracy in order to obtain a building permit.
labyrinth는 미로와 같이 복잡하거나 미궁과 같다. 새 집을 짓는 공사를 착수하기 전에 도급업자는 건축허가를 얻기 위해서 관료조직의 미로와도 같은 복잡한 절차를 거쳐야 했다.

## LACONIC [ləkɑ́nik] adj using few words, especially to the points of seeming rude 말을 적게 사용하는, 특히 무례하게 보일 정도로

The manager's *laconic* dismissal letter left the fired employees feeling angry and hurt.
사장이 내린 간단한 해고통지서는 해당직원들에게 마음의 상처를 입히고 분노케 했다.

When she went backstage, June discovered why the popular rock musician was so *laconic* in public : his voice was high and squeaky.
무대 뒤로 가서야, 준은 인기 있는 록가수가 왜 그토록 대중 앞에서 말이 없었는지 알게 되었다 : 그의 목소리는 톤이 높아 새된 소리가 났다.

## LAMENT [ləmént] v to mourn 애도하다

From the balcony of the bullet-pocked hotel, the foreign correspondents could hear hundreds of women and children *lamenting* the fallen soldiers.
외국의 특파원들은 총알 구멍이 나있는 호텔의 발코니에서 수백 명의 여자와 어린이들이 전몰군인들을 애도하는 소리를 들을 수 있었다.

As the snowstorm gained in intensity, Stan *lamented* his decision that morning to dress in shorts and a T-shirt.
눈보라가 강해지자, 스탄은 반바지에 티셔츠만 입고 나온 아침의 결정을 깊이 후회했다.

*Lamentable* [lǽməntəbl] or [ləméntəbl] means regrettable.
lamentable은 유감스러운, 후회되는 이라는 의미.
* 위에 제시된 단어의 발음에 주의할 것.

**LAMPOON** [læmpúːn] v **to satirize ; to mock, to parody** 풍자하다 ; 흉내내서 조롱하다 ; 흉내내서 풍자하다

The irreverent students mercilessly *lampooned* their Latin teacher's lisp in a skit at the school talent show.
학생들은 학예회의 풍자극에서 불손하게도 라틴어 선생님의 혀 짧은소리를 가차없이 흉내냈다.

*The Harvard Lampoon*, the nation's oldest humor magazine, has *lampooned* just about everything there is to *lampoon* in its 112-year history.
미국에서 가장 오래된 유머잡지인 The Harvard Lampoon은 112년의 역사 속에서 풍자할 만한 것은 모두 풍자했다.

**LANGUISH** [lǽŋgwiʃ] v **to become weak, listless, or depressed** 약해지거나 활기가 없어지고 기분이 가라앉다

The formerly eager and vigorous accountant *languished* in his tedious job at the international conglomerate.
전에는 열정적이고 활기가 넘쳤던 그 회계사는 국제적 복합기업에서 지루한 업무를 맡으면서 생기가 없어졌다.

The longer Jill remained unemployed, the more she *languished* and the less likely it became that she would find another job.
질은 실직상태가 오래 지속될수록 점점 더 느른해져서 다른 직장을 구할 것 같지 않게 되었다.

To *languish* is to be *languid*. The child seemed so *languid* that his father thought he was sick and called the doctor. It turned out that the little boy had simply had an overdose of television.
languish의 형용사형은 languid. 아이가 너무나 기운이 없는 듯 보여서, 아버지는 아이가 아픈 것이 아닌가 싶어 의사를 불렀다. 그러나 단순히 아이가 텔레비전을 너무 많이 봤기 때문인 것으로 밝혀졌다.

**LARGESS** [lɑːrdʒés] n **generous giving of gifts (or the gifts themselves) ; generosity ; philanthropy** 아낌없이 주는 선물(혹은 선물 그 자체) ; 관대한 자선 ; 자선 행위

Sam was marginally literate at best. Only the *largess* of his uncle got Sam into Princeton.
샘은 기껏해야 조금 읽고 쓸 줄 아는 게 고작이었다. 단지 삼촌의 기부금 덕분에 프린스턴 대학에 들어갈 수 있었다.

* largesse로 표기하기도 한다.

* 발음에 주의할 것.

**LATENT** [léitənt] adj **present but not visible or apparent ; potential** 눈으로 볼 수 있거나 확실하지는 않지만 존재하는 ; 잠재적인

A photographic image is *latent* in a piece of exposed film ; it's there, but you can't see it until the film is developed.
사진에 나타나는 상은 노출한 필름에 존재한다 ; 상은 분명 거기에 있지만, 필름이 현상되기 전에는 볼 수 없다.

**LAUD** [lɔːd] v **to praise ; to applaud ; to extol ; to celebrate** 칭찬하다 ; 환호하다 ; 격찬하다 ; 찬양하다

The bank manager *lauded* the hero who trapped the escaping robber. The local newspaper published a *laudatory* editorial on this intrepid individual.
은행장은 도주하던 강도를 잡은 영웅을 극구 칭찬했다. 지역신문도 이 용감한 인물에 대해 격찬하는 사설을 실었다.

* 형용사는 laudatory(칭찬하는).

Giving several million dollars to charity is a *laudable* act of philanthropy. *Laudable* means praiseworthy.
수백만 달러를 자선 단체에 기부하는 것은 칭찬 받을 만한 박애적 행위이다. laudable은 칭찬 받을 만한.

**LEGACY** [légəsi] n **something handed down from the past ; a bequest** 과거로부터 물려받은 것 ; 유산

The *legacy* of the corrupt administration was chaos, bankruptcy, and despair.
부패한 정부로부터 물려받은 것은 혼란과 파산과 절망뿐이었다.

A shoebox full of baseball cards was the dead man's only *legacy*.
야구 카드가 가득 들어있는 신발 상자가 망자의 유일한 유품이었다.

To be a *legacy* at a college sorority is to be the daughter of a former sorority member.
대학 내 여학생 클럽에서 legacy라는 것은 전 회원의 딸을 가리키는 말이다.

**LETHARGY** [léθərdʒi] n **sluggishness ; laziness ; drowsiness ; indifference** 게으름 ; 나태함 ; 나른함 ; 무관심

The couch potato had fallen into a state of such total *lethargy* that he never moved except to change channels or get another bag of Doritos from the kitchen.
할 일없이 빈둥대던 사람(couch potato)은 지독히도 게을러져서 텔레비전 채널을 돌리거나 부엌으로 새 감자칩을 가지러 갈 때를 제외하곤 결코 움직이지 않았다.

The *lethargy* of the library staff caused what should have been a quick errand to expand into a full day's work.
도서관 직원의 게으름 때문에 벌써 끝났어야 할 일이 하루종일 지연되었다.

To be filled with *lethargy* is to be *lethargic*. The *lethargic*[leθɑ́ːrdʒik] teenagers took all summer to paint the Hendersons' garage.
lethargy로 가득한 상태를 lethargic라 한다. 10대 아이들이 게으른 탓에 헨더슨네 차고를 새로 페인트칠하는 데 여름 내내 걸렸다.

**LEVITY** [lévəti] n **lightness ; frivolity ; unseriousness** 가벼움 ; 경솔함 ; 경박스러움

To *levitate* something is to make it so light that it floats up into the air. *Levity* comes from the same root and has to do with a different kind of lightness.
무엇인가를 levitate 하는 것은 대상을 공중에 띄울 수 있을 정도로 가볍게 만드는 것이다. levity 는 어원은 같지만 다른 종류의 가벼움과 관계가 있다.

The speaker's *levity* was not appreciated by the convention of funeral directors, who felt that a convention of funeral directors was no place to tell jokes.
장례식 감독자회의를 농담하기에는 적절치 못한 곳이라고 생각하는 장례식 관계자들은 화자의 가벼운 농담을 좋아하지 않았다.

The judge's attempt to inject some *levity* into the dreary court proceedings (by setting off a few firecrackers in the jury box) was entirely successful.
판사는 따분한 재판이 진행되는 도중, 긴장을 해소하는 약간의 가벼운 장난(배심원석에 폭죽을 조금 터뜨리는 것)을 했는데, 그것은 아주 성공적이었다.

## QUICK QUIZ 54

Match each word in the first column with its definition in the second column. Check your answers in the back of the book.

| | |
|---|---|
| 1. judicious | a. sluggishness |
| 2. juxtapose | b. lightness |
| 3. kinetic | c. using few words |
| 4. labyrinth | d. maze |
| 5. laconic | e. place side by side |
| 6. lament | f. present but not visible |
| 7. lampoon | g. bequest |
| 8. languish | h. active |
| 9. latent | i. become weak |
| 10. laud | j. satirize |
| 11. legacy | k. mourn |
| 12. lethargy | l. praise |
| 13. levity | m. exercising sound judgment |

**LIBEL** [láibl] n **a written or published falsehood that injures the reputation of, or defames, someone** 명예를 손상시키는 허위사실을 쓰거나 출판하는 것

The executive said that the newspaper had committed *libel* when it called him a stinking, no-good, corrupt, incompetent, overpaid, lying, worthless moron. He claimed that the newspaper had *libeled* him, and that its description of him had been *libelous*. At the trial, the jury disagreed, saying that the newspaper's description of the executive had been substantially accurate.
이사는 그 신문이 자신의 명예를 훼손했다고 말했다. 그가 저질이며, 고약하고, 부패했으며, 무능력하면서 월급만 많이 받고, 거짓말쟁이에다 가치 없는 얼간이라고 신문은 썼던 것이다. 그는 신문이 자신의 명예를 훼손했다고 주장했다. 재판에서, 배심원은 그에 대한 신문기사가 대체로 사실이라고 인정하면서 그의 말에 동의하지 않았다.

Don't confuse this word with *liable*, which has an entirely different meaning.
전혀 다른 의미를 갖고 있는 liable(~하기 쉬운)과 혼동하지 말아라.

*Slander* is just like *libel* except that it is spoken instead of written. To *slander* someone is to say something untrue that injures that person's reputation.
글이 아니라 말로 하는 것이라는 것만 제외하면, slander는 libel과 같은 뜻이다. 누군가를 slander 하는 것은 어떤 이에 대하여 명예를 훼손하는 허위사실을 말하는 것이다.

**LITIGATE** [lítəgèit] v **to try in court; to engage in legal proceedings** 제소하다 ; 법적 소송에 들어가다

His lawyer thought a lawsuit would be fruitless, but the client wanted to *litigate*. He was feeling *litigious* [litídʒəs] ; that is, he was feeling in a mood to go to court.
그의 변호사는 소송이 성과 없이 끝날 것이라고 생각했다. 하지만, 의뢰인은 소송하기를 원했다. 그는 소송이 꼭 필요하다고 생각했다 ; 다시 말해서, 그는 법정까지 반드시 가야 할 상황이라고 느끼고 있었던 것이다.

When the company was unable to recover its money outside of court, its only option was to *litigate.*
법정 밖에서는 돈을 되찾을 수 없게 되자, 회사의 남은 유일한 선택은 소송을 거는 것뿐이었다.

To *litigate* is to engage in *litigation* ; a court hearing is an example of *litigation.*
litigate는 소송에 참여하는 것 ; 법정 청문회는 소송의 일종이다.
* litigious의 발음에 주의할 것.

## LOQUACIOUS [loukwéiʃəs] adj talking a lot or too much 말을 너무 많이 하는

The child was surprisingly *loquacious* for one so small.
아이는 그렇게 적은 나이에도 놀라울 정도로 말이 많았다.

Mary is so *loquacious* that Belinda can sometimes put down the telephone receiver and run a load of laundry while Mary is talking.
메리는 워낙 말이 많아서 벨린다는 때때로 그녀가 얘기하는 동안에 수화기를 내려놓고 빨래를 할 수 있을 정도이다.

A *loquacious* person is one who is characterized by *loquaciousness* or *loquacity* [loukwǽsəti].
말이 많은 사람은 loquaciousness 나 loquacity(수다스러움)의 성격을 가진 사람.

The English teacher's *loquacity* in class left little time for any of the students to speak, which was fine with most of the students.
수업시간에 영어선생님이 워낙 말이 많았던 탓에, 학생들이 발표할 시간은 거의 남아있지 않았다. 대부분의 학생들은 그런 상황을 좋아했다.

## LUCID [lú:sid] adj clear ; easy to understand 명쾌한 ; 이해하기 쉬운

The professor's explanation of the theory of relativity was so astonishingly *lucid* that even I could understand it.
상대성 이론에 관한 교수의 설명은 나도 이해할 수 있을 정도로 놀랍도록 명쾌했다.

Hubert's remarks were few but *lucid*: he explained the complicated issue with just a handful of well-chosen words.
허버트의 설명은 짧지만 명쾌했다: 그는 복잡한 문제를 몇 개의 적절한 단어로 쉽게 설명했다.

The extremely old man was *lucid* right up until the moment he died ; his body had given out but his mind was still going strong.
그 사람은 나이가 아주 많았지만 죽는 순간까지도 명석했다 ; 그의 몸은 쇠약했지만 정신만은 여전히 튼튼했다.

To *elucidate* something is to make it clear, to explain it. The poem was an enigma until a second grader in Encino, California, *elucidated* it for his admiring elders.
to elucidate something은 명확히 하거나 명백하게 설명하는 것이다. 캘리포니아의 엔시노에 있는 2학년 학생이 선배들에게 명쾌하게 설명하여 그들을 감탄하게 하기 전까지 그 시는 수수께끼였다.

## LUGUBRIOUS [lu:gú:briəs] adj exaggeratedly mournful 지나치게 슬퍼하는

* 발음에 주의할 것.

To be mournful is to be sad and sorrowful. To be *lugubrious* is to make a big show of being sad and sorrowful.
to be mournful은 슬퍼서 비탄에 잠겼다는 의미. to be lugubrious는 슬픔과 비탄에 잠긴 것을 과장해서 보인다는 의미.

Harry's *lugubrious* eulogy at the funeral of his dog eventually made everyone start giggling.
개의 장례식에서 해리의 과장된 애도사 때문에 사람들은 낄낄거리기 시작했다.

The valedictorian suddenly turned *lugubrious* and began sobbing and tearing her hair at the thought of graduating from high school.
졸업생 대표는 고등학교를 졸업한다는 생각에 갑자기 슬픔이 복받쳐 머리를 뜯으며 흐느끼기 시작했다.

**LUMINOUS** [lúːmənəs] adj **giving off light ; glowing ; bright** 빛을 내는 ; 빛나는 ; 밝은

The moon was a *luminous* disk in the cloudy nighttime sky.
달은 구름 낀 밤하늘에서 밝은 빛을 내는 둥근 원반이었다.

The snow on the ground appeared eerily *luminous* at night—it seemed to glow.
밤이 되면 땅 위의 눈은 기괴한 빛을 발하는 듯했다. — 마치 반짝이는 것 같았다.

The dial on my watch is *luminous*, it casts a green glow in the dark.
내 시계의 바늘은 야광이다 ; 그것은 어둠 속에서 녹색의 빛을 발한다.

## QUICK QUIZ 55

Match each word in the first column with its definition in the second column. Check your answers in the back of the book.

| | |
|---|---|
| 1. libel | a. giving off light |
| 2. slander | b. try in court |
| 3. litigate | c. exaggeratedly mournful |
| 4. loquacious | d. easy to understand |
| 5. lucid | e. written injurious falsehood |
| 6. lugubrious | f. spoken injurious falsehood |
| 7. luminous | g. talking a lot |

**MACHINATION** [mæ̀kənéiʃən] n **scheming activity for an evil purpose** 나쁜 목적을 위한 활동을 계획하는 것, 음모

* 발음에 주의할 것.

This word is almost always used in the plural—*machinations*—in which form it means the same thing.
이 단어는 거의 언제나 복수로 사용되며, 뜻은 같다.

The ruthless *machinations* of the mobsters left a trail of blood and bodies.
잔혹한 음모를 세운 폭력배들은 피와 시체를 남겼다.

The *machinations* of the conspirators were aimed at nothing less than the overthrow of the government.
음모가들의 계획은 바로 정부 전복을 목표로 했다.

This word is often used imprecisely to mean something like "machinelike activity." It should not be used in this way.
이 단어는 "기계 같은 행위"를 의미하는 것으로 잘못 쓰는 경우가 많다. 이런 식으로 쓰지 말아야 한다.

**MAGNANIMOUS** [mægnǽnəməs] adj **forgiving ; unresentful ; noble in spirit ; generous** 관대히 용서하는 ; 관대한 ; 영혼이 고결한 ; 아량 있는

The boxer was *magnanimous* in defeat, telling the sports reporters that his opponent had simply been too talented for him to beat.
권투선수는 패배에도 관대했다. 그는 상대선수가 워낙 뛰어나서 자신이 질 수밖에 없었다고 스포츠 기자들에게 말했다.

Mrs. Jones *magnanimously* offered the little boy a cookie when he came over to confess that he had broken her window while attempting to shoot her cat with his pellet gun.
새총으로 고양이를 맞추려다가 유리창을 깨뜨린 소년은 사실을 고백하러 존슨부인을 찾아왔다. 그녀는 넓은 아량으로 소년에게 과자까지 주었다.

To be *magnanimous* is to have *magnanimity*[mæ̀gnəníməti]. The *magnanimity* of the conquering general was much appreciated by the defeated soldiers.
magnanimous의 명사형은 magnanimity. 적군을 함락시킨 장군은 관대함을 베풀어서 패전국 병사들로부터 많은 감사를 받았다.

**MAGNATE** [mǽgneit, -nət] n **a rich, powerful, or very successful business-person** 돈 많고 권력 있는, 또는 아주 성공한 사업가

John d. Rockefeller was a *magnate* who was never too busy to give a shoeshine boy a dime for his troubles.
록펠러는 거물이었다. 바쁘다는 핑계로 구두닦이 소년에게 수고비도 주지 않는 그런 사람이 절대 아니었다.

**MALAISE** [mæléiz] v **a feeling of depression, uneasiness, or queasiness** **의기소침이나 불안, 또는 불쾌함**

*Malaise* descended on the calculus class when the teacher announced a quiz.
미적분학 시간에 선생님이 시험을 보겠다고 하자 불안감이 교실을 엄습했다.

**MALFEASANCE** [mælfí:zəns] n **an illegal act, especially by a public official** **불법적 행위, 특히 공무원의**

President Ford officially pardoned former president Nixon before the latter could be convicted of any *malfeasance*.
포드 대통령은 닉슨 전 대통령이 부정부패로 유죄판결을 받기 전에, 공식적으로 그를 사면했다.

**MALINGER** [məlíŋgər] v **to pretend to be sick to avoid doing work** **일하기 싫어 아픈 척하다, 꾀병부리다**

Indolent Leon always *malingered* when it was his turn to clean up the house. Arthur is artful and he always manages to *malinger* before a big exam.
게으른 레온은 자신이 집안을 청소할 차례가 되면 항상 꾀병을 부렸다. 교활한 아더는 항상 큰 시험 전에는 꾀병을 부린다.

**MALLEABLE** [mǽliəbl] adj **easy to shape or bend** **모양을 만들거나 구부리기 쉬운**

Modeling clay is very *malleable*.
만들기용 찰흙은 변형이 아주 쉽다.

So is Stuart. We can make him do whatever we want him to do.
스튜어트도 찰흙처럼 그렇다. 우리가 원하는 것은 무엇이나 하도록 그를 조종할 수 있다.

**MANDATE** [mǽndeit] n **a command or authorization to do something ; the will of the voters as expressed by the results of an election** **명령, 또는 뭔가를 할 수 있는 권한 ; 선거의 결과로 표현된 유권자들의 의지=권한의 위임**

Our *mandate* from the executive committee was to find the answer to the problem as quickly as possible.
이사회에서 내려온 지시는 가능한 한 빨리 문제의 해결책을 찾으라는 것이었다.

The newly elected president felt that the landslide vote had given him a *mandate* to do whatever he wanted to do.
새로 선출된 대통령은 투표에서 압도적인 승리를 하게 되자 원하는 것은 무엇이나 할 수 있는 권한을 자신에게 부여하는 것으로 생각했다.

*Mandate* can also be a verb. To *mandate* something is to command or require it.
mandate는 동사로도 쓰인다. 뜻은 명령하다, 요구하다.

A closely related word is *mandatory*, which means required or obligatory.
밀접한 관련이 있는 단어로 '필수적인, 강제적인' 이라는 뜻의 mandatory가 있다.

**MANIFEST** [mǽnəfèst] adj **visible ; evident** **분명한 ; 명백한**

Daryl's anger at us was *manifest*: you could see it in his expression and hear it in his voice.
대릴은 우리에게 화를 내고 있음이 분명했다: 표정에서도 알 수 있고 그의 목소리를 들어봐도 알 수 있었다.

There is *manifest* danger in riding a pogo stick along the edge of a cliff.
절벽 끝을 따라서 a pogo stick(주 : 우리 나라의 스카이 콩콩 같은 놀이)을 타는 것은 명백하게 위험한 일이다.

*Manifest* can also be a verb, in which case it means to show, to make visible, or to make evident. Rusty has been sick for a very long time, but it was only recently that he began to *manifest* symptoms.
동사로 쓰일 경우 보여주다, 보이게 하다, 분명히 하다. 루스티는 아주 오랫동안 앓고 있었지만, 뚜렷한 증상이 드러난 것은 겨우 최근의 일이었다.

Rebecca *manifested* alarm when we told her that the end of her ponytail was on fire, but she didn't do anything to put it out.
레베카의 묶은 머리끝에 불이 붙었다고 하자, 그녀는 놀란 듯 보였다. 그러나 불을 끄려는 어떤 행동도 하지 않았다.

A visible sign of something is called a *manifestation* of it. A lack of comfort and luxury is the most obvious *manifestation* of poverty.
명사형은 a manifestation(명시, 징후). 안락함과 향락의 결핍은 명백히 가난함의 징후이다.

**MANIFESTO** [mæ̀nəféstou] n **a public declaration of beliefs or principles, usually political ones** **신념이나 원칙에 관한 공식적인 선언서, 대개 정치적인 선언 — 성명서**

The *Communist Manifesto* was a document that spelled out Karl Marx's vision of a Communist world.
공산당선언은 칼 마르크스가 공산주의적 세계에 대한 청사진을 제시한 성명서였다.

Jim's article about the election was less a piece of reporting than a *manifesto* of his political views.
선거에 대한 짐의 기사는 취재기사라기보다는 자신의 정치적 견해를 담은 성명서의 성격이 더 많았다.

**MARSHAL** [mɑ́ːrʃəl] v **to arrange in order ; to gather together for the purpose of doing something** **순서대로 정렬하다 ; 목적을 가지고 한데 모으다**

The statistician *marshaled* his facts before making his presentation.
통계학자는 발표를 하기 전에 사실부터 늘어놓았다.

The general *marshaled* his troops in anticipation of making an attack on the enemy fortress.
적의 요새를 공격하기 위한 준비로 장군은 미리 군대를 정렬시켰다.

We *marshaled* half a dozen local groups in opposition to the city council's plan to bulldoze our neighborhood.
우리동네를 불도저로 밀어버리려는 시의회의 계획에 반대해서, 우리는 여섯 개의 지역단체를 하나로 결집했다.

**MARTIAL** [mɑ́ːrʃəl] adj **warlike ; having to do with combat** **전쟁의 ; 전투와 관련된**

*Martial* is often confused with *marital*[mǽrətl], which means having to do with marriage. Marriages are sometimes *martial*, but don't confuse these words.
martial 은 결혼과 관계된 단어인 marital 과 자주 혼동된다. 결혼생활이 때때로 전쟁과 같기는 하지만, 두 단어를 혼동하지는 말아라.

Karate and judo are often referred to as *martial* arts.
가라데와 유도는 종종 격투기라고 얘기된다.

The parade of soldiers was *martial* in tone ; the soldiers carried rifles and were followed by a formation of tanks.
군인들의 행진은 호전적이었다 ; 그들은 라이플 총을 소지하고 있었으며 탱크의 대열이 뒤를 따르고 있었다.

The school principal declared *martial* law when food riots erupted in the cafeteria.
카페테리아에 음식소동이 일어나자 교장은 계엄령을 선포했다.

**MARTYR** [mάːrtər] n **someone who gives up his or her life in pursuit of a cause, especially a religious one ; one who suffers for a cause ; one who makes a show of suffering in order to arouse sympathy** 이상을 추구하기 위해 자신의 삶을 포기한 사람, 특히 종교적 이상 — 순교자 ; 소명 때문에 고통받는 사람 — 희생자 ; 공감을 불러일으키기 위해 고통받는 모습을 보이는 사람 — 수난자

Many of the saints were also *martyrs*, they were executed, often gruesomely, for refusing to renounce their religious beliefs.
성인들의 대부분은 또한 순교자이기도 했다 : 그들은 자신들의 종교적 신념을 부인하기를 거부했다는 이유로 종종 처참하게 처형당했다.

Jacob is a *martyr* to his job ; he would stay at his desk twenty-four hours a day if his wife and the janitor would let him.
제이콥은 자신의 일에 목숨을 거는 사람이다 : 아내와 사무실 관리인만 허락한다면, 그는 하루 24시간이라도 사무실 책상을 지키고 있을 사람이다.

Eloise played the *martyr* during hay fever season, trudging wearily from room to room with a jumbo box of Kleenex in each hand.
엘로이즈는 때만 되면 건초열(주:열병의 일종)에 시달렸다. 양손에 대형 휴지를 들고 이 방 저 방으로 녹초가 되어 몸을 끌고 다녔다.

**MATRICULATE** [mətríkjulèit] v **to enroll, especially at a college** 입학하다, 특히 대학에

Benny told everyone he was going to Harvard, but when he actually *matriculated* it was at the local junior college.
베니는 모든 사람들에게 하버드에 갈 거라고 떠들어댔다. 그러나 정작 대학에 입학했을 때는, 하버드가 아니라 지방의 전문대였다.

## QUICK QUIZ 56

Match each word in the first column with its definition in the second column. Check your answers in the back of the book.

| | |
|---|---|
| 1. machination | a. forgiving |
| 2. macroeconomic | b. easy to shape |
| 3. magnanimous | c. depression |
| 4. magnate | d. command to do something |
| 5. malaise | e. scheming evil activity |
| 6. malfeasance | f. public declaration |
| 7. malinger | g. pretend to be sick |
| 8. malleable | h. visible |
| 9. mandate | i. one who dies for a cause |
| 10. manifest | j. arrange in order |
| 11. manifesto | k. illegal act |
| 12. marshal | l. enroll |
| 13. martial | m. warlike |
| 14. martyr | n. rich businessperson |
| 15. matriculate | o. dealing with the economy at large |

## MAUDLIN [mɔ́ːdlin] adj silly and overly sentimental 어리석고 지나치게 감상적인

The high school reunion grew more and more *maudlin* as the participants had more and more to drink.
참가자들이 점점 더 술에 취하면서 고등학교 동창회는 더욱 더 감상적이 되어갔다.

The old lady had a *maudlin* concern for the worms in her yard ; she would bang a gong before walking in the grass in order to give them a chance to get out of her way.
노부인은 정원의 벌레들에게조차 지나치게 연민을 가지고 신경을 썼다 ; 그녀는 잔디를 걷기 전에 벌레들이 비켜갈 수 있도록 종을 쳐서 미리 소리를 내곤 했다.

## MAVERICK [mǽvərik] v a nonconformist ; a rebel 동조하지 않는 사람 ; 반역자

The word *maverick* originated in the Old West. It is derived from the name of Samuel A. Maverick, a Texas banker who once accepted a herd of cattle in payment of a debt. Maverick was a banker, not a rancher. He failed to confine or brand his calves, which habitually wandered into his neighbors' pastures. Local ranchers got in the habit of referring to any unbranded calf as a *maverick*. The word is now used for anyone who has refused to be "branded"—who has refused to conform.
maverick이라는 단어는 서부시대에 처음 생긴 단어로, 사무엘 매버릭이라는 사람의 이름에서 유래한 말이다. 사무엘 매버릭이라는 사람은 채무를 변제 받기 위해 수십 마리의 소를 대신 받기도 했던 텍사스의 은행가였다. 그는 목장주가 아니라 은행가였으므로 새끼소에 낙인을 찍거나 소를 가두는 일을 잘 하지 못했다. 그래서 그의 소들은 시도 때도 없이 이웃 목장을 돌아다녔다. 그 이후로 근처의 목장주들은 낙인이 찍히지 않은 소들을 maverick라고 부르게 되었다. 이 단어는 오늘날 '어떤 것으로 "낙인찍혀" 한데 묶이는 것을 거부하는 사람' — 규칙이나 관습에 순응하지 않으려는 사람 — 이라는 뜻으로 쓰인다.

The political scientist was an intellectual *maverick* ; most of his theories had no followers except himself.
그 정치학자는 지식인계의 이단자였다 : 그의 이론은 대부분 그 자신을 제외하곤 지지하는 사람이 없었다.

*Maverick* can also be an adjective. The *maverick* police officer got in trouble with the department for using illegal means to track down criminals.
maverick은 형용사이기도 하다. 독불장군인 경찰관은 범인을 추적하는 과정에서 비합법적인 방법을 사용했다는 이유로 부서에서 문제를 일으켰다.

## MAXIM [mǽksim] n a fundamental principle ; an old saying 기본이 되는 원칙, 좌우명 ; 격언

We always tried to live our lives according to the *maxim* that it is better to give than to receive.
우리는 항상 '받는 것보다는 주는 것이 더 낫다' 라는 좌우명을 지키며 살려고 노력했다.

No one in the entire world is entirely certain of the differences in meaning among the words *maxim*, *adage*, *proverb* and *aphorism*.
격언, 금언, 속담, 경구의 의미상 차이점을 확실하게 아는 사람은 전세계에 아무도 없다.

## MEDIATE [míːdièit] v to help settle differences 의견차이를 조절하기 위해 돕다, 중재하다

The United Nations representative tried to *mediate* between the warring countries, but the soldiers just kept shooting at one another.
유엔 대표부는 전쟁중인 나라들을 중재하기 위해 애썼다. 그러나 군인들은 오로지 서로를 향해 계속해서 총을 쏘아댈 뿐이었다.

Joe carried messages back and forth between the divorcing husband and wife in the hope of *mediating* their differences.
이혼하려는 부부를 중재하기 위해, 조는 둘 사이를 왔다갔다 하며 서로의 의견을 조율했다.

To *mediate* is to engage in *mediation*. When two opposing groups, such as a trade union and the management of a company, try to settle their differences through *mediation*, they call in a *mediator* to listen to their cases and make an equitable decision.
mediation은 중재. 노동조합과 회사의 경영진 같은 두 단체가 중재를 통해서 서로의 의견을 조율하려 할 때는 그들은 자신들의 입장을 잘 들어주고 적절한 합의를 끌어낼 수 있는 중재자를 요청한다 .

**MELLIFLUOUS** [məlífluəs, mel-] adj **sweetly flowing** **달콤하게 흐르는, 감미로운**

*Mellifluous* comes from Greek words meaning, roughly, "honey flowing," We use the word almost exclusively to describe voices, music, or sounds that flow sweetly, like honey.
mellifluous는 대략 "꿀이 흘러 넘치는"이라는 뜻의 그리스어에서 유래한 단어이다. 우리는 이 단어를 꿀처럼 감미롭게 흐르는 음악이나 목소리나 소리를 묘사할 때에만 한정해서 사용하고 있다.

Melanie's clarinet playing was *mellifluous*: the notes flowed smoothly and beautifully.
멜라니의 클라리넷 연주는 감미로웠다 ; 부드럽고 아름다운 선율이 물결쳤다.

The choir's *mellifluous* singing made us feel as though we were being covered with a sticky yellow liquid.
합창단의 감미로운 노래는 마치 노란색의 끈적거리는 액체에 둘러싸인 듯한 느낌을 주었다.

**MENDACIOUS** [mendéiʃəs] adj **lying ; dishonest** **거짓말하는 ; 정직하지 못한**

Children are naturally *mendacious*. If you ask them what they are doing, they will automatically answer, "Nothing."
아이들은 천성적으로 거짓말을 한다. 무엇을 하고 있느냐고 물어보면, 아이들은 자동적으로 "아무 것도 안 해요"라고 대답할 것이다.

The jury saw through the *mendacious* witness and convicted the defendant.
배심원은 정직하지 못한 증인을 꿰뚫어보고서 피고인의 유죄를 확정했다.

To be *mendacious* is to engage in *mendacity*, or lying. I have no flaws, except occasional *mendacity*. Don't confuse this word with *mendicant*, listed below.
mendacious의 명사형은 mendacity. 가끔 거짓말하는 것을 빼면, 나는 결점이 없는 사람이다. 바로 아래에 제시되는 mendicant(동냥아치)와 이 단어를 혼동하지 말아라.

**MENDICANT** [méndikənt] n **a beggar** **거지**

The presence of thousands of *mendicants* in every urban area is a sad commentary on our national priorities.
모든 도시들마다 수천 명의 거지가 있다는 사실은 우리 나라의 정책의 우선 순위에 있어서 슬픈 현실이다.

**MENTOR** [méntɔːr] n **a teacher, tutor, counselor or coach ; especially in business, an experienced person who shows an inexperienced person the ropes** **선생님, 교사, 조언자, 또는 코치 ; 특히 사업에 있어서 신참에게 비결을 가르쳐주는 경험 많은 사람**

*Mentor* is too big a word to apply to just an ordinary teacher. A student might have many teachers but only one *mentor*—the person who taught him what was really important.
mentor는 평범한 선생에게 적용하기에는 너무 뜻이 큰 단어이다. 한 학생에게는 여러 명의 선생님이 있을 수 있지만, 오직 한 분의 '스승'만이 있을 수 있다. — 스승은 그 학생에게 정말로 중요한 것을 가르쳐준 사람이다.

Chris's *mentor* in the pole vault was a former track star who used to hang out by the gym and give the students pointers.
크리스의 장대높이뛰기 코치는 전 육상스타로 체육관 옆에 살면서 학생들을 지도했었다.

Young men and women in business often talk about the importance of having a *mentor*—usually an older person at the same company who takes an interest in them and helps them get ahead by showing them the ropes.
젊은 직장인들은 선배를 갖는다는 것의 중요성에 관해 자주 이야기한다. — 여기서의 선배란 신참들에게 관심을 갖고, 비법을 가르쳐주며 잘 해나갈 수 있도록 도와주는 같은 직장 내의 나이 많고 경험이 풍부한 사람을 일컫는다.
* mentor를 동사로 사용하는 경우가 자주 있는데, 그것은 틀린 용법이다.

**MERCENARY** [mə́ːrsənèri] n **a hired soldier ; someone who will do anything for money** 고용된 군인, 용병 ; 돈을 위해서라면 무슨 일이든 하는 사람

If an army can't find enough volunteers or draftees, it will sometimes hire *mercenaries*. The magazine *Soldier of Fortune* is aimed at *mercenaries* and would-be *mercenaries* ; it even runs classified advertisements by soldiers looking for someone to fight.
군대는 충분한 지원자나 징집자를 확보하지 못하면, 때로는 용병을 고용하기도 한다. Soldier of Fortune이라는 잡지는 용병과 용병이 되고자 하는 사람들을 겨냥하고 발행된다 ; 이 잡지에는 심지어 싸울 대상을 찾고 있는 군인들의 광고란이 별도로 마련되어 있을 정도이다.

You don't have to be a soldier to be a *mercenary*. Someone who does something strictly for the money is often called a *mercenary*.
mercenary가 반드시 용병만을 의미하는 것은 아니다. 오직 돈을 위해서 일을 하는 사람도 종종 mercenary라고 불린다.

Our business contains a few dedicated workers and many, many *mercenaries*, who want to make a quick buck and then get out.
우리 회사에는 헌신적인 직원은 소수이고 오직 돈을 목적으로 일하는 사람들만 아주 많이 있다. 그들은 빨리 돈을 벌어 회사를 떠날 생각만 하는 사람들이다.

* Mercenary는 형용사로도 사용된다.

Larry's motives in writing the screenplay for the trashy movie were strictly *mercenary*—he needed the money.
래리가 쓰레기 같은 영화의 시나리오를 집필하게 된 것은 순전히 돈 때문이었다. -그는 정말로 돈이 필요했던 것이다.

**MERCURIAL** [məːrkjúəriəl] adj **emotionally unpredictable ; rapidly changing in mood** 감정의 변화를 예측하기 어려운, 변덕스러운 ; 기분이 급작스럽게 바뀌는

A person with a *mercurial* personality is one who changes rapidly and unpredictably between one mood and another.
변덕스러운 성격을 가진 사람은 예측할 수 없을 정도로 급속히 기분이 바뀌는 사람이다.

*Mercurial* Helen was crying one minute, laughing the next.
변덕스러운 헬렌은 금방 울었다가 다음 순간에 웃고 있었다.

**METAMORPHOSIS** [mètəmɔ́ːrfəsis] n **a magical change in form ; a striking or sudden change** 마법 같은 형태의 변화 ; 두드러진, 또는 갑작스런 변화

When the magician passed his wand over Eileen's head, she underwent a bizarre *metamorphosis* : she turned into a hamster.
마법사의 지팡이가 에일린의 머리 위를 스치고 지나가자 그녀에게 기괴한 변화가 일어났다 : 에일린이 햄스터로 변해버린 것이다.

Damon's *metamorphosis* from college student to Hollywood superstar was so sudden that it seemed a bit unreal.
대학생에서 할리우드의 슈퍼스타로, 데몬의 변신은 너무 갑작스럽게 일어나서 약간 비현실적인 것처럼 보였다.

* 동사는 metamorphose.

No matter how hard he tried, the accountant was unable to *metamorphose* the losses into gains.
아무리 애를 쓴다고 해도, 회계사는 손실을 이익으로 변화시킬 수 없었다.

## Q U I C K   Q U I Z 

Match each word in the first column with its definition in the second column. Check your answers in the back of the book.

| | |
|---|---|
| 1. maudlin | a. teacher |
| 2. maverick | b. fundamental principle |
| 3. maxim | c. lying |
| 4. mediate | d. help settle differences |
| 5. mellifluous | e. sweetly flowing |
| 6. mendacious | f. nonconformist |
| 7. mendicant | g. emotionally unpredictable |
| 8. mentor | h. magical change in form |
| 9. mercenary | i. overly sentimental |
| 10. mercurial | j. hired soldier |
| 11. metamorphosis | k. beggar |

**MICROCOSM** [máikrəkɑ̀zm] n **the world in miniature** 축소된 세계

The *cosmos* is .the heavens, *cosmopolitan* means worldly, and a *microcosm* is a miniature version of the world. All three words are related.
cosmos는 천체, cosmopolitan은 세상의, microcosm은 세상의 축소판. 이들 세 단어는 서로 관련이 있다.

The opposite of *microcosm* is a *macrocosm* [mǽkrəkɑ̀zm]. A *macrocosm* is a large-scale representation of something, or the universe at large.
microcosm 의 반의어는 macrocosm. macrocosm은 사물의 거대모형, 또는 대우주.

**MILIEU** [miljúː/-ljə́ː] n **environment ; surroundings** 환경 ; 주위 상황

A caring and involved community is the proper *milieu* for raising a family.
애정과 포용이 있는 사회 분위기는 가족을 성장시키기 위한 적절한 환경이다.

The farmer on vacation in the big city felt out of his *milieu*.
대도시에서 휴가중인 농부는 자신의 환경을 벗어난 듯한 느낌이 들었다.

**MINUSCULE** [mínʌskjùːl] adj **very tiny** 매우 작은

Be careful with the spelling of this word. People tend to spell it "miniscule." Think of *minus*.
이 단어의 철자법에 주의할 것. "miniscule" 이라고 잘못 쓰는 경향이 있다. minus를 생각하면 된다.

Bob's *minuscule* brain was just enough to get him out of junior high school and into a job at the gas station.
밥의 작은 두뇌로는 중학교를 나와 주유소에 취직하는 데에나 적당했다.

Hank's salary was *minuscule*, but the benefits were pretty good: he got to sit next to the refrigerator and eat all day long.
행크의 급료는 너무 작았다. 그러나 부수적인 이득이 꽤 괜찮았다: 그는 냉장고 옆자리에 앉게 되어서 하루종일 먹을 수 있었다.

*Minute*[mainú:t] is a synonym for *minuscule*. The small details of something are the *minutiae* [minú:ʃii:].

minute 와 minuscule은 서로 동의어이다. 아주 작고 미세한 세부는 minutiae라 한다.

## MISANTHROPIC [mìsənθrάpik] adj hating mankind 인간을 증오하는, 염세적인

A *misogynist*[misάdʒənist] hates women. A *misanthropic* person doesn't make distinctions ; he or she hates everyone. The opposite of a *misanthrope*[mísənθròup] is a *philanthropist*[fəlǽnθrəpist]. Curiously, there is no word for someone who hates men only.

misogynist는 여성을 혐오하는 사람이다. misanthropic person은 남녀 구별을 두지 않고 모든 인류를 다 혐오하는 것이다. misanthrope의 반의어는 philanthropist(박애주의자, 모든 인간을 사랑하는 사람). 이상하게도, 오로지 남성만을 혐오하는 사람을 가리키는 단어는 존재하지 않는다.

## MITIGATE [mítəgèit] v to moderate the effect of something 영향력을 완화하다, 누그러뜨리다

The sense of imminent disaster was *mitigated* by the guide's calm behavior and easy smile.

안내원의 침착한 행동과 편안한 미소가 임박한 재난에 대한 불안감을 덜어주었다.

The effects of the disease were *mitigated* by the experimental drug treatment.

실험적인 약물치료 덕분에 질병의 영향은 완화되었다.

Nothing Joel said could *mitigate* the enormity of forgetting his mother-in-law's birthday.

장모의 생일을 잊어먹는 실수를 범한 조엘은 무슨 말을 해도 자신의 과오를 만회할 수 없었다.

*Unmitigated* means absolute, unmoderated, not made less intense or severe.

unmitigated는 절대적인, 완화할 수 없는, 호되거나 엄격한 것을 덜하게 할 수 없는.

## MOLLIFY [mάləfài] v to soften ; to soothe, to pacify 부드럽게 하다 ; 누그러뜨리다 ; 달래다

Lucy *mollified* the angry police officer by kissing him on the tip of his nose.

루시는 경찰관의 콧등에 키스를 해서 그의 화를 달랬다.

My father was not *mollified* by my promise never to crash his car into a brick wall again.

다시는 아버지의 차를 담벼락에다 박지 않겠다고 약속했지만, 아버지의 화는 가라앉지 않았다.

The baby-sitter was unable to *mollify* the cranky child, so she put him in the clothes dryer and spun him around for a little while.

보모는 떼를 쓰는 아이를 달랠 수가 없었다. 그래서 그녀는 아이를 빨래건조기에 집어넣고 아주 잠깐동안 건조기를 돌렸다.

## MONOLITHIC [mὰnəlíθik] adj massive, solid, uniform, and unyielding 거대하고 강하며 균일하고 단단한

A *monolith* is a huge stone shaft or column. Many other things can be said to be *monolithic*.

monolith는 거대한 돌 하나로 만들어진 기둥을 의미한다. 다른 많은 것들을 서술할 때도 monolithic이라는 표현을 쓴다.

A huge corporation is often said to be *monolithic*, especially if it is enormous and powerful and all its parts are dedicated to the same purpose.

거대기업체는, 특히 그 기업이 크고 세력이 있으며 모든 부문별 사업이 같은 목적을 지향하고 있다면 거대 재벌기업적인 측면이 있다고 종종 표현된다.

If the opposition to a plan were said to be *monolithic*, it would probably consist of a very large group of people who all felt the same way.

어떤 계획안에 대한 반대세력을 monolithic이라고 표현한다면, 그것은 아마도 같은 뜻을 가진 사람들이 대단히 큰 집단을 이루고 있다는 뜻일 것이다.

**MORIBUND** [mɔ́ːrəbʌ̀nd] adj **dying** 죽어 가는

The steel industry in this country was *moribund* a few years ago, but now it seems to be reviving somewhat.
이 나라의 철강산업은 몇 년 전까지는 빈사상태였다. 그러나, 지금은 다소나마 되살아나고 있는 듯하다.

The senator's political ideas were *moribund* ; no one thinks that way anymore.
그 상원의원의 정치적 이념은 소멸됐다 ; 더 이상 아무도 그런 식으로 생각하지 않는다.

A dying creature could be said to be *moribund*, too, although this word is usually used in connection with things that die only figuratively.
대개 이 단어는 비유적인 의미로 소멸하고 있는 것과 관련지어서 사용되는 것이기는 하지만, 죽어 가는 생명체를 표현할 때도 역시 사용할 수 있다.

**MOROSE** [məróus] adj **gloomy ; sullen** 우울한 ; 음침한

Louise was always so *morose* about everything that she was never any fun to be with.
루이스는 매사에 언제나 우울해서 같이 있어 보면 결코 즐겁지가 않았다.

New Yorkers always seemed *morose* to the writer who lived in the country ; they seemed beaten down by the vast, unfriendly city in which they lived.
시골에 살고 있는 저자가 보기에, 뉴욕에 사는 사람들은 언제나 우울한 것 같았다 ; 그들은 자신들이 살고 있는 거대하고 친근하지 못한 이 도시에게 두들겨 맞아 나가떨어진 사람들처럼 보였다.

**MORTIFY** [mɔ́ːrtəfài] v **to humiliate** 굴욕감을 주다, 욕보이다

I was *mortified* when my father asked my girlfriend whether she thought I was a dumb, pathetic wimp.
아버지는 내 여자친구에게 나를 멍청하고 불쌍한 겁쟁이라고 생각지 않느냐고 물어보았다. 그래서 나는 자존심이 상했다.

We had a *mortifying* experience at the opera ; when Stanley sneezed, the entire orchestra stopped playing and stared at him for several minutes.
오페라 공연장에서 우리는 창피한 일을 경험했다 : 스탠리가 재채기를 하자, 전 오케스트라 단원이 연주를 멈추고 몇 분 동안 그를 노려보았던 것이다.

**MUNDANE** [mʌndéin] adj **ordinary ; pretty boring ; not heavenly and eternal** 보통의 ; 꽤 지루한 ; 천상과 영원의 모습이 아니라 세속적인

My day was filled with *mundane* chores: I mowed the lawn, did the laundry, fed the dog, and fed the dog to the gorilla.
나의 일상은 대단찮은 잡일로 가득했다: 나는 잔디를 깎고, 세탁을 하고, 개 먹이를 주고, 그 개를 고릴라에게 먹이는 일을 했다.

Dee's job was so *mundane* she sometimes had trouble remembering whether she was at work or asleep.
디의 일은 워낙 지루해서, 때때로 그녀 스스로도 자신이 졸고 있는 것인지, 일을 하고 있는 것인지 헷갈릴 때가 있었다.

The monk's thoughts were far removed from *mundane* concerns ; he was contemplating all the fun he was going to have in heaven.
그 스님의 사상은 일상적인 관심사에서 너무 멀리 벗어나 있었다 ; 그는 천상에서 누릴 즐거움에 대해서만 생각하고 있었다.

**MUNIFICENT** [mju:nífəsənt] adj **very generous ; lavish** 매우 관대한 ; 아낌없이 주는

The *munificent* millionaire gave lots of money to any charity that came to him with a request.
매우 관대한 백만장자는 기부금을 요청하러 온 자선단체마다 많은 돈을 주었다.

Mrs. Bigelow was a *munificent* hostess ; there was so much wonderful food and wine at her dinner parties that the guests had to rest between courses. She was known for her *munificence*.
비겔로우 부인은 인심이 후한 안주인이었다 ; 그녀의 디너파티에는 훌륭한 음식과 와인이 많이 준비되어 있어서 손님들은 요리가 나오는 사이사이에 (충분히 먹으려면)휴식을 취해야만 했다. 그녀는 인심이 후하기로 유명했다.

**MYOPIA** [maióupiə] n **nearsightedness ; lack of foresight** 근시 ; 선견지명이 부족함

*Myopia* is the fancy medical name for the inability to see clearly at a distance. It's also a word used in connection with people who lack other kinds of visual acuity.
myopia는 먼 거리에서는 사물을 선명하게 보지 못하는 것을 일컫는 의학용어이다. 또한 다른 의미로 예리한 시각이 부족한 사람들과 관련지어 사용되기도 한다.

The president suffered from economic *myopia* ; he was unable to see the consequences of his fiscal policies.
대통령은 경제에 대한 식견 부족으로 고통받고 있었다 : 그는 자신의 재정정책의 결과도 알 수가 없었다.

The workers' dissatisfaction was inflamed by management's *myopia* on the subject of wages.
임금문제에 관한 경영진의 근시안적인 생각 때문에 노동자들의 불만은 불이 붙었다.

To suffer myopia is to be *myopic*[maiápik]. Some people who wear glasses are *myopic*. So are the people who can't see the consequences of their actions.
근시안으로 고통받는 것을 to be myopic이라 한다. 안경을 착용한 사람들 중 몇몇은 근시안이다. 자신들의 행동의 결과를 예측할 수 없는 사람들도 근시안적이다.

**MYRIAD** [míriəd] n **a huge number** 아주 큰 수

* 발음에 주의할 것.

A country sky on a clear night is filled with a *myriad* of stars.
맑은 날, 시골의 밤하늘에는 무수히 많은 별들이 빛난다.

There are *myriad* reasons why I don't like school.
내가 학교를 싫어하는 이유는 무수히 많다.

This word can also be used as an adjective. *Myriad* stars is a lot of stars. The teenager was weighted down by the *myriad* anxieties of adolescence.
이 단어는 형용사로도 쓰인다. myriad stars는 많은 별을 뜻한다. 사춘기의 수많은 불안감이 십대를 짓누르고 있었다.

## QUICK QUIZ 58

Match each word in the first column with its definition in the second column. Check your answers in the back of the book.

| | |
|---|---|
| 1. microcosm | a. a huge number |
| 2. milieu | b. moderate the effect of |
| 3. minuscule | c. massive and unyielding |
| 4. misanthropic | d. humiliate |
| 5. mitigate | e. ordinary |
| 6. mollify | f. soften |
| 7. monolithic | g. nearsightedness |
| 8. moribund | h. very tiny |
| 9. morose | i. gloomy |
| 10. mortify | j. environment |
| 11. mundane | k. very generous |
| 12. munificent | l. dying |
| 13. myopia | m. world in miniature |
| 14. myriad | n. hating mankind |

**NARCISSISM** [nɑ́ːrsəsìzm] n **excessive love of one's body or oneself** 자신의 육체나 자아에 대한 지나친 사랑

In Greek mythology, Narcissus was a boy who fell in love with his own reflection and, after lying around for a long time staring at it, turned into a flower. To engage in *narcissism* is to be like Narcissus.
그리스 신화에 보면, 나르시스는 물에 비친 자신의 그림자와 사랑에 빠진 소년이었다. 소년은 자신의 반영 옆에 누워 오랫동안 그것만 바라보다가 꽃으로 변했다. 나르시시즘에 빠진다는 것은 신화의 나르시스처럼 행동하는 것이다.

Throwing a kiss to your reflection in the mirror is an act of *narcissism*. So is filling your living room with all your bowling trophies or telling everyone how smart and good-looking you are. You are a *narcissist*[nɑ́ːrsəsist].
거울에 비친 자신의 반영에 키스를 보내는 것은 나르시시즘의 행동이다. 볼링시합에서 받은 트로피를 거실에 몽땅 걸어놓거나 만나는 모든 사람에게 자신을 근사하고 잘 생겼다고 떠드는 것도 마찬가지로 자기애가 강한 행동이다. 당신이 그러하다면, 바로 나르시시스트이다.

Someone who suffers from *narcissism* is said to be *narcissistic*[nɑ̀ːrsəsístik]. The selfish students were bound up in *narcissistic* concerns and gave no thought to other people.
나르시시즘을 겪고 있는 사람을 to be narcissistic이라고 표현한다. 이기적인 학생들은 자기 자신을 위한 일에만 관심을 쏟고 다른 사람들을 전혀 배려하지 않았다.

**NEBULOUS** [nébjuləs] adj **vague ; hazy ; indistinct** 막연한, 어렴풋한, 희미한

Oscar's views are so *nebulous* that no one can figure out what he thinks about anything.
오스카의 견해는 너무나 막연해서 아무도 그의 생각을 이해할 수 없다.

The community's boundaries are somewhat *nebulous*: where they are depends on whom you ask.
그 사회의 경계는 다소 모호하다: 그것은 누구에게 물어보는가에 달려 있다.

Molly's expensive new hairdo was a sort of *nebulous* mass of wisps, waves, and hair spray.
몰리의 새 헤어스타일은 값만 비쌀 뿐, 그저 머리카락과 웨이브와 헤어수프레이를 적당히 섞어 놓은 것에 불과했다.

A *nebula*[nébjulə] is an interstellar cloud, the plural of which is *nebulae*[nébjuliː].
nebula는 성간 구름이다. 복수는 nebulae.

**NEFARIOUS** [niféəriəs] adj **evil ; flagrantly wicked** 사악한 ; 극악한

The radicals' *nefarious* plot was to destroy New York by filling the reservoir with strawberry Jell-O.
급진주의자들의 사악한 음모는 Jell-O라는 딸기젤리를 저수지에 집어넣어 뉴욕을 파괴하는 것이었다.

The convicted murderer had committed a myriad of *nefarious* acts.
수많은 극악한 범죄를 저질렀던 살인자는 유죄가 확정되었다.

**NEOLOGISM** [niːɑ́lədʒìzm] n **a new word or phrase ; a new usage of a word 새로운 단어, 또는 관용구 ; 신조어**

Pedants don't like *neologisms*. They like the words we already have. But at one time every word was a *neologism*. Someone somewhere had to be the first to use it.
학자연하는 사람은 신조어를 좋아하지 않는다. 그들은 기존의 사용하던 단어를 좋아한다. 그러나 지금 쓰이는 모든 단어도 처음에는 신조어였다. 어느 곳에서 누군가는 그 단어를 최초로 사용하는 사람이 되어야만 했다.

**NEPOTISM** [népətìzm] n **showing favoritism to friends or family in business or politics 정치나 사업에 있어 가족 또는 친구에게 편애를 보이는 것(친족 등용, 족벌주의)**

Clarence had no business acumen, so he was counting on *nepotism* when he married the boss's daughter.
클레런스는 사업적 통찰력이 부족했다. 그가 사장의 딸과 결혼한 것은 친족 등용에 의존하려는 것이었다.

**NIHILISM** [náiəlìzm/níːə-] n **the belief that there are no values or morals in the universe 세상에는 도덕이나 가치가 없다는 신념(허무주의)**

* 발음에 주의할 것.

A *nihilist* does not believe in any objective standards of right or wrong.
허무주의자는 옳고 그름의 어떠한 객관적인 기준도 믿지 않는다.

**NOMINAL** [nɑ́mənl] adj **in name only ; insignificant ; A-OK (during rocket launches) 단지 이름뿐인 ; 대수롭지 않은 ; 더할 나위 없이 좋은 (로켓 발사 중에)**

Bert was the *nominal* chairman of the committee, but Sue was really the one who ran things.
버트가 위원회의 의장이라는 것은 이름뿐이었고, 모든 것을 운영하는 실질적인 의장은 수였다.

The cost was *nominal* in comparison with the enormous value of what you received.
네가 얻은 막대한 가치에 비하면 그깟 희생은 대수롭지 않았다.

"All systems are *nominal*," said the NASA engineer as the space shuttle successfully headed into orbit.
우주선이 성공적으로 궤도에 진입하자, NASA의 엔지니어는 "모든 시스템은 더할 나위 없이 좋다"라고 말했다.

**NOSTALGIA** [nɑstǽldʒiə] n **sentimental longing for the past ; homesickness 과거에 대한 감상적인 동경 ; 향수병**

A wave of *nostalgia* overcame me when the old Temptations song came on the radio ; hearing it took me right back to 1967.
예전 템프테이션의 노래가 라디오에서 흘러 나왔을 때, 향수의 물결이 나를 덮쳤다 : 그 노래는 나를 곧장 1967년으로 되돌려 놓았다.

Some people who don't remember what the decade was really like feel a misplaced *nostalgia* for the 1950s.
1950년대의 그 십 년 동안이 실제로 어떠했는지를 기억하지 못하는 사람들은 1950년대에 대해 당치않은 향수를 느낀다.

To be filled with *nostalgia* is to be *nostalgic*. As we talked about the fun we'd had together in junior high school, we all began to feel a little *nostalgic*.
향수로 가득하다는 것은 be nostalgic. 중학교 시절 우리가 함께 했던 놀이에 대해서 이야기하면서 우리 모두는 조금씩 향수에 젖어 들었다.

**NOTORIOUS** [noutɔ́:riəs] adj **famous for something bad** 나쁜 것으로 유명한

A well-known actor is famous ; a well-known criminal is *notorious*.
잘 알려진 배우는 유명하다 ; 잘 알려진 범죄자는 악명이 높다.

No one wanted to play poker with Jeremy, because he was a *notorious* cheater.
제레미는 악명 높은 사기꾼이었기 때문에 그와 포커 게임을 하려는 사람은 아무도 없었다.

Luther's practical jokes were *notorious* ; people always kept their distance when he came into the room.
루터의 장난은 악명이 높았다 ; 그가 방에 들어서면 사람들은 항상 멀찍이 떨어져 있었다.

To be *notorious* is to have *notoriety*[nòutəráiəti:]. Jesse's *notoriety* as a bank robber made it difficult for him to find a job in banking.
to be notorious는 악명을 지닌다는 뜻이다. 제시는 은행강도로 악명이 높았기 때문에 은행관련 업무에서 직업을 찾기가 어려웠다.

**NOVEL** [nάvəl] adj **new ; original** 새로운 ; 독창적인

Ray had a *novel* approach to homework : he didn't do it. Ray failed geometry as a result of this *novelty*.
레이는 숙제에 대해 새로운 접근을 시도했다 ; 그는 숙제를 하지 않는 방법을 택했다. 이 새로운 실험의 결과로 레이는 기하학과목에서 낙제했다.

There was nothing *novel* about the author's latest novel ; the characters were old and the plot was borrowed.
저자의 최근 소설에는 새로운 것이 아무 것도 없었다 ; 인물들은 구태의연하고 구성은 어디선가 빌린 것이었다.

**NOXIOUS** [nάkʃəs] adj **harmful ; offensive** 유해한 ; 불쾌한

Smoking is a *noxious* habit in every sense.
흡연은 모든 의미에서 나쁜 습관이다.

Poison ivy is a *noxious* weed.
덩굴 옻나무는 독초이다.

Carbon monoxide is a *noxious* gas.
일산화탄소는 유독 가스이다.

The mothers' committee believed that rock 'n' roll music exerted a *noxious* influence on their children.
어머니회는 로큰롤 음악이 아이들에게 나쁜 영향을 끼친다고 믿었다.

**NUANCE** [nú:ɑ:ns/njú:-] n **a subtle difference or distinction** 미세한 차이 또는 구별

The artist's best work explored the *nuance* between darkness and deep shadow.
그 화가의 최고의 작품은 어둠과 깊은 그늘의 미세한 차이를 탐구했다.

Harry was incapable of *nuance* ; everything for him was either black or white.
해리는 미세한 차이를 알 수 없었다 : 그에게 있어 모든 것은 검은색 아니면 흰색이었다.

In that Chinese dialect, the difference between one word and its opposite is sometimes nothing more than a *nuance* of inflection.
그 중국 방언에는 단어와 그 단어의 반대말 사이에 미묘한 억양차이만 있는 경우가 가끔 있다.

## QUICK QUIZ 59

Match each word in the first column with its definition in the second column. Check your answers in the back of the book.

| | |
|---|---|
| 1. narcissism | a. excessive love of self |
| 2. nebulous | b. in name only |
| 3. nefarious | c. harmful |
| 4. neologism | d. original |
| 5. nepotism | e. evil |
| 6. nihilism | f. subtle difference |
| 7. nominal | g. famous for something bad |
| 8. nostalgia | h. vague |
| 9. notorious | i. longing for the past |
| 10. novel | j. favoritism |
| 11. noxious | k. belief in the absence of all values and morals |
| 12. nuance | l. new word |

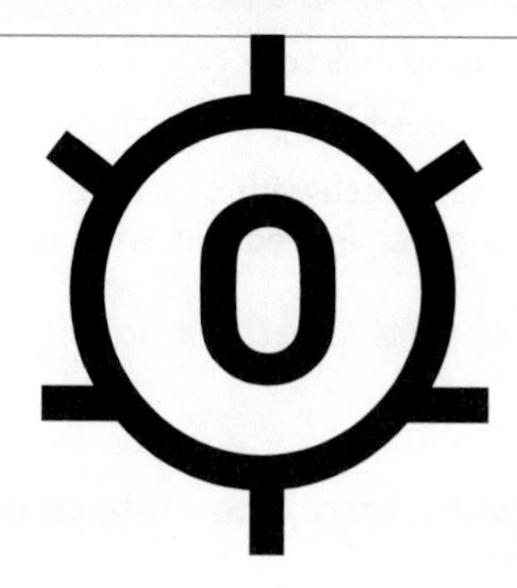

**OBDURATE** [ɑ́bdjurət] adj **stubborn and insensitive** **완고하고 무감각한**

*Obdurate* contains one of the same roots as *durable* and *endurance* ; each word conveys a different sense of hardness.
obdurate는 durable(오래 견디는)과 endurance(내구성)와 같은 어근을 갖고 있다 : 각 단어는 각기 다른 의미에서의 단단함을 뜻한다.

The committee's *obdurate* refusal to listen to our plan was heartbreaking to us, since we had spent ten years coming up with it.
위원회가 우리의 계획안을 듣기를 완강하게 거부해서 우리는 애가 달았다. 우리는 그 안을 마련하기 위해 10년을 보냈던 것이다.

The child begged and begged to have a bubble-gum machine installed in his bedroom, but his parents were *obdurate* in their insistence that he have a soft-drink machine instead.
아이는 자기 방에 풍선껌 기계를 설치해달라고 조르고 또 졸라댔지만, 아이의 부모는 청량음료 기계로 대신하자는 주장을 굽히지 않았다.

**OBFUSCATE** [ɑ́bfəskèit/ɑbfʌ́skeit] v **to darken ; to confuse ; to make confusing** **어둡게 하다 ; 혼란시키다**

The spokesman's attempt to explain what the president had meant merely *obfuscated* the issue further. People had hoped the spokesman would elucidate the issue.
대변인은 대통령의 의중을 설명하려 했지만 단지 논점만 더 흐리게 할 뿐이었다. 사람들은 대변인이 그 문제를 해명해 줄 것을 원했었다.

Too much gin had *obfuscated* the old man's senses.
진토닉을 너무 마셔서 노인의 이성이 마비되었다.

The professor's inept lecture gradually *obfuscated* a subject that had been crystal clear to us before.
교수의 서투른 강의 때문에, 전에는 명료했던 주제가 점차로 혼란스러워졌다.

To *obfuscate* something is to engage in *obfuscation*. Lester called himself a used-car salesman, but his real job was *obfuscation* ; he sold cars by confusing his customers.
to obfuscate something은 obfuscation 상태로 만든다는 의미. 레스터는 자신을 중고차 세일즈맨이라고 불렀지만, 그의 진짜 직업은 바람잡이였다 : 그는 소비자를 혼란하게 해서 차를 팔았다.

**OBLIQUE** [oublí:k, əb-] adj **indirect ; at an angle** **간접적인 ; 비스듬한**

In geometry, lines are said to be *oblique* if they are neither parallel nor perpendicular to one another. The word has a related meaning outside of mathematics. An *oblique* statement is one that does not directly address the topic at hand, that approaches it as if from an angle.
기하학에서는 두 개의 선이 평행하지도 직각으로 만나지도 않을 때, 사선이라고 한다. 그 단어는 수학분야 밖에서도 연관된 뜻을 갖고 있다. oblique한 진술이란 말하고자 하는 바를 간접적으로 설명하는 것, 마치 사선처럼 비스듬히 주제에 접근해가는 것이다.

An allusion could be said to be an *oblique* reference.
암시란 간접적인 언급이라고 할 수 있다.

An *oblique* argument is one that does not directly confront its true subject.
oblique한 논의란 직접적으로 진짜 주제를 다루지 않는 논의이다.

To insult someone *obliquely* is to do so indirectly.
obliquely 하게 모욕한다는 것은 간접적으로 모욕하는 말을 한다는 뜻이다.

Harry sprinkled his student council speech with *oblique* references to the principal's new toupee ; the principal is so dense that he never figured out what was going on, but the rest of us were rolling on the floor.
해리는 학생회의 시간에 교장의 새 가발에 대해서 간접적으로 언급하면서 떠들어댔다 ; 교장은 워낙 둔한 사람이라 무슨 일이 일어나고 있는지 알지 못했다. 그러나 우리들은 배꼽을 잡고 웃었다.

**OBLIVION** [əblíviən] n **total forgetfulness ; the state of being forgotten** **완전한 잊음(망각) ; 잊혀진 상태**

A few of the young actors would find fame, but most were headed for *oblivion*.
젊은 배우 중 몇몇은 명성을 얻곤 했지만, 대부분은 잊혀져갔다.

After tossing and turning with anxiety for most of the night, Richie finally found the *oblivion* of sleep.
리치는 걱정 때문에 거의 밤새 엎치락뒤치락하다가, 겨우 망각의 잠에 들 수 있었다.

To be *oblivious* is to be forgetful or unaware. Old age had made the retired professor *oblivious* of all his old theories.
be oblivious 하는 것은 기억을 잊어버린, 또는 모르는 상태를 말한다. 퇴직한 교수는 노령이 되어 자신의 옛날 이론들을 몽땅 잊어버렸다.

The workmen stomped in and out of the room, but the happy child, playing on the floor, was *oblivious* of all distraction.
일하는 사람들이 구두발 소리를 내며 방을 드나들었지만, 마루에서 놀고 있는 행복한 아이는 이 모든 소동을 모르는 듯했다.

**OBSCURE** [əbskjúər] adj **unknown ; hard to understand, dark** **알려지지 않은 ; 이해하기 힘든 ; 어두운**

The comedy nightclub was filled with *obscure* comedians who stole one another's jokes and seldom got any laughs.
그 코미디 나이트클럽에는 무명의 코미디언이 많이 있었다. 그들은 서로의 우스개소리를 도용해보지만 거의 아무도 웃지 않았다.

The artist was so *obscure* that even his parents had trouble remembering his name.
그 예술가는 워낙 무명이어서 심지어 부모조차도 그의 이름을 기억하기가 힘들 정도였다.

The noted scholar's dissertation was terribly *obscure* ; it had to be translated from English into English before anyone could make head or tail of it.
저명한 그 학자의 학술논문은 끔찍할 정도로 어려웠다 : 논문의 내용이 무엇인지 알 수 있으려면 먼저 영어를 (이해하기 쉬운) 영어로 번역해야만 했다.

Some contemporary poets apparently believe that the only way to be great is to be *obscure*.
몇몇 현대시인들은 위대한 시를 쓰는 유일한 방법은 어렵게 쓰는 것이라고 확실히 믿고 있다.

The features of the forest grew *obscure* as night fell.
숲의 형상은 밤이 깊어지자 더 희미해졌다.

The state of being *obscure* in any of its senses is called *obscurity*.
어떤 의미에서건 obscure 한 상태를 가리키는 명사형은 obscurity.

**OBSEQUIOUS** [əbsí:kwiəs] adj **fawning ; subservient ; sucking up to** **아양떠는 ; 아첨하는, 비굴한 ; 알랑거리는**

Ann's assistant was so *obsequious* that she could never tell what he really thought about anything.
앤의 조수는 워낙 아첨꾼이라 그녀는 조수의 실제 생각을 결코 알아낼 수가 없었다.

My *obsequious* friend seemed to live only to make me happy and never wanted to do anything if I said I didn't want to do it.
아첨꾼인 내 친구는 오직 나를 즐겁게 해주기 위해 사는 것 같았다. 그는 내가 싫다고 말하는 일은 결코 하지 않았다.

**OBTUSE** [əbtú:s/-tjú:s] adj **insensitive ; blockheaded** **둔감한 ; 멍청한**

Mabel was so *obtuse* that she didn't realize for several days that Carl had asked her to marry him.
마벨은 워낙 둔감해서 칼이 자기에게 프로포즈했다는 사실을 며칠 동안이나 깨닫지 못했다.

The *obtuse* student couldn't seem to grasp the difference between addition and subtraction.
멍청한 그 학생은 덧셈과 뺄셈의 차이점도 이해하지 못하는 듯했다.

**OFFICIOUS** [əfíʃəs] adj **annoyingly eager to help or advise** **성가실 정도로 도와주거나 충고하려 하는, 참견하기 좋아하는**

The *officious* officer could never resist sticking his nose into other people's business.
주제넘은 경찰관은 남의 일에 쓸데없이 참견하는 것을 그만 둘 수가 없었다.

The *officious* salesperson refused to leave us alone, so we finally left without buying anything.
참견하기 좋아하는 판매원은 우리를 그냥 내버려두지 않았다. 그래서 우리는 아무 것도 사지 않고 나와버렸다.

**ONEROUS** [ánərəs, óu-] adj **burdensome ; oppressive** **부담이 되는, 귀찮은 ; 압박하는**

We were given the *onerous* task of cleaning up the fairgrounds after the carnival.
우리는 축제가 끝난 자리를 청소하는 귀찮은 일을 맡게 되었다.

The job had long hours but the work wasn't *onerous* ; Bill spent most of his time sitting with his feet on the desk.
그 직업은 긴 시간을 근무해야 하지만 일 자체는 부담스럽지 않았다 ; 그래서 빌은 대부분의 시간을 빈둥거리며 보냈다.

**OPAQUE** [oupéik] adj **impossible to see through ; impossible to understand** **불투명한 ; 이해할 수 없는**

The windows in the movie star's house were made not of glass but of some *opaque* material that was intended to keep his fans from spying on him.
영화배우의 집 창문은 팬들이 그를 엿보는 것을 막으려고 유리가 아니라 안을 들여다 볼 수 없는 재료로 만들어졌다.

We tried to figure out what Horace was thinking, but his expression was *opaque*: it revealed nothing.
우리는 호레이스의 생각을 이해하려 애썼지만, 그의 표현은 분명치가 않았다. 그것으론 아무 것도 드러나지 않았다.

Marvin's mind, assuming he had one, was *opaque*.
마빈에게 생각이라는 것이 있다고 해도, 어떤지 알 수가 없었다.

The statement was *opaque* ; no one could make anything of it.
설명은 불분명했다 ; 그것을 조금이라도 이해하는 사람은 아무도 없었다.
* 명사형은 opacity.

**OPULENT** [ápjulənt] adj **luxurious** **화려한, 쾌락을 추구하는, 풍부한**

Everything in the *opulent* palace was made of gold—except the toilet-paper holder, which was made of platinum.
호화로운 그 궁전에는 모든 것들이 금으로 만들어졌다. 단 화장실 휴지걸이만 예외였는데, 그것은 백금이었다.

The investment banker had grown so accustomed to an *opulent* lifestyle that he had trouble adjusting to the federal penitentiary.
그 투자은행가는 풍족한 생활에 너무 익숙해진 탓으로 연방교도소에 적응하는데 애를 먹었다.

Opulence is often ostentatious.
부유함은 종종 의도적으로 과시된다.

**ORTHODOX** [ɔ́:rθədɑ̀ks] adj **conventional, adhering to established principles or doctrines, especially in religion ; by the book** **인습적인, 특히 종교에 있어 확립된 원칙이나 교리를 고집하는 ; 책에 따르는**

The doctor's treatment for Lou's cold was entirely *orthodox*: plenty of liquids and aspirin, and lots of rest.
루의 감기에 대한 의사의 처방은 아주 전통적이었다: 다량의 물약과 아스피린, 그리고 충분한 휴식.

Austin's views were *orthodox* ; there was nothing shocking about any of them.
오스틴의 견해는 진부했다 : 그 중에 놀랄만한 것은 아무 것도 없었다.

The body of what is *orthodox* is called *orthodoxy*. The teacher's lectures were characterized by strict adherence to *orthodoxy*.
orthodox한 것을 orthodoxy(정통파적 관행)라 한다. 선생님 강의의 특징은 정설을 엄격하게 고수하는 것이었다.

To be unconventional is to be *unorthodox*. "Green cheese" is an *unorthodox* explanation for the composition of the moon.
관습을 따르지 않는다는 것은 unorthodox. 달의 성분에 대해 "그린 치즈"라고 설명하는 것은 비 정통적인 설명이다.

**OSTENSIBLE** [ɑsténsəbl] adj **apparent (but misleading) ; professed** **외견상의(그러나 현혹시키는) ; 표명된**

Blake's *ostensible* mission was to repair a broken telephone, but his real goal was to plant a bomb that would blow up the building.
블레이크의 임무는 외견상으론 고장난 전화를 수리하는 것이었지만 그의 진짜 목적은 그 건물을 날려버릴 폭탄을 설치하는 것이었다.

Trevor's *ostensible* kindness to squirrels belied his deep hatred of them.
트레버는 겉으로 다람쥐에게 친절함을 베풀어 다람쥐에 대한 혐오를 감추었다.

**OSTENTATIOUS** [ɑ̀stentéiʃəs] adj **excessively conspicuous ; showing off** **지나치게 드러내는 ; 드러내는**

The designer's use of expensive materials was *ostentatious* ; every piece of furniture was covered with silk or velvet, and every piece of hardware was made of silver or gold.
디자이너는 남들에게 자랑하려고 값비싼 재료들을 사용했다 : 모든 가구는 실크나 벨벳으로 덮어놓았고, 모든 금속기구는 은이나 금을 사용해서 만들었다.

The donor was *ostentatious* in making his gift to the hospital. He held a big press conference to announce it and then walked through the wards to give patients an opportunity to thank him personally.
기증자는 병원에 기부금을 낸 데 대해서 자랑삼아 드러냈다. 그는 대형 기자회견을 열어 그 사실을 발표하고, 그리고 나서 환자들이 개인적으로 감사의 표시를 할 수 있도록 병동으로 걸어 들어갔다.

The young lawyer had *ostentatiously* hung his Harvard diploma on the door to his office.
신출내기 변호사는 사무실 문에다 여봐란 듯이 하버드 대학의 졸업장을 걸어놓았었다.

To be ostentatious is to engage in *ostentation*. Jerry wore solid-gold shoes to the party ; I was shocked by his *ostentation*.
to be ostentatious는 겉치레에 몰두하는 것이다. 제리는 파티에 순금으로 된 신발을 신고 나타났다 : 나는 그의 허영심에 충격을 받았다.

**PACIFY** [pǽsəfài] v **to calm someone down ; to placate** 누군가를 달래다 ; 진정시키다

A parent gives a baby a *pacifier* to *pacify* him or her. A *pacifist* is someone who does not believe in war.
부모는 아이를 달래기 위해 고무젖꼭지를 준다. 평화론자들은 전쟁의 효용을 믿지 않는 사람들이다.

## QUICK QUIZ 

60

Match each word in the first column with its definition in the second column. Check your answers in the back of the book.

| | |
|---|---|
| 1. obdurate | a. forgetfulness |
| 2. obfuscate | b. hard to understand |
| 3. oblique | c. stubborn |
| 4. oblivion | d. insensitive |
| 5. obscure | e. burdensome |
| 6. obsequious | f. luxurious |
| 7. obtuse | g. indirect |
| 8. officious | h. misleadingly apparent |
| 9. onerous | i. showing off |
| 10. opaque | j. impossible to see through |
| 11. opulent | k. calm someone down |
| 12. orthodox | l. confuse |
| 13. ostensible | m. fawning |
| 14. ostentatious | n. conventional |
| 15. pacify | o. annoyingly helpful |

**PAINSTAKING** [péinztèikiŋ] adj **extremely careful ; taking pains** **매우 조심스러운 ; 수고로운, 애쓰는**

*Painstaking* = pains-taking = taking pains

The jeweler was *painstaking* in his effort not to ruin the $50 million diamond.
보석상은 5천만 달러 짜리 다이아몬드를 망가뜨리지 않기 위해 매우 조심했다.

We made a *painstaking* effort to move the piano without harming it ; first we wrapped it in Kleenex, then we covered it with balloons, then we put it on roller skates and pushed it down the ramp.
우리는 피아노를 흠집 내지 않고 옮기느라 잔뜩 애를 썼다 ; 우선 피아노를 휴지로 싼 다음 고무 풍선으로 덮었다. 그리고 나서 피아노를 롤러스케이트 위에 놓고 경사로를 따라 밀어 내렸다.

**PALLIATE** [pǽlièit] v **to relieve or alleviate something without getting rid of the problem ; to assuage ; to mitigate** **문제점을 완전히 제거하지 않고 완화시키다 ; 덜어주다 ; 누그러뜨리다**

You take aspirin in the hope that it will *palliate* your headache. Aspirin is a *palliative* [pǽlièitiv].
여러분은 두통을 덜기 위해 아스피린을 복용한다. 아스피린은 완화제이다.

**PALPABLE** [pǽlpəbl] adj **capable of being touched ; obvious, tangible** **만져서 알 수 있는 ; 명백한 ; 확실한**

The tumor was *palpable* ; the doctor could feel it with his finger.
종양이 분명했다. 의사는 손으로도 그것을 느낄 수 있었다.

Harry's disappointment at being rejected by every college in America was *palpable* ; it was so obvious that you could almost reach out and touch it.
미국내의 모든 대학에 불합격했기 때문에 해리의 실망은 불을 보듯 뻔했다. 해리의 실망은 너무나 명백해서 누구라도 손으로 만지는 듯 느낄 수 있었다.

There was *palpable* danger in flying the kite in a thunderstorm.
폭풍우와 번개가 치는 날 연을 날리는 것이 위험하다는 것은 너무도 명백하다.
* palpable의 반대말은 impalpable.

**PALTRY** [pɔ́:ltri] adj **insignificant ; worthless** **대수롭지 않은, 하찮은 ; 가치 없는**

The lawyer's efforts on our behalf were *paltry*; they didn't add up to anything.
우리의 대리인으로서 변호사의 수고는 하잘것 없었다. 요컨대, 그의 수고는 아무 것도 아니었다.

The *paltry* fee he paid us was scarcely large enough to cover our expenses.
그가 우리에게 지불한 얼마 안 되는 수수료는 겨우 우리가 들인 비용을 상쇄할 수 있을 정도였다.

**PANACEA** [pæ̀nəsí:ə] n **something that cures everything** **만병통치약**

* 발음에 주의할 것.

The administration seemed to believe that a tax cut would be a *panacea* for the country's economic ills.
정부는 세금 삭감이 국가의 경제적 병폐를 치유할 만병통치약이라고 믿는 것 같았다.

Granny believed that her "rheumatiz medicine" was a *panacea*. No matter what you were sick with, that was what she prescribed.
할머니는 자신의 "류머티즘 약"이 만병통치약이라고 믿었다. 어떤 병이 걸리더라도, 그녀가 권하는 것은 바로 그 약이었다.

## PARADIGM [pǽrədim/-dàim] n **a model or example** 모범 또는 예

* 발음에 주의할 것.

Mr. King is the best teacher in the whole world ; his classroom should be the *paradigm* for all classrooms.
킹씨는 세상에서 가장 훌륭한 선생님이다 : 그의 학급은 모든 학급의 귀감이다.

In selecting her wardrobe, messy Gertrude apparently used a scarecrow as her *paradigm*.
옷을 고를 때, 지저분한 거투르드는 분명히 허수아비를 자신의 모델로 사용했을 것이다.

A *paradigm* is *paradigmatic*[pæ̀rədigmǽtik]. Virtually all the cars the company produced were based on a single, *paradigmatic* design.
paradigm(모범)이란 전형적인 것이다. 사실상, 그 회사가 생산한 모든 차는 한 가지의 전형적인 디자인에 기초한 것이었다.

## PARADOX [pǽrədɑ̀ks] n **a true statement or phenomenon that nonetheless seems to contradict itself ; an untrue statement or phenomenon that nonetheless seems logical** 모순되어 보이지만 옳은 말이나 현상 ; 논리적인 것 같지만 사실은 틀린 말이나 현상, 역설

Mr Cooper is a political *paradox* ; he's a staunch Republican who votes only for Democrats.
쿠퍼씨는 정치적 패러독스이다 : 그는 골수 공화당원이지만 오로지 민주당에만 투표한다.

One of Xeno's *paradoxes* seems to prove the impossibility of an arrow's ever reaching its target: if the arrow first moves half the distance to the target, then half the remaining distance, then half the remaining distance, and so on, it can never arrive.
제노의 역설 중 하나는 날아가는 화살은 결코 과녁에 다다를 수 없다는 것을 증명하는 것처럼 보인다: 만약, 화살이 과녁까지 반을 날아간다면, 다음에는 반이 남아 있다. 그리고 나서 또 반을 날아간다면, 또 그것의 반이 남아 있게 된다. 계속해도 마찬가지, 화살은 결코 과녁에 도달할 수 없다.

A *paradox* is *paradoxical*. Hubert's dislike of ice cream was *paradoxical*, considering that he worked as an ice-cream taster.
역설은 역설적이다. 아이스크림 감별사로 일하는 것을 고려하면, 후버트가 아이스크림을 싫어하는 것은 역설적이었다.

## PAROCHIAL [pəróukiəl] adj **narrow or confined in point of view ; provincial** 관점의 폭이 좁은, 또는 제한된 ; 지방의, 편협한

The townspeople's concerns were entirely *parochial* ; they worried only about what happened in their town and not about the larger world around it.
마을 사람들의 관심사는 아주 폭이 제한돼 있었다 : 그들은 오로지 마을 안에서 발생하는 일에만 관심을 쏟고, 더 큰 세계에 대해서는 신경 쓰지 않았다.

The journalist's *parochial* point of view prevented him from becoming a nationally known figure.
그 기자는 편협한 관점을 가지고 있어서 전국적인 유명 인사가 될 수 없었다.

A lot of people think a *parochial* school is a religious school. Actually, a *parochial* school is the school of the parish or neighborhood. In other contexts, though, *parochial* has negative connotations.
많은 사람들은 천주교구 부설 학교를 종교적인 학교라고 생각한다. 실제로 교구 부설 학교는 교구 내에 있거나 또는 근처에 있다. 그러나 다른 문맥에서는 parochial은 부정적인 의미를 내포하고 있다.

## PARODY [pǽrədi] n **a satirical imitation** 풍자적인 모방

On the cover of *The Harvard Lampoon's* parody of *People* magazine was a photograph of Brooks Shields holding a great big fish.
하버드 램푼 지를 패러디한 피플 지의 커버에는 브룩 실즈가 아주 큰 물고기를 들고 있는 사진이 실려 있었다.

At the talent show the girls sang a terrible *parody* of a Beatles song called "I Want to Hold Your Foot."
연예 오락 쇼에서 소녀들은 비틀즈의 노래를 "I Want to Hold Your Foot(원제목은 foot이 아니라 hand)"로 끔찍하게 패러디해서 불렀다.

Some *parodies* are unintentional and not very funny. The unhappy student accused Mr. Benson of being not a teacher but a *parody* of one.
패러디(흉내)에는 고의성도 없고 재미도 없는 것들도 있다. 불만스러운 학생들은 벤슨 씨가 선생님이 아니라 선생 흉내만 내고 있다고 비난했다.

*Parody* can also be a verb. To *parody* something is to make a *parody* of it. A *parody* is *parodic*.
parody는 풍자한다는 뜻의 동사로도 쓰인다. 형용사는 parodic.

## PARSIMONIOUS [pὰːrsəmóuniəs] adj stingy 인색한, 극도로 절약하는

The old widow was so *parsimonious* that she hung used teabags out to dry on her clothesline so that she would be able to use them again.
연로한 미망인은 한번 사용한 차 봉지를 다시 사용하기 위해 빨래줄에 널어서 말릴 정도로 아주 절약하며 살았다.

We tried to be *parsimonious*, but without success. After just a couple of days at the resort we realized that we had spent all the money we had set aside for our entire month-long vacation.
우리는 아껴 쓰려고 노력했지만, 실패하고 말았다. 휴양지에서 단지 이틀만에, 우리는 한달간의 휴가를 위해 비축해 두었던 돈을 몽땅 써버렸다는 사실을 깨달았다.

* 명사형은 parsimony(절약).

## PARTISAN [pάːrtəzən/pὰːrtizǽn] n one who supports a particular person, cause, or idea 특정한 사람이나 대의명분 또는 이념을 지지하는 사람, 게릴라

Henry's plan to give himself the award had no *partisan* except himself.
자신을 수상자로 하려던 헨리의 계획은 자신을 제외하고는 동조자가 아무도 없었다.

I am the *partisan* of any candidate who promises not to make promises.
공약을 위한 공약을 내걸지 않는 후보라면 누구라도 나는 그의 지지자가 될 것이다.

The mountain village was attacked by *partisans* of the rebel chieftain.
그 산골 마을은 반란군 지도자의 지지자들에게 습격당했다.

*Partisan* can also be used as an adjective meaning biased, as in *partisan* politics. An issue that everyone agrees on regardless of the party he or she belongs to is a *nonpartisan* issue. *Bipartisan* means supported by two(bi) parties.
partisan은 '당파적인 정치'에서처럼 '편견을 가진'이란 의미의 형용사로도 쓰인다. 자신이 속한 정당에 관계없이 모든 사람들이 동의하는 안건은 초당파적 사안이다. bipartisan은 두 개의 당파로부터 지지를 받는다는 의미이다.

Both the Republican and Democratic senators voted to give themselves a raise. The motion had *bipartisan* support..
민주당과 공화당의 상원의원들은 모두 자신들의 세비 인상에 찬성 투표했다. 그 발의는 양당의 지지를 받았다.

## QUICK QUIZ 61

Match each word in the first column with its definition in the second column. Check your answers in the back of the book.

| | |
|---|---|
| 1. painstaking | a. obvious |
| 2. palliate | b. model |
| 3. palpable | c. supporter of a cause |
| 4. paltry | d. narrow in point of view |
| 5. panacea | e. contradictory truth |
| 6. paradigm | f. stingy |
| 7. paradox | g. cure for everything |
| 8. parochial | h. insignificant |
| 9. parody | i. extremely careful |
| 10. parsimonious | j. satirical imitation |
| 11. partisan | k. alleviate |

### PATENT [péitənt, pǽt-] adj **obvious** 명백한

To say that the earth is flat is a *patent* absurdity, since the world is obviously spherical.
지구가 평평하다고 말하는 것은 명백한 잘못이다. 지구는 분명히 둥글게 생겼기 때문이다.

It was *patently* foolish of Lee to think that he could sail across the Pacific Ocean in a washtub.
세탁용 대야를 타고 태평양을 횡단할 수 있을 것이라는 리의 생각은 명백히 어리석었다.

### PATERNAL [pətə́:rnəl] adj **fatherly ; fatherlike** 아버지의 ; 아버지다운

Fred is *paternal* toward his niece. *Maternal* [mətə́:rnl] means motherly or momlike.
프레드는 조카딸에게 아버지와 같다. maternal은 '어머니의 또는 어머니 같은' 을 의미한다.

### PATHOLOGY [pəθálədʒi] n **the science of diseases** 질병에 관한 학문, 병리학

*Pathology* is the science or study of diseases, but not necessarily in the medical sense.
병리학은 질병에 관한 학문이지만 반드시 의학적 의미로만 사용하는 것은 아니다.

*Pathological* means relating to *pathology*, but it also means arising from a disease. So if we say Brad is an inveterate, incorrigible, *pathological* [pæ̀θəládʒikəl] liar, we are saying that Brad's lying is a sickness.
pathological은 '병리학적인' 을 의미한다. 그러나 '병으로부터 야기된' 이라는 뜻이기도 하다. 만약 "브래드는 상습적이고 구제할 수 없는 '병적인' 거짓말쟁이다" 라고 말한다면, 그것은 브래드의 거짓말 습관이 병이라는 뜻이다.

**PATRIARCH** [péitriɑ̀ːrk] n **the male head of a family or tribe** 가족이나 부족의 우두머리 남성, 가장, 족장

A *patriarch* is generally a strong male head of a family or tribe.
patriarch는 대개 가족이나 부족의 강한 남성 우두머리를 지칭한다.

**PATRICIAN** [pətríʃən] n **a person of noble birth ; an aristocrat** 귀족으로 태어난 사람 ; 귀족

Mr. Anderson was a *patrician*, and he was never truly happy unless his place at the dinner table was set with at least half a dozen forks.
앤더슨은 귀족이었다. 그는 저녁식사를 할 때 그의 자리에 최소한 여섯 개의 포크가 마련돼 있지 않으면 결코 만족하지 않았다.

*Patrician* can also be an adjective. Polo is a *patrician* sport. The noisy crowd on the luxury ocean liner was *patrician* in dress but not in behavior ; they were wearing tuxedos but throwing deck chairs into the ocean.
patrician은 형용사로도 쓰인다. 폴로는 귀족적인 스포츠이다. 호화로운 쾌속 유람선 위에서 떠들고 있는 사람들은 옷은 정장을 갖춰 입은 귀족이었지만 행동은 그렇지 못했다 ; 그들은 턱시도를 입고 있었지만 갑판 의자를 바다에 함부로 버리고 있었다.

**PATRONIZE** [péitrənàiz, pǽt-] v **to treat as an inferior ; to condescend to** 아랫사람으로 다루다, 선심쓰는 척 도와주다 ; 자신을 낮추다

Our guide at the art gallery was extremely *patronizing*, treating us as though we wouldn't be able to distinguish a painting from a piece of sidewalk without her help.
가이드는 화랑에서, 우리를 그녀의 도움 없이는 길거리 그림과 작품도 구별할 수 없는 사람들인 것처럼 다루면서 선심이라도 쓰는 듯이 오만하게 굴었다.

We felt *patronized* by the waiter at the fancy French restaurant ; he ignored all our efforts to attract his attention and then pretended not to understand our accents.
우리는 멋진 프랑스식 레스토랑에서 웨이터에게 무시당하고 있다고 느꼈다 ; 웨이터는 그의 주의를 끌려는 우리의 노력을 모두 무시했을 뿐만 아니라, 나중에는 우리의 발음을 알아듣지 못하는 척 했다.

*Patronize* also means to frequent or be a regular customer of. To *patronize* a restaurant is to eat there often, not to treat it as an inferior.
patronize는 '자주 가다 또는 정기적인 손님(단골)이 되다' 라는 뜻도 있다. to patronize a restaurant는 식당을 열등한 것으로 다룬다는 뜻이 아니라 거기에 자주 식사하러 간다는 뜻이다.

**PAUCITY** [pɔ́ːsəti] n **scarcity** 소수, 부족

There was a *paucity* of fresh vegetables at the supermarket, so we had to buy frozen.
슈퍼마켓에는 신선한 채소가 거의 없어서 우리는 할 수 없이 냉동된 것을 사야만 했다.

The plan was defeated by a *paucity* of support.
그 계획은 지원 부족으로 수포로 돌아갔다.

There is no *paucity* of water in the ocean.
바다에서 물 부족이란 있을 수 없다.

**PECCADILLO** [pèkədílou] n **a minor offense** 가벼운 범죄, 위반

The smiling defendant acted as though first-degree murder were a mere *peccadillo* rather than a hideous crime
피고인은 실실 웃으며, 일급 살인이 끔찍한 범죄가 아니라 단순한 과오라도 되는 듯이 행동했다.

The reporters sometimes seemed more interested in the candidates' sexual *peccadillos* than in their inane programs and proposals.
기자들은 간혹 후보자들의 빈말뿐인 공약이나 계획보다도 그들의 성추문에 더 흥미를 보이는 것 같았다.

**PEDANTIC** [pədǽntik] adj **boringly scholarly or academic** 지루할 정도로 학구적인 또는 학문적인

The discussion quickly turned *pedantic* as each participant tried to sound more learned than all the others.
각 참가자들이 다른 사람보다도 좀더 박식하게 보이려고 애썼기 때문에 토론은 급속도로 학구적으로 바뀌었다.

Percival's feelings about love were mostly *pedantic* ; he'd read about love in books but had never really encountered it in his life.
퍼서블의 사랑에 대한 느낌은 거의 다 학술적인 것이었다 : 그는 사랑에 관한 책을 많이 읽었지만 생활 속에서 실제로 사랑을 만난 적은 한번도 없었다.

The professor's interpretation of the poem was *pedantic* and empty of genuine feeling.
그 시에 관한 교수의 해석은 학문적일 뿐 순수한 느낌은 빠져 있었다.

A *pedantic* person is called a *pedant*[pédənt]. A *pedant* is fond of *pedantry*[pédəntri].
학자연하는 사람을 표현할 때 pedant라고 쓴다. 현학적인 사람은 탁상공론을 좋아한다.

**PEDESTRIAN** [pədéstriən] adj **unimaginative ; banal** 상상력이 없는, 산문적인 ; 평범한, 진부한

This is one of the favorite words of the people who write the SAT.
이 단어는 대학 진학 적성 시험을 출제하는 사람들이 좋아하는 단어 중의 하나이다.

A *pedestrian* is someone walking, but to be *pedestrian* is to be something else altogether.
a pedestrian은 걷고 있는 사람을 의미한다. 그러나 to be pedestrian은 전적으로 다른 뜻이 된다.

Mary Anne said the young artist's work was brilliant, but I found it to be *pedestrian* ; I've seen better paintings in kindergarten classrooms.
메리 앤은 그 신인 화가의 작품이 훌륭하다고 말했지만 내가 보기엔 그저 평범했다 : 나는 유치원 교실에서도 그보다 더 나은 그림들을 본 적이 있었다.

The menu was *pedestrian* ; I had encountered each of the dishes dozens of times before.
메뉴는 단조로웠다 : 나는 전에도 수십 번이나 똑같은 음식을 먹었었다.

**PEJORATIVE** [pidʒɔ́:rətiv/-dʒɑ́r-] adj **negative ; disparaging** 부정적인 ; 얕보는, 멸시하는

"Hi, stupid" is a *pejorative* greeting.
"Hi, stupid"(야, 멍청이!)는 멸시적인 인사이다.

"Loudmouth" is a nickname with a *pejorative* connotation.
"Loudmouth"(큰 소리로 떠들어대는 사람)는 부정적인 의미를 함축한 별명이다.

Abe's description of the college as "a pretty good school" was unintentionally *pejorative*.
에이브는 그 대학을 "비교적 괜찮은 학교"라고 묘사했는데 이는 고의는 아니지만 멸시의 의미가 담겨있었다.

**PENCHANT** [péntʃənt] n **a strong taste or liking for something ; a predilection** 강한 기호 또는 애호 ; 편애

Dogs have a *penchant* for chasing cats and mailmen.
개는 고양이나 우편 집배원을 쫓아다니는 것을 아주 좋아한다.

**PENITENT** [pénətənt] adj **sorry ; repentant ; contrite** 후회하는 ; 참회하는 ; 죄를 뉘우치는

Julie was *penitent* when Hank explained how much pain she had caused him.
헝크가 줄리 때문에 얼마나 고통스러웠는지를 설명하자 그녀는 후회했다.

The two boys tried to sound *penitent* at the police station, but they weren't really sorry that they had herded the sheep into Mr. Ingersoll's house. They were *impenitent*.
경찰서에서 두 소년은 죄를 뉘우치는 것처럼 보이려고 했지만, 잉게솔씨의 집에 양떼를 풀어놓은 사실에 대해 정말로 미안해하고 있는 것은 아니었다. 그들은 참회하고 있지 않았다.

**PENSIVE** [pénsiv] adj **thoughtful and sad** **시름에 젖은 그리고 슬픈**

Norton became suddenly *pensive* when Jack mentioned his dead father.
잭이 돌아가신 아버지의 얘기를 하자 노턴은 갑자기 슬퍼졌다.

The gloomy weather made everyone feel *pensive*, so we cheered them up by shooting off a few firecrackers in the living room.
음울한 날씨가 사람들을 우수에 젖게 만들었다. 그래서 우리는 거실에서 폭죽을 조금 터뜨려서 그들의 기운을 북돋아주었다.

## QUICK QUIZ 62

Match each word in the first column with its definition in the second column. Check your answers in the back of the book.

| | |
|---|---|
| 1. patent | a. male head of a family |
| 2. paternal | b. minor offense |
| 3. pathology | c. unimaginative |
| 4. patriarch | d. thoughtful and sad |
| 5. patrician | e. boringly scholarly |
| 6. patronize | f. science of diseases |
| 7. paucity | g. treat as an inferior |
| 8. peccadillo | h. negative |
| 9. pedantic | i. obvious |
| 10. pedestrian | j. aristocrat |
| 11. pejorative | k. scarcity |
| 12. penchant | l. fatherly |
| 13. penitent | m. sorry |
| 14. pensive | n. strong liking |

**PEREMPTORY** [pərémptəri, pérəmptɔ̀:ri] adj **final ; categorical ; dictatorial** **최종적인 ; 무조건적인, 절대적인 ; 독재적인**

* 발음에 주의할 것.

Someone who is *peremptory* says or does something without giving anyone a chance to dispute it. Frank's father *peremptorily* banished him to his room.
독단적인 사람은 다른 사람에게 반론의 기회를 주지 않고 말하거나 행동한다. 프랭크의 아버지는 독단적으로 그를 그의 방으로 쫓았다.

**PERENNIAL** [pəréniəl] adj **continual ; happening again and again or year after year** 계속적인 ; 반복해서 또는 해마다 발생하는

Mr. Phillips is a *perennial* favorite of students at the high school because he always gives everyone an A.
필립 선생은 고등학교에서 항상 누구에게나 A학점을 주기 때문에 학생들에게 늘 인기가 있다.

Milton was a *perennial* candidate for governor ; every four years he printed up another batch of his BINGO AND HORSE RACING bumper stickers.
밀턴은 여러 해 계속해서 주지사 후보로 나섰다 ; 사 년마다 그는 또 한 묶음의 'BINGO AND HORSE RACING' 이라고 쓴 차량용 스티커를 인쇄했다.

Flowers called *perennials* are flowers that bloom year after year without being replanted. *Biennial*[baiéniəl] and *centennial*[senténiəl] are related words. *Biennial* means happening once every two years (biannual means happening twice a year). *Centennial* means happening once every century.
다년생 화초는 해마다 다시 심지 않아도 매년 계속해서 꽃을 피운다. biennial과 centennial은 관련이 있는 단어다. biennial은 이년마다 한 번씩 발생하는 것이다(biannual은 일년에 두 번씩을 의미). centennial은 일세기마다 한 번씩 일어나는 것을 의미한다.

**PERFIDY** [pə́:rfədi] v **treachery** 배반, 불성실

It was the criminals' natural *perfidy* that finally did them in, as each one became an informant on the other.
구성원 각자가 나머지 사람들에 관한 정보를 제공하는 밀고자가 되었기 때문에, 궁극적으로 그 범죄 집단을 망하게 한 것은 그들 사이에 자연적으로 형성된 배신감이었다.

I was appalled at Al's *perfidy*. He had sworn to me that he was my best friend, but then he asked my girlfriend to the prom.
나는 알의 배신에 소름이 끼쳤다. 그는 가장 친한 친구가 되겠다고 내게 맹세해놓고는 곧이어 댄스파티에 같이 가자고 내 여자친구를 꼬셨다.
* perfidious는 불성실하다라는 뜻의 형용사.

**PERFUNCTORY** [pə:rfʌ́ŋktəri] adj **unenthusiastic ; careless** 열의가 없는, 마지못해 하는 ; 아무렇게나 하는

Larry made a couple of *perfunctory* attempts at answering the questions on the test, but then he put down his pencil and his head and slept until the end of the period.
래리는 마지못해 시험 시간에 두 번이나 답을 쓰려고 시도했었지만, 곧 연필을 내려놓고 머리도 떨구고는 시험 시간이 끝날 때까지 잠이나 잤다.

Sandra's lawn mowing was *perfunctory* at best: she skipped all the difficult parts and didn't rake up any of the clippings.
산드라는 기껏해야 마지못해서 억지로 잔디를 깎았다. 그녀는 어려운 부분은 모두 빼놓고 깎았을 뿐 아니라 베어 놓은 풀을 긁어모아놓지도 않았다.

**PERIPATETIC** [pèrəpətétik] adj **wandering ; traveling continually ; itinerant** 돌아다니는 ; 계속해서 여행하는 ; 순회하는

Groupies are a *peripatetic* bunch, traveling from concert to concert to follow their favorite rock stars.
groupies란 자신들이 좋아하는 록가수의 뒤를 쫓아서 콘서트마다 돌아다니는 패거리들이다.

**PERIPHERY** [pərí:fəri] n **the outside edge of something** 어떤 것의 바깥 테두리, 둘레 ,표면

José never got involved in any of our activities ; he was always at the *periphery*.
조제는 우리의 활동에 조금도 관여하지 않았다 : 그는 항상 주변에만 있었다.

The professional finger painter enjoyed his position at the *periphery* of the art world.
손가락 끝으로 그림을 그리는 지두화법의 전문가인 그는 미술계에서 자신의 위치가 주변부에만 머물러 있다는 사실을 즐겼다.

To be at the *periphery* is to be *peripheral*[pərífərəl]. A *peripheral* interest is a secondary or side interest.
'주변에 있는, 주변적인' 이라는 의미의 형용사형은 peripheral. 주변적인 관심이란 이차적인 또는 부수적인 관심을 말한다.

Your *peripheral* vision is your ability to see to the right and left while looking straight ahead.
주위를 아우르는 시각이란 직선으로 앞을 보면서도 좌우를 다 볼 수 있는 능력을 말한다.

---

**PERJURY** [pə́ːrdʒəri] n **lying under oath** **법정에서의 선서하에서의 거짓말, 위증**

The defendant was acquitted of bribery but convicted of *perjury*, because he had lied on the witness stand during his trial.
피고는 수뢰 혐의 부분에 대해서는 무죄를 인정받았지만 위증죄에 대해서는 유죄였다. 그가 재판이 진행되는 동안 목격자 진술에서 거짓말을 했기 때문이었다.

To commit *perjury* is to *perjure* oneself. The former cabinet official *perjured* himself when he said that he had not committed *perjury* during his trial for bribery.
위증죄는 거짓으로 증언하는 것이다. 전직 장관은 수뢰 혐의에 대한 재판이 진행되는 중에 자신은 위증죄를 범하지 않았다고 말함으로써 거짓 증언했다.

---

**PERMEATE** [pə́ːrmièit] v **to spread or seep through ; to penetrate** **스며들다, 또는 퍼지다 ; 스며들다, 침투하다, 통과하다**

A stinky smell quickly *permeated* the room after Jock lit a cigarette.
작이 담배에 불을 붙이자 방안에 고약한 냄새가 급속도로 퍼졌다.

Corruption had *permeated* the company ; every single one of its executives belonged in jail.
그 회사에는 부패가 만연했다 ; 이사란 이사는 모두 감옥에 수감되었다.

Something that can be *permeated* is said to be *permeable*. A *permeable* raincoat is one that lets water seep through.
스며들 수 있는 것을 '투과성이 있다' 고 말한다. a permeable raincoat란 방수가 되지 않고 물이 그대로 스며드는 우비이다.

---

**PERNICIOUS** [pəːrníʃəs] adj **deadly ; extremely evil** **치명적인 ; 매우 사악한, 흉악한**

The drug dealers conducted their *pernicious* business on every street corner in the city.
마약 업자들은 도시 안의 모든 길 구석구석에서 흉악한 그들의 사업을 펼쳤다.

Lung cancer is a *pernicious* disease.
폐암은 치명적인 병이다.

---

**PERQUISITE** [pə́ːrkwəzit] v **a privilege that goes along with a job ; a "perk"** **직무에 따라오는 특권, 부수입, 팁 ; 구어에서는 "perk"**

Free access to a photocopier is a *perquisite* of most office jobs.
사진 복사기를 자유롭게 이용할 수 있는 권리는 대부분의 관리직에 주어지는 특권이다.

The big corporate lawyer's *perquisites* included a chauffeured limousine, a luxurious apartment in the city, and all the chocolate ice cream he could eat.
큰 회사의 변호사는 운전기사가 딸린 리무진과 도시에 있는 호화 아파트, 그리고 원하는 대로 먹을 수 있는 초콜릿 아이스크림을 부수적으로 받았다.

A *perquisite* should not be confused with a *prerequisite*[priːrékwəzit], which is a necessity. Health and happiness are two *prerequisites* of a good life.
perquisite을 prerequisite과 혼동하지 말아야 한다. 후자는 필수품이라는 뜻이다. 건강과 행복은 좋은 삶을 영위하기 위한 두 가지 필수 조건이다.

A college degree is a *prerequisite* for many high-paying jobs.
보수가 많은 직업을 선택하기 위해서는 대학 학위가 필수다.

**PERTINENT** [pə́ːrtənənt] adj **relevant ; dealing with the matter at hand** 관련된 ; 당면 문제를 다루는, 적절한

The suspect said that he was just borrowing the jewelry for a costume ball. The cop said he did not think that was *pertinent*.

용의자는 가장무도회에 참가하기 위해 단지 그 보석을 빌렸을 뿐이라고 진술했다. 경찰은 그 진술이 적절하다고 생각하지 않는다고 말했다.

* impertinent는 무례하다는 뜻이다.

**PERTURB** [pərtə́ːrb] v **to disturb greatly** 심하게 혼란시키다

Rudolph's mother was *perturbed* by his aberrant behavior at the dinner table. Rudolph's father was not bothered. Nothing bothered Rudolph Sr. He was *imperturbable*.

루돌프의 어머니는 저녁식사 때 루돌프의 비정상적인 행동 때문에 혼란스러웠다. 루돌프의 아버지는 신경 쓰지 않았다. 그를 신경 쓰이게 할 수 있는 것은 아무 것도 없었다. 그는 침착한 사람이었다.

**PERUSE** [pərúːz] v **to read carefully** 주의하여 읽다, 정독하다

This word is misused more often than it is used correctly. To *peruse* something is not to skim it or read it quickly. To *peruse* something is to study it or read it with great care.

이 단어는 제대로 쓰이는 경우보다 잘못 사용되는 경우가 더 많다. to peruse something은 대충 건너뛰며 읽거나 빠르게 읽는 것이 아니다. to peruse something은 아주 주의 깊게 공부하거나 읽는 것을 말한다.

The lawyer *perused* the contract for many hours, looking for a loophole that would enable his client to back out of the deal.

변호사는 의뢰인이 그 계약을 해지할 수 있도록 허점을 찾기 위해 여러 시간에 걸쳐 계약서를 꼼꼼히 읽었다.

To *peruse* something is to engage in *perusal*. My *perusal* of the ancient texts brought me no closer to my goal of discovering the meaning of life.

정독하고 있는 상태를 의미하는 명사형은 perusal. 나는 삶의 의미를 발견하고자 하는 목적을 가지고 고대의 원전을 정독했지만 별로 도움이 되지 않았다.

## QUICK QUIZ 63

Match each word in the first column with its definition in the second column. Check your answers in the back of the book.

| | |
|---|---|
| 1. peremptory | a. outside edge of something |
| 2. perennial | b. unenthusiastic |
| 3. perfidy | c. penetrate |
| 4. perfunctory | d. lying under oath |
| 5. peripatetic | e. job-related privilege |
| 6. periphery | f. continual |
| 7. perjury | g. disturb greatly |
| 8. permeate | h. necessity |
| 9. pernicious | i. read carefully |
| 10. perquisite | j. treachery |
| 11. prerequisite | k. final |
| 12. pertinent | l. wandering |
| 13. perturb | m. relevant |
| 14. peruse | n. deadly |

**PERVADE** [pərvéid] v **to spread throughout** 널리 퍼지다

A terrible smell *pervaded* the apartment building after the sewer main exploded.
하수도 본관이 폭발한 후에, 끔찍한 악취가 아파트 건물 전체에 퍼졌다.

On examination day, the classroom was *pervaded* by a sense of imminent doom.
시험 날, 교실에는 곧 닥쳐올 불길한 운명의 그림자가 퍼져 있었다.

Something that *pervades* is *pervasive*. There was a *pervasive* feeling of despair on Wall Street on the day the Dow-Jones industrial average fell more than 500 points.
형용사는 pervasive. 다우존스 주가지수가 평균 500 포인트 이상 떨어진 날, 월스트리트 증권가에는 절망감이 확산되었다.

There was a *pervasive* odor of fuel oil in the house, and we soon discovered why: the basement was filled with the stuff .
집안에는 연료용 기름 냄새가 퍼져 있었다. 우리는 곧 그 원인을 발견했다: 지하실에 석유가 잔뜩 있었던 것이다.

**PETULANT** [pétʃələnt] adj **rude ; cranky; ill-tempered** 거친, 버릇없는 ; 괴팍한 ; 성질 급한

Gloria became *petulant* when we suggested that she leave her pet cheetah at home when she came to spend the weekend ; she said that we had insulted her cheetah and that an insult to her cheetah was an insult to her.
우리와 주말을 보내기 위해 올 때는 애완용 치타는 집에 두고 오는 게 어떠냐고 제안하자 글로리아는 성깔을 부렸다 ; 우리가 자기의 치타를 모욕했으며, 치타에 대한 모욕은 곧 자신에 대한 모욕이라고 그녀는 말했다.

The *petulant* waiter slammed down our water glasses and spilled a tureen of soup onto Roger's toupee.

성격이 괴팍한 웨이터는 물컵을 거칠게 내려놓은 뒤, 수프 한 그릇을 로저의 가발에다 엎질렀다.

* 명사형은 petulance(심술사나움, 성마름)이다.

**PHILANTHROPY** [filǽnθrəpi] n **love of mankind, especially by doing good deeds 인간에 대한 사랑, 특히 선행을 통해서 하는 사랑**

A charity is a *philanthropic* institution. An altruist is someone who cares about other people. A *philanthropist* is actively doing things to help, usually by giving time or money.
자선단체란 박애주의를 실천하는 기관이다. 이타적인 사람이란 다른 사람들을 걱정하는 사람이다. 박애주의자는 대체로 시간이나 돈을 투자해서 남을 돕는 일을 활발히 하고 있다.

**PHILISTINE** [fílistìːn/fílistàin] n **a smugly ignorant person with no appreciation of intellectual or artistic matters 지적이거나 예술적인 것을 감상할 줄도 모르고 이해도 없는 독선적이고 무식한 사람**

The novelist dismissed his critics as *philistines*, saying they wouldn't recognize a good book if it crawled up and bit them on the nose ; the critics, in reply, dismissed the novelist as a *philistine* who wouldn't recognize a good book if it crawled up and rolled itself into his typewriter.
그 소설가는 비평가들을 무식한 놈들이라고 경멸했다. 비평가들이란 좋은 책이 제 발로 걸어와 코를 깨물어도 그 진가를 알아보지 못하다고 소설가는 말했다 ; 비평가들은 답변에서 그 소설가는 좋은 책이 제 발로 걸어와 스스로 타자기에 걸려도 좋은 책을 알아보지 못하는 무식한 놈이라고 반격했다.

*Philistine* can also be an adjective. To be *philistine* is to act like a *philistine*.
philistine은 또한 형용사로도 쓰인다. to be philistine은 속물처럼 행동하는 것이다.

**PIOUS** [páiəs] adj **reverent or devout ; outwardly (and sometimes falsely) reverent or devout ; hypocritical 경건한 또는 독실한 ; 외견상(그리고 때때로 거짓으로) 경건한 또는 독실한 ; 위선적인**

* 발음에 주의할 것.

This is a sometimes confusing word with meanings that are very nearly opposite each other.
이 단어는 거의 반대되는 의미를 동시에 갖고 있어서 가끔 혼동하게 된다.

A *pious* Presbyterian is one who goes to church every Sunday and says his prayers every night before bed. *Pious* in this sense means something like religiously dutiful.
독실한 장로교인은 매주 일요일마다 교회에 가고, 매일밤 잠자리에 들기 전에 기도를 하는 사람이다. 이 경우의 pious는 종교적으로 충실한 것을 의미한다.

*Pious* can also be used to describe behavior or feelings that aren't religious at all but are quite hypocritical. The adulterous minister's sermon on marital fidelity was filled with pious disregard for his own sins.
pious는 또한 조금도 신앙심이 없으면서 아주 위선적으로 독실한 척하는 행동이나 감정을 묘사할 때도 사용된다. 혼외정사를 일삼는 목사가 자신의 정절은 무시한 채 부부 정절에 관하여 설교를 하는 것은 위선적이었다.

The state of being *pious* is *piety*[páiəti]. The opposite of *pious* is *impious*[ímpiəs].
독실하고 경건한 상태를 의미하는 명사형은 piety이고, 반대말은 impious이다.

**PIVOTAL** [pívətl] adj **crucial 중대한, 중추의**

*Pivotal* is the adjective form of the verb to *pivot*. To *pivot* is to turn on a single point or shaft. A basketball player *pivots* when he turns while leaving one foot planted in the same place on the floor.
pivotal은 pivot의 형용사형이다. to pivot은 하나의 점이나 축을 기준으로 돈다는 뜻이다. 농구선수는 한 지점에서 방향을 바꿀 때는 경기장 바닥에 한 발은 붙인 채로 그 발을 축으로 하여 돈다.

A *pivotal* comment is a comment that turns a discussion. It is a very important comment.
a pivotal comment는 토론의 방향을 트는 언급을 뜻하는 것으로써 매우 중요한 의견을 일컫는다.

A *pivotal* member of a committee is a crucial or extremely important member of a committee.
a pivotal member of a committee는 위원회에서 결정적인 역할을 하는 사람이거나 매우 중요한 사람을 일컫는다.

Harry's contribution was *pivotal* ; without it, we would have failed.
해리의 공헌이 결정적이었다 : 그의 도움이 없었다면, 우리는 실패했을 것이다.

**PLACATE** [pléikeit/pləkéit] v **to pacify ; to appease ; to soothe** **진정시키다 ; 누그러뜨리다 ; 달래다**

The tribe *placated* the angry volcano by tossing a few teenagers into the raging crater.
그 부족은 분출하려는 화산의 분화구에 몇몇의 십대 아이들을 던져 넣는 방법으로 성난 화산을 진정시켰다.

The beleaguered general tried to *placate* his fierce attacker by sending him a pleasant flower arrangement. His duplicitous enemy decided to attack anyway. He was *implacable*.
포위 당한 장군은 사나운 공격자에게 멋진 꽃꽂이를 보내서 그를 달래려고 했다. 표리 부동한 적은 어쨌든 공격하기로 결정했다. 그는 무자비했다.

**PLAINTIVE** [pléintiv] adj **expressing sadness or sorrow** **슬픔 또는 비애를 나타내는**

The lead singer's *plaintive* love song expressed his sorrow at being abandoned by his girlfriend for the lead guitarist.
리드싱어의 애처로운 사랑노래는 리드기타리스트에게 여자친구를 빼앗긴 슬픔을 표현한 것이었다.

The chilly autumn weather made the little bird's song seem *plaintive*.
냉랭한 가을 날씨가 그 작은 새의 노랫소리를 애처롭게 했다.

You could also say that there was *plaintiveness* in that bird's song.
여러분은 또한 그 새의 노래에는 애처로움이 있었다고 표현할 수도 있다.

Don't confuse *plaintive* with *plaintiff*. A *plaintiff* is a person who takes someone to court-who makes a legal complaint.
plaintive를 plaintiff(고소인, 원고)와 혼동하지 말 것. a plaintiff는 소송을 하기 위하여 누군가를 법정에 세우는 사람, 즉 고소인을 의미한다.

**PLATITUDE** [plǽtətù:d/-tjù:d] n **a dull or trite remark ; a cliché** **단조롭고 진부한 표현 ; 판에 박은 문구**

The principal thinks he is a great orator, but his loud, boring speech was full of *platitudes*.
교장은 자신이 대단한 달변가라고 생각한다. 그러나 그의 시끄럽고 지루하기만 한 연설은 진부한 표현으로 가득했다.

Instead of giving us any real insight into the situation, the lecturer threw *platitudes* at us for the entire period. It was a *platitudinous* speech.
상황에 대한 진정한 통찰력을 제시해 주는 대신, 강사는 우리에게 강연 내내 진부한 내용만을 강의했다. 쓸데없는 말만 늘어놓은 강의였다.

**PLEBEIAN** [plibí:ən] adj **common ; vulgar ; low class ; bourgeois** **보통의 ; 저속한 ; 낮은 계급의 ; 중산계층의**

* 이 단어의 발음에 주의할 것.
* plebeian은 aristocratic(귀족적인)의 반의어이다.

Sarah refused to eat frozen dinners, saying they were too *plebeian* for her discriminating palate.
사라는 자신의 뛰어난 미각에 냉동 음식은 너무나 저속하다고 말하면서 그 음식들을 거부했다.

**PLETHORA** [pléθərə] n **an excess** 과잉

* 발음에 주의할 것.

We ate a *plethora* of candy on Halloween and a *plethora* of turkey on Thanksgiving.
우리는 할로윈데이에 너무나 많은 양의 사탕을, 추수감사절에 파다한 양의 칠면조를 먹었다.

Letting the air force use our backyard as a bombing range created a *plethora* of problems.
우리 뒷마당을 공군의 폭격 실험장으로 이용할 수 있도록 허용한 것은 너무나 많은 문제를 야기했다.

**POIGNANT** [pɔ́injənt] adj **painfully emotional ; extremely moving ; sharp or astute** **마음에 사무치는 ; 매우 감동시키는 ; 날카로운 또는 기민한**

The words *poignant* and *pointed* are very closely related, and they share much of the same range of meaning.
poignant와 pointed(날카로운)라는 단어는 매우 밀접한 관련이 있다. 두 단어는 같은 뜻을 많이 갖고 있다.

A *poignant* scene is one that is so emotional or moving that it is almost painful to watch.
a poignant scene이란 너무나 감성적, 또는 감동적이어서 보기만 해도 가슴이 아려오는 장면을 말한다.

All the reporters stopped taking notes as they watched the old woman's *poignant* reunion with her daughter, whom she hadn't seen in eighty-five years.
모든 기자들이 고령의 할머니가 85년간이나 만나지 못했던 딸과 재회하는 감동적인 장면을 보느라 기사를 작성하는 것을 중단했다.

*Poignant* can also mean pointed in the sense of sharp or astute. A *poignant* comment might be one that shows great insight.
poignant는 '날카로운 또는 예리한' 이라는 의미로서 pointed(날카로운)를 의미하기도 한다. 날카로운 말은 대단한 통찰력을 보여주는 말이라고 할 수 있다.

* 명사형은 poignancy.

## QUICK QUIZ 64

Match each word in the first column with its definition in the second column. Check your answers in the back of the book.

| | |
|---|---|
| 1. pervade | a. painfully emotional |
| 2. petulant | b. spread throughout |
| 3. philanthropy | c. pacify |
| 4. philistine | d. smugly ignorant person |
| 5. pious | e. excess |
| 6. pivotal | f. expressing sadness |
| 7. placate | g. reverent |
| 8. plaintive | h. trite remark |
| 9. platitude | i. rude |
| 10. plebeian | j. crucial |
| 11. plethora | k. love for mankind |
| 12. poignant | l. low class |

**POLARIZE** [póulərὰiz] v **to break up into opposing factions or groupings** **적대적인 파벌이 나 그룹으로 분열시키다**

The issue of what kind of sand to put in the sandbox *polarized* the nursery school class ; some students would accept nothing but wet, while some wanted only dry.
어린이 모래 놀이통에 어떤 종류의 모래를 넣을 것인가 하는 문제로 어린이집의 교실은 양분되었다 ; 몇 명의 아이들이 오로지 마른 모래만을 원한 반면에, 어떤 아이들은 젖은 모래만을 고집했다.

The increasingly acrimonious debate between the two candidates *polarized* the political party.
두 후보자들 간의 논쟁이 점점 더 치열해지면서, 그 정당은 파벌을 좇아 분열되었다.

**POLEMIC** [pəlémik] n **a powerful argument often made to attack or refute a controversial issue** **논란중인 의견을 반박하거나 공격하기 위해 자주 행해지는 강력한 주장**

The book was a convincing *polemic* that revealed the fraud at the heart of the large corporation.
그 책은 대형 회사의 핵심 부서에서 사기 행위가 드러났다는 설득력 있는 주장을 폈다.

Instead of the traditional Groundhog Day address, the state senator delivered a *polemic* against the sales tax.
주 상원의원은 전통적인 성촉절(2월2일) 인사말 대신에 판매세에 강하게 반대하는 주장을 폈다.

* 형용사는 polemical.

**PONDEROUS** [pάndərəs] adj **so large as to be clumsy ; massive ; dull** **다루기 힘들 정도로 큰 ; 육중한 ; 지루한**

The wedding cake was a *ponderous* blob of icing and jelly beans.
웨딩 케이크는 당의를 입히고 젤리 알을 얹은 아주 커다란 것이었다.

The fat man was unable to type, because his *ponderous* belly prevented him from pushing his chair up to his desk.
뚱뚱한 그 남자는 타자를 칠 수가 없었다. 그의 커다랗게 불룩 튀어나온 배가 책상 앞으로 의자를 붙이는 것을 방해했기 때문이었다.

The chairman, as usual, gave a *ponderous* speech that left half his listeners snoring in their plates.
의장이 평소처럼 지루한 연설을 해서, 청중들의 반은 자신들의 좌석에서 코를 골며 잠이 들었다.

**PORTENT** [pɔ́ːrtent] n **an omen ; a sign of something coming in the future** **전조, 미래에 다가올 일의 신호**

The distant rumbling we heard this morning was a *portent* of the thunderstorm that hit our area this afternoon.
오늘 아침에 들었던 멀리서 들려오던 우르르 소리는 오늘 오후에 우리 지역을 강타한 폭풍우를 동반한 번개의 전조였다.

Stock market investors looked for *portents* in their complicated charts and graphs ; they hoped that the market's past behavior would give them a clue as to what would happen in the future.
주식시장의 투자가들은 복잡한 도표와 그래프에 나타나는 징후들을 찾았다 ; 그들은 과거의 주식시장 흐름이 앞으로 전개될 시장 동향에 대한 실마리를 줄 것이라고 생각했다.

*Portentous* [pɔːrténtəs] is the adjective form of *portent*, meaning ominous or filled with *portent*. But it is very often used to mean pompous, or self-consciously serious or ominous sounding. It can also mean amazing or prodigious.
portentous는 portent의 형용사형으로 '나쁜 징조의,' 또는 '불길한 조짐으로 가득한' 이란 뜻이다. 그러나 이 단어는 아주 빈번하게 '점잔 빼는' 이나 '의식적으로 심각한 체 하는' 이나 '불길하게 들리는' 을 일컫는 말로 쓰인다. 또한 '놀랍거나 경이로운' 을 의미하기도 한다.

A *portentous* speech is not one that you would enjoy listening to.
portentous speech란 귀 기울여 듣고 싶지 않은 말을 일컫는다.

A *portentous* announcement might be one that tried to create an inappropriate sense of alarm in those listening to it.

portentous announcement란 그것을 듣는 사람들에게 적절치 못한 공포심을 유발하려는 발표문이 될 것이다.

*Portentous* can also mean amazing or astonishing. A *portentous* sunset might be a remarkably glorious one rather than an ominous or menacing one.

portentous는 또한 굉장하고 놀랍다는 뜻도 있다. 굉장한 일몰은 불길하다거나 위협적인 것이라기 보다는 놀랄 만치 찬란한 것이리라.

**POSTULATE** [pástʃələt] n **something accepted as true without proof ; an axiom** **증명 없이 사실로 인정한 것(가정) ; 자명한 이치, 원리**

A *postulate* is taken to be true because it is convenient to do so. We might be able to prove a *postulate* if we had the time, but not now. A theorem is something that is proven using *postulates*.

가정이란 그렇게 하는 것이 편리하다는 이유로 사실로 받아들이는 것이다. 만약 시간이 있다면 우리는 어떤 가정을 증명할 수도 있을 것이다. 그러나 지금은 아니다. 공리란 전제된 가정을 이용해서 증명된 것을 말한다.

*Postulate* [pástʃəlèit] can be used as a verb, too. Sherlock Holmes rarely *postulated* things, waiting for evidence before he made up his mind.

postulate는 동사로 쓰이기도 한다. 셜록 홈즈는 결론을 내리기 전에 증거를 기다리기만 할뿐, 사건을 미리 가정하는 방법은 거의 쓰지 않았다.

**PRAGMATIC** [prægmǽtik] adj **practical ; down to earth ; based on experience rather than theory** **실용적인 ; 현실적인 ; 이론보다는 경험에 근거한**

A *pragmatic* person is one who deals with things as they are rather than as they might be or should be.

a pragmatic person이란 매사를 그럴 것이라는 가정이나 그래야만 한다는 당위보다는 실제 현실에 맞게 처리하는 사람이다.

Erecting a gigantic dome of gold over our house would have been the ideal solution to the leak in our roof, but the small size of our bank account forced us to be *pragmatic* ; we patched the hole with a dab of tar instead.

우리 집 전체를 덮을 수 있는 금으로 만든 거대한 돔을 건설하는 것은 지붕의 누수를 막을 수 있는 이상적인 해결책이 될 수도 있었다. 그러나 형편없는 은행잔고 덕분에 우리는 현실적이 될 수밖에 없었다 ; 대신에 우리는 소량의 타르로 지붕의 구멍을 때웠다.

*Pragmatism* [prǽgmətìzm] is the belief or philosophy that the value or truth of something can be measured by its practical consequences.

pragmatism(실용주의)이란 사물의 가치나 진실은 실리적인 중요성에 의해서 판단될 수 있다는 신념이나 철학을 말한다.

**PRECEDENT** [présədənt] n **an earlier example or model of something** **전례 또는 어떤 것의 전형, 모범**

*Precedent* is a noun form of the verb to precede, or go before. To set a *precedent* is to do something that sets an example for what may follow.

precedent는 앞서 가다라는 뜻의 동사인 precede의 명사형이다. to set a precedent는 '후에 따라할 만한 본보기가 될 일을 한다' 라는 뜻이다.

Last year's million-dollar prom set a *precedent* that the current student council hopes will not be followed in the future. That is, the student council hopes that future proms won't cost a million dollars.

지난해의 백만 달러짜리 댄스 파티는 현 학생회가 앞으로는 절대 따라하지 않기를 희망하는 선례를 남겼다. 다시 말해서, 학생회는 앞으로의 댄스 파티에는 비용을 백만 달러나 들이지 않기를 바라고 있다.

To be *unprecedented* is to have no *precedent*, to be something entirely new. George's consumption of 10,677 hot dogs was *unprecedented* ; no one had ever eaten so many hot dogs before.

to be unprecedented는 전례가 없으며 전적으로 새로운 것이라는 뜻이다. 조지가 핫도그를 10,677개나 먹어치운 것은 전례가 없는 일이었다 ; 지금까지 그렇게 많은 핫도그를 먹은 사람은 아무도 없었다.

**PRECEPT** [príːsept] n **a rule to live by ; a principle establishing a certain kind of action or behavior ; a maxim** 삶에 따르는 규칙(좌우명) ; 어떤 종류의 행동이나 태도를 결정하는 원리원칙 ; 격언

"Love thy neighbor" is a *precept* we have sometimes found difficult to follow ; our neighbor is a noisy oaf who painted his house electric blue and who throws his empty beer cans into our yard.
"네 이웃을 사랑하라" 라는 가르침은 그대로 따르기가 쉽지 않다는 것을 때때로 발견하게 된다 ; 우리의 이웃은 집을 온통 자극적인 강청색으로 칠을 했을 뿐만 아니라 빈 맥주 깡통을 우리집 마당으로 집어던지는 시끄러운 얼간이이기 때문이다.

**PRECIPITATE** [prisípətèit] v **to cause to happen abruptly** 갑자기 일을 발생하게 만들다(몰아대다)

A panic among investors *precipitated* last Monday's crisis in the stock market.
투자자들 사이의 공포감이 지난 월요일 주식 시장의 위기를 촉진시켰다.

The police were afraid that distributing machine guns to the angry protestors might *precipitate* a riot.
항의 농성자들에게 기관총을 나누어주면 폭동이 촉발되지 않을까 경찰은 걱정하고 있었다.

*Precipitate* [prisípətit] can also be an adjective, meaning unwisely hasty or rash. A *precipitate* decision is one made without enough thought beforehand.
precipitate는 또한 형용사로도 쓰이는데, 현명하지 못하게 경솔하거나 분별이 없다는 뜻이다. precipitate decision이란 '미리 충분히 숙고하지 않고 내린 결정' 이라는 뜻이다.

The guidance counselor, we thought, was *precipitate* when he had the tenth grader committed to a mental hospital for saying that homework was boring.
우리가 보기엔, 학생지도 상담원은 현명하지 못하고 분별력이 없었다. 그는 10학년 학생이 숙제가 지겹다고 말한 것을 가지고 정신 병원에 보내 버렸던 것이다.

**PRECIPITOUS** [prisípətəs] adj **steep** 가파른, 경사가 급한

*Precipitous* means like a precipice, or cliff. It and *precipitate* are very closely related, as you probably guessed. But they don't mean the same thing, even though *precipitous* is often used loosely to mean the same thing as *precipitate*.
precipitous는 낭떠러지, 또는 절벽 같다는 뜻이다. 아마도 여러분이 눈치챘겠지만, 이 단어와 precipitate는 밀접한 관련이 있다. 그러나 비록 precipitous가 대충 precipitate와 같은 의미로 쓰이는 일이 종종 있기는 하지만, 원래 두 단어는 같은 의미는 아니다.

A mountain can be *precipitous*, meaning either that it is steep or that it comprises lots of steep cliffs.
경사가 급하거나 또는 여러 개의 가파른 절벽으로 구성되어 있다는 의미에서 산에 대하여 precipitous라는 표현을 쓸 수 있다.

*Precipitous* can also be used to signify things that are only figuratively steep. For example, you could say that someone had stumbled down a *precipitous* slope into drug addiction.
precipitous는 단지 비유적인 의미로 경사가 급한 것을 표현하기 위해서 사용되기도 한다. 예를 들면, '아무개는 마약중독에 이르는 급경사 길을 비틀거리며 걸어 내려갔다' 는 표현을 쓸 수도 있다.

## QUICK QUIZ 65

Match each word in the first column with its definition in the second column. Check your answers in the back of the book.

| | |
|---|---|
| 1. polarize | a. massive and clumsy |
| 2. polemic | b. rule to live by |
| 3. ponderous | c. practical |
| 4. portent | d. powerful refutation |
| 5. portentous | e. steep |
| 6. postulate | f. cause to happen abruptly |
| 7. pragmatic | g. cause opposing positions |
| 8. precedent | h. ominous |
| 9. precept | i. earlier example |
| 10. precipitate | j. omen |
| 11. precipitous | k. axiom |

**PRECLUDE** [priklú:d] v **to prevent something from ever happening** 어떤 일이 일어나지 않게 하다, 방해하다

Ann feared that her abysmal academic career might *preclude* her becoming a brain surgeon.
대학에서의 지독히도 나쁜 경력 때문에 앤은 뇌 수술 전문 외과 의사가 될 수 없을까봐 두려워하고 있었다.

**PRECURSOR** [pri:kə́:rsər, prí:kə:r-] n **forerunner ; something that goes before and anticipates or paves the way for whatever it is that follows** 선구자 ; 앞서 나와서 미리 예견해 주는 것, 또는 뒤이어 오는 것을 위해 (쉽게 일이 진행될 수 있도록) 길을 닦아놓는 것

The arrival of a million-dollar check in the mail might very well be the *precursor* of a brand-new car.
우편으로 도착한 백만 달러짜리 수표는 당연히 새 차를 사게 될 전조일 것이다.

A sore throat is often the *precursor* of a cold.
목의 통증은 종종 감기의 전조이다.

Hard work on the practice field might be the *precursor* of success on the playing field.
훈련장에서의 고된 연습은 실전에서의 성공의 선구가 될 것이다.

**PREDILECTION** [prèdəlékʃən/prì:d-] n **a natural preference for something** 어떤 것에 대한 자연스런 애호, 편애

The impatient judge had a *predilection* for well-prepared lawyers who said what they meant and didn't waste his time.
성격 급한 그 판사는 해야 할 말을 정확히 해서 판사의 시간을 많이 빼앗지 않는 철저히 준비된 변호사들을 편애했다.

Joe's *predilection* for saturated fats has added roughly a foot to his waistline in the past twenty years.
조는 포화 지방(동물성 지방)을 좋아해서 지난 20년 동안에 허리둘레가 대략 일 피트 정도 늘어나게 되었다.

**PREEMINENT** [priémənənt] adj **better than anyone else ; outstanding ; supreme** **다른 어느 누구보다도 뛰어난 ; 현저한 ; 최고의**

The nation's *preeminent* harpsichordist would be the best harpsichordist in the nation.
그 나라의 뛰어난 하프시코디스트는 그 나라에서 최고의 하프시코디스트일 것이다.
(주: 하프시코드는 16, 17세기에 쓰인 건반악기로 피아노의 전신이라고 할 수 있다.)

The Nobel Prize-winning physicist was *preeminent* in his field but he was still a lousy teacher.
노벨상을 수상한 그 물리학자는 자신의 분야에서는 최고였지만, 여전히 별 볼일 없는 선생이었다.
* eminent 항목을 참조할 것.

**PREEMPT** [priémpt] v **to seize something by prior right** **우선권에 의해 무언가를 잡거나 획득하다**

When television show A *preempts* television show B, television show A is shown at the time usually reserved for television show b. The word *preempt* implies that television show A is more important than television show B and thus has a greater right to the time slot.
A라는 텔레비전 프로그램이 B라는 프로그램에 대하여 우선권을 획득하면, 일반적으로 B라는 프로그램으로 예약된 시간대에 A프로그램이 방영된다. preempt라는 단어는 A프로그램이 B프로그램보다 더 중요하기 때문에, 결국 같은 시간대에서 더 큰 권리를 갖게 된다는 의미를 내포하고 있다.

A *preemptive* action is one that is undertaken in order to prevent some other action from being undertaken. When the air force launched a *preemptive* strike against the missile base, the air force was attacking the missiles in order to prevent the missiles from attacking the air force.
preemptive action(선제적인 조치)은 다른 행위가 시작되는 것을 막기 위해서 먼저 착수하는 행위이다. 공군이 미사일 기지에 대한 선제 공격을 시작했다면 공군은 (적의) 미사일이 공군을 공격하는 것을 막기 위해 먼저 미사일 기지를 공격한다는 것이다.

**PREMISE** [prémis] n **an assumption ; the basis for a conclusion** **가정 ; 결론을 내기 위한 기초, 전제**

In deciding to eat all the ice cream in the freezer, my *premise* was that if I didn't do it, you would.
냉장고의 아이스크림을 모두 먹어버리기로 결정했을 때, 내 전제 조건은 내가 먹지 않는다면 네가 먹어버릴 것이라는 것이었다.

Based on the *premise* that two wrongs don't make a right, I hit him three times.
잘못을 두 번 한다고 해서 일이 바로 잡아지지는 않는다는 전제에 의거해서 나는 그를 세 번 때렸다.

**PREPOSSESS** [prì:pəzés] v **to preoccupy ; to influence beforehand or prejudice ; to make a good impression on beforehand** **마음을 빼앗다 ; 미리 영향을 미치다, 또는 선입견을 갖게 하다 ; 미리 좋은 인상을 주다**

This word has several common meanings. Be careful.
이 단어는 몇 개의 일반적인 뜻이 있다. 주의할 것.

When a person is *prepossessed* by an idea, he or she can't get it out of his or her mind. My dream of producing energy from old chewing-gum wrappers *prepossessed* me, and I lost my job, my home, my wife and my children.
사람이 어떤 생각에 사로잡혀 있을 때는, 마음속에서 그 생각을 몰아낼 수가 없다. 나는 사용하고 버린 껌 포장지로 에너지를 생산해 내려는 꿈에 사로잡혀 있었다. 그래서 나는 직장과 가정과 아내와 아이들을 잃게 되었다.

Experience had *prepossessed* Larry's mother not to believe him when he said that someone else had broken the window ; Larry had broken it every other time, so she assumed that he had broken it this time.

다른 아이가 유리창을 깨뜨렸다고 말을 해도 래리의 엄마는 래리를 믿지 않았는데, 이전의 경험이 그녀에게 그런 선입견을 갖게 했다 : 래리는 그 전에도 여러 번 유리창을 깨뜨린 적이 있어서 래리의 엄마는 이번에도 래리가 유리창을 깨뜨렸을 것이라고 추측했던 것이다.

The new girl in the class was extremely *prepossessing*. The minute she walked into the room, all the boys rushed over to introduce themselves. *Unprepossessing* means unimpressive, but the word is only mildly negative. The quaint farmhouse had an *unprepossessing* exterior, but a beautiful interior. Who would have imagined?

그 학급에 새로 전학 온 여학생은 아주 매력적이었다. 그녀가 교실에 들어서자마자 모든 남학생들은 자신들을 소개하기 위해 앞다투어 몰려들었다. unprepossessing은 인상적이지 않다는 뜻이지만, 약간 부정적인 의미를 담고 있다. 그 기묘한 농가의 겉모양은 나쁜 인상을 주었지만 내부는 아름다웠다. 누가 상상이나 할 수 있었겠는가?

**PREROGATIVE** [prirágətiv] n **a right or privilege connected exclusively with a position, a person, a class, a nation, or some other group or classification** **지위, 사람, 계급, 국가, 그 밖의 그룹이나 계층 등과 관련된 권리나 특권**

Giving traffic tickets to people he didn't like was one of the *prerogatives* of Junior's job as a policeman.

자신이 싫어하는 사람들에게 교통위반 딱지를 발부하는 것이 주니어의 경찰관으로서의 직업상의 특권 중 하나였다.

Sentencing people to death is a *prerogative* of kings and queens.

사람들에게 사형을 선고할 수 있는 것은 왕과 여왕의 특권이다.

Big mansions and fancy cars are among the *prerogatives* of wealth.

대저택과 멋진 차들도 부자만이 누릴 수 있는 특권이다.

**PREVAIL** [privéil] v **to triumph ; to overcome rivals ; (with on, upon, or with) to persuade** **승리하다 ; 경쟁자를 이기다 ; (on, upon, with 등과 함께 쓰여) 설득하다**

When justice *prevails*, it means that good defeats evil.

정의가 승리한다면, 그것은 선이 악을 물리친다는 의미이다.

The prosecutor *prevailed* in the murder trial ; the defendant was found guilty.

검사는 살인자를 감옥으로 보내는데 성공했다. 피고는 유죄였다.

My mother *prevailed* on me to make my bed. She told me she would belt me if I didn't, so I did.

엄마는 나에게 이불을 개라고 설득했다. 내가 이불을 개지 않는다면 때릴 것이라고 엄마는 말했다. 그래서 나는 이불을 갰다.

The adjective *prevailing* means most frequent or predominant. The *prevailing* opinion on a topic is the one that most people hold. If the *prevailing* winds are out of the north, then the wind is out of the north most of the time. A *prevailing* theory is the one most widely held at the time. It is *prevalent*[prévələnt].

형용사 prevailing은 '가장 빈번한' 또는 '우세한'의 의미이다. 어떤 주제에 대해서 prevailing opinion(지배적인 의견)이란 대부분의 사람들이 생각하고 있는 의견이라는 뜻이다. 항풍(주: 항풍이란 무역풍처럼 항상 일정한 방향으로 부는 바람)이 북쪽에서 불어오는 것이라면, 그 바람은 거의 언제나 일정하게 북쪽에서 불어온다. 유력한 이론이란 일정한 시기에 가장 폭넓게 지지 받고 있는 이론을 일컫는다. 그것은 유력한(prevalent) 것이다.

**PRISTINE** [prístiːn/-tain] adj **original ; unspoiled, pure** **원래의 ; 오염되지 않은 ; 순수한**

An antique in *pristine* condition is one that hasn't been tampered with over the years. It's still in its original condition.

최초의 상태를 간직한 골동품이란 만들어진 이래로 손을 댄 흔적이 전혀 없는 것을 말한다. 그것은 여전히 원래의 상태에 있는 것이다.

A *pristine* mountain stream is a stream that hasn't been polluted.

pristine mountain stream은 전혀 오염되지 않은 산개울이다.

**PRODIGAL** [prɑ́digəl] adj **wastefully extravagant** 흥청망청 마구 낭비하는

The chef was *prodigal* with his employer's money, spending thousands of dollars on ingredients for what was supposed to be a simple meal.
간단한 음식으로 생각되는 것에도 수천 달러를 재료비로 써버리는 식으로, 그 주방장은 고용주의 돈을 가지고 낭비가 심했다.

The young artist was *prodigal* with his talents: he wasted time and energy on greeting cards that might have been devoted to serious paintings.
젊은 화가는 자신의 재능을 함부로 사용했다: 그는 진정한 그림을 그리는데 바쳤어야 할 시간과 정력을 축하카드나 그리면서 소모하고 있었다.

The *prodigal* gambler soon found that he couldn't afford even a two-dollar bet.
방탕한 노름꾼은 단돈 2달러도 배팅할 여유가 없다는 사실을 곧 깨닫게 되었다.

* 명사형은 prodigality.

## QUICK QUIZ 66

Match each word in the first column with its definition in the second column. Check your answers in the back of the book.

| | |
|---|---|
| 1. preclude | a. outstanding |
| 2. precursor | b. triumph |
| 3. predilection | c. seize by prior right |
| 4. preeminent | d. wastefully extravagant |
| 5. preempt | e. unspoiled |
| 6. premise | f. natural preference |
| 7. prepossess | g. preoccupy |
| 8. prerogative | h. right or privilege |
| 9. prevail | i. assumption |
| 10. pristine | j. forerunner |
| 11. prodigal | k. prevent |

**PRODIGIOUS** [prədídʒəs] adj **extraordinary ; enormous** 비상한 ; 거대한

To fill the Grand Canyon with Ping-Pong balls would be a *prodigious* undertaking ; it would be both extraordinary and enormous.
그랜드 캐년을 탁구공으로 가득 채운다는 것은 거창한 사업이 될 것이다 : 그 일은 특이하고도 거창한 일일 것이다.

The little boy caught a *prodigious* fish-it was ten times his size and might more easily have caught him had their situations been reversed.
작은 소년이 거대한 물고기를 낚았다. 그 물고기는 소년보다 열 배나 커서 입장이 거꾸로 되었더라면 물고기는 소년을 더 쉽게 잡았을 것이다.

* prodigy를 참조할 것.

**PRODIGY** [prádədʒi] n **an extremely talented child ; an extraordinary accomplishment or occurrence** 대단한 재능을 가진 아이, 신동 ; 놀라운 업적 또는 사건, 일

The three-year-old *prodigy* could play all of Beethoven and most of Brahms on his harmonica.
세 살짜리 신동은 자신의 하모니카로 베토벤의 모든 곡과 브람스의 대부분의 곡을 연주할 수 있었다.

Larry was a mathematical *prodigy* ; he had calculated *pi* to 100 decimal places almost before he could walk.
래리는 수학의 천재였다 ; 그는 걸음마를 배우기도 전에 파이(π)를 소수점 100자릿수까지 계산했었다.

Josephine's tower of dominoes and Popsicle sticks was a *prodigy* of engineering.
조세핀이 도미노 패와 아이스크림 막대기로 만든 탑은 공학의 불가사의였다.

**PROFANE** [proufé in, prə-] adj **not having to do with religion ; irreverent ; blasphemous** 종교와 관계가 없는(세속적인) ; 불손한 ; 불경스러운

*Profane* is the opposite of sacred. Worshiping the almighty dollar is *profane*. *Profane* can also mean disrespectful of religion. Sticking out your tongue in church would be a *profane* gesture.
profane은 '성스러운'의 반의어이다. 황금만능주의를 신봉하는 것은 세속적인 것이다. profane이라는 단어에는 '종교를 경멸하는'이라는 의미도 있다. 예배중에 혀를 내미는 것은 불경스러운 짓이 될 것이다.

*Profane* can also be a verb. You *profaned* the church by sticking out your tongue in it. Nick *profaned* his priceless Egyptian statue by using it as a doorstop.
profane은 동사로도 쓰인다. 너는 예배중에 혀를 내밀어 교회를 모독했다. 닉은 불경스럽게도 값을 매길 수 없을 정도로 귀중한 이집트의 조각상을 문을 고정하는 버팀쇠로 잘못 사용했다.

The noun form of *profane* is *profanity* [proufǽnəti, prə-]. Throwing a gallon of red paint at the front door of the church was an act of *profanity*.
명사형은 profanity. 일 갤런의 빨간색 페인트를 교회 현관에 뿌려놓은 것은 신성모독 행위였다.

**PROFESS** [prəfés] v **to declare ; to declare falsely or pretend** 공언하다 ; 거짓으로 선언하다, 또는 ~인 체하다

Jason *professed* to teach himself calculus ; he declared that he was going to do it.
제이슨은 스스로 수학공부를 하겠다고 공언했다 ; 그는 그렇게 할 것이라고 선언했다.

No one in our town was fooled by the candidate's *professed* love for llama farmers ; everyone knew he was just trying to win votes from the pro-llama faction.
라마 축산업자들에게 애정을 갖고 있는 척하는 그 후보에게 속아넘어가는 사람이 우리 마을에는 아무도 없었다 ; 그가 단지 라마 축산업을 옹호하는 파벌로부터 표를 얻기 위해 그럴 뿐이라는 것을 모든 사람들은 알고 있었다.

**PROFICIENT** [prəfíʃənt] adj **thoroughly competent ; skillful ; very good (at something)** 완전하게 능력을 갖춘 ; 숙련된 ; (어떤 일에) 능한

Jerry was a *proficient* cabinetmaker. He could make a cabinet that would make you sit back and say, "Now, there's a cabinet."
제리는 능숙한 가구 제작자였다. 그는 당신이 깊숙이 앉아 "음, 진짜 가구가 여기 있군"이라고 말할 수 있을 만큼 좋은 가구를 만들 수 있었다.

I fiddled around at the piano for many years but never became *proficient* at playing.
나는 피아노 앞에서 빈둥거리며 여러 해를 보냈지만 연주하는 데는 결코 능숙해지지 못했다.

Lucy was merely competent but Molly was *proficient* at plucking canaries.
루시는 단지 할 수 있을 뿐이었지만, 몰리는 카나리아 털 뽑는 데는 선수였다.

*Proficiency* is the state of being *proficient*.
proficiency는 능숙한 상태이다.

**PROFLIGATE** [práfligət] adj **extravagantly wasteful and, usually, wildly immoral** 지나치게 낭비하는, 일반적으로 심하게 비도덕적인

The fraternity members were a *profligate* bunch ; they held all-night orgies on weeknights and nearly burned down their fraternity house with their parties every weekend.
그 남학생 사교 클럽의 회원들은 난봉꾼 패거리들이었다 ; 그들은 평일 밤이면 밤새도록 떠들썩한 술판을 벌였고, 주말이 되면 언제나 그들의 모임 장소는 파티의 열기에 휩싸였다.

The young heir was *profligate* with his fortune, spending millions on champagne and racehorses.
젊은 상속인은 술과 경마에 수백만 달러를 탕진하면서, 유산을 흥청망청 낭비했다.

**PROFOUND** [prəfáund] adj **deep (in several senses)** (여러 가지 의미에서) 깊은

*Profound* understanding is deep understanding.
profound understanding은 깊이 있는 이해.

To say something *profound* is to say something deeply intelligent or discerning.
to say something profound는 매우 지적이거나 통찰력 있는 말을 한다는 것이다.
* 명사형은 profundity [prəfʌ́ndəti].

**PROFUSE** [prəfjú:s] adj **flowing ; extravagant** 넘치도록 많은 ; 낭비하는

When we gave Marian our house, our car, and all our clothes, her gratitude was *profuse*.
우리의 집과 차와 우리의 옷 전부를 마리안에게 주었을 때, 그녀는 과분할 정도로 고마워했다.

My teacher said I had done a good job, but his praise was far from *profuse*. I got the feeling he hadn't really liked my epic poem about two dinosaurs who fall in love just before they go extinct.
선생님은 내가 좋은 작품을 썼다고 말했지만, 결코 아낌없는 칭찬은 아니었다. 나는 선생님께서 멸종 직전에 사랑에 빠진 두 마리 공룡에 관한 나의 서사시를 실제로는 좋아하지 않는다는 느낌을 받았다.

The grieving widow's tears were *profuse*. She had tears in *profusion*.
몹시 슬퍼하던 미망인의 눈에 눈물이 넘쳐흘렀다. 그녀는 아주 많이 울었다.

**PROLETARIAT** [pròulitέəriət] n **the industrial working class** 산업 노동자 계급

The *proletariat* is the laboring class—blue-collar workers or people who roll up their shirtsleeves to do an honest day's work.
프롤레타리아는 노동 계급이다. — 육체 노동자들, 즉 정직한 날마다의 노동을 위해 소매를 말아 올리는 사람들이다.

**PROLIFERATE** [proulífərèit] v **to spread or grow rapidly** 빠르게 퍼지거나 자라다

Honey bees *proliferated* when we filled our yard with flowering plants.
정원에 화초들을 가득 심어놓으니까 꿀벌들이 급격히 증가했다.

Coughs and colds *proliferate* when groups of children are cooped up together during the winter.
겨울 동안 아이들 집단을 함께 모아 놓으면, 기침과 감기가 급속히 퍼진다.

The police didn't know what to make of the *proliferation* of counterfeit money in the north end of town.
경찰은 도시의 북쪽 끝에서 위조 화폐가 급속히 확산되는 이유가 무엇인지 알지 못했다.

**PROLIFIC** [proulífik] adj **abundantly productive ; fruitful or fertile** 생산력이 풍부한 ; 수확이 많은 또는 비옥한

A *prolific* writer is a writer who writes a lot of books.
a prolific writer는 다작을 하는 작가이다.

A *prolific* artist is an artist who paints a lot of pictures.
a prolific artist는 그림을 많이 그려내는 화가이다.

The old man had been extraordinarily *prolific* ; he had thirty children and more than one hundred grandchildren.
그 노인은 자식을 엄청나게 많이 낳았다 : 노인에게는 서른 명의 자식과 백 명이 넘는 손자들이 있었다.

## QUICK QUIZ 67

Match each word in the first column with its definition in the second column. Check your answers in the back of the book.

| | |
|---|---|
| 1. prodigious | a. declare |
| 2. prodigy | b. irreverent |
| 3. profane | c. abundantly productive |
| 4. profess | d. flowing |
| 5. proficient | e. extremely talented child |
| 6. profligate | f. extraordinary |
| 7. profound | g. spread rapidly |
| 8. profuse | h. deep |
| 9. proletariat | i. thoroughly competent |
| 10. proliferate | j. extravagantly wasteful |
| 11. prolific | k. industrial working class |

**PROMULGATE** [prɑ́məlgèit] v **to proclaim ; to publicly or formally declare something** 선언하다 ; 공개적으로 또는 정식으로 무엇을 공표하다

The principal *promulgated* a new dress code over the loudspeaker system: red, green, yellow, and blue were the only permissible artificial hair colors.
교장은 확성기에 대고 새로운 복장 규범을 선포했다: 머리를 인위적으로 염색할 수 있는 색깔로 빨강, 초록, 노랑, 파랑만이 유일하게 허용되었다.

**PROPENSITY** [prəpénsəti] n **a natural inclination or tendency ; a predilection** 타고난 기호 또는 경향 ; 편애

Jessie has a *propensity* for saying stupid things: every time she opens her mouth, something stupid comes out.
제시는 어리석은 말만 하는 경향이 있다: 그녀가 입을 열면 언제나 바보 같은 이야기가 튀어나온다.

Bill's *propensity* to sit around all day doing nothing came into conflict with his mother's *propensity* to kick him out of the house.
하루 종일 아무 것도 하지 않고 빈둥거리기를 좋아하는 빌의 성향과 그를 집 밖으로 내보내고 싶어하는 엄마의 성향이 충돌하게 되었다.

**PROPITIOUS** [prəpíʃəs] adj **marked by favorable signs or conditions** **호의적인 표시나 상황을 나타내는**

Rush hour is not a *propitious* time to drive into the city.
출퇴근 시간은 시내에 차를 몰고 들어가기에는 좋은 시간이 아니다.

The early negotiations between the union and the company had been so *propitious* that no one was surprised when a new contract was announced well before the strike deadline.
노동조합과 회사간의 초기 협상이 워낙 호의적이었기 때문에, 파업 개시 시한 훨씬 전에 새로운 합의안이 발표되었을 때 놀라는 사람은 아무도 없었다.

**PROPONENT** [prəpóunənt] n **an advocate ; a supporter of a position** **주창자 ; 입장의 지지자, 대변인**

*Proponent* and *opponent* are antonyms. The *proponents* of a tax increase will probably not be reelected next fall.
proponent(지지자)와 opponent(반대자)는 서로 반의어이다. 세금 인상을 지지하는 사람들은 아마도 다음 가을 선거에는 재선되지 못할 것이다.

**PROPRIETARY** [prəpráiətèri/-təri] ad **characteristic of an owner of property ; constituting property** **재산 소유자에게 특징적인 ; 재산을 이루는**

To take a *proprietary* interest in something is to act as though you own it. George felt very *proprietary* about the chocolate-cookie recipe ; he had invented it himself.
무언가에 독점적인 관심을 갖는다는 것은 마치 그것을 소유하고 있는 것처럼 행동한다는 뜻이다. 조지는 초콜릿 쿠키 요리법에 대해 대단히 독점 의식을 갖고 있었다 : 그 자신이 그 요리법을 만들어냈던 것이다.

The company's design for musical toilet paper is *proprietary* ; the company owns it, and outsiders can't look at it for nothing.
음악소리가 나는 화장실 휴지에 관한 설계도는 그 회사의 소유이다 : 그 회사가 소유권을 갖고 있기 때문에, 외부 사람은 공짜로 그것을 열람할 수 없다.

A *proprietor*[prəpráiətər] is an owner.
a proprietor는 소유주를 의미한다.

**PROPRIETY** [prəpráiəti] n **properness ; good manners** **적절함 ; 예의바름**

The old lady viewed the little girl's failure to curtsy as a flagrant breach of *propriety*. She did not approve of or countenance such *improprieties*.
여성의 전통 인사법도 제대로 하지 못하는 소녀를 보고, 노부인은 그녀를 아주 버릇없는 아이라고 생각했다. 부인은 소녀의 무례를 용서하지도 모른 척하지도 않았다.

*Propriety* prevented the young man from trashing the town in celebration of his unexpected acceptance by the college of his choice.
청년은 지원한 대학으로부터 기대하지도 않았던 입학 허가서를 받고, 합격을 축하하는 파티를 열었지만, 예의를 지키느라 마을을 소란스럽게 하지는 않았다.

*Propriety* derives from *proper*, not *property*.
propriety는 property(재산)가 아니라 proper(적절한)에서 파생한 단어이다.

**PROSAIC** [prouzéiik] adj **dull ; unimaginative ; like prose (as opposed to poetry)** **지루한 ; 상상력이 빈곤한 ; 산문 같은 (시적인 것에 반대된다는 의미로)**

His description of the battle was so *prosaic* that it was hard for his listeners to believe that any of the soldiers had even been wounded, much less blown to smithereens.
그가 그 전투를 너무나 무미건조하게 설명했기 때문에 청중들은 그 전투에서 산산조각이 나서 날아간 것은 고사하고 부상당한 병사가 있었다는 사실조차 믿기 어려웠다.

The little boy's ambitions were all *prosaic* ; he said he wanted to be an accountant, an auditor, or a claims adjuster.
소년의 꿈은 모두 상상력이 빈곤한 것들뿐이었다 : 소년은 회계사나 회계 감사원, 아니면 보험 지급액 산정 계원이 되고 싶다고 말했다.

**PROSCRIBE** [prouskráib] v **to outlaw ; to prohibit** **법률의 보호밖에 두다 ; 금지하다**

Spitting on the sidewalk and shooting at road signs were both *proscribed* activities under the new administration.
인도에 침을 뱉거나 도로 표지판에 총을 쏘는 행위는 새로운 정부하에서는 모두 법에 저촉되는 행동이었다.

The young doctor *proscribed* smoking in the waiting room of his office.
신참 의사는 진료 대기실에서의 흡연을 금지시켰다.

The act of *proscribing* is *proscription* ; an individual act of *proscribing* is also a *proscription*.
명사형은 proscription; (법과 기관에 의하지 않은) 사적인 제재도 역시 금지 사항이다.

**PROSELYTIZE** [prɑ́sələtàiz] v **to convert (someone) from one religion or doctrine to another ; to recruit converts to a religion or doctrine** **종교나 주의, 신조 등을 전향시키다 ; 종교나 주의, 신조의 전향자를 모집하다, 전도하다**

The former Methodist had been *proselytized* by a Lutheran deacon.
이전에 감리교 신자였던 그 사람은 루터파의 한 집사에 의해 개종한 사람이었다.

The airport terminal was filled with *proselytizers* from a dozen different sects, cults, and religions. They were attempting to *proselytize* the passengers walking through the terminal.
수십 여 개의 종파와 이교와 그밖에 다른 종교의 전도사들이 공항 터미널에 가득했다. 그들은 터미널을 오가는 승객들을 대상으로 포교활동을 하고 있었다.

**PROTAGONIST** [proutǽgənist] n **the leading character in a novel, play, or other work ; a leader or champion** **소설이나 연극, 기타 작품 속의 주역 ; 지도자 또는 우승자**

Martin Luther King, Jr., was a *protagonist* in the long and continuing struggle for racial equality.
마틴 루터 킹 2세는 인종간의 평등을 향한 길고도 끊임없는 투쟁의 지도자였다.

The *protagonist* of the movie was an eleven-year-old boy who saved his hometown from destruction by eating all the doughnuts that the mad scientist had been using to fuel his nuclear reactor. The mad scientist was the boy's chief *antagonist*. An *antagonist* is an opponent or adversary.
영화의 주인공은 고향을 파멸의 위기에서 구해낸 열 한 살짜리 소년이었다. 소년은 미친 과학자가 원자로의 연료로 사용하고 있던 도넛들을 몽땅 먹어치움으로써 고향을 구해낼 수 있었다. 미친 과학자는 소년의 주요한 상대역이었다. antagonist는 적대적으로 대립하는 인물이나 상대역을 의미한다.

**PROTRACT** [proutrǽkt] v **to prolong** **연장하다**

The trial was so *protracted* that one of the jurors died of old age and another gave birth.
어느 배심원은 노환으로 사망하고, 다른 사람은 아이를 새로 낳았을 정도로 그 재판은 오래 끌며 진행되었다.

The commencement speaker promised not to *protract* his remarks, but then he spoke for two solid hours. It was a *protracted* speech.
졸업식의 연사는 오래 끌지 않기로 한 약속을 저버리고, 정확히 두 시간이나 연설을 했다. 그야말로 질질 끈 연설이었다.

**PROVIDENT** [prάvədənt] adj **preparing for the future ; providing for the future ; frugal**
**선견지명의 ; 미래에 대비하는 ; 검소한, 절약하는**

We were *provident* with our limited food supplies, knowing that the winter ahead would be long and cold.
다가올 겨울이 길고 추울 것이라는 사실을 알고 있었기 때문에, 우리는 식량 공급을 제한해서 앞일에 대비했다.

The *provident* father had long ago set aside money for the college education of each of his children.
선견지명이 있는 아버지는 자식들의 대학 교육을 위해 오래 전부터 저축을 하고 있었다.

To be *improvident* is to fail to provide for the future. It was *improvident* of the grasshopper not to store any food for the winter, unlike his acquaintance the *provident* ant.
to be improvident는 미래에 대비하지 못한다는 뜻이다. 항상 미래를 준비하는 이웃의 개미와는 달리, 베짱이는 앞일을 전혀 생각지 않고 다가올 겨울에 대비한 식량을 하나도 모아놓지 않았다.

## QUICK QUIZ 68

Match each word in the first column with its definition in the second column. Check your answers in the back of the book.

| | |
|---|---|
| 1. promulgate | a. natural inclination |
| 2. propensity | b. good manners |
| 3. propitious | c. advocate |
| 4. proponent | d. prohibit |
| 5. proprietary | e. prolong |
| 6. propriety | f. leading character |
| 7. prosaic | g. constituting property |
| 8. proscribe | h. frugal |
| 9. proselytize | i. dull |
| 10. protagonist | j. marked by favorable signs |
| 11. protract | k. convert |
| 12. provident | l. proclaim |

**PROVINCIAL** [prəvínʃəl] adj **limited in outlook to one's own small corner of the world ; narrow** 자신의 작은 세계로 시야가 한정된 ; 좁은 ,편협한, 제한된

The farmers were very *provincial* ; they had no opinions about anything but the price of corn and no interest in anything except growing more of it.
농부들의 시각은 매우 제한적이었다 ; 그들은 옥수수의 가격에 관한 것 외에는 달리 의견도 없었고, 옥수수를 더 많이 재배하는 것말고는 관심도 없었다.

New Yorkers have reputations for being very sophisticated and cosmopolitan, but most of them are actually very *provincial* ; they act as though nothing of interest had ever happened on the other side of the Hudson River.
뉴욕 시민들은 대단히 세련되고 국제적인 것으로 유명하다. 그러나 사실상, 그들 대부분은 상당히 편협한 편이다 ; 그들은 허드슨 강 건너편에서는 아무런 흥미있는 일이 일어난 적이 없는 듯이 행동한다.

**PROVISIONAL** [prəvíʒənəl] adj **conditional ; temporary ; tentative** 잠정적인, 조건부의 ; 일시적인 ; 임시의

Louis had been accepted as a *provisional* member of the club. He wouldn't become a permanent member until the other members had a chance to see what he was really like.
루이스는 그 클럽의 임시 회원으로 받아들여졌다. 다른 회원들이 그가 실제로 어떤 사람인지 알게 될 때까지는 루이스는 정규 회원이 될 수 없을 것이다.

The old man's offer to donate $10,000 to the charity was *provisional* ; he said that he would give the money only if the charity could manage to raise a matching sum.
노인은 그 자선단체에 조건부로 만 달러를 기부하겠다고 제의했다 : 그는 자선단체가 별도로 10,000 달러를 모금하게 되었을 때에만, 그 돈을 기부하겠다고 말했다.

**PROXIMITY** [prɑksíməti] n **nearness** 가까움, 근접

I can't stand being in the *proximity* of a nuclear explosion. The radiation leaves my hair a mess.
나는 핵폭발이 있었던 장소 근처에는 있을 수가 없다. 방사능이 내 머리카락을 엉망으로 만들 것이다.

In a big city, one is almost always in the *proximity* of a restaurant.
큰 도시에서는, 사람들 근처에 거의 언제나 레스토랑이 있다.

**PRUDENT** [prú:dənt] adj **careful ; having foresight** 조심성 있는 ; 선견지명이 있는

Joe is a *prudent* money manager. He doesn't invest heavily in racehorses, and he puts only a small part of his savings in the office football pool. Joe is the epitome of *prudence*.
조는 조심성 있게 돈을 관리하는 사람이다. 그는 경마에 큰돈을 투자하는 법도 없고 실내 풋볼 도박에도 저축액 중에서 아주 적은 액수만을 판돈으로 건다. 조는 신중한 인간의 전형이다.

The opposite of *prudent* is *imprudent*. It was *imprudent* of us to pour gasoline all over the floor of our living room and then light a fire in the fireplace.
prudent의 반의어는 imprudent. 우리는 경솔하게도 거실 바닥 전체에 휘발유를 쏟아놓고 나서 벽난로에 불을 붙였다.

**PURPORTED** [pərpɔ́:rtid] adj **rumored ; claimed** 소문난 ; 주장하는

The heiress is *purported* to have been kidnapped by adventurers and buried in a concrete vault beneath the busiest intersection in Times Square. No one believes this story except the psychic who was consulted by the police.
상속녀는 돈을 노린 사기꾼들에게 납치되어 타임스퀘어 광장의 번잡한 교차로 밑에 있는 콘크리트 지하실에 묻혀있다는 소문이다. 경찰이 자문을 의뢰한 심령술사를 제외하고는 그 이야기를 믿는 사람은 아무도 없다.

To *purport* something is to claim or allege it.
purport something은 어떤 일을 주장하다, 또는 단언하다라는 뜻이다.

**PUTATIVE** [pjúːtətiv] adj **commonly accepted ; supposed ; reputed** 일반적으로 인정되는 ; 추정상의 ; 일컬어지는

The *putative* reason for placing the monument downtown is that nobody had wanted it in uptown. When you use the word *putative*, you emphasize that the reason is only supposed, not proven.
소문에 의하면, 그 기념물을 도심지에 세우는 이유는 그것을 주택지구에 세우는 것을 아무도 원하지 않았기 때문이라고 한다. 이 단어를 사용하게 되면, 증명되지 않은, 오로지 추정에 의한 판단임을 강조하는 것이다.

## QUICK QUIZ 69

Match each word in the first column with its definition in the second column. Check your answers in the back of the book.

| | |
|---|---|
| 1. provincial | a. commonly accepted |
| 2. provisional | b. nearness |
| 3. proximity | c. narrow in outlook |
| 4. prudent | d. rumored |
| 5. purported | e. careful |
| 6. putative | f. conditional |

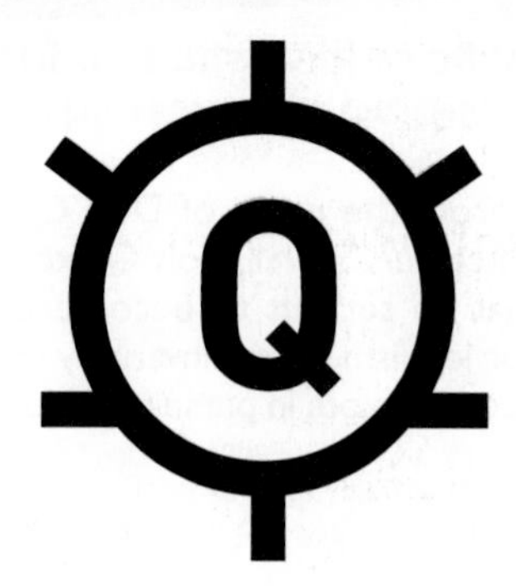

**QUALIFY** [kwáləfài] v **to modify or restrict** **수식하거나 제한하다**

You already know the primary meaning of *qualify*. Here's another meaning.
여러분은 이미 qualify의 주요한 의미를 알고 있다. 여기 또 다른 뜻이 있다.

Susan *qualified* her praise of Judith by saying that her kind words applied only to Judith's skillful cooking and not to her abhorrent personality. Judith was upset by Susan's *qualification*.
수잔은 자신의 칭찬이 단지 주디스의 능숙한 요리 솜씨에 관한 것일 뿐, 그녀의 끔찍한 성격에 대한 것은 아니라고 말함으로써 주디스에 대한 칭찬의 범위를 제한했다. 주디스는 수잔의 반쪽짜리 평가에 당황했다.

The library trustees rated their fund-raiser a *qualified* success ; many more people than expected had come, but virtually no money had been raised.
도서관 관리자들은 기금모금이 반쪽짜리 성공이라고 평가했다 ; 예상보다 더 많은 사람들이 왔지만, 실제적으로 기금은 모이지 않았다.

An *unqualified* success is a complete, unrestricted success.
An unqualified success는 완전한, 제한됨이 없는 성공이다.

**QUALITATIVE** [kwálətèitiv/kwɔ́litə-] adj **having to do with the quality or something (as opposed to the quantity)** **사물의 질과 관련된(양에 반대되는 개념으로)**

If a school achieves a *qualitative* improvement in attendance, it means the school is being attended by better students. If the school achieves a *quantitative* improvement, it means the school is being attended by more students.
학교 재학생들 차원에서 질적인 향상이 있다면, 그것은 더 좋은 학생들이 생겼다는 의미일 것이다. 양적인 발전을 이룬다면, 그 말은 학교의 학생수가 더 많아졌다는 의미이다.

The difference between the two restaurants was *quantitative* rather than *qualitative*. Both served the same dreadful food, but the second restaurant served more of it.
두 식당의 차이점은 질적인 문제라기보다는 양적인 문제였다. 둘 다 음식 맛은 끔찍하지만, 그래도 두 번째 식당은 양이라도 많이 주었다.

**QUERULOUS** [kwérulәs/-julәs] adj **complaining ; grumbling ; whining** **불평하는 ; 툴툴대는 ; 푸념하는, 우는 소리를 하는**

Although a *query* is a question, *querulous* does not mean questioning.
a query는 question(의문)의 의미이지만, querulous는 questioning(의심하는)을 의미하지는 않는다.

The exasperated mother finally managed to hush her *querulous* child.
아이의 불평에 화가 난 어머니는 결국 툴툴대는 아이의 입을 다물게 했다.

The *querulous* voices of the students, who believed that their quiz had been graded too harshly, could be heard all the way at the other end of the school building.
시험 점수가 너무 가혹하다고 생각하는 학생들의 불평에 찬 목소리가 학교 건물 다른 쪽 끝까지 들려왔다.

**QUIXOTIC** [kwiksátik] adj **romantic or idealistic to a foolish or impractical degree 어리석거나 비현실적일 정도로 낭만적이거나 이상주의적인**

The word *quixotic* is derived from the name of Don Quixote, the protagonist of Miguel de Cervantes's classic seventeenth-century novel. Don Quixote had read so many romances about the golden age of chivalry that he set out to become a knight himself and have chivalrous adventures. Instead, his romantic idealism almost invariably got him into trouble. To be *quixotic* is to be as foolish or impractical as Don Quixote in pursuing an Ideal.

이 단어는 17세기 미구엘 드 세르반테스가 쓴 고전 소설의 주인공의 이름인 Don Quixote(돈키호테)에서 유래한 것이다. 돈키호테는 기사도의 황금기에 관한 소설을 너무 많이 읽은 나머지, 스스로 기사가 되기로 마음먹고 기사도 정신을 실천할 모험을 위해 길을 떠났다. 그러나, 그의 낭만적인 생각은 거의 언제나 그를 곤경에 빠뜨렸다. to be quixotic은 이상만 추구한다는 점에서, 돈키호테만큼 어리석고 비현실적이라는 뜻이다.

For many years Mr. Morris had led a *quixotic* effort to repeal the federal income tax.

여러 해 동안, 모리스씨는 연방정부의 소득세를 폐지하기 위해 어리석을 만치 애를 썼다.

The political organization had once been a powerful force in Washington, but its membership had dwindled and its causes had become increasingly *quixotic*.

그 정치단체는 한때 워싱턴에서 막강한 힘을 발휘했었다. 그러나, 회원 수는 점점 줄어들고, 그들의 주장도 점점 현실성을 잃어갔다.

## QUICK QUIZ 70

Match each word in the first column with its definition in the second column. Check your answers in the back of the book.

| | |
|---|---|
| 1. qualify | a. having to do with quantity |
| 2. qualitative | b. foolishly romantic |
| 3. quantitative | c. complaining |
| 4. querulous | d. modify or restrict |
| 5. quixotic | e. having to do with quality |

**RAMIFICATION** [ræ̀məfikéiʃən] n **a consequence ; a branching out** 결과 ; 갈래, 가지, 분파

A tree could be said to *ramify*, or branch out, as it grows. A *ramification* is a consequence that grows out of something in the same way that a tree branch grows out of a tree trunk.
나무는 자라면서 가지를 뻗는다, 또는 가지를 낸다고 표현할 수 있다. ramification은 나무줄기에서 나뭇가지가 생겨나 자라는 것처럼 무엇에서 파생한 결과를 의미하는 단어이다.

The professor found a solution to the problem, but there are many *ramifications* ; some experts are afraid that he has created more problems than he has solved.
교수는 그 문제에 대한 해답을 찾았지만, 결과는 다양하다 ; 몇몇 전문가들은 그가 풀어낸 해법보다 더 많은 문제를 만들어내지 않았을까 걱정하고 있다.

**RANCOR** [rǽŋkər] n **bitter, long-lasting ill will or resentment** 격렬하고 오래 지속되는 악의, 또는 원한, 증오

The mutual *rancor* felt by the two nations eventually led to war.
서로간의 뿌리깊은 증오가 결국 두 나라를 전쟁으로 이끌었다.

Jeremy's success produced such feelings of *rancor* in Jessica, his rival, that she was never able to tolerate being in the same room with him again.
제레미의 성공은 라이벌인 제시카에게 너무나 깊은 증오심을 남겨주어서, 그녀는 더 이상 그와 같은 방에서 지내는 것을 결코 참을 수가 없었다.
* 증오를 느낀다는 뜻의 형용사는 rancorous.

The *rancorous* public exchanges between the two competing boxers are strictly for show ; outside the ring, they are the best of friends.
시합중인 두 권투선수가 공개적으로 악의가 가득한 언행을 서로 교환하는 것은 철저히 구경거리를 위한 것이다 ; 링을 벗어나면, 그들은 둘도 없는 친구사이이다.

**RAPACIOUS** [rəpéiʃəs] adj **greedy ; plundering ; avaricious** 탐욕스러운 ; 약탈하는 ; 욕심 많은

Wall Street investment bankers are often accused of being *rapacious*, but they claim they are performing a valuable economic function.
월스트리트의 투자 은행가들은 욕심이 과하다고 자주 비난받는다. 그러나, 그들은 가치 있는 경제적 역할을 수행하고 있다고 주장한다.
* 명사형은 rapacity.

**REBUKE** [ribjú:k] v **to criticize sharply** 신랄하게 비난(비평)하다

The judge *rebuked* the convicted murderer for chopping up so many people and burying them in the woods.
판사는 유죄가 확정된 살인자에게 그렇게 많은 사람들을 토막내어 죽이고서 숲에다 묻어버린 사실에 대해 신랄하게 비난을 퍼부었다.

We trembled as Mr. Solomon *rebuked* us for flipping over his car and taking off the tires.
자신의 차를 뒤집어엎고 바퀴까지 빼버렸다고, 솔로몬씨가 우리를 매섭게 야단쳐서 우리는 겁이 나 벌벌 떨었다.

A piece of sharp criticism is called a *rebuke*. When the students pushed their French teacher out the window, the principal delivered a *rebuke* that made their ears twirl.
신랄한 비난을 rebuke라 한다. 학생들이 불어선생님을 창문 밖으로 밀어버린 일에 대해서, 교장은 학생들의 귀가 빙빙 돌 정도로 매섭게 야단을 쳤다.

**REBUT** [ribʌ́t] v **to contradict ; to argue in opposition to ; to prove to be false** 반박하다 ; 반대하는 입장에서 주장하다 ; 거짓임을 입증하다

They all thought I was crazy, but none of them could *rebut* my argument.
그들은 모두 내가 미쳤다고 생각했다. 그러나 그들 중 어느 누구도 나의 주장을 반박하지 못했다.

The defense attorney attempted to *rebut* the prosecutor's claim that the defendant's fingerprints, hair, clothing, signature, wallet, wristwatch, credit cards, and car had been found at the scene of the crime.
피고측 변호인은 피고인의 지문과 머리카락, 옷과 서명, 지갑, 손목시계, 신용카드, 그리고 자동차 등이 범죄 현장에서 발견되었다는 검사측의 주장을 반박하고자 했다.

An act or instance of *rebutting* is called a *rebuttal*. *Rebut* and *refute* are synonyms.
원고의 반박이나 반증을 제시하는 것을 a rebuttal이라 한다. rebut 와 refute 는 서로 동의어이다.

**RECALCITRANT** [rikǽlsətrənt] adj **stubbornly defiant of authority or control ; disobedient** 권위나 통제에 완강하게 반항하는 ; 순종하지 않는

The *recalcitrant* cancer continued to spread through the patient's body despite every therapy and treatment the doctors tried.
난치성 암은 의사들이 시도하는 모든 약물요법과 치료에도 불구하고 환자의 몸 전체로 계속적으로 퍼져갔다.

The country was in turmoil, but the *recalcitrant* dictator refused even to listen to the pleas of the international representatives.
그 나라는 혼란상황이었다. 그러나, 완강하게 버티고 있던 독재자는 심지어 국제 대표부의 탄원마저 들으려 하지 않았다.

**RECANT** [rikǽnt] v **to publicly take back and deny (something previously said or believed) ; to openly confess error** 공식적으로 철회하고 부인하다(이전에 말했던 것이나 믿었던 것을) ; 공개적으로 실수를 고백하다

The chagrined scientist *recanted* his theory that mice originated on the moon ; it turned out that he had simply mixed up the results of two separate experiments.
그 과학자는 억울해하면서 쥐가 달에서 기원했다는 자신의 이론을 공식적으로 철회했다 ; 그가 두 개의 서로 다른 실험결과를 단순히 혼동했을 뿐이라는 사실이 밝혀졌던 것이다.

The secret police tortured the intellectual for a week, by tickling his feet with a feather duster, until he finally *recanted*.
비밀경찰은 깃털로 만든 먼지떨이로 발을 간질이는 방법으로, 결국 그 지식인이 자신의 주장을 철회할 때까지 일주일 동안이나 고문했다.
* 명사형은 recantation.

**RECIPROCAL** [risíprəkəl] adj **mutual, shared ; interchangeable** 상호간의, 함께 하는, 공유하는 ; 교환할 수 있는

The Rochester Club had a *reciprocal* arrangement with the Duluth Club. Members of either club had full privileges of membership at the other.
로체스터 클럽과 두러스 클럽은 상호간 협정을 맺었다. 어느 한 클럽의 회원은 상대 클럽의 정회원으로서의 모든 특권을 갖게 되었다.

Their hatred was *reciprocal* ; they hated each other.
그들의 증오는 상호적이었다 ; 그들은 서로 상대방을 증오했다.

To *reciprocate* is to return in kind, to interchange, or to repay.
to reciprocate는 '똑같이 돌려주다, 교환하다, 돈을 갚다' 라는 뜻이다.

Our new neighbors had had us over for dinner several times, but we were unable to *reciprocate* immediately because our dining room was being remodeled.
우리의 새 이웃은 여러 번 우리를 식사에 초대했었다. 그러나 우리는 주방을 개조하는 중이었기 때문에 곧바로 답례를 할 수가 없었다.

Peter hit Paul over the head with a stick. Paul *reciprocated* by punching Peter in the nose.
피터는 막대기로 폴의 머리를 때렸다. 폴은 피터의 코에 주먹질을 해서 복수했다.

A *reciprocity*[rèsəprásəti] is a *reciprocal* relation between two parties, often whereby both parties gain.
a reciprocity는 상호 주고 받는 관계를 의미하는데, 대개는 그것을 통하여 양쪽이 모두 이익을 얻게 된다.

## RECLUSIVE [riklú:siv] adj **hermitlike ; withdrawn from society** 은둔자 같은 ; 사회로부터 물러난

The crazy millionaire led a *reclusive* existence, shutting himself up in his labyrinthine mansion and never setting foot in the outside world.
정신이 나간 백만장자는 은둔자 같은 존재가 되었다. 그는 미궁 같은 대저택에 자신을 가둬놓고 외부 세계로는 결코 한 발짝도 나오지 않았다.

Our new neighbors were so *reclusive* that we didn't even meet them until a full year after they had moved in.
우리의 새 이웃은 너무나 꽁꽁 숨어 있어서, 그들이 이사온 지 일년이 되도록 우리는 한번도 만나지 못했다.

A *reclusive* person is a *recluse*. After his wife's death, the grieving old man turned into a *recluse* and seldom ventured out of his house.
a reclusive person은 세상을 버린 은둔자이다. 아내의 죽음 이후, 비탄에 잠긴 노인은 은둔자가 되어서 좀처럼 집 밖으로 나오지 않았다.

## RECONDITE [rékəndàit/rikándait] adj **hard to understand ; over one's head** 이해하기 어려운 ; ~에게 이해되지 않는

* 발음에 주의할 것.

The philosopher's thesis was so *recondite* that I couldn't get past the first two sentences.
그 철학자의 논문은 너무나 난해해서, 나는 처음 두 문장에서 더 나아갈 수가 없었다.

Every now and then the professor would lift his head from his desk and deliver some *recondite* pronouncement that left us scratching our heads and trying to figure out what he meant.
때때로 교수님은 책상에서 고개를 들고는 이해할 수 없는 말을 하곤 했다. 그러면, 우리는 머리를 긁적이며 교수님이 의미하는 것이 무엇인지 알아내려고 애를 썼다.

The scholarly journal was so *recondite* as to be utterly incomprehensible.
그 학술지는 너무나 난해해서 아예 이해가 불가능할 정도였다.

## QUICK QUIZ 

Match each word in the first column with its definition in the second column. Check your answers in the back of the book.

| | |
|---|---|
| 1. ramification | a. hard to understand |
| 2. rancor | b. criticize sharply |
| 3. rapacious | c. consequence |
| 4. rebuke | d. mutual |
| 5. rebut | e. hermitlike |
| 6. recalcitrant | f. bitter resentment |
| 7. recant | g. stubbornly defiant |
| 8. reciprocal | h. publicly deny |
| 9. reclusive | i. contradict |
| 10. recondite | j. greedy |

**RECRIMINATION** [rikrìmənéiʃən] n **a bitter counteraccusation, or the act of making a bitter counteraccusation** 가혹한 역비난, 또는 되받아서 비난하는 행위

Mary was full of *recrimination*. When I accused her of stealing my pen, she angrily accused me of being careless, evil, and stupid.
매리의 역습은 대단했다. 내가 펜을 훔쳐갔다고 그녀를 비난하자, 그녀는 화를 내며 내가 부주의하고, 사악할 뿐만 아니라, 어리석기까지 하다고 나를 비난했다.

The word is often used in the plural. The courtroom echoed with the *recriminations* of the convicted defendant as he was taken off to the penitentiary.
이 단어는 복수로도 사용된다. 피고인을 교도소로 이송하려 할 때, 법정에는 유죄가 확정된 피고인이 (유죄를)반박하는 목소리가 메아리쳤다.
* 동사형은 recriminate, 형용사는 recriminatory.

**REDOLENT** [rédələnt] adj **fragrant** 향기로운

The air in autumn is *redolent* of wood smoke and fallen leaves.
가을의 대기는 나무 때는 연기와 낙엽으로 향기롭다.

The flower arrangements on the tables were both beautiful and *redolent*.
탁자 위의 꽃꽂이는 아름답고 향기로웠다.
* 명사형은 redolence.

*Redolent* also means suggestive. The new play was *redolent* of one I had seen many years ago.
redolent는 또한 suggestive(~을 생각나게 하는)의 의미도 있다. 새로 본 연극은 내가 수년 전에 보았던 연극을 생각나게 했다.

**REDUNDANT** [ridʌ́ndənt] adj **unnecessarily repetitive ; excessive ; excessively wordy** 불필요하게 되풀이하는 ; 과다한 ; 과다하게 말 많은, 장황한

Bill had already bought paper plates, so our purchase of paper plates was *redundant*.
빌이 이미 종이 접시를 사두었기 때문에, 우리가 구입한 종이 접시는 남아돌게 되었다.

Harry's article was *redundant*—he kept saying the same thing over and over again.
해리의 논문은 장황했다. — 그는 똑같은 얘기를 자꾸 반복했다.

An act of being *redundant* is a *redundancy*. The title "Department of Redundancy Department" is *redundant*.
명사형은 redundancy. "Department of Redundancy Department(재고관리부의 부서)"라는 명칭은 동어반복이다.

## REFUTE [rifjúːt] v to prove to be false ; to disprove 거짓임을 증명하다 ; 논박하다

His expensive suit and imported shoes clearly *refuted* his claim that he was poor.
그가 입은 비싼 양복과 외제 신발은 자신이 가난하다는 그의 주장이 거짓임을 명백하게 증명하고 있었다.

I *refuted* Larry's mathematical proof by showing him that it depended on two and two adding up to five.
래리의 수학적 증명이 2 더하기 2는 5라는 것에서 출발했다는 것을 제시함으로써 나는 그의 증명이 틀렸음을 밝혔다.
* 명사형은 refutation.

The audience enjoyed the panelist's humorous *refutation* of the main speaker's theory about the possibility of building an antigravity airplane.
청중들은 주 발표자가 내놓은 반중력 비행기의 제조 가능성에 관한 이론을 익살스럽게 반박하는 토론자의 얘기를 재미있어 했다.

Something that is indubitable, something that cannot be disproven, is *irrefutable*. Carrie's experiments with jelly beans and pencil erasers offered *irrefutable* proof that jelly beans taste better than pencil erasers.
의심의 여지없이 명백한 것, 반박할 수 없는 것은 irrefutable이라고 표현한다. 젤리 사탕과 연필지우개를 이용한 캐리의 실험은 의심할 나위 없이 젤리 사탕이 연필지우개보다 더 맛이 있다는 사실을 증명해 주었다.

## REITERATE [riːítərèit] v to say again ; to repeat 다시 말하다 ; 반복하다

The candidate had *reiterated* his position so many times on the campaign trail that he sometimes even muttered it in his sleep.
그 후보자는 선거 유세 중에 하도 여러 번 자신의 입장을 반복해서 말하고 다녀서, 때로는 잠을 자면서도 그 말을 중얼거릴 정도였다.

To *reiterate*, let me say once again that I am very happy to have been invited to the birthday celebration of your adorable Pekingese.
반복하자면, 다시 한번 말하지만 사랑스런 강아지 생일 파티에 초대해줘서 나는 너무 행복합니다.

An act of *reiterating* is called a *reiteration*. Bobby's *reiteration* of his demands was entirely unnecessary, since we already knew what they were.
명사형은 reiteration. 우리는 이미 바비가 원하는 것이 무엇인지 알고 있었기 때문에, 자신의 요구사항을 반복해서 말하는 그의 행동은 전적으로 불필요한 행동이었다.

## RELEGATE [réləgèit] v to banish ; to send away 내쫓다 ; 멀리 보내다

The most junior of the junior executives was *relegated* to a tiny, windowless office that had once been a broom closet.
하급 관리직 중에서도 가장 말단은 전에는 청소 도구를 넣어두는 창고로 쓰였던, 작고 창문도 없는 방으로 쫓겨갔다.

The new father's large collection of jazz records was *relegated* to the cellar to make room for the new baby's larger collection of stuffed animals. The father objected to the *relegation* of his record collection to the cellar, but his objection did no good.
아버지의 신종 수집품인 수많은 재즈 음반은, 아이의 새로운, 그리고 규모가 더 큰 수집품인 박제 동물에게 방을 내주기 위해 지하실로 쫓겨갔다. 아버지는 자신의 음반들이 지하실로 추방당하는 것에 반대했지만, 그의 반대는 받아들여지지 않았다.

**RELENTLESS** [riléntlis] adj **continuous ; unstoppable** **끊임없는 ; 막을 수 없는**

To *relent* is to stop or give up. *Relentless*, or *unrelenting*, means not stopping. The insatiable rabbit was *relentless* ; it ate and ate until nothing was left in the botanical garden. The torrential rains were *relentless*, eventually creating a deluge.
relent는 '멈추다' 또는 '포기하다'의 뜻이다. relentless와 unrelenting은 멈추지 않는다는 의미이다. 토끼의 탐욕스러움은 끝이 없었다 : 토끼는 식물원에 아무 것도 남지 않을 때까지 먹고 또 먹었다. 폭우가 그치지 않더니, 결국은 홍수가 났다.

**RELINQUISH** [rilíŋkwiʃ] v **to release or let go of ; to surrender ; to stop doing** **놓아주다 또는 놓다 ; 넘겨주다 ; 하던 일을 그만두다**

The hungry dog refused to *relinquish* the enormous beef bone that he had stolen from the butcher's shop.
굶주린 개는 정육점에서 훔친 커다란 쇠고기뼈를 놓으려 하지 않았다.

The retiring president *relinquished* control of the company only with the greatest reluctance.
은퇴하는 사장은 몹시 못마땅해하며 회사의 통제권을 양도했다.

Sandra was forty-five years old before she finally *relinquished* her view of herself as a glamorous teenaged beauty.
산드라는 마흔 다섯 살이 되고 나서야 비로소 자신을 십대 같은 매력적인 미인으로 생각하는 착각을 그만두었다.

**REMONSTRATE** [rimánstreit/rémənstrèit] v **to argue against ; to protest ; to raise objections** **반대 의견을 주장하다 ; 항의하다 ; 이의를 제기하다**

My boss *remonstrated* with me for telling all the secretaries they could take the rest of the week off.
사장은 내가 비서들에게 이번 주 남은 날들은 쉴 수 있을 것이라고 말한 것에 대해서 나에게 항의했다.

The manager *remonstrated*, but the umpire continued to insist that the base runner had been out at third. When the manager continued to *remonstrate*, the umpire threw him out of the game.
감독이 항의했지만, 심판은 계속해서 주자가 삼루에서 아웃당했다고 주장했다. 감독이 계속해서 항의하자, 심판은 감독을 퇴장시켰다.
* 명사형은 remonstration.

**RENAISSANCE** [rènəsá:ns/rənéisns] n **a rebirth or revival** **부활 또는 재생**

The capital R *Renaissance* was a great blossoming of art, literature, science, and culture in general that transformed Europe between the fourteenth and seventeenth centuries.
대문자 R로 쓰는 Renaissance는 14세기에서 17세기 사이에 걸쳐 유럽을 변모시켰던, 미술과 문학과 과학, 그리고 문화 전반이 화려하게 꽃핀 것을 일컫는 말이다.

The word is also used in connection with lesser rebirths.
이 단어는 비유적인 의미로 재생과 관련해서도 쓰인다.

The declining neighborhood underwent a *renaissance* when a group of investors bought several crumbling tenements and turned them into attractive apartment buildings.
일단의 투자자들이 몇 개의 무너져가고 있는 건물들을 사들여 근사한 아파트로 재개발하자 몰락해가던 인근 마을은 새로운 부흥기를 맞았다.

The small college's football team had endured many losing seasons but underwent a dramatic *renaissance* when the new coach recruited half a dozen 400-pound freshmen.
그 작은 대학의 풋볼팀은 매년 시합에서 지기만 했다. 그러나 새로 온 코치가 400파운드나 나가는 신인들을 여섯 명이나 기용하자 극적인 부활을 경험하게 되었다.
* renaissance는 renascence로 표기하기도 한다.

**RENOUNCE** [rináuns] v **to give up formally or resign ; to disown ; to have nothing to do with anymore** 공식적으로 포기하다 또는 사임하다 ; 자기와의 관계를 부인하다 ; 더 이상 관계가 없다

Despite the pleadings and protestations of her parents, Deborah refused to *renounce* her love for the leader of the motorcycle gang.
부모님의 간청과 항의에도 불구하고, 데보라는 오토바이 폭주족 두목과의 사랑을 포기하지 않았다.

The presidential candidate *renounced* his manager after it was revealed that the zealous manager had tried to murder the candidate's opponent in the primary.
열성적인 보좌관이 대통령 예비 선거에서 상대 후보를 살해하려고 했던 사실이 드러난 후에, 그 후보자는 보좌관과의 모든 관계를 끊었다.
* 명사형은 renunciation.

## QUICK QUIZ 72

Match each word in the first column with its definition in the second column. Check your answers in the back of the book.

| | |
|---|---|
| 1. recrimination | a. surrender |
| 2. redolent | b. disown |
| 3. redundant | c. rebirth |
| 4. refute | d. argue against |
| 5. reiterate | e. fragrant |
| 6. relegate | f. banish |
| 7. relinquish | g. say again |
| 8. remonstrate | h. bitter counteraccusation |
| 9. renaissance | i. unnecessarily repetitive |
| 10. renounce | j. prove to be false |

**REPARATION** [rèpəréiʃən] n **paying back ; making amends ; compensation** 배상 ; 보상 ; 보충, 보수

* 발음에 주의할 것.

To make a *reparation* is to *repair* some damage that has occurred.
to make a reparation은 손상을 입힌 것에 대해 보상한다는 뜻이다.

This word is often used in the plural. The defeated country demanded *reparations* for the destruction it had suffered at the hands of the victorious army.
이 단어는 종종 복수로 사용된다. 패전국은 전쟁의 승리로 도취된 군대에 의해서 야기된 파괴 행위에 대해 배상할 것을 요구했다.

After the accident we sought *reparation* in court, but our lawyer was not competent and we didn't win a cent.
그 사고 후에 우리는 법원에 배상을 요구하는 소송을 냈다. 그러나 우리측 변호사가 능력이 모자란 탓에 우리는 한푼도 받지 못했다.

Something that cannot be *repaired* is *irreparable*[ìrépərəbl].
고칠 수 없는 이라는 뜻의 형용사는 irreparable.

**REPERCUSSION** [rì:pərkʌ́ʃən] v **a consequence ; an indirect effect** 결과 ; 간접적인 결과나 효과

One *repercussion* of the new tax law was that accountants found themselves with a lot of new business.
새로운 조세법의 간접적인 결과 중의 하나는 회계사들에게 새로운 일거리가 많이 생겼다는 것이었다.

The declaration of war had many *repercussions*, including a big increase in production at the bomb factory.
선전 포고는 폭탄 공장의 생산량을 크게 증가시키는 것 외에도 많은 간접적인 효과가 있었다.

**REPLENISH** [ripléniʃ] v **to fill again ; to resupply ; to restore** 다시 채우다 ; 다시 공급하다 ; 회복시키다

The manager of the hardware store needed to *replenish* his stock ; quite a few of the shelves were empty.
철물점 주인은 물건들을 보충할 필요가 있었다 : 상당수의 선반이 비어 있었다.

The commanding general *replenished* his army with a trainload of food and other supplies.
사령관은 열차 한 대분의 식량과 그 외의 보급 물자를 자신의 군대에 다시 공급했다.

After the big Thanksgiving meal, everyone felt *replenished*.
추수감사절 성찬이 끝난 후, 모든 사람들은 포만감을 느꼈다.

* 명사형은 replenishment.

The *replenishment* of our firewood supply was our first thought after the big snowstorm.
대단한 폭설이 지나간 후, 첫 번째로 든 생각은 충분한 양의 땔나무를 다시 채워둬야 한다는 것이었다.

**REPLETE** [riplí:t] adj **completely filled ; abounding** 충분히 채워진 ; 풍부한

The once polluted stream was now *replete* with fish of every description.
한때 오염되었던 시내가 이제는 각종 물고기들로 다시 채워지게 되었다.

The bride wore a magnificent sombrero *replete* with fuzzy dice and campaign buttons.
신부는 보풀이 선 작은 입방체와 캠페인용 배지들로 가득 채워진 멋진 솜브렐로 모자를 쓰고 있었다.(주: 솜브렐로는 테가 넓은 맥고 모자로 멕시코 등지에서 사용)

Tim ate all nine courses at the wedding banquet. He was filled to the point of *repletion*.
팀은 결혼 피로연에서 아홉 가지 코스의 음식을 모두 먹었다. 그는 너무나 많이 먹어서 더 이상 들어갈 데가 없을 때까지 먹었다.

**REPREHENSIBLE** [rèprihénsəbl] adj **worthy of blame or censure** 비난이나 혹평을 받을 만한

He put the cat in the laundry chute, tied the dog to the chimney, and committed several other *reprehensible* acts.
그는 고양이를 세탁물 투입구에 집어넣고, 개를 굴뚝에 묶어두었으며, 그 외에도 비난받을 만한 행동을 몇 가지 더 했다.

Malcolm's manners were *reprehensible* ; he ate his soup by drinking it from his empty wineglass and flipped his peas into his mouth with the back of his salad fork.
말콤의 태도는 비난받을 만했다 : 그는 빈 와인 잔에다 수프를 부어 마셨으며, 완두콩을 샐러드용 포크 등 쪽으로 퉁겨서 입으로 받아먹었다.

**REPRISAL** [ripráizəl] n **a military action undertaken in revenge for another ; an act of taking "an eye for an eye"** **상대방에 대해 복수의 의미로 행해지는 군사적 행동 ; '눈에는 에는 눈, 이에는 이' 식의 행동**

The raid on the Iranian oil-drilling platform was a *reprisal* for the Iranians' earlier attack on the American tanker.
이란의 석유 굴착장에 대한 급습은 미국의 유조선에 선제 공격을 감행한 이란에 대한 보복 차원에서 이루어진 것이었다.

Fearing *reprisals* from the terrorists, the CIA beefed up its security after capturing the terrorist leader.
테러리스트의 지도자를 체포한 후, CIA는 그들의 보복이 두려워서 안전 장치들을 강화했다.

**REPROACH** [ripróutʃ] v **to scold, usually in disappointment ; to blame ; to disgrace** **일반적으로 실망해서 야단치다 ; 비난하다 ; 망신시키다**

My doctor *reproached* me for gaining twenty pounds after he had advised me to lose fifteen.
몸무게를 15파운드 줄여야 한다고 충고를 해 준 뒤에 내 몸무게가 20파운드가 늘자, 주치의는 실망해서 나를 나무랐다.

The police officer *reproached* me for leaving my car parked overnight in a no-standing zone.
경찰관은 정차 금지 구역에 밤새도록 차를 주차했다고 나에게 망신을 주었다.

*Reproach* can also be a noun. To look at someone with *reproach* is to look at that person critically or accusingly. To be filled with *self-reproach* can mean to be ashamed.
reproach는 명사형으로도 쓰인다. to look at someone with reproach는 그 사람을 비판적으로 또는 힐난조로 보는 것을 말한다. to be filled with self-reproach는 '스스로 부끄러워하다'는 의미이다.

Impeccable behavior is beyond fault, it is *irreproachable*. Even though Jerome did split Aunt Mabel's skull with an ax, his motive was *irreproachable* : he had merely been trying to kill a fly perched on her hairnet.
impeccable behavior는 결점이 없는, 흠잡을 데가 없는 행동이다. 제롬이 비록 마벨 아줌마의 머리를 도끼로 쪼개놓기는 했지만, 그 행동의 동기는 비난받을 만한 것이 아니었다 : 그는 단지 아줌마의 헤어네트에 올라앉은 파리를 죽이려고 했던 것이다.

**REPROVE** [riprú:v] v **to criticize mildly** **부드럽게 비평하다**

Aunt May *reproved* us for eating too much, but we could tell she was actually thrilled that we had enjoyed the meal.
메이 아주머니는 우리가 너무 많이 먹는다고 부드럽게 나무랐다. 그러나 그녀가 실제로는 우리가 식사를 즐겁게 한 것에 대해서 몹시 기뻐하고 있다는 것을 우리는 알 수 있었다.

My wife *reproved* me for leaving my dirty dish in the sink.
아내는 내가 더러운 접시를 싱크대에 그냥 두었다고 나무랐다.

* 명사형은 reproof.

The judge's decision was less a sentence than a gentle *reproof* ; he put Jerry on probation and told him never to get in trouble again.
판사의 판결은 온화한 질타에 지나지 않았다 : 그는 제리에게 집행 유예를 선고하고 다시는 말썽을 부리지 말라고 말했다.

**REPUDIATE** [ripjú:dièit] v **to reject ; to renounce ; to disown ; to have nothing to do with** **거절하다, 부인하다 ; 포기하다 ; 관계를 끊다 ; 관계가 없다**

Hoping to receive a lighter sentence, the convicted gangster *repudiated* his former connection with the mob.
더 가벼운 형벌이 내려지기를 바라는 마음에서, 기결수인 폭력배는 과거 폭력 조직과의 관계를 부인했다.

## REQUISITE [rékwəzit] adj **required ; necessary** 필수의 ; 필요한

Howard bought a hunting rifle and the *requisite* ammunition.
하워드는 사냥용 소총 하나와 그에 필요한 탄약을 샀다.

As the *requisite* number of members was not in attendance, the chairman adjourned the meeting just after it had begun.
정족수 미달로, 의장은 회의를 시작하자마자 폐회했다.

*Requisite* can also be a noun, meaning a requirement or a necessity. A hammer and a saw are among the *requisites* of the carpenter's trade.
requisite는 명사로도 쓰이는데, 필요조건 또는 필수품의 뜻. 망치와 톱은 목수 일에 있어서 꼭 필요한 물건들 중의 두 가지이다.

A *prerequisite* is something required before you can get started. A high school diploma is usually a *prerequisite* to entering college.
a prerequisite는 '어떤 일을 시작하기 전에 요구되는 것 — 전제 조건'을 뜻한다. 대학에 들어가기 위해서는 일반적으로 고등학교 졸업장이 필수 전제 조건이다.

## RESOLUTE [rézəlù:t] adj **determined ; firm ; unwavering** 단호한, 굳게 결심한 ; 굳은 ; 동요하지 않는

Uncle Ted was *resolute* in his decision not to have a good time at our Christmas party ; he stood alone in the corner and muttered to himself all night long.
테드 삼촌은 우리의 크리스마스 파티에서 즐기지 않겠다는 결정을 단호하게 지켰다 ; 그는 구석에 혼자 서서 밤새도록 혼자 중얼거렸다.

The other team was strong, but our players were *resolute*. They kept pushing and shoving until, in the final moments, they won the roller-derby tournament.
상대팀이 강하기는 했지만 우리 선수들도 흔들리지 않았다. 그들은 롤러더비 선수권에서 우승하는 마지막 순간까지 계속해서 있는 힘을 다해 싸웠다.

Someone who sticks to his New Year's *resolution* is *resolute*. *Resolute* and *resolved* are synonyms.
새해의 각오를 굳게 고수하는 사람은 의지가 굳은 사람이다. resolute와 resolved는 동의어이다.

To be *irresolute* is to be wavering or indecisive. Our *irresolute* leader led us first one way and then the other way in the process of getting us thoroughly and completely lost.
irresolute는 '동요하는, 우유부단한'이라는 뜻이다. 우유부단한 우리 리더는 처음에는 이 길로 이끌었다가 다음에는 다른 길로 바꾸곤 했는데, 우리는 결국 정말로 완벽하게 길을 잃고 말았다.

## QUICK QUIZ 

Match each word in the first column with its definition in the second column. Check your answers in the back of the book.

| | |
|---|---|
| 1. reparation | a. act of revenge |
| 2. repercussion | b. determined |
| 3. replenish | c. worthy of blame |
| 4. replete | d. consequence |
| 5. reprehensible | e. scold |
| 6. reprisal | f. completely filled |
| 7. reproach | g. paying back |
| 8. reprove | h. necessary |
| 9. repudiate | i. criticize mildly |
| 10. requisite | j. fill again |
| 11. resolute | k. reject |

**RESPITE** [réspit] n **a period of rest or relief** 휴식 기간

* 발음에 주의 할 것.

We worked without *respite* from five in the morning until five in the afternoon.
우리는 새벽 다섯 시부터 오후 다섯 시까지 휴식 시간 없이 일을 했다.

The new mother fell asleep when her baby stopped crying, but the *respite* was brief ; the baby started up again almost immediately.
초보 엄마는 아기가 울음을 그치자 잠이 들었지만 그 휴식은 짧았다 : 아기는 거의 곧바로 다시 울기 시작했다.

**RETICENT** [rétəsənt] adj **quiet ; restrained ; reluctant to speak, especially about oneself** 조용한, 과묵한 ; 말을 삼가는 ; 특히 자신에 대해서 말하기를 싫어하는

Luther's natural *reticence* made him an ideal speaker: his speeches never lasted more than a few minutes.
루터가 더할 나위 없이 이상적인 연설자가 된 것은 타고 난 과묵함 때문이었다 : 그의 말은 결코 수분 이상 지속되는 법이 없었다.

Jeffrey was *reticent* on the subject of his accomplishments ; he didn't like to talk about himself.
제프리는 자신의 행적에 대해서 이야기하는 것을 아주 싫어했다 : 그는 자신에 대해 얘기하는 것을 좋아하지 않았다.

* 명사형은 reticence.

**REVERE** [rivíər] v **to respect highly ; to honor** 매우 존경하다 ; 공경하다

Einstein was a preeminent scientist who was *revered* by everyone, even his rivals. Einstein enjoyed nearly universal *reverence*[révərəns]. To be *irreverent* is to be mildly disrespectful. Peter made jokes about his younger sister's painting. She was perturbed at his *irreverence* and began to cry.
아인슈타인은 모든 사람들에게, 심지어 경쟁자들에게서도 존경받는 뛰어난 과학자였다. 그는 거의 전세계 사람들로부터 존경을 받았다. to be irreverent는 다소 '경멸하다' 는 의미를 담고 있다. 피터는 여동생의 그림에 대해서 농담을 했다. 그녀는 오빠의 무례함에 당황해서 울기 시작했다.

**RHETORIC** [rétərik] n **the art of formal speaking or writing ; inflated discourse** **형식적인 말하기나 글쓰기의 기술, 수사학 ; 문체나 말투가 과장된 담화**

A talented public speaker might be said to be skilled in *rhetoric*.
타고난 재능을 가진 대중 연설가는 수사학에 뛰어나다고 말할 수 있을 것이다.

The word is often used in a pejorative sense to describe speaking or writing that is skillfully executed but insincere or devoid of meaning. A political candidate's speech that was long on drama and promises but short on genuine substance might be dismissed as "mere *rhetoric*."
이 단어는 뛰어난 표현 기술을 갖고 있지만 내용상 의미가 없거나 거짓인 말과 글을 비꼬는 의미로 표현할 때 종종 사용되기도 한다. 극적 효과와 공약에만 길게 할애하고 진실한 내용은 부족한 후보자의 정략적인 연설은 "단지 화려한 웅변술"로 잊혀질 것이다.

To use *rhetoric* is to be *rhetorical*[ritɔ́:rikəl]. A *rhetorical* question is one the speaker intends to answer himself or herself-that is, a question asked only for *rhetorical* effect.
수사법을 사용하는 것을 be rhetorical이라 쓴다. 수사적인 질문이란 말하는 사람이 스스로 대답하고자 하는 질문이다. — 다시 말해서, 단지 말하기의 기교적 효과만을 위해서 한 질문이다.

---

**RIGOROUS** [rígərəs] adj **strict ; harsh ; severe** **엄격한 ; 거친 ; 혹독한**

To be *rigorous* is to act with rigor.
to be rigorous는 엄격하게 행동하는 것이다.

Our exercise program was *rigorous* but effective ; after just a few months, our eighteen hours of daily exercise had begun to pay off.
우리의 훈련 프로그램은 혹독하긴 했지만 효과는 있었다 ; 겨우 몇 달 지나지 않아서, 하루에 열 여덟 시간씩의 훈련은 그 성과가 나타나기 시작했다.

The professor was popular largely because he wasn't very *rigorous* ; there were no tests in his course and only one paper, which was optional.
그 교수는 그다지 엄격하지 않았기 때문에 널리 인기가 있었다 ; 그의 수업에는 시험도 없었고 단지 논문만 한 번 제출하면 되는데, 그것도 임의로 선택할 수 있었다.

---

**ROBUST** [roubʌ́st/róubʌst] adj **strong and healthy ; vigorous** **강하고 건강한 ; 힘센, 활발한**

The hundred-year-old man was still *robust*. Every morning he ran several miles down to the ocean and jumped in.
백살이나 먹은 노인은 여전히 건강했다. 매일 아침마다 그는 바다까지 수 마일을 달려가 바다에 뛰어들곤 했다.

The tree we planted last year isn't looking very *robust*. Most of the leaves have fallen off, and the bark has begun to peel.
우리가 작년에 심은 나무는 별로 건강해 보이지 않는다. 대부분의 잎사귀는 떨어져 버렸고 나무 껍질은 벗겨지고 있다.

---

**ROGUE** [roug] n **a criminally dishonest person ; a scoundrel** **법을 어기는 부정직한 사람 ; 불량배, 악당**

A *rogue* is someone who can't be trusted. This word is often used, however, to characterize a playfully mischievous person.
a rogue는 믿을 수 없는 사람이다. 그러나 이 단어는 종종 놀기 좋아하고 장난기가 있는 사람의 성격을 표현할 때도 쓰인다.

---

**RUDIMENTARY** [rù:dəméntəri] adj **basic ; crude ; unformed or undeveloped** **근본적인 ; 초기의 ; 미성숙한 또는 미개발의**

The primitive tribe's tools were very *rudimentary*. In fact, they looked more like rocks than like tools.
원시 부족민의 도구들은 아주 원시적인 것들이었다. 사실, 그것들은 도구라기보다는 그냥 돌멩이처럼 보였다.

The boy who had lived with wolves for fifteen years lacked even the most *rudimentary* social skills.
십 오 년 동안 늑대들과 함께 생활했던 소년은 사회 생활을 할 수 있는 가장 기초적인 능력도 결여돼 있었다.

The strange creature had small bumps on its torso that appeared to be *rudimentary* limbs.
그 이상한 생물체는 발달이 덜된 팔다리처럼 보이는 작은 혹들을 몸통에 달고 있었다.

**RUMINATE** [rúːmənèit] v **to contemplate ; to ponder ; to mull over** **심사숙고하다 ; 깊이 생각하다 ; 궁리하다**

*Ruminate* comes from a Latin word meaning to chew cud. Cows, sheep, and other cud-chewing animals are called *ruminants*. To *ruminate* is to quietly chew on or ponder your own thoughts.
ruminate는 동물의 되새김질을 의미하는 라틴어에서 나온 말이다. 소와 양, 그밖에 되새김질을 하는 동물들을 ruminants라 부른다. to ruminate는 조용히 숙고하거나 자신의 생각에 깊이 빠져 있는 것을 뜻한다.

The teacher's comment about the causes of weather set me to *ruminating* about what a nice day it was and to wishing that I were outside.
선생님이 날씨의 원인에 관해 설명하자, 나는 날씨가 참 좋다는 생각에 빠져들어 밖으로 나가고 싶어졌다.

The very old man spent his last days *ruminating* about death and eating box after box of vanilla wafers.
아주 고령의 노인은 죽음에 대해 깊이 생각하면서, 그리고 바닐라맛 웨이퍼를 계속 먹으면서 마지막 남은 날들을 보냈다.
(주: 웨이퍼는 살짝 구운 얇은 과자. 우리나라에서는 웨하스로 통한다.)

An act of *ruminating* is called a *rumination*. Serge was a very private man ; he kept his *ruminations* to himself.
명사형은 rumination. 서지는 상당히 베일에 가려진 사람이었다 ; 그는 속마음을 남에게 드러내지 않았다.

**RUSTIC** [rʌ́stik] adj **rural ; lacking urban comforts or sophistication ; primitive** **촌스러운 ; 도시적 편리함이나 세련됨이 부족한 ; 원시적인, 구식의**

Life in the log cabin was too *rustic* for Leah, she missed hot showers, cold beer, and electricity.
리는 통나무 오두막집에서의 생활이 너무나 불편해서, 뜨거운 목욕과 차가운 맥주와 전기가 아쉬웠다.

*Rustic* can be used as a noun. A *rustic* is an unsophisticated person from the country. We enjoyed the *rustic* scenery as we traveled through the countryside. To *rusticate* is to spend time in the country.
rustic은 명사로도 쓰인다. a rustic은 시골에서 온 세련되지 못한 사람을 일컫는다. 우리는 시골을 여행하면서 전원 풍경을 즐겼다. to rusticate는 시골에서 시간을 보내는 것을 의미한다.

## QUICK QUIZ 

Match each word in the first column with its definition in the second column. Check your answers in the back of the book.

| | |
|---|---|
| 1. respite | a. basic |
| 2. reticent | b. contemplate |
| 3. retract | c. vigorous |
| 4. reverberate | d. withdraw |
| 5. revere | e. formal writing or speaking |
| 6. rhetoric | f. restrained |
| 7. rigorous | g. rural |
| 8. robust | h. period of rest |
| 9. rogue | i. echo |
| 10. rudimentary | j. strict |
| 11. ruminate | k. honor |
| 12. rustic | l. scoundrel |

**SACCHARINE** [sǽkərin] adj **sweet ; excessively or disgustingly sweet** 단맛의 ; 지나치게 또는 넌더리나게 단

*Saccharine* is a calorie-free sweetener ; *saccharine* means sweet. Except for the spelling, this is one of the easiest-to-remember words there is. Don't screw up.
saccharine은 칼로리가 없는 감미료이다 ; saccharine은 '달다' 라는 뜻이다. 철자법만 제외하면, 이 단어는 여기 있는 것 중에서 가장 기억하기 쉬운 단어 중의 하나다. 실수하지 말아라.

*Saccharine* can be applied to things that are literally sweet, such as sugar, *saccharine*, fruit, and so on. It can also be applied to things that are sweet in a figurative sense, such as children, personalities, and sentiments—especially things that are *too* sweet, or sweet in a sickening way.
saccharine은 문자 그대로 단 것들, 즉 설탕이나 사카린, 과일 등등에도 적용될 수 있다. 또한 비유적인 의미에서 단 것들, 즉 아이들이나 사람의 성격, 감정 같은 것들 — 특히 너무 단 것, 또는 넌더리나게 할 정도로 감미로운 것에도 적용된다.

We wanted to find a nice card for Uncle Moe, but the cards in the display at the drugstore all had such *saccharine* messages that we would have been too embarrassed to send any of them.
우리는 모 삼촌을 위해 좋은 카드를 찾고 싶었다. 그러나 상점에 전시된 카드들은 모두들 비위가 상할 정도로 달콤한 메시지들이 적혀 있어서, 그 중의 어느 것도 삼촌께 보내기가 아주 난처했다.

The love story was so *saccharine* that I ended up loathing the heroine and wishing the hero would belch or pick his nose just to break the gooey monotony.
그 러브 스토리는 넌더리나게 감상적이어서 나는 여주인공을 아주 혐오하게 되었고, 남자주인공이 그 감상적인 단조로움을 깨기 위해 트림을 하거나 코라도 후볐으면 하고 바라게 되었다.

**SACRILEGE** [sǽkrəlidʒ] n **a violation of something sacred ; blasphemy** 신성 모독 ; 신에 대한 불경

The minister committed the *sacrilege* of delivering his sermon while wearing his golf shoes ; he didn't want to be late for his tee-off time, which was just a few minutes after the scheduled end of the service.
목사는 골프 신발을 신고 와서 설교를 하는 신성 모독의 죄를 범했다 ; 그는 예배가 끝나고 난 뒤 겨우 몇 분 후에 있을 골프 경기 시작 시간에 늦고 싶지 않았던 것이다.

The members of the fundamentalist sect believed that dancing, going to movies, and watching television were *sacrileges*.
정통 기독교 종파의 신도들은 춤추는 것이나 영화 보는 것, 텔레비전 보는 것 등을 불경스러운 것이라고 믿었다.

* 형용사는 sacrilegious. 철자에 유의할 것.

**SACROSANCT** [sǽkrousæ̀ŋkt] adj **sacred ; held to be inviolable** 신성한 ; 신성불가침의

A church is *sacrosanct*. So, for Christians, is belief in the divinity of Jesus Christ.
교회는 신성하다. 기독교인들에게는 예수의 신성에 대한 믿음도 마찬가지이다.

*Sacrosanct* is also used loosely, and often ironically, outside of religion. Mr. Peters's lunchtime trip to his neighborhood bar was *sacrosanct* ; he would no sooner skip it than he would skip his mother's funeral.
sacrosanct는 종교와 관련 없이 막연하게 사용되기도 하며 때로는 반어적으로 사용되기도 한다. 페터스 씨가 점심시간마다 근처에 있는 술집으로 가는 것은 누구도 방해할 수 없는 신성불가침의 일이다 ; 그는 어머니의 장례식을 건너뛸지언정 그 일을 생략하지는 않을 것이다.

**SAGACIOUS** [səgéiʃəs] adj **discerning ; shrewd ; keen in judgment ; wise** **총명한 ; 빈틈없는 ; 판단력이 날카로운 ; 현명한**

Edgar's decision to move the chickens into the barn turned out to be *sagacious* ; about an hour later, the hailstorm hit.
닭들을 헛간으로 옮기자는 에드가의 결정은 현명했던 것으로 드러났다 ; 약 한시간 후에 우박을 동반한 폭풍이 닥쳤던 것이다.

The announcer's *sagacious* commentary made the baseball game seem vastly more interesting than we had expected it to be.
아나운서의 빈틈없는 해설 덕분에, 우리는 기대했던 것보다 훨씬 더 재미있게 야구경기를 볼 수 있었다.

To be *sagacious* is to have *sagacity*[səgǽsəti]. A similar word is *sage*, which means wise, possessing wisdom derived from experience or learning.
명사는 sagacity. 동의어로는 경험이나 지식을 통해서 얻은 지혜를 지녔다는 의미에서 '현명하다' 라는 뜻의 sage가 있다.

When we were contemplating starting our own popcorn business, we received some *sage* advice from a man who had lost all his money selling candied apples.
우리가 팝콘 장사에 뛰어드는 것에 대해서 심사숙고하고 있을 때, 설탕에 절인 사과 장사를 하다가 쫄딱 망한 사람으로부터 우리는 몇 가지 현명한 충고를 들었다.

The professor's critique, which consisted of just a few *sage* comments, sent me back to my room feeling pretty stupid.
단지 날카로운 몇 개의 구절로 구성된 그 교수의 비평문 때문에 나는 다소 바보 같다고 느끼면서 내 방으로 돌아왔다.

*Sage* can also be a noun. A wise person, especially a wise old person, is often called a *sage*.
sage는 또한 명사로도 쓰인다. 현명한 사람, 특히 나이가 많고 현명한 사람을 종종 sage(현자)라 한다.

**SALIENT** [séiliənt] adj **sticking out ; conspicuous ; leaping** **돌출한 ; 뚜렷한, 두드러진 ; 뛰어오르는**

A *salient* characteristic is one that leaps right out at you.
a salient characteristics는 눈에 바로 띄는 두드러진 특질을 의미한다.

Ursula had a number of *salient* features including, primarily, her nose, which stuck out so far that she was constantly in danger of slamming it in doors and windows.
어슐라에게는 여러 가지 눈에 잘 띄는 특징이 있었다. 우선, 문이나 창문이 닫힐 때 틈에 끼일 위험에 항상 노출 되어 있는, 두드러진 코를 들 수 있다.
* 발음에 주의할 것.

**SALUTARY** [sǽljutèri/-təri] adj **healthful ; remedial ; curative** **건강에 좋은 ; 치료하는 ; 병에 잘 듣는**

Lowered blood pressure is among the *salutary* effects of exercise.
혈압을 낮추는 것은 운동이 주는 건강 효과 중 하나다.

The long sea voyage was *salutary* ; when Elizabeth landed she looked ten years younger than she had when she set sail.
장기간의 항해가 건강에 도움이 됐다 ; 엘리자베스가 배에서 내렸을 때, 그녀는 항해를 시작했을 때보다 십 년은 젊어 보였다.

## SANCTIMONIOUS [sæ̀ŋktəmóuniəs] adj **pretending to be devout ; affecting religious feeling** 독실한 신자인 척하는 ; 신앙심이 깊은 척하는

The *sanctimonious* old bore pretended to be deeply offended when Lucius whispered a mild swearword after dropping the anvil on his bare foot.
루시어스는 신발도 신지 않은 맨발에 모루를 떨어뜨리자 낮은 소리로 신성을 모독하는 가벼운 욕(주: god damn 따위)을 한 마디 했다. 그 말에, 독실한 신자인 척하는 따분한 그 노인은 깊이 상처라도 받은 것처럼 굴었다.

Simon is an egoist who speaks about almost nothing but caring for one's fellow man. His altruism is *sanctimonious*.
시몬은 동료를 걱정하는 말만 하지만, 사실은 이기주의자이다. 그의 이타심은 그런 척하는 것일 뿐이다.

## SANGUINE [sǽŋgwin] adj **cheerful ; optimistic ; hopeful** 쾌활한 ; 낙천적인 ; 희망에 차 있는

Peter was *sanguine* about his chances of winning the Nobel Peace Prize, even though, as an eighth grader, he hadn't really done anything to deserve it.
8학년 학생으로서 피터는 사실상 노벨 평화상을 받을 만한 일을 한 것이 없었음에도 불구하고, 수상에 대해서 낙관하고 있었다.

The ebullient checkers champion remained *sanguine* in defeat ; he was so sure of himself that he viewed even catastrophe as merely a temporary setback.
성격이 활달한 챔피언은 체커 경기에 패배하고도 여전히 쾌활했다 ; 그는 워낙 자신감에 넘쳐서 참패조차도 그저 일시적인 후퇴로 여겼다.

Don't confuse *sanguine* (a nice word) with *sanguinary* (not a nice word). *Sanguinary* means bloodthirsty.
sanguine(좋은 의미)과 sanguinary(좋지 않은 의미)를 혼동하지 말 것. sanguinary는 '피에 굶주린, 잔인한' 이라는 뜻이다.

## SARDONIC [sɑːrdánik] adj **mocking ; scornful** 조롱하는 ; 경멸하는, 비웃는

Isabella's weak attempts at humor were met by nothing but a few scattered pockets of *sardonic* laughter.
이사벨라는 유머를 사용해서 청중을 웃겨보려고 했으나 여기 저기서 냉소만이 터져 나왔을 뿐이었다.

Even George's friends found him excessively *sardonic* ; he couldn't discuss anything without mocking it, and there was almost nothing about which he could bring himself to say two nice words in a row .
친구들 조차도 조지가 아주 냉소적인 사람이라고 생각했다. 무엇인가에 대해 말할 때면 그는 반드시 그것을 비웃었고, 그가 두 마디 좋은 말을 계속해서 할 수 있는 것은 거의 없었다.

## QUICK QUIZ 75

Match each word in the first column with its definition in the second column. Check your answers in the back of the book.

| | |
|---|---|
| 1. saccharine | a. blasphemy |
| 2. sacrilege | b. wise |
| 3. sacrosanct | c. sweet |
| 4. sagacious | d. pretending to be devout |
| 5. sage | e. healthful |
| 6. salient | f. mocking |
| 7. salutary | g. cheerful |
| 8. sanctimonious | h. sacred |
| 9. sanguine | i. sticking out |
| 10. sardonic | j. discerning |

**SCINTILLATE** [síntəlèit] v **to sparkle, either literally or figuratively** 문자 그대로 (불꽃 등이) 번쩍이다, 또는 비유적으로 재치가 번뜩이다

Stars and diamonds *scintillate*. So do witty comments, charming personalities, and anything else that can be said to sparkle.
별과 다이아몬드는 반짝거린다. 재치 있는 말이나 매력적인 성격, 그밖에 반짝인다고 말할 수 있는 것들도 마찬가지로 같은 표현을 쓸 수 있다.

Warner was a quiet drudge at home, but at a party he could be absolutely *scintillating*, tossing off witty remarks and charming everyone in the room.
워너는 집에서는 조용하고 재미없는 사람이었다. 그러나, 파티에서의 그는 너무나 재치가 번뜩이고 기지에 넘치는 말들을 쏟아내서 그 곳에 모인 모든 사람들을 매혹시켰다.

Benny's grades last term weren't *scintillating*, to put it mildly ; he had four Ds and an F.
지난 학기에 베니의 성적은 부드럽게 표현하자면, 별로 빛나지 못했다 : 그는 D학점 네 개와 F학점 하나를 받았다.
* 명사형은 scintillation.

**SCRUPULOUS** [skrú:pjuləs] adj **strict ; careful ; hesitant for ethical reasons** 엄격한 ; 주의 깊은 ; 윤리적인 이유 때문에 망설이는, 양심적인

Doug was *scrupulous* in keeping his accounts ; he knew where every penny came from and where every penny went.
더글러스는 장부를 기재하는 데 있어서 철저한 사람이었다 : 그는 작은 돈도 어디서 들어오고 어디로 나갔는지 모두 알고 있었다.

We tried to be *scrupulous* about not dripping paint, but by the time the day was over there was nearly as much paint on the floor as there was on the walls.
우리는 페인트를 마루 바닥에 떨어뜨리지 않으려고 매우 조심했다. 그러나 날이 저물 때쯤에는 벽에 칠한 페인트 양이나 마루바닥에 흘린 페인트 양이 거의 같았다.

Philip was too *scrupulous* to make a good armed robber ; every time he started to point his gun at someone, he was overcome by ethical doubts.
필립은 너무나 양심적이어서 유능한 무장 강도가 될 수 없었다 : 그는 사람에게 총을 겨눌 때마다 언제나 도덕적 회의에 휩싸였다.

A *scruple* is a qualm or moral doubt. To have no *scruples*-to be *unscrupulous*—is to have no conscience.
a scruple은 양심의 가책 또는 도덕적 회의를 의미한다. to have no scruples(달리 말해 to be unscrupulous)는 양심이 없다는 뜻이다.

## SCRUTINIZE [skrú:tənàiz] v to examine very carefully 매우 세밀하게 조사하다

I *scrutinized* the card catalog at the library but couldn't find a single book on the topic I had chosen for my term paper.
나는 도서관의 목록 카드를 꼼꼼히 살펴보았지만, 학기말 리포트 주제로 선택한 것과 관련된 책을 단 한 권도 찾을 수 없었다.

The rocket scientists *scrutinized* thousands of pages of computer printouts, looking for a clue to why the rocket had exploded.
로켓 과학자들은 그 로켓이 폭발한 원인에 대한 실마리라도 찾으려고 수천 페이지에 달하는 컴퓨터 출력 정보를 꼼꼼히 조사했다.

My mother *scrutinized* my clothes and my appearance before I left for the evening, but even after several minutes of careful analysis she was unable to find anything to complain about.
밤에 내가 외출하려고 하자, 어머니는 내 옷과 생김새를 꼼꼼히 조사했다. 그러나 수 분 간의 세심한 분석에도 불구하고 어머니는 불만스러운 점을 찾을 수 없었다.

To *scrutinize* something is to subject it to *scrutiny*. The clever forgery fooled the museum curator but did not withstand the *scrutiny* of the experts ; after studying for several weeks, the experts pronounced the painting to be a fake.
to scrutinize something은 그것을 '정밀 검사(scrutiny)' 한다는 뜻이다. 교활한 위조범은 박물관 관리자는 속였지만, 정밀 검사를 하는 전문가들을 속일 수는 없었다 : 수주일 동안 정밀 검사가 이루어진 후에, 전문가들은 그 그림이 위조품이라는 사실을 발표했다.

Something that cannot be examined is *inscrutable*. *Inscrutable* means mysterious, impossible to understand. We had no idea what Bill was thinking since his smile was *inscrutable*. Poker players try to be *inscrutable* to their opponents.
조사하여 알아낼 수 없는 것을 inscrutable이라고 표현한다. inscrutable은 불가사의하고 이해할 수 없다는 뜻이다. 빌의 수수께끼 같은 미소 때문에, 우리는 그가 무슨 생각을 하고 있는지 알 수가 없었다. 포커 노름꾼은 상대방에게 속셈이 드러나지 않으려고 애쓴다.

## SECULAR [sékjulər] adj having nothing to do with religion or spiritual concerns 종교나 영혼의 문제와는 관련이 없는, 세속적인

The halfway house had several nuns on its staff, but it was an entirely *secular* operation ; it was run by the city, not the church.
중간 지점에 있는 그 숙소에는 여러 명의 수녀들이 근무하고 있었지만, 전적으로 비종교적인 시설이었다 : 그 곳은 교회가 아니라 시에서 운영하고 있었다.

The priest's *secular* interests include German food and playing the trombone.
신부님의 세속적인 관심사에는 독일 음식에 관한 것과 트럼본 연주도 끼여 있다.

## SEDITION [sidíʃən] n treason ; the incitement of public disorder or rebellion 반역 ; 사회적 무질서나 폭동을 선동하는 것

Revolutions usually begin as a small band of *seditious* individuals plot to change the established order.
혁명은 대개 기존 질서를 변화시키려는 계획을 가진 일단의 선동적인 개인들로부터 시작된다.

## SENSORY [sénsəri] adj having to do with the senses or sensation 감각이나 지각과 관련된

Babies enjoy bright colors, moving objects, pleasant sounds, and other forms of *sensory* stimulation.
아기들은 밝은 색깔과 움직이는 물체, 유쾌한 소리, 그 외에 감각을 자극하는 모든 것들을 좋아한다.

Your ears, eyes, and tongue are all *sensory* organs. It is through them that your *senses* operate.
귀와 눈과 혀는 모두 감각 기관이다. 이 기관들을 통해서 감각이 기능을 하는 것이다.

*Extrasensory* perception is the supposed ability of some people to perceive things without using the standard senses of sight, hearing, smell, touch, or taste.
초감각적인 인지는 시각, 청각, 후각, 촉각, 미각이라는 표준적인 감각을 사용하지 않고도 사물을 감지할 수 있는 능력으로 소수의 사람들에게서 나타나는 가상의 능력이다.

Two similar-sounding and often confusing words are *sensual* and *sensuous*. To be *sensual* is to be devoted to gratifying one's senses through physical pleasure, especially sexual pleasure ; to be *sensuous* is to delight the senses. A *sensual* person is one who eagerly indulges his or her physical desires. A *sensuous* person is one who stimulates the senses of others (sometimes, though by no means invariably, inspiring in them thoughts of *sensual* gratification).
발음이 비슷하고 자주 혼동하는 단어로 sensual(관능적인)과 sensuous(감각적인)가 있다. to be sensual은 물리적 쾌락, 특히 성적 쾌락을 통해서 사람의 감각을 만족시키는 것에 몰두하고 있다는 뜻이다 ; to be sensuous는 감각을 즐겁게 한다는 뜻이다. a sensual person 은 육체적 욕망에 열렬히 탐닉하는 사람이다. a sensuous person은 다른 사람들의 감각을 자극하는 사람이다(늘 그런 것은 아니지만, 때때로 다른 사람들에게 성적 만족감을 불어넣는다).

**SENTIENT** [sénʃənt] adj **able to perceive by the senses ; conscious** **감각을 통해 인지할 수 있는 ; 지각이 있는**

* 발음에 주의할 것.

Human beings are *sentient*. Rocks are not.
인간은 지각력이 있다. 돌은 그렇지 못하다.

**SEQUESTER** [sikwéstər] v **to set or keep apart** **격리하다, 은퇴시키다**

Since much of the rest of the city had become a battle zone, the visiting entertainers were *sequestered* in the international hotel.
그 도시의 대부분은 교전 지역이었기 때문에, 이 곳을 방문한 연예인들은 외국인 전용의 국제 호텔로 격리되었다.

The struggling writer *sequestered* himself in his study for several months, trying to produce the Great American Novel.
작가는 수개월 동안 서재에 칩거하여, 미국 최고의 소설을 쓰느라 고군 분투했다.

Juries are sometimes *sequestered* during trials to prevent them from talking to people or reading newspapers.
사람들과 이야기를 나누거나 신문을 읽는 등의 일을 막기 위하여 배심원들은 때때로 공판 중에는 격리되기도 한다.

## QUICK QUIZ 76

Match each word in the first column with its definition in the second column. Check your answers in the back of the book.

| | |
|---|---|
| 1. scintillate | a. sparkle |
| 2. scrupulous | b. having nothing to do with religion |
| 3. scrutinize | c. treason |
| 4. secular | d. having to do with the senses |
| 5. sedition | e. set apart |
| 6. sensory | f. strict |
| 7. sensual | g. delighting the senses |
| 8. sensuous | h. examine very carefully |
| 9. sentient | i. devoted to pleasure |
| 10. sequester | j. conscious |

**SERENDIPITY** [sèrəndípəti] n **accidental good fortune ; discovering good things without looking for them** **우연히 얻은 유익한 행운 ; 찾으려 애쓰지 않았는데도 발견하게 된 유익한 어떤 것**

It was *serendipity* rather than genius that led the archaeologist to his breathtaking discovery of the ancient civilization. While walking his dog in the desert, he tripped over the top of a buried tomb.
그 고고학자가 고대문명을 발견하여 세상을 놀라게 한 것은 그의 천재성 때문이라기보다는 운이 좋았던 것이다. 개와 함께 사막을 걷고 있던 중에 묻혀버린 고대무덤의 꼭대기 부분에 발이 걸려 넘어졌던 것이다.

Something that occurs through *serendipity* is *serendipitous*. Our arrival at the airport *serendipitously* coincided with that of the queen, and she offered us a ride to our hotel in her carriage.
우연한 행운에 의해서 발생하는 것을 serendipitous라 한다. 공항에 도착했을 때, 우리는 운 좋게도 여왕의 일행과 도착시간이 같았다. 여왕은 우리에게 그녀의 마차로 호텔까지 태워다 주겠다고 제안했다.

**SERVILE** [sə́ːrvil/-vail] adj **submissive and subservient ; like a servant** **복종하는, 비굴한 ; 하인 같은**

Cat lovers sometimes say that dogs are too *servile*, they follow their owners everywhere and slobber all over them at every opportunity.
고양이 애호가들은 흔히 개는 지나치게 순종적이며, 주인이 어디를 가나 따라다니고, 기회가 있을 때마다 온통 침을 묻혀 놓는다고 얘기한다.

The horrible boss demanded *servility* from his employees ; when he said "Jump!" he expected them to ask "How high?"
지독한 사장은 직원들에게 노예와 같은 복종을 요구했다 : 사장은 "높이 뛰어!"라는 자신의 명령에, 직원들이('왜' 가 아니라) "얼마나 높이 뛸까요?" 라고 반문하기를 원했다.

A very similar word is *slavish* [sléiviʃ], which means even more subservient than *servile*.
아주 유사한 단어로 slavish가 있다. slavish는 servile보다 훨씬 더 비굴하다는 의미를 담고 있다.

*Slavish* devotion to a cause is devotion in spite of everything. An artist's *slavish* imitator would be an imitator who imitated everything about the artist.
이념에 대한 slavish devotion(맹목적인 헌신)은 모든 것을 제쳐두고 거기에만 몰두하는 것이다. 화가를 맹목적으로 모방하는 사람이란 그 화가에 관한 모든 것을 흉내내고 모방하는 사람을 뜻한다.

**SINGULAR** [síŋgjulər] adj **unique ; superior ; exceptional ; strange** **특이한 ; 뛰어난 ; 예외적인 ; 낯선**

Dale had the *singular* ability to stand on one big toe for several hours at a stretch.
데일은 엄지발가락 하나로 버티고 서서 한번에 몇 시간씩 서 있을 수 있는 특이한 재주가 있었다.

The man on the train had a *singular* deformity: both of his ears were on the same side of his head.
기차에 타고 있는 남자는 특이한 신체적 결함을 갖고 있었다 : 그의 두 귀가 머리의 한쪽 면에 있었던 것이다.

A *singularity* is a unique occurrence. *Singularity* is also the quality of being unique.
a singularity는 특이한 일을 의미한다. singularity는 또한 특이성을 의미하기도 한다.

**SLANDER** [slǽndər] v **to speak badly about someone publicly ; to defame ; to spread malicious rumor** **공개적으로 누군가를 나쁘게 말하다 ; 중상하다 ; 악의적인 소문을 퍼뜨리다**

Jonathan *slandered* Mr. Perriwinkle by telling everyone in school that the principal wore a toupee ; Mr. Perriwinkle resented this *slander*. Since he was the principal, he expelled the *slanderous* student.
조나단은 교장인 페리윙클씨를 중상하는 말을 하고 다녔다. 학교에 있는 모든 사람들에게 그가 가발을 쓰고 있다고 말한 것이다 ; 페리윙클씨는 그 중상 모략에 분개했다. 자신이 교장이었기 때문에, 그는 소문을 내고 다닌 학생을 퇴학시켰다.

**SLOTH** [slouθ/slɔːθ] n **laziness ; sluggishness** **게으름 ; 나태**

You may have seen a picture of an animal called a *sloth*. It hangs upside down from tree limbs and is never in a hurry to do anything. To fall into *sloth* is to act like a *sloth*.
나무늘보라 불리는 동물의 사진을 본 적이 있을 것이다. 나무늘보는 나무에 네다리를 붙이고 거꾸로 매달려서는 결코 뭔가를 하려고 서두르는 법이 없다. to fall into sloth는 나무늘보처럼 게으름에 빠져 산다는 뜻이다.

Ivan's weekends were devoted to *sloth*. He never arose before noon, and he seldom left the house before Monday morning.
이반은 주말을 아주 나태하게 보냈다. 그는 정오가 될 때까지 일어나지 않았을 뿐만 아니라 월요일 아침까지 집밖에도 거의 나가지 않았다.

To be lazy and sluggish is to be *slothful*. Ophelia's *slothful* husband virtually lived on the couch in the living room, and the television remote-control device was in danger of becoming grafted to his hand.
slothful은 게으르고 나태하다는 뜻이다. 오필리아의 남편은 하도 게을러서 거실 소파에서 거의 살다시피 했다. 그뿐만 아니라 손에 텔레비전 리모콘이 붙어버린 것이 아닌가 걱정될 정도로 그것을 끼고 살았다.

**SOBRIETY** [səbráiəti, sou-] n **the state of being sober ; seriousness** **술 취하지 않은 상태 ; 진지함**

* 발음에 주의할 것.

A *sober* person is a person who isn't drunk. A *sober* person can also be a person who is serious, solemn, or not ostentatious. *Sobriety* means both "undrunkness" and "seriousness or solemnity".
a sober person은 술에 취하지 않은 사람이다. 또한 진지하고, 심각하고, 허풍 떨지 않는 사람을 의미하기도 한다. sobriety는 "술에 취하지 않았음"이라는 뜻과 "진지함이나 엄숙함"이라는 뜻을 모두 갖고 있다.

*Sobriety* was such an unfamiliar condition that the reforming alcoholic didn't recognize it at first.
술에 취하지 않은 멀쩡한 정신은 워낙 익숙하지 않아서, 치료중인 그 알코올중독자는 처음에는 술을 마시지 않은 상황을 인지하지 못했다.

*Sobriety* of dress is one characteristic of the hardworking Amish.
경건한 옷차림을 하는 것은 근면한 암만교파의 특징이다.

**SOLICITOUS** [səlísətəs] adj **eager and attentive, often to the point of hovering ; anxiously caring or attentive** **열망하고 주의를 기울이는, 새들이 보금자리를 떠나지 않고 배회하는 것처럼 ; 걱정스러워 관심을 갖고 돌보는**

Every time we turned around, we seemed to step on the foot of the *solicitous* salesman, who appeared to feel that if he left us alone for more than a few seconds, we would decide to leave the store.
우리가 발걸음을 옮길 때마다, 열성적인 판매원의 발길이 따라붙는 것 같았다. 판매원은 단 몇 초라도 우리를 그냥 놔두면, 우리가 그 가게를 나갈 버릴 것이라고 생각하는 사람처럼 보였다.

When the sick movie star sneezed, half a dozen *solicitous* nurses came rushing into his hospital room.
몸이 아픈 영화배우가 재채기를 했을 뿐인데, 그를 걱정하는 열성적인 간호원들이 여섯 명이나 병실로 몰려왔다.
* 명사형은 solicitude.

**SOLVENT** [sálvənt] adj **not broke or bankrupt ; able to pay one's bills** **파산하지 않은 ; 지불할 수 있는**

Jerry didn't hope to become a millionaire ; all he wanted to do was remain *solvent*.
제리는 백만장자가 되고 싶었던 것은 아니었다 ; 그가 원했던 것은 단지 지불능력을 유지하는 것이었다.

The struggling company was battered but still *solvent* after it paid its billion-dollar fine for selling exploding Christmas ornaments.
폭발성의 크리스마스 장식을 판매한 벌로 십억 달러의 벌금을 내고 나서, 고군분투하던 회사로서는 큰 타격을 받았지만 여전히 지불능력은 있었다.

To be broke is to be *insolvent*. An *insolvent* company is one that can't cover its debts. The state of being *solvent* is called *solvency* ; the state of being *insolvent* is called *insolvency*.
insolvent는 파산했다는 뜻. 파산한 회사는 채무를 변제할 능력이 없는 회사이다. solvency는 지불능력이 있다는 뜻이다 ; 지불능력이 없는 상태는 insolvent.

**SOPORIFIC** [sàpərífik] adj **sleep inducing ; extremely boring ; very sleepy** **잠을 자게 만드는 ; 몹시도 지루한 ; 매우 졸리는**

The doctor calmed his hysterical patient by injecting him with some sort of *soporific* medication.
의사는 일종의 최면제를 소량 투여해서 흥분한 환자를 진정시켰다.

Sam's *soporific* address was acknowledged not by applause but by a chorus of snores.
샘의 지루한 연설을 듣는 청중들은 박수소리 대신 일제히 코고는 소리로 반응을 보였다.

The *soporific* creature from the bottom of the sea lay in a gigantic blob on the beach for several days and then roused itself enough to consume the panic-stricken city.
바다 밑바닥에서 올라온 그 생물은 며칠 동안 해변에서 커다란 물방울 속에 누워 졸린 듯이 잠만 자고 있었다. 그러다가 갑자기 공포에 떠는 도시를 잡아먹기라도 할 것처럼 우뚝 일어섰다.

## QUICK QUIZ 

Match each word in the first column with its definition in the second column. Check your answers in the back of the book.

| | |
|---|---|
| 1. serendipity | a. accidental good fortune |
| 2. servile | b. sleep inducing |
| 3. singular | c. eager and attentive |
| 4. slavish | d. not bankrupt |
| 5. sloth | e. submissive |
| 6. sobriety | f. broke |
| 7. solicitous | g. laziness |
| 8. solvent | h. state of being sober |
| 9. insolvent | i. extremely subservient |
| 10. soporific | j. unique |

**SORDID** [sɔ́ːrdid] adj **vile ; filthy ; squalid** 비열한 ; 더러운 ; 지저분한

The college roommates led a *sordid* existence whose principal ingredients were dirty laundry, rotting garbage, and body odor.
대학기숙사 생도들은 더러운 빨래감과 썩은 내 나는 쓰레기와 몸에서 나는 악취가 뒤범벅된 지저분한 생활을 하고 있다.

The conspirators plotted their *sordid* schemes at a series of secret meetings in an abandoned warehouse.
공범들은 버려진 창고에서 일련의 비밀 회합을 갖고 비열한 계획을 세웠다.

The drug dealers had turned a once-pretty neighborhood into a *sordid* outpost of despair and crime.
마약 거래업자들이 한때는 멋진 곳이었던 마을을 절망과 더러운 범죄의 소굴로 바꿔놓았다.

**SPAWN** [spɔːn] v **to bring forth ; to produce a large number** 낳다 ; 다량 생산하다

A bestselling book or blockbuster movie will *spawn* dozens of imitators.
베스트셀러나 초대형 히트 영화는 수십 가지의 아류작을 양산한다.

**SPECIOUS** [spíːʃəs] adj **deceptively plausible or attractive** 속임수로 그럴 듯하게 하거나 사람의 마음을 끄는

The charlatan's *specious* theories about curing balminess with used tea bags charmed the television studio audience but did not convince the experts, who believed that fresh tea bags were more effective.
사용하고 난 차봉지로 향기치료를 한다는 허풍선이의 그럴듯한 이론은 방송국에 모인 방청객들을 매료시켰다. 그러나 사용하지 않은 새 차봉지가 더 효과적이라고 믿고 있는 전문가들에게는 그다지 신뢰를 주지 못했다.

The river's beauty turned out to be *specious* ; what had looked like churning rapids from a distance was, on closer inspection, some sort of foamy industrial waste.
강의 경치는 외양만 그럴듯한 것으로 드러났다 ; 멀리서 봤을 때, 거품을 일으키는 급류처럼 보이던 것은, 가까이 다가가서 보니 공업용 폐수의 거품덩어리였을 뿐이었다.

* 명사형은 speciousness.

**SPORADIC** [spərǽdik] adj **stopping and starting ; scattered ; occurring in bursts every once in a while** **정지했다 발생했다 하는 ; 산재하는 ; 가끔가다 한번씩 갑자기 발생하는**

The bathers were made jittery by *sporadic* gunfire that peppered the beach.
가끔가다 한번씩 해안을 강타하는 포격소리 때문에 수영객들은 신경이 예민해졌다.

Kyle's attention to his schoolwork was *sporadic* at best ; he tended to lose his concentration after a few minutes of effort.
카일은 기껏해야 어쩌다 한번씩 수업에 주목할 뿐이었다 : 그의 집중력은 겨우 몇 분을 지속하지 못하는 경향이 있었다.

**SPURIOUS** [spjúəriəs] adj **false ; fake** **거짓의 ; 속임수의, 위조된**

An apocryphal story is one whose truth is uncertain. A *spurious* story, however, is out-and-out false, no doubt about it. The political candidate attributed his loss to numerous *spurious* rumors that hounded him throughout his campaign.
출처가 분명하지 않은 이야기(an apocryphal story)는 진실여부가 불확실하다. 그러나, a spurious story는 의심할 바 없이 전적으로 거짓인 경우를 말한다. 그 후보자는 자신의 패배가 유세기간 내내 그를 따라다니던 수없이 많은 날조된 소문 탓이라고 여겼다.

**SQUALOR** [skwɑ́lər] n **filth ; wretched, degraded, or repulsive living conditions** **불결함 ; 비참하거나 저급한, 또는 혐오감을 줄 만큼 형편없는 생활상**

If people live in *squalor* for too long, the ruling elite can count on an insurgency.
민중의 궁핍한 생활이 너무 오랫동안 지속되면, 지배계층은 폭동에 직면할 수도 있다.

**SQUANDER** [skwɑ́ndər] v **to waste** **낭비하다, 소모하다**

Jerry failed to husband his inheritance ; instead, he *squandered* it on stuffed toys.
제리는 물려받은 유산을 아껴 쓰지 않았다 : 그는 봉제 장난감을 사는 일에 유산을 다 써버렸다.

**STAGNATION** [stægnéiʃən] n **motionlessness ; inactivity** **정지, 정체 ; 무기력**

The company grew quickly for several years, then fell into *stagnation*.
회사는 몇 년간 빠르게 성장했지만, 곧 침체기에 들어섰다.

Many years of carelessly dumping pollutants led to the gradual *stagnation* of the river.
몇 년간 무심코 버린 오염물질 때문에, 강이 서서히 생명력을 잃어갔다.

* 동사는 stagnate, 형용사는 stagnant.

**STATIC** [stǽtik] adj **stationary ; not changing or moving** **정적인 ; 변화도 없고 움직이지도 않는**

Sales of the new book soared for a few weeks, then became *static*.
새 책의 판매량은 서너 주 동안은 급격한 상승곡선을 그렸지만, 곧 정지되었다.

The movie was supposed to be a thriller, but we found it to be tediously *static* ; nothing seemed to happen from one scene to the next.
우리는 그 영화가 스릴러물인 줄 알았다. 그러나 지루할 정도로 정적인 영화라는 것을 알게 되었다 ; 장면이 계속 바뀌어도 아무 일도 일어나는 것 같지 않았다.

**STAUNCH** [stɔːntʃ] adj **firmly committed ; firmly in favor of ; steadfast** 확고한 태도를 가진 ; 확고하게 찬성하는 ; 신념 등이 확고한

A *staunch* Republican is someone who always votes for Republican candidates. A *staunch* supporter of tax reform would be someone who firmly believes in tax reform. To be *staunch* in your support of something is to be unshakable.
a staunch Republican이란 항상 공화당 후보에게만 투표하는 골수 공화당원을 일컫는다. 세제 개혁의 든든한 지지자란 조세제도가 개혁되어야 한다고 굳게 확신하는 사람일 것이다. 굳건하게 지지를 보낸다는 것은 흔들리지 않는다는 뜻이다.

**STEADFAST** [stédfæ̀st/-fɑ̀ːst] adj **loyal ; faithful** 충실한, 충성스러운 ; 성실한

*Steadfast* love is love that never wavers. To be *steadfast* in a relationship is to be faithfully committed. To be *steadfast* is to be like a rock: unchanging, unwavering, unmoving .
steadfast love는 결코 흔들리지 않는 사랑이다. 어떤 관계에 있어 steadfast는 성실한 태도를 견지한다는 뜻이다. steadfast는 바위 같다고 말할 수 있다 : 변함이 없고, 흔들리지 않으며, 이리저리 움직이지 않는다.

**STIGMATIZE** [stígmətàiz] v **to brand with disgrace ; to set a mark of disgrace upon** 오명을 씌우다 ; 불명예의 낙인을 찍다

Steve's jeans were Lee's instead of Levi's, and this mistake *stigmatized* him for the rest of his high school career.
스티브는 리바이스가 아니라 리 청바지를 입었다. 이 실수 때문에 남은 고등학교 학창시절 내내 불명예가 따라다녔다.

A *stigma* is a mark of disgrace.
a stigma는 불명예의 표시 — 오명이다.

**STIPULATE** [stípjulèit] v **to require something as part of an agreement** 계약의 조항으로 뭔가를 요구하다, 명문화하다

You are well advised to *stipulate* the maximum amount you will pay in any car-repair contract.
차 수리 계약 시에는 네가 지불하게 될 금액의 최대치를 사전에 계약서에 명기해 두는 것이 현명할 것이다.

Guarantees often *stipulate* certain conditions that must be met if the guarantee is to be valid.
보증서에는 그것이 법적으로 유효하려면 반드시 충족되어야 하는 조건이 흔히 명기된다.

**STOIC** [stóuik] adj **indifferent (at least outwardly) to pleasure or pain, to joy or grief, to fortune or misfortune** 즐거움이나 고통, 슬픔이나 기쁨, 행운이나 불행 등에 무관심한 (적어도 외관상으로는)

Nina was *stoic* about the death of her canary ; she went about her business as though nothing sad had happened.
니나는 카나리아의 죽음에 무관심했다 ; 그녀는 슬픈 일을 전혀 겪지 않은 사람처럼 일을 해 나갔다.

We tried to be *stoic* about our defeat, but as soon as we got into the locker room, we all began to cry and bang our foreheads on the floor.
우리는 패배에 초연한 척했다. 그러나 라커룸에 들어서자마자, 우리는 모두 이마를 바닥에 찧으며 울기 시작했다.

**STRATUM** [strǽtəm, streit-] n **a layer ; a level** 층 ; 단계, 수준

The middle class is one *stratum* of society.
중산층은 하나의 사회계층이다.

The plural of *stratum* is *strata*. A hierarchy is composed of *strata*.
stratum의 복수형은 strata. 계급 구조는 여러 계층으로 구성되어 있다.

To *stratify* is to make into layers.
to stratify는 여러 계층으로 나누는 것이다.

**STRICTURE** [stríktʃər] n **a restriction ; a limitation ; a negative criticism** 구속 ; 제한 ; 부정적인 비평

Despite the *strictures* of apartment living, we enjoyed the eight years we spent in New York City.
제한된 아파트 생활에도 불구하고, 우리는 뉴욕에서 팔 년간이나 즐겁게 살았다.

The unfavorable lease placed many *strictures* on how the building could be used.
임대차 계약은 빌딩 사용에 대해 많은 제약을 두고 있는 불리한 계약이었다.

The poorly prepared violinist went home trembling after his concert to await the inevitable *strictures* of the reviewers.
충분히 연습하지 못했던 바이올린 연주자는 콘서트가 끝난 후, 비평가들의 피할 수 없는 혹평을 받아야 한다는 사실에 마음을 졸이며 집으로 돌아갔다.

## QUICK QUIZ 78

Match each word in the first column with its definition in the second column. Check your answers in the back of the book.

| | |
|---|---|
| 1. sordid | a. disgrace |
| 2. spawn | b. stopping and starting |
| 3. specious | c. restriction |
| 4. sporadic | d. inactivity |
| 5. spurious | e. require |
| 6. squander | f. indifferent to pain, pleasure |
| 7. stagnation | g. bring forth |
| 8. static | h. vile |
| 9. staunch | i. firmly committed (2) |
| 10. steadfast | j. layer |
| 11. stigmatize | k. stationary |
| 12. stipulate | l. deceptively plausible |
| 13. stoic | m. false |
| 14. stratum | n. waste |
| 15. stricture | |

**STRIFE** [straif] n **bitter conflict ; discord ; a struggle or clash** **격심한 투쟁 ; 의견충돌 ; 투쟁 또는 분규**

Marital *strife* often leads to divorce.
부부싸움은 곧잘 이혼으로 치닫는다.

**STRINGENT** [stríndʒənt] adj **strict ; restrictive** **(규칙 등이) 엄격한 ; 제한적인**

The restaurant's *stringent* dress code required diners to wear paper hats, army boots, and battery-operated twirling bow ties.
그 레스토랑의 복장 규정은 손님들에게 종이모자를 쓰고, 군화를 신어야 하며, 배터리를 장착하여 돌리는 나비넥타이를 맬 것을 엄격하게 요구하고 있었다.

The IRS accountant was quite *stringent* in his interpretation of the tax code ; he disallowed virtually all of Leslie's deductions.
그 국세청 직원은 조세 규정을 너무나 엄격하게 해석했다 ; 그는 레슬리의 공제액을 사실상 하나도 인정하지 않았다.

**STYMIE** [stáimi] v **to thwart ; to get in the way of ; to hinder** **방해하다 ; 중간에 끼어들다 ; 훼방놓다**

*Stymie* is a golfing term. A golfer is *stymied* when another player's ball lies on the direct path between his or her own ball and the cup.
stymie는 골프용어다. 다른 골퍼의 공이 본인의 공과 홀컵 사이의 직선 거리 상에 놓이게 되었을 때 이 골퍼는 stymie를 당했다고 말한다.

Off the golf course, one might be *stymied* by one's boss. In my effort to make a name for myself in the company, I was *stymied* by my boss, who always managed to take credit for all the good things I did and to blame me for his mistakes.
골프의 경우가 아니라면, 사람들은 직장상사에 의해서 방해를 받거나 곤란한 상황에 처하는 경우가 있을 수 있다. 회사 내에서 나의 명성을 높이려고 노력했지만, 상사가 훼방을 놓았다. 그는 항상 내가 이룬 성과를 가로채 신용을 얻으면서도, 자신의 실수는 언제나 내 탓으로 돌렸다.

**SUBJUGATE** [sʌ́bdʒugèit] v **to subdue and dominate ; to enslave** **정복하여 지배하다 ; 복종시켜 노예로 만들다**

I bought the fancy riding lawn mower because I thought it would make my life easier, but it quickly *subjugated* me ; all summer long, it seems, I did nothing but change its oil, sharpen its blades, and drive it back and forth between my house and the repair shop.
내 생활이 좀더 편리해지지 않을까 하는 생각으로, 나는 잘 빠진 자동 잔디 깎기 기계를 하나 샀다. 그러나, 나는 곧 그 기계의 노예가 되었다 ; 여름 내내 오일을 교환하고, 날을 갈아주고, 기계를 몰아 집과 수리점 사이를 왔다갔다하는 것 빼고는 나는 거의 아무 것도 하지 못했다.

The tyrant *subjugated* all the peasants living in the kingdom ; once free, they were now forced to do his bidding.
그 폭군은 자신의 영토 내에 살고 있는 모든 농민들을 노예로 만들었다. 한때는 자유인이었던 농민들은 이제는 그의 명령에 따라서 움직여야만 했다.

**SUBLIME** [səbláim] adj **awesome ; extremely excited ; lofty ; majestic** **장엄한 ; 매우 흥분한 ; 고상한 ; 웅대한**

After winning $70 million in the lottery and quitting our jobs as sewer workers, our happiness was *sublime*.
칠 천만 달러 짜리 복권에 당첨되고, 하수도 배관공이라는 직업도 때려치우자, 우리의 행복은 최고에 달했다.

Theodore was a *sublime* thinker ; after pondering even a difficult problem for just a few minutes, he would invariably arrive at a concise and elegant solution.
테오도르는 대단한 사색가이다 : 아무리 어려운 문제라도 잠깐 동안만 곰곰이 생각하고 나면, 그는 언제나 그렇듯이 간명하고 품위 있는 해결책을 찾아내곤 했다.

The soup at the restaurant was *sublime*. I've never tasted anything so good.
그 레스토랑의 수프는 매우 탁월했다. 그처럼 맛있는 수프는 먹어 본 적이 없었다.

The noun form of *sublime* is *sublimity*[səblíməti]. Don't confuse *sublime* with *subliminal* [sʌblímənəl], which means subconscious, or *sublimate*, which means to suppress one's subconscious mind.
sublime 의 명사형은 sublimity. sublime과 subliminal 또는 sublimate를 혼동하지 말아라. 후자는 잠재의식과 관련이 있다는 뜻이며, sublimate는 잠재의식을 억제하여 다른 것으로 승화시킨다는 의미이다.

**SUBORDINATE** [səbɔ́ːrdənit] adj **lower in importance, position, or rank ; secondary 중요도, 지위, 등급 등에 있어 하위인 ; 부수적인**

My desire to sit on the couch and watch television all night long was *subordinate* to my desire to stand in the kitchen eating junk food all night long, so I did the latter instead of the former.
소파에 편안히 앉아 밤새도록 텔레비전이나 봤으면 하는 생각도 들었지만, 주방에서 밤새도록 햄버거 같은 거나 먹고 있었으면 하는 생각이 더 간절했다. 그래서 나는 전자는 포기하고 후자를 선택했다.

A vice president is *subordinate* to a president.
부통령은 대통령의 하급자이다.

*Subordinate*[səbɔ́ːrdəneit] can also be a verb. To *subordinate* something in relation to something else is to make it secondary or less important.
subordinate는 동사로도 쓰인다. 다른 것과의 관계에 있어서 subordinate는 대상을 부차적으로 두거나 덜 중요하게 여긴다는 것이다.

To be *insubordinate*[ìnsəbɔ́ːrdənit] is not to acknowledge the authority of a superior. An army private who says "Bug off!" when ordered to do something by a general is guilty of being *insubordinate* or of committing an act of *insubordination*.
to be insubordinate는 상급자의 권위를 인정하지 않는다는 뜻이다. 장군이 뭔가를 명령했을 때, 이등병이 "꺼져 버려!"라고 말한다면, 명령불복종 죄, 또는 하극상의 죄를 범하는 것이다.

**SUBSTANTIVE** [sʌ́bstæntiv] adj **having substance ; real ; essential ; solid ; substantial 실체가 있는 ; 현실의 ; 본질적인 ; 실재하는**

The differences between the two theories were not *substantive* ; in fact, the two theories said the same thing with different words.
두 이론간의 차이점은 실재하지 않았다 ; 사실상, 두 이론은 말만 다를 뿐 같은 내용을 말한 것이다.

The gossip columnist's wild accusations were not based on anything *substantive* ; her source was a convicted criminal, and she had made up all the quotations.
신문 가십난의 필자는 사실에 바탕을 두지 않고 맹렬한 비난을 퍼부었다 : 그녀에게 얘깃거리를 제공한 사람은 유죄가 확정된 죄수였으며, 그녀가 인용한 말은 모두 지어낸 것이었다.

**SUBTLE** [sʌ́tl] adj **not obvious ; able to make fine distinctions ; ingenious ; crafty 뻔히 드러나지 않은 ; 좋은 성과를 낼 수 있는 ; 영리한 ; 교묘한**

The alien beings had created a very shrewd replica of Mr. Jenson, but his wife did notice a few *subtle* differences, including the fact that the new Mr. Jenson had no pulse or internal organs.
외계인은 젠슨씨의 복제인간을 매우 완벽하게 만들었다. 그러나 복제인간 젠슨이 맥박도 없고, 내부장기도 없다는 사실을 비롯해, (원래의 젠슨씨와) 아주 미세한 차이점이 있다는 것을 그의 아내는 눈치챘다.

Joe's *subtle* mind enables him to see past problems that confuse the rest of us.
두뇌가 명석해서, 조는 우리를 당황하게 만드는 어려운 문제들도 해결할 수 있다.

The burglar was very *subtle* ; he had come up with a plan that would enable him to steal all the money in the world without arousing the suspicions of the authorities.
그 강도는 매우 명석했다 : 그는 당국의 의심을 받지 않고 세상의 모든 돈을 훔칠 수 있는 계획을 수립해 두었다.

**SUBVERSIVE** [səbvə́ːrsiv] adj **corrupting ; overthrowing ; undermining ; insurgent 타락시키는 ; 전복시키는 ; 손상시키는 ; 반란의**

The political group planted bombs in the White House, destroyed the Pentagon's computer files, hijacked *Air Force One*, and engaged in various other *subversive* activities.
정치적 목적을 가진 그 집단은 백악관에 폭탄을 설치하기도 했고, 국방성의 컴퓨터 파일을 파괴하거나, 대통령 전용기를 공중납치하기도 했으며, 그 밖에도 여러 가지 국가전복 활동을 벌여왔다.

Madeline's efforts to teach her first-grade students to read were thwarted by that most *subversive* of inventions, the television set.
마들린은 일 학년 학생들에게 읽기를 가르치려고 애를 썼지만, 텔레비전이라는 가장 파괴적인 발명품이 그녀를 훼방놓았다.

**SUCCINCT** [səksíŋkt] adj **brief and to the point ; concise 간결하고 딱 들어맞는 ; 간명한**

* 발음에 주의할 것.

Harry's *succinct* explanation of why the moon doesn't fall out of the sky and crash into the earth quickly satisfied even the dullest of the anxious investment bankers.
달이 하늘에서 떨어져 지구와 충돌하지 않는 이유에 대한 해리의 설명은 간결하면서도 핵심을 잘 짚었다. 불안해하던 증권 인수업자들 가운데 가장 멍청한 사람까지도 그의 설명에 곧바로 안심했다.

We were given so little room in which to write on the examination that we had no choice but to keep our essays *succinct*.
우리는 답안지를 작성할 여유가 거의 없었기 때문에, 간단명료하게 답을 명기하는 것 외에는 달리 할 일이 없었다.

## QUICK QUIZ 79

Match each word in the first column with its definition in the second column. Check your answers in the back of the book.

| | |
|---|---|
| 1. strife | a. not obvious |
| 2. stringent | b. awesome |
| 3. stymie | c. brief and to the point |
| 4. subjugate | d. thwart |
| 5. sublime | e. subdue |
| 6. subordinate | f. corrupting |
| 7. insubordinate | g. not respectful of authority |
| 8. substantive | h. strict |
| 9. subtle | i. lower in importance |
| 10. subversive | j. having substance |
| 11. succinct | k. bitter conflict |

**SUCCUMB** [səkʌ́m] v **to yield or submit ; to die** 양보하다 또는 굴복하다 ; 죽다

I had said I wasn't going to eat anything at the party, but when Ann held the tray of imported chocolates under my nose, quickly *succumbed* and ate all of them.
나는 파티에서 아무 것도 먹지 않겠다고 말했었다. 그러나 앤이 내 코앞에다 수입산 초콜릿이 담겨 있는 쟁반을 내밀자, 나는 유혹을 이기지 못하고 초콜릿을 몽땅 먹어버렸다.

The Martians in *The War of The Worlds* survived every military weapon known to man but *succumbed* to the common cold.
「우주 전쟁」이라는 영화에서 화성인들은 인간에게 알려진 모든 무기의 공격에서도 살아남았지만, 평범한 감기에는 굴복했다.

When Willard reached the age of 110, his family began to think that he would live forever, but he *succumbed* not long afterward.
윌러드가 백 열 살까지 살자, 가족들은 그가 영원히 살지도 모른다고 생각하기 시작했다. 그러나, 그는 그 후 얼마 안 가 죽었다.

**SUPERCILIOUS** [sù:pərsíliəs] adj **haughty ; patronizing** 거만한 ; 선심 쓰는 체하는

The *supercilious* Rolls-Royce salesman treated us like peasants until we opened our suitcase full of one-hundred-dollar bills.
거만한 롤스로이스 세일즈맨은 100 달러짜리 지폐가 가득한 가방을 열어 보이기 전까지는 우리를 시골뜨기 취급을 했다.

The newly famous author was so *supercilious* that he pretended not to recognize members of his own family, whom he now believed to be beneath him.
최근에 유명해진 그 작가는 너무나 거만해져서 자신의 가족조차 모른 척했다. 이제는 가족들이 자신의 품위를 떨어뜨린다고 그는 생각했다.

**SUPERFICIAL** [sù:pərfíʃəl] adj **on the surface only ; shallow ; not thorough** 단지 표면적인 ; 얕은 ; 철저하지 못한

Tom had indeed been shot, but the wound was *superficial* ; the bullet had merely creased the tip of his nose.
탐은 진짜로 총에 맞았지만, 상처는 그리 깊지 않았다 ; 총알은 단지 코끝에 찰과상을 남겼을 뿐이었다.

The mechanic, who was in a hurry, gave my car what appeared to be a very *superficial* tune-up. In fact, if he checked the oil, he did it without opening the hood.
조급한 정비사는 내 차를 점검하는 흉내만 내는 것 같았다. 어느 정도냐 하면, 오일을 검사한다면서 보닛도 열어 보지 않는 식이었다.

A person who is *superficial* can be accused of *superficiality*. The *superficiality* of the editor's comments made us think that he hadn't really read the manuscript.
천박한 사람은 천박함 때문에 비난받을 수도 있다. 편집자의 천박한 논평 때문에, 우리는 그가 정말로 그 원고를 읽었는지 의심하게 되었다.

**SUPERFLUOUS** [su:pə́rfluəs] adj **extra ; unnecessary ; redundant** 여분의, 남아도는 ; 불필요한 ; 과다한, 잉여의

* 발음에 주의할 것.

Andrew's attempt to repair the light bulb was *superfluous*, since the light bulb had already been repaired.
전구를 이미 수리했는데도, 앤드류는 쓸데없이 전구를 고치려고 달려들었다.

Roughly 999 of the 1,000-page book's pages were *superfluous*.
1000 쪽짜리 그 책에서 대략 999 쪽은 불필요한 부분이었다.

* 명사형은 superfluity [sù:pərflú:əti].

**SURFEIT** [sə́:rfit] n **excess ; an excessive amount ; excess or overindulgence in eating or drinking** 초과 ; 지나친 양 ; 먹거나 마시는 데 지나친 탐닉

Thanksgiving meals are usually a *surfeit* for everyone involved.
대개 추수감사절에는 모든 사람들이 즐길 수 있도록 음식을 아주 많이 만든다.

* 발음에 주의할 것 .

**SURREPTITIOUS** [sə̀:rəptíʃəs/sʌ̀r-] adj **sneaky ; secret** 몰래하는 ; 비밀의

The dinner guest *surreptitiously* slipped a few silver spoons into his jacket as he was leaving the dining room.
그 손님은 식당을 나가면서, 몰래 몇 개의 은 숟가락을 웃옷 속에 슬며시 넣었다.

The baby-sitter mixed herself a *surreptitious* cocktail as soon as Mr. and Mrs. Robinson had driven away.
베이비시터는 로빈슨 부부가 차를 몰고 나가자마자, 비밀스런 칵테일을 만들어 먹었다.

**SURROGATE** [sə́:rəgət/sʌ́r-] adj **substitute** 대용하는, 대리인의

A *surrogate* mother is a woman who bears a child for someone else.
대리모란 다른 누군가를 위해서 대신 아이를 낳는 여자이다.

This word is often a noun. A *surrogate* is a substitute. The nice father offered to go to prison as a *surrogate* for his son, who had been convicted of extortion.
이 단어는 명사로도 쓰인다. a surrogate는 대리인이나 대용품을 의미한다. 훌륭한 그 아버지는 직무상 부당이득취득죄를 범한 아들을 대신해서 감옥에 가겠다고 제안했다.

**SYCOPHANT** [síkəfənt] n **one who sucks up to others** 남에게 아첨하는 사람

* 발음에 주의할 것.

The French class seemed to be full of *sycophants* ; the students were always bringing apples to the teacher and telling her how nice she looked.
불어반에는 아첨꾼들만 모여 있는 것 같았다 ; 학생들은 언제나 선생님에게 사과를 갖다 드리고, 멋지다고 얘기하곤 했다.

A *sycophant* is *sycophantic*[sìkəfǽntik]. The exasperated boss finally fired his *sycophantic* secretary because he couldn't stand being around someone who never had anything nasty to say.
아첨꾼들은 알랑거린다. 듣기에 거북한 말이라곤 전혀 하지 않는 사람을 더 이상 곁에 두고 있을 수가 없었기 때문에 화가 난 사장은 아첨만 해대는 비서를 마침내 해고했다.

**SYNTHESIS** [sínθəsis] n **the combining of parts to form a whole** 부분들을 전체로 만들기 위해 결합시킴, 종합

It seemed as though the meeting might end in acrimony and confusion until Raymond offered his brilliant *synthesis* of the two diverging points of view.
레이몬드가 둘로 갈라진 의견들을 종합해서 현명한 의견을 내놓기 전까지는, 회의는 독설과 혼란으로 끝을 낼 것처럼 보였다.

A hot fudge sundae is the perfect *synthesis* of hot fudge and vanilla ice cream.
핫퍼지선디는 뜨거운 초콜릿 캔디와 바닐라 아이스크림의 절묘한 조합이다.

## QUICK QUIZ 80

Match each word in the first column with its definition in the second column. Check your answers in the back of the book.

| | |
|---|---|
| 1. succumb | a. haughty |
| 2. supercilious | b. yield |
| 3. superficial | c. flatterer |
| 4. superfluous | d. substitute |
| 5. surfeit | e. unnecessary |
| 6. surreptitious | f. on the surface only |
| 7. surrogate | g. sneaky |
| 8. sycophant | h. excess |
| 9. synthesis | i. combining of parts |

**TACIT** [tǽsit] adj **implied ; not spoken** 은연중의, 암시적인 ; 무언의

Mrs. Rodgers never formally asked us to murder her husband, but we truly believed that we were acting with her *tacit* consent.
로저부인은 우리에게 남편을 죽여달라고 공식적으로 부탁하지는 않았다. 그러나 우리는 정말로 그녀의 암묵적인 동의하에 행동을 했다고 믿었다.

There was *tacit* agreement among the men that women had no business at their weekly poker game.
매주 한번씩 하는 포커 게임에 여자들은 포함시키지 말자고 남자들 사이에 암묵적인 협정이 이루어졌다.

* tacit는 과묵하다는 뜻의 taciturn과 관계가 있다.

**TACITURN** [tǽsətə̀ːrn] adj **untalkative by nature** 선천적으로 말수가 적은, 과묵한

The chairman was so *taciturn* that we often discovered that we had absolutely no idea what he was thinking.
회장은 워낙 말수가 적어서, 무슨 생각을 하고 있는지 전혀 알 수 없을 때가 종종 있었다.

The *taciturn* physicist was sometimes thought to be brilliant simply because no one had ever heard him say anything stupid. Everyone misconstrued his *taciturnity* ; he was actually quite stupid. *Taciturn* is related to *tacit*.
그 물리학자가 어리석은 말을 하는 것을 들어본 사람이 아무도 없다는 단순한 사실만으로, 가끔씩 사람들은 말수가 적은 그를 아주 똑똑한 사람으로 생각했다. 사람들이 그의 과묵함을 오해한 것이다 : 그는 사실상 꽤나 우둔한 사람이었다. taciturn은 tacit와 관련이 있다.

**TANGENTIAL** [tændʒénʃəl] adj **only superficially related to the matter at hand ; not especially relevant ; peripheral** 단지 표면적으로만 관련이 있는 ; 특별한 관련이 없는 ; 주변의

* 발음에 주의할 것.

The mayor's speech bore only a *tangential* relationship to the topic that had been announced.
시장은 공고된 논제와는 별반 관계도 없는 연설을 하고 있었다.

Stuart's connection with our organization is *tangential* ; he once made a phone call from the lobby of our building, but he never worked here.
스튜어트는 우리 단체와는 별반 관계가 없다 : 그가 언젠가 우리 빌딩 로비에서 전화를 건 적은 있었지만, 그는 결코 여기서 일한 적이 없었다.

When a writer or speaker "goes off on a *tangent*," he or she is making a digression or straying from the original topic.
"go off on a tangent(갑자기 옆으로 빗나가다)" 라는 말이나 글은, 당사자가 원래의 주제에서 빗나가거나 여담을 하고 있다는 뜻이다.

**TANGIBLE** [tǽndʒəbl] adj **touchable ; palpable** 만져서 알 수 있는 ; 명백한

A mountain of cigarette butts was the only *tangible* evidence that Luther had been in our house.
산더미 같은 담배꽁초야말로 루터가 우리 집에 왔었다는 유일하고도 명백한 증거였다.

There was no *tangible* reason I could point to, but I did have a sneaking suspicion that Ernest was an ax murderer.
어니스트를 도끼살인사건의 범인으로 지목할 수 있는 명백한 이유가 있는 것은 아니었지만, 나는 한가지 혐의점을 파악하고 있었다.
* tangible의 반의어는 intangible.

**TANTAMOUNT** [tǽntəmàunt] adj **equivalent to** 동등한, 상당하는

Waving a banner for the visiting team at that football game would be *tantamount* to committing suicide ; the home-team fans would tear you apart in a minute.
그 풋볼 경기에서 원정팀을 응원하는 깃발을 흔드는 것은 자살행위나 마찬가지일 것이다 ; 홈팀의 팬들이 당신을 곧장 갈가리 찢어놓을 것이다.

Yvonne's method of soliciting donations from her employees was *tantamount* to extortion ; she clearly implied that she would fire them if they didn't pitch in.
이본느가 종업원들에게 기부금을 권유하는 방법은 강탈이나 다름없었다 : 그들이 돈을 내지 않으면, 해고할 수도 있다는 사실을 이본느는 분명히 암시했다.

**TAUTOLOGICAL** [tɔ̀ːtəlɑ́dʒikəl] adj **redundant ; circular** 말이 많은, 중언부언의 ; 같은 말을 되풀이하는

"When everyone has a camera, cameras will be universal" is a *tautological* statement, because "everyone having a camera" and "cameras being universal" mean the same thing.
"모든 사람들이 카메라를 갖고 있다면, 카메라는 만인에 공통하는 것이다." 라는 말은 동어반복적인 표현이다. 왜냐하면, "모든 사람이 카메라를 가지고 있는 것" 과 "카메라가 만인에 공통인 것" 은 같은 뜻이기 때문이다.

The testing company's definition of intelligence—"that which is measured by intelligence tests"—is *tautological*.
테스트 회사가 지능을 "지능 테스트에 의해서 측정되는 것" 이라고 정의했는데, 이는 동어가 중복된 표현이다.

A *tautology* [tɔːtɑ́lədʒi] is a needless repetition of words, or saying the same thing using different words. For example: The trouble with bachelors is that they aren't married.
a tautology란 말을 쓸데없이 되풀이하는 것이나 다른 단어를 사용해 같은 내용을 반복해서 말하는 것이다. 예를 들어보자: 독신남의 문제는 그들이 결혼하지 않았다는 것이다. (이미 독신이라는 말 속에 결혼하지 않았다는 의미가 들어있는 것이다)

**TEMERITY** [təmérəti] n **boldness ; recklessness ; audacity** 대담함 ; 무모함 ; 대담성

Our waiter at the restaurant had the *temerity* to tell me he thought my table manners were atrocious.
레스토랑에서 우리를 시중들던 웨이터가 나의 식사 예절이 아주 형편없는 것 같다고, 대담하게도 내게 직접 말했다.

The mountain climber had more *temerity* than skill or sense. He tried to climb a mountain that was much too difficult and ended up in a heap at the bottom.
그 등산가는 기술이나 감각이 있는 것이 아니라 오히려 무모한 편이었다. 그는 아주 난코스인 산을 오르려 했지만, 산밑의 언덕에서 중단했다.

**TEMPERATE** [témpərət] adj **mild ; moderate ; restrained** 온화한 ; 삼가는 ; 절제하는

Our climate is *temperate* during the spring and fall, but very nearly unbearable during the summer and winter.
봄과 가을의 기후는 온화하지만, 여름과 겨울에는 거의 견디기 힘들 정도가 된다.

The teacher's *temperate* personality lent a feeling of calm and control to the kindergarten class.
선생님의 온화한 성품은 유치원 교실에 침착함과 자제력을 보태주었다.

The opposite of *temperate* is *intemperate*, which means not moderate. Bucky's *intemperate* use of oregano ruined the chili.
temperate의 반의어는 intemperate. 버키는 오레가노 향신료의 무절제한 사용으로 칠리를 엉망으로 만들었다.

To *temper* something is to make it milder. Wilma laughed and shrieked so loudly at every joke that even the comedian wished she would *temper* her appreciation.
동사는 temper로 온건하게 조절하다라는 뜻이다. 윌마는 조크가 나올 때마다 너무나 큰소리로 웃거나 소리지르곤 해서, 심지어 웃기러 나온 코미디언조차 감정을 적절하게 조절해줄 것을 바랄 정도였다.

*Temperance* is moderation, especially with regard to alcoholic drinks.
temperance는 특히 음주와 관련해서 '절주'의 뜻으로 많이 쓰인다.

**TENABLE** [ténəbl] adj **defensible, as in one's position in an argument ; capable of being argued successfully ; valid** **논쟁중일 때 어떤 사람의 입장에서 방어(변호)할 수 있는 ; 성공적으로 주장할 수 있는, 조리 있는 ; 근거가 확실한**

Members of the Flat Earth Society continue to argue that the earth is flat, although even children dismiss their arguments as not *tenable*.
심지어 어린아이들조차도 그들의 주장이 타당하지 않다고 무시하는데도 불구하고, FES(평평한 지구 연구회)의 회원들은 지구가 평평하다고 계속해서 주장한다.
* untenable은 '방어할 수 없는, 이치에 닿지 않는'이라 는 뜻이다.

**TENACIOUS** [tənéiʃəs] adj **persistent ; stubborn ; not letting go** **고집하는 ; 완고한 ; 놓아주지 않는**

The foreign student's *tenacious* effort to learn English won him the admiration of all the teachers at our school.
우리 학교에 온 외국인 학생은 영어를 배우려는 끈기 있는 노력으로 모든 선생님들의 칭찬을 받았다.

Louise's grasp of geometry was not *tenacious*. She could handle the simpler problems most of the time, but she fell apart on quizzes and tests.
루이스의 기하학 실력은 단단하지 않았다. 그녀는 대부분의 시간동안 더 쉬운 문제들은 풀 수 있었지만, 퀴즈와 시험에서는 점수가 엉망이었다.

The ivy growing on the side of our house was so *tenacious* that we had to tear the house down to get rid of it.
우리 집 외벽을 타고 자라는 담쟁이덩굴은 워낙 서로 엉켜 붙어있어서, 집을 부숴야만 그것들을 없앨 수 있을 정도였다.
* 명사형은 tenacity[tənǽsəti].

## QUICK QUIZ 81

Match each word in the first column with its definition in the second column. Check your answers in the back of the book.

| | |
|---|---|
| 1. tacit | a. persistent |
| 2. taciturn | b. naturally untalkative |
| 3. tangential | c. boldness |
| 4. tangible | d. equivalent to |
| 5. tantamount | e. not deeply relevant |
| 6. tautological | f. redundant |
| 7. temerity | g. mild |
| 8. temperate | h. defensible |
| 9. tenable | i. implied |
| 10. tenacious | j. touchable |

### TENET [ténit] n **a shared principle or belief** 공유하는 원칙이나 신념

One of the most important *tenets* of our form of government is that people can be trusted to govern themselves.
우리와 같은 정부형태에서 가장 중요한 원칙중의 하나는 주권은 국민에게 있다는 것이다.

The *tenets* of his religion prevented him from dancing and going to movies.
그가 믿고 있는 종교의 교리는 춤을 추는 것과 영화 보는 것을 금하고 있었다.

### TENTATIVE [téntətiv] adj **experimental ; temporary ; uncertain** 실험적인 ; 일시적인 ; 불확실한

George made a *tentative* effort to paint his house by himself ; he slapped some paint on the front door and his clothes, tipped over the bucket, and called a professional.
조지는 집을 새로 페인트칠하려고 실험 삼아 혼자서 시도해 보았다 : 그는 현관문과 옷에 페인트를 덕지덕지 발라 놓고, 페인트 통까지 거꾸로 엎었다. 결국, 그는 전문가를 불러야 했다.

Our plans for the party are *tentative* at this point, but we are considering hiring a troupe of accordionists to play polkas while our guests are eating dessert.
파티에 관한 계획은 아직까지는 불확실하지만, 우리는 손님들이 디저트를 먹을 동안, 아코디언 연주단을 고용해서 폴카를 연주하게 할까 생각중이다.

Hugo believed himself to be a great wit, but his big joke was rewarded by nothing more than a very *tentative* chuckle from his audience.
휴고는 자신이 대단히 재치가 있다고 자신했다. 그러나, 그의 대단한 농담에도 청중들은 단지 아주 짧은 순간, 낄낄댔을 뿐이다.

### TENUOUS [ténjuəs] adj **flimsy ; extremely thin** 얇은, 보잘것없는 ; 아주 가는

The organization's financial situation has always been *tenuous* ; the balance of the checking account is usually close to zero.
그 조직의 재정상태는 항상 빈약한 상태에 있어 왔다 : 당좌 예금의 계정잔액은 대개 영에 가깝다.

The hostess's *tenuous* gown, which had been made from a sheet of clear plastic, certainly made her popular with her male guests.
한 장의 투명한 합성수지로 만든 아주 얇은 가운 덕분에, 여주인은 확실히 남자 손님들에게 인기를 끌었다.

To *attenuate* is to make thin. *Extenuating* circumstances are those that lessen the magnitude of something, especially a crime. Percy admitted that he stole the Cracker Jacks but claimed that there were *extenuating* circumstances: he had no money to buy food for his pet armadillo.
to attenuate는 얇게 만드는 것이다. extenuating circumstances(정상참작)이란, 어떤 것의 크기, 특히 범죄의 크기를 줄여주는 것을 의미한다. 퍼시는 잭스 크래커를 훔친 것은 인정했지만, 정상을 참작해줄 것을 주장했다: 그는 자신의 애완용 아르마딜로에게 먹이를 사줄 돈이 전혀 없었다는 것이다.
(아르마딜로: 남미산의 야행성 포유동물)

**TERSE** [tə:rs] adj **using no unnecessary words ; succinct** **불필요한 말은 사용하지 않는 ; 간결한**

The new recording secretary's minutes were so *terse* that they were occasionally cryptic.
새로 온 기록담당 서기는 의사록을 워낙 간결하게 써서, 때로는 암호 같았다.

*Terseness* is not one of Rex's virtues ; he would talk until the crack of dawn if someone didn't stop him.
간단명료하게 말하기는 렉스의 장점이 아니다. 그는 누군가 말리지 않으면, 새벽 동이 틀 때까지 이야기를 할 것이다.

**THEOLOGY** [θi:ɑ́lədʒi] n **the study of God or religion** **신 또는 종교에 관한 학문**

Ralph was a paradox: he was an atheist yet he passionately studied *theology*.
랄프는 모순적인 사람이다: 그는 무신론자이면서도 신학을 아주 열심히 공부했다.

**TIRADE** [táireid] n **a prolonged, bitter speech** **길고, 신랄한 연설, 또는 말**

Percival launched into a *tirade* against imitation cheese on the school lunch menu.
퍼시발은 학교급식에서 점심 메뉴로 나온 가짜 치즈를 성토하는 장광설을 늘어놓기 시작했다.

**TORPOR** [tɔ́:rpər] n **sluggishness ; inactivity ; apathy** **나태함 ; 무기력, 정지 ; 무관심**

After consuming the guinea pig, the boa constrictor fell into a state of contented *torpor* that lasted several days.
기니 돼지를 다 먹어치운 후, 보아구렁이는 만족해하며 며칠간이나 계속되는 휴면상태에 빠져들었다.

The math teacher tried to reduce the *torpor* of his students by setting off a few firecrackers on his desk, but the students scarcely blinked.
수학 선생님은 책상 위에서 폭죽을 터뜨려 학생들의 관심을 끌어보려고 애썼다. 하지만, 학생들은 눈도 깜박하지 않았다.

To be in a state of *torpor* is to be *torpid*.
무기력한 상태를 의미하는 형용사는 torpid.

**TOUCHSTONE** [tʌ́tʃstòun] n **a standard ; a test of authenticity or quality** **표준, 시금석 ; 진위여부나 품질에 대한 테스트**

In its original usage, a *touchstone* was a dark stone against which gold and other precious metals were rubbed in order to test their purity. Now the word is used more loosely to describe a broad range of standards and tests.
원래의 뜻은 시금석은 금이나 그 외 다른 귀중한 금속의 순도를 시험하기 위해 문질러 보는 짙은 색깔을 가진 돌이었다. 이 단어는 요즘은 보다 넓은 의미로 막연하게 표준이나 테스트를 의미하는 것으로 사용된다.

The size of a student's vocabulary is a useful *touchstone* for judging the quality of his or her education.
학생들의 어휘력은 그들의 교육 수준을 판단할 수 있는 유용한 기준이다.

A candidate's pronouncements about the economy provided a *touchstone* by which his or her fitness for office could be judged.
경제에 관한 후보자의 의견은 그가 직무에 적합한 사람인가를 판단할 수 있는 기준을 제시해 주었다.

## TOUT [taut] v to praise highly ; to brag publicly about 몹시 칭찬하다 ; 공공연히 자랑하다

Advertisements *touted* the chocolate-flavored toothpaste as getting rid of your sweet tooth while saving your teeth.
초콜릿 맛이 나는 그 치약은 치아를 지켜 주면서 단것을 싫어하게 해 준다고 광고에서 자랑하고 있었다.

## TRANSCEND [trænsénd] v to go beyond or above ; to surpass 초월하다, 능가하다 ; ~보다 낫다

The man who claimed to have invented a perpetual motion machine believed that he had *transcended* the laws of physics.
영구적으로 작동하는 기계를 발명했다고 주장하는 그 남자는 자신이 물리학의 법칙을 초월했다고 믿고 있었다.

The basketball player was so skillful that he seemed to have *transcended* the sport altogether ; he was so much better than his teammates that he seemed to be playing an entirely different game.
그 농구선수는 워낙 탁월한 기량을 갖고 있어서 농구경기를 완전히 초월한 사람 같았다 : 그는 동료들보다 훨씬 더 뛰어나서, 그들과는 전혀 다른 경기를 하고 있는 사람처럼 보였다.

* transcendent 와 transcendental[tran sen DEN tul]은 동의어.

To be *transcendent* is to be surpassing or preeminent. Something *transcendent* is *transcendental* [trænsendéntl].
형용사 transcendent는 '뛰어난, 또는 탁월한' 이라는 뜻이다.

## TRANSGRESS [trænsgrés] v to violate (a law) ; to sin 위반하다(법을) ; (종교상, 도덕상) 죄를 짓다

The other side had *transgressed* so many provisions of the treaty that we had no choice but to go to war.
상대편이 협의안을 너무나 많이 위반했기 때문에, 우리는 전쟁을 하는 것 외에는 달리 방법이 없었다.

We tried as hard as we could not to *transgress* their elaborate rules, but they had so many prohibitions that we couldn't keep track of all of them.
우리는 그들이 애써서 만든 규칙들을 위반하지 않으려고 가능한 한 노력을 다했다. 그러나, 그 규칙에는 금지 조항이 지나치게 많아서 그것들을 모두 지킬 수 는 없었다.

An act of *transgressing* is a *transgression*. The bully's innumerable *transgressions* included breaking all the windows in the new gymnasium and pushing several first graders off the jungle gym.
위반하는 행위는 a transgression. 그 불량배는 셀 수도 없이 많은 죄를 저질렀는데, 그 중에는 새로 지은 체육관의 유리창을 몽땅 깨뜨린 것과 일 학년 아이들 몇 명을 정글짐에서 밀어서 떨어지게 한 일도 들어 있었다.

## TRANSIENT [trǽnʃənt/-ziənt] adj not staying for a long time ; temporary 오래 머물지 않는 ; 일시적인

The *transient* breeze provided some relief from the summer heat, but we were soon perspiring again.
잠깐 동안의 산들바람이 한여름의 열기를 조금이나마 식혀주었다. 그러나, 금방 또다시 땀이 나기 시작했다.

The child's smile was *transient* ; it disappeared as soon as the candy bar was gone.
아이는 아주 잠깐 미소를 지었다 : 막대사탕이 없어지자, 아이의 미소도 곧 사라졌다.

A hotel's inhabitants are *transient* ; they come and go and the population changes every night.
호텔 투숙객은 일시적인 거주자이다 : 그들은 왔다가 가는 것이며, 사람도 매일 밤 바뀐다.

*Transient* can also be a noun. A *transient* person is sometimes called a *transient*. Hoboes, mendicants, and other homeless people are often called *transients*.
transient는 명사로도 쓰인다. '일시적으로 머무는 사람'을 a transient라 부른다. 부랑자나 거지, 그밖에 집이 없는 사람들을 때때로 transients 라 부른다.

A very similar word is *transitory*, which means not lasting very long. A *transient* breeze might provide *transitory* relief from the heat. The breeze didn't stay very long ; the relief didn't last very long.
아주 유사한 단어로 transitory가 있다. 이 단어는 그다지 오래 지속되지 않는다는 의미이다. 잠깐동안의 산들바람은 일시적으로 열기를 식혀줄 것이다. 산들바람은 그다지 오래 머물지 않았으며, 열기를 덜어주는 것도 그리 오래 지속되지 않았다.

---

**TREPIDATION** [trèpədéiʃən] n **fear ; apprehension ; nervous trembling** **공포 ; 불안 ; 불안으로 인한 전율, 떨림**

The nursery school students were filled with *trepidation* when they saw the other children in their class dressed in their Halloween costumes.
다른 아이들이 할로윈 의상을 입고 교실에 나타난 것을 보고, 유아원 아이들은 무서워서 어쩔 줄 몰라했다.

The *trepidation* of the swimming team was readily apparent: their knees were knocking as they lined up along the edge of the pool.
수영팀은 겉으로 보기에도 확연히 두려워하고 있었다: 수영장 가장자리를 따라 준비 자세를 취하고 있을 때, 그들은 무릎을 부딪히며 떨고 있었다.

To be fearless is to be *intrepid*. The *intrepid* captain sailed his ship around the world with only a handkerchief for a sail.
to be intrepid의 뜻은 두려워하지 않는다. 용맹스런 선장은 단지 손수건 한 장을 돛 삼아 달고 세계 일주를 위한 항해를 떠났다.

---

**TURPITUDE** [tə́:rpitù:d/-tjù:d] n **shameful wickedness ; depravity** **부끄러운 악행 ; 타락**

Larry was sacked by his boss because of a flagrant act of *turpitude* ; he slept with the boss's wife.
래리는 말도 안되는 간악한 행위로 인하여 사장에게 해고당했다 : 그는 사장의 아내와 잤던 것이다.

## QUICK QUIZ 82

Match each word in the first column with its definition in the second column. Check your answers in the back of the book.

| | |
|---|---|
| 1. tenet | a. without unnecessary words |
| 2. tentative | b. go beyond |
| 3. tenuous | c. brag publicly about |
| 4. terse | d. fearless |
| 5. torpor | e. experimental |
| 6. theology | f. not lasting long (2) |
| 7. tirade | g. bitter speech |
| 8. touchstone | h. shared principle |
| 9. tout | i. wickedness |
| 10. transcend | j. sluggishness |
| 11. transgress | k. flimsy |
| 12. transient | l. fear |
| 13. transitory | m. study of religion |
| 14. trepidation | n. standard |
| 15. intrepid | o. violate |
| 16. turpitude | |

**UBIQUITOUS** [juːbíkwətəs] adj **being everywhere at the same time** **동시에 도처에 있는**

The new beer commercial was *ubiquitous*—it seemed to be on every television channel at once.
새로운 맥주 광고는 동시다발적으로 볼 수 있었다. 동시에 모든 텔레비전 채널에서 방송하는 것 같았다.

Personal computers, once a rarity, have become *ubiquitous*.
옛날에는 귀했던 개인용 컴퓨터가 지금은 도처에 널려 있다.

To be *ubiquitous* is to be characterized by *ubiquity*[juːbíkwəti]. The *ubiquity* of fast-food restaurants is one of the more depressing features of American culture.
명사형은 ubiquity(yoo BIK wuh tee). 도처에 널려 있는 패스트푸드 식당의 존재는 미국문화의 저급한 측면 중의 하나다.

**UNCONSCIONABLE** [ʌnkάnʃənəbl] adj **not controlled by conscience ; unscrupulous** **양심의 통제를 벗어난 ; 파렴치한**

* 이 단어를 unconscious(무의식적인)와 혼동하지 말아라.

Leaving a small child unattended all day long is an *unconscionable* act.
돌봐주는 사람도 없이 어린아이를 하루 종일 방치해 두는 것은 비양심적인 행동이다.

Murdering every citizen of that town was *unconscionable*. Bert should be ashamed of himself for doing it.
그 도시의 모든 시민들을 살해한 것은 파렴치한 일이었다. 버트는 그 일에 대해서 스스로를 부끄러워해야 할 것이다.

**UNCTUOUS** [ʌ́ŋktʃuəs] adj **oily, both literally and figuratively ; insincere** **기름진, 문자 그대로의 의미로나 비유적으로 ; 불성실한**

Salad oil is literally *unctuous*. A used-car salesman might be figuratively *unctuous*—that is, oily in the sense of being slick, sleazy, and insincere.
샐러드 오일은 문자 그대로 기름으로 만든 것이다. 중고차 세일즈맨은 비유적인 의미로 기름지다(번지레하다). — 즉, 번지르르하고, 허우대만 좋고, 성실하지 못하다는 의미에서 뺀들거린다는 의미로 쓰인 것이다.

**UNIFORM** [júːnəfɔ̀ːrm] adj **consistent ; unchanging ; the same for everyone** **고정적인 ; 불변의 ; 모든 사람에게 똑같은**

Traffic laws are similar from one state to the next, but they aren't *uniform* ; each state has its own variations.
교통법규는 어느 주나 비슷하다. 하지만 완전히 똑같지는 않다 ; 주마다 약간의 차이가 있다.

The school did not have a *uniform* grading policy ; each teacher was free to mark students according to any system that he or she thought appropriate.
그 학교는 획일화된 방법으로 성적을 관리하지 않았다 ; 선생님들은 각자가 알아서 적당하다고 생각하는 방식으로 학생들의 성적을 관리했다.

Something that is *uniform* has *uniformity*[jùːnəfɔ́ːrməti].
획일적인 것은 uniformity(획일성)를 갖고 있다.

*Uniforms* are suits of clothing that are *uniform* in appearance from one person to the next.
유니폼은 이 사람 저 사람 모두 똑같아 보이도록 획일화해서 만든 옷이다.

**UNREMITTING** [ʌ̀nrimítiŋ] adj **unceasing ; unabated ; relentless** 중단 없는 ; 약해지지 않는 ; 누그러지지 않는

Superman waged an *unremitting* battle against evildoers everywhere.
슈퍼맨은 도처에서 끊임없이 악의 무리들과 싸웠다.

**UNWITTING** [ʌ̀nwítiŋ] adj **unintentional ; ignorant ; not aware** 고의가 아닌 ; 부지불식간의 ; 알지 못하는

When Leo agreed to hold open the door of the bank, he became an *unwitting* accomplice to the bank robbery.
레오가 은행 문을 열어 두는 것에 동의했기 때문에, 그는 자신도 모르는 새에 은행 강도를 도와준 셈이 되었다.

My theft was *unwitting* ; I hadn't meant to steal the car, but had unintentionally driven it away from the automobile dealership and parked it in my garage.
나는 도둑질하려고 했던 것이 아니다 : 그 차를 훔치려고 했던 것이 아니라, 무심코 대리점에서 몰고 나와 우리 집 주차장에 주차해두었을 뿐이었다.

On the camping trip, Josephine *unwittingly* stepped into a bear trap and remained stuck in it for several days.
캠핑을 가던 중에, 조세핀은 곰을 잡는 함정에 모르고 발을 내딛었다가 며칠동안 그 곳에 갇혀 있었다.

**URBANE** [əːrbéin] adj **poised ; sophisticated ; refined** 균형 잡힌 ; 순진하지 않은 ; 세련된

The British count was witty and *urbane* ; all the hosts and hostesses wanted to have him at their parties.
영국인 백작은 세련되고 재치가 있었다 : 파티를 개최하는 사람들은 여자건 남자건 모두 그 백작이 자신들의 파티에 참석해주기를 바랐다.

The new magazine was far too *urbane* to appeal to a wide audience outside the big city.
새로 창간된 잡지는 도시풍으로 워낙 세련돼서 그 대도시를 벗어나서는 폭넓은 독자층을 얻을 수 없었다.

*Urbanity* [əːrbǽnəti] is a quality more often acquired in an *urban* setting than in a rural one.
urbanity는 대체로 시골보다는 도시적 환경에서 습득되는 특성이다.

**USURP** [juːsə́rp, -zə́ːrp] v **to seize wrongfully** 부당한 방법으로 빼앗다

The children believed that their mother's new boyfriend had *usurped* their real father's rightful place in their family.
아이들은 엄마의 새 남자친구가 가족 내에서 자신들의 친아빠의 정당한 지위를 빼앗았다고 생각했다.

The founder's scheming young nephew *usurped* a position of power in the company.
회사설립자의 교활한 젊은 조카가 회사의 실권을 빼앗았다.
* 명사형은 usurpation.

**UTILITARIAN** [juːtìlətɛ́əriən] adj **stressing usefulness or utility above all other qualities ; pragmatic** 다른 어떤 자질보다도 유용성이나 실용성을 강조하는(실리적인) ; 실용적인

Jason's interior-decorating philosophy was strictly *utilitarian* ; if an object wasn't genuinely useful, he didn't want it in his home.
제이슨의 실내 장식 철학은 철저히 실용주의였다 : 어떤 물건이 정말로 실용성이 없다면, 그는 그것을 결코 집안에 들이지 않았다.

*Utilitarian* can also be a noun. Jason, just mentioned, could be called a *utilitarian*.
utilitarian 은 명사로도 쓰인다. 방금 말한 제이슨은 실용주의자라고 부를 수 있다.

## UTOPIA [ju:tóupiə] n an ideal society 이상향

A country where nobody had to work and *Monday Night Football* was on television every night would be Quentin's idea of *utopia*.
아무도 일할 필요가 없는 나라, 매일 밤 텔레비전으로 Monday Night Football을 볼 수 있는 나라, 그런 나라가 퀀틴이 꿈꾸는 이상향일 것이다.

The little town wasn't just a nice place to live, as far as Ed was concerned ; it was *utopia*.
에드의 생각엔, 그 작은 마을은 단지 살기 좋은 곳만은 아니었다 ; 그 곳은 이상 사회였다.

A *utopian* is someone with unrealistic or impractical plans or expectations for society. Such plans or expectations are *utopian* plans or expectations.
a utopian(이상주의자)은 사회에 대해 비현실적이고 비실용적인 계획이나 기대를 갖고 있는 사람이다. 그런 계획이나 기대는 몽상적인 계획이나 기대이다.

* utopia의 반의어는 dystopia.

## QUICK QUIZ 83

Match each word in the first column with its definition in the second column. Check your answers in the back of the book.

| | |
|---|---|
| 1. ubiquitous | a. oily |
| 2. unconscionable | b. poised and sophisticated |
| 3. unctuous | c. everywhere at once |
| 4. uniform | d. pragmatic |
| 5. unremitting | e. seize wrongfully |
| 6. unwitting | f. unscrupulous |
| 7. urbane | g. an ideal society |
| 8. usurp | h. unintentional |
| 9. utilitarian | i. consistent |
| 10. utopia | j. unceasing |

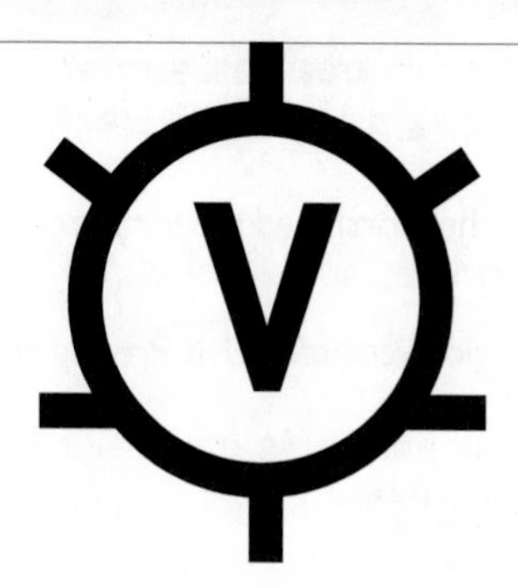

**VACILLATE** [vǽsəlèit] v **to be indecisive ; to waver** **우유부단하게 굴다 ; 동요하다**

We invited James to spend Thanksgiving with us, but he *vacillated* for so long about whether he would be able to come that we finally became annoyed and disinvited him.
추수감사절을 함께 보내기 위해 우리는 제임스를 초대했다. 그러나, 그는 올 것인지 아닌지 꽤 오랫동안 망설였다. 결국, 우리는 화가 나서 그를 초대하지 않기로 했다.

Tyler *vacillated* about buying a new car. He couldn't decide whether to get one or not.
타일러는 새 차 구입을 망설이고 있었다. 그는 새 차를 구입할 것인지 말 것인지 결정을 내릴 수가 없었다.
* 우유부단한 행동을 가리키는 명사는 vacillation.

**VAPID** [vǽpid] adj **without liveliness ; dull ; spiritless** **활기 없는 ; 지루한 ; 기운 없는**

An apathetic person just doesn't care about anything, and everything he does is *vapid*.
감정이라곤 없는 사람은 어떠한 것에도 관심을 갖지 않는다. 그런 사람이 하는 일이란 모두 재미없기 마련이다.

The novelist's prose was so *vapid* that Mary couldn't get beyond the first page.
그 소설가의 글이 너무 지루한 탓에, 메리는 첫 페이지에서 더 이상 나아가지 못했다.

**VEHEMENT** [ví:əmənt] adj **intense ; forceful ; violent** **격렬한 ; 강한 ; (폭력 등이) 난폭한**

Shaking his fist and stomping his foot, Gerry was *vehement* in his denial. The noun is vehemence.
주먹을 흔들고, 발까지 구르면서, 게리는 격렬하게 거부의사를 표현했다. 명사형은 vehemence.

**VENAL** [ví:nl] adj **capable of being bribed ; willing to do anything for money ; corrupt**
**매수할 수 있는 ; 돈을 위해서라면 뭐든지 하는 ; 부패한**

The *venal* judge reversed his favorable ruling when the defendant refused to make good on his promised bribe.
돈을 좋아하는 판사는 피고인이 약속한 뇌물을 주지 않으려 하자, 그에게 유리하게 내렸던 판결을 번복했다.

The young man's interest in helping the sick old woman was strictly *venal* ; he figured that if he was kind to her, she would leave him a lot of money in her will.
그 젊은이가 병든 할머니를 돌보겠다고 나선 것은 순전히 돈 때문이었다 : 할머니를 친절히 돌봐주면, 할머니가 유언으로 많은 돈을 그에게 남겨줄 것이라고 청년은 생각했다.

A *venal* person is a person characterized by *venality* [vi:nǽləti].
a venal person은 매수되기 쉬운 성격을 가진 사람이다.

Don't confuse this word with *venial* [ví:niəl], which means trivial or pardonable. A peccadillo is a *venial*, harmless sin.
이 단어를 venial 과 혼동하지 말아라. venial은 과실이 사소하거나 용서받을 만하다는 뜻이다. peccadillo는 사소하고, 별로 해를 끼치지 않는 가벼운 죄, 혹은 실수를 의미한다.

**VENERATE** [vénərèit] v **to revere ; to treat as something holy, especially because of great age** 존경하다 ; 신성하게 다루다, 특히 많은 나이 때문에

Lester *venerated* his grandfather ; he worshiped the very ground the old man limped on.
레스터는 할아버지를 극진히 모셨다 ; 그는 다리가 불편한 할아버지를 매우 존경했다.

The members of the curious religion *venerated* Elvis Presley and hoped that the pope would declare him a saint.
엘비스 프레슬리를 숭배하는 별난 종교의 신도들은 교황이 엘비스를 성인으로 공표해주기를 원했다.
* 형용사 venerable은 존경받을 만한 가치가 있다는 뜻.

---

**VERACITY** [vərǽsəti] n **truthfulness** 정직

The *veracity* of young George Washington is legendary, but it may be apocryphal.
조지 워싱턴의 어린 시절의 정직에 관한 에피소드는 전설이 되었다. 그러나, 그 이야기는 조작된 것인지도 모른다.
* 형용사 veracious는 정직하다는 뜻.

---

**VERBOSE** [vəːrbóus] adj **using too many words ; not succinct ; circumlocutory** 말이 많은 ; 간결하지 않은 ; 완곡한 표현의

Someone who is *verbose* uses too many words when fewer words would suffice. Lee handed in a 178-word final assignment ; no one ever accused him of *verbosity* [vəːrbɑ́səti].
몇 마디면 충분한 경우인데도 수다스런 사람은 훨씬 더 많은 말을 한다. 리는 178단어로 이루어진 학기말 연구과제를 제출했다 ; 그를 말이 많다고 욕하는 사람은 아무도 없었다.

---

**VERISIMILITUDE** [vèrəsimílətùːd/-tjùːd] n **similarity to reality ; the appearance of truth ; looking like the real thing** 사실 같음 ; 진실의 드러남 ; 진짜인 것처럼 보이는 것

They used pine cones and old truck tires to make statues of Hollywood celebrities that were remarkable for their *verisimilitude*.
솔방울과 낡은 타이어를 이용해 그들이 만든 할리우드 명사들의 동상은 놀랄 만큼 사실적이었다.

The *verisimilitude* of counterfeit eleven-dollar bills did not fool the eagle-eyed treasury officer, who recognized them immediately for what they were.
정말로 진짜 같은 11달러짜리 위조수표도 날카로운 눈을 가진 재무성 관리를 속이지는 못했다. 그는 수표가 가짜라는 사실을 단번에 알아차렸다.

---

**VERNACULAR** [vərnǽkjulər] n **everyday speech ; slang ; idiom** 일상어 ; 속어, 통용어 ; 관용어

Our teacher said that we should save our *vernacular* for the street ; in the classroom we should use proper grammar.
속어는 길거리에서나 사용하라고 선생님은 말했다 ; 우리는 교실에서만큼은 문법에 맞는 말만 사용해야 했다.

---

**VESTIGE** [véstidʒ] n **a remaining bit of something ; a last trace** 남은 자취 ; 지난 과거의 흔적

The unhappy young man found *vestiges* of his fiancée in the rubble, but the explosion had effectively ended their romance.
비참한 청년은 돌더미 속에서 약혼녀의 흔적을 발견했다. 그러나 폭발 때문에 그들의 사랑은 완전히 끝이 났다.

An old uniform and a tattered scrapbook were the only *vestiges* of the old man's career as a professional athlete.
낡은 유니폼과 너덜해진 스크랩북만이 그 노인이 한때 프로 운동선수였음을 말해주는 유일한 흔적이었다.

Your appendix is a *vestige* ; it used to have a function, but now this organ does nothing.
우리의 맹장은 흔적기관이다 ; 옛날에는 기능이 있었지만, 지금은 아무런 기능도 하지 않는다.

The adjective form of *vestige* is *vestigial* [vestídʒiəl]. The appendix is referred to as a *vestigial* organ. It is still in our bodies, although it no longer has a function. It is a mere *vestige* of some function our digestive systems no longer perform.
vestige의 형용사는 vestigial. 맹장은 퇴화하고 흔적만 남은 기관이다. 비록 더 이상 아무 기능도 수행하고 있지 않지만, 여전히 우리의 몸 안에 남아 있다. 그것은 더 이상 기능하지 않는 소화기 계통의 흔적에 지나지 않는다.
* 명사, 형용사 모두 발음에 주의 할 것.

## VEX [veks] v to annoy ; to pester ; to confuse 화나게 하다 ; 괴롭히다 ; 당황하게 하다

Margaret *vexed* me by poking me with a long, sharp stick.
마가렛이 길고 날카로운 막대기로 찔러서 나는 화가 났다.

Stuck at the bottom of a deep well, I found my situation extremely *vexing*.
깊은 우물 바닥에 갇히게 되었는데, 나는 내가 처한 상황이 매우 곤란하다는 것을 깨달았다.

The act of *vexing*, or the state of being *vexed*, is *vexation*. Both the person who vexes and the person who is *vexed* can be said to exhibit *vexation*.
화나게 하는 행위나 화가 난 상태를 vexation이라 한다. 화나게 하는 사람이나 화가 난 사람모두 vexation(분노)을 드러낸다고 표현할 수 있다.

A *vexed* issue is one that is troubling or puzzling.
a vexed issue 는 골칫거리나 사람을 당황하게 하는 문제를 일컫는다.

## VIABLE [váiəbl] adj capable of living ; workable 생존할 수 있는 ; 실행할 수 있는

When a doctor says that a patient is no longer *viable*, it's time to begin planning a funeral.
환자가 더 이상 생존할 수 없다고 의사가 말한다면, 그 때가 바로 장례식을 준비해야 하는 때이다.

A fetus is said to be *viable* when it has developed to the point where it is capable of surviving outside the womb.
태아는 자궁 밖으로 나왔다고 하더라도 스스로 생존할 수 있을 때까지 성장한 뒤라야 비로소 생존능력이 있다고 말하는 것이다.

Harry's plan for storing marshmallows in the dome of the Capitol just wasn't *viable*.
국회의사당의 둥근 지붕 안에 머쉬맬로우를 가득 채우려던 해리의 생각은 정말로 실현가능성이 없는 일이었다.

Something that is viable has *viability* [vaiəbíləti].
살아갈 수 있다는 것은 생존능력이 있다는 뜻이다.

## VICARIOUS [vaikέəriəs, vi-] adj experienced, performed, or suffered through someone else ; living through the experiences of another as though they were one's own experiences 다른 사람이 대신하여 경험하거나, 일을 하거나, 고통을 받는 ; 다른 사람의 경험을 마치 자신의 것인 양 사는

To take *vicarious* pleasure in someone else's success is to enjoy that person's success as though it were your own.
다른 사람의 성공을 보며 대리만족을 느끼는 것은, 타인의 성공을 마치 자신의 것인 양 즐기는 것이다.

We all felt a *vicarious* thrill when the mayor's daughter won fourth prize in the regional kick-boxing competition.
시장의 딸이 지역 킥복싱 대회에서 4위에 입상했을 때, 우리는 모두 자신의 승리인 양 짜릿한 스릴을 느꼈다.

## VICISSITUDE [visísətù:d/tjù:d] n upheaval ; natural change ; change in fortune 격변 ; 자연의 변화 ; 부의 변화(흥망성쇠)

The *vicissitudes* of the stock market were too much for Penny ; she decided to look for a job that would stay the same from one day to the next.
페니는 주식시장의 급격한 변화를 감당하기 힘들었다 ; 그녀는 날마다 같은 상태를 유지할 수 있는 새로운 직업을 찾아보기로 결심했다.

The *vicissitudes* of the local political machine were such that one could never quite be certain whom one was supposed to bribe.
지방 정치 조직은 하도 변화가 심한 탓에 누구에게 뇌물을 주어야 할지 확실히 알 수 없었다.

**VILIFY** [víləfài] v **to say vile things about ; to defame** **나쁜 점을 말하다 ; 비방하다, 헐뜯다**

The teacher was reprimanded for *vilifying* the slow student in front of the rest of the class.
학급 아이들 앞에서 성적이 부진한 학생을 헐뜯은 것 때문에, 선생님은 징계를 받았다.

Our taxi driver paused briefly on the way to the airport in order to *vilify* the driver of the car that had nearly forced him off the road.
우리를 태우고 공항으로 가던 택시 운전사는 우리가 탄 택시를 거의 도로 밖으로 밀어낼 듯이 바싹 붙이고 달린 운전자를 욕하기 위해 잠깐 동안 멈추었다.

The political debate was less a debate than a *vilification* contest. At first the candidates took turns saying nasty things about one another ; then they stopped taking turns.
정치토론은 토론이라기보다는 욕설 대회 같았다. 처음에 후보자들은 차례대로 나와 상대 후보의 추잡한 면을 이야기했다 ; 그러더니 그들은 순서조차 지키지 않았다.

## QUICK QUIZ 84

Match each word in the first column with its definition in the second column. Check your answers in the back of the book.

| | |
|---|---|
| 1. vacillate | a. annoy |
| 2. vapid | b. be indecisive |
| 3. vehement | c. defame |
| 4. venal | d. capable of living |
| 5. venerate | e. experienced through another |
| 6. veracity | f. dull |
| 7. verbose | g. upheaval |
| 8. verisimilitude | h. revere |
| 9. vernacular | i. last trace |
| 10. vestige | j. similarity to reality |
| 11. vex | k. truthfulness |
| 12. viable | l. corrupt |
| 13. vicarious | m. wordy |
| 14. vicissitude | n. slang |
| 15. vilify | o. intense |

**VINDICATE** [víndəkèit] v **to clear from all blame or suspicion ; to justify** 모든 비난과 의심으로부터 벗어나게 하다 ; 정당함을 증명하다

Tony, having been accused of stealing money from the cash register, was *vindicated* when the store manager counted the money again and found that none was missing after all.
토니는 금전 등록기에서 돈을 훔쳤다고 의심받았다. 상점 지배인이 돈을 다시 세어보고 나서 없어진 돈이 하나도 없다는 사실이 밝혀지자, 토니는 마침내 의심에서 벗어났다.

Inez's claim of innocence appeared to be *vindicated* when several dozen inmates at the state mental hospital confessed to the crime of which she had been accused.
주립 정신 병원에 수용되어 있는 수십 명의 환자들이 범죄 사실을 자백하자, 그들 대신에 혐의를 받고 결백을 주장했던 이네즈의 무죄가 입증된 것처럼 보였다.

A person who has been *vindicated* is a person who has found *vindication*.
의심에서 벗어난 사람은 vindication(해명, 입증의 기회)을 찾은 사람이다.

**VINDICTIVE** [vindíktiv] adj **seeking revenge** 복수하려는

Jeremy apologized for denting the fender of my car, but I was feeling *vindictive* so I filed a $ 30 million lawsuit against him.
제레미는 내 차의 범퍼를 움푹 들어가게 한 일에 대해 사과를 했지만, 나는 앙심을 품고 그에게 삼천만 달러의 손해 배상을 요구하는 소송을 걸었다.

Samantha's *vindictive* ex-husband drove all the way across the country just to punch her in the nose.
사만다의 전남편은 그녀에게 앙심을 품고, 코를 한방 날리기 위해 국토를 가로질러 그 먼길을 달려왔다.
* 명사형은 vindictiveness.

**VIRTUOSO** [və̀:rtʃuóusou, -zou] n **a masterful musician ; a masterful practitioner in some other field** 음악의 대가 ; 기타 다른 분야에서의 거장, 대가

The concert audience fell silent when the *virtuoso* stepped forward to play the sonata on his electric banjo.
거장이 그의 전자 밴조로 소나타를 연주하기 위해 무대로 걸어나오자, 청중들은 조용해졌다.

As an artist, he was a *virtuoso* ; as a husband, he was a chump.
그는 예술가로서는 분명 거장이었지만, 남편으로서는 완전히 바보였다.

Virtuoso can also be an adjective. A *virtuoso* performance is a performance worthy of a *virtuoso*.
virtuoso는 형용사로도 쓰인다. a virtuoso performance는 거장의 품격이 있는 업적이나 일을 의미한다.

**VIRULENT** [vírulənt/-julənt] adj **extremely poisonous ; malignant ; full of hate** 아주 유독한 ; 해로운 ; 적의로 가득 찬

The *virulent* disease quickly swept through the community, leaving many people dead and many more people extremely ill.
유독성 질병이 온 마을에 퍼져 많은 사람들이 죽었으며 더 많은 수의 사람들이 위독한 상태였다.

The snake was a member of a particularly *virulent* breed ; its bite could kill an elephant.
그 뱀은 특히 맹독을 가진 종류였다 ; 그 뱀이 한번 물면 코끼리라도 죽일 수 있었다.

Jonathan is a *virulent* antifeminist ; he says that all women should sit down and shut up and do what he tells them to.
조나단은 여성들을 혐오하는 반페미니스트이다 ; 모든 여성들은 입다물고 조용히 앉아 그저 그가 시키는 일이나 하면 된다고 그는 말한다.

To be *virulent* is to be characterized by virulence. *Virulent* is related to *virus*, not to *virile*, which means manly.
to be virulent는 virulence(독성, 증오)의 성격이 있다는 뜻이다. virulent는 '남자다운'을 뜻하는 virile이 아니라 virus(바이러스, 독성)와 관계가 있는 단어다.

**VISIONARY** [víʒənèri/-nəri] n **a dreamer ; someone with impractical goals or ideals about the future** 몽상가 ; 미래에 대해 비현실적인 목표나 이상을 가진 사람

My uncle was a *visionary*, not a businessman ; he spent too much time tinkering with his antigravity generator and not enough time working in his plumbing business.
우리 삼촌은 비즈니스맨이 아니라 몽상가였다 : 그는 자신의 반중력 발전기를 만지작거리면서 너무 많은 시간을 낭비하고는, 본업인 배관 일은 소홀히했다.

The candidate was a *visionary* ; he had a lot of big ideas but no realistic plan for putting them into practice.
그 후보는 몽상가였다 : 그는 대단한 아이디어가 많았지만, 그것을 실현시킬 실제적인 계획은 전혀 없었다.

*Visionary* can also be an adjective. A *visionary* proposal is an idealistic and usually impractical proposal.
visionary는 형용사로도 쓰인다. a visionary proposal이란 이상적이기만 해서 대체로 실현 가능성이 없는 안건이다.

**VITIATE** [víʃièit] v **to make impure ; to pollute** 불순하게 만들다 ; 오염시키다

For years a zealous group of individuals has campaigned against the use of fluoride in water, claiming that it has *vitiated* our bodies as well as our morals.
식수에 플루오르화물질의 사용을 반대하는 한 시민단체는 플루오르화물질이 우리의 육체뿐만 아니라 도덕까지도 오염시키고 있다고 주장하면서 오랫동안 열성적으로 반대캠페인을 벌여왔다.

**VITRIOLIC** [vitriálik] adj **caustic ; full of bitterness** 신랄한, 황산 같은 ; 신랄함으로 가득찬

*Vitriol* is another name for sulfuric acid. To be *vitriolic* is to say or do something so nasty that your words or actions burn like acid.
vitriol은 황산의 다른 이름이다. to be vitriolic은 황산처럼 치명적일 정도로 말이나 행동을 신랄하게 하는 것을 의미한다.

The review of the new book was so *vitriolic* that we all wondered whether the reviewer had some personal grudge against the author.
신간에 대한 비평은 너무나 신랄해서, 우리는 모두 그 비평가가 작가에게 개인적 원한이 있는 것이 아닌가 하는 의심이 들었다.

**VOCATION** [voukéiʃən] n **an occupation ; a job** 일 ; 직업

Your *vocation* is what you do for a living.
Your vocation이란 당신이 생계를 위하여 하고 있는 일을 의미한다.

If Stan could figure out how to make a *vocation* out of watching television and eating potato chips, he would be one of the most successful people in the world.
감자칩이나 먹으면서 텔레비전이나 보는 것을 직업으로 삼을 수만 있다면 스탄은 세계에서 가장 성공한 사람 중의 하나가 될 것이다.

*Vocational* training is job training. Since your *vocation* is your job, your *avocation* is your hobby. The accountant's *vocation* bored her, but her *avocation* of mountain climbing did not.
vocational training은 직업 훈련. vocation은 직업을 의미하므로, avocation은 취미를 뜻한다. 그녀는 회계사라는 자신의 직업을 지겨워했지만, 취미인 등산은 그렇지 않았다.

**VOCIFEROUS** [vousífərəs] adj **loud ; noisy** 소리가 큰 ; 시끄러운

Randy often becomes *vociferous* during arguments. He doesn't know what he believes, but he states it loudly nevertheless.
랜디는 토론 중에 자주 목소리가 커진다. 잘 알지는 못한다고 해도 자신이 믿고 있는 것이면, 그는 큰 소리로 그것을 주장한다.

## VOLATILE [vɑ́lətl/vɔ́lətàil] adj **quick to evaporate ; highly unstable ; explosive** 재빨리 증발하는, 휘발성의 ; 대단히 불안정한 ; 폭발성의

A *volatile* liquid is one that evaporates readily. Gasoline is a *volatile* liquid. It evaporates very readily, and then the vapor poses a great danger of explosion.
a volatile liquid는 빠르게 증발하는 액체이다. 가솔린은 휘발성 액체이다. 그것은 빠르게 증발하며, 그렇게 해서 기체가 되면 폭발할 위험성이 높아진다.

A *volatile* crowd is one that seems to be in imminent danger of getting out of control, or exploding.
a volatile crowd는 통제를 벗어날 것 같거나 곧 폭도로 변할 것 같은, 일촉즉발의 상황에 처한 것으로 보이는 군중을 의미한다.

The situation in the Middle East was highly *volatile* ; the smallest incident could have set off a war.
중동지역은 일촉즉발의 상황이었다. 아주 사소한 사건이라도 전쟁의 도화선이 될 수 있는 상황이었다.
* 명사형은 volatility.

## VOLITION [voulíʃən] n **will ; conscious choice** 의지 ; 결단력

Insects, lacking *volition*, simply aren't as interesting as humans are.
곤충들에게는 '자신의 의지' 라는 것이 없기 때문에, 인간만큼 흥미롭지는 않다.

The question the jury had to decide was whether the killing had been an accident or an act of *volition*.
배심원단의 문제는 살인이 우발적으로 일어난 것인지 아니면 의지에 의한 행동이었는지를 결정해야 하는 것이었다.

## QUICK QUIZ 85

Match each word in the first column with its definition in the second column. Check your answers in the back of the book.

| | |
|---|---|
| 1. vindicate | a. extremely poisonous |
| 2. vindictive | b. masterful musician |
| 3. virtuoso | c. dreamer |
| 4. virulent | d. caustic |
| 5. visionary | e. clear from suspicion |
| 6. vitiate | f. will |
| 7. vitriolic | g. quick to evaporate |
| 8. vocation | h. seeking revenge |
| 9. vociferous | i. occupation |
| 10. volatile | j. make impure |
| 11. volition | k. noisy |

**WANTON** [wántən] adj **malicious ; unjustifiable ; unprovoked ; egregious** 악의 있는 ; 부당한 ; 정당한 이유가 없는 ; 터무니없는

Terrorists commit *wanton* acts on a helpless populace to make their point.
테러리스트들은 목적을 달성하기 위해 힘없는 민중들에게 부당한 행위를 한다.

*Wanton* also means intemperate. A hedonist lives a *wanton* life in the relentless, unremitting pursuit of pleasure ; an ascetic does not.
wanton은 또한 무절제하다라는 뜻도 있다. 쾌락주의자는 끊임없이, 집요하게 쾌락만을 추구하면서 무절제한 생활을 한다 ; 금욕주의자는 그렇지 않다.

**WILLFUL** [wílfəl] adj **deliberate ; obstinate ; insistent on having one's way** 고의적인, 계획적인 ; 고집센 ; 제멋대로만 하려고 하는

* 이 단어의 철자법에 유의할 것.

The mother insisted that the killing committed by her son had not been *willful*, but the jury apparently believed that he had known what he was doing.
어머니는 아들이 저지른 살인이 계획적이 아니라고 주장했다. 그러나, 배심원단은 그가 자신의 행동에 대해 사전에 인지하고 있었을 것이라고 확신하는 듯했다.

When her mother told her she couldn't have a cookie, the *willful* little girl simply snatched the cookie jar and ran out of the room with it. She had stolen the cookies *willfully*.
엄마가 쿠키를 먹지 말라고 하자, 고집이 센 소녀는 쿠키 병을 낚아채서 들고는 방 밖으로 도망을 갔다. 소녀는 쿠키를 제멋대로 훔친 것이다.

**WISTFUL** [wístfəl] adj **yearning ; sadly longing** 동경하는 ; 간절히 바라는

I felt *wistful* when I saw Herb's fancy new car. I wished that I had enough money to buy one for myself.
허브의 멋진 차를 보니, 나는 그가 부러웠다. 나 역시 새 차를 살 수 있을 만큼 돈이 많다면 좋을 텐데 하고 생각했다.

The boys who had been cut from the football team watched *wistfully* as the team put together an undefeated season and won the state championship.
풋볼팀에서 쫓겨났던 소년들은 팀이 한번의 패배도 없이 주 챔피언 결정전에서 우승하는 모습을 부러워하며 지켜보았다.

## QUICK QUIZ 86

Match each word in the first column with its definition in the second column. Check your answers in the back of the book.

| | |
|---|---|
| 1. wanton | a. yearning |
| 2. willful | b. deliberate |
| 3. wistful | c. malicious |

**ZEALOUS** [zéləs] adj **enthusiastically devoted to something ; fervent 정열적으로 뭔가에 몰두하는 ; 열렬한**

The *zealous* young policeman made so many arrests that the city jail soon became overcrowded.
젊은 경찰관이 워낙 열성적으로 범법자들 체포에 나서서, 시립교도소는 곧 넘쳐날 지경이었다.

The dictator's followers were so *zealous* that if he had asked them all to jump off a cliff, most of them would have done so.
그 독재자의 추종자들은 너무나 열광적이었다. 만약 그가 절벽 아래로 뛰어내리라고 명령했다면, 대부분의 추종자들은 그렇게 했을 것이다.

To be *zealous* is to be full of zeal, or fervent enthusiasm. An overly *zealous* person is a *zealot*.
to be zealous는 열의나 뜨거운 정열이 가득하다는 뜻이다. 지나치게 열의가 넘치는 사람을 zealot라 한다.

# The Final Exam

최종 테스트

다음 테스트는 Part A의 모든 핵심 단어를 포함하고 있다. 답이 틀리면, 다시 돌아가 공부하기 바란다. 신중히 생각하고 답을 고를 때 단어의 의미를 곱씹어보기 바란다.

## Final Exam Drill 1 COMPLETIONS 적당한 단어 채워넣기

For each question below, choose the word that best completes the meaning of the sentence.

1 Because Stan had been preoccupied during his dynamite-juggling demonstration, the jury felt that he was not __________ for the destruction of the audience.

a. decorous
b. decimated
c. indiscreet
d. culpable
e. indiscrete

2 Sally was sad because Mr. Reeves, our English teacher, filled the margins of her term paper with __________ remarks about her spelling, grammar, and writing style.

a. fatuous
b. heretical
c. ineffable
d. prepossessing
e. derogatory

3 The fans were __________ when the football team lost its fiftieth game in a row.

a. irascible
b. despondent
c. rapacious
d. stigmatized
e. precipitous

4 Bill and Harry were given jobs on the stage crew because their __________ voices ruined the sound of the chorus.

a. unremitting
b. paternal
c. wanton
d. laconic
e. dissonant

5 The baby kittens were so __________ that the nursery school children were able to pick them up, carry them around by the scruffs of their necks, and dress them up in doll clothes.

a. abashed
b. peripatetic
c. docile
d. agrarian
e. nefarious

## Final Exam Drill 2 BUDDY CHECK 유의어끼리 연결하기

For each question below, match the word on the left with the word most similar in meaning on the right.

| | |
|---|---|
| 1 litigious | a. ingenuous |
| 2 artless | b. querulous |
| 3 taciturn | c. auspicious |
| 4 refute | d. perennial |
| 5 perjure | e. avow |
| 6 allege | f. reticent |
| 7 gauche | g. impugn |
| 8 officious | h. rebut |
| 9 chronic | i. inept |
| 10 propitious | j. solicitous |

## Final Exam Drill 3 ODD MAN OUT 관련 없는 단어 찾기

Each question below consists of four words. Three of them are related in meaning. Find the word that does not fit.

| | | | | |
|---|---|---|---|---|
| 1 | address | infer | construe | extrapolate |
| 2 | rigorous | punctilious | integral | painstaking |
| 3 | consecrate | revere | venerate | delineate |
| 4 | abstain | relegate | forbear | forgo |
| 5 | insubordinate | willful | didactic | intransigent |
| 6 | labyrinthine | profane | secular | atheistic |
| 7 | acrid | amoral | sardonic | virulent |
| 8 | analogous | perfunctory | cursory | desultory |
| 9 | decadent | degenerate | profligate | magnanimous |
| 10 | connoisseur | virtuoso | malleable | aesthete |

## Final Exam Drill 4 RELATIONSHIPS 유의어, 반의어, 관련 없는 단어 구별하기

For each question below, decide whether the pair of words are roughly similar (S) in meaning, roughly opposite (O) in meaning, or unrelated (U) to each other.

| | | |
|---|---|---|
| 1 | sporadic | incessant |
| 2 | beget | spawn |
| 3 | malaise | subversion |
| 4 | coerce | compel |
| 5 | peccadillo | enormity |
| 6 | charismatic | insipid |
| 7 | countenance | condone |
| 8 | usurp | appropriate |
| 9 | espouse | extricate |
| 10 | arbitrate | mediate |

## Final Exam Drill 5 COMPLETIONS 적당한 단어 채워넣기

For each question below, choose the word that best completes the meaning of the sentence.

1 The applicant's credentials were ____________ , but I didn't like the color of his necktie so I didn't hire him.

a. irreproachable
b. aloof
c. domestic
d. vitriolic
e. histrionic

2 Walter's skin took on a(n) ____________ cast after his exposure to the pool of radioactive wastes.

a. artful
b. squalid
c. luminous
d. nebulous
e. garrulous

3 The police spent seven months working on the crime case but were never able to determine the identity of the __________ .

a. demagogue
b. dilettante
c. egotist
d. malefactor
e. patriarch

4 The portions at the restaurant were so ___________ that immediately after dessert we drove to another restaurant and ordered a second full meal.

a. pertinent
b. minuscule
c. exhaustive
d. futile
e. misanthropic

5 Alan thought that throwing some scraps to the bear would ___________ it, but instead the beast tore apart our campsite in search of more to eat.

a. accost
b. mollify
c. preclude
d. efface
e. tout

## Final Exam Drill 6 RELATIONSHIPS 유의어, 반의어, 관련 없는 단어 구별하기

For each question below. decide whether the pair of words are roughly similar (S) in meaning, roughly opposite (O) in meaning, or unrelated (U) to each other.

| | | |
|---|---|---|
| 1 | debacle | coup |
| 2 | amenity | injunction |
| 3 | cognizant | unwitting |
| 4 | emigrate | expatriate |
| 5 | concurrent | anachronistic |
| 6 | blithe | morose |
| 7 | disinterested | partial |
| 8 | anachronism | archaism |
| 9 | collusion | complicity |
| 10 | insular | hermetic |

## Final Exam Drill 7 ODD MAN OUT 관련 없는 단어 찾기

Each question below consists of four words. Three of them are related in meaning. Find the word that does not fit

| | | | | |
|---|---|---|---|---|
| 1 | sacrilege | renaissance | blasphemy | desecration |
| 2 | ambiguous | equivocal | cryptic | requisite |
| 3 | apprehensive | martial | contentious | belligerent |
| 4 | arcane | esoteric | sacrosanct | recondite |
| 5 | incense | replenish | foment | antagonize |
| 6 | exacting | onerous | ponderous | arbitrary |
| 7 | circumspect | eclectic | scrupulous | fastidious |
| 8 | introverted | aloof | reclusive | elliptical |
| 9 | allocate | relinquish | capitulate | succumb |
| 10 | effusive | histrionic | avuncular | gesticulating |

## Final Exam Drill 8 RELATIONSHIPS 유의어, 반의어, 관련 없는 단어 구별하기

For each question below, decide whether the pair of words are roughly similar (S) in meaning, roughly opposite (O) in meaning, or unrelated (U) to each other.

| | | |
|---|---|---|
| 1 | abyss | chasm |
| 2 | substantive | ethereal |
| 3 | loquacious | taciturn |
| 4 | doctrinaire | dogmatic |
| 5 | colloquial | pedantic |
| 6 | encroach | transgress |
| 7 | amorphous | nebulous |
| 8 | domestic | endemic |
| 9 | cogent | incisive |
| 10 | lethargic | capricious |

## Final Exam Drill 9 COMPLETIONS 적당한 단어나 어구 채워넣기

For each question below, choose the word or phrase that best completes the meaning of the sentence.

1 Amanda ________________ her daughter for putting the cat in the washing machine.

a. expropriated
b. disfranchised
c. coerced
d. broached
e, chastised

2 David's salary was __________________________ his very limited skills; he was paid nothing.

a. as vapid as
b. tenable despite
c. vehement in view of
d. commensurate with
e. acerbic notwithstanding

3 After several decades of peace, the little country grew ________________ about defense and let its army slowly drift away.

a. dissolute
b. partisan
c. catholic
d. adamant
e. complacent

4 None of us had enough money to undertake the project alone, so we had to depend on the ________________ of our parents.

a. postulate
b. vilification
c. largess
d. hedonism
e. veracity

5 The court ruled that Ursula's covert discussions with the Russian ambassador did not ________________ treason.

a. comprise
b. abnegate
c. libel
d. brooch
e. constitute

## Final Exam Drill 10 RELATIONSHIPS 유의어, 반의어, 관련 없는 단어 구별하기

For each question below, decide whether the pair of words are roughly similar (S) in meaning, roughly opposite (O) in meaning, or unrelated (U) to each other.

| | | |
|---|---|---|
| 1 | bureaucracy | hierarchy |
| 2 | extrapolate | infer |
| 3 | mercurial | volatile |
| 4 | impeccable | culpable |
| 5 | corroborate | refute |
| 6 | expedient | utilitarian |
| 7 | censure | approbation |
| 8 | propriety | decorum |
| 9 | emulate | peruse |
| 10 | mandate | touchstone |

## Final Exam Drill 11 RELATIONSHIPS 유의어, 반의어, 관련 없는 단어 구별하기

For each question below, decide whether the pair of words are roughly similar (S) in meaning, roughly opposite (O) in meaning, or unrelated (U) to each other.

| | | |
|---|---|---|
| 1 | ameliorate | exacerbate |
| 2 | candor | equivocation |
| 3 | caricature | parody |
| 4 | scrupulous | mendacious |
| 5 | apartheid | mentor |
| 6 | bane | panacea |
| 7 | facile | arduous |
| 8 | philistine | erudite |
| 9 | absolute | commensurate |
| 10 | kinetic | stagnant |

## Final Exam Drill 12 ODD MAN OUT 관련 없는 단어 찾기

Each question below consists of four words. Three of them are related in meaning. Find the word that does not fit.

| | | | | |
|---|---|---|---|---|
| 1 | awry | overt | salient | manifest |
| 2 | duplicity | ascendancy | guile | chicanery |
| 3 | contrition | remorse | cadence | penitence |
| 4 | temperance | sobriety | celibacy | oblivion |
| 5 | nominal | amiable | affable | congenial |
| 6 | choleric | querulous | petulant | equitable |
| 7 | dormant | latent | nostalgic | inert |
| 8 | astute | bereft | sagacious | prudent |
| 9 | copious | bourgeois | profuse | myriad |
| 10 | ascetic | austere | frugal | pejorative |

## Final Exam Drill 13 RELATIONSHIPS 유의어, 반의어, 관련 없는 단어 구별하기

For each question below, decide whether the pair of words are roughly similar (S) in meaning, roughly opposite (O) in meaning, or unrelated (U) to each other.

| | | |
|---|---|---|
| 1 | serendipitous | hapless |
| 2 | lugubrious | facetious |
| 3 | espouse | appease |
| 4 | qualitative | pejorative |
| 5 | exigency | periphery |
| 6 | harbinger | precursor |
| 7 | profound | desecrated |
| 8 | despotic | autocratic |
| 9 | engender | decimate |
| 10 | pristine | unalloyed |

## Final Exam Drill 14 COMPLETIONS 적당한 단어 채워넣기

For each question below. choose the word that best completes the meaning of the sentence.

1 Reginald was as clever as he was unscrupulous, and he knew what he could not obtain by legitimate means he could always obtain through ___________ .

a. chicanery
b. burlesque
c. nihilism
d. strife
e. theology

2 The visiting professor was so ___________ in his field that many of our faculty members became nervous in his presence.

a. antithetical
b. archetypal
c. eminent
d. plebeian
e. pathological

3 The orator ___________ a bizarre economic program whose central tenet was the abolition of all forms of money.

a. scintillated
b. espoused
c. vacillated
d. emulated
e. inundated

4 "Kicking the bucket" is a humorous ___________ for "dying."

a. dictum
b stipulation
c. incantation
d. conjecture
e. euphemism

5 The actor, pretending to be inebriated, made a(n) ___________ attempt to open his umbrella in a telephone booth.

a. viable
b. enigmatic
c. farcical
d. cognitive
e. aphoristic

## Final Exam Drill 15 BUDDY CHECK 유의어끼리 연결하기

For each question below, match the word on the left with the word most similar in meaning on the right.

| | | |
|---|---|---|
| 1 | opaque | a. obscure |
| 2 | ostensible | b. secular |
| 3 | avaricious | c. mellifluous |
| 4 | mundane | d. prudent |
| 5 | judicious | e. venal |
| 6 | mercenary | f. specious |
| 7 | ramification | g. rapacious |
| 8 | saccharine | h. repercussion |
| 9 | archaic | i. dearth |
| 10 | paucity | j. anachronism |

## Final Exam Drill 16 RELATIONSHIPS 유의어, 반의어, 관련 없는 단어 구별하기

For each question below, decide whether the pair of words are roughly similar (S) in meaning, roughly opposite (O) in meaning, or unrelated (U) to each other.

| | | |
|---|---|---|
| 1 | belie | aggregate |
| 2 | legacy | bequest |
| 3 | aptitude | propensity |
| 4 | matriculate | purport |
| 5 | fatalist | cynic |
| 6 | fecund | desiccated |
| 7 | exhort | admonish |
| 8 | polarize | prevail |
| 9 | condescension | adulation |
| 10 | discreet | blatant |

## Final Exam Drill 17 ODD MAN OUT 관련 없는 단어 찾기

Each question below consists of four words. Three of them are related in meaning. Find the word that does not fit.

| | | | | |
|---|---|---|---|---|
| 1 | uniform | monolithic | existential | homogeneous |
| 2 | flaunt | malign | slander | libel |
| 3 | felicity | audacity | temerity | impetuosity |
| 4 | meager | tenuous | pivotal | paltry |
| 5 | indulgent | salutary | prodigal | profligate |
| 6 | disparate | incongruous | heterogeneous | ubiquitous |
| 7 | apprehensive | diffident | succinct | circumspect |
| 8 | cogent | eminent | potent | robust |
| 9 | farcical | affected | contrived | ostentatious |
| 10 | ennui | satiety | languor | volition |

## Final Exam Drill 18 RELATIONSHIPS 유의어, 반의어, 관련 없는 단어 구별하기

For each question below, decide whether the pair of words are roughly similar (S) in meaning, roughly opposite (O) in meaning, or unrelated (U) to each other.

| | | |
|---|---|---|
| 1 | zealous | catholic |
| 2 | aloof | nefarious |
| 3 | mitigate | assuage |
| 4 | agnostic | atheist |
| 5 | clique | consensus |
| 6 | coalition | faction |
| 7 | husbandry | itinerary |
| 8 | coalesce | dissipate |
| 9 | slavish | subservient |
| 10 | flaunt | reproach |

## Final Exam Drill 19 COMPLETIONS 적당한 단어 채워넣기

For each question below, choose the word that best completes the meaning of the sentence.

1 The Sandersons viewed the flaming image of the devil, which hovered above their house for thirteen days, as a(n) ___________ of evil to come.

a. stratum
b. portent
c. periphery
d. infidelity
e. aberration

2 There was nothing _____________ about Herbert's scientific theories; in fact, they were quite shallow.

a. sentient
b. vociferous
c. peremptory
d. profound
e. nepotistic

3 The ___________ author turned out a new book every week of his adult life.

a. prolific
b. canine
c. dialectical
d. implicit
e. contiguous

4 The _____________ boys stubbornly refused to call off their rock fight, despite the pleadings of their mothers.

a. recalcitrant
b. pacific
c. egalitarian
d. exemplary
e. fervent

5 Hal's disappointed wife ___________ him for being a lazy, foul-smelling, obnoxious slob.

a. instigated
b. reproached
c. flaunted
d. desecrated
e. belied

## Final Exam Drill 20 RELATIONSHIPS 유의어, 반의어, 관련 없는 단어 구별하기

For each question below, decide whether the pair of words are roughly similar (S) in meaning, roughly opposite (O) in meaning, or unrelated (U) to each other.

| | | |
|---|---|---|
| 1 | profess | espouse |
| 2 | extrovert | introspective |
| 3 | foible | hiatus |
| 4 | caricature | touchstone |
| 5 | debilitate | enervate |
| 6 | placid | frenetic |
| 7 | depravity | debauchery |
| 8 | infinitesimal | grandiose |
| 9 | grandiloquent | rhetorical |
| 10 | malefactor | benefactor |

## Final Exam Drill 21 ODD MAN OUT 관련 없는 단어 찾기

Each question below consists of four words. Three of them are related in meaning. Find the word that does not fit.

| | | | | |
|---|---|---|---|---|
| 1 | avaricious | covetous | officious | parsimonious |
| 2 | reprove | scrutinize | censure | rebuke |
| 3 | reprehensible | transient | ephemeral | transitory |
| 4 | belittle | depreciate | disparage | founder |
| 5 | palpable | resolute | tenacious | steadfast |
| 6 | absolve | condone | qualify | exculpate |
| 7 | civil | culinary | aristocratic | genteel |
| 8 | stricture | reproach | admonishment | corollary |
| 9 | fidelity | proximity | steadfastness | resolution |
| 10 | circumlocutory | redundant | tautological | vicarious |

## Final Exam Drill 22 RELATIONSHIPS 유의어, 반의어, 관련 없는 단어 구별하기

For each question below, decide whether the pair of words are roughly similar (S) in meaning, roughly opposite (O) in meaning, or unrelated (U) to each other.

| | | |
|---|---|---|
| 1 | elude | circumvent |
| 2 | rustic | urbane |
| 3 | circuitous | oblique |
| 4 | beset | beleaguered |
| 5 | imperial | servile |
| 6 | pedestrian | prosaic |
| 7 | reprisal | reparation |
| 8 | daunt | stymie |
| 9 | apotheosis | epitome |
| 10 | inaugurate | abort |

## Final Exam Drill 23 COMPLETIONS 적당한 단어 채워넣기

For each question below, choose the word that best completes the meaning of the sentence.

1 Sally had already eaten all her cookies, so she __________ mine.

a. permeated
b. mortified
c. protracted
d. appropriated
e. defamed

2 The country's ____________ ruler required her citizens to receive official permission before changing channels on their television sets.

a. definitive
b. dubious
c. indigenous
d. autocratic
e. redolent

3 I don't enjoy oysters myself, but I'm not __________ to letting others eat them.

a. innate
b. averse
c. opaque
d. adverse
e. oblique

4 The president was so ___________ by international crises that he found it difficult to watch an entire baseball game without being interrupted.

a. beset
b. belittled
c. bereaved
d. bequeathed
e. bemused

5 The representative had ___________ so many losing causes that he fainted dead away when his proposal was unanimously adopted by the legislature.

a. championed
b. caricatured
c. misappropriated
d. flouted
e. mediated

## Final Exam Drill 24 RELATIONSHIPS 유의어, 반의어, 관련 없는 단어 구별하기

For each question below, decide whether the pair of words are roughly similar (S) in meaning, roughly opposite (O) in meaning, or unrelated (U) to each other.

| | | |
|---|---|---|
| 1 | preempt | usurp |
| 2 | turpitude | confluence |
| 3 | incipient | culminating |
| 4 | burgeon | arbitrate |
| 5 | belittle | stymie |
| 6 | dictum | paradigm |
| 7 | luminous | incandescent |
| 8 | mortified | chagrined |
| 9 | precipitate | prudent |
| 10 | inscrutable | obscure |

## Final Exam Drill 25 ODD MAN OUT 관련 없는 단어 찾기

Each question below consists of four words. Three of them are related in meaning. Find the word that does not fit.

| | | | | |
|---|---|---|---|---|
| 1 | intrinsic | innate | omnipotent | inherent |
| 2 | fortuitous | gregarious | convivial | amicable |
| 3 | cliche | verisimilitude | maxim | epigram |
| 4 | belligerent | indignant | pertinent | contentious |
| 5 | inane | hackneyed | platitudinous | conducive |
| 6 | vitriolic | acrimonious | choleric | prolific |
| 7 | gravity | austerity | vicissitude | sobriety |
| 8 | noxious | obsequious | pernicious | deleterious |
| 9 | finesse | competence | proficiency | euphemism |
| 10 | incorrigible | recalcitrant | diffident | obdurate |

## Final Exam Drill 26 RELATIONSHIPS 유의어, 반의어, 관련 없는 단어 구별하기

For each question below, decide whether the pair of words are roughly similar (S) in meaning, roughly opposite (O) in meaning, or unrelated (U) to each other.

| | | |
|---|---|---|
| 1 | catalyst | coherence |
| 2 | concord | dissonance |
| 3 | discord | consonant |
| 4 | ingenuous | urbane |
| 5 | infatuated | beguiled |
| 6 | categorical | contingent |
| 7 | novel | banal |
| 8 | parsimony | munificence |
| 9 | permeate | pervade |
| 10 | tentative | definitive |

## Final Exam Drill 27 COMPLETIONS 적당한 단어 채워넣기

For each question below, choose the word that best completes the meaning of the sentence.

1 The trees, vines, and other plants in the tropical forest were truly remarkable, but it was the exotic ___________ that caught the zoologist's attention.

a. accolade
b. compendium
c. acumen
d. fauna
e. surfeit

2 Herb hated to pay extra for a fancy name, but he had discovered that he greatly preferred expensive brand-name products to the cheaper ___________ ones.

a. generic
b. hypothetical
c. supercilious
d. amorphous
e. contentious

3 After several years of disappointing crops, the enormous harvest left the farmers confronting a(n) ___________ of soybeans.

a. alacrity
b. blight
c. glut
d. chasm
e. debacle

4 The previously undefeated team found it difficult to cope with the __________ of defeat.

a. attrition
b. ignominy
c. prerequisite
d. penchant
e. neologism

5 The darkening sky indicated to all of us that a thunderstorm was __________ .

a. ambivalent
b. imminent
c. conciliatory
d. inherent
e. lugubrious

## Final Exam Drill 28 RELATIONSHIPS 유의어, 반의어, 관련 없는 단어 구별하기

For each question below, decide whether the pair of words are roughly similar (S) in meaning, roughly opposite (O) in meaning, or unrelated (U) to each other.

| | | |
|---|---|---|
| 1 | hegemony | heyday |
| 2 | fortuitous | nominal |
| 3 | deride | venerate |
| 4 | deduce | infer |
| 5 | supercilious | servile |
| 6 | placid | nonchalant |
| 7 | reverence | insolence |
| 8 | extraneous | extrinsic |
| 9 | levity | irony |
| 10 | onerous | exacting |

## Final Exam Drill 29 ODD MAN OUT 관련 없는 단어 찾기

Each question below consists of four words. Three of them are related In meaning. Find the word that does not fit.

| | | | | |
|---|---|---|---|---|
| 1 | comprise | placate | appease | mollify |
| 2 | beguile | bemuse | cajole | delude |
| 3 | provident | egregious | flagrant | unconscionable |
| 4 | adept | adroit | anecdotal | dexterous |
| 5 | iconoclast | insurgent | maverick | prodigy |
| 6 | cadence | incisiveness | acumen | acuity |
| 7 | gratuitous | superfluous | soporific | inordinate |
| 8 | incongruous | staunch | anomalous | eccentric |
| 9 | vacillate | incense | foment | instigate |
| 10 | aberration | vestige | anomaly | singularity |

## Final Exam Drill 30 RELATIONSHIPS 유의어, 반의어, 관련 없는 단어 구별하기

For each question below, decide whether the pair of words are roughly similar (S) in meaning, roughly opposite (O) in meaning, or unrelated (U) to each other.

1 mandate — martyr
2 laud — defame
3 belabor — complement
4 disdain — supercilious
5 distinguish — distend
6 eulogize — censure
7 apocalypse — covenant
8 segregate — sequester
9 quixotic — utopian
10 microcosm — magnate

## Final Exam Drill 31 COMPLETIONS 적당한 단어 채워넣기

For each question below, choose the word that best completes the meaning of the sentence.

1 The ____________ salesperson bowed deeply and said, "Yes, sir, of course, sir." whenever I requested anything.

a. verbose
b. incumbent
c. evanescent
d. malingering
e. obsequious

2 Because he had never lost a tennis match, Luther believed himself to be ____________ on the court.

a. ascetic
b. deleterious
c. omnipotent
d. inane
e. amorous

3 Our teacher was so ____________ in his interpretation of the novel that it was difficult to believe he had taken any pleasure in reading it.

a. pedantic
b. laudable
c. intrepid
d. inveterate
e. coherent

4 The prisoners were all ____________ as they were led off to the firing squad, but they were shot all the same.

a. perfunctory
b. concise
c. virulent
d. prosaic
e. penitent

5 The divisive issue ____________ the community; half the residents seemed to be strongly for it, and half strongly against.

a. circumscribed
b. polarized
c. assuaged
d. castigated
e. disseminated

## Final Exam Drill 32 RELATIONSHIPS 유의어, 반의어, 관련 없는 단어 구별하기

For each question below, decide whether the pair of words are roughly similar (S) in meaning, roughly opposite (O) in meaning. or unrelated (U) to each other.

| | | |
|---|---|---|
| 1 | reverence | disdain |
| 2 | conjure | incant |
| 3 | profound | superficial |
| 4 | protract | curtail |
| 5 | fauna | glut |
| 6 | deprecate | lament |
| 7 | abridge | augment |
| 8 | eccentric | orthodox |
| 9 | iconoclast | maverick |
| 10 | idiosyncratic | conventional |

## Final Exam Drill 33 ODD MAN OUT 관련 없는 단어 찾기

Each question below consists of four words. Three of them meaning. Find the word that does not fit.

| | | | | |
|---|---|---|---|---|
| 1 | infamous | abhorrence | innocuous | nefarious |
| 2 | assimilate | abate | mitigate | alleviate |
| 3 | laconic | unctuous | concise | terse |
| 4 | relinquish | renounce | forsake | exult |
| 5 | axiom | maxim | surrogate | precept |
| 6 | virulent | tantamount | adverse | baneful |
| 7 | catharsis | abhorrence | rancor | animosity |
| 8 | idiosyncrasy | eccentricity | complacency | affectation |
| 9 | antecedent | precursor | precedent | recrimination |
| 10 | exonerate | patronize | exculpate | vindicate |

## Final Exam Drill 34 RELATIONSHIPS 유의어, 반의어, 관련 없는 단어 구별하기

For each question below, decide whether the pair of words are roughly similar (S) in meaning, roughly opposite (O) in meaning, or unrelated (U) to each other.

| | | |
|---|---|---|
| 1 | slothful | assiduous |
| 2 | affluent | opulent |
| 3 | consummate | rudimentary |
| 4 | chastisement | amnesty |
| 5 | sycophant | cajoler |
| 6 | implication | allusion |
| 7 | quantitative | qualitative |
| 8 | agenda | itinerary |
| 9 | pragmatic | quixotic |
| 10 | paradox | anomaly |

## Final Exam Drill 35 BUDDY CHECK 유의어끼리 연결하기

For each question below, match the word on the left with the word most similar in meaning on the right.

| | |
|---|---|
| 1 torpid | a. subservient |
| 2 sublime | b. astuteness |
| 3 recapitulate | c. ingenuous |
| 4 acuity | d. subtlety |
| 5 replete | e. provincial |
| 6 subordinate | f. inert |
| 7 parochial | g. transcendent |
| 8 credulous | h. reiterate |
| 9 recant | i. satiated |
| 10 nuance | j. repudiate |

## Final Exam Drill 36 RELATIONSHIPS 유의어, 반의어, 관련 없는 단어 구별하기

For each question below, decide whether the pair of words are roughly similar (S) in meaning, roughly opposite (O) in meaning, or unrelated (U) to each other.

| | |
|---|---|
| 1 colloquial | contiguous |
| 2 auspicious | portentous |
| 3 moribund | viable |
| 4 aristocratic | patrician |
| 5 perquisite | prerogative |
| 6 stagnation | metamorphosis |
| 7 ebullient | roguish |
| 8 turpitude | sordidness |
| 9 cosmopolitan | urbane |
| 10 denizen | lampoon |

## Final Exam Drill 37 COMPLETIONS 적당한 단어 채워넣기

For each question below, choose the word that best completes the meaning of the sentence.

1 The ____________ spring weather was a great relief to all of us who had struggled through the long, harsh winter.

a. abortive
b. volatile
c. temperate
d. pragmatic
e. intrinsic

2 I made a(n) ____________ effort to repair the leak, but my improvised patch didn't hold and I soon realized that I would have to call a plumber.

a. vindictive
b. tentative
c. pristine
d. acrid
e. caustic

3 The adoring members of the tribe ____________ their old king even though he was blind and senile.

a. squandered
b. extrapolated
c. beleaguered
d. exacerbated
e. venerated

4 The hikers were ___________ by the billions of mosquitoes that descended upon them as soon as they hit the trail.

a. extolled
b. vitiated
c. palliated
d. vexed
e. promulgated

5 Seeing the pictures of our old home made us feel ___________ and nostalgic.

a. adept
b. fastidious
c. wistful
d. infamous
e. impartial

## Final Exam Drill 38 RELATIONSHIPS 유의어, 반의어, 관련 없는 단어 구별하기

For each question below, decide whether the pair of words are roughly similar (S) in meaning, roughly opposite (O) in meaning, or unrelated (U) to each other.

| | | |
|---|---|---|
| 1 | ardent | indifferent |
| 2 | adherent | forsaker |
| 3 | poignant | redolent |
| 4 | inundate | reconcile |
| 5 | abject | exalted |
| 6 | proselytize | implement |
| 7 | latent | manifest |
| 8 | burgeon | accost |
| 9 | immutable | static |
| 10 | perfidy | piety |

## Final Exam Drill 39 ODD MAN OUT 관련 없는 단어 찾기

Each question below consists of four words. Three of them are related in meaning. Find the word that does not fit.

| | | | | |
|---|---|---|---|---|
| 1 | quixotic | scintillating | chimerical | visionary |
| 2 | antipathy | malfeasance | digression | malevolence |
| 3 | absolute | unqualified | categorical | wistful |
| 4 | static | cerebral | inert | immutable |
| 5 | destitute | insolvent | affable | indigent |
| 6 | altruist | benevolent | philanthropic | ideological |
| 7 | vexed | unequivocal | unalloyed | unmitigated |
| 8 | comprehensive | stringent | rigorous | exacting |
| 9 | abstract | abstruse | intangible | impervious |
| 10 | discernment | tirade | discrimination | sagacity |

## Final Exam Drill 40 RELATIONSHIPS 유의어, 반의어, 관련 없는 단어 구별하기

For each question below, decide whether the pair of words are roughly similar (S) in meaning, roughly opposite (O) in meaning, or unrelated (U) to each other.

1 plethora — dearth
2 autonomy — subjugation
3 aggregate — augment
4 vocation — avocation
5 extraneous — intrinsic
6 implicit — inferred
7 invective — eulogy
8 acerbic — caustic
9 insinuation — hyperbole
10 adulterated — unalloyed

## Final Exam Drill 41 COMPLETIONS 적당한 단어 채워넣기

For each question below, choose the word that best completes the meaning of the sentence.

1 An ___________ current of dissatisfaction among the soldiers indicated to the ambassador that revolution was becoming a possibility.

a. incipient
b. inert
c. impervious
d. impeccable
e. inept

2 The ___________ surgeon sewed Lana's finger to her forehead.

a. bucolic
b. ursine
c. cosmopolitan
d. infinitesimal
e. incompetent

3 Irene's ___________ cure for her husband's snoring was a paper bag tied snugly around his head.

a. agnostic
b. congenital
c. extrinsic
d. ingenious
e. diffident

4 Myron looked harmless, but there was nothing ___________ about his plan to enslave the human race.

a. terse
b. innocuous
c. mendacious
d. nominal
e. preeminent

5 Attempting to bask in reflected glory, the candidate ___________ the names of eleven past presidents in his speech to the convention of schoolteachers.

a. absolved
b. implied
c. litigated
d. invoked
e. allocated

## Final Exam Drill 42 RELATIONSHIPS 유의어, 반의어, 관련 없는 단어 구별하기

For each question below, decide whether the pair of words are roughly similar (S) in meaning, roughly opposite (O) in meaning, or unrelated (U) to each other.

| | | |
|---|---|---|
| 1 | ambience | milieu |
| 2 | literal | figurative |
| 3 | hypothetical | empirical |
| 4 | subjugate | enfranchise |
| 5 | taciturn | integral |
| 6 | congenital | innate |
| 7 | enfetter | expedite |
| 8 | peripheral | tangential |
| 9 | usurp | abdicate |
| 10 | consummate | abortive |

## Final Exam Drill 43 ODD MAN OUT 관련 없는 단어 찾기

Each question below consists of four words. Three of them are related in meaning. Find the word that does not fit.

| | | | | |
|---|---|---|---|---|
| 1 | cacophony | antagonism | rancor | antipathy |
| 2 | discord | benefactor | contention | incongruity |
| 3 | apathy | indifference | manifesto | languor |
| 4 | amenable | tractable | docile | reciprocal |
| 5 | clandestine | surreptitious | provisional | furtive |
| 6 | intrepid | blithe | squalid | equanimous |
| 7 | callow | apocryphal | dubious | spurious |
| 8 | putative | overt | explicit | patent |
| 9 | desultory | derisory | cursory | perfunctory |
| 10 | conciliate | proscribe | appease | placate |

## Final Exam Drill 44 BUDDY CHECK 반의어 찾아 연결하기

For each question below, match the word on the left with the word most nearly its OPPOSITE on the right.

| | | |
|---|---|---|
| 1 | deferential | a. irreverent |
| 2 | remonstrate | b. assiduous |
| 3 | tacit | c. amorous |
| 4 | clement | d. explicit |
| 5 | indolent | e. acquiesce |
| 6 | ambivalent | f. intemperate |
| 7 | aloof | g. aversion |
| 8 | lucid | h. antagonist |
| 9 | partisan | i. enigmatic |
| 10 | affinity | j. resolute |

## Final Exam Drill 45 RELATIONSHIPS 유의어, 반의어, 관련 없는 단어 구별하기

For each question below, decide whether the pair of words are roughly similar (S) in meaning, roughly opposite (O) in meaning, or unrelated (U) to each other.

1 artifice — machination
2 obtuse — myopic
3 respire — premise
4 exalt — laud
5 assimilate — appreciate
6 edify — obfuscate
7 pensive — ruminating
8 narcissist — egocentric
9 precipitate — stigmatize
10 polemical — contentious

## Final Exam Drill 46 COMPLETIONS 적당한 단어 채워넣기

For each question below, choose the word that best completes the meaning of the sentence.

1 The three-year-old was ___________ in his refusal to taste the broccoli.

a. recondite
b. didactic
c. fortuitous
d. resolute
e. genteel

2 We ___________ the fine print in the document but were unable to find the clause the lawyer had mentioned.

a. scrutinized
b. reconciled
c. exculpated
d. cajoled
e. accrued

3 A state in which one can see, hear, feel, smell, and taste little or nothing is known as ___________ deprivation.

a. aggregate
b. subversive
c. sensory
d. sensual
e. sensuous

4 The children tried to be ___________ about the fact that their parents couldn't afford to give them Christmas presents, but you could tell that they were really quite depressed inside.

a. tangential
b. abysmal
c. stoic
d. disingenuous
e. eclectic

5 We felt repeatedly ___________ by the impersonal and inflexible bureaucracy in our attempt to win an exemption to the rule.

a. vindicated
b. deluged
c. stymied
d. reiterated
e. gesticulated

## Final Exam Drill 47 RELATIONSHIPS 유의어, 반의어, 관련 없는 단어 구별하기

For each question below, decide whether the pair of words are roughly similar (S) in meaning, roughly opposite (O) in meaning, or unrelated (U) to each other.

| | | |
|---|---|---|
| 1 | cliché | platitude |
| 2 | malevolent | macroeconomic |
| 3 | juxtaposed | contiguous |
| 4 | defame | laud |
| 5 | idyllic | bucolic |
| 6 | inexorable | irrevocable |
| 7 | despondent | sanguine |
| 8 | lethargy | zeal |
| 9 | dogma | tenet |
| 10 | ebullient | stoic |

## Final Exam Drill 48 COMPLETIONS 적당한 단어 채워넣기

For each question below, choose the word that best completes the meaning of the sentence.

1 The gasoline spill had so thoroughly ____________ the town's main well that it was possible to run an automobile on tap water.

a. exulted
b. exalted
c. engendered
d. adulterated
e. preempted

2 Mr. Jones ____________ the teenagers after they had driven the stolen car into his living room and put a dent in his new color TV.

a. admonished
b. usurped
c. enervated
d. alleged
e. professed

3 Henry's legs were so severely injured in the roller-skating accident that he didn't become fully ____________ again until more than a year later.

a. decadent
b. exemplified
c. querulous
d. portentous
e. ambulatory

4 The kitchen in the new house had an electronic vegetable peeler, an automatic dish scraper, a computerized meat slicer, and dozens of other futuristic ____________.

a. proponents
b. genres
c. amenities
d. mendicants
e. protagonists

5 When Joe began collecting stamps, he hoped that the value of his collection would ____________ rapidly; instead, the collection has slowly become worthless.

a. qualify
b. appreciate
c. polarize
d. belabor
e. rebuke

# The Answers

해답

Part A의 Quick Quiz와 Final Exam의 정답을 모아 놓았다.

## Quick Quiz 1

1 j
2 f
3 a
4 i
5 g
6 b
7 k
8 c
9 h
10 e
11 d

## Quick Quiz 2

1 b
2 h
3 a
4 c
5 i
6 j
7 d
8 e
9 f
10 d
11 g

## Quick Quiz 3

1 a
2 h
3 g
4 e
5 b
6 d
7 f
8 f
9 c

## Quick Quiz 4

1 f
2 h
3 a
4 e
5 b
6 d
7 g
8 c
9 i
10 j

## Quick Quiz 5

1 g
2 a
3 e
4 b
5 c
6 j
7 i
8 d
9 h
10 f

## Quick Quiz 6

1 e
2 b
3 d
4 a
5 c
6 f

## Quick Quiz 7

1 f
2 c
3 a
4 j
5 h
6 i
7 d
8 e
9 g
10 k
11 b

## Quick Quiz 8

1 i
2 h
3 g
4 f
5 a
6 d
7 e
8 c
9 j
10 b

## Quick Quiz 9

1 d
2 i
3 f
4 a
5 h
6 e
7 c
8 g
9 j
10 b

## Quick Quiz 10

1 f
2 c
3 a
4 h
5 j
6 i
7 d
8 g
9 e
10 b

## Quick Quiz 11

1 i
2 a
3 e
4 b
5 h
6 f
7 c
8 g
9 d

## Quick Quiz 12

1 g
2 e
3 a
4 i
5 b
6 d
7 c
8 h
9 f

## Quick Quiz 13

1 d
2 a
3 e
4 b
5 f
6 c

## Quick Quiz 14

1 b
2 e
3 d
4 h
5 c
6 g
7 f
8 a

## Quick Quiz 15

1 g
2 e
3 b
4 i
5 f
6 c
7 d
8 h
9 a
10 j

## Quick Quiz 16

1 b
2 e
3 a
4 c
5 f
6 d

## Quick Quiz 17

1 n
2 c
3 g
4 e
5 m
6 d
7 h
8 l
9 j
10 b
11 i
12 o
13 f
14 k
15 a
16 p

## Quick Quiz 18

1 b
2 l
3 j
4 f
5 a
6 g
7 c
8 i
9 e
10 d
11 k
12 h

## Quick Quiz 19

1 a
2 b
3 i
4 g
5 c
6 h
7 d
8 e
9 f

## Quick Quiz 20

1 h
2 j
3 d
4 k
5 g
6 i
7 c
8 b
9 a
10 f
11 e

## Quick Quiz 21

1 e
2 h
3 b
4 a
5 f
6 d
7 i
8 c
9 j
10 g

## Quick Quiz 22

1 b
2 g
3 d
4 h
5 l
6 a
7 f
8 c
9 k
10 e
11 j
12 i

## Quick Quiz 23

1 h
2 b
3 g
4 a
5 c
6 d
7 d
8 f
9 e

## Quick Quiz 24

1 c
2 i
3 h
4 f
5 g
6 e
7 d
8 a
9 b

## Quick Quiz 25

1 h
2 e
3 g
4 c
5 f
6 d
7 b
8 a

## Quick Quiz 26

1 b
2 c
3 h
4 g
5 e
6 a
7 d
8 j
9 i
10 f

## Quick Quiz 27

1 g
2 d
3 a
4 b
5 f
6 e
7 h
8 c

## Quick Quiz 28

1 e
2 b
3 g
4 f
5 c
6 d
7 i
8 j
9 a
10 h

## Quick Quiz 29

1 e
2 a
3 d
4 b
5 c

## Quick Quiz 30

1 e
2 b
3 i
4 j
5 h
6 f
7 c
8 g
9 a
10 d

## Quick Quiz 31

1 d
2 e
3 a
4 g
5 c
6 i
7 j
8 l
9 h
10 k
11 f
12 b

## Quick Quiz 32

1 h
2 g
3 b
4 i
5 e
6 a
7 k
8 l
9 j
10 f
11 d
12 c

## Quick Quiz 33

1 a
2 f
3 g
4 c
5 h
6 e
7 d
8 b

## Quick Quiz 34

1 j
2 k
3 c
4 l
5 a
6 h
7 i
8 f
9 b
10 g
11 e
12 d

## Quick Quiz 35

1 c
2 a
3 b

## Quick Quiz 36

1 f
2 d
3 e
4 i
5 g
6 a
7 j
8 h
9 b
10 c

## Quick Quiz 37

1 b
2 g
3 c
4 e
5 f
6 a
7 d

## Quick Quiz 38

1 g
2 j
3 e
4 d
5 f
6 c
7 a
8 b
9 i
10 h

## Quick Quiz 39

1 i
2 e
3 g
4 j
5 a
6 c
7 b
8 d
9 f
10 h

## Quick Quiz 40

1 a
2 i
3 h
4 e
5 j
6 b
7 c
8 d
9 g
10 k
11 l
12 f

## Quick Quiz 41

1 m
2 d
3 a
4 l
5 i
6 f
7 b
8 c
9 o
10 j
11 g
12 h
13 e
14 k
15 n

## Quick Quiz 42

1 i
2 e
3 g
4 h
5 c
6 j
7 d
8 k
9 f
10 a
11 b

## Quick Quiz 43

1 j
2 l
3 c
4 a
5 g
6 d
7 i
8 k
9 f
10 h
11 e
12 b

## Quick Quiz 44

1 e
2 b
3 d
4 i
5 h
6 f
7 c
8 j
9 a
10 g

## Quick Quiz 45

1 g
2 a
3 l
4 h
5 f
6 b
7 j
8 k
9 d
10 e
11 i
12 c

## Quick Quiz 46

1 f
2 k
3 d
4 q
5 a
6 r
7 c
8 h
9 n
10 e
11 j
12 m
13 o
14 b
15 i
16 p
17 g
18 l

## Quick Quiz 47

1 e
2 h
3 a
4 b
5 j
6 l
7 f
8 k
9 g
10 d
11 c
12 i

## Quick Quiz 48

1 d
2 g
3 b
4 c
5 f
6 e
7 a

## Quick Quiz 49

1 j
2 d
3 b
4 i
5 c
6 h
7 e
8 f
9 a
10 g

## Quick Quiz 50

1 a
2 f
3 h
4 c
5 j
6 k
7 i
8 b
9 g
10 e
11 d

## Quick Quiz 51

1 g
2 d
3 j
4 b
5 e
6 c
7 k
8 f
9 i
10 h
11 a

## Quick Quiz 52

1 c
2 a
3 h
4 j
5 e
6 f
7 g
8 d
9 b
10 i

## Quick Quiz 53

1 e
2 f
3 d
4 b
5 j
6 i
7 g
8 a
9 h
10 c

## Quick Quiz 54

1 m
2 e
3 h
4 d
5 c
6 k
7 j
8 i
9 f
10 l
11 g
12 a
13 b

## Quick Quiz 55

1 e
2 f
3 b
4 g
5 d
6 c
7 a

## Quick Quiz 56

1 e
2 o
3 a
4 n
5 c
6 k
7 g
8 b
9 d
10 h
11 f
12 j
13 m
14 i
15 l

## Quick Quiz 57

1 i
2 f
3 b
4 d
5 e
6 c
7 k
8 a
9 j
10 g
11 h

## Quick Quiz 58

1 m
2 j
3 h
4 n
5 b
6 f
7 c
8 l
9 i
10 d
11 e
12 k
13 g
14 a

## Quick Quiz 59

1 a
2 h
3 e
4 l
5 j
6 k
7 b
8 i
9 g
10 d
11 c
12 f

## Quick Quiz 60

1 c
2 l
3 g
4 a
5 b
6 m
7 d
8 o
9 e
10 j
11 f
12 n
13 h
14 i
15 k

## Quick Quiz 61
1 i
2 k
3 a
4 h
5 g
6 b
7 e
8 d
9 j
10 f
11 c

## Quick Quiz 62
1 i
2 l
3 f
4 a
5 j
6 g
7 k
8 b
9 e
10 c
11 h
12 n
13 m
14 d

## Quick Quiz 63
1 k
2 f
3 j
4 b
5 l
6 a
7 d
8 c
9 n
10 e
11 h
12 m
13 g
14 i

## Quick Quiz 64
1 b
2 i
3 k
4 d
5 g
6 j
7 c
8 f
9 h
10 l
11 e
12 a

## Quick Quiz 65
1 g
2 d
3 a
4 j
5 h
6 k
7 c
8 i
9 b
10 f
11 e

## Quick Quiz 66
1 k
2 j
3 f
4 a
5 c
6 i
7 g
8 h
9 b
10 e
11 d

## Quick Quiz 67
1 f
2 e
3 b
4 a
5 i
6 j
7 h
8 d
9 k
10 g
11 c

## Quick Quiz 68
1 l
2 a
3 j
4 c
5 g
6 b
7 i
8 d
9 k
10 f
11 e
12 h

## Quick Quiz 69
1 c
2 f
3 b
4 e
5 d
6 a

## Quick Quiz 70
1 d
2 e
3 a
4 c
5 b

## Quick Quiz 71
1 c
2 f
3 j
4 b
5 i
6 g
7 h
8 d
9 e
10 a

## Quick Quiz 72
1 h
2 e
3 i
4 j
5 g
6 f
7 a
8 d
9 c
10 b

## Quick Quiz 73
1 g
2 d
3 j
4 f
5 c
6 a
7 e
8 i
9 k
10 h
11 b

## Quick Quiz 74
1 h
2 f
3 d
4 i
5 k
6 e
7 j
8 c
9 l
10 a
11 b
12 g

## Quick Quiz 75
1 c
2 a
3 h
4 j
5 b
6 i
7 e
8 d
9 g
10 f

## Quick Quiz 76
1 a
2 f
3 h
4 b
5 c
6 d
7 i
8 g
9 j
10 e

## Quick Quiz 77
1 a
2 e
3 j
4 i
5 g
6 h
7 c
8 d
9 f
10 b

## Quick Quiz 78
1 h
2 g
3 l
4 b
5 m
6 n
7 d
8 k
9 i
10 i
11 a
12 e
13 f
14 j
15 c

## Quick Quiz 79
1 k
2 h
3 d
4 e
5 b
6 i
7 g
8 j
9 a
10 f
11 c

## Quick Quiz 80
1 b
2 a
3 f

4 e
5 h
6 g
7 d
8 c
9 i

## Quick Quiz 81

1 i
2 b
3 e
4 j
5 d
6 f
7 c
8 g
9 h
10 a

## Quick Quiz 82

1 h
2 e
3 k
4 a
5 j
6 m
7 g
8 n
9 c
10 b
11 o
12 f
13 f
14 l
15 d
16 i

## Quick Quiz 83

1 c
2 f
3 a
4 i
5 j
6 h
7 b
8 e
9 d
10 g

## Quick Quiz 84

1 b
2 f
3 o
4 l
5 h
6 k
7 m
8 j
9 n
10 i
11 a
12 d
13 e
14 g
15 c

## Quick Quiz 85

1 e
2 h
3 b
4 a
5 c
6 j
7 d
8 i
9 k
10 g
11 f

## Quick Quiz 86

1 c
2 b
3 a

## Final Exam Drill 1

1 d
2 e
3 b
4 e
5 c

## Final Exam Drill 2

1 b
2 a
3 f
4 h
5 g
6 e
7 i
8 j
9 d
10 c

## Final Exam Drill 3

1 address
2 integral
3 delineate
4 relegate
5 didactic
6 labyrinthine
7 amoral
8 analogous
9 magnanimous
10 malleable

## Final Exam Drill 4

1 O
2 S
3 U
4 S
5 O
6 O
7 S
8 S
9 U
10 S

## Final Exam Drill 5

1 a
2 c
3 d
4 b
5 b

## Final Exam Drill 6

1 O
2 U
3 O
4 S
5 O
6 O
7 O
8 S
9 S
10 S

## Final Exam Drill 7

1 renaissance
2 requisite
3 apprehensive
4 sacrosanct
5 replenish
6 arbitrary
7 eclectic
8 elliptical
9 allocate
10 avuncular

## Final Exam Drill 8

1 S
2 O
3 O
4 S
5 O
6 S
7 S
8 U
9 S
10 U

## Final Exam Drill 9

1 e
2 d
3 e
4 c
5 e

## Final Exam Drill 10

1 U
2 S
3 S
4 O
5 O
6 S
7 O
8 S
9 U
10 U

## Final Exam Drill 11

1 O
2 O
3 S
4 O
5 U
6 O
7 O
8 O
9 U
10 O

## Final Exam Drill 12

1 awry
2 ascendancy
3 cadence
4 oblivion
5 nominal

6 equitable
7 nostalgic
8 bereft
9 bourgeois
10 pejorative

## Final Exam Drill 13

1 O
2 O
3 U
4 U
5 U
6 S
7 U
8 S
9 O
10 S

## Final Exam Drill 14

1 a
2 c
3 b
4 e
5 c

## Final Exam Drill 15

1 a
2 f
3 g
4 b
5 d
6 e
7 h
8 c
9 j
10 i

## Final Exam Drill 16

1 U
2 S
3 S
4 U
5 S
6 O
7 S
8 U
9 O
10 U

## Final Exam Drill 17

1 existential
2 flaunt
3 felicity
4 pivotal
5 salutary
6 ubiquitous
7 succinct
8 eminent
9 farcical
10 volition

## Final Exam Drill 18

1 U
2 U
3 S
4 S
5 U
6 S
7 U
8 O
9 S
10 U

## Final Exam Drill 19

1 b
2 d
3 a
4 a
5 b

## Final Exam Drill 20

1 S
2 O
3 U
4 U
5 S
6 O
7 S
8 O
9 S
10 O

## Final Exam Drill 21

1 officious
2 scrutinize
3 reprehensible
4 founder
5 palpable
6 qualify
7 culinary
8 corollary
9 proximity
10 vicarious

## Final Exam Drill 22

1 S
2 O
3 S
4 S
5 O
6 S
7 O
8 S
9 S
10 O

## Final Exam Drill 23

1 d
2 d
3 b
4 a
5 a

## Final Exam Drill 24

1 S
2 U
3 O
4 U
5 U
6 U
7 S
8 S
9 O
10 S

## Final Exam Drill 25

1 omnipotent
2 fortuitous
3 verisimilitude
4 pertinent
5 conducive
6 prolific
7 vicissitude
8 obsequious
9 euphemism
10 diffident

## Final Exam Drill 26

1 U
2 O
3 O
4 O
5 S
6 O
7 O
8 O
9 S
10 O

## Final Exam Drill 27

1 d
2 a
3 c
4 b
5 b

## Final Exam Drill 28

1 U
2 U
3 O
4 S
5 O
6 S
7 O
8 S
9 S
10 S

## Final Exam Drill 29

1 comprise
2 bemuse
3 provident
4 anecdotal
5 prodigy
6 cadence
7 soporific
8 staunch
9 vacillate
10 vestige

## Final Exam Drill 30

1 U
2 O
3 U
4 S
5 U
6 O
7 U
8 S
9 S
10 U

## Final Exam Drill 31

1 e
2 c
3 a
4 e
5 b

## Final Exam Drill 32

1 O
2 S
3 O
4 O
5 U
6 S
7 O
8 O
9 S
10 O

## Final Exam Drill 33

1 innocuous
2 assimilate
3 unctuous
4 exult
5 surrogate
6 tantamount
7 catharsis
8 complacency
9 recrimination
10 patronize

## Final Exam Drill 34

1 O
2 S
3 O
4 O
5 S
6 S
7 O
8 S
9 O
10 U

## Final Exam Drill 35

1 f
2 g
3 h
4 b
5 i
6 a
7 e
8 c
9 j
10 d

## Final Exam Drill 36

1 U
2 O
3 O
4 S
5 S
6 O
7 U
8 S
9 S
10 U

## Final Exam Drill 37

1 c
2 b
3 e
4 d
5 c

## Final Exam Drill 38

1 O
2 O
3 U
4 U
5 O
6 U
7 O
8 U
9 S
10 O

## Final Exam Drill 39

1 scintillating
2 digression
3 wistful
4 cerebral
5 affable
6 ideological
7 vexed
8 comprehensive
9 impervious
10 tirade

## Final Exam Drill 40

1 O
2 O
3 S
4 O
5 O
6 S
7 O
8 S
9 O
10 O

## Final Exam Drill 41

1 a
2 e
3 d
4 b
5 d

## Final Exam Drill 42

1 S
2 O
3 O
4 O
5 U
6 S
7 O
8 S
9 O
10 O

## Final Exam Drill 43

1 cacophony
2 benefactor
3 manifesto
4 reciprocal
5 provisional
6 squalid
7 callow
8 putative
9 derisory
10 proscribe

## Final Exam Drill 44

1 a
2 e
3 d
4 f
5 b
6 j
7 c
8 i
9 h
10 g

## Final Exam Drill 45

1 S
2 S
3 U
4 S
5 U
6 O
7 S
8 S
9 U
10 S

## Final Exam Drill 46

1 d
2 a
3 c
4 c
5 c

## Final Exam Drill 47

1 S
2 U
3 S
4 O
5 S
6 S
7 O
8 O
9 S
10 O

## Final Exam Drill 48

1 d
2 a
3 e
4 c
5 b

PART

# Warm-Up Tests

준비 테스트

1

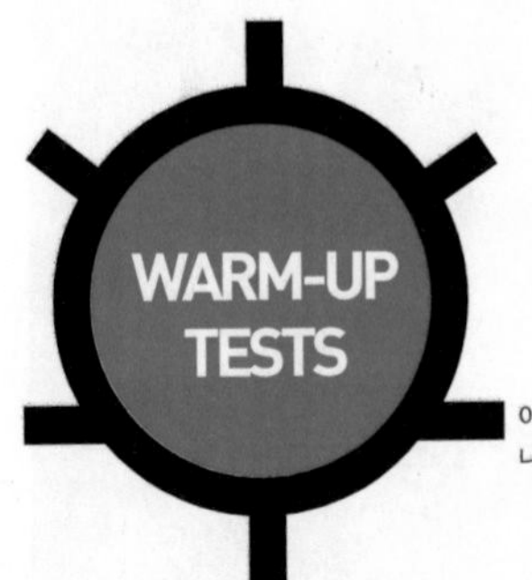


이 책을 파고들기 전에 자신의 어휘력을 평가해보고 싶은 사람을 위해서 약간의 테스트를 마련했다. 여기의 문제들은 재미있을 뿐만 아니라 어휘 공부에도 도움이 될 것이다.

## 여러분은 다음에 제시된 단어들을 발음하는 법을 알고 있다고 생각하는가?

우리는 이 책을 위한 연구과정에서 의미는 정확하게 알고 있으면서도 발음은 제대로 하지 못하는 단어들이 많다는 사실에 놀랐다. Part A의 공부를 마치고 Part B의 공부를 시작하기 전에 Part B 내에서 임의로 추출한 예제를 통해 각자의 실력을 스스로 측정해보기 바란다. 이 문제는 대단히 어려우며 정답을 맞추지 못 한다고 실망하실 필요는 없다. 만약 모든 문제의 정답을 맞춘다면 여러분은 Part B를 공부하실 필요가 없다.

### Warm-Up Test 1 : PRONUNCIATIONS

**Before looking at column a or column b, pronounce each of the following words. Then select the letter that comes closer to your pronunciation.**

| | | |
|---|---|---|
| 1. accede | a. æksí:d | b. əsí:d |
| 2. antipodes | a. æntípədi:z | b. ǽntipoudz |
| 3. apposite | a. ǽpəzət | b. əpɑ́:zit |
| 4. arsenal | a. ɑ́:rsnəl | b. ɑ́:rsənəl |
| 5. balk | a. bɔ:k | b. bɔ:lk |
| 6. concomitant | a. kəkɑ́:mətənt | b. kɑnkəmí:tənt |
| 7. contretemps | a. kɑ́:ntrətɑ:n | b. kɑ́ntərtemps |
| 8. homage | a. ɑ́midʒ | b. hɑ́midʒ |
| 9. pastoral | a. pǽstrəl | b. pæstɔ́:rəl |
| 10. phantasm | a. fǽntæzm | b. fæntǽzm |
| 11. psyche | a. sáiki | b. saike |
| 12. remuneration | a. rimjunəréiʃən | b. ri:munəréiʃən |
| 13. schism | a. sízm | b. skízm |
| 14. sovereign | a. sɑ́:vrən | b. sɑ́:vərən |
| 15. vagaries | a. vəgǽri:z | b. véigəri:z |

## 여러분은 다음의 단어들이 의미하는 바를 자신이 정말로 알고있다고 생각하는가?

우리는 때로 이미 알고 있는 단어와 아주 비슷하다고 해서 그 단어의 의미를 알고 있다고 단정해버리기 쉽다. 다음에 나오는 단어들은 쉬워 보이는 단어들로서 모두 이 책에서 다루고 있는 것들이다.

**경고** 여기 제시된 단어들은 보이는 것만큼 쉬운 것은 하나도 없다. ; 어떤 단어들은 현저하게 다른 제2의 뜻을 가지고 있다.

### Warm-Up Test 2a: DEFINITIONS

**For each of the following words, match the word on the left with its definition on the right.**

| | |
|---|---|
| 1. eclipse | a. unintelligent |
| 2. vacuous | b. surpass |
| 3. disconcert | c. unusual |
| 4. singular | d. direct |
| 5. channel | e. ignorant |
| 6. benighted | f. hint |
| 7. intimate | g. expressionless |
| 8. inviolate | h. disturb greatly |
| 9. temporize | i. stall |
| 10. impassive | j. free from injury |

## Warm-Up Test 2b: DEFINITIONS

For each of the following words, match the word on the left with its definition on the right.

| | |
|---|---|
| 1. posture | a. worthy of admiration |
| 2. conversant | b. act artificially |
| 3. parallel | c. harmful action |
| 4. estimable | d. similar |
| 5. disservice | e. make uneasy |
| 6. privation | f. alienate |
| 7. captivate | g. poverty |
| 8. cleave | h. familiar |
| 9. disquiet | i. cling |
| 10. disaffect | j. fascinate |

## Warm-Up Test 2c: DEFINITIONS

For each of the following words, match the word on the left with its definition on the right.

| | |
|---|---|
| 1. fuel | a. give |
| 2. quizzical | b. highly significant |
| 3. curb | c. teasing |
| 4. insuperable | d. unable to be overcome |
| 5. afford | e. plead |
| 6. entreat | f. stimulate |
| 7. conviction | g. unbearable |
| 8. pregnant | h. strong belief |
| 9. intrigue | i. restrain |
| 10. insufferable | j. secret scheme |

## Warm-Up Test 2d: DEFINITIONS

For each of the following words, match the word on the left with its definition on the right.

| | |
|---|---|
| 1. appraise | a. combined action |
| 2. resignation | b. estimate the value of |
| 3. engaging | c. sudden attack |
| 4. tortuous | d. impartial |
| 5. concert | e. means by which something is conveyed |
| 6. impregnable | f. preachy |
| 7. sally | g. charming |
| 8. dispassionate | h. winding |
| 9. medium | i. submission |
| 10. sententious | j. unconquerable |

## 이제 두 가지 의미가 다 보이는가?

어휘가 어려운 이유는 어려운 단어를 비슷해 보이는 쉬운 단어와 혼동하기 때문이다. 아래에 있는 철자 바꾸기 놀이를 통해 혼동하기 쉬운 단어를 체크해 보자.

## Warm-Up Test 3: WORD SURGERY ON CONFUSABLES

For each of the following words on the left, follow the parenthetical directions to create the word defined on the right.(왼쪽의 단어에서 가운데의 지시사항을 지켜 오른 쪽과 같은 뜻의 단어를 만들어 낼 것)

| Take this word | and do this | to form a word meaning this. |
|---|---|---|
| 1. errant | (change one letter) | very bad |
| 2. adverse | (delete one letter) | disliking |
| 3. cachet | (delete one letter) | hiding place |
| 4. cannon | (delete one letter) | rule or law |
| 5. canvas | (add one letter) | seek votes or opinions |
| 6. career | (change one letter) | to swerve |
| 7. rational | (add one letter) | excuse |
| 8. confident | (change one letter) | trusted person |
| 9. corporal | (add one letter) | material, tangible |
| 10. demure | (delete one letter) | object |
| 11. disassemble | (delete two letters) | deceive |
| 12. systematic | (delete two letters) | throughout a system |
| 13. important | (change two letters) | urge annoyingly |
| 14. climactic | (delete one letter) | having to do with the climate |
| 15. epic | (delete one letter, add two) | era |

## 철자 바꾸기 놀이

접두사 "ana"는 깨뜨린다는 의미이다. "gram"은 문자를 의미한다. 철자 바꾸기 놀이는 단어나 구에서 글자를 바꾸어 새로운 단어나 구를 만들어내는 것이다. 진짜 철자 바꾸기 놀이에서는 새로운 단어는 반드시 문제의 단어나 구에 있던 철자를 모두 사용해야만 한다. 예를 들어 eat 와 bleat는 table이라는 단어에 있는 철자를 가지고 만들어낸 단어들이지만 bleat만이 table의 모든 철자를 사용한 것이다.

어휘력을 늘리기 위해서, 여러분은 매일 매일의 독서를 통해 단어와 철자 모두에 익숙해질 필요가 있다. 다음 단어들은 철자를 재배열하면 이 책에서 만날 수 있는 새로운 단어로 만들어질 수 있다.

이 테스트는 여러분이 재미있게 어휘를 학습할 수 있도록 한번 만들어본 것이다. 행운을 빈다.

## Warm-Up Test 4: ANAGRAMS

**For each of the words or phrases on the left, rearrange the letters to form a word defined on the right.**

| | |
|---|---|
| 1. askew | trails |
| 2. dome | method of doing something |
| 3. a paint | surface discoloration caused by age |
| 4. lever | enjoy thoroughly |
| 5. a note | make amends |
| 6. raid | very dry |
| 7. a view | give up or put aside |
| 8. touts | plump or stocky |
| 9. a main | crazed excitement |
| 10. a tint | contaminate |
| 11. a mark | good or bad emanations from a person |
| 12. tints | duty or job |
| 13. diva | eager |
| 14. ride | disastrous |
| 15. told | stupid person |
| 16. beat | support someone in wrongdoing |
| 17. atoll | assign |
| 18. a cadre | arched passageway |
| 19. lamb | something that heals |
| 20. corns | contempt |
| 21. lotus | clods |
| 22. a hotel | despise |
| 23. tap | appropriate |
| 24. jaunt | small ruling group |
| 25. tapes | sudden outpouring |
| 26. fire | widespread |
| 27. lakes | quench or satisfy |

# The Words

주요 단어와 예문들

**ABASE** [əbéis] v **to humiliate ; to lower in esteem or dignity ; to humble** **굴욕감을 느끼게 하다 ; 품위나 가치를 떨어뜨리다 ; 낮추다**

After soaping all the windows in the old widow's mansion on Halloween, the eighth graders *abased* themselves and said that they were sorry (after the policeman told them he would arrest them if they didn't).
8학년 짜리 아이들은 할로윈 날에 혼자 사는 할머니의 아파트 창문마다 비누칠을 잔뜩 해놓고 나서는 뒤늦게 수치심을 느꼈다. 그래서 (사과하지 않으면 그들을 체포하겠다는 경찰의 말을 듣고 난 후) 미망인에게 죄송하다고 사과했다.

I *abased* myself before the principal, because I figured I had to in order to keep from being expelled.
쫓겨나지 않기 위해서는 그렇게 해야만 한다는 것을 알고 있었기 때문에 나는 교장 앞에서 비굴하게 행동했다.
* debase 항목을 참조할 것.

**ABET** [əbét] v **to support or encourage someone, especially someone who has done something wrong** **사람을 특히 옳지 못한 일을 하는 사람을 지지하거나 용기를 북돋다 ; 부추기다, 교사하다**

*Abetting* a criminal by giving her a place to hide from the police is itself a criminal act.
경찰을 피할 수 있도록 범죄자가 숨을 장소를 제공해서 범인을 도와주는 행위는 그것 자체로도 이미 범법행위이다.

In their efforts to steal millions from their clients, the dishonest bankers were *abetted* by the greed of the clients themselves.
부정한 은행원들은 고객들로부터 수백만 달러를 훔치려고 애를 썼는데, 이는 고객들의 탐욕이 은행원들을 부추겼던 것이었다.

**ABEYANCE** [əbéiəns] n **suspension ; temporary cessation** **중지 ; 일시적 정지**

Sally wanted to bite Mr. Anderson, but her father held her in *abeyance* by grabbing her suspenders and looping them over the doorknob.
샐리는 앤더슨씨를 물어뜯고 싶었지만, 그녀의 아버지가 샐리의 바지 멜빵을 붙잡아 문고리에다 묶는 바람에 중단하게 되었다.

Joe's poverty kept his addiction to video games in *abeyance*.
비디오 게임에 대한 조의 탐닉은 가난 때문에 중지되었다.

**ABJURE** [əbdʒúər] v **to repudiate ; to take back ; to refrain from** **(주의, 신앙 등을) 거부하다 ; 철회하다 ; 그만두다**

Under pressure from his teacher, Joe *abjured* his habit of napping in class and promised to keep his eyes open for the rest of the semester.
선생님의 압력에 굴복해서, 조는 수업 시간에 잠자는 습관을 버리고 남은 학기 동안 반드시 눈을 뜨고 있겠다고 약속했다.

Jerry *abjured* alcohol for several days after driving his car into a tree.
운전 중 나무를 들이받은 후, 제리는 며칠 동안은 술을 마시지 않았다.

For her New Year's resolution, Ellen decided to *abjure* from *abjuring* from anything that she enjoyed.
새해의 결의를 다지기 위해, 엘렌은 좋아하는 것을 무엇이든 버리지 않기로 결심했다.

**ABOMINATION** [əbɑ̀mənéiʃən] n **something despised or abhorred ; extreme loathing** **혐오하거나 몹시 싫어하는 것 ; 강한 혐오**

The lobby of the hotel was an *abomination* ; there was garbage rotting in the elevator and there were rats running on the furniture.
호텔 로비는 아주 혐오스러웠다 ; 엘리베이터에는 쓰레기가 썩어가고 있었고, 가구마다 쥐들이 돌아다녔다.

Joe shuddered with *abomination* at the thought of eating Henry's fatty, salty, oily cooking.
핸리가 요리한 지방질도 많고, 맛도 짜고, 기름기도 많은 음식을 먹어야 한다고 생각하니 조는 너무 혐오스러워서 치를 떨었다.
* abominate는 아주, 아주 미워한다는 뜻이다.

Judy *abominated* the sort of hotels that have garbage rotting in their elevators and rats running on their furniture.
주디는 엘리베이터에서 쓰레기가 썩어가고 있고 쥐들이 가구마다 돌아다니는 그런 류의 호텔을 아주, 아주 싫어했다.

**ABORIGINAL** [æ̀bərídʒənəl] adj **native ; dating back to the very beginning** **토착의 ; 시초로 거슬러 올라가는**

The *Aborigines* of Australia are the earliest known human inhabitants of Australia. They are that country's *aboriginal* inhabitants.
호주 원주민은 인간으로서는 최초로 호주에 거주한 사람들로 알려져 있다. 그들이야말로 바로 그 나라의 토착민이다.

While working on a new subway tunnel, the construction workers found some fragments of pottery that may have belonged to the city's *aboriginal* residents.
새 지하철 터널 공사를 하던 중에, 현장 인부들은 그 도시의 토착 원주민의 것으로 추측되는 도자기의 파편들을 발견했다.

**ABOUND** [əbáund] v **to be very numerous** **아주 많이 있다**

Trout *abound* in this river ; there are so many of them that you can catch them with your hands.
이 강에는 송어가 아주 많이 있다 : 송어가 워낙 지천으로 널려 있어서 손으로도 잡을 수 있을 정도이다.

Susan's *abounding* love for Harry will never falter, unless she meets someone nicer or Harry moves away.
수잔이 더 멋진 남자를 만나거나 해리가 멀리 가버리지 않는 한 해리에 대한 그녀의 충만한 사랑은 결코 꺾이지 않을 것이다.
* abound는 풍부하다는 뜻이다. abounding과 abundant는 동의어.

**ABROGATE** [ǽbrəgèit] v **to abolish or repeal formally ; to set aside ; to nullify** **공식적으로 철회하거나 폐지하다 ; (판결을) 파기하다 ; 무효로 하다**

When you see this word, you will often see the word treaty nearby. To *abrogate* a treaty is to repeal it.
이 단어를 발견하게 될 때는 대개 협정이라는 단어를 함께 볼 수 있을 것이다. to abrogate a treaty는 협정을 폐기하는 것이다.

You can also *abrogate* a law, an agreement, or a ruling.
또한 법률이나 계약, 판결 등도 폐기하거나 무효로 할 수 있다.

The commander of the ship had the power to *abrogate* certain laws in the event of an emergency.
군함의 부함장은 비상 사태에 직면할 경우 몇몇 법률은 무시할 수 있는 권한을 갖고 있었다.

**ACCEDE** [æksíːd] v **to give in ; to yield, to agree** 굴복하다 ; 양보하다 ; 동의하다

* 발음에 주의할 것.

Mary *acceded* to my demand that she give back my driver's license and stop pretending to be me.
메리는 운전면허증을 이제 그만 나에게 돌려주고 더 이상 나를 사칭하지 말라는 나의 요구를 들어주었다.

My mother wanted me to spend the holidays at home with my family instead of on the beach with my roommates, and a quick check of my bank balance convinced me that I had no choice but to *accede* to her desire.
엄마는 내가 같은 방 친구와 해변에 가는 대신에 휴가를 집에서 가족과 함께 보내기를 원하셨다. 나는 은행 잔고를 재빨리 확인해보고서, 엄마의 말을 따를 수밖에 없다는 사실을 확실히 깨달았다.

**ACCENTUATE** [æksént∫uèit] v **to emphasize ; to accent ; to highlight** 강조하다 ; 강세를 주다 ; 돋보이게 하다

Mr. Jones *accentuated* the positive by pointing out that his pants fit better after he lost his wallet.
존스씨는 지갑을 잃어버린 후 바지가 더 몸에 잘 맞는다는 점을 지적하여 그 긍정적인 측면을 강조했다.

Sally's pointed shoes *accentuated* the length and slenderness of her feet.
끝이 뾰족하게 나온 샐리의 구두는 길고 날씬한 그녀의 발을 돋보이게 했다.

## QUICK QUIZ 1

Match each word in the first column with its definition in the second column. Check your answers in the back of the book.

| | |
|---|---|
| 1. abase | a. support |
| 2. abet | b. native |
| 3. abeyance | c. suspension |
| 4. abjure | d. be very numerous |
| 5. abomination | e. abolish |
| 6. aboriginal | f. give in |
| 7. abound | g. something despised |
| 8. abrogate | h. humiliate |
| 9. accede | i. repudiate |
| 10. accentuate | j. emphasize |

**ACCESS** [ǽkses] n **the right or ability to approach, enter, or use** 접근이나 출입, 또는 사용할 수 있는 권리나 능력

Cynthia was one of a very few people to have *access* to the president ; she could get in to see him when she wanted to.
신시아는 대통령에게 가까이 접근할 수 있는 몇 안 되는 사람 중의 하나였다 ; 그녀는 자신이 원할 때 대통령을 방문할 수 있었다.

I wanted to read my boss's written evaluation of my performance, but employees don't have *access* to those files.
나는 사장이 쓴 나에 관한 업무 평가서를 읽고 싶었다. 그러나 피고용인들은 그러한 서류에 접근할 수 있는 권한이 없다.

When the Joker finally gained *access* to Batman's secret Batcave, he redecorated the entire hideaway in more festive pastel colors.
조커는 마침내 배트맨의 비밀 아지트인 배트케이브에 침투할 수 있게 되자, 좀더 화려하고 예쁜 파스텔 색조로 그곳을 다시 치장해 놓았다.
* access는 오늘날에 와서는 때때로 동사로도 쓰인다

To *access* a computer file is to open it so that you can work with it.
컴퓨터 파일에 접근한다는 것은 작업을 하기 위해 파일을 연다는 뜻이다.

If you have *access* to someone or something, that person or thing is *accessible* to you. To say that a book is *inaccessible* is to say that it is hard to understand. In other words, it's hard to get into.
사람이나 사물에 대해 접근권을 가지고 있다면, 그 사람이나 사물이 접근 가능하거나 이용할 수 있다는 뜻이다. a book is inaccessible이라고 말하는 것은 그 책이 어렵고 난해하다는 뜻이다. 다시 말해서 이해하기 힘들다는 뜻이다.

## ACCLAIM [əkléim] v to praise publicly and enthusiastically 공개적이고 열광적으로 칭찬하다

The author's new book was *acclaimed* by all the important reviewers, and it quickly became a bestseller.
그 작가의 신간은 모든 주요 평론가들로부터 격찬을 받았다. 그리고 나서 급속하게 베스트셀러가 되었다.
* acclaim은 명사로도 쓰인다.

The author's new book was met with universal *acclaim*. That is, everyone loved it. The reviewers' response to the book was one of *acclamation*.
작가의 신간은 전세계의 찬사를 받았다. 다시 말해서, 모든 사람들이 그 책을 좋아했다. 그 책에 대한 평론가들의 반응은 환호 일색이었다.

When the Congress or any other group of people approves a proposal by means of a voice vote, the proposal is said to have been approved by *acclamation*.
국회나 그 외의 단체에서 구두 표결이라는 방식으로 안건을 승인한다면, 그 안건은 구두 표결에 의해 통과되었다(approved by acclamation)고 표현한다.

## ACCORD [əkɔ́:rd] v to agree ; to be in harmony ; to grant or bestow 일치하다 ; 조화되다 ; 수여하다, 주다

Sprawling on the couch and watching TV all day *accords* with my theory that intense laziness is good for the heart.
소파에 팔다리를 쭉 뻗고 앉아 하루종일 TV를 보는 일이야말로 지나치다 싶은 게으름이 심장에 좋다는 나의 이론에 딱 들어맞는 일이다.

The month we spent together in an isolated cabin *accorded* me the opportunity to get better acquainted with my abductor.
고립된 오두막집에서 우리가 함께 보냈던 한 달은 나에게 유괴범과 더 친숙해질 수 있는 기회를 주었다.

## ACCOUTERMENTS [əkú:tərmənts] n personal clothing, accessories, or equipment ; trappings 개인의 옷차림이나 장신구 또는 비품 ; 장식(물)

Alex is a very light traveler ; he had crammed all his *accouterments* into a single shopping bag.
알렉스는 아주 가벼운 차림의 여행가이다 ; 그는 모든 장비들을 한 개의 쇼핑백에 다 쑤셔 넣고 다녔다.

Louanne had so many silly *accouterments* in her expensive new kitchen that there wasn't really much room for Louanne.
루안느는 그녀의 사치스런 새 주방에 쓸데없는 장식품들을 잔뜩 놓아 놔서 정작 그녀 자신을 위한 공간은 별로 없었다.

**ACCRUE** [əkrúː] v **to accumulate over time** 시간이 경과할수록 쌓이다

My savings account pays interest, but the interest *accrues* at such a slow pace that I almost feel poorer than I did when I opened it.
나의 예금 구좌는 이자가 붙기는 하지만, 대체로 구좌를 처음 개설할 당시에 느꼈던 것보다 더 가난하다고 느낄 만큼 느린 속도로 이자가 붙는다.

Over the years, Emily's unpaid parking fines had *accrued* to the point where they exceeded the value of her car.
해가 지날수록, 에밀리의 체납된 불법 주차 과태료는 그녀의 자동차의 가격을 초과할 만큼 불어났다.

**ACQUISITIVE** [əkwízətiv] adj **seeking or tending to acquire ; greedy** 갖고 싶어 하거나 취득성이 있는 ; 탐욕스런

Children are naturally *acquisitive* ; when they see something, they want it, and when they want something, they take it.
아이들은 본디부터 욕심이 많다 ; 아이들은 뭔가를 보게 되면, 갖고 싶어하고, 갖고 싶은 마음이 들면, 그것을 가진다.

The auctioneer tried to make the grandfather clock sound interesting and valuable, but no one in the room was in an *acquisitive* mood, and the clock went unsold.
경매인은 그 구식 괘종 시계를 재미있고 가치있는 것으로 설명하려고 애를 썼다. 그러나 그 방에 모인 사람들 중에는 아무도 탐내는 기색이 없었고, 시계는 팔리지 않았다.

Johnny's natural *acquisitiveness* made it impossible for him to leave the junkyard empty-handed.
조니는 타고난 욕심 때문에 고물 수집소에서 그냥 빈손으로 떠날 수가 없었다.

**ACQUIT** [əkwít] v **to find not guilty ; to behave or conduct oneself** 죄가 없음을 밝히다 ; 처신하다, 행동하다

The reputed racketeer had been *acquitted* of a wide variety of federal crimes.
유명한 그 갈취범은 연방법상의 폭넓고 다양한 범죄에 대해 무죄를 선고받았다.
* 명사는 acquittal(무죄 방면).

The prosecutors were surprised and saddened by the jury's verdict of *acquittal*.
배심원들의 무죄 평결에 검찰은 놀라움과 슬픔을 느꼈다.
* acquit에는 다소 다른 의미도 들어 있다.
* to acquit oneself in performing some duty라는 표현은 대개 불리한 상황에서도 상당히 업무를 잘 해낸다는 뜻이다.

The apprentice carpenter had very little experience, but on his first job he worked hard ; he *acquitted* himself like a pro.
견습생 목수는 경험이 거의 없는데도 처음으로 맡은 일에 아주 열심히 일했다 ; 그는 마치 전문가처럼 일을 해냈다.

The members of the lacrosse team had spent the previous week goofing around instead of practicing, but they *acquitted* themselves in the game, easily defeating their opponents.
라크로스팀 선수들은 지난주에 연습은 하지 않고 빈둥거리며 시간을 보냈다. 그럼에도 그들은 경기를 훌륭하게 이끌고 상대팀을 쉽게 이겼다.(라크로스는 하키와 비슷한 구기 종목)

**ACRONYM** [ǽkrənìm] n **a word made up of the initials of other words** 여러 단어의 머리글자만 따서 만든 단어, 두문자어

Radar is an *acronym*. The letters that form it stand for Radio Detecting And Ranging.
radar는 머리글자를 따서 만든 단어이다. 그 단어를 이루는 각 글자는 Radio Detecting And Ranging(무선전파탐지기)을 나타낸다

Radar is also a *palindrome*, that is, a word or expression that reads the same way from right to left as it does from left to right. According to the Guinness Book of World Records, the longest palindromic composition ever written—beginning "Al, sign it, 'Lover'..." and ending "...revolting, Isla"—is 100,000 words long.
radar는 또한 회문이기도 하다. 즉 오른쪽에서 왼쪽으로 읽거나 왼쪽에서 오른쪽으로 읽어도 같은 단어나 표현이 된다는 의미이다. 세계 최고를 기록하는 기네스 북에 의하면, 가장 긴 회문식 작문은 — "Al, sign it, 'Lover' ..." 로 시작해서 "...revolting, Isla" 로 끝난다 — 무려 십만 개의 단어로 쓰여진 것이라고 한다.

**ADAGE** [ǽdidʒ] n **a traditional saying ; a proverb** **전래되는 말, 격언 ; 속담**

There is at least a kernel of truth in the *adage* "*Adages* usually contain at least a kernel of truth."
"격언에는 대개 적어도 하나의 진리의 핵심이 담겨 있다"라는 격언에는 적어도 하나의 진리 핵심이 담겨 있다.

The politician promised to make bold new proposals in his campaign speech, but all he did was spout stale *adages*.
그 정치가는 선거 유세에서 대담하게 새로운 제안을 하기로 약속했다. 그러나 그가 한 일이라곤 진부한 격언만을 쏟아냈을 뿐이었다.

The coach had decorated the locker room with inspirational *adages*, hoping that the sayings would instill a hunger for victory in his players.
코치는 격언들이 선수들에게 승리에 대한 욕구를 불어넣어 주리라는 희망으로 라커룸에다 정신을 고무시키는 격언들을 여기저기 붙여놓았다.

**ADDUCE** [ədjúːs] v **to bring forward as an example or as proof ; to cite** **보기나 증거로서 제시하다 ; 인용, 또는 예증하다**

Harry *adduced* so many reasons for doubting Tom's claims that soon even Tom began to doubt his claims.
탐의 주장이 미심쩍다고 해리가 너무나 많은 이유를 들어 설명했기 때문에, 곧 탐 자신조차도 자기의 주장을 회의하기 시작했다.

In support of his client's weak case, the lawyer *adduced* a few weak precedents from English common law.
의뢰인의 설득력이 없는 주장을 지지하면서, 그 변호사는 영국의 관습법에서 설득력이 없는 몇 개의 판례만을 제시했을 뿐이다.

## QUICK QUIZ 2

Match each word in the first column with its definition in the second column. Check your answers in the back of the book.

| | |
|---|---|
| 1. access | a. accumulate |
| 2. acclaim | b. word made up of initials |
| 3. accord | c. praise publicly |
| 4. accouterments | d. agree |
| 5. accrue | e. find not guilty |
| 6. acquisitive | f. trappings |
| 7. acquit | g. cite |
| 8. acronym | h. right to approach |
| 9. adage | i. proverb |
| 10. adduce | j. greedy |

**ADJOURN** [ədʒə́ːrn] v **to suspend until another time** 다음 시기까지 중지하다

In precise usage, *adjourn* implies that whatever is being *adjourned* will at some point be resumed. To *adjourn* a meeting is to bring it to an end for now, with the suggestion that another meeting will take place at a later time.
정확한 어법에서, adjourn은 연기되었던 일이 무엇이든지 간에 일정한 시점이 되면 다시 계속할 것이라는 의미를 담고 있다. to adjourn a meeting은 진행중인 회의를 끝을 내고 나중에 다시 회의를 열겠다는 내용을 암시하고 있는 것이다.

When Congress *adjourns* at the end of a year, it doesn't shut itself down permanently ; it puts its business on hold until the next session. Thus, the baseball season *adjourns* each fall, while a single baseball game merely ends—unless it is delayed by rain or darkness.
국회가 연말에 휴정에 들어간다고 했을 때, 그것은 국회가 영원히 문을 닫는다는 뜻이 아니다 ; 그것은 다음 회기 때까지 잠시 업무를 중단한다는 뜻이다. 그러므로, 개개의 야구경기는 — 비나 정전으로 인해 연기되지 않는 한 — 한번으로 끝이 나는 것이지만 야구시즌은 매년 가을 휴지기에 들어가 다음 시즌에 계속되는 것이다.

**ADJUNCT** [ǽdʒʌŋkt] n **something added to or connected with something else ; an assistant** 다른 것에 부가되거나 연결되어 있는 것 ; 보조물

Cooking is just an *adjunct* to Michael's real hobby, which is eating.
요리는 단지 마이클의 진짜 취미인 식도락에 따른 부수적인 취미일 뿐이다.

The enthusiastic publisher released a set of audiotapes as an *adjunct* to its popular series of vocabulary books.
열의에 찬 출판사는 인기 시리즈인 어휘 관련 책자의 부록으로 녹음테이프 세트를 내놓았다.

An *adjunct* professor is one who lacks a permanent position on the faculty.
부교수란 교수진에서 종신의 지위를 갖지 못하는 사람이다.

**AD-LIB** [ǽd líb] v **to improvise ; speak or act spontaneously** 즉흥적으로 만들다 ; 자연스럽게 말하거나 행동하다

Teddy hadn't known that he would be asked to speak after dinner, so when he was called to the microphone, he had to *ad-lib*.
테디는 식사가 끝난 후 인사말을 부탁 받을 것이라는 사실을 모르고 있었다. 그래서 마이크 앞으로 불려나왔을 때, 그는 즉흥적으로 연설을 해야만 했다.

The director complained that the lazy star hadn't memorized his lines ; instead of following the script, he *ad-libbed* in nearly every scene.
감독은 게을러빠진 스타 배우가 자신의 대사도 외우지 못했다고 불평을 했다 : 스타 배우는 대본을 따르는 대신 거의 모든 장면에서 즉흥적으로 지껄였던 것이다.

**ADVENT** [ǽdvent, -vənt] n **arrival ; coming ; beginning** 출현 ; 도래 ; 시초

For Christians, *Advent* is a season that begins four Sundays before Christmas. The word in that sense refers to the impending arrival of Jesus Christ. For some Christians, the word refers primarily to the second coming of Christ.
기독교도들에게 Advent(강림절)는 크리스마스 4주전에 시작되는 시기를 의미한다. 그런 의미에서 이 단어는 예수 그리스도의 임박한 출현을 의미하기도 한다. 어떤 기독교도들에게는 이 단어가 주로 예수 그리스도의 재림을 의미한다.

In secular speech, *advent* can be used to refer to the arrival or beginning of anything.
비종교적인 언어에서 advent는 어떤 것의 출현이나 시작이라는 뜻으로 쓰일 수 있다.

The *advent* of autumn was signaled by the roar of gasoline-powered leaf-blowing machines.
가을의 시작은 가솔린으로 가동되는 낙엽청소기의 굉음소리를 신호로 알려졌다.

The rich industrialist responded to the *advent* of his estate's first income tax levy by hiring a new team of accountants.
부유한 실업가는 그의 재산에 대하여 처음으로 소득세 부과가 시작되자 새로운 회계사들을 고용하여 대응했다.

**ADVENTITIOUS** [ӕdventíʃəs, -vən-] v **adj accidental ; connected to but nonetheless unrelated ; irrelevant** 우연한 ; 연관되어 있지만 그럼에도 불구하고 관계가 있는 것이 아닌 ; 관계가 없는

Arthur's skills as a businessman are *adventitious* to his position at the company ; the boss hired him because he wanted a regular golf partner.
직장인으로서의 아서의 능력은 회사에서의 그의 지위와는 무관한 것이다 ; 사장은 정기적으로 함께 할 골프 파트너를 원했기 때문에 아서를 고용했던 것이다.

**ADVOCATE** [ǽdvəkət] n **a person who argues in favor of a position** 어떤 입장을 지지하여 주장하는 사람, 주창자, 대변자

Lulu believes in eliminating tariffs and import restrictions ; she is an *advocate* of free trade.
루루는 관세와 수입 제한 조치를 철폐해야 한다고 믿고 있다 ; 그녀는 자유무역의 주창자이다.

The proposed law was a good one, but it didn't pass because it had no *advocate* ; no senator stepped forward to speak in its favor.
발의된 법률안은 유익한 것이기는 했지만, 지지하는 사람이 없었기 때문에 통과되지 못했다 ; 그 법률안을 옹호하는 연설을 하기 위해 앞으로 나서는 상원의원은 아무도 없었다.

* advocate는 동사로도 쓰인다.

The representative of the paint company *advocated* cleaning the deck before painting it, but we were in a hurry so we painted right over the dirt.
페인트 회사의 대표는 페인트를 칠하기 전에 갑판을 깨끗하게 만들어 달라고 주장했지만, 우리는 매우 급했기 때문에 더러운 갑판 위에 곧바로 페인트칠을 했다.

* advocacy는 어떤 입장에 대한 동의나 지지를 의미한다.
* 위에 제시된 세 단어의 발음 차이에 주의할 것.

**AFFIDAVIT** [ӕfədéivit] n **a sworn written statement made before an official** 공직자 앞에서 만들어진 진실을 선서한 서면 진술서

Sally was too ill to appear at the trial, so the judge accepted her *affidavit* in place of oral testimony.
샐리는 너무나 아파서 재판정에 나갈 수 없었다. 그래서 판사는 구두 증언 대신에 서면으로 된 진술서를 받아들였다.

**AFFILIATE** [əfílièit] v **to become closely associated with** 가까운 관계를 맺게 되다

The testing company is not *affiliated* with the prestigious university, but by using a similar return address it implies a close connection.
그 학력 테스트 회사는 유명 대학과 제휴를 맺고 있지 않지만 발신인의 주소로 비슷한 것을 사용해서 밀접한 관련이 있는 것처럼 꾸미고 있다.

In an attempt to establish herself as an independent voice, the candidate chose not to *affiliate* herself with any political party.
독자적인 목소리를 내고자 하는 마음에서 그 후보는 어떠한 정당에도 가입하지 않기로 했다.

If you are *affiliated* with something, you are an *affiliate* [əfíliət] and you have an *affiliation* [əfìliéiʃən].
어떤 단체에 가입되어 있다면, 여러분은 그 곳의 회원이며 관계를 맺고 있는 것이다.

The local television station is an *affiliate* of the major network ; it carries the network's programs in addition to its own.
그 지역 텔레비전 방송국은 전국 방송망과 제휴를 맺고 있다 ; 그들은 자체 프로그램과 전국방송망의 프로그램을 받아서 함께 방송하고 있다.

Jerry had a lifelong *affiliation* with the YMCA ; he was a member all his life.
제리는 일생동안 YMCA에 가입했다 ; 그는 평생회원이었다.

**AFFLICTION** [əflíkʃən] n **misery ; illness ; great suffering ; a source of misery, illness, or great suffering** 고통 ; 병 ; 크나 큰 괴로움 ; 고통, 병, 큰 괴로움의 근원

Athlete's foot is an *affliction* that brings great pain and itchiness to its sufferers.
무좀은 환자에게 심한 통증과 가려움증을 주는 병이다.

Martha's children were an *affliction* to her ; they tormented and *afflicted* her and never gave her a moment's peace.
마사의 아이들은 그녀에겐 골칫거리였다 ; 아이들은 성가시게 굴고 마사를 귀찮게 해서 그녀는 잠깐의 휴식도 갖지 못했다.

Working in the ghetto brought the young doctor into contact with many *afflictions*, very few of which had medical cures.
빈민가에서 일하면서, 젊은 의사는 의학적인 치료법이 없는 수많은 질병들을 접하게 되었다.

**AFFORD** [əfɔ́:rd] v **to give ; to supply ; to confer upon** 주다 ; 공급하다 ; 수여하다

The holiday season *afforded* much happiness to the children, who loved opening presents.
축제 기간은 선물을 풀어보기를 아주 좋아하는 아이들에게 크나 큰 기쁨을 주었다.

The poorly organized rummage sale *afforded* a great deal of attention but very little profit to the charitable organization.
준비가 충분하지 못했던 자선 바자는 관심은 많이 끌었지만 자선 단체에는 별로 이익이 되지 못했다.

Marilyn's busy schedule *afforded* little time for leisure.
마릴린은 바쁜 일정 때문에 여가를 위한 시간이 거의 없었다.

## QUICK QUIZ 3

Match each word in the first column with its definition in the second column. Check your answers in the back of the book.

| | |
|---|---|
| 1. adjourn | a. person arguing for a position |
| 2. adjunct | b. accidental |
| 3. ad-lib | c. become closely associated |
| 4. advent | d. arrival |
| 5. adventitious | e. misery |
| 6. advocate | f. suspend |
| 7. affidavit | g. sworn written statement |
| 8. affiliate | h. give |
| 9. affliction | i. improvise |
| 10. afford | j. something added |

**AFFRONT** [əfrʌ́nt] n **insult ; a deliberate act of disrespect** 모욕 ; 고의적인 경멸의 행동

Jim's dreadful score on the back nine was an *affront* to the ancient game of golf.
후반 9홀에서의 짐의 끔찍한 점수는 골프라는 유구한 역사를 가진 게임에 대한 모욕이었다.

Amanda felt that she was complimenting Lizzie when she said that Lizzie looked pretty good for a fat woman, but Lizzie took the comment as an *affront*.
아만다가 리지에게 뚱뚱한 여자 치고는 썩 괜찮게 보인다고 말을 했을 때는 칭찬의 의미로 그렇게 한 것이었다. 그러나 리지는 그 말을 모욕의 의미로 받아들였다.

* affront는 동사로도 쓰인다.

Jeremy *affronted* me by continually flicking dandruff from my shoulders during our meeting with the president.
제레미는 우리가 대통령을 만나고 있는 동안에 계속해서 내 어깨의 비듬을 손끝으로 튀겨 나를 모욕했다.

* 거칠고 무례한 행동을 effrontery라 한다.

**AFTERMATH** [ǽftərmæ̀θ] n **consequence ; events following some occurrence or calamity** 결과, 영향 ; 사건이나 재난에 따른 여파

This word comes from Middle English words meaning after mowing ; the *aftermath* was the new grass that grew in a field after the field had been mowed. In current usage, this precise original meaning is extended metaphorically.
이 단어는 풀을 베고 난 후를 의미하는 중세 영어에서 유래한 말이다 ; aftermath는 모든 풀이 베어지고 난 후의 들판에서 다시 자라나는 새로운 풀을 의미했다. 오늘날의 어법에서는, 이러한 원래 그대로의 뜻은 비유적인 의미로 확대된다.

Sickness and poverty are often the *aftermath* of war.
전쟁의 여파로 종종 질병과 빈곤이 남는다.

In the *aftermath* of their defeat at the state championship, the members of the football team fought endlessly with one another and ceased to function as a team.
주 챔피언십의 패배의 여파로 풋볼팀의 선수들은 서로서로 계속해서 싸워댔고, 결국 한 팀으로서 존립할 수가 없었다.

**AGGRANDIZE** [əgrǽndaiz, ǽgrəndàiz] v **to exaggerate ; to cause to appear greater ; to increase (something) in power, reputation, wealth, etc.** 과장하다 ; 더 크게 보이게 하다 ; 권력이나 명예나 부 등등에 있어서 뭔가를 증가시키다

Michele couldn't describe the achievements of her company without *aggrandizing* them. That was too bad, because the company's achievements were substantial enough to stand on their own, without exaggeration.
미첼은 회사의 업적에 대해서 이야기할 때는 언제나 그것들을 과장하곤 했다. 그 회사의 업적은 그것 자체로도 충분히 내세울 만한 가치가 있었으므로, 과장된 표현을 쓰는 것은 잘못된 일이었다.

To be *self-aggrandizing* is to aggressively increase one's position, power, reputation, or wealth, always with a distinctly negative connotation.
to be self-aggrandizing은 언제나 부정적인 의미를 내포하고 있는 것으로서, 적극적으로 자신의 지위나 권력, 명예나 부 따위를 확대한다는 뜻이다.

Harry doesn't really need thirty bathrooms ; building that big house was merely an act of *self-aggrandizement*.
해리에게는 정말로 서른 개나 되는 욕실은 필요가 없다 ; 그토록 큰 집을 지은 것은 단지 자신의 부를 과장하고픈 행동일 뿐이었다.

**AGGRIEVE** [əgríːv] v **to mistreat ; to do grievous injury to ; to distress** 학대하다 ; 고통스런 위해를 가하다 ; 괴롭히다

* aggrieved는 부당한 취급 등에 의해 고통받는다는 뜻이다.

The jury awarded ten million dollars to the *aggrieved* former employees of the convicted embezzler.
배심원은 횡령죄로 유죄 판결을 받은 사장의 이전 종업원들에게 천만 달러의 배상금을 인정했다.

The ugly behavior of the juvenile delinquent *aggrieved* his poor parents, who couldn't imagine what they had done wrong.
비행청소년의 추악한 행동은 자신들이 무엇을 잘못했는지 상상조차 할 수 없었던 가련한 부모를 괴롭게 만들었다.

## AGHAST [əgǽst/əgɑ́ːst] adj terrified ; shocked 겁에 질린 ; 놀라서 충격을 받은

Even the tough old veterans were *aghast* when they saw the extent of the carnage on the battlefield.
강인하고 경험 많은 베테랑들조차도 그 전투에서 일어난 엄청난 대량학살을 목격하고는 큰 충격을 받았다.

The children thought their parents would be thrilled to have breakfast in bed, but both parents were *aghast* when they woke up to find their blankets soaked with orange juice and coffee.
아이들은 부모님이 침대에서 (아이들이 준비해놓은) 아침을 먹게 되면 깜짝 놀랄 것이라고 생각했다. 그러나 두분 모두 아침에 일어나 오렌지 주스와 커피에 흠뻑 젖어 있는 담요를 보고는 혼비백산했다.

## ALCHEMY [ǽlkəmi] n a seemingly magical process of transformation 마술처럼 보이는 변형 과정, 연금술

In the Middle Ages, *alchemists* were people who sought ways to turn base metals into gold, attempted to create elixirs that would cure diseases or keep people alive forever, and engaged in similarly futile pseudo-scientific quests. *Alchemy* today refers to any process of transformation that is metaphorically similar.
중세시대에 있어, 연금술사는 비(卑)금속을 금으로 변화시키는 방법을 연구하고, 모든 질병을 치료하거나 불로장생할 수 있는 신비의 명약을 만들려고 애쓰는 등 쓸데없는 사이비 과학적 연구에 몰두하는 사람들을 가리키는 말이었다. 오늘날, 연금술은 비유적인 의미로 위와 비슷한 마법 같은 변형의 과정을 가리킨다.

Through the *alchemy* of hairspray and makeup, Amelia transformed herself from a hag into a princess.
헤어스프레이와 화장의 마법과도 같은 힘에 의해서, 아밀리아는 못생긴 마녀에서 공주로 변신했다.

## ALIENATE [éiljənèit, -liə-] v to estrange ; to cause to feel unwelcome or unloved ; to make hostile 이간하다 ; 환영받지 못하거나 사랑받지 못하는 것처럼 느끼게 만들다 ; 서로 적대하게 만들다

An alien is a foreigner or stranger, whether from another planet or not. To *alienate* someone is to make that person feel like an alien.
an alien은 다른 행성에서 왔건 그렇지 않건 간에, 외국인이나 이방인을 뜻한다. alienate someone은 그 사람으로 하여금 이방인처럼 느끼게 만든다는 뜻이다.

The brusque teacher *alienated* his students by mocking them when they made mistakes.
무뚝뚝한 선생님은 학생들의 실수를 조롱하고 비웃었기 때문에 학생들과 사이가 좋지 않았다.
* alienation[èiljənéiʃən, -liə-]은 사이가 좋지 않음. 즉 서로 소원(alienation)한 상태에 있음을 뜻한다.

Sharon found it nearly impossible to make friends ; as a result, her freshman year in college was characterized primarily by feelings of *alienation*.
샤론은 친구를 사귀는 것이 거의 불가능하다는 것을 깨달았다 ; 그 결과로, 대학에서의 신입생 시절은 그녀에겐 주로 소외감의 시간이었다.

## ALLEGIANCE [əlíːdʒəns] n loyalty 충성심

* pledge allegiance to the flag는 국기에 대한 충성을 맹세하는 것이다.

Nolan's *allegiance* to his employer ended when a competing company offered him a job at twice his salary.
경쟁사가 두 배의 임금으로 스카웃을 제의했을 때, 고용주에 대한 놀란의 충성심은 끝이 났다.

The *allegiance* of the palace guard shifted to the rebel leader as soon as it became clear that the king had been overthrown.
반란군에 의해 현 국왕이 타도되자마자 곧 왕궁 수비대의 충성심은 반란군의 지도자에게로 옮겨갔다.

**ALLEGORY** [ǽləgɔ̀:ri] n **a story in which the characters are symbols with moral or spiritual meanings** 등장인물이 도덕적, 정신적 의미로 상징화된 이야기, 우화

Instead of lecturing the children directly about the importance of straightening up their rooms, Mrs. Smith told them an *allegory* in which a little boy named Good was given all the candy in the world after making his bed, while a messy little girl named Bad had nothing to eat but turnips and broccoli.
스미스 부인은 방을 깨끗하게 정리정돈 하는 일의 중요성에 관해 아이들에게 직접적으로 훈계하는 대신에, 착한동이라는 이름을 가진 소년은 침대를 말끔히 정리한 후 세상의 모든 사탕을 선물로 받은 반면에 나쁜순이라는 이름을 가진 지저분한 소녀는 순무와 브로콜리 외에는 아무 것도 먹을 것이 없었다는 우화를 들려주었다.

**ALLOT** [əlát] v **to apportion, allocate, or assign** 할당하다, 배분하다, 배당하다

The principal *allotted* students to classrooms by writing their names on pieces of paper and throwing the paper into the air.
교장은 학생들의 이름을 쓴 작은 종이를 공중으로 집어던지는 방법으로 학생들을 각 학급에 배치했다.

The president *allotted* several ambassadorships to men and women who had contributed heavily to his campaign.
대통령은 자신의 선거를 열심히 도와주었던 사람들에게 몇몇 대사 자리를 할당했다.

* allotment는 할당받은 몫을 의미한다.

George didn't like his natural *allotment* of physical features, so he had them altered by a plastic surgeon.
조지는 선천적으로 부여받은 자신의 신체적 용모를 좋아하지 않았다. 그래서 그는 성형수술로 자신의 모습을 바꿨다.

## QUICK QUIZ 4

Match each word in the first column with its definition in the second column. Check your answers in the back of the book.

| | |
|---|---|
| 1. affront | a. consequence |
| 2. aftermath | b. mistreat |
| 3. aggrandize | c. estrange |
| 4. aggrieve | d. apportion |
| 5. aghast | e. terrified |
| 6. alchemy | f. seemingly magical transformation |
| 7. alienate | g. loyalty |
| 8. allegiance | h. symbolic story |
| 9. allegory | i. exaggerate |
| 10. allot | j. insult |

**ALTERCATION** [ɔ̀:ltərkéiʃən] n **a heated fight, argument, or quarrel** 가열된 싸움이나 논쟁, 또는 불화

Newlyweds Mary and Bill were fighting about the proper way to gargle mouthwash, and the sound of their *altercation* woke up several other guests in the hotel.
신혼 부부인 메리와 빌은 입 안을 가시는 약으로 입을 올바르게 헹구는 방법에 관한 문제로 싸우고 있었다. 그들의 말다툼 소리 때문에 같은 호텔에 있던 손님들이 잠을 깨게 되었다.

Dr. Mason's lecture was so controversial and inflammatory that it led to an *altercation* among the members of the audience.
메이슨 박사의 강연은 지나치게 논쟁적이고 선동적이어서 강연을 듣고 있던 사람들간에 논쟁을 불러일으켰다.

**AMASS** [əmǽs] v **to pile up ; to accumulate ; to collect for one's own use** 쌓아 올리다 ; 축적하다 ; 자신을 위해 쓰려고 모으다

By living frugally for fifty years, Jed *amassed* a large fortune.
오십 년 동안의 검소한 생활로 제드는 큰 재산을 모았다.

Billy collected bottle caps so assiduously that before his parents realized what was happening he had *amassed* the largest collection in the world.
빌리는 워낙 부지런히 병 뚜껑을 모아서 부모님이 생각지도 못한 사이에 세계에서 병 뚜껑을 가장 많이 수집하게 되었다.

By the end of the week, the protest groups had *amassed* enough signatures on their petitions to be assured of victory at the convention.
주말이 되자, 항의 단체들은 탄원서를 만들어 총회에서 자신들의 주장이 승리할 수 있을 만큼 충분한 서명을 모았다.

**AMID** [əmíd] prep **in the middle of** ~의 중간에

*Amid* the noise and bright lights of the Fourth of July celebration, tired old Harry slept like a log.
독립기념일 행사의 시끄러운 소음과 번쩍이는 조명이 한창인 가운데, 피곤하고 지친 해리 노인은 죽은 듯이 잠을 자고 있었다.

When the store detective found her, the lost little girl was sitting *amid* a group of teddy bears in a window display.
매장 감시원이 미아가 된 소녀를 발견했을 때, 그 아이는 진열장 안의 여러 마리의 곰인형 한가운데 앉아 있었다.

The English say "*amidst*" instead of *amid*, but you shouldn't. Unless, that is, you are in England. You can, however, say "in the midst."
영국 사람들은 amid 대신에 "amidst"를 사용하지만 여러분은 그렇게 하지 말기 바란다. 다시 말해서, 영국에 있는 것이 아니라면 그렇다는 것이다. 그러나 "in the midst" 라고 쓰는 것은 무방하다.

**ANATHEMA** [ənǽθəmə] n **something or someone loathed or detested** 지독히 싫어하거나 몹시 혐오하는 사람 또는 사물, 저주하는 것

Algebra is *anathema* to Harry ; every time he sees an equation, he becomes sick to his stomach.
대수학은 해리가 저주하는 과목이다 ; 방정식만 보면 언제나 해리는 배까지 아프게 된다.

The parents became *anathema* to the greedy children as soon as the children realized they had been left out of the will.
부모님이 유언도 없이 떠났다는 것을 알게 되자, 욕심 많은 자식들에게 부모는 저주의 대상이 되었다.

The women in fur coats were *anathema* to the members of the animal-rights group.
모피 코트를 입은 여자들은 동물 보호 단체 회원들에게는 혐오의 대상이었다.

**ANCILLARY** [ǽnsəlèri/ænsíləri] adj **subordinate ; providing assistance** 부수적인 ; 도움을 주는

* 발음에 주의할 것.

Although George earned his living as a high-powered Wall Street investment banker, selling peanuts at weekend Little League games provided an *ancillary* source of income.
조지는 비록 월스트리트의 막강한 투자 은행의 직원으로서 생활비를 벌고 있었지만, 주말에는 어린이 야구 경기장에 나가 땅콩을 팔아서 부수입을 올리고 있었다.

An *ancillary* employee is one who helps another. Servants are sometimes referred to as *ancillaries*.
보조 직원이란 다른 직원을 도와주는 사람이다. 하인들을 때때로 ancillaries라고 한다.

**ANGST** [aːŋkst] n **anxiety ; fear ; dread** 걱정 ; 불안 ; 공포

* 발음에 주의할 것.

This is the German word for anxiety. In English, it is a voguish word that is usually meant to convey a deeper, more down-to-the-bone type of dread than can be described with mere English words. A closely related word is *anguish*.
이 단어는 영어의 anxiety에 해당하는 독일어이다. 이 단어는 대개 단순한 영어로 표현할 수 있는 것보다 더 심한, 뼈저린 걱정이나 공포를 의미하고 있는 것으로 최근 유행하고 있는 단어이다. 밀접한 관련이 있는 단어로 anguish(고민, 고뇌)가 있다.

The thought of his impending examinations, for which he had not yet begun to study, filled Herman with *angst*, making it impossible for him to study.
아직 시험 공부를 시작조차 하지 않았는데도, 헤르만은 곧 있을 시험에 대한 생각으로 지레 공포에 질려서 공부를 할 엄두도 못 내고 있었다.

**ANNEX** [ənéks] v **to add or attach** 더하다, 첨부하다

Old McDonald increased the size of his farm by *annexing* an adjoining field.
맥도날드 노인은 인근의 땅을 보태서 자신의 농장을 크게 만들었다.

When Iraq attacked Kuwait, its intention was to *annex* Kuwaiti territory.
이라크가 쿠웨이트를 공격한 목적은 쿠웨이트의 영토를 합병하기 위함이었다.

A small connecting structure added to a building is often called an *annex*[ǽneks].
건물에 덧붙여진 작은 부속 건물을 종종 an annex(별관) 라고 부른다.
* 두 품사의 단어 모두 발음에 주의할 것.

**ANNUITY** [ənúːəti/ənjúː-] n **an annual allowance or income ; the annual interest payment on an investment ; any regular allowance or income** 연간 수당이나 소득 ; 투자액에 대한 연간 이자 지급 ; 기타 정기적인 수당이나 소득

The company's pension fund provides an *annuity* for its retired employees ; each receives regular payments from the fund.
그 회사는 연금 기금을 마련해 퇴직한 직원들에게 연금을 지급한다 ; 각각의 퇴직자들은 정기적인 연금을 기금으로부터 받는다.

None of Herbert's books had been bestsellers, but all of them were still in print, and taken together their royalties amounted to a substantial *annuity*.
허버트의 저서 중에 베스트셀러가 된 것은 하나도 없었지만, 그 책들 모두 여전히 발행되고 있었으므로 인세를 모두 합친다면 상당한 소득이 되었다.

The widow would have been destitute if her husband had not bought an insurance policy that provided a modest *annuity* for the rest of her life.
미망인의 남편이 혼자 남을 아내의 여생을 위하여 적당한 이자 지급이 보장된 보험 증권을 사두지 않았더라면, 그녀는 빈곤에 허덕였을 것이다.

**ANTEDATE** [ǽntidèit] v **to be older than ; to have come before** ~보다 더 오래되었다 ; ~에 앞서 와있다

* ante라는 접두어는 ~의 앞이나 ~의 이전을 의미한다.
* antedate는 다른 것보다 이전 시대라는 뜻이다.

The Jacksons' house *antedates* the Declaration of Independence ; it was built in 1774.
잭슨 가족의 집은 독립선언보다 더 오래되었다 : 그 집은 1774년에 지어진 것이었다.

Mrs. Simpson's birth *antedates* that of her daughter by twenty-four years. That is to say, Mrs. Simpson was twenty-four years old when her daughter was born.
심슨 여사의 탄생은 그녀의 딸의 탄생보다 이십 사년 앞선 것이다. 다시 말해서, 심슨 여사는 딸이 태어났을 때 스물 네 살이었던 것이다.

**ANTERIOR** [æntíəriər] adj **situated in front** 앞에 위치한

The children enjoy sitting dumbly and staring at the *anterior* surface of the television set.
아이들은 말없이 앉아 텔레비전 화면을 뚫어져라 보는 것을 즐긴다.

Your chest is situated on the *anterior* portion of your body (The *anterior* end of a snake is its head).
우리의 가슴은 몸의 앞부분에 위치하고 있다(뱀의 맨 앞 쪽 끝에는 뱀의 머리가 있다).
* 반의어는 posterior.

You are sitting on the *posterior* end of your body.
우리는 우리 몸의 뒷부분의 끝으로 앉아 있다.

## QUICK QUIZ 5

Match each word in the first column with its definition in the second column. Check your answers in the back of the book.

| | |
|---|---|
| 1. altercation | a. something loathed |
| 2. amass | b. add |
| 3. amid | c. in the middle of |
| 4. anathema | d. annual allowance |
| 5. ancillary | e. heated fight |
| 6. angst | f. subordinate |
| 7. annex | g. situated in front |
| 8. annuity | h. pile up |
| 9. antedate | i. anxiety |
| 10. anterior | j. be older |

## ANTHOLOGY [ænθɑ́lədʒi] n a collection, especially of literary works 특히 문학 작품의 모음집

To *anthologize*[ænθɑ́lədʒàiz] a group of literary works or other objects is to collect them into an anthology.
문학 작품이나 다른 대상물을 선별하여 묶어내는 것은 작품을 모아서 선집(an anthology)을 만드는 것이다.
* The Norton Anthology of English Literature는 영국 작가들이 쓴 주요한 작품들의 모음집이다.

The chief executive officer of the big company thought so highly of himself that he privately published an *anthology* of his sayings.
대기업의 최고 경영자는 개인적으로 자신의 어록 모음집을 출판할 정도로 자신에 대한 자부심이 높았다.

Mr. Bailey, a terrible hypochondriac, was a walking *anthology* of symptoms.
지독한 우울증 환자인 베일리씨는 걸어 다니는 질병 증상들의 모음집이었다.

## ANTHROPOMORPHIC [æ̀nθrəpəmɔ́ːrfik] adj ascribing human characteristics to nonhuman animals or objects 인간이 아닌 동물이나 사물에 인간적인 성격을 부여하는, 의인화된

This word is derived from the Greek word *anthropos*, which means man or human, and the Greek word morphos, which means shape or form. To be *anthropomorphic* is to see a human shape (either literally or metaphorically) in things that are not human. To speak of the hands of a clock, or to say that a car has a mind of its own, is to be *anthropomorphic*.
이 단어는 인간을 의미하는 그리스어인 anthropos와 형태나 형상을 의미하는 morphos에서 유래된 것이다. to be anthropomorphic은 (문자 그대로, 또는 비유적인 의미로) 인간이 아닌 어떤 것에서 인간의 형상을 보는 것이다. 시계의 손에 대해서 이야기하거나 자동차도 자신 나름의 마음을 가지고 있다고 말하는 것은 사물을 의인화하는 것이다.
* 명사형은 anthropomorphism.

## ANTIPODAL [æntípədl] adj situated on opposite sides of the earth ; exactly opposite 지구의 반대편에 위치한 ; 정확하게 반대되는

* 발음에 주의할 것.

The north and south poles are literally *antipodal* ; that is, they are exactly opposite each other on the globe. There is a group of islands near New Zealand called the *Antipodes*[an TIP uh deez]. The islands were named by European explorers who believed they had traveled just about as far away from their home as they possibly could.
남극과 북극은 글자 그대로 서로 지구의 반대편에 위치하고 있다 ; 다시 말해서, 지구 위에서 정확하게 서로가 반대의 위치에 있다는 뜻이다. 뉴질랜드 근처에는 Antipodes라고 불리는 여러 개의 섬으로 이루어진 지역이 있다. 그 섬 지역은 자신들의 고향에서 할 수 있는 한 가장 멀리 여행을 왔다고 믿었던 유럽의 탐험가들이 이름을 붙인 것이었다.

*Antipodal* can also be used to describe opposites that have nothing to do with geography. John and Mary held *antipodal* positions on the subject of working. Mary was for it, and John was against it.
antipodal은 또한 지리학과 관계없는 정반대의 것을 표현할 때도 사용될 수 있다. 존과 메리는 당면 문제에 있어서 정반대의 입장을 견지했다. 메리가 그 문제에 찬성을 했고, 존은 반대를 했다.
* 명사형은 antipodes[æntípədìːz].

## ANTIQUITY [æntíkwəti] n ancientness ; ancient times 오래됨 ; 고대

The slow speed at which Lawrence was driving was not surprising, considering the *antiquity* of his car.
로렌스가 느린 속도로 운전하는 것은 그의 차가 오래된 고물인 것을 생각하면 그리 놀랄 일도 아니었다.

When Mr. Jensen asked his doctor what was making his knees hurt, the doctor replied, "Your *antiquity*."
젠슨씨가 의사에게 무엇 때문에 자신의 무릎이 아픈지 물어보자, 의사는 이렇게 대답했다. "당신의 늙은 몸 탓이지요"

Lulu loved studying ancient history so much that she didn't really pay much attention to the present ; when she wasn't reading old volumes in the library, she walked around in a daze, her head spinning with dreams of *antiquity*.
루루는 현대사는 정말로 거들떠보지도 않을 정도로 고대사에 관해 공부하는 것을 아주 좋아했다 : 도서관에서 낡은 장서들을 읽고 있지 않을 때, 그녀는 머리 속으로 고대에 관한 꿈을 꾸면서 멍한 상태로 걸어다녔다.

Overpriced chairs and other furniture from the olden days are called antiques. Objects or ideas that are too old-fashioned to be of use anymore are said to be *antiquated*[ǽntikwèitid]. (Don't throw them out, though ; sell them to an *antiques* dealer.) A person who studies ancient things is called an *antiquary*[ǽntikwèri] or, less correctly, an antiquarian[æ̀ntikwέəriən].
옛날부터 전해오는 것으로 비싼 가격이 매겨진 의자나 가구들을 골동품이라고 부른다. 너무나 유행에 뒤떨어져서 더 이상 쓸모가 없는 물건이나 사상을 낡고 고풍스럽다고(antiquated) 표현한다. (그렇다고 해도 그것들을 버리지 말아라 : 골동품 업자에게 그것들을 팔아라.) 옛날 물건들을 연구하는 사람을 골동품 연구가(an antiquary), 또는 정확한 표현은 아니지만, 골동품 애호가(an antiquarian)라고도 부른다.
* 발음에 주의할 것.

## APERTURE [ǽpərtʃər] n an opening 구멍

The opening inside a camera's lens is called its *aperture*. A photographer controls the amount of light that strikes the film by adjusting the size of the *aperture*.
카메라 렌즈의 안쪽 구멍을 렌즈의 구경이라고 부른다. 사진사들은 렌즈의 구경의 크기를 조절해서 필름에 들어오는 빛의 양을 제어한다.

Harry's underpants were plainly visible through the *aperture* that suddenly appeared along the rear seam of his uniform.
해리의 유니폼 엉덩이의 솔기가 갑자기 벌어져 틈이 생기면서 그 구멍을 통해 그의 속옷이 분명하게 보였다.

## APEX [éipeks] n highest point 정점, 극치

* 산의 정상도 apex 라는 단어를 사용한다.

Jerry's score of 162, though poor by most standards, was the *apex* of his achievement in golf ; it was the best score he had shot for eighteen holes in thirty years.
대부분의 평균에서 한참 모자라기는 해도, 162라는 제리의 점수는 그가 골프에서 이뤄낸 최고의 절정이었다 : 그것은 제리가 삼십 년 동안 골프를 치면서 18홀에서 얻은 최고의 점수였다.

Mary Anne was at the *apex* of her career ; she was the president of her own company, and everyone in her industry looked up to her.
메리 앤은 그녀의 생애 최고의 정점에 올랐다 : 그녀는 자신의 회사의 회장이 되었을 뿐만 아니라 그녀가 종사하는 산업 내의 모든 사람들로부터 존경을 받았다.

## APOGEE [ǽpədʒìː] n the most distant point in the orbit of the moon or of an artificial satellite 달이나 인공 위성의 궤도에서 가장 멀리 있는 지점, 원지점

*Apogee* is derived from Greek words meaning away from the earth.
apogee는 지구로부터 멀리 있다는 의미의 그리스어에서 유래한 단어이다.

The *apogee* of the moon's orbit is the point at which the moon is farthest from the earth.
달 궤도의 원지점이란 달이 지구로부터 가장 멀리 떨어지게 되는 지점이다.

The word can also be used figuratively, in which case it usually means pretty much the same thing as apex. Mary Anne was at the *apogee* of her career ; she was the president of her own company, and everyone in her industry looked up to her.
이 단어는 비유적인 의미로도 쓰일 수 있는데, 그럴 경우 대체로 '절정'이나 '극치'와 거의 같은 뜻으로 사용된다. 메리 앤은 그녀의 생애 최고의 정점에 올랐다 : 그녀는 자기 회사의 회장이 되었을 뿐만 아니라 그녀가 종사하는 산업 내의 모든 사람들로부터 존경을 받았다.

The opposite of *apogee* is *perigee*[pérədʒìː], which is derived from Greek words meaning near the earth. At *perigee*, the satellite was faintly visible on the earth to anyone with a good pair of binoculars.
반대말은 지구에서 가까운 지점을 의미하는 그리스어에서 유래한 perigee이다. 인공 위성이 근지점에 있게 되면, 지구 위에 있는 누구라도 품질 좋은 쌍안경으로 그 인공 위성을 어렴풋하게 볼 수 있었다.

In careful usage, moons and other objects orbiting planets other than the earth do not have *apogees* and *perigees*.
좀더 엄밀하게 쓰자면, 지구가 아닌 다른 행성 주위를 도는 달과 기타 물체에 대해서는 원지점과 근지점이라는 말을 쓰지 않는다.

**APOPLEXY** [ǽpəplèksi] n **stroke (that is, numbness and paralysis resulting from the sudden loss of blood flow to the brain)** **뇌졸중(즉, 뇌로 들어가는 피의 흐름이 갑작스럽게 방해받아 생긴 감각상실과 마비 증상), 발작**

* 발음에 주의할 것.

This word turns up repeatedly in old novels. Nowadays, its use is mostly figurative. If I say that I gave my boss *apoplexy* when I told him that I was going to take the rest of the day off, I mean that he became so angry that he seemed to be in danger of exploding.
이 단어는 오래된 소설 속에서 반복적으로 나타난다. 오늘날, 이 단어는 거의 대부분 비유적인 의미로 사용한다. 내가 그 날의 일을 그만두어야 겠다고 사장에게 말해서 사장이 발작을 일으키게 했다고 말한다면, 그것은 폭발할 지경에 이를 정도로 사장을 화나게 했다는 의미인 것이다.
* 글자 그대로의 의미이건 비유적인 의미이건, 뇌졸중(혹은 발작)으로 고통받는 것을 apoplectic이라고 한다.

The principal was *apoplectic* when he discovered that the tenth graders had torn up all the answer sheets for the previous day's SAT ; he was so angry that his face turned red and little flecks of spit flew out of his mouth when he talked.
전날 치른 SAT 답안지를 10학년 학생들이 모두 찢어버렸다는 사실을 알게 된 교장은 발작을 일으킨 듯 몹시 흥분했다 ; 그는 몹시 화가 나서 얼굴이 벌개졌고 말할 때 입에서 침이 튀겼다.

**APOSTASY** [əpástəsi] n **abandonment or rejection of faith or loyalty** **신념이나 충성심의 포기, 또는 거부**

* 발음에 주의할 것.

The congregation was appalled by the *apostasy* of its former priest, who had left the church in order to found a new religion based on winning number combinations in the state lottery.
전임 목사가 주 복권에서의 당첨 번호의 조합에 기초한 새로운 종교를 설립하기 위하여 교회를 떠나버린 배신 행위는 신도들을 놀라게 했다.

The president was hurt by the *apostasy* of his closest advisers, most of whom had decided to cooperate with the special prosecutor by testifying against him.
대통령은 자신에게 불리한 증언을 함으로써 특별 검사에게 협력하기로 결정한 절친했던 참모진들의 배신 행위에 상처를 받았다.
* apostate [əpásteit]는 배신 행위를 저지르는 사람.

In the cathedral of English literature, Professor Hanratty was an *apostate* ; he thought that Shakespeare was nothing more than an untalented old hack.
영문학계에서, 핸러티 교수는 배신자였다 ; 그는 셰익스피어를 그저 재능없는 늙은 퇴물에 지나지 않는다고 생각했다.

**APPALLING** [əpɔ́:liŋ] adj **causing horror or consternation** **공포나 전율을 일으키는**

Austin's table manners were *appalling* ; he chewed with his mouth wide open, and while he ate he picked his nose with the tip of his knife.
오스틴의 식사 예절은 소름끼치는 것이었다 ; 그는 입을 벌린 채로 음식을 씹었을 뿐만 아니라, 식사를 하는 중에 나이프 끝으로 코를 후비기도 했다.

The word *appall* comes from a French word meaning to make pale. To be *appalled* is to be so horrified that one loses the color in one's cheeks.
appall이라는 단어는 창백하게 만든다는 뜻의 프랑스어에서 유래한 말이다. to be appalled는 너무나 놀라서 얼굴의 색깔까지 변해버린다는 뜻이다.

## QUICK QUIZ 6

Match each word in the first column with its definition in the second column. Check your answers in the back of the book.

| | |
|---|---|
| 1. anthology | a. causing horror |
| 2. anthropomorphic | b. opening |
| 3. antipodal | c. exactly opposite |
| 4. antiquity | d. abandonment of faith |
| 5. aperture | e. ascribing human characteristics |
| 6. apex | f. highest point |
| 7. apogee | g. stroke |
| 8. apoplexy | h. ancientness |
| 9. apostasy | i. literary collection |
| 10. appalling | j. most distant point of orbit |

**APPARITION** [æpəríʃən] n **a ghost or ghostly object** 유령, 또는 유령 같은 것

Clara said that she had seen an *apparition* and that she was pretty sure that it had been the ghost of President Grant, but it turned out to be nothing more than a sheet flapping on the clothesline.
클라라는 유령을 본 적이 있으며, 그것은 그랜트 대통령의 유령임이 틀림없다고 말했다. 그러나 그것은 빨랫줄에서 펄럭이던 홑이불에 지나지 않았다는 것으로 드러났다.

The bubbling oasis on the horizon was merely an *apparition* ; there was nothing there but more burning sand.
지평선 위로 방울방울 솟아나는 오아시스는 단지 신기루였을 뿐이었다 ; 그 곳에는 뜨거운 모래 말고는 아무 것도 없었다.

**APPELLATION** [æpəléiʃən] n **a name** 명칭, 이름

Percival had a highly singular *appellation* ; that is, he had an unusual name.
퍼시발은 아주 희귀한 이름을 갖고 있었다 ; 즉, 그는 유별난 이름을 갖고 있었다.

**APPENDAGE** [əpéndidʒ] n **something added on to something else ; a supplement** 다른 어떤 것에 덧붙여진 것, 부가물 ; 추가, 보충

* append는 다른 어떤 것에 새로 덧붙이는 것을 말한다.

Your *appendix* [əpéndiks], if you still have one, is a small, apparently useless organ attached (or *appended*) to your intestine.
여러분이 아직도 몸에 지니고 있다면, 맹장은 창자에 붙어 있는 작고 명백히 쓸모 없는 조직이다.

You have no more than one *appendix*, but you have several *appendages*, including your arms and legs. Your arms and legs are *appended* to the trunk of your body.
여러분의 맹장은 단지 한 개 뿐이다. 그러나 팔과 다리를 비롯해서 부속 기관은 여러 개 가지고 있다. 여러분의 팔과 다리는 몸통에 붙어 있는 것들이다.

Beth's husband never seemed to be more than an arm's length away from her. He seemed less like a spouse than like an *appendage*.
베스의 남편은 그녀로부터 결코 팔 길이 이상 더 멀리 떨어지지 않는 것 같았다. 그는 배우자라기보다는 마치 부속기관 같았다.

**APPORTION** [əpɔ́ːrʃən] v **to distribute proportionally ; to divide into portions** 비례에 따라 분배하다 ; 몫으로 나누다

There was nothing to eat except one hot dog, so Mr. Lucas carefully *apportioned* it among the eight famished campers.
핫도그 한 개 말고는 먹을 것이 아무 것도 없었다. 그래서 루카스씨는 여덟 명의 굶주린 야영객들을 위해 신중하게 핫도그를 배분했다.

Because the property had been *apportioned* equally among the numerous children, none had enough land on which to build a house.
토지는 수많은 자녀들에게 균등하게 분배되었기 때문에, 누구도 집을 지을 만한 충분한 땅을 갖지 못했다.

The grant money was *apportioned* in such a way that the wealthy schools received a great deal while the poor ones received almost nothing.
정부 보조금은 가난한 학교에는 거의 지급되지 않은 반면에 부유한 학교에는 상당히 많은 돈을 지급하는 방식으로 할당되었다.

**APPOSITE** [ǽpəzit] adj **distinctly suitable ; pertinent** 의심할 나위 없이 적절한 ; 꼭 들어맞는

* 발음에 주의할 것.

The appearance of the mayor at the dedication ceremony was accidental but *apposite* ; his great-grandfather had donated the land on which the statue had been erected.
개관식에 시장이 나타난 것은 우연이긴 했지만 적절한 일이었다 ; 그의 증조부가 동상이 세워진 땅을 기증했던 것이다.

At the end of the discussion, the moderator made an *apposite* remark that seemed to bring the entire disagreement to a happy conclusion.
토론의 끝에, 의장은 지금까지의 모든 논쟁을 만족스런 결론으로 이끄는 아주 적절한 말을 한마디 했다.

**APPRAISE** [əpréiz] v **to estimate the value or quality of ; to judge** ~의 가치나 질을 평가하다 ; 감정하다

When we had the beautiful old ring *appraised* by a jeweler, we were surprised to learn that the large diamond in its center was actually made of glass.
보석상에게 오래된 아름다운 반지의 감정을 의뢰했을 때 우리는 반지의 중심부에 있는 커다란 다이아몬드가 실제로는 유리로 만들어졌다는 사실을 알게 되고 모두 놀랐다.

The general coldly *appraised* the behavior of his officers and found it to be wanting.
장군은 자신의 부하 장교들의 행동을 냉정하게 평가해보고 기준에 모자란다는 결론을 내렸다.

* 평가(사정)하는 행위를 an appraisal이라고 한다.

It is a good idea to seek an independent *appraisal* of an old painting before bidding many millions of dollars for it in an auction.
경매에서 옛 그림에 대해 수백만 달러의 가격으로 입찰하기 전에 그림을 독자적으로 평가해 보는 것은 좋은 생각이다.

**APPRISE** [əpráiz] v **to give notice to ; to inform** ~에게 통지를 보내다 ; 알리다

Be careful not to confuse this word with *appraise*. They don't mean the same thing, even though there's only one letter's difference between them.
이 단어를 appraise와 혼동하지 않도록 주의하기 바란다. 단지 한 글자밖에 다르지 않지만, 두 단어는 결코 같은 의미가 아니다.

The policeman *apprised* the suspect of his right to remain silent, but the suspect was so intoxicated that he didn't seem to notice.
경찰은 용의자에게 묵비권을 행사할 수 있다고 알려주었지만, 용의자는 워낙 만취된 상태여서 제대로 듣지 못한 것 같았다.

The president's advisers had fully *apprised* him of the worsening situation in the Middle East, and now he was ready to act.
대통령의 참모진들은 악화되고 있는 중동의 상황을 대통령에게 충분히 알려주었고, 이제 그는 행동할 준비가 되었다.

## APPURTENANCE [əpə́:rtənəns] n **something extra ; an appendage ; an accessory** 여분의 것 ; 부속물 ; 보조품

The salary wasn't much, but the *appurtenances* were terrific ; as superintendent of the luxury apartment building, Joe got to live in a beautiful apartment and have free access to the tennis courts and swimming pool.
봉급은 많지 않았지만, 부수적인 이익이 대단히 많았다 ; 그 호화 아파트의 관리인으로서, 조는 멋진 아파트에 살 수 있었고, 테니스 코트와 수영장에 자유롭게 출입할 수 있었다.

* 발음에 주의할 것.

## APROPOS [æ̀prəpóu] adj **appropriate ; coming at the right time** 적절한 ; 정확한 때에 맞춰 오는

* 이 단어는 매우 밀접한 관련이 있는 단어 appropriate와 의미상 아주 비슷하다.

Susan's loving toast at the wedding dinner was *apropos* ; the clown suit she wore while making it was not.
결혼 피로연에서의 수잔의 애정어린 축배는 아주 시기 적절했다 ; 반면에 그녀가 입고 있는 어릿광대 옷은 축배를 하기에는 적절치 못했다.

The professor's speech was about endangered species, and the luncheon menu was perversely *apropos*: Bengal-tiger burgers and ostrich-egg omelets.
교수의 강연은 멸종 위기에 처한 동물에 관한 내용이었는데, 점심 메뉴는 그 반대로 적절치 못한 것이었다: 벵골 호랑이 고기 햄버거와 타조 알 오믈렛이 점심메뉴였다.

* 반의어는 malapropos.

## APT [æpt] adj **appropriate ; having a tendency to ; likely** 적절한 ; ~하는 경향이 있는 ; ~할 것 같은

The headmaster's harsh remarks about the importance of honesty were *apt* ; the entire senior class had just been caught cheating on an exam.
정직의 중요성에 관한 교장의 호된 훈시는 아주 적절했다 ; 전체 상급 학년 학생들이 시험에서 부정 행위를 하다 발각되었던 것이다.

Charlie is so skinny that he is *apt* to begin shivering the moment he steps out of the swimming pool.
찰리는 워낙 비쩍 말라서 수영장 밖으로 나오자마자 몸을 벌벌 떨기 시작할 것 같다.

If Ellen insults me again, I'm *apt* to punch her in the nose.
엘렌이 다시 한번 나를 모욕한다면, 나는 그녀의 코를 한방 날릴 것 같다.

* apt, apropos, apposite는 모두 비슷한 의미이다. 예문과 단어의 정의를 주의 깊게 살펴보기 바란다.

## QUICK QUIZ 

Match each word in the first column with its definition in the second column. Check your answers in the back of the book. Note that "something extra" is the answer for two questions.

| | |
|---|---|
| 1. apparition | a. something extra (2) |
| 2. appellation | b. give notice to |
| 3. appendage | c. ghost |
| 4. apportion | d. likely |
| 5. appraise | e. distribute proportionally |
| 6. apprise | f. appropriate |
| 7. appurtenance | g. name |
| 8. apropos | h. estimate the value of |
| 9. apposite | i. distinctly suitable |
| 10. apt | |

**ARCADE** [ɑːrkéid] n **a passageway defined by a series of arches ; a covered passageway with shops on either side ; an area filled with coin-operated games** 일련의 아치가 세워진 통로 ; 양쪽이 상점으로 되어 있는 지붕을 덮은 통로 ; 동전 투입식 게임기가 설치되어 있는 지역

In the most precise usage, an *arcade* is an area flanked by arches in the same way that a colonnade is an area flanked by columns. In fact, an *arcade* can be a colonnade, if the arches are supported by columns.
가장 정확한 의미로 말하자면, 콜로네이드가 측면에 기둥을 세운 복도 같은 곳을 의미하듯이 아케이드는 측면을 반원형의 둥근 천장으로 만든 곳을 의미한다. 사실상, 반원형의 천장이 기둥으로 받혀있는 형태라면, 아케이드는 콜로네이드도 될 수 있다.

The new mall consisted of a number of small *arcades* radiating like the spokes of a wheel from a large plaza containing a fountain.
새로 생긴 보행자 전용 상점가는 분수가 있는 커다란 광장으로부터 수레바퀴의 바퀴살 모양으로 뻗어 있는 수많은 작은 아케이드로 구성되어 있었다.

The penny *arcade* was misnamed, since none of the games there cost less than a quarter.
25센트 이하로 할 수 있는 게임기는 아케이드에 설치되어 있지 않기 때문에 페니 아케이드는 틀린 명칭이었다.

**ARCHIPELAGO** [ɑ̀ːrkəpéləgou] n **a large group of islands** 섬들이 많이 모여 있는 것, 군도

Sumatra, Borneo, and the Philippines are among the numerous island nations that constitute the Malay *Archipelago*.
수마트라와 보르네오와 필리핀은 말레이 군도를 구성하는 수많은 섬 나라들 사이에 있다.

The disgruntled taxpayer declared himself king of an uninhabited *archipelago* in the South Pacific, but his new country disappeared twice each day, at high tide.
세금 문제에 불만이 많았던 납세자는 자신이 남태평양에 있는 무인도의 왕임을 선언했다. 그러나 그의 새로운 왕국은 밀물 때가 되면 하루에 두 번씩 사라졌다.

The children lay on their backs in the field and gazed up with wonder at the shimmering *archipelago* of the Milky Way.
아이들은 들판에 등을 대고 누워 희미하게 반짝이는 은하수의 별무리를 감탄의 눈으로 바라보았다.

**ARCHIVES** [áːrkaivz] n **a place where historical documents or materials are stored ; the documents or materials themselves** **역사적인 기록이나 자료들이 저장되어 있는 곳, 기록 보관소 ; 보관된 문서나 자료**

In careful usage, this word is always plural. The historical society's *archives* were a mess ; boxes of valuable documents had simply been dumped on the floor, and none of the society's records were in chronological order.
엄밀하게 사용하자면, 이 단어는 언제나 복수로 쓰인다. 역사학회의 기록 보관소는 뒤죽박죽이었다 ; 귀중한 문서들이 들어있는 상자는 마룻바닥에 아무렇게나 버려져 있었고 학회의 기록 문서도 연대순으로 되어있는 것이 하나도 없었다.

The curator was so protective of the university's historical *archives* that he hovered behind the researcher and moaned every time he turned a page in one of the ancient volumes.
그 관리자는 대학의 역사적인 문서들을 워낙 아끼고 보호했기 때문에, 조사원의 뒤를 졸졸 따라다니면서 조사원이 고서적의 한 페이지를 넘길 때마다 끙하고 신음 소리를 냈다.

* archive는 동사로도 쓰인다. to archive computer data는 컴퓨터 데이터(엄밀히 따지자면 data는 복수이다)를 디스크나 테이프로 옮겨서 안전한 곳에 데이터를 저장한다는 뜻이다.

A person who *archives* things in *archives* is called an *archivist*[áːrkivist]. Things that have to do with *archives* are said to be *archival*[ɑːrkáivəl]. This word has other uses as well. In the world of photocopying, for example, a copy that doesn't deteriorate over time is said to be *archival*. A Xerox copy is *archival* ; a copy made on heat-sensitive paper by a facsimile machine is not.
문서 보관소에 문서나 기록을 보관하는 사람을 an archivist라 한다. 문서 보관소와 관계가 있는 것들을 archival(고문서의, 기록 보관소의)이라 한다. 이 단어는 다른 뜻으로도 쓰인다. 예를 들면, 사진 복사 계통에서는 시간이 지나도 질이 떨어지지 않는 복사본에 대해서 archival이라는 표현을 사용한다. 제록스로 한 복사물은 오래 보존된다 ; 팩시밀리에 쓰이는 감열용지에 의한 사본은 그렇지 않다.

* 발음에 주의할 것.

**ARID** [ǽrid] adj **very dry ; lacking life, interest, or imagination** **메마른 ; 생명이나 흥미, 상상력 등이 부족한**

*Arid* Extra Dry is a good trade name for an antiperspirant. The purpose of an antiperspirant is to keep your armpits *arid*.
Arid Extra Dry(강력 건조)는 제한제(制汗劑)에 아주 적합한 상표명이다. 제한제의 목적은 겨드랑이를 건조하게 해주는 것이다.

When the loggers had finished, what had once been a lush forest was now an *arid* wasteland.
벌목이 끝나자, 한때 울창한 삼림이었던 곳이 이제는 생명력이 없는 황무지로 변해버렸다.

The professor was not known for having a sense of humor. His philosophical writings were so *arid* that a reader could almost hear the pages crackle as he turned them.
그 교수는 유머 감각으로 유명한 사람은 아니었다. 그의 철학에 관한 저서들은 워낙 재미가 없고 무미 건조해서 독자들이 책장을 넘길 때 책장이 바스락거리는 소리를 들을 수 있을 정도였다. (주: 내용이 무미 건조하다는 것을 책장이 건조해서 바스락거린다는 식으로 은유적으로 표현함)

**ARMAMENT** [áːrməmənt] n **implements of war ; the process of arming for war** **전쟁 물자, 군비 ; 전쟁에 대비해 무장을 갖춤**

This word is often used in the plural: *armaments*. The word arms can be used to mean weapons. To arm a gun is to load it and ready it for fire.
이 단어는 종종 복수(armaments)로 사용된다. arms는 무기를 의미하는 것으로 사용될 수 있다. to arm a gun은 탄알을 장전하고 발사할 준비를 한다는 뜻이다.

In the sorry history of the relationship between the two nations, argument led inexorably to *armament*.
두 국가간의 유감스런 역사적 관계 속에서, 논쟁은 가차없이 무장 대치로 이어졌다.

Sarah had dreams of being a distinguished professor of mathematics, but midway through graduate school she decided that she just didn't have the intellectual *armament*, and she became a chicken sexer instead.
사라는 저명한 수학 교수가 되겠다는 꿈을 갖고 있었다. 그러나 대학원 과정에서, 그녀는 자신이 그 분야에 관한 지식으로 무장되어 있지 않다는 결론을 내렸다. 그래서 그녀는 교수 대신 병아리 감별사가 되었다.

The megalomaniacal leader spent so much on *armaments* that there was little left to spend on food, and his superbly equipped soldiers had to beg in order to eat.
과대망상증이 있는 그 지도자는 군비 확충에 너무나 많은 돈을 써버린 나머지 식량 준비에 쓸 돈은 거의 남아있지 않게 되었고, 뛰어난 장비를 갖춘 그의 병사들은 먹을 것을 위해 구걸을 해야만 했다.

**ARMISTICE** [ɑ́:rməstis] n **truce** **휴전**

*Armistice* Day (the original name of Veterans Day) commemorated the end of the First World War.
휴전 기념일(재향군인의 날의 원래 명칭)은 1차 세계대전의 종식을 기념하는 날이었다.

The warring commanders negotiated a brief *armistice*, so that dead and wounded soldiers could be removed from the battlefield.
전쟁을 수행중인 사령관들은 부상자와 전사자를 전투 지역에서 이송하기 위하여 단기간의 휴전을 협정했다.

**ARRAIGN** [əréin] v **to bring to court to answer an indictment ; to accuse** **법정에 소환하여 기소된 내용을 묻다 ; 비난하다**

The suspect was indicted on Monday, *arraigned* on Tuesday, tried on Wednesday, and hanged on Thursday.
용의자는 월요일에 기소되어 화요일에 법정에 소환되었고, 수요일에 재판을 받아 목요일에 사형이 집행되었다.

The editorial in the student newspaper *arraigned* the administration for permitting the vandals to escape prosecution.
학생 신문은 예술품을 고의적으로 훼손한 범인을 기소하지 않은 학교 당국을 규탄하는 내용의 사설을 실었다.

* 명사형은 arraignment.

At his *arraignment* in federal court, Harry entered a plea of not guilty to the charges that had been brought against him.
연방 법원의 심문에서 해리는 자신이 고발당한 내용에 대해 무죄임을 주장하는 탄원을 시작했다.

**ARRANT** [ǽrənt] adj **utter ; unmitigated ; very bad** **대단한 ; 완화되지 않은 ; 아주 나쁜**

This word is very often followed by either nonsense or fool. *Arrant* nonsense is complete, total, no-doubt-about-it nonsense. An *arrant* fool is an absolute fool.
이 단어는 아주 빈번하게 nonsense나 fool이라는 단어와 함께 나온다. arrant nonsense는 완전히, 절대적으로, 의심할 바 없이 말도 안돼는 어리석은 짓이라는 뜻이다. an arrant fool는 순전히 형편없는 바보라는 뜻이다.

*Arrant* should not be confused with *errant*[érənt], which means wandering or straying or in error. An *errant* fool is a fool who doesn't know where he's going.
'정처 없이 돌아다니는, 길을 잃고 헤매는, 실수하는' 을 뜻하는 errant와 혼동하지 말아라. an errant fool은 자신이 가고 있는 곳이 어디인지 모르는 어리석은 사람을 의미한다.

**ARREARS** [əríərz] n **the state of being in debt ; unpaid debts** **빚이 남아있는 상태 ; 지불되지 않은 부채**

Amanda was several months in *arrears* with the rent on her apartment, and her landlord was threatening to evict her.
아만다가 아파트 집세를 여러 달 째 못 내고 있었으므로 집주인은 집을 비워달라고 그녀를 위협하고 있었다.

After Jason settled his *arrears* at the club, the committee voted to restore his membership.
제이슨이 밀린 클럽 회비를 모두 결제하고 난 후에야, 클럽 위원회는 그의 회원 자격 회복문제에 대하여 표결에 들어갔다.

**ARSENAL** [ɑ́ːrsənəl] n **a collection of armaments ; a facility for storing or producing armament ; a supply of anything useful** 군수 물자를 모아놓은 것 ; 군수 물자를 생산, 또는 비축해 두는 시설 ; 물자 보급

The nation's nuclear *arsenal* is large enough to destroy the world several times over.
그 나라의 핵무기 비축량은 온 세상을 여러 번 파괴하고도 남을 만큼 많았다.

For obvious reasons, smoking was not permitted inside the *arsenal*.
명백한 이유들 때문에 무기고 안에서는 흡연이 금지되어 있었다.

Jeremy had an *arsenal* of power tools that he used in staging remodeling assaults against his house.
제레미는 집을 개조하는 데 사용했던 전동 도구 창고를 갖고 있었다.

* 두 음절 모두 발음에 주의할 것.

## QUICK QUIZ 8

Match each word in the first column with its definition in the second column. Check your answers in the back of the book.

| | |
|---|---|
| 1. arcade | a. where documents are stored |
| 2. archipelago | b. utter |
| 3. archives | c. implements of war |
| 4. arid | d. unpaid debts |
| 5. armament | e. accuse |
| 6. armistice | f. group of islands |
| 7. arraign | g. very dry |
| 8. arrant | h. truce |
| 9. arrears | i. arched passageway |
| 10. arsenal | j. supply of something useful |

**ARTICULATE** [ɑːrtíkjuleit] v **to pronounce clearly ; to express clearly** 또렷하게 발음하다 ; 명료하게 표현하다

* 발음에 주의할 것.

Sissy had a lisp and could not *articulate* the s sound ; she called herself Thithy.
시시는 혀가 짧아 s 발음을 또렷하게 하지 못했다 ; 그녀는 자신의 이름을 티티라고 불렀다.

Jeremy had no trouble *articulating* his needs ; he had typed up a long list of toys that he wanted for Christmas, and he handed it to Santa Claus.
제레미는 자신의 요구를 분명히 표현하는 데 어려움이 없었다 ; 그는 크리스마스 선물로 받고 싶은 장난감의 목록을 모두 작성하여 타이프로 친 다음, 산타클로스에게 건넸다.

* articulate는 형용사로도 쓰인다. an articulate person이란 발음을 또렷하게 잘하는 사람이다.

**ARTISAN** [ɑ́ːrtəzən/ɑ́ːtizæn] n **a person skilled in a craft** 특별한 기술에 뛰어난 사람

The little bowl—which the Andersons' dog knocked off the table and broke into a million pieces—had been meticulously handmade by a charming old *artisan* who had used a glazing technique passed down for generations.
그 작은 사발은 — 앤더슨네 강아지가 탁자를 쓰러뜨리는 바람에 산산조각이 나버렸는데 — 신기에 가까운 기술을 가진 늙은 장인이 여러 세대를 거쳐 전수된 유약칠 기술을 사용하여 손으로 직접 세심하게 만들어 낸 것이었다.

**ASCERTAIN** [æ̀sərtéin] v **to determine with certainty ; to find out definitely** 확실하게 정하다 ; 명확하게 알아내다

* 발음에 주의할 것.

With a quick flick of his tongue, Herbert *ascertained* that the pie that had just landed on his face was indeed lemon meringue.
허버트는 잽싸게 혀를 내밀어 맛을 보고는 방금 얼굴에 떨어진 파이가 정말로 레몬 머랭이라는 것을 확인했다.

The police tried to trace the phone call, but they were unable to *ascertain* the exact location of the caller.
경찰은 전화 통화를 추적하고자 했다. 그러나 그들은 전화 거는 사람의 정확한 위치를 확인할 수가 없었다.

Larry believed his wife was seeing another man ; the private detective *ascertained* that that was the case.
래리는 자신의 아내가 다른 남자를 만나고 있다고 믿고 있었다 : 사립 탐정은 그의 믿음이 사실임을 확인시켜주었다.

**ASCRIBE** [əskráib] v **to credit to or assign ; to attribute** ~에게 공로를 돌리다, ~의 탓으로 하다 ; ~의 것으로 생각하다

Mary was a bit of a nut ; she *ascribed* powerful healing properties to the gravel in her driveway.
메리는 약간 피짜였다 : 그녀는 자기 집 앞의 자동차 진출입로의 자갈에 강력한 질병 치유 효능이 있다고 생각했다.

When the scholar *ascribed* the unsigned limerick to Shakespeare, his colleagues did not believe him.
그 학자는 서명이 없는 그 오행시가 셰익스피어의 것이라고 생각했지만, 동료학자들은 그의 말을 믿지 않았다.

**ASKANCE** [əskǽns] adv **with suspicion or disapproval** 의심스럽게 또는 비난하며

When Herman said that he had repaired the car by pouring apple cider into its gas tank, Jerry looked at him *askance*.
헤르만이 고장난 차의 연료 탱크에 사과 술을 부어넣어서 차를 수리했다고 말을 하자, 제리는 의심스러운 눈초리로 쳐다보았다.

The substitute teacher looked *askance* at her students when they insisted that it was the school's policy to award an A to any student who asked for one.
학생들이 원하기만 하면 누구에게나 A학점을 주는 것이 이 학교의 방침이라고 학생들이 주장하자 대리로 오신 선생님은 자기 반 학생들을 비난의 눈초리로 쳐다보았다.

**ASPERSION** [əspə́ːrʒən, -ʃən] n **a slanderous or damning remark** 비방하거나 매도하는 표현

* to cast aspersions는 심한 비난의 말이나 명예를 손상하는 욕설을 퍼뜨리는 것이다.

To call someone a cold-blooded murderer is to cast an *aspersion* on that person's character.
아무개를 피도 눈물도 없는 살인자라고 부르는 것은 그 사람의 인격에 대해서 심한 어조로 비난하는 것이다.

The local candidate had no legitimate criticisms to make of his opponent's record, so he resorted to *aspersions*. His opponent resented this *asperity* [æspérəti].
지역구 후보자는 상대 후보의 경력에 대해 적법하게 흠잡을 내용이 없었다. 그래서 그는 중상모략에 의존할 수밖에 없었고, 상대 후보는 이러한 비방에 분개했다.

**ASSAIL** [əséil] v **to attack vigorously** 맹렬히 공격하다

With a series of bitter editorials, the newspaper *assailed* the group's efforts to provide free cosmetic surgery for wealthy people with double chins.
그 신문은 신랄한 논조가 담긴 일련의 사설을 통해서 이중 턱을 가진 부자들에게 무료 성형수술을 해주고자 하는 그 단체의 움직임에 대해 맹렬히 비난했다.

We hid behind the big maple tree and *assailed* passing cars with salvos of snowballs.
우리는 커다란 단풍나무 뒤로 숨어서 지나가는 차를 향해 눈덩이를 만들어 일제히 공격했다.

An attacker is sometimes called an *assailant*[əséilənt], especially by police officers on television shows.
특히 텔레비전 프로그램에서 경찰들은 때때로 습격하는 사람을 가리켜 an assailant라 부르기도 한다.

**ASSERT** [əsə́ːrt] v **to claim strongly ; to affirm** 강력하게 주장하다 ; 단언하다

The defendant continued to *assert* that he was innocent, despite the fact that the police had found a clear videotape of the crime, recovered a revolver with his fingerprints on it, and found all the stolen money in the trunk of his car.
경찰이 범죄 행위가 담긴 비디오테이프와 그의 지문이 묻어 있는 권총을 찾아냈으며, 도난 당한 돈을 그의 자동차 트렁크에서 모두 발견했음에도 불구하고 피고인은 자신이 무죄라고 계속해서 주장했다.

When Buzz *asserted* that the UFO was a hoax, the little green creature pulled out a ray-gun and incinerated him.
UFO는 단지 속임수일 뿐이라고 버즈가 열변을 토하고 있을 때, 그 작은 녹색의 생명체가 광선총을 발사해 그를 재로 만들었다.

To *assert* yourself is to express yourself boldly. Mildred always lost arguments, because she was always too timid to *assert* herself.
to assert yourself는 자신의 주장을 대담하게 드러내고 표현하는 것이다. 밀드리드는 너무나 소심해서 자신의 주장을 잘 드러내지 못했기 때문에, 항상 논쟁에서 지기만 했다.

**ASSESS** [əsés] v **to evaluate ; to estimate ; to appraise** (세금 등을) 사정하다 ; 평가하다 ; 값을 매기다

When seven thugs carrying baseball bats began walking across the street toward her car, Dolores quickly *assessed* the situation and drove away at about a hundred miles an hour.
야구방망이를 든 일곱 명의 괴한들이 그녀의 차를 향해서 도로를 가로질러 걷기 시작하자 돌로레스는 재빨리 상황을 따져보고는 거의 시속 백 마일로 운전해 도망쳤다.

*Assessing* the damage caused by the storm was difficult, because the storm had washed away all the roads, making it nearly impossible to enter the area.
폭풍우가 모든 도로를 휩쓸고 가버려서 그 지역으로 들어가는 것이 거의 불가능했기 때문에 이번 폭풍우에 의한 피해 상황을 집계하는 일은 쉽지가 않았다.

After *assessing* his chances in the election-only his parents would promise to vote for him—the candidate dropped out of the race.
선거에서의 당선 가망성을 평가해보고 난 후 — 그에게 투표한다고 약속하는 사람은 오로지 그의 부모들뿐이었으므로 — 그는 후보직을 사퇴했다.
* reassess는 재고하다, 또는 다시 평가하다라는 뜻.

**ASTRINGENT** [əstríndʒənt] adj **harsh ; severe ; withering** 엄한 ; 호된 ; 위축시키는

Edmund's *astringent* review enumerated so many dreadful flaws in the new book that the book quickly disappeared from the bestseller list.
에드먼드가 새로 출간된 책에 드러난 많은 결함들을 가차없는 비평문으로 일일이 열거해서 결국 그 책은 베스트셀러 목록에서 급속히 사라졌다.

The coach's remarks to the team after losing the game were *astringent* but apparently effective: the team won the next three games in a row.
경기에 지고 난 후 팀원들에게 한 코치의 훈시는 매우 호됐지만 확실히 효과는 있었다: 팀은 그 뒤로 연속해서 세 경기에 승리했다.
* astringent는 엄격하다는 뜻을 가진 stringent와 관련이 있다. 명사형은 astringency.

## QUICK QUIZ 9

Match each word in the first column with its definition in the second column. Check your answers in the back of the book.

| | |
|---|---|
| 1. articulate | a. person skilled in a craft |
| 2. artisan | b. slanderous remark |
| 3. ascertain | c. credit to |
| 4. ascribe | d. claim strongly |
| 5. askance | e. harsh |
| 6. aspersion | f. pronounce clearly |
| 7. assail | g. with suspicion |
| 8. assert | h. evaluate |
| 9. assess | i. attack vigorously |
| 10. astringent | j. determine with certainty |

**ASYLUM** [əsáiləm] n **a mental hospital or similar institution ; refuge ; a place of safety**
**정신 병원이나 그와 유사한 시설 ; 피난처 ; 보호 시설**

After Dr. Jones incorrectly diagnosed her nail—biting as the symptom of a severe mental illness, Stella was confined in a lunatic *asylum* for thirty—seven years.
존스 박사가 스텔라의 손톱 깨무는 버릇을 심각한 정신 질환의 징후라고 잘못된 진단을 내린 이후로, 그녀는 삼십 칠 년 동안이나 정신병 환자 수용소에 갇혀 있었다.

"The woods are my *asylum*," Marjorie said. "I go there to escape the insanity of the world."
"숲은 나의 피난처랍니다. 세상의 광기로부터 도망치기 위해 그리로 가죠."라고 마조리가 말했다.

The United States granted *asylum* to the political dissidents from a foreign country, thus permitting them to remain in the United States and not forcing them to return to their native country, where they certainly would have been imprisoned.
미국은 외국으로부터 들어오는 정치적 망명자들에게 피난처를 제공했다. 그리하여 그들이 돌아간다면 감옥에 갇히게 될 것임이 분명한 본국으로 강제로 추방하지 않고 그들이 미국 내에 남아 있을 수 있도록 허용했다.

**ATONE** [ətóun] v **to make amends** **보상하다, 속죄하다**

The verb *atone* is followed by the preposition "for". To *atone* for your sins is to do something that makes up for the fact that you committed them in the first place.
atone이라는 동사는 전치사 for와 함께 쓰인다. to atone for your sins는 네가 애초에 죄를 저질렀다는 사실을 속죄하는 일을 하는 것이다.

The pianist *atoned* for his past failures by winning every award at the international competition.
그 피아니스트는 국제 대회의 모든 상을 휩쓸어서 과거의 실패를 만회했다.

In the view of the victim's family, nothing the murderer did could *atone* for the crime he had committed.
희생자의 가족들의 관점에서 보면, 그 살인자가 자신이 저지른 죄를 보상할 길은 아무 것도 없었다.
* 명사형은 atonement.

**ATROPHY** [ǽtrəfi] v **to wither away ; to decline from disuse** 시들다 ; 사용하지 않아 쇠퇴하다

The weightlifter's right arm was much thinner and less bulgy than his left ; it had *atrophied* severely during the six weeks it had been in a cast.
그 역도 선수의 오른팔은 왼팔보다 훨씬 더 가늘고 알통이 없었다 ; 깁스를 하고 있었던 지난 6주 동안 그의 오른팔은 심각하게 쇠약해졌던 것이다.

The students' interest in algebra had *atrophied* to the point where they could scarcely keep their eyes open in class.
대수학에 대한 학생들의 관심도는 수업 시간에 거의 눈을 뜨고 있지 않을 정도로까지 감퇴되었다.

* 반의어는 hypertrophy [haipə́:rtrəfi] .

Weightlifting makes a muscle grow, or experience *hypertrophy*.
역도는 근육의 발달을 도와주기도 하고, 이상 발달을 초래하기도 한다.

**ATTEST** [ətést] v **to give proof of ; to declare to be true or correct ; to give testimony** 입증하다 ; 사실이거나 옳다고 선언하다 ; 증언하다

Helen's skillful guitar playing *attested* to the endless hours she had spent practicing.
헬렌의 뛰어난 기타 연주 솜씨는 그녀가 연습에 들인 무수한 시간들을 입증하는 것이었다.
* attest to something은 증언하거나 증인이 된다는 의미이다.

At the parole hearing, the police officer *attested* to Henry's eagerness to rob more banks, and the judge sent Henry back to prison for at least another year.
가석방 청문회에서, 경찰은 은행을 더 많이 털고자 했던 헨리의 야욕에 대해 증언했다. 적어도 다음해까지는 감옥에 있도록 판사는 헨리를 돌려보냈다.

**ATTRIBUTE** [ətríbju:t] v **to credit to or assign ; to ascribe** ~의 탓으로 돌리다 ; (공로를) ~에 돌리다

* 발음에 주의할 것.

Sally *attributed* her success as a student to the fact that she always watched television while doing her homework. She said that watching *Scooby-Doo* made it easier to concentrate on her arithmetic. Sally's parents were not convinced by this *attribution*.
샐리는 학생으로서 자신의 뛰어난 성적은 항상 텔레비전을 보면서 숙제를 했던 덕분이라고 생각했다. 그녀는 Scooby-Doo라는 프로그램을 보면서 하면 계산문제에 더 쉽게 집중할 수 있었다고 얘기했다. 샐리의 부모는 이러한 원인 분석을 확신하지 못했다.

The scientist, who was always making excuses, *attributed* the failure of his experiment to the fact that it had been raining that day in Phoenix, Arizona.
항상 변명만 늘어놓던 과학자는 자신의 실험이 실패한 이유를 아리조나주 피닉스에서 실험하던 그 날 비가 왔다는 사실 탓으로 돌렸다.
* attribute는 명사로 쓰일 경우, 특징이나 남들과 구별되는 모양을 의미한다.

Great big arms and legs are among the *attributes* of many professional football players.
별나게 큰 팔과 다리는 대다수 프로 풋볼 선수들의 특징 중의 하나이다.

**AUGUR** [ɔ́:gər] v **to serve as an omen or be a sign ; to predict or foretell** 예시로 나타나다, 징조가 되다 ; 예언, 또는 예시하다

The many mistakes made by the dancers during dress rehearsal did not *augur* well for their performance later that night.
무대 총연습 시간에 무용수들이 저지른 수많은 실수는 나중에 열린 그날 밤 공연의 불길한 징조였다.

The eleven touchdowns and four field goals scored in the first quarter *augured* victory for the high school football team.
첫 번째 쿼터에서 기록한 열 한 번의 터치다운과 네 번의 필드골은 그 고등학교 풋볼팀의 승리의 징조가 되었다.
* 명사형 augury[AW guh ree]는 전조, 점(占)이라는 뜻.

Elizabeth believed that most of the market consultants had no solid basis for their predictions, and that financial *augury* as practiced by them was mere hocus-pocus.
엘리자베스는 대부분의 컨설턴트가 시장 예측을 위해 믿을 만한 기초 자료들을 가지고 있지 않을 뿐만 아니라 금융 상황에 대한 예견도 그저 남을 속이기 위한 속임수에 지나지 않는다고 믿고 있었다.

**AUGUST** [ɔːgʌ́st] adj **inspiring admiration or awe** 감탄이나 경외감을 불러일으키는

The prince's funeral was dignified and *august* ; the wagon with his coffin was drawn by a dozen black horses, and the road on which they walked was covered with rose petals.
왕자의 장례식은 품위있고 존엄했다 : 열 두 마리의 검은 말들이 그의 관을 실은 마차를 끌고 있었고, 행렬이 지나가는 길은 장미 꽃잎으로 덮여 있었다.

The queen's *august* manner and regal bearing caused everyone in the room to fall silent the moment she entered.
여왕의 위엄있는 태도와 왕족다운 몸짓은 그녀가 방에 들어서자 모든 사람들을 침묵하게 만들었다.

**AUSPICES** [ɔ́ːspəsiz] n **protection ; support ; sponsorship** 보호 ; 원조 ; 후원

You will find *auspice* in the dictionary, but this word is almost always used in the plural, and it is usually preceded by the words "under the."
사전에서 auspice라는 단어를 찾을 수는 있겠지만, 이 단어는 거의 언제나 복수의 형태로 쓰인다. 그리고 대개 "under the"라는 말이 앞에 붙어서 쓰이게 된다.

The fund-raising event was conducted under the *auspices* of the local volunteer organization, whose members sold tickets, parked cars, and cleaned up afterward.
기금 마련 행사는 지역 자원 봉사 조직의 도움으로 치러졌다. 봉사 단체의 회원들은 티켓을 팔고, 주차 안내를 하고, 행사가 끝난 후 청소를 했다.

The adjective *auspicious* [ɔːspíʃəs] is closely related to auspices, but the most common meanings of the two words have little in common. *Auspicious* means promising, favorable, or fortunate. Weddings and political conventions are often referred to as *auspicious* occasions.
형용사 auspicious는 auspices와 밀접한 관계가 있다. 그러나 두 단어의 가장 일반적인 의미로만 따진다면 거의 공통점이 없다. 형용사 auspicious는 유망한, 순조로운, 상서로운 등의 뜻을 갖고 있다. 결혼식이나 정치 집회는 종종 경사스런 행사로 일컬어진다.

Harry and Bob hoped to play golf that morning, but the dark clouds, gale-force winds, and six inches of snow were *inauspicious*.
해리와 밥은 그날 아침 골프를 치기로 했었다. 그러나 잔뜩 찌푸린 하늘과 거친 바람과 육 인치나 쌓인 눈은 불길한 징조였다.

**AUXILIARY** [ɔːgzíljəri/-zílə-] adj **secondary ; additional ; giving assistance or aid** 2차적인 ; 부가적인 ; 보조, 또는 도움이 되는

* 발음에 주의할 것.

When Sam's car broke down, he had to switch to an *auxiliary* power source ; that is, he had to get out and push.
샘의 차가 고장났을 때, 그는 보조 동력으로 바꿔야만 했다 : 다시 말해서, 그는 밖으로 나와 차를 밀어야만 했던 것이다.

The spouses of the firefighters established an *auxiliary* organization whose purpose was to raise money for the fire department.
소방수들의 부인들은 소방대원들을 위한 모금 활동을 목적으로 하는 또 다른 보조 조직을 설립했다.

**AVAIL** [əvéil] v **to help ; to be of use ; to serve** 돕다 ; 유익하다 ; 봉사하다

My preparation did not *avail* me on the test ; the examination covered a chapter other than the one that I had studied. (I could also say that my preparation *availed* me nothing, or that it was of no *avail*. In the second example, I would be using *avail* as a noun.)
시험에 대비한 준비가 나에게 아무런 도움이 되지 못했다 ; 시험은 내가 미리 공부했던 단원이 아닌 곳에서 출제되었다. (또는 다음과 같이 말할 수도 있다. 예습은 나를 전혀 돕지 못했다. 혹은 예습은 전혀 쓸모가 없었다. 두 번째 예문은 avail을 명사로 사용한 것이다.)

* availing은 도움이 되거나 쓸모가 있다는 의미이다. unavailing은 유익하지 못하고 쓸모가 없다는 뜻이다.

The rescue workers tried to revive the drowning victim, but their efforts were *unavailing*, and the doctor pronounced him dead.
구조 대원들은 물에 빠진 조난자를 살리려고 애를 썼다. 그러나 그들의 노력은 헛수고가 되어버렸고, 의사는 조난자가 이미 사망했다고 진단했다.

**AVANT-GARDE** [əvὰ:nt gά:rd] n **the vanguard ; members of a group, especially of a literary or artistic one, who are at the cutting edge of their field** 전위적인 사람들 ; 특히 문학이나 미술에 있어서, 자신의 분야에서 최첨단의 위치에 서있는 사람들

When his Off-off-off-off-Broadway play moved to Broadway, Harold was thrust against his will from the *avant-garde* to the establishment.
그의 진정한 비주류 비상업적 연극이 브로드웨이에 입성하게 되자, 해롤드는 자신의 의지와는 상관없이 전위적인 예술가에서 기성 연극인으로 떠밀려졌다.

* 이 단어는 형용사로도 쓰인다.

The *avant-garde* literary magazine was filled with empty pages, to convey the futility of literary expression.
전위적인 그 문학 잡지는 문학적 표현의 공허함을 전달하기 위해 아무 것도 쓰여져 있지 않은 백지로 되어 있었다.

**AVERSION** [əvə́:rʒən, -ʃən] n **a strong feeling of dislike** 혐오

Many children have a powerful *aversion* to vegetables. In fact, many of them believe that broccoli is poisonous.
많은 아이들이 채소에 대해 심한 혐오감을 갖고 있다. 그런 아이들의 대다수는 브로콜리에 독이 들어있다고 믿고 있다.

I knew that it would be in my best financial interest to make friends with the generous, gullible millionaire, but I could not overcome my initial *aversion* to his habit of swatting flies and popping them into his mouth.
인심이 후하고 남의 말에 잘 속는 백만장자와 다시 친해지는 것이 나의 경제적 이익을 위해서는 최선이라는 것을 나도 알고 있었다. 그러나 파리를 때려잡아 입에 넣는 그의 버릇에 대한 혐오감을 극복할 수가 없었다.

* 형용사는 averse[əvə́:rs].

I am *averse* to the idea of letting children sit in front of the television like zombies from morning to night.
나는 아이들을 멍청이처럼 아침부터 밤까지 텔레비전 앞에만 앉아있게 두려는 생각을 아주 끔찍이 싫어한다.

Many people confuse *averse* with *adverse*[ædvə́:rs], but they are not the same word. Adverse means unfavorable.
대다수의 사람들이 averse와 adverse를 혼동하는 경향이 있다. 그러나 그 두 단어는 같은 단어가 아니다. adverse는 호의적이지 않은, 불운한 이라는 의미이다.

A field-hockey game played on a muddy field in pouring rain would be a field-hockey game played under *adverse* conditions. The noun is *adversity*.
비가 쏟아지는 가운데 진흙탕이 된 운동장에서 벌어진 필드하키 경기는 좋지 않은 조건에서 치러지는 경기라고 말할 수 있다. 명사형은 adversity.

**AVERT** [əvə́ːrt] v **to turn away ; to prevent** 돌리다 ; 막다

Mary Anne modestly *averted* her eyes when Doug pulled down his pants to show off his new underwear.
더그가 자신의 새 속옷을 자랑하려고 바지를 벗어 내리자 메리 앤은 조용히 눈을 다른 곳으로 돌렸다.

The company temporarily *averted* disaster by stealing several million dollars from the employees' pension fund.
회사는 종업원들의 연금 기금에서 수백 만 달러를 횡령하여 우선 임시로나마 회사의 큰 손실을 막았다.

**AVID** [ǽvid] adj **eager ; enthusiastic** 열망하는 ; 열광적인

Eloise is an *avid* bridge player ; she would rather play bridge than eat.
엘로이즈는 열렬한 브리지(카드 놀이) 놀이의 추종자이다 : 그녀는 먹는 것보다도 브리지 놀이를 더 좋아한다.

* 명사형은 avidity [əvídəti] .

Darryl's *avidity* for pulling the wings off mosquitoes was a matter of concern to his parents.
대릴이 모기의 날개를 잡아뜯는 일을 열광적으로 좋아해서 부모에게는 걱정스런 문제가 되었다.

## QUICK QUIZ 

Match each word in the first column with its definition in the second column. Check your answers in the back of the book.

| | |
|---|---|
| 1. asylum | a. refuge |
| 2. atone | b. strong feeling of dislike |
| 3. atrophy | c. give proof of |
| 4. attest | d. turn away |
| 5. attribute | e. make amends |
| 6. augur | f. credit to |
| 7. august | g. help |
| 8. auspices | h. wither away |
| 9. auxiliary | i. inspiring awe |
| 10. avail | j. vanguard |
| 11. avant-garde | k. secondary |
| 12. aversion | l. eager |
| 13. avert | m. protection |
| 14. avid | n. serve as an omen |

**BACCHANAL** [bǽkənl/bɑ̀:kənɑ́:l] n **a party animal ; a drunken reveler ; a drunken revelry or orgy** **떠들썩한 파티만 찾아다니는 사람 ; 술에 취해 흥청대는 사람 ; 술에 취해 흥청대기, 또는 떠들썩한 술잔치**

* 발음에 주의할 것.

*Bacchus* [bǽkəs] was the Greek god of wine and fertility. To be a *Bacchanal* is to act like Bacchus. People often use *bacchanal* as a word for the sort of social gathering that Bacchus would have enjoyed. The fraternity was shut down by the university after a three-day *bacchanal* that left a dozen students in the infirmary. A good word for such a party would be *bacchanalia* [bæ̀kənéiljə, -liə].

바커스는 술과 비옥함을 의미하는 그리스의 신이었다. To be a Bacchanal은 바커스 신처럼 행동하는 것을 의미한다. 사람들은 바커스 신이라도 즐겼을 것이라고 생각되는 그러한 류의 사회적 모임에 흔히 이 단어를 사용한다. 남학생 사교 클럽은 십 수명의 학생이 병원에 실려 가는 사태를 낳은 삼 일 간의 떠들썩한 파티가 끝난 후 대학 측에 의해 폐쇄되었다. 이와 같은 떠들썩한 파티에 딱 들어맞는 단어가 bacchanalia일 것이다.

**BALEFUL** [béilfəl] adj **menacing ; threatening** **위협하는 ; 협박하는**

Almost every time you see this word, it will be followed by the word glance. A *baleful* glance is a look that could kill.

여러분이 이 단어를 접할 때는 거의 언제나 glance라는 단어와 함께일 것이다. A baleful glance는 살인이라도 할 수 있을 것 같은 위협적인 눈길을 의미한다.

The students responded to the professor's feeble joke by sitting in *baleful* silence.

교수의 썰렁한 농담에 학생들은 싸늘한 침묵으로 응답했다.

**BALK** [bɔ:k] v **to abruptly refuse (to do something) ; to stop short** **단호하게 거부하다 ; 잠깐 멈추다**

* 발음에 주의할 것. 여기서 l은 묵음이다.

Susan had said she would be happy to help out with the charity event, but she *balked* at the idea of sitting on a flagpole for a month.

수잔은 자선 행사에 도움이 될 수 있다면 행복할 것이라고 이야기했지만 한 달 동안 깃대 위에 앉아 있어 달라는 의견에는 단호하게 거절했다.

Vernon *balked* when the instructor told him to do a belly-flop from the high diving board; he did not want to do it.

수영 강사가 버논에게 높은 다이빙 보드에서 배치기로 수영장에 뛰어들라고 말했을 때, 버논은 단호하게 거부했다. 그는 그렇게 하고 싶지 않았다.

In baseball, a *balk* occurs when a pitcher begins to make his or her pitching motion, but then interrupts it to do something else, such as attempt to throw out a runner leading off from first base. In baseball, a *balk* is illegal.

야구에서의 보크는, 투수가 투구 동작을 시작했음에도 불구하고 일루에서 이미 달릴 준비를 하고 있는 주자를 잡기 위해 견제구를 시도하는 것과 같은 투구가 아닌 다른 동작을 하기 위하여 투구 행위를 중단하는 것을 의미한다. 야구에서의 보크는 규칙에 어긋나는 것이다.

**BALLYHOO** [bǽlihùː] v **sensational advertising or promotion ; uproar** 인기 위주의 과대광고 나 판촉 활동 ; 야단법석

This is an informal word of unknown though distinctly American origin.
이 단어는 분명히 미국에서 시작된 것이기는 하지만 잘 알려지지 않은 구어체의 표현이다.

Behind the *ballyhoo* created by the fifty-million-dollar promotional campaign, there was nothing but a crummy movie that no one really wanted to see.
오천 만 달러를 투자한 대대적이고 떠들썩한 선전용 행사 뒤에는, 아무도 보려하지 않는 저질의 싸구려 영화만 남아있을 뿐이었다.

The public relations director could think of no legitimate case to make for her client, so she resorted to *ballyhoo*.
공보 활동 담당관은 고객의 요구에 맞출 수 있는 적절한 방법을 생각해낼 수가 없었다. 그래서 그녀는 엉터리 과대 선전에 의존했다.

The candidate tried to give his speech, but his words could not be heard above the *ballyhoo* on the convention floor.
그 후보자는 연설을 하려고 했지만, 집회가 열리고 있는 강당에 울리는 떠들썩한 선전 소리에 묻혀 그의 말은 들리지가 않았다.

**BALM** [bɑːm] n **something that heals or soothes** 낫게 하거나 완화하는 것, 진통제

* 발음에 주의할 것. 여기서 l은 묵음이다.

After Larry had suffered through the endless concert by the New York Philharmonic Orchestra, the sound of the Guns N'Roses album played at full volume on his Walkman was a *balm* to his ears.
래리는 뉴욕 필하모닉 오케스트라의 끝없는 콘서트로 고통받게 된 후, 워크맨을 통해서 최대의 음량으로 듣는 건스 앤 로지스의 음악은 그의 귀에 위안이 되었다.
(주: 건스 앤 로지스는 80년대에 등장하여 90년대까지 활약한 정통 록음악을 하는 헤비메탈 그룹으로 호전적인 가사와 마약 중독 등 악동적인 이미지로 유명하다.)

*Balmy* [bɑ́ːmi] weather is mild, pleasant, wonderful weather. In slang usage, a *balmy* person is someone who is eccentric or foolish.
balmy weather는 포근하고, 상쾌하고, 기분 좋은 날씨를 의미한다. 속어적 쓰임으로 balmy person은 괴벽스럽거나 멍청한 사람을 의미한다.

**BANDY** [bǽndi] v **to toss back and forth ; to exchange** 이리저리 흔들다 ; 교환하다

Isadora sat on the hillside all day, eating M & Ms and watching the wind *bandy* the leaves on the trees.
이사도라는 엠 앤 엠즈 초콜릿을 먹으면서 나뭇잎을 이리저리 흔드는 바람을 바라보며 산언덕에 하루종일 앉아 있었다.

The enemies *bandied* insults for a few minutes, then jumped on each other and began to fight.
그 적대자들은 수분 동안 서로 욕설을 주고받았다. 그리고 나서 서로에게 달려들어 싸우기 시작했다.

**BANTER** [bǽntər] n **an exchange of good-humored or mildly teasing remarks** 기분 좋은 농담이나 짓궂지만 유화적인 표현의 교환

The handsome young teacher fell into easy *banter* with his students, who were not much younger than he.
젊고 잘생긴 선생님은 자신보다 그다지 어리지 않은 학생들과 부드러운 농담을 곧잘 했다.

Phoebe was interested in the news, but she hated the phony *banter* of the correspondents.
피비는 그 뉴스에 흥미를 갖고 있었지만, 특파원의 거짓으로 꾸민 농담은 싫어했다.
* banter는 농담하다라는 뜻의 동사로도 쓰인다.

**BAROQUE** [bəróuk] adj **extravagantly ornate ; flamboyant in style** 지나치게 장식이 많고 화려한 ; 화려한 스타일의

In the study of art, architecture, and music, *baroque*, or *Baroque*, refers to a highly exuberant and ornate style that flourished in Europe during the seventeenth and early eighteenth centuries. Except when used in this historical sense, the word now is almost always pejorative.

미술, 건축, 음악 등의 영역에 있어서, 바로크는 17세기에서 18세기초까지 유럽에서 번성했던 대단히 화려하고 장식이 많은 스타일을 의미한다. 이러한 역사적 의미로 쓰이는 경우를 제외하면, 오늘날 이 단어는 거의 언제나 멸시적인 의미로 쓰인다.

Harry's writing style was a little *baroque* for my taste ; he used so many fancy adjectives and adverbs that it was always hard to tell what he was trying to say.

내가 보기에, 해리의 문체는 다소 꾸밈이 많고 화려했다 ; 그는 너무나 많은 미사여구를 동원해서 언제나 그가 진정으로 말하려고 하는 바가 무엇인지 알 수가 없을 정도였다.

**BARRAGE** [bərɑ́:dʒ/bǽrɑ:ʒ] n **a concentrated outpouring of artillery fire, or of anything else** 대포나 미사일 기타 등등의 집중 사격

To keep the enemy soldiers from advancing up the mountain the commander directed a steady *barrage* against the slope just above them.

적군이 산으로 진격해 올라오지 못하도록 하기 위해서 지휘관은 적군 바로 위의 경사를 이룬 지점에 계속적인 집중사격을 지시했다.

Lucy's new paintings—which consisted of bacon fat dribbled on the bottoms of old skillets-were met by a *barrage* of negative reviews.

루시의 새로운 그림들은 — 낡은 냄비 바닥에 흥건한 베이컨 기름으로 구성되어 있는 — 집중적인 혹평을 받았다.

* barrage는 동사로도 쓰인다.

At the impromptu press conference, eager reporters *barraged* the Pentagon spokesman with questions.

즉석에서 마련된 기자 회견에서, 안달이 난 기자들은 국방성 대변인에게 연달아 질문공세를 펼쳤다.

**BAUBLE** [bɔ́:bl] n **a gaudy trinket ; a small, inexpensive ornament** 저속하고 값싼 물건 ; 작고 비싸지 않은 장신구

The children thought they had discovered buried treasure, but the old chest turned out to contain nothing but cheap costume jewelry and other *baubles*.

아이들은 자신들이 땅 속에 묻혀있는 보물을 발견했다고 생각했지만 그 낡은 상자 안에는 값싼 옛날 옷장식구들과 저속한 싸구려 물건들만 들어있음이 밝혀졌다.

Sally tried to buy Harry's affection by showering him with *baubles*, but Harry held out for diamonds.

샐리는 작고 비싸지 않은 장신구들을 계속 보내서 해리의 환심을 사려고 애썼지만, 해리는 강경하게 다이아몬드를 요구했다.

## QUICK QUIZ 11

Match each word in the first column with its definition in the second column. Check your answers in the back of the book.

| | |
|---|---|
| 1. bacchanal | a. extravagantly ornate |
| 2. baleful | b. menacing |
| 3. balk | c. toss back and forth |
| 4. ballyhoo | d. sensational advertising |
| 5. balm | e. outpouring of artillery fire |
| 6. bandy | f. exchange of teasing remarks |
| 7. banter | g. party animal |
| 8. baroque | h. gaudy trinket |
| 9. barrage | i. abruptly refuse |
| 10. bauble | j. something that heals |

**BEDLAM** [bédləm] n **noisy uproar and chaos ; a place characterized by noisy uproar and chaos** 야단법석과 무질서 ; 떠들썩함과 혼란이 있는 곳

In medieval London, there was a lunatic asylum called St. Mary of Bethlehem, popularly known as *Bedlam*. If a teacher says that there is *bedlam* in her classroom, she means that her students are acting like lunatics.
중세 시대의 런던에는 세간에는 베들럼 병원으로 알려진 '베들레헴의 성모'라는 이름의 정신이상자 수용 시설이 있었다. 선생님이 교실 안에 베들럼이 있다고 말한다면, 그것은 학생들이 미치광이처럼 법석을 떤다는 의미인 것이다.

A few seconds after IBM announced that it was going out of business, there was *bedlam* on the floor of the New York Stock Exchange.
IBM이 사업을 그만두겠다고 발표하자마자 뉴욕 증권거래소에는 큰 소동이 일어났다.

**BEGRUDGE** [bigrʌ́dʒ] v **to envy another's possession or enjoyment of something ; to be reluctant to give, or to give grudgingly** 타인의 재산이나 권리를 부러워하다, 시기하다 ; 내주기 싫어하다, 마지못해 할 수 없이 내주다

The famous author *begrudged* his daughter her success as a writer ; he couldn't stand the thought of her being a better writer than he.
그 유명 작가는 딸의 작가로서의 성공을 부러워했다 ; 그는 딸이 자신보다 더 유명한 작가가 된다는 생각을 견딜 수가 없었다.

**BEHEST** [bihést] v **command ; order** 명령 ; 지시

The president was impeached after the panel determined that the illegal acts had been committed at his *behest*.
불법적인 행위들이 대통령의 지시에 의해 저질러졌다고 배심원단이 결론을 내리자 대통령은 탄핵을 받았다.

At my *behest*, my son cleaned up his room.
나의 명령으로 아들은 자신의 방을 깨끗이 청소했다.

**BEMOAN** [bimóun] v **to mourn about ; to lament** 슬퍼하다 ; 애도하다

Jerry *bemoaned* the D he had received on his chemistry exam, but he didn't study any harder.
화학 시험에서 D학점을 받게 되어 제리는 애석해 했지만 더 열심히 공부하지는 않았다.

Rather than *bemoaning* the cruelty and injustice of their fate, the hostages quietly dug a tunnel under the prison wall and escaped.
인질들은 잔인하고 불공정한 자신들의 운명을 한탄만 하고 있는 것이 아니라 침착하게 감옥 담 밑으로 굴을 파서 밖으로 도망쳤다.

**BENEDICTION** [bènədíkʃən] n **a blessing ; an utterance of good wishes** 축복의 말 ; 행운을 바라는 말

In certain church services, a *benediction* is a particular kind of blessing. In secular usage, the word has a more general meaning.
어떤 교회의 예배시간의 benediction은 특별한 의미의 축복을 의미한다. 그러나 종교 외적인 의미로 이 단어가 사용될 때는 좀더 일반적인 의미로 쓰인다.

Jack and Jill were married without their parents' *benediction* ; in fact, their parents had no idea that Jack and Jill had married.
잭과 질은 부모님의 축복 없이 결혼했다 ; 사실, 그들의 부모님은 잭과 질이 결혼했다는 것조차도 알지 못했다.
* 반의어는 저주, 욕이라는 뜻을 가진 malediction[mæ̀lədíkʃən].

Despite the near-universal *malediction* of the critics, the sequel to *Gone with the Wind* became a huge bestseller.
"바람과 함께 사라지다"의 후편은 거의 일반적인 비평가들의 혹평에도 불구하고 대형 베스트셀러가 되었다.

**BENIGHTED** [bináitid] adj **ignorant ; unenlightened** 무지한 ; 계몽되지 않은

* benighted는 지적으로 암흑 속에 있다, 무지몽매한 상태에 빠져있다는 의미이다.

Not one of Mr. Emerson's *benighted* students could say with certainty in which century the Second World War had occurred.
에머슨 선생님 반의 낙제생들 중에는 제 2차 세계대전이 어느 세기에 발발했는지 자신 있게 말할 수 있는 학생이 하나도 없었다.

**BESTOW** [bistóu] v **to present as a gift ; to confer** 선물로 주다 ; 수여하다

* 이 단어는 일반적으로 on이나 upon 등과 함께 쓰인다.

Mary Agnes had *bestowed* upon all her children a powerful hatred for vegetables of any kind.
메리 애그니스는 아이들에게 어떤 종류의 채소에 대해서도 강한 혐오를 갖게 해주었다.

Life had *bestowed* much good fortune on Lester ; in his mind, however, that did not make up for the fact that he had never won more than a few dollars in the lottery.
레스터의 삶에는 많은 행운이 따라주었다 ; 그러나 그러한 행운도 복권에서 겨우 몇 달러 이상은 얻지 못했다는 사실을 만회할 수는 없다는 것이 그의 생각이었다.

**BILIOUS** [bíljəs] adj **ill-tempered ; cranky** 성미가 까다로운 ; 괴팍한

*Bilious* is derived from *bile*, a greenish yellow liquid excreted by the liver. In the middle ages, *bile* was one of several "humors" that were thought to govern human emotion. In those days, anger and crankiness were held to be the result of an excess of *bile*. *Bilious* today can be used in a specific medical sense to refer to excretions of the liver or to particular medical conditions involving those same secretions, but it is usually used in a figurative sense that dates back to medieval beliefs about humors.
bilious는 간에서 분비되는 초록빛이 도는 노란색의 액체를 가리키는 bile(담즙)이라는 단어에서 파생한 것이다. 담즙은 중세 시대에는 인간의 감정을 지배하는 것으로 여겨진 여러 "체액들" 중의 하나였다. 그 당시에는, 노여움이나 피곽스러움이 담즙이 과다하게 분비된 결과라고 생각했다. 오늘날, 이 단어는 간의 분비액들이나 그러한 분비액을 포함한 특수한 의학적 상태를 지칭하기 위해 의학용 전문 용어로 사용될 수 있다. 그러나 일반적으로는 중세 시대로 거슬러 올라가 인간의 성질을 의미하는 비유적인 의미로 쓰인다.

The new dean's *bilious* remarks about members of the faculty quickly made her one of the least popular figures on campus.
신임 학장은 교직원에 대해 노여움의 말들을 해대서 대학 내에서 가장 인기 없는 인물이 되었다.

The speaker was taken aback by the *biliousness* of the audience ; every question from the floor had had a nasty tone, and none of his jokes had gotten any laughs.
강사는 청중들의 분노에 깜짝 놀랐다 : 강연장에서 들려오는 질문은 모두 악의적인 것뿐이었고, 그의 농담에는 아무도 웃지 않았다.

Norbert's wardrobe was distinctly *bilious* ; every garment he owned was either yellow or green.
노베르트의 옷장 안은 정말로 담즙통 같았다 : 그가 소유한 옷들은 모두 노란색 아니면 녹색이었다.

**BIVOUAC** [bívwæk] n **a temporary encampment, especially of soldiers** **임시 야영지, 특히 군대의 캠프**

The tents and campfires of the soldiers' *bivouac* could be seen from the top of a nearby mountain, and the enemy commander launched a devastating barrage.
임시 야영지에 설치된 병사들의 텐트와 모닥불은 가까운 산꼭대기에서 발각될 수 있었다. 그래서, 적군의 지휘관은 무자비한 공격을 시작했다.
* 이 단어는 동사로도 쓰이는데, 그럴 경우 군인들이 아닌 일반 사람들과 관련하여 사용된다.

Prevented by darkness from returning to their base camp, the climbers were forced to *bivouac* halfway up the sheer rock wall.
칠흑 같은 어둠 때문에 베이스 캠프로 돌아올 수 가 없었으므로 등산을 하던 사람들은 가파른 암벽을 중간 쯤 올라간 곳에서 야영을 할 수밖에 없었다.

**BLANCH** [blæntʃ/blɑːntʃ] v **to turn pale ; to cause to turn pale** **창백해지다 ; 하얗게 질리게 하다**

Margaret *blanched* when Jacob told her their vacation house was haunted.
마가렛과 휴가를 보낼 집이 귀신 나오는 흉가라고 제이콥이 전해주자, 그녀는 하얗게 질렸다.

The hot, dry summer had left the leaves on the trees looking *blanched* and dry.
뜨겁고 메마른 여름 때문에, 나뭇잎들이 허옇고 건조하게 보이게 되었다.

## QUICK QUIZ 12

Match each word in the first column with its definition in the second column. Check your answers in the back of the book.

| | |
|---|---|
| 1. bedlam | a. blessing |
| 2. begrudge | b. command |
| 3. behest | c. noisy uproar |
| 4. bemoan | d. ignorant |
| 5. benediction | e. present as a gift |
| 6. benighted | f. envy |
| 7. bestow | g. ill-tempered |
| 8. bilious | h. turn pale |
| 9. bivouac | i. temporary encampment |
| 10. blanch | j. mourn about |

**BLAND** [blænd] adj **mild ; tasteless ; dull ; unlively** 순한 ; 맛없는 ; 무미건조한 ; 생동감이 없는

George ate only *bland* foods, because he believed that anything with too much flavor in it would make him tense and excitable.
조지는 지나치게 강한 향신료가 들어있는 음식들은 그를 긴장시키고 흥분하게 만든다고 믿고 있었기 때문에 언제나 오로지 순한 음식만 먹었다.

After the censors had finished with it, the formerly X-rated movie was so *bland* and unexciting that no one went to see it.
이전에 X등급을 받았던 영화는 검열을 받고 난 후, 너무나 재미없게 되고 자극적인 부분도 사라져 아무도 그 영화를 보러 가지 않았다.

Harriet's new boyfriend was *bland* in the extreme, but that was probably a good thing, since her previous one had turned out to be an ax murderer.
해리엇의 새로운 남자친구는 극도로 순한 사람이었다. 그러나 그것은 어쩌면 잘된 일일 것이다. 그녀의 전 남자친구는 도끼 살인마였음이 밝혀졌던 것이다.

**BLANDISHMENT** [blǽndiʃmənt] n **flattery** 아첨, 아양, 감언

* 이 단어는 흔히 복수로 사용된다.

Angela was impervious to the *blandishments* of her employees ; no matter how much they flattered her, she refused to give them raises.
엔젤라는 종업원들의 아첨이 잘 통하지 않는 사람이었다 ; 종업원들이 아무리 그녀에게 알랑거렸어도, 엔젤라는 급료를 인상해주지 않았다.

**BLISS** [blis] n **perfect contentment ; extreme joy** 다시없는 만족 ; 최고의 행복

After spending his vacation in a crowded hotel with throngs of noisy conventioneers, Peter found that returning to work was *bliss*.
소란스러운 대회 참가자들로 붐비고 있는 복잡한 호텔에서 휴가를 보내고 난 후, 피터는 오히려 일하러 귀환하는 것이 다시없는 기쁨임을 깨닫게 되었다.

Paul and Mary naively expected that every moment of their married life would be *bliss* ; rapidly, however, they discovered that they were no different from anyone else.
폴과 메리는 그저 단순하게 그들이 결혼하면, 모든 순간 순간이 천국일 것이라고 생각했었다 ; 그러나 그들도 다른 사람과 다르지 않다는 것을 깨닫는데는 그리 오래 걸리지 않았다.

* 형용사는 blissful.

A *blissful* vacation would be one that made you feel serenely and supremely content.
천국과도 같은 휴가란 너에게 편안하고 다시없는 만족을 느끼게 해주는 그런 휴가일 것이다.

**BLUSTER** [blʌ́stər] v **to roar ; to be loud ; to be tumultuous** 으르렁거리다 ; 큰소리를 지르다 ; 사납게 굴다

The cold winter wind *blustered* all day long, rattling the windows and chilling everyone to the bone.
차가운 겨울 바람이 창문을 흔들며 사람들의 뼛속까지 오싹하게 하면서 하루종일 거세게 불고 있었다.

A day during which the wind *blusters* would be a *blustery*[blʌ́stəri] day. The golfers happily blamed all their bad shots on the *blustery* weather.
바람이 사납게 부는 날을 a blustery day라고 표현한다. 골프를 치는 사람들은 공이 잘 맞지 않는 것을 기꺼이 바람이 거세게 불던 날씨 탓으로 돌렸다.

* 이 단어는 명사로도 사용된다.

Miriam was so used to her mother's angry shouting that she was able to tune out the *bluster* and get along with her work.
미리암은 엄마가 화나서 소리지르는 것에 워낙 익숙했기 때문에 엄마의 고함소리에는 아랑곳하지 않고 자신의 일을 할 수가 있었다.

**BOMBAST** [bámbæst] n **pompous or pretentious speech or writing** **과시하거나 잘난 척하는 말이나 글, 허풍, 호언장담**

If you stripped away the *bombast* from the candidate's campaign speeches, you would find little left except a handful of misconceptions and a few downright lies.
그 후보자의 선거 연설에서 허풍이나 허세를 제거한다면, 약간의 잘못된 생각과 새빨간 거짓말을 제외하고는 거의 아무 것도 남아있지 않다는 것을 알게 될 것이다.

The editorial writer resorted to *bombast* whenever his deadline was looming ; thoughtful opinions required time and reflection, but he could become pompous almost as rapidly as he could type.
데드라인이 임박하면, 그 논설 위원은 언제나 겉치레뿐인 글에 의존했다 ; 사려 깊은 의견들은 충분한 시간과 심사숙고를 필요로 했지만 그는 거의 타이프를 칠 수 있는 속도만큼 빠르게 허세로 가득 찬 글을 쓸 수 있었다.
* 형용사는 bombastic [bambǽstik] .

**BON VIVANT** [bàn vi:vá:nt] n **a person who enjoys good food, good drink, and luxurious living** **맛있는 음식과 좋은 술, 쾌락적인 삶을 즐기는 사람**

* 이 단어는 프랑스식 표현이다. 외래어의 발음에 주의할 것.

Harvey played the *bon vivant* when he was with his friends, but when he was alone he was a drudge and a workaholic.
하비는 친구들과 함께 있을 때는 유쾌하고 삶을 즐기는 사람인척 했다. 그러나 혼자가 되면, 그는 악착스러운 일중독자가 되었다.

**BONA FIDE** [bóunəfàid, -fáidi] adj **sincere ; done or made in good faith ; authentic ; genuine** **성실한 ; 선의를 가지고 하는 ; 믿을 만한 ; 진실한**

* 외래어의 발음에 주의할 것.

The customer's million-dollar offer for the car turned out not to be *bona fide* ; it had not been made in good faith.
그 차를 백만 달러에 사겠다는 고객의 제안은 진실이 아니었던 것으로 드러났다 ; 그의 제안은 진심에서 한 것이 아니었던 것이다.

The signature on the painting appeared to be *bona fide* ; it really did seem to be Van Gogh's.
그림에 나타난 서명은 진짜인 것 같았다 ; 그것은 정말로 반 고흐의 서명처럼 보였다.

**BOON** [bu:n] v **a blessing ; a benefit** **은혜 ; 이익**

Construction of the nuclear-waste incinerator was a *boon* for the impoverished town; the fees the town earned enabled it to repair its schools and rebuild its roads.
핵 폐기물 소각로의 건설은 가난했던 그 도시에 이익을 가져다주었다. 그 도시는 거기에서 벌어들이는 수입으로 학교를 보수하고 도로를 개축할 수 있게 되었다.

The company car that came with Sam's new job turned out not to be the *boon* it had first appeared to be ; Sam quickly realized that he was expected to spend almost all his time in it, driving from one appointment to another.
샘의 새로운 직장에 딸려 있는 회사 차는 처음 생각했던 것만큼 이익이 되지 못하는 것으로 드러났다 ; 한 지점에서 다른 곳으로 운전해서 가야 할 때, 거의 모든 시간을 차 속에서 보내게 될 것이라는 것을 샘은 재빨리 알아차렸다.

**BOOR** [buər] v **a rude or churlish person** **거칠고 천한 사람**

A *boor* is not necessarily a bore. Don't confuse these two words.
거칠고 천한 사람이 반드시 따분한 사람을 의미하는 것은 아니다. 두 단어를 혼동하지 말 것.

The *boor* at the next table kept climbing up on his chair and shouting at the waitress.
옆 테이블의 천박한 사람은 의자 위에 올라가 여자 종업원을 향해 소리를 질러댔다.
* 형용사는 boorish [búəriʃ] .

"Don't be *boorish*," Sue admonished Charles at the prom after he had insulted the chaperone and crushed empty beer cans on his head.
찰스가 댄스 파티에서 슈의 보호자로 따라온 사람의 머리에다 빈 맥주 깡통을 뭉개고, 무례한 짓을 하자, 슈는 "상스럽게 행동하지 말아"라고 찰스를 타일렀다.

**BOOTY** [búːti] n **goods taken from an enemy in war ; plunder ; stolen or confiscated goods** **전쟁에서 적으로부터 얻은 물건들, 전리품 ; 약탈한 물건 ; 장물이나 몰수한 물건들**

The gear of the returning soldiers was so loaded down with *booty* that the commanding officer had to issue weight restrictions.
귀환하는 병사들의 마차에는 너무나 많은 전리품이 실려 있어서, 지휘관은 무게를 제한하는 조치를 취해야만 했다.

Seven helicopters and a dozen private jets were part of the *booty* in the corporate takeover.
회사를 인수하고 나서 일곱 대의 헬리콥터와 열 두 대의 개인용 비행기도 이득으로 얻었다.

The principal's desk was filled with *booty*, including squirt guns, chewing gum, slingshots, and candy.
교장의 책상 위에는 물총을 비롯하여 껌, 새총, 사탕 등과 같은 학생들로부터 몰수한 물건들이 수북히 쌓여 있었다.

## QUICK QUIZ 13

Match each word in the first column with its definition in the second column. Check your answers in the back of the book.

| | |
|---|---|
| 1. bland | a. pompous speech |
| 2. blandishment | b. luxurious liver |
| 3. bliss | c. mild |
| 4. bluster | d. plunder |
| 5. bombast | e. flattery |
| 6. bon vivant | f. rude person |
| 7. bona fide | g. perfect contentment |
| 8. boon | h. sincere |
| 9. boor | i. roar |
| 10. booty | j. blessing |

**BOTCH** [batʃ] v **to bungle ; to ruin through poor or clumsy effort** **서투르게 일하다 ; 형편없거나 서투른 솜씨로 일을 망치다**

Melvin *botched* his science project by pouring Coca-Cola into his ant farm.
멜빈은 연구중이던 개미 농장에 콜라를 쏟는 바람에 과학 숙제를 망쳐버렸다.

The carpenter had *botched* his repair of our old porch, and the whole thing came crashing down when Aunt Sylvia stepped on it.
목수가 우리 집의 낡은 현관을 수리한 솜씨는 형편없었다. 그래서 실비아 숙모가 현관 바닥에 발을 내딛는 순간, 현관 전체가 무너져 내렸다.

**BRACING** [bréisiŋ] adj **invigorating** 기운을 돋우는

Before breakfast every morning, Lulu enjoyed a *bracing* swim in the Arctic Ocean.
매일 아침 식사를 하기 전에, 루루는 북극해에서 기운을 돋우는 수영을 즐겼다.

Andrew found the intellectual vigor of his students to be positively *bracing*.
앤드류는 자신의 제자들에게서 정말로 기운을 북돋아주는 지적 열의를 느꼈다.

A *bracing* wind was blowing across the bay, causing Sally's sailboat to move so swiftly that she had difficulty controlling it.
상쾌한 바람이 작은 만을 가로질러 불어와서 샐리의 요트가 갑자기 움직이게 되었기 때문에 그녀는 요트를 조종하느라 애를 먹었다.

**BRANDISH** [brǽndiʃ] v **to wave or display threateningly** 위협적으로 흔들어 보이거나 드러내다

*Brandishing* a knife, the robber told the frightened storekeeper to hand over all the money in the cash register.
강도는 겁먹은 상점 주인에게 위협적으로 칼을 휘두르며 금전등록기 안에 들어 있는 돈을 몽땅 내놓으라고 말했다.

Cheryl *brandished* her doctorate like a weapon, distinctly implying that no one in the room was worthy of being in the same room with her.
세릴은 그 방에 있던 사람들에게 그녀와 함께 같은 방에 있을 만한 자격을 갖춘 사람이 아무도 없다는 것을 분명히 암시하듯, 마치 무기인양 박사 학위를 흔들어 보였다.

I returned to the garage *brandishing* a flyswatter, but the swarming insects were undeterred, and they continued to go about their business.
나는 차고로 돌아와서 위협적으로 파리채를 휘둘렀지만, 몰려드는 벌레들을 막지 못했다. 벌레들은 여전히 저하고 싶은 대로 계속 돌아다녔다.

**BRAVADO** [brəvɑ́ːdou] n **a flash show or ostentatious show of bravery or defiance** 뽐내기, 또는 용감함이나 반항심으로 허세 부리기

The commander's speech was the product not of bravery but of *bravado* ; as soon as the soldiers left the room, he collapsed in tears.
사령관의 말은 용감함의 소산이라기보다는 허세였을 뿐이었다 : 병사들이 방을 나서자마자 그는 무너져내려 눈물을 흘렸다.

With almost unbelievable *bravado*, the defendant stood before the judge and told him that he had no idea how his fingerprints had gotten on the murder weapon.
피고인은 믿기 어려운 허세를 부리며 판사 앞에 바로 서서 자신의 지문이 어떻게 살인에 사용된 무기에서 나오게 되었는지 모르겠다고 판사에게 당당하게 말했다.

**BRAWN** [brɔːn] n **big muscles ; great strength** 근육 ; 대단한 힘

All the other boys in the class thought it extremely unfair that Norbert had both brains and *brawn*.
그 학급의 모든 나머지 학생들은 노버트가 두뇌와 힘을 모두 갖고 있다는 사실이 정말로 공평하지 않다고 생각했다.

The old engine didn't have the *brawn* to propel the tractor up the side of the steep hill.
엔진이 낡아 힘이 없었기 때문에 경사가 급한 언덕으로 트랙터를 밀어 올릴 수가 없었다.

* 근육이 잘 발달되고 강건하다는 뜻의 형용사는 brawny [brɔ́ːni].

The members of the football team were so *brawny* that each one needed two seats on the airplane in order to sit comfortably.
풋볼팀 선수들은 비행기에서 편안하게 앉기 위해서는 선수들 개인마다 좌석이 두 개씩 필요할 정도로 근골이 우람하고 건장했다.

**BRAZEN** [bréizən] adj **impudent ; bold** 뻔뻔스러운 ; 대담한, 철면피한

*Brazen* comes from a word meaning brass. To be *brazen* is to be as bold as brass. (*Brazen* can also be used to refer to things that really are made of brass, or that have characteristics similar to those of brass. For example, the sound of a trumpet might be said to be *brazen*.)

brazen은 놋쇠를 의미하는 단어에서 파생한 것이다. to be brazen은 놋쇠만큼이나 뻔뻔하다는 의미이다. (이 단어는 실제로 놋쇠로 만들어진 물건이나 놋쇠(황동)와 유사한 성질을 가진 물체를 의미하기도 한다. 예를 들면, 트럼펫의 소리는 황동으로 만들어진 금관악기류처럼 요란한 소리가 날 것이다.)

The students' *brazen* response to their teacher's request was to take out their peashooters and pelt him with spit wads.
선생님의 요구에 대한 그 학생들의 뻔뻔스러운 반응은 장난감 권총을 꺼내 마구 총알을 쏴대는 것이었다.

The infantry made a *brazen* charge into the very heart of the enemy position.
보병연대는 적의 진지의 심장부를 향해 대담하게 진군을 시작했다.

## BREACH [briːtʃ] n a violation ; a gap or break 침해 ; 틈새, 갈라진 틈

* breach 는 break와 밀접한 관련이 있는 단어로 여러 의미를 공유하고 있다.

Most of the senators weren't particularly bothered by the fact that one of their colleagues had been taking bribes, but they viewed his getting caught as an indefensible *breach* of acceptable behavior.
대부분의 상원 의원은 그들의 동료 한 사람이 뇌물을 받았다는 사실에 특별히 신경을 쓰지 않았다. 그러나 그들은 그의 체포에 대해서는 용인될 수 있는 행위에 대한 변호의 여지가 없는 침해로 받아들였다.

At first, the water trickled slowly through the *breach* in the dam, but it gradually gathered force, and soon both the dam and the town below it had been washed away.
처음에는 댐의 갈라진 틈을 통해서 물이 느린 속도로 새어나오고 있었다. 그러나 점차로 힘을 받으면서 곧이어 댐과 아래 마을은 물에 휩쓸려 내려갔다.

## BRINK [briŋk] n edge 가장자리, 테두리

The mother became somewhat nervous when she saw her toddler dancing along the *brink* of the cliff.
아기가 낭떠러지 가장자리를 따라가며 춤을 추고 있는 것을 본 아기 엄마는 다소 불안해했다.

The sputtering engine sent the airliner on a steep downward course that brought it to the very *brink* of disaster ; then the pilot woke up, yawned, and pulled back on the throttle.
엔진이 푸드득 소리를 내며 꺼지면서 여객기는 대형사고가 나기 바로 직전까지 가파르게 하강하기 시작했다. 그때서야 조종사가 깨어나 하품을 하고는 조절판을 뒤로 잡아당겼다.

*Brinkmanship* (often also *brinksmanship*) is a political term describing an effort by one country or official to gain an advantage over another by appearing willing to push a dangerous situation to the *brink*, such as by resorting to nuclear weapons. To engage in *brinkmanship* is to appear willing to risk the destruction of the world rather than to lose a particular conflict.
극단 정책이란 한 국가나 관계 당국이 상대편을 이기고 이익을 얻기 위해서, 자발적으로 위험한 상황을 벼랑 끝까지 몰고 가는 행동을 나타내는 정치 용어이다. 예를 들면, 핵무기라는 수단에 의지하는 것과 같은 것들이다. 극단정책을 취하는 것은 특정한 분쟁에서 지기보다는 오히려 기꺼이 세계의 멸망을 감수하겠다는 의미가 있는 것이다.

## BRISTLE [brísl] v to stiffen with anger ; to act in a way suggestive of an animal whose hair is standing on end ; to appear in some way similar to hair standing on end 화가 나서 뻣뻣해지다 ; 비유적인 의미로 동물의 털이 뻣뻣하게 곤두선 것 같은 행동을 하다 ; 머리카락이 곤두서는 것처럼 보이다

*Bristles* are short, stiff hairs. A *bristle* brush is a brush made out of short, stiff hairs from the backs of pigs or other animals. When a pig *bristles*, it makes the short, stiff hairs on its back stand up. When a person *bristles*, he or she acts in a way that is reminiscent of a *bristling* pig.
bristles는 짧고 뻣뻣한 털을 가리킨다. bristle brush는 돼지나 여타 다른 동물의 등에서 얻은 짧고 뻣뻣한 털로 만든 솔이다. 돼지들은 화가 나면, 등에 난 짧고 억센 털을 곤두세운다. 사람들은 화가 나면, 성이 나서 털이 곤두선 돼지를 연상시키는 듯한 행동을 한다.

Arnie is the sensitive type ; he *bristled* when I told him he was stupid, ugly, and not particularly funny.
아니는 민감한 타입의 사람이다 : 내가 그에게 우둔하고 못생겼을 뿐만 아니라 별로 재미가 없는 사람이라고 말했더니, 그는 화가 나서 머리칼이 곤두선 것 같았다.

The lightning bolt was so close it made my hair *bristle*.
번개가 아주 가까운 곳에서 쳤으므로 나는 머리카락이 곤두서는 것 같았다.

The captured vessel *bristled* with antennae, strongly suggesting that it was a spy ship, as the government contended, and not a fishing boat, as the Soviets continued to claim.
나포된 배에 달려 있는 안테나는 그 배가 소련이 계속해서 주장하는 바대로 고깃배가 아니라 정부의 주장처럼 정찰선일 가능성을 강력히 시사하는 것이었다.

**BROMIDE** [bróumaid] n **a dull, obvious, overfamiliar saying ; a cliché** 재미없고, 너무 뻔하며, 지나치게 익숙한 표현 ; 진부한 표현

Mr. Anderson seemed to speak exclusively in *bromides*. When you hand him his change, he says, "A penny saved is a penny earned." When he asks for help, he says, "Many hands make light work."
앤더슨씨는 오로지 진부한 표현만 쓰는 것 같았다. 그에게 잔돈을 거슬러주면, "한푼을 아끼면, 한푼을 번 것이지요."라고 말한다. 그는 도움을 청할 때도, " 일손이 많으면, 일이 빠른 법이지요."라고 말한다.

*Bromide* also refers to certain compounds containing the element *bromine*[bróumiːn]. Potassium *bromide* is a substance that was once used as a sedative. A *bromide* is a statement that is so boring and obvious that it threatens to sedate the listener.
브로마이드는 또한 원소 브롬이 들어있는 화합물을 가리킬 때도 쓰인다. 취화칼륨은 한때 진정제로 사용된 적이 있었던 물질이다. 진부한 표현이란 너무 지루하고 내용이 뻔해서 듣는 사람을 늘어지게 만드는 말을 의미한다.

**BROUHAHA** [bruːháːhaː] n **uproar ; hubbub** 소동 ; 왁자지껄, 소란

The *brouhaha* arising from the party downstairs kept the children awake for hours.
아래층에서 들려오는 파티의 소란스러움 때문에 아이들은 몇 시간째 잠을 못 자고 깨어 있었다.

What's all this *brouhaha*?
도대체 이게 웬 소동이냐?

**BRUSQUE** [brʌsk] adj **abrupt in manner ; blunt** 태도가 퉁명스러운 ; 무뚝뚝한

The critic's review of the new play was short and *brusque* ; he wrote, "It stinks."
새로 공연된 연극에 대한 평론가의 비평은 짧고 퉁명스러웠다 : 그는 "연극이 형편없다"라고 잘라 말했다.

Mother felt that the waiter had been *brusque* when he told her to put on shoes before entering the restaurant, so she called Father and had the waiter fired.
엄마는 식당에 들어서기 전에 신발을 신으라고 말하는 웨이터의 태도가 상당히 퉁명스럽다는 느낌을 받았다. 그래서 아버지를 불러 그 웨이터를 해고시키게 했다.

**BUFFOON** [bəfúːn] n **a joker, especially one who is coarse or acts like an ass** 익살꾼, 특히 저속하거나 바보같이 행동을 하는 사람

Mary Anne seems to go out only with *buffoons* ; her last boyfriend entertained us at Thanksgiving by standing on the table and reciting dirty limericks.
메리 앤은 오로지 익살꾼들하고만 사귀는 것 같다 : 그녀의 최근 남자 친구는 추수감사절 파티에서 테이블 위에 올라가 저속한 오행시를 읊어서 우리를 즐겁게 해주었다.

Orville put on women's clothing and pretended to be Oprah Winfrey ; he figured that someone at the wedding reception had to play the *buffoon* and that he might as well be the one.
오빌은 여자옷을 입고는 오프라 윈프리 흉내를 냈다 : 그는 결혼 피로연에서 누군가는 익살스러운 역할을 맡아야만 하므로 자신이 그 역할을 하는 것이 좋겠다고 생각했다.

**BULWARK** [búlwərk] n **a wall used as a defensive fortification ; anything used as the main defense against anything else** **방어를 강화하기 위해 사용된 성벽 ; 어떤 것을 차단하기 위해 사용된 것**

The civilians used bulldozers to create an earthen *bulwark* around their town, but the attacking soldiers used larger bulldozers to destroy it.
시민들은 도시를 둘러싸는 흙벽을 짓기 위해 불도저를 사용했다. 그러나 공격을 감행한 군인들은 그 흙벽을 무너뜨리기 위해 더 큰 불도저를 사용했다.

As a *bulwark* against Billy, I left the phone off the hook all day, but he foiled me by coming over to my house and talking to me in person.
빌리를 막기 위한 방편으로 나는 전화를 하루종일 내려놓았다. 그러나 그는 우리 집으로 달려와서 내 눈 앞에서 직접 말하는 방법으로 나를 어쩔 수 없게 만들었다.

The Bill of Rights is the *bulwark* of American liberty.
권리장전은 미국 국민의 자유를 수호하는 것이다.

The *bulwarks* of a ship are the parts of the ship's sides that extend above the main deck.
배의 현장은 가운데 갑판 위에 펼쳐져 있는 배의 양쪽 측면의 일부분을 가리킨다.

**BYZANTINE** [bízəntiːn/bizǽntain] adj **extremely intricate or complicated in structure ; having to do with the Byzantine Empire** **구조가 매우 복잡하고 뒤얽혀 있는 ; 비잔티움(동로마제국)과 관계가 있는**

The *Byzantine* Empire consisted of remnants of the Roman Empire bordering on the Mediterranean Sea, and it lasted from roughly the middle of the fifth century until the middle of the fifteenth. Its principal city was Constantinople, which is now Istanbul, Turkey. *Byzantine* architecture was (and is) characterized by domes, spires, minarets, round arches, and elaborate mosaics. When used in this precise historical sense, the word is always capitalized ; when used in its figurative meaning, it often is not.
동로마제국은 지중해 연안의 로마제국의 남은 영토들로 성립되었으며, 대략 5세기 중엽부터 15세기 중엽까지 지속되었다. 지금은 터키의 이스탄불이 된 콘스탄티노플이 당시 동로마제국의 수도였다. 비잔틴의 건축 양식은 둥근 지붕과 첨탑, 회교식 사원의 뾰족탑, 둥근 아치, 정교한 모자이크 등이 특징이었다. (오늘날에도 그렇다.) 이 단어를 정확히 역사적인 의미로 사용할 때는 언제나 첫 글자를 대문자로 써야만 한다 ; 비유적인 의미로 사용할 때는 그렇지 않다.

Angela couldn't follow the novel's *byzantine* plot, so she just read the dirty parts and used *Word Smart* to look up the words she didn't know.
안젤라는 미로처럼 복잡한 그 소설의 줄거리를 따라갈 수가 없었다. 그래서 그녀는 야한 부분만 읽고는 모르는 단어를 찾아보기 위해 Word Smart를 이용했다.

The king's secret agents uncovered a *byzantine* scheme in which his minister of defense had planned to kill him by impregnating his deodorant with poison.
왕의 비밀 요원들은 방향제에다 독을 주입해서 왕을 살해하려는 계획을 세운 국방장관의 치밀한 음모를 밝혀냈다.
* 이 단어는 여러 가지로 다르게 발음되기도 하며, 잘못 발음하기도 한다. 이 책에서는 우선적으로 많이 쓰이는 발음을 택했다.

## QUICK QUIZ 14

Match each word in the first column with its definition in the second column. Check your answers in the back of the book.

| | |
|---|---|
| 1. botch | a. ostentatious show of bravery |
| 2. bracing | b. stiffen with anger |
| 3. brandish | c. invigorating |
| 4. bravado | d. defensive fortification |
| 5. brawn | e. extremely intricate in structure |
| 6. brazen | f. bungle |
| 7. breach | g. dull saying |
| 8. brink | h. joker |
| 9. bristle | i. display threateningly |
| 10. bromide | j. violation |
| 11. brouhaha | k. abrupt in manner |
| 12. brusque | l. edge |
| 13. buffoon | m. impudent |
| 14. bulwark | n. uproar |
| 15. byzantine | o. big muscles |

**CABAL** [kəbǽl] n **a group of conspirators ; the acts of such a group ; a clique** 공모자들 ; 그들이 꾸민 음모 ; 도당

* 발음에 주의할 것.

The nasty new dictator had been a part of the *cabal* that for years had plotted the overthrow of the kindly old king.
새로 등장한 비열한 독재자는 온화했던 전 국왕을 몰아내기 위해 수년 동안 음모를 꾸며왔던 패거리의 일원이었다.

The high-level *cabal* against the company's president accelerated rapidly and resulted in her ouster.
사장을 상대로 한 고단수 음모는 점차 빠르게 속도가 붙었으며, 결국 그녀를 축출할 수 있었다.

Miriam wanted to be popular and go to parties on weekends, but she was never able to penetrate the *cabal* that controlled the limited supply of fun at her high school.
미리암은 인기를 많이 얻어서 주말마다 파티에 가고 싶었다. 그러나 고등학교에서 열리는 소수의 재미있는 파티에 참가할 기회를 장악하고 있는 패거리 속에 끼어들 수가 없었다.

**CACHE** [kæʃ] n **a hiding place ; the things hidden in a secret place** 은닉처 ; 비밀 장소에 숨겨둔 물건

* 이 단어는 숨긴다는 의미의 프랑스어에서 유래한 것이다.

The taxi driver kept his cash in a *cache* behind his tape-player. Unfortunately, a robber who had merely intended to steal the tape-player discovered the *cache* and also stole the cash.
택시 운전사는 녹음기 뒤의 비밀 장소에 현금을 숨겨두었다. 불행히도, 단순히 녹음기만을 훔치러 들어왔던 도둑이 그 비밀 장소를 발견하게 되었고 현금마저 훔쳐가 버렸다.

The bandits had a *cache* of weapons near their hideout in the mountains.
산적들에게는 그 산맥에 있는 은신처 근처에 무기를 감춰두는 비밀 장소가 있었다.

**CALAMITY** [kəlǽməti] n **a disaster** 재난, 불행

Trouble always seemed to follow Martha Jane Canary. That's why she was known as *Calamity* Jane.
불행은 항상 마사 제인 캐너리를 따라 다니는 것 같았다. 그것이 그녀가 '불행의 화신 제인'이라고 알려진 이유였다.

During the first few months we lived in our house, we suffered one *calamity* after another: first the furnace exploded; then the washing machine stopped working ; then the roof began to leak.
우리 집에 살던 초기 몇 달 동안, 우리는 계속되는 재난으로 고통을 겪었다: 맨 처음에 아궁이가 폭발했고, 그 다음엔 세탁기가 작동을 멈췄다 : 그러더니 지붕마저 새기 시작했다.

Misfortune quickly turned into *calamity* when the burning car set off the hydrogen bomb.
불이 붙은 차량이 수소 폭탄을 폭발시키자 불행은 급속하게 재난으로 바뀌었다.

**CALLOUS** [kǽləs] adj **insensitive ; emotionally hardened** 무감각한 ; 감정이 무딘

The *callous* biology teacher gave a B to the whining student, even though he swore that such a low grade would keep him out of medical school.
둔감한 생물 선생님은 그렇게 낮은 학점을 받게 되면 의과 대학에서 쫓겨날 수밖에 없다고하소연을 했음에도 불구하고 푸념을 늘어놓던 학생에게 B학점을 주었다.

Living in New York for ten years has made Sally so *callous* that to reach her mailbox she steps on the back of the homeless person who sleeps in the lobby of her apartment building.
10년 동안 뉴욕에 살면서, 샐리는 너무나 무감각해져서 우편물을 찾으러 우편함에 갈 때도 아파트 복도에서 자고 있는 집 없는 사람의 등을 밟고 지나갈 정도다.

A *callus* [kǽləs] is a patch of thickened or roughened skin. A *callous* person is someone who has a metaphorical *callus* covering his or her emotions.
callus는 두껍고 거칠어진 피부 조각을 의미한다. callous person이란 비유적인 의미로 마음이 두껍고 거친 막으로 덮혀 있는 사람을 의미한다.

**CALUMNY** [kǽləmni] n **slander ; a maliciously false statement** 중상, 비방 ; 악의적인 거짓말

* 발음에 주의할 것.

The candidate resorted to *calumny* whenever he couldn't think of anything merely mean to say about his opponent.
그 후보자는 상대 후보에 대해서 흠잡을 점을 생각해 낼 수 없을 때마다 언제나 악의적인 비방에 의존했다.

When Mr. McCoy could no longer withstand the *calumnies* of his accusers, he pulled out a machine gun and mowed them all down.
맥코이씨는 자신을 비난하는 사람들의 악의적인 거짓말을 더 이상 참아낼 수가 없었을 때 기관총을 발사해 자신을 비방하던 사람들을 싹 쓸어버렸다.
* 동사형은 calumniate [kəlʌ́mnièit].

The newspaper editorial writer had already *calumniated* everyone in town, so he started again from the top of the list.
논설 위원은 이미 그 도시의 모든 사람을 비방했던 터라 인명부의 처음으로 돌아가 다시 비방하기 시작했다.

**CANON** [kǽnən] n **a rule or law, especially a religious one ; a body of rules or laws ; an official set of holy books ; an authoritative list ; the set of works by an author that are accepted as authentic** 규칙이나 법, 특히 종교상의 법규 ; 법률이나 규칙들 ; 공인된 성서들 ; 위작이 아닌 권위를 인정받은 작품 목록 ; 진짜임을 인정받은 작가의 작품들

Timothy tried to live in accordance with the *canons* of fairness, honesty, and responsibility that his parents laid down for their children.
티모시는 부모님이 자식들을 위해 정하신 공정함과 정직, 책임감이라는 삶의 규범을 지키며 살기 위해 노력했다.

*Brigadoon* is not widely held to be part of Shakespeare's *canon*.
"Brigadoon"은 셰익스피어의 작품으로 널리 인정되고 있지 않다.

*Canon* also has some very specific meanings and usages within the Roman Catholic church. If these are a part of your life, you probably know them already.
canon은 또한 로마 카톨릭 교회 내에서 특별한 의미와 쓰임이 있다. 그것들이 이미 생활의 일부라면, 아마도 이미 그 뜻을 알고 있을 것이다.

**CANT** [kænt] n **insincere or hypocritical speech** 거짓이나 위선적인 말

The political candidate resorted to *cant* whenever he was asked about any of the substantial issues of the campaign.
그 정당의 후보는 선거 유세에서 본질적인 문제에 대해서 질문을 받게 되면 언제나 거짓으로 일관했다.

**CANVASS** [kǽnvəs] v **to seek votes or opinions ; to conduct a survey** 투표나 의견 등을 부탁하다 ; 조사하다

* 스펠링에 주의할 것.

This is not the same word as *canvas*, the rough cotton cloth that circus tents, among other things, used to be made of.
이 단어는 무엇보다도 곡예단의 텐트를 만들던 거칠고 두꺼운 면으로 된 천을 의미하는 캔버스(canvas)와 같은 단어가 아니다.

In the last few days before the election, the campaign volunteers spread out to *canvass* in key districts.
선거가 있기 전 마지막 며칠 동안, 선거 운동 자원 봉사자들은 중요한 지역을 다니며 유세를 펼쳤다.

The polling organization *canvassed* consumers to find out which brand of drain cleaner made them feel most optimistic about the global economy.
조사 기관은 소비자들에게 세계 경제적 측면에서 볼 때 가장 낙관적인 하수 정화제는 어떤 제품인지 찾아내려고 여론 조사를 했다.
* canvass는 여론 조사나 선거 유세를 의미하는 명사로도 쓰인다.

After an exhaustive *canvass* of consumers, the polling organization discovered that Sludge-X made consumers feel most optimistic about the global economy.
철저한 소비자 여론 조사를 거친 후, 조사 기관은 소비자들이 슬러지-X가 세계 경제에서 가장 유망할 것이라고 생각한다는 결론을 얻었다.

**CAPACIOUS** [kəpéiʃəs] adj **spacious ; roomy ; commodious** 드넓은 ; 넓은 ; 널찍한

* capacious는 용량(capacity)이 큰 것을 의미한다.

Holly had a *capacious* mouth into which she poured the contents of a family-sized box of Milk Duds.
홀리는 입이 아주 커서 대형 박스의 더즈 우유를 한번에 다 쏟아 넣을 수 있었다.

The Stones' house was *capacious* but not particularly gracious ; it felt and looked like the inside of a barn.
스톤씨네 집은 아주 널찍했지만, 별반 품위는 없었다 ; 그 집의 내부는 마치 헛간처럼 보였다.

Arnold's memory for insults was *capacious* ; he could remember every nasty thing that anyone had ever said about him.
아놀드는 모욕을 받은 일에 대한 기억을 많이 담고 있어서 누군가가 그에 대하여 불쾌한 얘기를 한 것은 모두 다 기억할 수 있었다.

**CAPITAL** [kǽpətl] n **the town or city that is the seat of government ; money, equipment, and properly owned by a business ; wealth used in creating more wealth** 정부가 위치하고 있는 도시, 수도 ; 자금, 설비, 회사가 정당하게 소유하고 있는 것들 — 자산 ; 더 많은 부를 창출하기 위해 사용되는 재화 — 자본

Paris is the *capital* of France. New York City is the American *capital* of nightlife.
파리는 프랑스의 수도이다. 뉴욕은 미국의 밤을 지배하는 도시이다.

Ivan inherited his family's business, but then, through foolish management, exhausted its *capital* and drove it into bankruptcy.
이반은 가업을 물려받았지만, 부실한 경영으로 재산을 모두 탕진하고 파산 지경에 이르렀다.

Orson wanted to buy a professional football team, but he was unable to come up with the necessary *capital* ; in fact, he was able to raise only $400.
오손은 프로 풋볼팀을 매입하기를 원했지만 부족한 자금을 다 채울 수가 없었다 ; 사실, 그는 겨우 400달러밖에 모으지 못했다.

The Sterns didn't have much money, so they invested human *capital* ; they built it themselves.
스턴씨네 사람들은 재산이 많지 않았다. 그래서 그들은 인적 자원에 투자를 했다 ; 그들은 스스로 일어섰다.
* 의회 의사당을 가리키는 capitol과 혼동하지 말 것.

## QUICK QUIZ 15

Match each word in the first column with its definition in the second column. Check your answers in the back of the book.

| | |
|---|---|
| 1. cabal | a. slander |
| 2. cache | b. rule or law |
| 3. calamity | c. hiding place |
| 4. callous | d. seek votes or opinions |
| 5. calumny | e. seat of government |
| 6. canon | f. hypocritical speech |
| 7. cant | g. roomy |
| 8. canvass | h. group of conspirators |
| 9. capacious | i. insensitive |
| 10. capital | j. disaster |

**CAPTIVATE** [kǽptivèit] v **to fascinate ; to enchant ; to enrapture** **매혹하다 ; 요술을 걸어 사로잡다 ; 황홀하게 하다**

The magician *captivated* the children by making their parents disappear in a big ball of blue smoke.
마술사는 푸른 연기가 나는 커다란 공 속으로 부모들을 사라지게 해서 아이들의 마음을 사로잡았다.

Frank wasn't very *captivating* when Melinda came to call on him ; he was wearing Ninja Turtle pajamas, and he hadn't brushed his teeth.
멜린다가 프랭크를 방문했을 때, 그는 그다지 매력적인 모습이 아니었다 : 그는 닌자 거북이 잠옷을 입고 있었을 뿐만 아니라 이도 닦지 않은 상태였다.

**CARCINOGENIC** [kὰːsinədʒénik] adj **causing cancer** **발암성의**

* 발음에 주의할 것.

The tobacco industry has long denied that cigarette smoke is *carcinogenic*.
담배 업체는 담배 연기가 암을 유발한다는 사실을 오랫동안 부인해왔다.

An agent that causes cancer is a *carcinogen* [kaːrsínədʒən]. The water flowing out of the chemical factory's waste pipe was black and bubbling and undoubtedly loaded with *carcinogens*.
암을 유발하는 인자가 발암성 물질이다. 화학 공장의 하수관을 통해 배출되는 폐수는 시커멓고 거품이 일었으며, 의심의 여지없이 발암성 물질이 포함되어 있었다.

**CARDINAL** [káːrdənl] adj **most important ; chief** **가장 중요한 ; 최고의, 제1위의**

* 세 음절이 아니라 두 음절로 되어 있는 발음에 주의할 것.

The *cardinal* rule at our school is simple: no shooting at the teachers. If you have to shoot a gun, shoot it at a student or an administrator.
우리 학교에서 가장 중요한 규칙은 단순한 것이다: 선생님들에게 총을 쏘지 말 것. 만약 총을 쏴야 한다면, (선생님은 안되니까) 학생이나 교장에게 총을 쏠 것.

The "*cardinal* virtues" are said to be fortitude, justice, prudence, and temperance.
"가장 중요한 덕목"은 불굴의 의지, 정의, 신중한 태도, 절제 등이다.

**CAREEN** [kəríːn] v **to swerve ; to move rapidly without control ; to lean to one side**
**빗나가다 ; 통제를 벗어나 빠르게 움직이다 ; 한 쪽으로 기울다**

The airliner *careened* into several small planes as it taxied toward the terminal.
여객기가 공항 터미널을 향해 이동하면서 활주로를 이탈하여 여러 대의 작은 비행기들과 충돌했다.

The drunk driver's automobile bounced off several lampposts as it *careened* along the waterfront, eventually running off the end of the pier and plunging into the harbor.
만취한 운전자의 자동차는 해안을 따라서 통제할 수 없는 상태로 질주하다가 몇 개의 가로등 기둥을 들이받고 튕겨져 나왔으며, 결국 방파제 끝까지 달려 항구로 뛰어들었다.

The ship *careened* heavily in the storm, causing all of the cargo in its hold to shift to one side.
배는 폭풍 속에서 심하게 기울어져서 배에 실려 있던 모든 짐들이 한쪽으로 쏠렸다.

Purists insist on use of the etymologically unrelated word *career*[kəriər] in place of *careen* in the first two instances above, reserving *careen* for the meaning illustrated in the third example. But most modern speakers happily use *careen* to mean to swerve or to move rapidly without control and seldom think about *career* at all. It's hard to get too worked up about this issue.
용어의 사용에 대한 결벽주의자들은 위의 처음 두 예문에서 careen대신에 어원적으로 관계가 없는 단어인 career를 쓰자고 주장한다. 대신 careen은 세 번째 예문에서 묘사된 상황을 의미하는 단어로 남겨두자는 것이다. 그러나 대부분의 현대 사람들은 "빗나가다"나 "통제를 벗어나 빠르게 이동하다"라는 의미로 careen을 흔히 사용하고 있으며, career에 대해서는 거의 생각하지 않는다. 이런 주장까지 일일이 관여하기는 어려운 일이다.

**CARTOGRAPHY** [kaːrtágrəfi] n **the art of making maps and charts** **지도와 도표를 만드는 기술**

The United States Department of State employs a large *cartography* department, because the boundaries of the world's countries are constantly changing and maps must constantly be updated and redrawn.
전세계의 국가간의 경계선은 끊임없이 변하고 있고, 그에 따라 지도도 지속적으로 갱신되고 새롭게 다시 그려야 하기 때문에 미국무성 안에는 규모가 큰 지도 제작국이 있다.

* 지도나 도표를 만드는 사람을 cartographer[kaːrtágrəfər/-tɔ́g-r]라 한다.

**CASCADE** [kæskéid] a **a waterfall ; anything resembling a waterfall** **폭포 ; 폭포를 닮은 것**

Water from the burst main created a *cascade* that flowed over the embankment and into our living room.
파열된 수도 본관에서 쏟아진 물이 폭포를 이루어 흘러 넘치다가 둑을 넘어 우리집 거실까지 들이닥쳤다.

When the young star of the movie stubbed his toe while putting on his ostrich-skin cowboy boots, his fans responded with a *cascade* of get-well cards.
그 영화의 젊은 배우는 타조 가죽으로 만든 카우보이 부츠를 신고 있다가 돌부리에 발끝을 채였다. 그러자 그의 팬들에게서 치유를 기원하는 카드가 폭포처럼 쏟아졌다.

* cascade는 동사로도 쓰인다.

Silver dollars *cascaded* from the slot machine when Christine said the magic word that she had learned in *Word Smart*.
크리스틴이 Word Smart에서 배운 마법의 주문을 말하자 슬롯머신에서 은화가 폭포처럼 쏟아졌다.

**CATACLYSM** [kǽtəklizm] n **a violent upheaval ; an earthquake ; a horrible flood** **극심한 사회변동 ; 지각변동 ; 무서운 대홍수**

The Soviet government's attempts at economic reform initiated a *cataclysm* that left the country's structure in ruins.
경제 개혁을 추진하고자 하는 소련정부는 국가의 조직을 완전히 해체하는 정치적 대변혁부터 시작했다.

The earthquake's epicenter was in midtown Manhattan, but the effects of the *cataclysm* could be felt as far away as Chicago.
지진의 진원지는 맨해튼의 중간지구였다. 그러나 지진의 진동은 시카고 같이 먼 곳에서도 느낄 수 있었다.

Suddenly, the sky opened, and the clouds unleashed a *cataclysm* that nearly washed away the town.
갑자기 하늘이 열리고, 구름이 갈라지더니 대홍수가 일어나 마을을 거의 휩쓸고 가버렸다.

* 형용사는 cataclysmic [kæ̀təklízəmik].

Early on Tuesday morning, fans were still celebrating the team's *cataclysmic* 105-7 defeat of the Tigers.
화요일 아침 일찍, 팬들은 타이거즈 팀을 105대 7의 경이적인 점수로 이긴 것에 대해서 여전히 축하하고 있었다.

**CAUCUS** [kɔ́:kəs] n **a meeting of the members of a political party or political faction ; a political group whose members have common interests or goals** **정당이나 정치적 파벌의 구성원들의 모임 ; 공통의 이해관계를 갖고 있거나 같은 목표를 가진 정치인들의 모임**

In some states, delegates to political conventions are elected ; in other states, they are selected in *caucuses*.
어떤 주에서는 정당대회에 보낼 대의원을 투표로 선출한다 ; 반면 다른 주에서는 대의원을 간부회의에서 지명한다.

The women in the state legislature joined together in an informal women's *caucus* in order to increase their influence on issues of particular interest to women.
주의회의 여성의원들은 특별히 여성과 관련된 문제에 대하여 그들의 영향력을 높이기 위하여 비공식적인 여성위원들의 모임을 만들어 힘을 합쳤다.

* caucus는 모임을 개최하다라는 뜻의 동사로도 쓰인다.

The members of the *caucus caucused* for several days in the hope of agreeing on a new method for selecting new members of the *caucus*. They couldn't agree, so they disbanded.
간부회의의 구성원들은 새로운 회원을 선출하는 방법을 새롭게 바꾸는 문제에 관한 합의를 이루기 위해 며칠 동안 모임을 열었다. 결국 그들은 합의를 이루지 못한 채 해산했다.

**CAVALIER** [kæ̀vəlíər] adj **arrogant ; haughty ; carefree ; casual** **거만한 ; 건방진 ; 태평스러운, 무관심한 ; 무심결의**

The vain actor was so *cavalier* that he either didn't notice or didn't care that he had broken Loretta's heart.
자만심이 강한 그 배우는 너무나 거만해서 자신이 로레타의 마음을 상하게 했다는 사실을 아예 몰랐거나 전혀 신경 쓰지 않았다.

Mrs. Perkins felt that her daughter and son-in-law were somewhat *cavalier* about their housework ; she objected, for example, to the fact that they seldom did any laundry, preferring to root around in the laundry hamper for something clean enough to wear again.
퍼킨스 부인은 딸과 사위가 자신들의 집안일에 다소 무관심하다고 생각했다 : 예를 들면, 부인은 딸과 사위가 세탁물 바구니 속을 온통 헤집어 다시 입을 수 있을 만한 옷가지를 찾아내기를 더 좋아하고, 빨래는 거의 하지 않는다는 사실을 못마땅하게 여겼다.

**CAVIL** [kǽvəl] v **to quibble ; to raise trivial objections** **흠잡다 ; 하찮은 이의를 제기하다**

Writing the organization's new by-laws would have been much simpler if it hadn't been the chairman's habit to *cavil* about every point raised.
제기되는 모든 문제마다 시시콜콜히 토를 다는 버릇을 가진 의장만 아니었으면, 그 협회의 새로운 내부세칙을 작성하는 일은 훨씬 더 간단했을 것이다.

The lawyer clearly believed that he was raising important objections, but the judge felt that he was merely *caviling* and she finally told him to shut up.

변호사는 자신이 중요한 이의제기를 하고 있다고 확신했다. 그러나 판사는 변호사가 단지 괜한 트집을 잡고 있다고 생각했다. 판사는 마침내 변호사에게 입을 다물라고 말했다.

* cavil은 명사로도 쓰인다.

The critic raised a few *cavils* about the author's writing style, but on the whole the review was favorable.

평론가는 작가의 문체에 대해서 약간의 트집을 잡았다.그러나 비평은 대체로 우호적이었다.

## QUICK QUIZ 16

Match each word in the first column with its definition in the second column. Check your answers in the back of the book.

1. captivate
2. carcinogenic
3. cardinal
4. careen
5. cartography
6. cascade
7. cataclysm
8. caucus
9. cavalier
10. cavil

a. violent upheaval
b. swerve
c. political meeting
d. waterfall
e. fascinate
f. quibble
g. most important
h. art of making maps
i. arrogant
j. causing cancer

## CHAFF [tʃæf] n worthless stuff 가치 없는 물건

In agricultural usage, *chaff* is the husk left over after grain has been threshed. Outside of a wheat farm, *chaff* is any worthless stuff, especially any worthless stuff left over after valuable stuff has been separated out or removed.

농업과 관련해서 chaff는 탈곡을 하고 남은 곡물의 껍데기를 의미한다. 밀 농장을 벗어나면, chaff는 쓸모 없는 허섭쓰레기, 특히 가치가 있는 것은 분리되거나 제거되고 난 후에 남아있는 쓸모 없는 것을 의미한다.

Any car in which young children regularly ride gradually fills up with crumbs, Cheerios, gum wrappers, bits of paper, and other *chaff*.

아이들이 정기적으로 타는 차는 점차 빵 부스러기와 치어리어스 파자 부스러기와 껌 포장지와 종이 조각들과 그 밖의 여러 가지 허섭쓰레기들로 가득 차게 된다.

The mountain of crumpled paper on which Harry lay snoring was the *chaff* he had produced in his effort to write a term paper.

해리가 위에 누워서 코를 골며 잠을 잔 산더미 같은 구겨진 종이들은 그가 학기말 리포트를 쓰기 위해 낑낑대면서 만들어낸 쓰레기였다.

**CHAMELEON** [kəmíːliən, -ljən] n **a highly changeable person** **대단히 변덕이 심한 사람, 카멜레온**

In the reptile world, a *chameleon* is a lizard that can change its color to match its surroundings. In the human world, a *chameleon* is a person who changes his or her opinions or emotions to reflect those of the people around him or her.
카멜레온은 파충류 중에서 주변 환경에 맞춰 몸의 색깔을 변화시키는 능력을 가진 도마뱀을 일컫는다. 인간의 영역에서 카멜레온은 주변 사람들의 영향을 받아 자신의 의견이나 감정을 자주 바꾸는 사람을 가리킨다.

Rita was a social *chameleon* ; when she was with her swimming-team friends, she made fun of the students on the yearbook staff, and when she was with her yearbook friends, she made fun of the students on the swimming team.
리타는 사교계의 카멜레온이었다 : 그녀는 수영을 함께 하는 친구들과 있을 때는 연감을 만드는 친구들을 놀림거리로 삼았다. 반대로 연감을 함께 만드는 학생들과 있을 때는 수영반의 친구들을 흉보았다.

**CHAMPION** [tʃǽmpiən] v **to defend ; to support** **옹호하다 ; 지지하다**

During his campaign, the governor had *championed* a lot of causes that he promptly forgot about once he was elected.
선거유세 기간 내내 주지사는 일단 선출되기만 하면 그 즉시 모두 잊어버릴 공약들을 역설하고 다녔다.

**CHANNEL** [tʃǽnl] v **to direct ; to cause to follow a certain path** **관심 등을 어떠한 방향으로 돌리다 ; 어떤 길로 따르도록 유도하다**

When the dean asked Eddie to explain how he had managed to earn three Ds and a C-minus during the previous semester, Eddie said, "Well, you know what can happen when you *channel* all your efforts into one course".
학생부 선생님이 에디에게 어쩌다가 지난 학기의 학점을 D 세 개와 C⁻ 하나를 받게 되었는지 설명해보라고 요구했다. "모든 노력을 한 과목에만 쏟게 되면 어떻게 되는지 잘 아시면서 그러세요." 에디가 대답했다.

Young people arrested for painting graffiti on subway cars were placed in a rehabilitation program that attempted to *channel* their artistic abilities into socially acceptable pursuits, such as painting the interiors of subway-station bathrooms.
지하철에 낙서를 한 죄로 체포된 젊은이들은 지하철역의 화장실 내부를 치장하는 일처럼, 사회적으로 용인된 활동에 예술적 재능을 쏟을 수 있게 하기 위하여 마련된 사회복귀 프로그램 처분을 받았다.

**CHASTE** [tʃeist] adj **pure and unadorned ; abstaining from sex** **순결하고 꾸밈이 없는 ; 섹스를 삼가는**

The novel's author had a *chaste* but powerful writing style ; he used few adjectives and even fewer big words, but he nonetheless succeeded in creating a vivid and stirring portrait of a fascinating world.
그 소설의 저자는 간결하지만 힘있는 문체를 구사했다 : 그는 형용사를 거의 사용하지 않았으며 거창한 단어들은 더구나 사용하지 않았지만, 그럼에도 불구하고 생생하고 환상적인 세계를 창조하는 데 성공했다.

Felix enjoyed *Cinderella*, but he found the movie a bit *chaste* for his liking.
펠릭스는 신데렐라를 보았지만, 그의 기호에 비하자면 그 영화는 다소 순수했다.

* 명사형은 chastity [tʃǽstəti].

Rick chose to live a life of *chastity* by becoming a monk.
릭은 수도승으로서의 순결한 삶을 선택했다.

**CHERUB** [tʃérəb] n **a supercute chubby-cheeked child ; a kind of angel** **토실토실한 뺨을 가진 아주 귀여운 아이 ; 일종의 천사**

The twelve-year-old bank robber had the face of a *cherub* and the arrest record of a hardened criminal.
열 두 살짜리 은행강도는 뺨이 토실토실한 아주 귀여운 얼굴을 하고 있었지만, 상습적인 범행으로 체포기록을 지니고 있었다.

* 형용사는 cherubic [tʃərú:bik].

Religiously speaking, a *cherub* is an angel of the sort you see depicted on valentines and Christmas cards: a small child, with wings and no clothes. In careful usage, the correct plural is *cherubim* [tʃérəbim], but most people just say *cherubs*.
종교적인 의미로 말할 때, cherub은 발렌타인데이나 크리스마스 카드에서 그림으로 볼 수 있는 일종의 천사이다: 날개를 달고 옷은 입지 않은 채로 나오는 작은 아이의 모습을 한 천사. 문법적으로 세밀하게 따지면, 올바른 복수형은 cherubim이지만 대부분의 사람들은 그저cherubs라고 말한다.

## CHORTLE [tʃɔ́:rtl] v to chuckle with glee 좋아서 낄낄 웃다

A *chortle* is a cross between a chuckle and a snort. The word was coined by Lewis Carroll in *Through the Looking Glass*.
a chortle은 싱글싱글 웃는 것과 코로 씩씩거리는 것의 중간쯤이다. 이 단어는 루이스 캐롤이 "Through the Looking Glass(이상한 나라의 앨리스)"라는 책에서 처음 사용한 것이다.

The toddler *chortled* as he arranged his gleaming Christmas presents on the living-room couch.
아가는 거실 소파 위에 놓여 있는 반짝거리는 크리스마스 선물을 늘어놓으며 좋아서 낄낄 웃었다.

The children were supposed to be asleep, but I could tell that they were reading their new joke book because I could hear them *chortling* through the door.
아이들은 자기로 되어 있었지만, 문틈으로 낄낄거리는 소리가 들리는 것으로 보건대, 아이들이 자지 않고 새로 나온 우스개 책을 읽고 있다는 것을 분명히 알 수 있었다.

* chortle은 명사로도 쓰인다.

Professor Smith meant his lecture to be serious, but the class responded only with *chortles*.
스미스 교수는 강의를 진지하게 하느라고 했지만, 학생들은 그저 낄낄거리는 웃음으로 응답했다.

## CHURL [tʃə:rtl] n a rude person ; a boor 무례하고 거친 사람 ; 촌뜨기

Too much wine made Rex act like a *churl* ; he thumped his forefinger on the waiter's chest and demanded to speak to the manager.
렉스는 와인을 너무 많이 마신 탓으로 무례한 사람처럼 행동했다 ; 그는 집게손가락으로 웨이터의 가슴을 치고는 지배인과 얘기하게 해줄 것을 요구했다.

* 형용사는 churlish.

Rex's churlish behavior toward the waiter made him unwelcome at the restaurant. Everyone was appalled by his *churlishness*.
웨이터에게 한 무례한 행동 때문에 그 식당은 렉스를 달가워하지 않았다. 모든 사람들이 그의 거친 행동 때문에 겁을 먹었다.

## CHUTZPAH [hútspə] n brazenness ; audacity 뻔뻔함 ; 무모한 짓

* 발음에 주의할 것.

This slang word comes from the Yiddish.
이 속어는 유럽과 미국의 유대인들이 많이 쓰는 이디시 말에서 유래한 것이다.

The bank manager had so much *chutzpah* that during a recent robbery, he asked the stick-up men to sign a receipt for the money they were taking, and they did!
은행지점장은 워낙 무모한 사람이라 최근 강도가 들었을 때, 총을 들고 있는 강도들에게 훔쳐 가는 돈에 대한 영수증에 사인해줄 것을 부탁했다. 그런데, 강도들은 놀랍게도 사인을 해주었다.

## CIPHER [sáifər] n zero ; a nobody ; a code ; the solution to a code 영(0) ; 무명인 ; 암호 ; 암호 해독

The big red *cipher* at the top of his paper told Harold that he hadn't done a very good job on his algebra exam.
시험지의 상단에 빨간 글씨로 크게 적혀 있는 0이라는 숫자는 대수학 시험에서 좋은 성적을 얻지 못했다는 사실을 해롤드에게 알려주고 있었다.

George was a *cipher* ; after he had transferred to a new school, no one could remember what he looked like.
조지는 보잘것없는 사람이었다 ; 조지가 다른 학교로 전학한 뒤에, 그가 어떻게 생겼는지 기억하는 사람은 아무도 없었다.

Heather loved codes, and she quickly figured out the simple *cipher* that the older girls had used to write one another secret messages about boys.
히서는 암호를 좋아했다. 그녀는 다른 나이 든 소녀들이 소년들에 관해 서로 비밀쪽지를 주고받는 데 사용한 간단한 암호를 순식간에 해석해 냈다.

* 동사 decipher[disáifər]는 암호를 해독하다. 동사 encipher[insáifər]는 메시지를 암호로 바꾸다.

Larry's emotions were hard to *decipher* ; the expression on his face never gave one a clue as to what he was feeling or thinking.
래리의 감정은 해독하기가 어려웠다 ; 래리의 얼굴에 나타난 표정은 그의 감정이나 생각을 알 수 있는 실마리를 결코 주지 않았다.

## QUICK QUIZ 17

Match each word in the first column with its definition in the second column. Check your answers in the back of the book.

| | |
|---|---|
| 1. chaff | a. worthless stuff |
| 2. chameleon | b. highly changeable person |
| 3. champion | c. chuckle with glee |
| 4. channel | d. pure and unadorned |
| 5. chaste | e. zero |
| 6. cherub | f. supercute child |
| 7. chortle | g. direct |
| 8. churl | h. brazenness |
| 9. chutzpah | i. defend |
| 10. cipher | j. rude person |

**CIRCUMNAVIGATE** [sə̀:rkəmnǽvəgèit] v **to sail or travel all the way around** **일주 여행을 하거나 항해하다**

Magellan's crew was the first to *circumnavigate* the globe.
마젤란의 승무원들은 세계 일주 항해를 한 최초의 사람들이었다.

*Circumnavigating* their block took the little boys most of the morning, because they stopped in nearly every yard to play with their Ninja Turtles.
남자아이들은 그들이 맡은 구역을 다 돌아보는 데 그날 아침의 대부분을 허비했다. 왜냐하면, 아이들은 닌자 거북이 게임을 하느라 거의 1야드마다 멈춰 섰기 때문이었다.

* circumnavigate는 비유적인 의미로도 사용된다.

Jefferson skillfully *circumnavigated* the subject of his retirement ; in his hour-long speech, he talked about everything but it.
제퍼슨은 자신의 은퇴라는 주제에 대해서 기술적으로 피해갔다 ; 그는 한시간에 걸친 연설에서 그 문제를 제외한 모든 것들을 이야기했다.

**CITADEL** [sítədl/-del] n **a fortress defending a city ; a stronghold ; a bulwark 도시를 방어하기 위한 요새 ; 성채 ; 보루, 방호물**

From the *citadel* on top of the hill, the king's soldiers could fire down on the troops attacking the city.
언덕 꼭대기의 요새에서 왕의 군사들은 도시를 공격해오는 적군에게 포격을 가할 수 있었다.

The president viewed the university as a *citadel* of learning, as a fortress against the forces of ignorance
대학총장은 대학이야말로 무지라는 폭력에 대항할 수 있는 요새, 지식의 보루라고 생각했다.

**CLANDESTINE** [klændéstin] adj **concealed or secret, usually for an evil or subversive purpose 대체로 사악한 목적이나 파괴적인 목적을 위해 은밀하고 비밀리에 진행되는**

* 발음에 주의할 것.

The *clandestine* meetings held by the terrorists were not as *clandestine* as the terrorists imagined ; their meeting room had been bugged by the CIA.
테러리스트들의 비밀회합은 그들이 생각하는 것만큼 그렇게 비밀리에 진행되지는 못했다 ; 이미 CIA가 비밀회합이 열리고 있는 방에 도청장치를 해놓았던 것이다.

Unable to persuade Congress to back the cause, the White House conducted a *clandestine* fund-raising campaign to raise money for the revolutionary faction.
그 안건을 지지하도록 의회를 설득할 수 없었기 때문에, 백악관은 혁명정당을 위한 기금을 마련하기 위해 비밀리에 모금 행사를 열었다.

**CLASSIC** [klǽsik] adj **top-notch ; of the highest quality ; serving as a standard or model 최고의 ; 최고의 질을 갖춘 ; 모범이나 기준이 되는**

The baseball game was a *classic* contest ; it was one of the finest games I have ever seen.
그 경기는 최고의 야구 경기였다 : 내가 지금까지 본 가장 멋진 경기 중의 하나였다.

Little Rudolph is a *classic* example of what happens when parents give a child anything he wants ; he is a whining, wheedling, annoying little brat.
루돌프라는 꼬마는 부모들이 아이가 원하는 것이라면 무엇이든지 해주었을 때 어떻게 되는가를 보여주는 전형적인 본보기이다 : 그 아이는 칭얼대고, 거짓말하는 성가신 애물단지이다.

* classic은 명사로도 쓰인다.

*The Adventures of Huckleberry Finn* is an American *classic* ; many readers view it as the Great American Novel.
'허클베리핀의 모험' 은 미국의 고전이다 : 많은 독자들이 이 책을 전미 최고의 소설이라고 생각하고 있다.

When people in an academic setting refer to "the *classics*," they are almost always referring to the literature and languages of ancient Greece and Rome. A *classics* major is a student who concentrates in that literature and those languages.
사람들이 학문의 영역에서 "the classics(고전)"를 언급할 때는 거의 언제나 고대 그리스 로마의 언어와 문학을 이야기하는 것이다. a classics major(고전 전공자)는 고대 그리스 로마의 문학과 그에 쓰인 언어를 전공하는 학생을 일컫는다.

The adjective *classical* is closely related but usually distinct in meaning. *Classical* literature is the literature of ancient Greece and Rome. Ancient Greek and Latin are *classical* languages. *Classical* history is the history of ancient Greece and Rome. The *neoclassical* period in American architecture was a period in which American builders were heavily influenced by the architecture of ancient Greece and Rome. (The Parthenon is a *classic* example of *classical* architecture.)
형용사 classical은 밀접한 관련이 있는 단어이기는 하지만, 대개의 경우 다른 의미로 사용된다. classical literature는 고대 그리스 로마의 문학이다. 고대 그리스어와 라틴어는 고전어이다. classical history는 고대 그리스 로마의 역사이다. 미국 건축에 있어서 신고전주의 시대란 미국의 건축가들이 고대 그리스 로마의 건축양식에서 많은 영향을 받은 시기를 가리킨다. (파르테논 신전은 고전적인 건축양식의 전형적인 예이다.)

In music, *classical* refers to European music of the second half of the eighteenth century. Mozart is an example of a *classical* composer.
음악 분야에서의 고전이라 함은 18세기 후반의 유럽 음악을 가리킨다. 고전 음악의 작곡자로는 모차르트가 있다.

**CLEAVE** [kliːv] v **to cling ; to split 집착하다, 붙다 ; 쪼개다, 나누다**

This fascinating word can be its own opposite. When one thing *cleaves* to another, they stick together closely. But when you split them apart, you can also be said to be *cleaving* them (as with a *cleaver*).
이 매력적인단어는 자신의 반대의미도 될 수 있다. 한 사물이 다른 사물에 대하여 cleave라고 했을 때는 두 사물이 서로 밀접하게 붙는다는 의미이다. 그러나 두 사물을 쪼개서 분리할 때에도 역시 (쪼개는 도구를 가지고) cleave라는 표현을 사용할 수 있다.

When a child is frightened, it *cleaves* to its parent, and no one is able to *cleave* them.
아이는 겁을 먹게 되면, 부모에게 달라붙는다. 부모와 아이를 떼어놓을 수 있는 사람은 아무도 없다.

The streamlined front of the automobile is designed to *cleave* the air, reducing wind resistance.
앞부분을 유선형으로 만든 자동차는 바람의 저항을 줄이기 위해 공기를 가르며 나갈 수 있도록 고안된 것이다.

The explorers had powerful machetes, but the jungle was so dense that they were unable to *cleave* a path through it.
탐험가들에게는 잘 드는 칼이 있었지만, 밀림이 워낙 무성해서 길을 헤치며 나아갈 수가 없었다.
* 분리나 쪼개진 것을 의미하는 형용사는 cleft [kleft].

**CLIMATIC** [klaimǽtik] adj **having to do with the climate 기후와 관련된**

The buildup of carbon dioxide in the atmosphere appears to be causing pronounced *climatic* changes all over the world.
대기 중의 이산화탄소의 증가가 전세계에 걸쳐 일어나고 있는 뚜렷한 기후변화의 원인으로 보인다.
* 절정(climax)의 형용사인 climactic [klaimǽktik] 과 혼동하지 말 것.

**CLOISTER** [klɔ́istər] n **a covered walk, with columns on one side, that runs along the perimeter of a courtyard, especially in a convent or monastery ; a convent or monastery ; a tranquil, secluded place 안뜰의 주위를 따라서 이어지는, 한 쪽에는 기둥이 나열해 있으며, 특히 수녀원이나 수도원에 있는 복도, 회랑 ; 수녀원이나 수도원 ; 조용하고 외딴 곳에 있는 장소**

In its first two meanings, this word is of interest primarily to people who are interested in convents and monasteries. More generally the word is used in connection with places that suggest the tranquil seclusion of a convent or monastery.
앞의 두 가지 의미로 볼 때, 주로 수녀원이나 수도원에 관심을 갖고 있는 사람들이 이 단어에 흥미가 있을 것이다. 좀더 일반적인 의미로 보면, 이 단어는 조용하고 외진 곳에 있는, 수도원이나 수녀원을 연상시키는 어떤 장소와 관련지어서 쓰이는 말이다.

Virginia viewed her office as a *cloister* in which she could withdraw from the chaos of the production line.
버지니아는 사무실을 혼란스런 생산라인으로부터 떠나 있을 수 있는, 조용하고 외딴 곳에 있는 은둔지라고 생각했다.

The little clearing in the woods was Billy's *cloister* ; he went there to meditate and recharge his mental batteries.
숲 속에 있는 작은 개간지는 빌리의 은둔지가 되었다 : 그는 거기에 들어가 묵상을 하고 정신의 에너지를 재충전했다.

After his hectic week, David *cloistered* himself on the golf course for the entire three-day weekend.
데이비드는 열광적인 한 주를 보내고 난 뒤 주말의 사흘 동안을 온전히 골프 코스에 갇혀 있었다.
* cloister가 동사로 쓰이면 격리하여 외진 곳에 가두는 것을 의미한다.
* 형용사는 cloistral [klɔ́istrəl].

**CLONE** [kloun] n **an exact duplicate ; an organism genetically identical to another 완벽한 복제 ; 유전공학에 의해 다른 것과 똑같게 만들어낸 유기체**

The new store was a *clone* of the old one ; even the sales clerks looked the same.
새로 연 가게는 이전 가게와 똑같았다 : 심지어 점원조차도 같은 사람인 것 같았다.

Margaret's daughter Eloise looked so much like her that Eloise seemed less like her child than like her *clone*.
마가렛의 딸인 엘로이즈는 엄마와 너무나 똑같이 생겨서 딸이 아니라 마가렛의 복제인간인 것처럼 보였다.

Identical twins are *clones*.
일란성 쌍둥이는 똑같이 생겼다.

* 이 단어는 동사로도 쓰인다. clone은 완전히 똑같은 복제품을 만든다는 뜻.

Isaac spent his life trying to find a way to *clone* himself, because he believed that the world would be a better, more interesting place if it were filled with Isaacs.
이삭은 자신을 복제하는 방법을 찾고자 일생을 바쳤다. 세상이 이삭이라는 인간으로 가득 찬다면, 더 재미있고 더 행복해질 것이라고 생각했기 때문이었다.

**CLOUT** [klaut] n **a blow ; influence** **한 대 때림, 강타 ; 영향**

When the child refused to stop crying, his mother gave him a *clout* on the head that kept him crying for the next hour and a half.
아이가 울음을 그치지 않으려 하자, 엄마는 아이의 머리를 한 대 쥐어박았다. 아이는 그 뒤로 한시간 반 동안이나 계속해서 울어댔다.

Jim has a lot of *clout* at the bank, perhaps because his father is the president.
짐은 그 은행에 많은 영향력을 행사하고 있다. 아마도 그의 아버지가 은행장이기 때문일 것이다.

**CLOY** [klɔi] v **to cause to feel too full, especially when indulging in something overly sweet ; to become wearisome through excess** **지나치게 많은 것처럼 느끼게 만들다, 특히 지나치게 단 것을 탐닉했을 때, 물리게 하다라는 의미로 ; 과잉으로 물리고 지루하게 되다**

After a few bites, the delicious dessert began to *cloy*, and Harold thought that he was going to be sick.
몇 입 먹고 나니, 맛있는 디저트도 물리기 시작했다. 그래서 해롤드는 구역질이 날 것 같다는 생각이 들었다.

The new perfume was *cloying* ; it smelled good at first, but soon the fragrance began to seem almost suffocating.
새로 가져온 향수는 지겨워졌다 : 처음에는 향이 좋았지만, 곧 그 향기에 숨이 막힐 것 같았다.

## QUICK QUIZ 18

Match each word in the first column with its definition in the second column. Check your answers in the back of the book.

| | |
|---|---|
| 1. circumnavigate | a. having to do with the climate |
| 2. citadel | b. blow |
| 3. clandestine | c. cling |
| 4. classic | d. sail all the way around |
| 5. cleave | e. covered walk |
| 6. climatic | f. secret |
| 7. cloister | g. fortress defending a city |
| 8. clone | h. exact duplicate |
| 9. clout | i. top-notch |
| 10. cloy | j. cause to feel too full |

**CODDLE** [kádl] v. **to baby** 응석을 받아주다

Old Mrs. Smithe had dozens of cats, and she *coddled* them all by feeding them fresh cream, liver, and chocolate pudding.

노령의 스미스 부인은 수십 마리의 고양이를 키우고 있었다. 그녀는 고양이들에게 신선한 크림과 간과 초콜릿 푸딩까지 먹이로 줘가며 귀하게 키웠다.

Mr. Johns *coddled* his new employees because he didn't want them to quit as a group on the day before Christmas, as his previous employees had done.

존스 씨는 새로 온 종업원들의 요구를 다 받아주었다. 전에 있던 종업원들이 그랬던 것처럼, 크리스마스 전날에 새로 온 종업원들이 단체로 그만두게 되는 사태가 일어나는 것을 원하지 않았기 때문이다.

**COGITATE** [kádʒətèit] v **to ponder ; to meditate ; to think carefully about** 숙고하다 ; 명상하다 ; ~에 대하여 신중하게 생각하다

When the professor had a particularly difficult problem to solve, he would climb a tree with a bag of jelly beans and *cogitate* until he had a solution.

교수님은 특별히 해결해야 할 어려운 문제가 있을 때면, 젤리 사탕이 들어 있는 가방을 메고 나무에 올라가 해결책이 생길 때까지 명상을 하곤 했다.

Jerry claimed that he was *cogitating*, but most people I know don't snore when they are *cogitate*.

제리는 명상을 하고 있었노라고 주장했다. 하지만 내가 아는 한, 대부분의 사람들은 명상을 할 때 코를 골지는 않는다.

* 명사형은 cogitation [kàdʒətéiʃən].

*Cogitation* was apparently painful to Rebecca ; whenever she thought carefully about something, her eyes squinted, her hands shook and she broke into a sweat.

명상은 레베카에게는 확실히 피로운 일인 것 같았다 : 그녀는 뭔가에 대해서 골똘히 생각하려고 하면 언제나 눈은 사시가 되고 손은 떨리면서 갑자기 땀이 나기 시작했다.

## COHORT [kóuhɔːrt] n **a group** 무리, 집단

In ancient Rome, a *cohort* was a military division of several hundred soldiers. In careful modern usage, *cohort* often retains a shade of this original meaning.
고대 로마에서의 cohort는 수백 명의 병사들을 군사적으로 구분한 것이다. 주의깊은 현대어법에서도 cohort는 이러한 본래의 의미를 유지하고 있다.

The IRS office was surrounded by a *cohort* of disgruntled taxpayers demanding the head of the head agent.
국세청 사무실은 불만에 가득 차서 고위급 책임자의 사직을 요구하는 납세자의 무리에 둘러싸여 있었다.

*Cohort* is increasingly used to mean companion or accomplice, but many careful speakers and writers would consider this to be careless usage. An example: The armed robber and his *cohort* were both sentenced to hundreds of years in prison.
cohort는 점차로 동료나 공범을 가리키는 말로 사용되고 있다. 그러나 많은 수의 신중한 사람들은 말을 하거나 글을 쓸 때 이것을 부주의한 용법으로 간주할 것이다. 예: 무장강도와 그의 공범은 둘 다 수 백년의 징역형을 선고받았다.

## COMMEMORATE [kəmémərèit] v **to honor the memory of ; to serve as a memorial to** ~을 기념하다 ; ~의 기념이 되다

The big statue in the village square *commemorates* the founding of the town 250 years ago.
마을 광장에 있는 커다란 동상은 250년 전 그 촌락을 건설한 것을 기념하는 것이다.

The members of the senior class painted the school building purple to *commemorate* their graduation.
상급생들은 자신들의 졸업을 기념하여 학교 건물을 자주색으로 페인트칠했다.

* 명사형은 commemoration.

The *commemoration* ceremony for the new building lasted so long that the weary participants forgot what they were supposed to be *commemorating*.
새 건물에 대한 기념식은 너무 길어져서 따분해진 참석자들은 자신들이 무엇을 축하하러 모였는지조차 잊어버렸다.

## COMMISERATE [kəmízərèit] v **to express sorrow or sympathy for ; to sympathize with ; to pity** 애도나 동정을 표하다 ; 동정하다 ; 불쌍히 여기다

* 발음에 주의할 것.

To *commiserate* with someone is to "share the misery" of that person.
누군가를 동정한다는 것은 그 사람의 불행을 함께 나누는 것이다.

My grandmother *commiserated* with me when I told her about the terrible day I had had at school.
내가 학교에서 보냈던 끔찍한 하루에 대해서 할머니께 얘기하자 할머니는 내게 동정을 보내셨다.

In the aftermath of the flood, the mayor was quick to *commiserate* but slow to offer any aid.
홍수가 끝난 직후에, 시장은 재빠르게 애도의 표시를 했다. 그러나 원조를 제공하는 일은 늦었다.

The other members of the tennis team *commiserated* with their captain after his humiliating loss in the finals of the tournament.
테니스팀의 주장이 토너먼트 결승전에서 굴욕적인 패배를 하고 난 후, 팀 내의 다른 선수들은 그에게 동정을 보냈다.

* 명사형은commiseration[kəmìzəréiʃən].

The new widow was weary of the *commiseration* of her friends and eager to get on with her life.
최근 남편을 잃은 미망인은 친구들의 동정에 진력이 났다. 그녀는 자신의 삶을 영위하고 싶었다.

**COMMODIOUS** [kəmóudiəs] adj **spacious ; roomy ; capacious** **드넓은 ; 넓은 ; 용량이 큰**

* 발음에 주의할 것.

The rooms in the old hotel were so *commodious* that Sheila nearly got lost on her way to the bathroom.
낡은 그 호텔의 방들은 너무나 넓어서 실라는 화장실 가는 길도 잃어버릴 정도였다.

The millionaire's house was *commodious* but not particularly attractive ; the big rooms were filled with ugly furniture.
백만장자의 집은 대단히 넓기는 했지만, 특별히 사람의 마음을 끄는 데는 없었다 ; 큰 방들은 볼품없는 가구들로 채워져 있었다.

**COMPATIBLE** [kəmpǽtəbl] adj **harmonious ; capable of functioning, working, or living together in harmony ; consistent** **조화된 ; 기능이나 작업, 생존을 위해 함께 조화를 이룰 수 있는 ; 모순 없이 일관된**

My college roommate and I were completely *compatible* ; we both liked to leave the lights and television on when we slept, and we both smoked cigars.
대학 룸메이트와 나는 완벽하게 조화를 이루고 있었다 ; 우리는 둘 다 잠을 잘 때 불과 텔레비전을 켜놓는 것을 좋아했으며, 둘 다 시가를 피웠다.

Urban's new computer was not *compatible* with his old printer ; when he hooked the two of them together, they both exploded.
어반의 새 컴퓨터는 구형의 프린터에는 작동하지 않았다 ; 그가 둘을 함께 연결하자 폭발해버렸다.

* 반의어는 incompatible.

Ken and Gina got divorced because they had decided, after thirty-five years of marriage and seven children, that they were simply *incompatible*.
켄과 지나는 35년간의 결혼생활에 일곱 명의 자녀를 둔 뒤, 성격이 맞지 않는다고 판단해서 이혼을 하게 되었다.

* 명사형은 compatibility.

**COMPETENT** [kámpətənt] adj **capable ; qualified** **능력이 있는 ; 자질을 갖춘**

The plumber Melody hired to fix her leaky pipes was not *competent* ; when the plumber had finished, the pipes were leakier than they had been before.
새고 있는 파이프를 수리하기 위해 멜로디가 고용한 배관공은 능력이 없는 사람이었다 ; 그가 일을 마치고 난 후, 파이프는 수리하기 전보다 누수가 더 많이 일어났다.

Peter is a *competent* student but not an exceptional one ; he earns average grades and he never makes observations that cause his teachers to gasp with wonder.
피터는 유능한 학생이기는 하지만 뛰어난 학생은 아니다 ; 그는 평균 정도의 성적을 올리며, 선생님들을 놀라게 할 만한 관찰력을 보여주지도 못한다.

I didn't feel *competent* to rebuild my car's engine, so I let a trained mechanic do the job.
나는 자동차 엔진을 개조하는 일에 별로 소질이 없는 것 같았다. 그래서 나는 숙련된 정비사에게 그 일을 맡겼다.

* 반의어는 incompetent.
* 명사형은 competence [kámpətəns].

**COMPILE** [kəmpáil] v **to gather together ; to gather together into a book** **함께 모으다 ; 함께 모아 책으로 만들다**

At the end of a long career, the company president *compiled* his thoughts about business in a booklet that was distributed to all the company's employees.
오랜 직장생활 끝에, 회사의 사장은 비즈니스에 관한 자신의 생각들을 모아 작은 책으로 펴내서 회사의 모든 직원들에게 배포했다.

In a dozen years in the big leagues, the pitcher *compiled* a record of victories that placed him in contention for a spot in the Hall of Fame.
12년 동안 빅리그에서, 그 투수는 명예의 전당에 이름이 올라갈 수 있을 만한 승리의 기록을 세웠다.

* 편집해서 만들어내 물건을 a compilation [kɑ̀mpəléiʃən] 이라 한다.

At the end of the semester, the second-grade teacher sent each child home with a *compilation* of his or her classroom work.
학기 마지막에 2학년 담임선생님은 아이들이 학교에서 공부한 내용물을 편집해서 아이들의 가정으로 보냈다.

**COMPLY** [kəmplái] v **to act or be in accordance (with)** **~에 따르다, ~대로 행동하다**

The doctor *complied* with my wishes and told me that I had to stay in bed all day eating ice cream and watching TV.
의사는 내가 원하는 대로 침대에 누워 하루종일 아이스크림을 먹으며 텔레비전을 보고 있어야만 한다고 말했다.

The company's most successful salesman refused to *comply* with a rule requiring all men to wear neckties, so the company changed the rule.
회사에서 가장 성공한 세일즈맨은 모든 남성은 넥타이를 매야 한다는 필수 규정에 따르기를 거부했다. 그래서 회사는 규칙을 바꾸었다.
* 명사형은 compliance [kəmpláiəns].

The Internal Revenue Service doesn't have the resources to audit every tax return ; for the most part, it depends on the voluntary *compliance* of taxpayers .
국세청은 모든 세제수입을 회계할 수 있는 자료를 가지고 있지 않다 ; 대부분의 경우엔, 납세자의 자발적인 협력에 의존한다.

## QUICK QUIZ 19

Match each word in the first column with its definition in the second column. Check your answers in the back of the book.

| | |
|---|---|
| 1. coddle | a. spacious |
| 2. cogitate | b. honor the memory of |
| 3. cohort | c. harmonious |
| 4. commemorate | d. ponder |
| 5. commiserate | e. capable |
| 6. commodious | f. baby |
| 7. compatible | g. gather together |
| 8. competent | h. group |
| 9. compile | i. act in accordance |
| 10. comply | j. express sorrow for |

**COMPOSED** [kəmpóuzd] adj **calm ; tranquil** **침착한 ; 평온한**

The defendant was eerily *composed* when the judge read the jury's guilty verdict ; he almost seemed to welcome his conviction.
판사가 배심원들의 유죄 평결을 읽는 동안 피고인은 무서울 정도로 침착했다 : 그는 거의 자신의 유죄판결을 환영하는 것처럼 보였다.

Billy's mother somehow managed to remain *composed* in the ticket line at Disneyland, despite the fact that Billy was clinging to her leg, tugging on her skirt, biting her wrist, and crying at the top of his lungs.
빌리가 엄마의 다리에 매달려서 치마를 끌어당기며, 손목을 깨물기도 하고, 목청이 터져라 큰소리로 울어댔음에도 불구하고 빌리의 엄마는 디즈니랜드 입장권을 사는 줄에 서서 평정을 유지하고 있었다.

* 명사형은 composure [kəmpóuʒər].

The judges were most impressed by the young dancer's *composure* ; despite the pressure of the nationally televised recital, she remained calm and finished her routine without making a single error.
심사위원들은 젊은 무용수의 침착함에 대단히 깊은 인상을 받았다 : 전국적으로 방송되는 공연이라는 중압감에도 불구하고, 그녀는 평정을 유지하며 단 한번의 실수도 없이 모든 과정을 끝마쳤다.

**COMPROMISE** [kámprəmàiz] n **a settlement of differences in which each side gives up something 각자가 조금씩 양보하여 서로의 이견을 조정하는 것 ; 타협, 절충안**

Bill and Phil couldn't settle their argument about the composition of the moon, so they agreed to a *compromise* ; on evenly numbered days they would believe that it was made of green cheese, and on oddly numbered days they would believe that it was made of Ivory soap.
빌과 필은 달의 구성성분에 대한 논쟁에서 결론을 내지 못하고 있었다. 그래서 그들은 타협점을 찾았다 : 짝수 날에는 달이 푸른색의 치즈로 만들어졌다고 생각하고, 홀수 날에는 달이 아이보리 비누로 만들어졌다고 생각하기로 결정한 것이다.

* 이 단어는 동사로도 쓰인다.

Even after a year of negotiations, the leaders of the two warring countries refused to *compromise* ; each wished to be viewed as the victor in their dispute.
일년간이나 협상을 진행한 후에도, 교전 당사국의 지도자들은 타협에 이르지 못했다 : 두 나라는 모두 이 분쟁에서 승자로 인식되기를 원했다.

* compromise는 또한 abandon(그만두다), give up(포기하다)의 의미도 있다. to compromise one's principles는 자신의 원리원칙을 침해하는 일을 하는 것이다.

Sally chose detention for violating her high school's dress code rather than *compromise* her belief in freedom of expression.
샐리는 고등학교의 복장규정을 위반한 벌로, 표현의 자유에 대한 자신의 신념을 버리기보다는 차라리 근신처분을 택했다.

**COMPUNCTION** [kəmpʌ́ŋkʃən] n **remorse ; a feeling of uneasiness at doing something wrong 후회 ; 잘못된 일을 한 것에 대해 느끼는 불편한 감정 — 양심의 가책**

Mrs. Riley had no *compunction* about lying if she thought that a lie would help her daughter's chances of making the cheerleading squad.
라일리 부인은 그녀의 딸이 응원단에 들어갈 수 있게 도움이 된다고 생각하면 어떤 거짓말이라도 양심의 가책을 느끼지 않았다.

The bank robber was absolutely without *compunction* ; he filled his satchel with cash as calmly as if he had been filling it with groceries.
은행강도는 아주 뻔뻔스러웠다 : 그는 마치 상점에서 식료품을 주워담는 것처럼 태연하게 은행의 현금을 그의 가방 속에다 집어넣었다.

**CONCAVE** [kankéiv] adj **curved inward, like the inside of a circle or a sphere 오목한, 구나 원의 안쪽 같은**

If you cut a volleyball in half, the inside surface of each half would be *concave*. The outside surface of each half would be *convex*[kanvéks]. It's easy to keep these two words straight. A *concave* surface goes in, the way a cave does. A *convex* surface goes out, in a way that will vex you if you don't remember the part about the cave.
배구공을 반으로 잘라보면, 각각의 안쪽 표면은 오목할 것이다. 각각의 바깥쪽 표면은 볼록할 것이다. 이 두 개의 단어를 곧바로 기억하기가 쉽다. 동굴이 그러하듯이 concave는 안으로 들어간 것이다. 동굴의 바깥 부분을 기억하지 못한다면, 그것은 당신을 초조하게 만들(vex) 것이므로, convex는 밖으로 볼록한 것이다.

A big optical telescope is likely to have both a *concave* reflective surface and a number of *convex* lenses.
대형 광학망원경은 오목한 반사면과 다수의 볼록렌즈를 둘 다 가지고 있기 마련이다.

**CONCEDE** [kənsí:d] v **to acknowledge as true or right ; to grant or yield** **사실이라고 혹은 정당하다고 인정하다 ; 시인하다, 양보하다**

The candidate *conceded* the election shortly before midnight, after it had become abundantly clear that his opponent was going to win by a landslide.
상대후보가 압도적인 차이로 당선될 것이라는 사실이 확실해지고 난 뒤, 그 후보는 자정 직전에 선거의 결과를 인정했다.

Jerry refused to *concede* defeat, even though his football team was losing 63-14.
제리네 팀이 풋볼경기에서 63대 14로 지고 있었음에도 불구하고 제리는 패배를 인정하지 않았다.

* 명사형은 concession [kənséʃən].

Despite his *concession* that he didn't know what he was talking about, Harry continued to argue his point as strongly as before.
자신이 무슨 이야기를 하고 있는지도 모르겠다고 스스로 인정했음에도 불구하고, 해리는 이전에 하던 만큼 강하게 계속해서 자신의 입장을 주장했다.

**CONCENTRIC** [kənséntrik] adj **having the same center** **같은 중심을 갖고 있는**

The inner and outer edges of a doughnut are *concentric* circles. So are the rings on an archery target.
도넛의 안쪽 원과 바깥쪽 테두리는 중심이 같은 원이다. 양궁의 표적에 있는 원들도 마찬가지이다.

**CONCERT** [kánsəːrt] n **combined action ; agreement** **연합을 이룬 행위 ; 협약**

By acting in *concert*, the three boys were able to tip over the car that none of them had been able to tip over while acting alone.
세 소년이 서로 힘을 합침으로서, 혼자서 할 때는 아무도 뒤집을 수 없었던 차를 뒤집을 수 있게 되었다.
* concerted [kənsə́ːrtid] effort 는 협력을 의미한다.

**CONCOCT** [kənkákt] v **to create by mixing ingredients ; to devise** **원료를 서로 섞어 만들어내다 ; 고안하다**

Using only the entirely unexciting groceries she found in the refrigerator, the master chef *concocted* a fabulous seven-course meal that left her guests shaking their heads.
냉장고에서 찾아낸 아주 하찮은 식료품만을 사용해서, 대가를 이룬 주방장은 믿을 수 없을 만큼 굉장한 일곱 가지 코스의 요리를 만들어내서 그녀의 손님들은 고개를 흔들었다.

Sylvia didn't have any gasoline, so she tried to *concoct* a replacement by mixing together all the inflammable liquids in her parents' house.
실비아는 가솔린이 하나도 없었다. 그래서 부모님의 집에 있는 인화성 액체를 모두 섞어 가솔린을 대체할 연료를 만들어 보려고 했다.
* 명사 concoction [kənkákʃən] 은 혼합하여 만들어진 물질을 의미한다.

After proudly announcing that they had made dessert, the children brought in an unsettling *concoction* that appeared to contain nothing edible.
디저트를 다 만들었다고 의기양양하게 알리고 나서, 아이들은 먹을 수 있는 것은 조금도 들어있지 않은 것처럼 보이는, 먹기에 불안한 혼합물을 가져왔다.

**CONCOMITANT** [kənkάmətənt] adj **following from ; accompanying ; going along with**
**결과로 따라오는 ; 붙어 나오는 ; 동반하는**

* 발음에 주의할 것.

Jack Nicklaus's success on the golf course, and the *concomitant* increase in the size of his bank account, had made him the envy of all professional golfers.
골프 경기에서의 승리와 그에 부수적으로 따라오는 은행계좌의 예금의 증가 덕분에 잭 니클라우스는 모든 프로골퍼들로부터 부러움을 샀다.

Along with his large cash donation, the philanthropist made a *concomitant* promise to support the new library with smaller gifts in the coming years.
많은 양의 현금을 기부함과 동시에, 그 자선사업가는 앞으로는 적은 규모이지만 계속해서 새 도서관을 지원하겠다는 부수적인 약속을 했다.

**CONFEDERATE** [kənfédərit] n **an ally ; an accomplice** **동맹자, 동맹국 ; 공모자**

The rebels had few *confederates* in the countryside ; as a result, they were never able to field much of an army.
그 마을에는 반란군들의 동맹군이 거의 없었다 : 그 결과, 그들은 많은 수의 군대를 전투에 배치할 수가 없었다.

It took the police several months to track down the embezzler's *confederates*, but they were eventually able to arrest most of them.
횡령사건의 공모자들을 추적하는 데 여러 달이 걸렸지만, 경찰은 결국 공모자 대부분을 체포할 수 있었다.
* 명사형은 confederation[kənfèdəréiʃən].

The *Confederacy*[kənfédərəsi], formally known as the Confederate States of America, was the *confederation* of eleven southern states that seceded from the United States of America in 1860 and 1861, precipitating the Civil War.
미국의 남부동맹으로 알려진 Confederacy는 1860과 1861년에 미연방에서 탈퇴하여 남북전쟁을 촉발시킨 남부의 11개 주의 연합을 의미한다.
* confederate 는 동사가 되면 [kənfédəreit] 로 발음된다.

## QUICK QUIZ 20

Match each word in the first column with its definition in the second column. Check your answers in the back of the book.

| | |
|---|---|
| 1. composed | a. ally |
| 2. compromise | b. acknowledge as true |
| 3. compunction | c. having the same center |
| 4. concave | d. settlement of differences |
| 5. concentric | e. following from |
| 6. concert | f. combined action |
| 7. concede | g. curved inward |
| 8. concoct | h. calm |
| 9. concomitant | i. create by mixing ingredients |
| 10. confederate | j. remorse |

**CONFER** [kənfə́ːr] v **to exchange ideas ; to consult with ; to bestow** 생각을 교환하다 ; 협의하다 ; 주다, 수여하다

The referees *conferred* briefly before ruling that the pass had been incomplete and that no touchdown had been scored.
심판들은 잠깐동안 의견을 교환한 뒤 패스가 불완전했기 때문에 터치다운을 점수로 인정하지 않는다는 판정을 내렸다.

I told the salesman that I needed to *confer* with my wife by telephone before signing a formal agreement to buy the old ocean liner.
중고 원양 여객선을 구입하는 정식 계약서에 사인하기 전에, 나는 아내와 전화통화를 해서 협의할 필요가 있다고 세일즈맨에게 이야기했다.

The administration decided to *confer* an honorary degree upon the old millionaire because it hoped doing so would cause him to leave a few million dollars to the university in his will.
대학당국은 고령의 백만장자에게 명예학위를 수여할 것을 결정했다. 그렇게 하면, 백만장자가 유언장을 통해 수백만 달러를 대학에 남겨주게 될 것이라는 기대 때문이었다.

* 명사 conference [kɑ́nfərəns] 는 협의하기 위해 모인 모임을 의미한다.

**CONFIDANT** [kɑ́nfədæ̀nt] n **a person with whom secrets or private thoughts are shared** 비밀이나 사적인 생각들을 나눌 수 있는 사람

A *confidant* is a person in whom one can *confide* [kənfáid].
a confidant는 신뢰할 수 있는 사람이다.

Sally's brother was also her *confidant* ; when she had a problem that she felt she could discuss with no one else, she called him.
샐리의 오빠는 그녀에게 절친한 친구와도 같은 존재였다 ; 그녀는 의논할 만한 사람이 아무도 없다고 생각되는 문제가 생기면, 오빠에게 전화를 했다.

* confidant의 여성형은 confidante.

**CONFIGURATION** [kənfìgjəréiʃən] n **arrangement** 배치, 배열

The *configuration* of the seats was such that no one in the audience had a view of the stage.
객석에서는 무대가 보이는 사람이 아무도 없을 정도로 좌석배치가 엉망이었다.

My wife and I loved the exterior of the house, but we hated the *configuration* of the rooms.
아내와 나는 집의 외관이 아주 마음에 들었다. 그러나, 방의 배치는 끔찍하게 싫었다.

By slightly altering the *configuration* of chips on the motherboard of his laptop computer, Zach was able to turn it into a combination of death ray and time machine.
휴대용 컴퓨터의 마더보드에서 칩의 배열을 조금만 바꾸는 방법으로, 자크는 타임머신과 살인광선이 결합된 기계를 만들어낼 수 있었다.

* 동사 configure는 arrange(배열, 정돈하다)의 뜻.

**CONFLAGRATION** [kɑ̀nfləgréiʃən] n **a large fire** 대형 화재

The smoldering rags in the dumpster ignited the drums of explosive chemicals, and the small fire rapidly became a *conflagration* that enveloped the entire block.
쓰레기장의 버려진 옷가지에서 검은 연기가 나더니 폭발성 화학물질이 담겨 있는 드럼통으로 불이 붙었다. 그렇게 시작한 작은 불은 삽시간에 그 구획 전체로 번져 대형화재사건으로 바뀌었다.

**CONFLUENCE** [kɑ́nfluəns] n **a flowing together** 합류

* 발음에 주의할 것.

St. Louis is situated at the *confluence* of the Missouri and Mississippi rivers.
세인트루이스는 미주리 강과 미시시피강이 합류하는 지점에 위치해 있다.

Pier's new book, *Angling in the Kitchen*, represented the *confluence* of his two main interests in life, fishing and cooking.
'주방에서 낚시하기' 라는 피어의 새 책은 낚시와 요리라는 그의 두 가지 주요한 관심사를 접목한 것이었다.

**CONFOUND** [kənfáund] v **to bewilder ; to amaze ; to throw into confusion** **당황하게 하다 ; 놀라게 하다 ; 당황하게 만들다**

The newborn baby's ability to speak fluent Italian *confounded* the experts, who were surprised to hear a newborn speaking anything but French.
유창하게 이탈리아어를 구사하는 갓 태어난 아기의 능력은 전문가들을 당황하게 만들었다. 그들은 그 신생아가 프랑스어가 아닌 다른 말을 한다는 사실에 놀랐다.

The team's inability to score *confounded* the coach, who had expected an easy victory.
그 팀은 점수를 내지 못하고 있어서, 쉽게 승리할 것이라고 생각하고 있었던 코치를 당황하게 만들었다.

Allen's failure to understand his computer continues to *confound* his efforts to become computer-literate.
컴퓨터를 공부하는 데 있어서의 거듭된 실패가 컴퓨터에 익숙해지려는 알렌의 노력을 꺾어버린다.

**CONGEAL** [kəndʒíːl] v **to solidify ; to jell** **응고시키다 ; 젤리모양으로 굳어지다**

The bacon grease *congealed* into a smooth white mass when we put the skillet in the freezer.
프라이팬을 냉장고에 넣자 베이컨 기름은 부드럽고 하얀 덩어리로 굳어졌다.

It took several years for my ideas about invisibility to *congeal* to the point where I could begin manufacturing and marketing vanishing pills.
투명성에 관한 아이디어가 안 보이게 하는 약의 제조와 마케팅을 시작할 수 있는 있을 만큼 구체화되는 데는 수년이 걸렸다.

**CONJUGAL** [kándʒəgəl] adj **having to do with marriage** **결혼의**

After twenty-eight years of *conjugal* bliss, Ben and May got a divorce when Ben suddenly confessed that he never liked the way she flossed her teeth.
28년간의 다시없는 행복한 결혼생활을 하고 나서, 메이가 치실을 사용하여 이를 닦는 것을 아주 싫어한다고 벤이 갑자기 고백하자 그들은 이혼하게 되었다.
* 발음에 주의할 것.

**CONNIVE** [kənáiv] v **to conspire ; to aid or encourage a wrong by feigning ignorance of it** **공모하다 ; 모른 척 묵인함으로써 나쁜 일을 돕거나 격려하다**

An investigation revealed that virtually the entire police department had been *conniving* with the neighborhood drug dealers, giving them immunity in exchange for a cut of the profits.
이익의 일부를 나눠주는 조건으로 눈감아줌으로써 사실상 경찰국 전체가 인근의 마약업자들과 공모했음이 조사결과 드러났다.
* 명사형은 connivance [kənáivəns].

**CONSERVATORY** [kənsə́ːrvətɔ̀ːri/-təri] n **a greenhouse, usually one attached to another structure ; a music or drama school** **일반적으로 다른 구조물에 부속되어 있는, 온실 ; 음악학교나 연극학교**

On sunny mornings, Mrs. Klein liked to have breakfast in the *conservatory*, surrounded by her orchids and miniature palm trees.
햇볕이 좋은 아침이면, 클라인 여사는 온실에서 난초와 야자수 분재에 둘러싸여 아침을 먹는 것을 좋아했다.

After college, Hugo spent six years studying the violin at a Viennese *conservatory*.
대학을 졸업한 후 6년 동안, 휴고는 비엔나의 음악학교에서 바이올린을 공부했다.

## QUICK QUIZ 21

Match each word in the first column with its definition in the second column. Check your answers in the back of the book.

| | |
|---|---|
| 1. confer | a. solidify |
| 2. confidant | b. having to do with marriage |
| 3. configuration | c. greenhouse |
| 4. conflagration | d. arrangement |
| 5. confluence | e. large fire |
| 6. confound | f. person with whom secrets are shared |
| 7. congeal | g. conspire |
| 8. conjugal | h. exchange ideas |
| 9. connive | i. bewilder |
| 10. conservatory | j. flowing together |

**CONSIGN** [kənsáin] v **to hand over ; to assign ; to entrust ; to banish** 건네주다 ; 할당하다 ; 맡기다 ; 내쫓다

Upon her retirement, Mary *consigned* to her co-workers the contents of her desk.
퇴임을 앞두고 메리는 자신의 책상에 있는 물건들을 동료들에게 넘겨주었다.

Two decades after Frank's death, most critics *consigned* his novels to the literary trash heap.
프랭크가 죽은지 20년 뒤 대부분의 평론가들은 그의 작품을 문학의 쓰레기로 취급했다.

The bookstore owner was waiting anxiously for the publisher to send her a new *consignment* of books; with no books to sell, she had little to do at work all day.
서점 주인은 출판업자가 위탁 판매하는 신간을 보내주기를 애타게 기다리고 있었다. 판매할 책이 없었기 때문에 그녀는 하루종일 거의 아무 것도 하지 않고 있었다.

**CONSOLIDATE** [kənsáləděit] v **to combine or bring together ; to solidify ; to strengthen** 합병하다, 함께 모으다 ; 결속하다 ; 강화하다

The new chairman tried to *consolidate* the company's disparate operations into a single unit that would be easier to manage.
새로 부임한 회장은 회사의 서로 다른 부서를 경영을 용이하게 해줄 하나의 단일체제로 통합하려고 했다.

I *consolidated* my many bank accounts by withdrawing the money from all of them and putting it in a box that I kept under my bed.
나는 여러 은행에 나눠져 있는 구좌에서 돈을 모두 인출해서 침대 밑에 있는 상자에 넣어둠으로써 모든 은행구좌를 통합 정리했다.

The baseball team *consolidated* its hold on first place by winning all of its remaining games.
그 야구팀은 남아 있는 모든 경기에 승리함으로써 1위 자리를 굳건히 하였다.

**CONSPICUOUS** [kənspíkjuəs] adj **easily seen ; impossible to miss** 쉽게 보이는 ; (두드러져) 놓치기 어려운

There was a *conspicuous* absence of good food at the terrible party, and many of the guests went out to a restaurant afterward.
그 끔찍한 파티에는 먹을 만한 음식이 없다는 것이 확실히 보였다. 손님들 중 많은 수는 파티가 끝난 후에 식당을 찾아갔다.

The former president made a *conspicuous* display of his gleaming wristwatch ; he had just signed a promotional contract with the watch's manufacturer.
전 회장은 번쩍거리는 손목시계를 눈에 띄게 보이고 다녔다 : 그는 지금 막 시계업자와 판촉 계약을 맺었던 것이다.

*Conspicuous* consumption is a variety of showing off that consists of making a public display of buying and using a lot of expensive stuff.
과시적 소비란 비싼 물건들을 많이 사들이고 소비하는 것을 여러 사람들에게 보이고 싶어하는 현시욕구의 한 형태이다.
* 반의어는 inconspicuous.

**CONSTERNATION** [kɑ̀nstərnéiʃən] n **sudden confusion** 깜짝 놀람, 대경실색

The *consternation* of the children during the fire drill was evident in their faces ; their eyes were wide with fear and uncertainty.
아이들은 화재훈련 도중 아주 많이 놀랐다는 것이 얼굴에 역력했다 : 아이들의 눈은 공포와 불안으로 커져 있었다.

**CONSTITUENCY** [kənstítʃuənsi] n **the group of voters represented by a politician ; a group of supporters for anything** 정치가에 의해 대변되는 투표자 그룹 — 유권자 ; 어떤 일에 대한 지지자 그룹

The ninety-year-old candidate did most of his campaigning on college campuses, even though his natural *constituency* was the town's large population of senior citizens.
본래 그의 유권자들은 그 도시의 대부분을 차지하는 장년층 시민들이었지만, 90살이나 먹은 후보자는 대부분의 선거유세를 대학 내에서 했다.

The company's president failed to build a *constituency* on the board to support his plan to raise his salary by 300 percent.
회사의 사장은 중역회의에서 자신의 월급을 300퍼센트 인상하려는 계획을 지지해줄 동조자를 얻는 데 실패했다.

A *constituency* is made up of *constituents*[kənstítʃuənt]. The senator never forgot who had elected him ; he spent most of his time in Washington doing favors for the wealthiest of his *constituents*.
선거권자는 개개인의 유권자로 구성된다. 상원의원은 누가 자신을 뽑아주었는지 결코 잊지 않았다 : 그는 가장 부유한 유권자의 청을 들어주느라 워싱턴에서 보내는 대부분의 시간을 쓰고 있었다.

**CONTEMPT** [kəntémpt] n **disdain ; disgrace** 경멸 ; 불명예, 망신

The lawyer's *contempt* for the judge was clear ; when she said "Your honor" she had both thumbs in her ears and was twiddling her fingers at him.
변호사가 판사를 경멸하고 있음은 분명했다 : 그녀는 "존경하는 판사님" 라고 말하면서, 양쪽 엄지손가락을 귀에 꽂은 채로 판사를 향해 손가락들을 빙빙 돌려 보였다.

I have nothing but *contempt* for people who say one thing and do another.
나는 말과 행동이 다른 사람들을 단지 경멸할 뿐이다.

The dishonest storekeeper was held in *contempt* by the townspeople, virtually all of whom began shopping somewhere else.
정직하지 못한 가게주인은 마을 사람들에게서 멸시를 받고 있었다. 거의 모든 이들이 다른 곳에서 쇼핑하기 시작했다.

**CONTINUUM** [kəntínjuəm] n **a continuous whole without clear division into parts 부분으로 뚜렷이 구분되지 않는 연속체**

* 철자에 주의할 것.

The spectrum of visible light is a *continuum* in which each color blends into its neighbors.
가시광선의 스펙트럼은 각각의 색깔이 이웃하고 있는 색깔과 섞여있는 연속체이다.

Einstein's theory of relativity holds that space and time are not distinct dimensions but inseparable aspects of a *continuum*.
아인슈타인의 상대성 이론은 시간과 공간이 뚜렷이 구분되는 것이 아니라 분리되지 않는 연속체의 속성을 가지고 있다는 내용을 담고 있다.

**CONTRABAND** [kántrəbæ̀nd] n **smuggled goods 밀수입된 물건들**

The military police looked for *contraband* in the luggage of the returning soldiers, and they found plenty of it, including captured enemy weapons and illegal drugs.
헌병대는 밀수품을 찾기 위해 귀국하는 군인들의 짐을 조사했다. 그리하여 포획한 적군의 무기와 불법 마약을 포함하여 많은 양의 밀수품을 찾아냈다.

The head of the dormitory classified all candy as *contraband*, then went from room to room confiscating it, so that he could eat it himself.
기숙사의 사감은 모든 사탕을 금지품목으로 분류했다. 그리고 나서 자신이 혼자 다 먹기 위해 방마다 다니며 사탕을 압수했다.

**CONTRETEMPS** [kántrətɑ̀:ŋ] v **an embarrassing occurrence ; a mishap 당황하게 만드는 사건의 발생 ; 불상사**

Newell lost his job over a little *contretemps* involving an office party, the Xerox machine, and his rear end.
뉴엘은 사무실 파티와 제록스 복사기, 그의 엉덩이 등을 포함하는 다소 뜻밖의 일로 직장을 잃게 되었다.

**CONTUMELY** [kəntú:məli, kɔ́ntumə:li] n **rudeness ; insolence ; arrogance 무례함 ; 건방짐 ; 오만불손**

In the opinion of the teacher, the student's sticking out his tongue during the Pledge of Allegiance was unforgivable *contumely*.
선생님의 의견에 따르면, 충성에 대한 서약을 하는 도중 혀를 내민 학생의 태도는 용서받을 수 없는 오만불손한 행동이었다.

* 형용사는 contumelious [kàntumí:ljəs].

The *contumelious* prisoners stuck out their tongues at their jailers.
무례하기 짝이 없는 죄수들은 교도관들을 향해 혀를 낼름거렸다.

* 두 단어 모두 발음에 주의할 것.

## QUICK QUIZ 22

Match each word in the first column with its definition in the second column. Check your answers in the back of the book.

| | |
|---|---|
| 1. consign | a. combine |
| 2. consolidate | b. embarrassing occurrence |
| 3. conspicuous | c. continuous whole |
| 4. consternation | d. hand over |
| 5. constituency | e. group of voters |
| 6. contempt | f. smuggled goods |
| 7. continuum | g. disdain |
| 8. contraband | h. sudden confusion |
| 9. contretemps | i. rudeness |
| 10. contumely | j. easily seen |

**CONUNDRUM** [kənʌ́ndrəm] v **a puzzle or problem without a solution** 수수께끼, 답이 없는 문제

* 발음에 주의할 것.

What to do about the dirty dishes piling up in the sink was a *conundrum* that the four roommates could not even begin to solve.
싱크대에 잔뜩 쌓여있는 더러운 접시들을 어떻게 할 것인가 하는 문제는 네 명의 룸메이트가 해결할 시도조차 해볼 수 없는 난제였다.

English grammar was a *conundrum* to Marcia ; she just couldn't figure out how to put two words together.
마샤에게 있어 영어문법은 해답 없는 문제였다 ; 그녀는 도무지 두 단어를 어떻게 묶어야 할지 알 수가 없었다.

**CONVENE** [kənvíːn] v **to gather together ; to assemble ; to meet** 모으다 ; 소집하다 ; 회합하다

For their annual meeting, the members of the physicians' organization *convened* on the first tee of the seaside golf course.
내과의사협회의 회원들은 연례회의를 위해 바닷가의 골프장에서 첫 번째 공을 치는 자리에 모여들었다.

Mr. Jenkins *convened* the workers in the cafeteria to tell them they had all been fired.
젠킨씨는 노동자들을 카페테리아로 소집했다. 그들이 모두 해고되었다는 말을 하기 위해서였다.

A *convention* is an event at which people *convene* for the purpose of exchanging information, learning new skills, eating rich food, going shopping, and getting drunk.
a convention은 정보를 교환하고, 새로운 기술을 배우며, 좋은 음식을 먹고, 쇼핑을 하고, 술도 마시는 등의 일을 목적으로 하여 사람들이 모여서 벌이는 행사이다.

**CONVERSANT** [kənvə́:rsənt] adj **familiar ; experienced** ~에 정통한 ; 경험이 많은

After just two days on the job, Gloria was not yet *conversant* with the many rules laid down by her new employer.
업무를 맡은 지 이틀이 지났기 때문에, 글로리아는 새 고용주가 정한 수많은 규칙에 아직 익숙해지지가 않았다.

Several months' worth of intense television watching had made Ivan *conversant* with the rules of football, even though he had never played the game himself.
이반은 결코 풋볼 경기를 해본 적이 없었음에도 불구하고, 수개월에 달하는 기간 동안 집중적으로 텔레비전을 시청한 덕분에 풋볼 경기규칙에 정통하게 되었다.

**CONVERSE** [kənvə́:rs] n **the opposite** 반대

Freddy followed not the rule but its *converse* ; that is, he did the opposite of what he was supposed to do.
프레디는 규칙을 따르지 않고 반대로 행동했다 ; 다시 말해서, 그는 하기로 되어있는 일을 반대로 했던 것이다.

Freddy faced a difficult choice: he could put the Kool-Aid in the water or, *conversely*, he could put the water in the Kool-Aid.
프레디는 어려운 선택에 직면했다: 그는 물에다 쿨에이드를 넣을 수도 있고, 반대로 쿨에이드에 물을 탈 수도 있었다.
(주: 쿨에이드는 음료를 만드는 파우더로 물에 타먹는 것이다)

**CONVEY** [kənvéi] v **to transport ; to conduct ; to communicate** 운송하다 ; 전도하다 ; 전달하다

The train *conveyed* us across the border in the middle of the night.
기차는 한밤중에 국경을 가로질러 우리를 실어 날랐다.

The red pipes *convey* the hot water, and the blue ones *convey* the cold.
붉은 파이프는 온수를 운반하며, 푸른 파이프는 냉수를 운반한다.

The look on my mother's face is impossible for me to *convey* ; her expression is indescribable.
엄마의 얼굴에 드러난 표정을 나는 잘 전달할 수 없다 ; 그녀의 표정은 뭐라 말할 수 없이 막연하다.

* conveyance [kənvéiəns] 는 수송, 특히 운송수단에 의한 수송을 의미하는 명사이다.

A bus is a public *conveyance*.
버스는 대중적인 운송수단이다.

**CONVICTION** [kənvíkʃən] v **strong belief ; a determination of guilt** 확신 ; 유죄 판결

It is Harold's *conviction* that the earth is the center of the universe, but Harold's *conviction* is wrong.
지구가 우주의 중심이라는 것은 해롤드의 신념이다, 그러나 그의 확신은 잘못된 것이다.

Ever since his *conviction* for first-degree murder, Lester had been spending quite a bit of time in jail.
일급살인에 관한 유죄 판결을 받은 이래로, 레스터는 상당히 긴 시간을 감옥에서 보내고 있었다.

**CONVOLUTION** [kɑ̀nvəlú:ʃən] v **a twist or turn ; the act of twisting or turning** 꼬인 것, 둘둘 말린 것 ; 꼬이거나 회전됨

I couldn't follow all the *convolutions* in the plot of the murder mystery; every character seemed to have a dozen identities, and every occurrence turned out to be something other than what it had appeared to be at first.
나는 살인을 다룬 추리소설의 얽히고 설킨 구성을 따라갈 수가 없었다. 모든 등장인물은 십여 가지 이상의 다른 정체성을 갖고 있는 것처럼 보였고, 모든 사건은 처음에 짐작했던 것과는 다른 것으로 밝혀졌다.

Locked within the *convolutions* of a DNA molecule is the secret of life.
DNA나선구조 안에 고정되어 있는 미립자는 생명의 비밀이다.

A *convoluted* plot is a plot that has lots of twists and turns. A *convoluted* argument is one that is so complex that it is difficult to follow, just as a twisted path would be hard to follow. If you have a simple story to tell, don't *convolute* [kάnvəlù:t] it by making it more complicated than it needs to be.
a convoluted plot은 얽히고 설킴이 많은 복잡한 구성이다. a convoluted argument는 다니기 어려운 꼬불꼬불한 길처럼, 너무나 복잡해서 따라가기 어려운 논법을 의미한다. 여러분이 간단한 이야기 한 편을 하고자 한다면, 필요 이상으로 이야기를 더 복잡하게 만들어서 뒤죽박죽을 만들지 말기 바란다.

**COPIOUS** [kóupiəs] adj **abundant ; plentiful** **풍부한 ; 많은**

Minor head injuries sometimes produce *copious* amounts of blood because there are many blood vessels in the scalp.
두피에 많은 혈관이 있기 때문에 머리를 조금만 다쳐도 때때로 많은 양의 출혈을 동반한다.

The *copious* harvest ensured that the villagers would survive another winter ; there would be plenty of food for all.
풍작은 마을 사람들에게 다가오는 겨울을 무사히 넘길 수 있다는 확신을 주었다 ; 그들 모두에게 식량은 충분할 것이다.

**CORDIAL** [kɔ́:rdʒəl/-diəl] v **gracious ; warm ; sincere** **친절한 ; 따뜻한 ; 충심의**

* 품사 변화에 따른 발음에 주의할 것.

We received a *cordial* welcome from our host, who was clearly delighted that my wife and I had come to spend several months with him.
우리들은 초대한 사람으로부터 진심에서 우러나온 환영을 받았다. 그는 나와 아내가 그와 함께 몇 달을 보내러 왔다는 사실을 정말로 기뻐했다.

The police officer was *cordial* ; he smiled and shook my hand before he led me off to jail.
그 경찰관은 친절했다 : 그는 나를 감옥으로 데려가기 전에 미소를 지으며 나와 악수를 했다.
* 부사 cordially, 명사 cordiality [kɔ̀:rdʒiǽləti/kɔ̀:rdi-].

**COROLLARY** [kɔ́:rəlèri/kərɔ́ləri] v **a proposition that follows easily and obviously from another ; a natural consequence or conclusion** **다른 것으로부터 쉽고도 명백하게 이끌어낼 수 있는 명제, 추론 ; 당연한 결론이나 명백한 결말**

* 발음에 주의할 것.

A *corollary* of Susannah's rule that her children would be responsible for the cleanliness of their rooms was that their rooms were always filthy.
아이들이 자신의 방을 깨끗이 청소할 책임이 있다는 수잔나의 규칙으로 인한 당연한 결과는 아이들의 방이 언제나 더러울 수밖에 없다는 것이었다.

## QUICK QUIZ 23

Match each word in the first column with its definition in the second column. Check your answers in the back of the book.

| | |
|---|---|
| 1. conundrum | a. twist or turn |
| 2. convene | b. puzzle |
| 3. conversant | c. familiar |
| 4. converse | d. natural consequence |
| 5. convey | e. transport |
| 6. conviction | f. strong belief |
| 7. convolution | g. gracious |
| 8. copious | h. opposite |
| 9. cordial | i. gather together |
| 10. corollary | j. abundant |

**CORPOREAL** [kɔːrpɔ́ːriəl] adj **material ; tangible ; having substance, like the body 물질적인 ; 유형의 ; 실체가 있는 ; 육체적인**

Steve was mildly crazy ; he believed that at night his thoughts became *corporeal* and wandered around his house eating potato chips and doing laundry.
스티브는 약간 미쳐 있었다 ; 그는 자신이 상상한 것들이 밤이 되면 실체가 되어 빨래를 하고 감자칩을 먹으면서 집 주변을 돌아다닌다고 믿었다.

This word is often confused with *corporal*[kɔ́ːrpərəl], which means having to do with the body. Beating a criminal is *corporal* punishment. Someone who has a lot of body is fat or *corpulent* [kɔ́ːrpjulənt]. A body of people is called *corps*[kɔːrps], like the army corps.
이 단어는 육체(몸)에 관한 의미를 갖고 있는 corporal 이라는 단어와 자주 혼동된다. 범죄자를 때리는 것은 신체에 가하는 형벌, 즉 태형을 의미한다. 몸에 살이 많은 사람은 비만한, 또는 뚱뚱한 사람이다. 사람들의 조직체는 군대의 군단과 마찬가지로 corps(단체)라는 용어를 사용한다.

* 제시된 단어들의 발음에 주의할 것.

**CORRELATION** [kɔ̀ːrəléiʃən] n **a mutual relation between two or more things 두 개 이상의 사물에서의 상호관계**

The *correlation* between cigarette smoking and lung cancer has been established to the satisfaction of everyone except the manufacturers of cigarettes.
흡연과 폐암과의 상관관계는 담배 제조업자들을 제외한 모든 사람들이 만족할 만한 수준으로 밝혀졌다.

There is a strong *correlation* between the quality of a football team and the number of games that it wins in a season. That is, the quality of a football team and its number of victories are strongly *correlated*.
어느 풋볼 팀의 자질과 한 시즌 내에서 승리를 거두는 경기 횟수 사이에는 밀접한 상관관계가 있다. 다시 말해서, 한 풋볼 팀의 자질과 그들의 승리횟수는 밀접하게 연관되어 있는 것이다.

**CORROSIVE** [kəróusiv] adj **eating away ; destructive** 먹어 들어가는, 부식성의 ; 파괴적인

Mary Ellen's chutney contained some *corrosive* ingredient that burned a hole in Jeremy's plate.
메리 엘런의 처트니(주 : 달콤하고 시큼한 인도의 조미료)에는 제레미의 접시에 구멍이 나게 한 부식성 재료가 들어 있었다.

Large quantities of money have a *corrosive* effect on the morals of many people.
아주 많은 양의 돈은 사람들의 도덕성을 파괴하는 결과를 낳는다.

A *corrosive* substance is one that *corrodes* something else.
부식성 물질은 다른 것을 부식시키는 물질이다.

**CORRUGATED** [kɔ́:rəgèitid] v **shaped with folds or waves** 주름 모양이나 물결 모양인

*Corrugated* sheet metal is sheet metal that has been shaped so that it has ridges and valleys, like a ridged potato chip. Corduroy pants could be said to be *corrugated*. Much of the paperboard used in making cardboard cartons is *corrugated*.
corrugated sheet metal은 감자칩처럼 봉우리와 계곡이 있도록 (올록볼록하게) 모양을 만든 철판을 의미한다. 골덴 바지는 올록볼록하게 물결 모양이 들어 있는 것이다. 마분지 상자를 만드는 데 쓰이는 대부분의 판지는 (골판지로) 물결모양이 있다.

**COTERIE** [kóutəri] n **a group of close associates ; a circle (of friends or associates)**
**가깝게 친목을 나누는 그룹 ; 동아리(친구나 모임의)**

The visiting poet-in-residence quickly developed a large *coterie* of student admirers, all of whom hoped that the visitor would be able to help them find publishers for their poems.
상주 시인이 대학을 방문하자 그의 시를 좋아하는 많은 학생들이 금새 생겨났다. 그들은 그 시인이 그들의 시를 출판해줄 사람을 찾을 수 있도록 도와주기를 기대했다.

If you weren't a part of Mary's *coterie*, then you weren't anybody at all, in the opinion of Mary.
메리의 친구들 중의 하나가 아니라면, 메리가 생각하기에 그 사람은 아무런 의미도 없는 사람이었다.

**COWER** [káuər] v **to shrink away or huddle up in fear** 움츠러들다, 두려움으로 위축되다

The sound of her boss's footsteps in the hallway made Lizzie *cower* behind her desk like a wounded animal.
복도에서 들려오는 사장의 발걸음 소리 때문에 리지는 상처 입은 짐승처럼 책상 뒤로 움츠러들었다.

When Arnie turned on the lights, he found the children *cowering* behind the couch ; the movie on TV had scared the wits out of them.
어니는 불을 켜고 나서, 소파 뒤에 웅크리고 있는 아이들을 발견했다 : 텔레비전에서 아이들의 혼을 빼놓을 정도로 무서운 영화가 방영되었던 것이다.

In the morning, the children found their new puppy *cowering* in the corner of his box, afraid of his new environment.
그날 아침, 아이들은 새로 온 강아지가 낯선 환경에 두려움을 느끼고 자신의 상자 구석에서 움츠러들어 있는 것을 발견했다.

**CRASS** [kræs] adj **extremely unrefined ; gross ; stupid** 지독히도 세련되지 못한 ; 둔감한 ; 어리석은

Sending a get-well card to the man who had just died was a pretty *crass* gesture, in the opinion of his widow.
이미 죽은 사람에게 쾌유를 비는 카드를 보내는 것은 미망인의 입장에서 보면, 아주 어리석은 짓이었다.

The seventh-grade mixer was spoiled by the *crassness* of the seventh-grade boys, who shouted rude remarks at the girls and then ran off to hide in the restroom.
7학년들의 친목회는 소년들의 어리석은 행동 때문에 망치게 되었다. 소년들은 소녀들에게 큰소리로 거친 말을 내뱉고는 화장실로 도망가 숨어 버렸다.

**CRAVEN** [kréivən] adj **cowardly** 겁이 많은

The *craven* soldier turned his back on his wounded comrade and ran for the safety of the trenches.
비겁한 병사는 상처 입은 전우에게서 등을 돌렸다. 그리고 안전한 참호를 향해 달려갔다.

Permitting all the town's children to be sold into slavery was the *craven* act of a *craven* mayor ; it was no surprise that the townspeople decided not to reelect him.
마을의 모든 아이들을 노예로 팔 수 있도록 허용하는 정책은 비겁한 시장의 정말로 비겁한 행동이었다 ; 마을 사람들이 그를 재선시키지 않기로 결정한 것도 그리 놀랄 일이 아니었다.

The second-grade bully was full of bluster when the kindergartners were on the playground, but he became quite *craven* when the third graders came out for their recess.
유치원생들이 운동장에서 놀고 있을 때, 2학년생 싸움대장이 나타나 행패를 부렸다. 그러나 그는 3학년 학생들이 쉬는 시간에 나타나자 상당히 겁을 먹었다.

**CRESCENDO** [kriʃéndou] n **a gradual increase in the volume of a sound ; a gradual increase in the intensity of anything** 점차 소리의 크기를 증대시키는 것 ; 세기가 점진적으로 증가함

The concert ended with a stirring *crescendo* that began with a single note from a single violin and built up to a thunderous roar from every instrument in the orchestra.
연주회는 바이올린 독주의 단음에서 시작해서 오케스트라의 모든 악기가 우레와 같은 굉음으로 고조되며 격정적인 크레센도로 막을 내렸다.

The fund-raising campaign built slowly to a *crescendo* of giving that pushed the total well beyond the original goal.
기금 마련 행사의 열기가 서서히 달아오르자 모금 총액이 원래의 목표액을 넘어서게 되었다.

**CRESTFALLEN** [kréstfɔ̀ːlən] adj **dejected ; dispirited** 풀이 죽은 ; 의기소침한

Your *crest*[krest] is the highest point of your body—your head. When your *crest* falls—when your head is drooping—you are dejected or dispirited. You are *crestfallen*.
crest는 신체 중에서 가장 높이 있는 부분 — 즉 머리 — 을 의미한다. 머리가 땅으로 떨어졌다 — 머리가 축 늘어졌다 — 는 표현은 당신이 풀이 죽었거나 의기소침하다는 뜻이다. 당신은 맥이 빠져있다.

The big red F on her science paper left Zoe *crestfallen*, until she realized that the F stood for Fantastic.
조는 시험지에 써있는 F가 Fantastic(멋지다)을 의미한다는 것을 알기 전까지 과학 시험지에 빨간색으로 커다랗게 적혀있는 F라는 글씨 때문에 풀이 죽어 있었다.

I was *crestfallen* when I opened my Christmas presents ; all I got was underwear and socks.
나는 크리스마스 선물을 열어보고는 실망했다 ; 내가 받은 것은 모두 속옷 아니면 양말이었다.

## QUICK QUIZ 

Match each word in the first column with its definition in the second column. Check your answers in the back of the book.

| | |
|---|---|
| 1. corporeal | a. eating away |
| 2. correlation | b. cowardly |
| 3. corrosive | c. mutual relation |
| 4. corrugated | d. gradual increase in volume |
| 5. coterie | e. tangible |
| 6. cower | f. dejected |
| 7. crass | g. extremely unrefined |
| 8. craven | h. group of close associates |
| 9. crescendo | i. shaped with folds |
| 10. crestfallen | j. huddle in fear |

**CREVICE** [krévis] n **a narrow split, crack, or fissure** 좁은 틈, 갈라진 금, 찢어진 틈

The million-dollar bill I had found on the sidewalk fell into a *crevice* between the two buildings, and I never saw it again.
인도를 걷다가 발견한 백만 달러짜리 수표는 두 빌딩 사이의 좁은 틈으로 떨어져서 나는 다시는 그 돈을 보지 못했다.

Anne had spent so much time in the sun that her skin had turned deep brown and become covered with *crevices*.
앤은 태양 아래서 너무나 많은 시간을 보냈기 때문에 피부가 짙은 갈색으로 변했으며 온통 자잘한 금으로 갈라져 있었다.

A very large *crevice* in a glacier on the earth's surface is usually called a *crevasse*[krivǽs]. The tiny crack in a rock face from which a mountain climber hangs by his fingernails is a *crevice* ; the deep crack in a glacier into which a mountain climber falls, never to be seen again, is a *crevasse*.
지구의 표면에 있는 빙하에서 대단히 깊고 큰 틈을 흔히 crevasse 라고 부른다. 등산가들이 손톱을 넣어 겨우 매달릴 수 있는 정도로 작은, 바위 표면의 균열은 crevice라고 한다 ; 등산가들이 빠져서 결코 살아 나오지 못하는 빙하의 깊은 균열은 crevasse라고 한다.

**CRINGE** [krindʒ] v **to shrink back with fear ; to cower ; to be servile or suck up in a horrible way** 겁이 나서 움추리다 ; 위축되다 ; 비굴하게 굴다, 역겨울 정도로 알랑대다

Alison *cringed* when the doctor came striding toward her with an enormous hypodermic needle in his hand.
의사가 거대한 주사바늘을 손에 들고 성큼성큼 그녀에게로 걸어오자 알리슨은 겁이 나서 움추렸다.

The *cringing* jester eventually began to annoy the king, who told the jester either to stop fawning or to have his head cut off.
알랑거리던 어릿광대는 결국 왕을 화나게 만들었다. 왕은 알랑거림을 멈추든지 아니면 목을 내놓든지 하라고 명령했다.

**CRITIQUE** [kritíːk] n **a critical review** 비평가의 평론

The reviewer's brutal *critique* of my latest book made me reluctant ever to pick up a pen again.
나의 최근 작품에 대한 그 평론가의 잔인한 비평 때문에 다시는 펜을 들고 싶은 마음이 없어졌다.

Lloyd liked to help out around the kitchen by offering concise *critiques* of nearly every move his wife made.
로이드는 주방을 어슬렁거리며 아내가 하는 거의 모든 움직임마다 짤막한 비평을 하는 방법으로 아내를 도와주는 것을 좋아했다.

* critique는 동사로도 쓰인다.

The art teacher *critiqued* the students' projects in front of the entire class, making some of the students feel utterly miserable.
미술선생님은 전체 학생들 앞에서 학생들의 과제물을 평가했다. 학생들 중 몇몇은 아주 비참한 기분을 맛보아야 했다.

## CRUX [krʌks] v the central point ; the essence 중심점, 급소 ; 본질

The *crux* of an argument is the crucial part of it.
논쟁의 요지란 가장 중요한 핵심사항을 일컫는다.

Very often when you see this word, it will be followed by *of the matter*. The *crux* of the matter is the heart of the matter.
이 단어를 접하는 경우의 대부분, of the matter라는 어구가 따라올 것이다. 문제의 급소라는 말은 문제의 핵심을 일컫는다.

Building a lot of atom bombs and dropping them on the capital was the *crux* of the renegade general's plan to topple the existing government.
현정부의 전복을 꾀하는 반역한 장군의 계획의 핵심은 다량의 원자폭탄을 만들어 수도에 투하하는 것이었다.

## CUISINE [kwizíːn] n a style of cooking 요리법

* cuisine은 주방과 요리를 의미하는 프랑스어이다.

A restaurant advertising French *cuisine* is a restaurant that serves food prepared in a French style. A restaurant advertising Italian *cuisine* is slightly absurd, since *cuisine* is French not Italian, but this usage is very common and everyone understands it.
프랑스식 요리라고 광고하는 레스토랑은 프랑스식으로 준비된 요리를 제공한다. 이태리식 요리라고 선전하는 레스토랑은 다소 부조리한 경우이다. cuisine이라는 단어는 이태리어가 아니고 프랑스어이기 때문이다. 그러나 이러한 어법은 매우 흔하게 사용되며, 모든 사람들이 그렇게 받아들이고 있다.

## CULL [kʌl] v to pick out from among many ; to select ; to collect 많은 것 중에서 뽑아내다 ; 고르다 ; 모으다

The farmer *culled* the very best raspberries from his new crop and sold them for twenty-five cents apiece.
농부는 새로 수확한 농작물 중에서 가장 최고의 나무딸기를 골라냈다. 그리고 한 개당 25센트씩을 받고 팔았다.

The poet *culled* a few of his favorite poems from among his collected works and had them printed in a special edition.
시인은 자신의 작품집 중에서 가장 좋아하는 시들을 추려내서 특별판으로 출간했다.

On the first day of school, the veteran teacher *culled* the troublemakers from her classroom and had them assigned to other teachers.
학기가 시작된 첫날, 경험이 많은 선생님은 노련하게 자신의 반의 말썽꾸러기들을 가려냈다. 그리고 그 아이들은 다른 선생님들에게 맡겼다.

## CURB [kəːrb] v to restrain or control 억제하다, 통제하다

The best way I've found to *curb* my appetite is to eat a couple of pints of coffee ice cream ; once I've done that, I'm not hungry anymore.
내가 발견한, 식욕을 억제하는 가장 좋은 방법은 1파인트짜리 커피아이스크림 두 통을 먹는 것이다 ; 일단 그렇게 먹고 나면 더 이상 배가 고프지 않게 된다.
(주: 파인트는 액체나 고체의 단위, 액체는 약 0.47리터, 고체는 0.55리터 정도 )

The scout leader did his best to *curb* the young scouts' natural tendency to beat up one another.
스카우트의 인솔자는 나이 어린 스카우트 단원들이 서로 때리며 싸우려고 하는 본성적인 충동을 통제하느라 나름의 최선을 다했다.

* curb 는 명사로 재갈이나 구속하는 어떤 것을 의미한다.

The *curb* on a street is a barrier that *curbs* cars from driving onto the sidewalk.
거리에 설치된 인도와 차도 사이의 연석은 차가 인도로 뛰어드는 것을 막기 위한 장애물이다.

## CURMUDGEON [kəːrmʌ́dʒən] n a difficult, bad-tempered person 까다롭고 심술궂은 사람

* 발음에 주의할 것.

Old age had turned kindly old Mr. Green into a *curmudgeon* ; he never seemed to see anything that didn't displease him, and he always had something nasty to say to the people who came to visit.
친절한 사람이었던 그린씨는 나이가 들어감에 따라 심술궂은 사람으로 변해갔다 : 그는 모든 것이 마음에 들지 않는 것 같았다. 그리고 언제나 손님으로 온 사람들에게 불쾌한 말을 해야 직성이 풀렸다.

The words old and *curmudgeon* often appear together. Sometimes this word is used affectionately, as when we refer to an elderly person who is humorously grumpy from the aches and pains of life. A *curmudgeon* can be said to be *curmudgeonly*.
흔히 old와 curmudgeon은 함께 붙어 다닌다. 때때로 삶의 고통과 시련에서 얻은 해학적인 심술궂음을 가진 연장자를 언급할 때처럼, curmudgeon은 애정이 담긴 표현으로 쓰이기도 한다.
* 형용사는 curmudgeonly.

## CURSORY [kə́ːrsəri] adj quick and unthorough ; hasty ; superficial 서두르며 마구잡이 식인 ; 조급한 ; 천박한, 피상적인

Stan had a photographic memory ; after giving the book just a *cursory* glance, he knew the entire thing by heart.
스탄은 사진 같은 세밀한 기억력을 갖고 있었다 : 단지 책을 한번 빠르게 힐끗 보기만 해도, 그는 모든 내용을 암기했다.

The painter prepared the exterior of the house in such a *cursory* manner before painting it that all of the new paint peeled off almost immediately.
칠장이는 집의 외관을 칠하기 전에 워낙 서두르느라 철저하게 준비를 하지 못했기 때문에 새로 칠한 페인트는 칠하기가 무섭게 곧 벗겨져 버렸다.

The doctor was so *cursory* in his examination that he failed to notice the large tumor at the base of the patient's spine.
의사는 진찰을 워낙 소홀하게 대강대강 했기 때문에, 환자의 척추에 생긴 커다란 종양을 발견하지 못했다.

## QUICK QUIZ 25

Match each word in the first column with its definition in the second column. Check your answers in the back of the book.

| | |
|---|---|
| 1. crevice | a. restrain |
| 2. cringe | b. pick out from among many |
| 3. critique | c. critical review |
| 4. crux | d. style of cooking |
| 5. cuisine | e. shrink back with fear |
| 6. cull | f. central point |
| 7. curb | g. narrow split |
| 8. curmudgeon | h. quick and unthorough |
| 9. cursory | i. difficult, bad-tempered person |

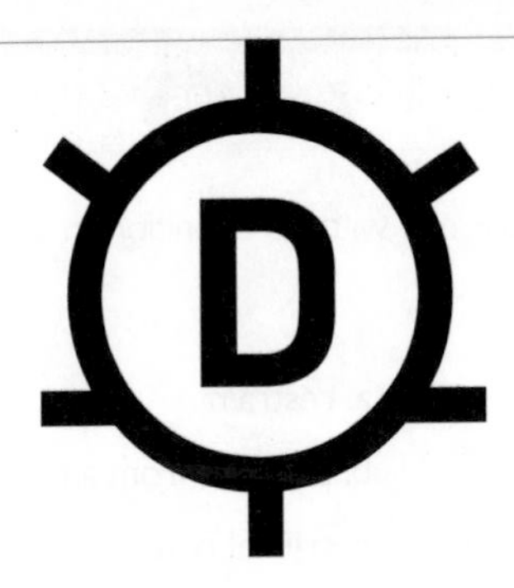

**DEBASE** [dibéis] v **to lower in quality or value ; to degrade** 품질이나 가치를 떨어뜨리다 ; 지위를 낮추다

To deprive a single person of his or her constitutional rights *debases* the liberty of us all.
어떤 한 사람에게서 헌법에 보장된 권리를 박탈하는 것은 우리 모두의 자유를 훼손하는 것이다.

The bishop *debased* his reputation by leaving the church and marrying a fourteen-year-old girl that he had met on the subway on New Year's Eve.
그 주교는 교회를 버리고, 섣달 그믐날 지하철에서 만난 14세 소녀와 결혼함으로써 자신의 명예를 실추시켰다.

Soviet monetary policies had *debased* the national currency to such an extent that rubles were worth almost nothing outside the Soviet Union.
소비에트 연방 밖에서는 루블화가 거의 아무 가치도 없을 정도로, 소련의 재정정책은 국가의 통화의 가치를 하락시키는 결과를 낳았다.
* 명사형은 debasement. abase항목을 참조할 것.

**DEBUNK** [di:bʌ́ŋk] v **to expose the nonsense of** ~이 거짓임을 폭로하다

The reporter's careful exposé *debunked* the company's claim that it had not been dumping radioactive waste into the Hudson River.
기자는 신중한 폭로기사에서, 방사성 폐기물을 허드슨강에 투기하지 않았다는 회사의 주장이 허위임을 폭로했다.

Paul's reputation as a philanthropist was a towering lie just waiting to be *debunked*.
박애주의자로 이름난 폴의 명성은 단지 진실이 폭로되기를 기다리고 있는 높다란 거짓의 탑일 뿐이었다.
* bunk는 터무니없는 말이나 의미 없는 말을 의미한다.

**DECREE** [dikrí:] v **an official order, usually having the force of law** 공식적인 명령, 특히 법의 강제성이 있는

The crazy king's latest *decree* forbade the wearing of hats and the eating of asparagus.
미치광이 왕이 최근 공표한 법령은 모자를 쓰는 것과 아스파라거스를 먹는 것을 금지하고 있었다.
* decree는 동사로 쓰이면, 형식을 갖춰 공식적으로 선언하다라는 의미이다.

In a last-ditch attempt to win favor among wealthy voters, the president *decreed* that thenceforth only poor people would have to pay taxes.
부유한 유권자들의 마음을 얻기 위한 마지막 시도로, 대통령은 이 다음부터는 가난한 사람들만 세금을 내야 할 것이라고 공식적으로 공표했다.

**DECRY** [dikrái] v **to put down ; to denounce** 가치를 내리다 ; 비난하다

The newspaper editorial *decried* efforts by the police chief to root out corruption in the police department, saying that the chief was himself corrupt and could not be trusted.
그 신문은 사설에서 경찰국장 자신이 부패한 인물이며 신뢰할 수 없는 사람이라는 말로, 경찰국 내의 부패를 뿌리뽑으려는 국장의 노력을 비난했다.

The environmental organization quickly issued a report *decrying* the large mining company's plan to reduce the entire mountain to rubble in its search for uranium.
환경단체는 대형 광산회사가 우라늄을 찾기 위해 온 산을 조각조각 부수려는 계획을 갖고 있음을 비난하는 보고서를 냈다.

* 이 단어의 의미를 주의 깊게 볼 것.

## DEEM [diːm] v to judge ; to consider 판단하다 ; 고찰하다, 여기다

Mother *deemed* it unwise to lure the bear into the house by smearing honey on the front steps.
엄마는 현관 계단에 꿀을 발라서 곰을 집안으로 유인하는 것은 현명한 방법이 아니라고 생각했다.

My paper was *deemed* to be inadequate by my teacher, and I was given a failing grade.
선생님은 내 논문이 불충분하다고 판단하셨다. 당연히 나는 낙제점을 받았다.

After taking but a single bite, Angus *deemed* the meal to be delectable.
단지 한 입만 먹어보고도, 앵거스는 그 음식이 아주 맛있다고 판단했다.

## DEFICIT [défəsit] n a shortage, especially of money 부족, 특히 돈의 부족

The national *deficit* is the amount by which the nation's revenues fall short of its expenditures.
국가의 재정 적자는 국가 전체의 세입이 세출보다 부족한 만큼의 양이다.

Frank had forgotten to eat lunch ; he made up the *deficit* at dinner by eating seconds of everything.
프랭크는 점심 먹는 것을 잊어버렸다 ; 그는 저녁식사 자리에서 모든 음식을 두 번씩 청해 먹음으로써 부족했던 양을 보충했다.

Unexpectedly large legal fees left the company with a *deficit* in its operating budget.
뜻밖에도 거액의 법률 비용이 드는 바람에, 회사는 경영 예산에서 적자를 안게 되었다.
* deficit의 유의어는 deficiency, defect(부족, 결손, 부족액).

## DEFILE [difáil] v to make filthy or foul ; to desecrate 더럽히다, 불결하게 만들다 ; ~의 신성을 더럽히다

The snowy field was so beautiful that I hated to *defile* it by driving across it.
눈 덮인 들판은 너무나 아름다워서 차를 몰아 가로질러가면서 들판을 더럽히는 것이 너무나 싫었다.

In the night, vandals *defiled* the painting behind the altar by covering it with spray paint.
한밤중에, 문화의 파괴자들은 제단 뒤의 그림에다 스프레이로 온통 색칠을 해놓아 신성을 모독했다.

## DEFT [deft] adj skillful 솜씨 좋은, 숙련된

The store detective was so *deft* in his capture of the shoplifter that none of the customers was aware of what was going on.
매장 감시원은 상점의 좀도둑을 잡는 데는 워낙 솜씨가 좋은 사람이라 손님들은 무슨 일이 진행되고 있는지도 알지 못했다.

In one *deft* move, the shortstop scooped the ball out of the dirt and flipped it to the second baseman.
유격수는 한번의 능숙한 동작으로, 진흙탕에서 공을 건져내어 이루수에게 휙 던졌다.

The acrobat *deftly* caught his wife with one hand while hanging from the trapeze with the other.
한 손으로는 공중그네에 매달린 채로, 곡예사는 나머지 한 손으로 능숙하게 자신의 아내를 붙잡았다.

**DEFUNCT** [difʌ́ŋkt] adj **no longer in effect ; no longer in existence** **더 이상 효력이 없는 ; 더 이상 존재하지 않는**

Most of the businesses in the oldest section of downtown were now *defunct* ; the new shopping mall on the other side of the river had put them out of business.

도심지의 가장 오래된 상업지구에 있던 상점들의 대부분은 이제 남아 있지 않았다 ; 강의 다른 한편에 등장한 새로운 쇼핑몰이 그들이 문을 닫게 만들었던 것이다.

My already limited interest in cutting my grass was just about *defunct* by the time the grass was actually ready to cut, so I never got around to doing it.

원래 잔디깎기에는 흥미가 없는데다 깎아야 할 만큼 잔디가 자랐을 때에는 그나마도 아예 관심이 없어져 버려서, 나는 잔디를 깎지 않고 내버려 두었다.

The long spell of extremely hot weather left my entire garden *defunct*.

아주 무더운 날씨가 오래 계속되자 정원 전체가 죽어버렸다.

* defunct는 function이라는 단어와 관계가 있다.

**DEGRADE** [digréid] v **to lower in dignity or status ; to corrupt ; to deteriorate** **품격이나 지위를 떨어뜨리다 ; 타락시키다 ; 악화시키다**

Being made to perform menial duties at the behest of overbearing male senior partners clearly *degrades* the law firm's female associates.

고압적인 태도를 가진 선배 남자 동료들의 명령으로 시시한 업무나 하는 것은 법률회사내의 여성 동료들의 지위를 떨어뜨리는 일이다.

The former bank president felt *degraded* to work as a teller, but he was unable to find any other job. The former bank president felt that working as a teller was *degrading*.

전 은행장은 출납계원으로 일하게 되자 자신의 위신이 떨어졌다고 느꼈다. 그러나 그는 다른 직업을 구할 수가 없었다. 전 은행장은 출납계원으로 일하는 것은 자존심을 떨어뜨리는 일이라고 생각했다.

The secret potion had *degraded* over the years to the point where it was no longer capable of turning a person into a frog.

비밀의 물약은 해가 지날수록 더 이상 사람을 개구리로 변화시킬 수 없는 지경으로까지 나빠졌다.

* 명사형은 degradation [dègrədéiʃən]. 품사에 따른 발음에 주의할 것.

## QUICK QUIZ 26

Match each word in the first column with its definition in the second column. Check your answers in the back of the book.

| | |
|---|---|
| 1. debase | a. judge |
| 2. debunk | b. shortage |
| 3. decree | c. official order |
| 4. decry | d. expose the nonsense of |
| 5. deem | e. skillful |
| 6. deficit | f. make filthy |
| 7. defile | g. degrade |
| 8. deft | h. no longer in effect |
| 9. defunct | i. lower in dignity |
| 10. degrade | j. denounce |

**DEIGN** [dein] v **to condescend ; to think it in accordance with one's dignity (to do something)** 자신을 낮추다 ; 상대방의 품위(행동하는 것)에 맞추어 생각하다

When I asked the prince whether he would be willing to lend me five bucks for the rest of the day, he did not *deign* to make a reply.
내가 왕자에게 그날 하루 동안 5달러만 빌려줄 수 없겠느냐고 부탁을 하자, 그는 대답조차도 하지 않았다.

**DEITY** [díːəti] v **a god or goddess** 신이나 여신

Members of the ancient tribe believed that the big spruce tree in the middle of the forest was an angry *deity* that punished them by ruining crops and bringing bad weather.
고대 부족사람들은 숲의 한가운데 있는 거대한 전나무가 농작물을 황폐화시키고 악천후를 일으켜서 자신들을 혼내주려고 하는 신의 분노라고 생각했다.

Many of Elvis's fans view him as a *deity* ; a few even believe that listening to his records can cure cancer.
많은 엘비스의 팬들은 그를 신이라고 생각한다 ; 심지어 몇몇 사람들은 그의 레코드를 들으면 암도 고칠 수 있다고 믿는다.

* 동사형은 deify [díəfài].

Gloria *deified* money ; the "almighty dollar" was her god.
글로리아는 돈을 신성시했다 ; "전지전능한 돈"이 그녀에겐 신이었다.

**DEJECTED** [didʒéktid] a **depressed ; disheartened** 의기소침한 ; 낙심한

Barney was *dejected* when he heard that Fred had gone to the lodge without him, but he cheered up later when Betty made him some brownies.
프래드가 자신을 놔두고 오두막집으로 가버렸다는 소식을 듣고 바니는 풀이 죽었다. 그러나 나중에 베티가 땅콩초콜릿을 만들어주자 기분이 좋아졌다.

The members of the losing field-hockey team looked *dejected* ; their heads were bowed, and they were dragging their sticks.
지고 있는 필드하키팀 선수들은 풀이 죽은 듯이 보였다 : 고개를 숙인 채로, 선수들은 하키 스틱을 질질 끌고 있었다.

* 명사형은 dejection [didʒékʃən] .

Rejection often causes *dejection*.
거절은 흔히 낙담을 야기한다.

---

**DELECTABLE** [diléktəbl] adj **delightful ; delicious** 즐거운 ; 맛있는

Vince's success as a writer was made all the more *delectable* to him by the failure of his closest rival.
작가로서 성공한 빈스는 가장 가까운 경쟁자의 실패를 통해 한결 더 큰 기쁨을 맛보았다.

The Christmas turkey looked *delectable* from a distance, but it was so dry and leathery that it was nearly impossible to eat.
크리스마스의 칠면조 요리는 멀리서 볼 때는 맛있는 것 같았다. 그러나 칠면조는 너무나 말라붙고 가죽같이 질겨서 거의 먹을 수 없을 정도였다.

---

**DELINQUENT** [dilíŋkwənt] adj **neglecting a duty or law ; late in payment** 직무나 법을 태만히 하는 ; 체납된

The *delinquent* father failed to show up for visits with his children from his first marriage.
아버지로서의 직분을 태만히 하는 그는 첫 번째 결혼에서 얻은 아이들을 보는 자리에 나타나지 않았다.

The city's motor vehicle bureau decided to impound the cars of drivers who had been *delinquent* in paying their traffic tickets.
그 도시의 자동차 관련 기관은 교통위반 벌금을 체납하고 있는 운전자들의 차를 압류한다는 결정을 내렸다.

The telephone company charges a late fee for customers who are *delinquent* in paying their bills.
전화회사는 전화요금을 체납한 소비자들에게 연체료를 물린다.

* delinquent는 명사로도 쓰인다.

A person who fails to pay his or her taxes is a tax *delinquent* and is subject to prosecution. A juvenile *delinquent* is a young person who habitually breaks the law.
세금을 내지 못하고 체납한 사람을 a tax delinquent라 하며, 기소 처분을 받게 된다. 소년범이란 상습적으로 법을 위반하는 미성년자를 뜻한다.

---

**DELVE** [delv] v **to search or study intensively** 집중적으로 찾거나 탐구하다

* delve는 원래 땅을 판다(dig)는 의미를 가진 단어였으며, 지금도 간혹 그런 의미로 쓰인 경우를 볼 수 있다.

A miner might be said to *delve* the earth for ore, for example. (You're also probably familiar with a line from a well-known nursery rhyme: "Eleven, twelve, dig and *delve*.") In its modern meaning, *delve* means to dig metaphorically. To *delve* into a subject is to dig deeply into it—not with a shovel, but with your mind.
예를 들면, 광부는 광석을 캐기 위해 땅을 판다라고 표현할 수 있다. (아마 여러분도 역시 유명한 동요의 한 소절을 통해 그 단어를 잘 알고 있을 것이다: "열하나, 열둘 파고 또 파고"). 근래에 오면, delve는 비유적인 의미로 쓰인다. 한가지 주제를 파고든다는 말은 삽이 아니라 정신적으로 문제를 깊게 파헤친다 — 즉 탐구한다는 의미이다.

Janice was afraid to *delve* into her childhood memories, because she was afraid of what she might remember.
제니스는 자신이 기억해낼 것에 대해 두려워하고 있었으므로, 유년시절의 추억 속으로 깊이 들어가는 것을 겁내고 있었다.

## DEMEANOR [dimíːnər] v behavior ; manner 행동 ; 태도

You could tell by Harold's *demeanor* that he was a jerk ; he picked his nose two nostrils at a time, and he snorted loudly whenever he heard or saw something that he didn't like.
여러분도 해롤드의 행동을 보면, 그가 어리석은 사람이라는 것을 알 수 있을 것이다 : 그는 콧구멍 두 개를 동시에 후볐으며 싫어하는 것을 보거나 듣게 되면 언제나 큰소리로 콧김을 내뿜었다.

The substitute teacher was thrilled by the demeanor of the children until she realized that they had glued her to her seat.
대리 교사는 아이들이 접착제로 그녀를 의자에 붙여놓았다는 사실을 깨닫기 전까지 아이들의 행동을 보며 자릿한 흥분을 느끼고 있었다.

* demean이라는 동사, demeaning이라는 형용사와 혼동하지 말 것. demean은 어떤 것의 가치나 품격을 떨어뜨린다는 뜻.

## DEMISE [dimáiz] v death 사망, 서거

Aunt Isabel was grief-stricken about the *demise* of her favorite rosebush ; that plant was the only friend she had ever had.
이자벨 숙모는 가장 좋아하던 장미나무가 죽어버려서 비탄에 잠겼다 : 그 나무는 숙모에게 지금까지 유일한 친구였었다.

Ever since the legislature had passed an income tax, Senator Jones had been working to bring about its *demise*.
입법부가 소득세법을 통과시킨 이래로 지금까지 존스 상원의원은 그 법안의 폐기를 이끌어내기 위해 일해왔다.

Oscar's arrest for possession of cocaine led quickly to the *demise* of his law practice.
코카인 소지죄로 체포된 오스카는 곧바로 변호사직을 그만두어야 했다.

## DEMOGRAPHY [dimágrəfi] v the statistical study of characteristics of populations 인구에 관련된 통계학

* 발음에 주의할 것.

Democracy is rule by the people. A graph is a written record or picture describing something. *Demography* is the study of characteristics shared by groups of people. When a magazine announces that 75 percent of its readers drink Scotch and that 53 percent of them earn more than $100,000 per year, it is referring to the results of a *demographic*[dìːməgrǽfik] study. The characteristics measured in such a study are referred to as the *demographics* of the group being studied. Computers have made it possible for companies to learn quite a bit about the *demographics* of their customers, such as how old they are, how much money they make, how many children they have, and what other products they buy.
민주주의는 국민에 의한 통치체제이다. 그래프는 어떤 것에 대하여 설명하기 위해 작성된 기록이나 그림을 의미한다. demography는 사람들의 집단에서 공유되는 특질을 연구하는 학문이다. 한 잡지사가 독자층의 75%가 스카치를 마시며, 53%가 매년 10만 달러 이상의 소득을 올리는 사람이라고 발표를 한다면, 이는 인구통계학적 연구의 결과를 언급하고 있는 것이다. 그 같은 연구에서 측정된 수치는 조사 대상이 된 그룹의 인구통계라고 일컬어진다. 컴퓨터는 각종 회사들이 그들의 고객에 관한 통계조사 — 즉, 고객들의 연령 분포는 어떻게 되며, 소득은 얼마인지, 자녀들은 몇 명이나 있는지, 다른 어떤 상품을 구입하는지 등등의 것들 — 를 아주 쉽게 할 수 있도록 하는 데 큰 기여를 했다.

* demographer[dimágrəfər]는 인구통계학자.

## DEMUR [dimə́ːr] v to object ; to take exception 반대하다 ; 이의를 제기하다

Billy *demurred* when I suggested that he run out into the middle of the railroad bridge and jump into the chasm just as a freight train was about to run into him.
나는 빌리에게 기차교량의 중간지점으로 달려가서 화물열차에 곧 치이려는 순간에 갈라진 틈으로 뛰어내리는 게 어떠냐고 제안했지만, 그는 반대했다.

* 다음에 제시된 demure라는 단어와 혼동하지 말 것.

## QUICK QUIZ 27

Match each word in the first column with its definition in the second column. Check your answers in the back of the book.

| | |
|---|---|
| 1. deign | a. delightful |
| 2. deity | b. death |
| 3. dejected | c. god or goddess |
| 4. delectable | d. take exception |
| 5. delinquent | e. study of population characteristics |
| 6. delve | f. depressed |
| 7. demeanor | g. search intensively |
| 8. demise | h. behavior |
| 9. demography | i. condescend |
| 10. demur | j. neglecting a duty |

**DEMURE** [dimjúər] adj **shy ; reserved ; sedate** 숫기 없는 ; 수줍은 ; 침착한

Jenna was a *demure* child ; she sat quietly next to her mother with her hands folded in her lap.
제나는 숫기 없는 아이였다 ; 그녀는 두 손을 얌전히 무릎에 포개놓은 채로 엄마 옆에 조용히 앉아있었다.

**DENOMINATION** [dinɑ̀mənéiʃən] n **a classification ; a category name** 분류 ; 범주별 명명

Religious *denominations* are religious groups consisting of a number of related congregations. Episcopalians and Methodists represent two distinct Christian *denominations*.
종교의 분파는 수많은 관련 종교모임으로 구성되어 있는 종교상의 파벌이다. 감독교회와 감리교회는 서로 다른 두 개의 기독교 분파이다.

* denomination는 통화와 관계된 단어로 쓰이는 일이 종종 있다.

When a bank robber demands bills in small *denominations*, he or she is demanding bills with low face values: ones, fives, and tens.
은행강도가 액면금액이 작은 지폐를 요구한다면, 그는 지폐에 표시된 가치금액이 낮은 현찰을 원하고 있는 것이다: 1 달러나, 5 달러, 10 달러 같은 것들.

**DENOTE** [dinóut] v **to signify ; to indicate ; to mark** 나타내다 ; 가리키다 ; 표시하다

Blue stains in the sink *denote* acidic water in the pipes.
싱크대에 있는 파란 색의 얼룩은 파이프 속에 산성 용액이 있음을 의미한다.

The doll's name—Baby Wet 'n' Mess—*denotes* exactly what it does.
Baby Wet 'n' Mess( 기저귀를 적셔 엉망이 된 아기라는 뜻)라는 인형의 이름은 그 인형이 어떤 것인지 정확하게 가리키고 있다.

**DENOUNCE** [dináuns] v **to condemn** 비난하다

The president publicly *denounced*, but privately celebrated, the illegal activities of the director of the Central Intelligence Agency.
대통령은 CIA 국장의 불법적인 활동을 공개적으로 비난했다. 하지만 사적인 자리에서는 칭찬을 했다.

In order to avoid being sent to jail, the political prisoner *denounced* the cause in which he believed.
감옥에 가는 것을 피하기 위해서, 정치범은 자신이 믿고 있던 이념을 비난했다.

* 명사형은 denunciation [dinʌ̀nsiéiʃən].

**DEPICT** [dipíkt] v **to portray, especially in a picture ; to describe** 묘사하다, 특히 그림으로 ; 설명하다

The enormous mural *depicted* various incidents from the Bible.
거대한 벽화는 성서에 나타난 다양한 사건을 묘사하고 있었다.

The candidate's brochures accurately *depicted* his opponent as a wife beater and a child molester, but his television commercials were distorted.
그 후보자의 선거 팸플릿은 상대 후보의 아내 폭행과 아동학대에 대해서 세밀하게 묘사했다. 그러나 그의 텔레비전 광고는 왜곡되었다.

The author's *depiction* [dipíkʃən] of New York was not believable to anyone who has ever been to the city ; for one thing, she described the Empire State Building as being seven stories tall.
뉴욕에 대한 작가의 서술은 그 도시에 가본 적이 있는 사람들에게는 별로 신뢰감을 주지 못했다 ; 한가지 예를 들자면, 그녀는 엠파이어 스테이트 빌딩을 7층 높이라고 서술하고 있었다.

**DEPLETE** [diplí:t] v **to decrease the supply of ; to exhaust ; to use up** ~의 공급을 감소시키다 ; 고갈시키다 ; 다 써버리다

After three years of careless spending, the young heir had *depleted* his inheritance to the point where he was very nearly in danger of having to work for a living. He regretted this *depletion*.
경솔하게 되는 대로 3년을 돈을 소비하고 나자, 젊은 상속인은 생활비를 벌기 위하여 일을 해야만 하는 지경에 이를 정도로 물려받은 유산을 거의 모두 탕진해버렸다. 그는 이런 식의 탕진을 후회했다.

Irresponsible harvesting has seriously *depleted* the nation's stock of old-growth trees.
무책임한 벌목으로 그 나라의 수령이 높은 나무들은 바닥이 나버렸다.

Illness has *depleted* Mary's strength ; her muscles have wasted away.
병이 메리의 기운을 다 소진시켰다 ; 그녀의 근육은 쇠약해졌다.

* replete는 충만하다는 의미. 명사형은 repletion.

Harold's stomach was *replete* after consuming eleven pints of chocolate-chip ice cream.
초콜릿 칩이 들어있는 아이스크림을 11 파인트나 먹었더니, 해롤드의 위가 가득 찼다.

**DEPLORE** [diplɔ́:r] v **to regret ; to condemn ; to lament** 한탄하다 ; 비난하다 ; 비탄하다

I *deplore* the use of cattle prods to discipline unruly kindergartners, and I intend to work toward their elimination.
나는 제멋대로 구는 유치원생들의 규율을 잡기 위해 가축용 몽둥이를 사용하는 것에 대해서 개탄한다. 나는 그것들을 없애는 활동을 하고자 한다.

*Deploring* waste is one thing ; actually learning to be less wasteful is another.
낭비를 개탄할 수는 있다 ; 그러나 실제로 절약하는 습관을 배우는 것은 별개의 문제이다.

Maria claimed to *deplore* the commercialization of Christmas, but she did put a huge, illuminated plastic Santa Claus in her front yard, and she did spend several thousand dollars on Christmas presents for each of her children.
마리아는 크리스마스의 상업화를 비난하는 주장을 펼쳤다. 그러나 그녀도 앞마당에 커다란 장식용 산타클로스를 세워두었으며, 아이들을 위한 크리스마스 선물을 사느라 수천 달러를 써버렸다.

**DEPLOY** [diplɔ́i] v **to station soldiers or armaments strategically ; to arrange strategically** 군인이나 군장비를 전략적으로 배치하다 ; 전략적으로 배열하다

The Soviet soldiers were *deployed* along the border of Afghanistan, ready to attack.
소련 군인들은 공격 태세를 갖추어 아프가니스탄 국경에 배치되었다.

The United States has nuclear missiles *deployed* all over Western Europe.
미국은 서유럽 전역을 포괄하는 핵미사일을 배치했다.

At the banquet, the hostess *deployed* her army of waiters around the garden, hoping that none of the guests would have to wait more than a few seconds to receive a full glass of champagne.
연회를 베풀면서, 안주인은 정원 주변에 시중드는 사람을 여러 명 배치했다. 그녀는 한 잔의 샴페인을 얻기 위해 수초 이상 기다려야 하는 불편을 겪는 손님들이 하나도 없기를 바랐던 것이다.

**DEPOSE** [dipóuz] v **to remove from office or position of power** 권력의 직위나 임무를 빼앗다

The disgruntled generals *deposed* the king, then took him out to the courtyard and shot him.
불만을 가진 장성들이 국왕을 자리에서 물러나게 하고, 마당으로 끌고 가서 총살했다.

**DEPREDATE** [déprədèit] v **to prey upon ; to plunder** 착취하다 ; 약탈하다

* a predator 는 다른 사람들을 착취하는 사람. depredate는 자신에게 필요하다면, 폭력적인 방법을 사용하여 남의 소유물을 가져가는 행위를 의미한다.

The greedy broker *depredated* his elderly clients, stealing many millions of dollars before he was finally caught and sent to jail.
마침내 들통이 나서 감옥에 보내지기 전까지 탐욕스런 주식중개인은 수백만 달러나 훔쳐내서, 나이가 지긋한 고객들의 돈을 약탈했다.

* 명사형은 depredation [dèprədéiʃən], predation [pridéiʃən].

Despite the frequent *depredations* of the enemy soldiers, the villagers rebuilt their homes and went on with their lives.
적군의 빈번한 약탈 행위에도 불구하고, 마을 사람들은 다시 집을 고치고, 그들의 본래의 삶을 계속 영위했다.

* 품사의 변화에 따른 발음에 주의할 것.

## QUICK QUIZ 28

Match each word in the first column with its definition in the second column. Check your answers in the back of the book.

| | |
|---|---|
| 1. demure | a. decrease the supply of |
| 2. denomination | b. condemn |
| 3. denote | c. arrange strategically |
| 4. denounce | d. classification |
| 5. depict | e. prey upon |
| 6. deplete | f. portray |
| 7. deplore | g. signify |
| 8. deploy | h. remove from office |
| 9. depose | i. shy |
| 10. depredate | j. lament |

**DERELICT** [dérəlikt] adj **neglectful ; delinquent ; deserted ; abandoned** 태만한 ; 직무 태만의 ; 버림받은 ; 버려진

The crack-addicted mother was *derelict* in her duty to her children ; they were running around on the city streets in filthy clothes.
마약에 중독되어 있던 엄마는 자녀들을 돌봐야 하는 자신의 의무를 태만히 했다 ; 아이들은 더러운 옷을 입은 채로 도심의 길거리를 뛰어다니고 있었다.
(주 : crack은 탄산수소나트륨과 물을 가하여 가열해서 만든 강력 코카인)

The broken shutters on the *derelict* house banged back and forth in the wind, confirming the children's suspicion that it was haunted.
폐가의 덧문은 귀신 나오는 집이라는 아이들의 의구심을 확인이라도 시켜주는 듯, 바람에 이리저리 흔들리며 쾅쾅 부딪히는 소리를 냈다.

Navigation was made difficult by the rotting hulls of the *derelict* ships that were scattered around the bay.
만 주변에 흩어져서 버려진 채로 선체가 썩고 있는 배들 때문에 항해가 힘들었다.

* derelict 는 명사로도 쓰인다.

The only car in sight was a rusty *derelict* that had been stripped to its chassis by vandals.
눈에 보이는 것이라곤, 약탈자들에 의해서 내부 기계들은 모두 제거되고 차체만 남은 녹슨 폐차 한 대뿐이었다.

**DESIST** [dizíst] v **to stop doing (something)** 그만두다

Marty took a hammer and began hitting Suzanne over the head with it ; Suzanne asked Marty to *desist*.
마티는 망치를 가져와서 그것을 가지고 수잔의 머리를 때리기 시작했다 : 수잔은 마티에게 그만두라고 간청했다.

The judge issued a cease-and-*desist* order that forbade Mr. Jones to paint obscene words on the garage door of his neighbor's house.
판사는 존스 씨에게 이웃집의 차고 문에 음란한 말을 써놓지 말 것을 명령하는 정지명령을 내렸다.

For several hours, I *desisted* from eating any of the pumpkin pie, but then I weakened and ate three pieces.
몇 시간 동안, 나는 호박 파이를 하나도 먹지 않고 버티고 있었다. 그러나 이내 나는 약해지고 말았고, 호박파이를 세 조각 먹었다.

**DEVOUT** [diváut] adj **deeply religious ; fervent** **신앙심이 깊은 ; 열렬한**

Mary was such a *devout* Catholic that she decided to become a nun and spend the rest of her life in a convent.
메리는 워낙 독실한 카톨릭 신자였으므로, 남은 인생을 수녀가 되어 수녀원에서 보내기로 마음먹었다.

Bill is a *devout* procrastinator ; he never does anything today that he can put off until tomorrow—or, better yet, the day after that.
빌은 진정으로 모든 일을 지연시킬 수 있는 사람이다 : 그는 내일까지 — 더욱 더 좋은 것은 — 그 다음날까지라도 연기시킬 수 있다.
* devout는 devoted(헌신하다)와 관계가 있다. 어떤 일에 헌신적으로 몰두하는 사람을 가리켜 a devotee라 한다.

**DIATRIBE** [dáiətràib] n **a bitter, abusive denunciation** **신랄하고 독설로 가득한 비난, 비평**

Arnold's review of Norman Mailer's new book rapidly turned into a *diatribe* against Mailer's writing.
노먼 메일러의 새 책에 대한 아놀드의 평론은 순식간에 메일러의 작품에 대한 신랄하고 독설이 가득한 비난으로 변해버렸다.

The essay was more of a *diatribe* than a critique ; you could almost hear the sputtering of the author as you read it.
그 에세이는 비평이라기보다는 독설로 가득한 비난에 가까웠다 : 여러분도 그 글을 읽다보면, 침 튀기며 떠들어대는 저자의 흥분된 목소리가 들리는 듯할 것이다.

**DICHOTOMY** [daikɑ́təmi] n **division into two parts, especially contradictory ones** **둘로, 특히 상반되는 것으로 나뉨, 분열**

There has always been a *dichotomy* between what Harry says and what he does ; he says one thing and does the other.
해리의 말과 행동은 항상 양극단을 달려 왔다 : 그는 말과 행동이 다른 사람이다.

Linda could never resolve the *dichotomy* between her desire to help other people and her desire to make lots and lots of money, so she decided just to make lots and lots of money.
린다는 남을 돕고 싶어하는 마음과 아주 많은 돈을 벌고 싶은 욕심으로 양분된 희망을 해결하지 못하고 있었다. 결국 그녀는 많은 돈을 버는 쪽으로 마음을 굳혔다.

**DIFFUSE** [difjúːz] v **to cause to spread out ; to cause to disperse ; to disseminate** **널리 퍼지게 하다 ; 흩어지게 하다 ; 퍼뜨리다**

The tear gas *diffused* across the campus ; students as far away as at the library reported that their eyes were stinging.
최루가스가 대학 내에 널리 퍼졌다 : 도서관처럼 먼 곳에 있던 학생들도 눈이 매웠다고 알려왔다.

* 형용사는 diffuse[difjúːs].

Resistance to the proposition was so *diffuse* that the opposition movement was never able to develop any momentum.
그 계획안에 반대하는 사람들은 워낙 이곳저곳에 흩어져 있어서, 반대운동이 하나의 세력으로 발전할 수가 없었다.
* 명사형은 diffusion.

## DILAPIDATED [dilǽpədèitid] adj broken-down ; fallen into ruin 무너진 ; 황폐한

This word comes from a Latin word meaning to pelt with stones. A *dilapidated* house is one that is in such a state of ruin that it appears to have been attacked or pelted with stones.
이 단어는 돌을 던진다는 의미의 라틴어에서 유래한 말이다. a dilapidated house 는 마치 돌로 두들겨 맞거나 공격을 받은 것처럼 보일 정도로 파괴되고 황폐화된 상태의 집을 일컫는다.

Our car was so *dilapidated* that you could see the pavement whizzing past through the big holes in the rusty floor.
우리 차는 녹슨 바닥에 있는 커다란 구멍을 통해서 도로가 윙 소리를 내며 지나가는 것을 볼 수 있을 정도로 낡은 폐물이었다.

## DILATE [dailéit, di-] v to make larger ; to become larger ; to speak or write at length 넓히다 ; 확장되다 ; 상세하게 쓰거나 말하다

Before examining my eyes, the doctor gave me some eyedrops that *dilated* my pupils.
눈을 검사하기 전에, 의사는 동공을 확장시키는 안약을 내 눈에 떨어뜨려 주었다.

The pores in the skin become *dilated* in hot weather, in order to cool the skin.
날씨가 더워지면, 피부를 시원하게 만들기 위해 피부의 털구멍이 확장된다.

The evening speaker *dilated* on his subject for so long that most of the people in the audience fell asleep.
저녁모임의 연설자가 자신의 주제에 대해 너무나 오랫동안 상세하게 설명을 하는 바람에 참석했던 사람들의 대부분은 잠이 들어버렸다.

## DILEMMA [dilémə] n a situation in which one must choose between two equally attractive choices ; any problem or predicament 똑같이 매력적인 두 개의 일을 두고 하나만 선택해야 하는 상황, 진퇴양난, 딜레마 ; 골칫거리, 궁지

*Dilemma* comes from Greek words meaning double proposition. In careful usage, the word retains this sense and is used only when the choice is between two things. In less formal usage, though, the word is used to mean any problem or predicament.
dilemma는 두 가지 제안을 의미하는 그리스어에서 유래한 단어이다. 정확한 어법에서는, 이러한 의미를 유지하면서 두 가지 중에서 하나를 선택해야 하는 경우에만 사용된다. 공식적인 어법을 벗어나면, 이 단어는 어떠한 난제나 궁지에 몰려있는 상황을 의미하기도 한다.

If you are stuck on the "horns of a *dilemma*," you are having trouble choosing between two equally attractive choices.
만약 여러분이 딜레마에 빠져 있다면, 똑같이 매력적인 두 가지의 기회 중에서 하나를 선택해야 하는 문제에 봉착하고 있다는 의미이다.
(주 : "horns of a dilemma, — 딜레마의 뿔 —"이란 어느 한 쪽을 택해도 불리한 양도 논법의 뿔)

Freddy wanted both a new car and a new boat, but had only enough money to buy one of them ; he solved his *dilemma* by buying the car and charging the boat.
프레디는 새 차와 새 보트 모두 갖고 싶었다. 그러나 그는 한 가지밖에 살 수 없는 정도의 돈만 있었다 : 그는 자동차를 현금으로 사고, 보트는 외상으로 구입하는 방법으로 딜레마를 해결했다.

The mayor's current *dilemma* was how to solve the city's worsening budget problems.
시장의 최근 딜레마는 시의 재정악화를 어떻게 해결하느냐 하는 것이었다.

## DIMINUTION [dìmənú:ʃən/-njú:-] n the act or process of diminishing ; reduction 줄이는 과정이나 감소정책 ; 삭감, 축소

* 발음에 주의할 것.

The process was so gradual that Larry didn't notice the *diminution* of his eyesight ; it seemed to him that he had simply woken up blind one morning.
시력이 점점 약해지는 과정은 너무나 점진적으로 일어나서 래리 자신은 깨닫지 못하고 있었다 : 그에게는 정말로, 어느 날 아침 일어나 보니 눈이 보이지 않게 된 것 같았다.

The *diminution* of the value of savings means that I am not as wealthy as I used to be.
저축액의 가치 하락은 내가 이전만큼 부자가 아니라는 사실을 의미한다.

* diminutive [dimínjutiv]는 매우 작다는 뜻의 형용사.

The giant's wife was surprisingly *diminutive* ; when she stood beside her husband, she looked like his child.
그 거인의 아내는 의외로 아주 작았다 : 그녀가 남편 옆에 서면, 마치 아내가 아니라 딸인 것처럼 보였다.

## QUICK QUIZ 29

Match each word in the first column with its definition in the second column. Check your answers in the back of the book.

| | |
|---|---|
| 1. derelict | a. division into two parts |
| 2. desist | b. cause to spread out |
| 3. devout | c. stop doing |
| 4. diatribe | d. reduction |
| 5. dichotomy | e. predicament |
| 6. diffuse | f. deeply religious |
| 7. dilapidated | g. make larger |
| 8. dilate | h. broken-down |
| 9. dilemma | i. neglectful |
| 10. diminution | j. bitter denunciation |

**DIRE** [daiər] adj **disastrous ; desperate** 비참한 ; 절망적인

The tornado struck the center of town, with *dire* results ; nearly every building was flattened, and all the beer poured into the streets.
토네이도가 비참한 결과를 남기며 도시 한가운데를 휩쓸고 지나갔다 : 거의 모든 빌딩들이 부서졌으며, 거리에는 온통 맥주가 쏟아져 있었다.

The family's situation was quite *dire* ; they had no clothes, no food, and no shelter.
가족의 상황은 너무나 절망적이었다 : 그들은 입을 것도, 먹을 것도, 쉴 곳도 없었다.

**DIRGE** [dəːrdʒ] n **a funeral song** 장송곡

A *dirge* is a mournful song played at your funeral with the intention of making everyone who knew you feel terribly, terribly sad. A *dirgelike* song is a song so gloomy that it sounds as though it ought to be played at a funeral.
장송곡은 죽은 이를 알고 있는 모든 사람들을 매우 슬프게 만들려는 의도로, 여러분의 장례식에서 연주되는 애도의 노래이다. 장송곡 같은 노래는 너무나 우울해서 마치 장례식에서 연주해야만 될 것 같은 음악을 말한다.

**DISAFFECT** [dìsəfékt] v **to cause to lose affection ; to estrange ; to alienate** 호의를 잃게 만들다 ; 사람을 멀어지게 하다 ; 이반시키다

With years of nitpicking, pestering, and faultfinding, Mary *disaffected* her children.
수년간에 걸쳐 사소한 것에 야단치고, 들볶고, 흠잡기를 일삼더니, 메리는 아이들과 멀어지게 되었다.

My students' nasty comments did not *disaffect* me ; I gave them all F's anyway, to show them that I loved them.
나의 제자들은 추잡한 말들을 했지만, 나는 불만을 갖지 않았다 ; 그러나 나는 내가 아이들을 사랑하고 있다는 것을 보여주기 위해 모두 F학점을 주었다.

* disaffection[dìsəfékʃən]은 애정의 상실, 민심이탈.
* disaffected는 더 이상 만족하지 않다, 더 이상 충실한 마음이 없다는 뜻의 형용사.

The assassination attempt was made by *a disaffected* civil servant who felt that the government had ruined his life.
정부가 자신의 삶을 황폐화시켰다고 생각하며 정부에 불만을 품은 공무원이 암살 사건을 기도했다.

## DISARRAY [dìsəréi] n disorder ; confusion 무질서 ; 혼란

An *array* is an orderly arrangement of objects or people. *Disarray* is the breakdown of that order.
an array는 사람이나 사물이 질서 있게 정돈된 것을 의미한다. disarray는 그러한 질서가 붕괴된 것.

My children played in my office for several hours yesterday, and they left the place in *disarray*, with papers and supplies scattered everywhere.
어제 아이들이 내 사무실에서 몇 시간 놀았다. 아이들은 서류들과 물품을 여기저기 흩뜨려 놓아 사무실을 난장판으로 만들어 놓고 가버렸다.

The entire company had been in *disarray* ever since federal officers had arrested most of the vice presidents.
연방경찰이 대부분의 부사장들을 체포한 뒤로 회사 전체는 혼란에 휩싸였다.

* disarray는 혼란시키다라는 뜻의 동사로도 쓰인다.

The intermittent artillery bombardment *disarrayed* the soldiers, making it impossible for them to make an organized counterattack.
간헐적으로 계속되는 포병대의 포격은 군인들의 조직적인 반격을 방해함으로서 병사들을 혼란스럽게 만들었다.

## DISCLAIM [diskléim] v to deny any claim to ; to renounce ~하는 주장을 부인하다 ; 포기하다

The mayor publicly *disclaimed* any personal interest in his brother's concrete company, even though he was a major stockholder.
시장은 형이 운영하는 콘크리트 회사의 대주주임에도 불구하고, 사적인 이해관계가 있다는 주장을 공식적으로 부인했다.

* disclaimer [diskléimər]는 부인, 기권.

An advertisement that makes a bold claim in large type ("Cures cancer!") will often also make a meek *disclaimer* in tiny type ("Except in living things") in order to keep it from violating truth-in-advertising laws.
큰 활자를 써서 대담한 주장을 하는 광고("암을 치료합니다")는 광고의 진실성에 관한 법률을 위반하지 않기 위하여, 흔히 작은 글씨로, 부드럽게, 앞내용을 부인하는 글("살아 있는 생명체를 제외하고")을 쓸 것이다.

## DISCOMFIT [diskʌ́mfit] v to frustrate ; to confuse 좌절시키다 ; 당황하게 하다

I was *discomfited* by my secretary's apparent inability to type, write a grammatical sentence, answer the telephone, or recite the alphabet ; in fact, I began to think that he might not be fully qualified for the job.
나는 비서가 정말로 타이프를 칠 줄도 모르고, 문법에 맞는 문장도 쓸 줄 모르며, 전화 응대법도 모르고 알파벳조차도 외우지 못한다는 사실에 좌절했다. 실제로 나는 그가 비서직에 전혀 맞지 않을지도 모른다고 생각하기 시작했다.

To *discomfit* is not the same as to *discomfort*[diskʌ́mfərt], which means to make uncomfortable or to make uneasy, although the two words are used more or less interchangeably by many, many people.
비록 수많은 사람들이 두 단어를 어느 정도는 상호 대체하여 사용하고 있는 것이 사실이기는 하지만, discomfit는 불쾌하게 만들다, 불안하게 하다라는 뜻의 discomfort와 같은 의미를 담고 있는 것은 아니다.

## DISCONCERT [dìskənsə́:rt] v **to upset ; to ruffle ; to perturb** 계획을 뒤집다 ; 교란하다 ; 혼란시키다

The jet's engine was making a *disconcerting* sound that reminded me of the sound of an old boot bouncing around inside a clothes dryer ; I was worried that we were going to crash.
제트기의 엔진은 빨래 건조기 안에서 낡은 부츠가 이리 저리로 부딪치는 소리를 연상시키며 마음을 혼란스럽게 만드는 소음을 내었다. 나는 우리 비행기가 추락하지나 않을까 걱정되었다.

Professor Jones used to *disconcert* his students by scrunching up his face and plugging his ears when one of them would begin to say something.
어느 한 학생이 무엇인가를 말하기 시작하면, 존스 교수는 귀를 틀어막고 얼굴을 긁어대서 언제나 학생들을 당황하게 만들곤 했다.

The boos of the audience did not *disconcert* Bob ; he droned on with his endless, boring speech regardless.
관중들의 우우 하는 야유소리도 밥을 당황하게 만들지는 못했다 : 그는 아무런 상관도 하지 않고, 낮은 목소리로 지루하고 끝이 없는 연설을 계속했다.

## DISCOURSE [dískɔ:rs] n **spoken or written expression in words ; conversation** 언어로 쓰여지거나 말하는 표현 ; 대화

The level of *discourse* inside the dining hall was surprisingly high ; the students were discussing not drugs or sex but philosophy.
식당에서 오가는 대화는 의외로 수준이 높았다 : 학생들은 마약이나 섹스가 아니라 철학에 대해서 논하고 있었다.

The company's imposing president was not one for *discourse* ; when he opened his mouth, it was to issue a command.
인상적인 그 회사의 사장은 대화에는 적합치 못한 사람이었다 : 그가 한번 입을 열 때는 언제나 명령을 내리는 것이었다.

There is no *discourse* in American society anymore ; there is only television.
미국 사회에는 더 이상 대화라는 것이 존재하지 않는다 : 단지 텔레비전만이 있을 뿐이다.
* discursive 항목을 참조할 것.

## DISCREPANCY [diskrépənsi] n **difference ; inconsistency** 차이 ; 불일치

There was a slight *discrepancy* between the amount of money that was supposed to be in the account and the amount of money that actually was ; gradually the accountant concluded that Harry had stolen seven million dollars.
계좌에 남아있을 것이라고 생각했던 돈의 양과 실제 계좌에 들어 있는 금액 사이에는 약간의 차이가 있었다 : 회계사는 일을 진행하면서 해리가 7백만 달러를 훔쳤다는 결론을 얻었다.

I asked my children to ignore any *discrepancy* between what I say and what I do.
나는 아이들에게 나의 말과 행동하는 것의 불일치를 무시하라고 부탁했다.
* 형용사는 discrepant [diskrépənt] .

## DISCURSIVE [diskə́:rsiv] adj **rambling from one topic to another, usually aimlessly** 대개 별다른 목적도 없이 다른 주제를 왔다갔다하며 두서가 없는

Betty is an extremely *discursive* writer ; she can't write about one thing without being reminded of another, and she can't write about that without being reminded of something else altogether.
베티는 매우 산만하게 글을 쓴다 : 그녀는 어떤 일에 대해서 글을 쓰면서, 언제나 또 다른 것을 생각한다. 그녀는 다른 것을 함께 생각하지 않고, 어떤 일에 대해서 글을 쓰는 법이 없었다

My mother's letter was long and *discursive* ; if she had a point, she never got to it.
엄마의 편지는 길고 두서가 없었다 : 말하고 싶은 요점이 있다고 해도, 그녀는 결코 요점에 근접하지 못했다.

## QUICK QUIZ 30

Match each word in the first column with its definition in the second column. Check your answers in the back of the book.

| | |
|---|---|
| 1. dire | a. renounce |
| 2. dirge | b. cause to lose affection |
| 3. disaffect | c. perturb |
| 4. disarray | d. frustrate |
| 5. disclaim | e. disorder |
| 6. discomfit | f. difference |
| 7. disconcert | g. funeral song |
| 8. discourse | h. aimlessly rambling |
| 9. discrepancy | i. conversation |
| 10. discursive | j. disastrous |

**DISGRUNTLE** [disgrʌ́ntl] v **to make sulky and dissatisfied ; to discontent** **기분을 상하게 하다, 불만을 품게 하다 ; 비위를 거스르다**

Eileen had such a nasty disposition that she tended to *disgruntle* anyone who worked for her.
에일린은 워낙 심술궂은 사람이라 그녀를 위해 일하는 사람들의 기분을 상하게 하는 경향이 있었다.

* 형용사 disgruntled는 discontented, dissatisfied(불만스러운)와 같은 뜻.

The children were *disgruntled* by the lumps of coal in their Christmas stockings.
아이들은 크리스마스 양말에 석탄 덩어리만 들어 있는 것을 보고 뿌루퉁해졌다.

The rotten eggs on Alice's doorstep were placed there by a *disgruntled* former employee.
앨리스의 현관 계단에 놓인 썩은 달걀들은 불만을 품은 전 종업원이 거기에 가져다 놓은 것이었다.

**DISINFORMATION** [disìnfərméiʃən] n **false information purposely disseminated, usually by a government, for the purpose of creating a false impression** **의도적으로 흘린 그릇된 정보, 대개 정부가 그릇된 인상을 낳을 목적으로 흘리는 정보**

The CIA conducted a *disinformation* campaign in which it tried to persuade the people of Cuba that Fidel Castro was really a woman.
피델 카스트로가 사실은 여자라는 것을 쿠바 국민들에게 믿게 할 목적으로 CIA는 거짓정보를 흘리는 작전을 수행했다.

The government hoped to weaken the revolutionary movement by leaking *disinformation* about it to the local press.
정부는 지역신문에 거짓정보를 흘리는 방법으로 혁명운동의 세력이 약해지기를 기대했다.

**DISMAL** [dízməl] adj **dreary ; causing gloom ; causing dread** **음울한 ; 우울하게 만드는 ; 두려움을 유발하는**

The weather has been *dismal* ever since our vacation began ; a cold wind has been blowing, and it has rained almost every day.
휴가가 시작된 이래로 날씨가 계속 음산했다 ; 차가운 바람이 계속 불고 거의 매일 비가 왔다.

The new television show received *dismal* ratings and was canceled before its third episode had aired.
새 텔레비전 쇼는 시청률이 저조했다. 그래서 3회가 방송되기도 전에 프로그램이 취소되었다.

The view from the top of the hill was *dismal* ; every house in the valley had been destroyed by the flood.
작은 산꼭대기에서 바라다 보이는 풍경은 황량했다 ; 골짜기의 집들은 모두 홍수에 휩쓸려 파괴되었다.

**DISMAY** [disméi] v **to fill with dread ; to discourage greatly ; to perturb** **공포로 질리게 하다 ; 크게 낙담시키다 ; 혼란하게 하다**

The carnage in the field *dismayed* the soldiers, and they stood frozen in their steps.
전장의 대학살은 군인들을 공포에 떨게 했다. 그들은 제자리에서 얼어붙은 채로 서 있었다.

Peter *dismayed* his children by criticizing nearly everything they did and never finding anything nice to say about their schoolwork.
피터는 아이들이 하는 모든 일에 대해서 비판만 하고, 학교 공부에 대해서도 좋은 말을 해주는 법이 없이 자녀들을 낙심하게 만들었다.

The new police officer has a *dismaying* tendency to help himself to the money in the cash registers of the stores on his beat.
신임 경찰관은 담당구역 내에 있는 상점의 금전등록기에서 스스로 돈을 직접 가져가는 황당한 버릇이 있었다.
* 명사 dismay는 공포, 불안, 뜻밖의 실망 등의 뜻이 있다.

**DISPASSIONATE** [dispǽʃənit] adj **unaffected by passion ; impartial ; calm** **감정에 좌우되지 않는 ; 공명정대한 ; 침착한**

* impassioned[impǽʃənd]는 passionate(정열적인), emotional(감동적인), all worked up(흥분으로 가득한) 등의 뜻이다.

To be *dispassionate* is to be cool and objective, to not let judgment be affected by emotions.
공명정대한 것은 냉정하고 객관적이며, 판단력이 감정에 의해서 흔들리지 않는 것이다.

The prosecutor's *dispassionate* enumeration of the defendant's terrible crimes had a far more devastating effect on the jury than a passionate, highly emotional speech would have had. The judge had no interest in either side of the dispute ; she was a *dispassionate* observer.
검사는 침착하게 피고의 끔찍한 범죄 행위를 일일이 열거했다. 그것이, 감정이 고조되어 격렬하게 열변을 토하는 것보다 훨씬 더 배심원들의 마음을 파고드는 효과가 있었다. 판사는 양측의 논의에서 어느 편에도 개인적인 이해관계를 갖고 있지 않았다. 그녀는 공명정대한 관찰자였다.

Larry's *dispassionate* manner often fooled people into thinking he did not care.
래리의 침착한 태도 때문에 사람들은 그가 무관심하다고 생각하는 오해를 하곤 했다.
* 형용사 impassive[impǽsiv]는 감정을 드러내지 않다, 무표정하다

**DISPERSE** [dispə́ːrs] v **to scatter ; to spread widely ; to disseminate** **흩뿌리다 ; 넓게 퍼지다 ; 퍼뜨리다**

The crowd *dispersed* after the chief of police announced that he would order his officers to open fire if everyone didn't go home.
군중들이 집으로 돌아가지 않으면, 무차별적인 발포 명령을 내릴 것이라는 경찰서장의 발표가 있자 군중들은 이리저리 흩어졌다.

Engineers from the oil company tried to use chemical solvents to *disperse* the oil slick formed when the tanker ran aground on the reef and split in two.
유조선이 암초에 부딪혀 좌초된 뒤, 두 조각이 나버리자 석유회사에서 온 기술자는 유출된 기름막을 분해하기 위해 화학용해제를 사용하려고 했다.

When the seed pod of a milkweed plant dries and breaks apart, the wind *disperses* the seeds inside, and new milkweed plants sprout all over the countryside.
유액을 분비하는 식물의 씨앗 꼬투리가 마르거나 쪼개지면, 바람은 그 씨앗을 널리 퍼뜨린다. 그리고 지역전체에 퍼져 새로운 유액 분비 식물의 싹이 트게 된다.

* 명사형은 dispersion [dispə́:rʒən, -ʃən].

The fluffy part of a milkweed seed facilitates its *dispersion* by the wind.
유액 분비 식물의 씨앗의 보풀보풀한 부분은 바람이 씨앗을 흩어지게 하는 작용을 용이하게 한다.

## DISPIRIT [dispírit] v to discourage ; to dishearten ; to lose spirit 낙담시키다 ; 실망하게 만들다 ; 기를 꺾어놓다

The coach tried not to let the team's one thousandth consecutive defeat *dispirit* him, but somehow he couldn't help but feel discouraged.
코치는 천 번이나 계속된 패배로 자신의 사기가 꺾이지 않도록 애를 썼다. 그러나 그도 다소 낙심하게 되는 것은 어쩔 수가 없었다.

The campers looked tired and *dispirited* ; it had rained all night and their sleeping bags had all washed away.
야영객들은 피곤하고 풀이 죽은 듯이 보였다 : 밤새도록 비가 내려 침낭이란 침낭은 다 쓸려가 버렸기 때문이었다.

## DISPOSITION [dìspəzíʃən] n characteristic attitude ; state of mind ; inclination ; arrangement 독특한 성향 ; 정신상태 ; 경향, 기질 ; 배열

Mary Lou had always had a sweet *disposition* ; even when she was a baby, she smiled almost constantly and never complained.
메리 루는 언제나 상냥한 성격이었다 : 심지어 아기였을 때조차도 그녀는 언제나 방글거리고 짜증을 내는 법이 없었다.

My natural *disposition* is to play golf all the time and not care about anything or anyone else. I am *disposed* [dispóuzd] to play golf all the time.
나는 언제나 골프를 치는 것을 좋아하며, 다른 일이나 다른 사람에게는 관심이 없는 편이다. 나는 항상 골프를 쳤으면 좋겠다.

The seemingly random *disposition* of buildings on the campus suggested that no one had given much thought to how the campus ought to be laid out.
대학 내의 건물들이 마구잡이로 배치가 되어 있다는 것은 대학의 교정이 어떻게 배치되어야 하는가에 대해서 깊이 생각한 사람이 아무도 없다는 사실을 말해주었다.
* predisposition은 이미 가지고 있는 정신상태나 성향, 소질 등.

The heavy-metal music of the warm-up band, the Snakeheads, did not favorably *predispose* the audience to enjoy the Barry Manilow concert.
'스네이크헤드'라는 신인 밴드의 헤비메탈 음악은 배리 매니로우 콘서트를 보러온 관중들에게 우호적인 인상을 심어주지 못했다.

## DISPROPORTIONATE [dìsprəpɔ́:rʃənit] adj out of proportion ; too much or too little 균형이 맞지 않는 ; 너무 많거나 너무 적은

Linda's division of the candy was *disproportionate* ; she gave herself more than she gave me.
린다가 배분한 사탕은 균형이 맞지 않았다 : 그녀는 나보다 더 많은 사탕을 가져갔다.

My mother seemed to be devoting a *disproportionate* amount of her attention to my brother, so I sat down in the middle of the kitchen floor and began to scream my head off.
엄마는 형에게 지나치게 많은 애정을 쏟고 있는 것 같았다. 그래서 나는 부엌 한가운데 주저앉아 쇳소리로 마구 떠들어대기 시작했다.
* 반의어는 proportionate(균형 잡힌).

**DISQUIET** [diskwáiət] v **to make uneasy** **불안하게 하다**

Sam's pulling a gun and pointing it at my head *disquieted* me, to say the least.
샘이 총을 꺼내 내 머리에 겨누자, 나는 적어도 불안해지기는 했다.

The movie's graphic depiction of childbirth *disquieted* the children, who had been expecting a story about a stork.
영화가 황새에 관한 이야기일 것이라고 생각했던 아이들은 생생한 출산장면을 보고 불안해했다.
(주: 아이를 다리 밑에서 주어온다는 우리의 말처럼 미국에서는 황새가 갓난아기를 날라 온다고 아이들에게 이야기 해줌)

The silence in the boss's office was *disquieting* ; everyone was afraid that it was the calm before the storm.
사장실이 조용한 것이 아무래도 불안했다 ; 사람들은 그것이 폭풍 전의 고요함이라고 겁먹고 있었다.
* disquiet는 불안이나 신경과민을 의미하는 명사로도 쓰인다.

## QUICK QUIZ 31

Match each word in the first column with its definition in the second column. Check your answers in the back of the book.

| | |
|---|---|
| 1. disgruntle | a. scatter |
| 2. disinformation | b. impartial |
| 3. dismal | c. dreary |
| 4. dismay | d. discourage |
| 5. dispassionate | e. false information purposely disseminated |
| 6. disperse | f. characteristic attitude |
| 7. dispirit | g. out of proportion |
| 8. disposition | h. make sulky |
| 9. disproportionate | i. fill with dread |
| 10. disquiet | j. make uneasy |

**DISSEMBLE** [disémbl] v **to conceal the real nature of ; to act or speak falsely in order to deceive** **진짜 본성을 숨기다 ; 속이기 위해 거짓된 행동이나 말을 하다**

Anne successfully *dissembled* her hatred for Beth ; in fact, Beth viewed Anne as her best friend.
앤은 베스에 대한 증오를 용케도 숨기고 있었다 ; 사실, 베스는 앤을 가장 좋은 친구라고 여겼다.

When asked by young children about Santa Claus, parents are allowed to *dissemble*.
아이들에게서 산타클로스에 관한 질문을 받았을 때, 부모들은 거짓말을 해도 좋다.

To *dissemble* is not the same thing as to disassemble, which means to take apart.
dissemble은 해체하다, 분리하다라는 뜻의 disassemble의 유의어가 아니다.
* 스펠링과 발음에 주의할 것.

## DISSENT [disént] v to disagree ; to withhold approval 의견이 다르다 ; 찬성을 보류하다

The chief justice *dissented* from the opinion signed by the other justices ; in fact, he thought their opinion was crazy.
재판장은 다른 판사들이 서명한 의견에 동의하지 않았다 ; 사실, 그는 그들의 의견이 비정상적이라고 생각했다.

Jim and Bob say I'm a jerk ; I *dissent*.
짐과 밥은 나를 세상물정 모르는 바보라고 말한다 ; 나는 그렇게 생각지 않는다.

* dissenter는 반대자.

The meeting had lasted so long that when I moved that it be adjourned, there were no *dissenters*.
회의는 너무나 오랫동안 질질 끌고 있어서 내가 휴회하고 다음으로 연기하자고 했을 때, 반대하는 사람이 아무도 없었다.

* dissent 는 명사로도 쓰인다.

The *dissent* of a single board member was enough to overturn any proposal ; every board member had absolute veto power.
평의회에서는 단 한 명의 반대로도 모든 계획안을 번복하는 것이 가능했다 ; 평의회의 모든 의원들은 절대적인 거부권을 행사할 수 있었다.

* dissent 와 관계 있는 단어로 consent(동의하다), assent (찬성하다) 등이 있다.

## DISSERVICE [dissə́:rvis] n a harmful action ; an ill turn 해를 끼치는 행위 ; 나쁜 짓

Inez did a *disservice* to her parents by informing the police that they were growing marijuana in their garden.
이네즈는 정원에다 대마초를 재배하고 있다는 이유로 부모를 경찰에 신고하는 몹쓸 짓을 저질렀다.

The reviewer did a grave *disservice* to the author by inaccurately describing what his book was about.
작가의 책에 대하여 정확하지 않은 내용을 서술함으로써, 그 평론가는 작가에게 중대한 해를 끼쳤다.
* 발음에 주의할 것.

## DISSIDENT [dísədənt] n a person who disagrees or dissents 의견을 달리하는 사람

The old Soviet regime usually responded to *dissidents* by imprisoning them.
구 소비에트 정권은 일반적으로 반체제 인사들을 감옥에 집어넣는 것으로 대응했다.

The plan to build a nuclear power plant in town was put on hold by a group of *dissidents* who lay down in the road in front of the bulldozers.
도시에 원자력 시설을 건설하려는 계획은 일단의 반대자들이 도로의 불도저 앞에 드러누움으로써 보류되었다.
* dissident는 형용사이기도 하다.

## DISSUADE [diswéid] v to persuade not to ~하지 않도록 설득하다

* 반의어는 persuade.

The 100 degree heat and the 100 percent relative humidity did not *dissuade* me from playing tennis all afternoon.
100도 정도 되는 고온과 100%라는 상대습도도 내가 오후 내내 테니스 하는 것을 막지는 못했다.

Mary and Alice tried to *dissuade* Andrew from jumping off the bridge, but they were unsuccessful and Andrew jumped.
메리와 앨리스는 앤드류에게 다리에서 뛰어내리지 말도록 열심히 설득했다. 그러나 그들은 실패했고, 결국 앤드류는 뛰어내렸다.
* dissuasion[diswéiʒən]과 persuasion은 서로 반의어.

Gentle *dissuasion* is usually more effective than hitting over the head with a two-by-four.
점잖게 하지 말라고 타이르는 것이 대개는 막대기로 머리를 때리는 것보다 더 효과적이다.

**DISTINCT** [distíŋkt] adj **separate ; different ; clear and unmistakable** 별개의 ; 서로 다른 ; 분명하고 혼동할 우려가 없는

The professor was able to identify eleven *distinct* species of ants in the corner of his backyard.
교수는 뒷마당 구석에서 열한 종의 서로 다른 개미들을 확인할 수 있었다.

The twins were identical, but the personality of each was *distinct* from that of the other.
그 쌍둥이는 일란성이었다. 그러나 각각의 성격은 상대방과 확연히 달랐다.

The bloody ax in Bert's hand gave me the *distinct* impression that he had been up to no good.
버트의 손에 들린 피 묻은 도끼를 보고, 나는 그가 틀림없이 좋지 못한 일을 저질렀다는 인상을 받았다.

* make a distinction [distíŋkʃən] 은 두 가지 서로 다른 사물을 구별하여 인식할 수 있다는 의미이다.
* distinction은 다른 것과 구별되는 특질을 의미하기도 한다.

Alan, Alex, and Albert had the *distinction* of being the only triplets in the entire school system.
앨런과 알렉스와 앨버트의 특이한 점은 학교 전체를 통틀어 유일한 세쌍둥이라는 것이다.

* 반의어는 indistinct.

**DIURNAL** [daiə́ːrnəl] adj **occurring every day ; occurring during the daytime** 날마다 일어나는 ; 낮 동안에 활동하는

The rising of the sun is a *diurnal* occurrence ; it happens every day.
일출은 날마다 일어나는 현상이다 ; 그것은 매일 반복된다.

* 반의어는 nocturnal.

A nocturnal animal is one that is active primarily during the night ; a *diurnal* animal is one that is active primarily during the day.
야행성 동물은 밤에 주로 활동하는 동물이다 ; 주행성 동물은 낮에 주로 활동하는 동물이다.

**DIVINE** [diváin] v **to intuit ; to prophesy** 직관으로 알아내다 ; 예언하다

I used all of my best mind-reading skills, but I could not *divine* what Lester was thinking.
나는 내가 가진 독심술을 모두 이용했지만, 레스터가 무슨 생각을 하고 있는지 알아낼 수가 없었다.

The law firm made a great deal of money helping its clients *divine* the meaning of obscure federal regulations.
법률회사는 손님들이 모호한 연방 법규의 의미를 해독하도록 도와줌으로써 많은 돈을 벌었다.

* 명사형은 divination(예언, 점).

**DIVULGE** [divʌ́ldʒ, dai-] v **to reveal, especially to reveal something that has been a secret** 드러내다, 특히 비밀로 남겨졌던 일을 알리다

The secret agent had to promise not to *divulge* the contents of the government files, but the information in the files was so fascinating that he told everyone he knew.
첩보원은 정부의 비밀 파일의 내용을 누설하지 않겠다고 약속을 해야만 했다. 그러나 파일에 담긴 정보가 너무나 재미있어서 그는 자신이 알고 있는 모든 사람들에게 말해버렸다.

We begged and pleaded, but we couldn't persuade Lester to *divulge* the secret of his chocolate-chip cookies.
아무리 간청도 하고 애원도 해보았지만, 우리는 레스터가 초콜릿칩 쿠키의 비밀을 공개하도록 설득하는 데 실패했다.

**DOCUMENT** [dɑ́kjumənt] v **to support with evidence, especially written evidence** 증거, 특히 문서 형태로 쓰여진 증거로 사실을 뒷받침하다

* 이 단어의 활용어법에 주의할 것.

The first *documented* use of the invention occurred in 1978, according to the encyclopedia.
백과사전에 의하면, 그 발명품의 사용을 뒷받침할 수 있는 첫 번째 증거는 1978년에 있었다.

Arnold *documented* his record-breaking car trip around the world by taking a photograph of himself and his car every hundred miles.
아놀드는 백 마일마다 자신과 자동차의 사진을 찍어 사상 유례가 없는 자동차 세계일주 여행의 증거로 삼았다.

The scientist made a lot of headlines by announcing that he had been taken aboard a flying saucer, but he was unable to *document* his claim, and his colleagues didn't believe him.
그 과학자는 비행접시에 납치된 적이 있었다고 발표를 해서 수많은 신문의 헤드라인을 장식했다. 그러나 그는 자신의 주장을 뒷받침할 만한 증거를 제시하지는 못했다. 그의 동료들도 그를 믿지 않았다.

## QUICK QUIZ 32

Match each word in the first column with its definition in the second column. Check your answers in the back of the book.

| | |
|---|---|
| 1. dissemble | a. disagree |
| 2. dissent | b. support with evidence |
| 3. disservice | c. conceal the real nature of |
| 4. dissident | d. reveal |
| 5. dissuade | e. person who disagrees |
| 6. distinct | f. intuit |
| 7. diurnal | g. persuade not to |
| 8. divine | h. occurring every day |
| 9. divulge | i. harmful action |
| 10. document | j. separate |

**DOLDRUMS** [dóuldrəmz] n **low spirits ; a state of inactivity** 침울한 정신상태 ; 무기력 상태

* 이 단어는 복수의 형태를 취하고 있지만 단수 취급한다. 더구나, 항상 정관사 the와 함께 나온다.

To sailors, the *doldrums* is an ocean area near the equator where there is very little wind. A sailing ship in the *doldrums* is likely to be moving very slowly or not moving at all.
배를 타는 사람들에게 있어, 무풍지대는 바람이 거의 없는 적도 부근의 해양을 일컫는다. 무풍지대에서 돛을 달고 항해하는 선박은 아주 천천히 움직이게 되거나 아예 움직이지도 않게 된다.

To the rest of us, the *doldrums* is a state of mind comparable to that frustratingly calm weather near the equator.
우리 같은 대부분의 사람들에게 있어, 정체 또는 침체상태라는 것은 비유적인 의미에서 적도 부근의 좌절감을 줄 만큼 잔잔한 날씨와 같은 마음의 상태를 일컫는 말이다.

Meredith has been in the *doldrums* ever since her pet bees flew away ; she mopes around the house and never wants to do anything.
메레디스는 애완용 벌이 날아가 버리고 난 뒤로 계속해서 침울해 했다 ; 그녀는 맥없이 집 주변을 돌아다니며 아무 것도 하지 않으려 한다.

**DOLEFUL** [dóulfəl] adj **sorrowful ; filled with grief** 슬픈 ; 비탄에 잠긴

A long, *doleful* procession followed the horse-drawn hearse as it wound slowly through the village.
장의 마차가 마을을 천천히 돌아나가자, 길고 슬픔에 잠긴 행렬이 그 뒤를 따랐다.

Aunt Gladys said she loved the pencil holder that her niece had made her for Christmas, but the *doleful* expression on her face told a different story.
글래디스 숙모는 조카딸이 크리스마스 선물로 만들어준 연필꽂이를 아주 좋아한다고 말했다. 그러나 그녀의 얼굴에 나타난 슬픈 표정은 다른 얘기를 하고 있었다.

* 서로 대체하여 사용할 수 있는 단어로 dolorous [dálərəs, dóulə-]가 있다.

**DOLT** [doult] n **a stupid person ; a dunce** 멍청이 ; 열등생

"*Dolts* and idiots." said Mrs. Anderson when her husband asked her to describe her new students.
앤더슨 선생님의 남편이 새로 맡은 제자들에 대해서 물어보았을 때 선생님은 이렇게 대답했다. "멍청이와 지진아들."

The farmer's *doltish* [dóultiʃ] son rode the cows and milked the horses.
농부의 멍청한 아들은 소를 타고 다니고 말젖을 짰다.

**DOTAGE** [dóutidʒ] n **senility ; foolish affection** 망령 ; 어리석은 애정

* dote [dout]는 어떤 대상에 대해 어리석을 정도로 지나치게 애정을 갖는 것을 의미한다.

For some reason, very old people are thought to be especially prone to doing this. That's why *dotage* almost always applies to very old people.
어떤 이유 때문인지 나이가 많은 사람들은 특히 이와 같은 행동에 빠지기 쉽다고 생각된다. 망령이라는 것이 거의 언제나 나이가 아주 많은 사람에게 일어나는 것이 그 때문이다.

My grandmother is in her *dotage* ; she spends all day in bed watching soap operas and combing the hair on an old doll she had as a little girl.
나의 할머니는 노망이 들었다 ; 할머니는 연속극을 보고 어릴 적 가지고 놀았던 낡은 인형의 머리를 빗어주면서 하루종일 침대에 누워 계신다.

* a senile person (노망한 늙은이) 은 a dotard [dóutərd]와 동의어.

**DOUBLE ENTENDRE** [dʌ̀:bl ɑ:ntɑ́:ndrə] n **a word or phrase having a double meaning, especially when the second meaning is risqué** 두 가지 의미를 담고 있는 단어나 어구, 특히 두 번째 의미는 외설적인 것

* 불어 표현이므로 발음에 주의할 것.

The class president's speech was filled with *double entendres* that only the students understood ; the teachers were left to scratch their heads as the students rolled on the floor.
반장의 말에는 학생들만이 알아들을 수 있는 중의적인 단어나 어구가 매우 많았다 ; 선생님들은 학생들이 마루를 구르며 웃는 동안 그저 머리만 긁적이고 계셨다.

**DOUR** [duər, dauər] adj **forbidding ; severe ; gloomy** 험악한 ; 엄격한 ; 음울한

The Latin teacher was a *dour* old man who never had a kind word for anyone, even in Latin.
라틴어 선생님은 어느 누구에게도, 심지어 라틴어로조차도 친절한 말을 하는 법이 없는 엄격한 노인이었다.

The police officer *dourly* insisted on giving me a speeding ticket, even though I had been driving scarcely more than twice the posted limit.
내가 겨우 제한 속도의 2배로 과속을 했는데도 경찰관은 험악하게 속도위반 딱지를 떼겠다고 고집했다.

* 발음에 주의할 것.

**DOWNCAST** [dáunkæ̀st] adj **directed downward ; dejected ; depressed** 아래로 향한 ; 풀이 죽은 ; 의기소침한

The children's *downcast* faces indicated that they were sad that Santa Claus had brought them nothing for Christmas.
아이들의 의기소침한 얼굴에서 산타클로스가 아무런 크리스마스 선물도 가져다주지 않았다는 것을 슬퍼하고 있음을 알 수 있었다.

The entire audience seemed *downcast* by the end of the depressing movie.
침울한 영화가 끝나자 모든 관객들도 기분이 우울한 듯 보였다.

My six-week struggle with the flu had left me feeling *downcast* and weak.
독감에 6주간이나 시달리고 나서, 나는 허약해지고 침울해졌다.

**DOWNPLAY** [dáunplèi] v **to minimize ; to represent as being insignificant ; to play down** 과소평가하다 ; 하찮게 여기다 ; 경시하다

The doctor had tried hard to *downplay* the risks involved in the operation, but Harry knew that having his head replaced was not minor surgery.
의사는 수술에서 일어날 수 있는 위험을 무시하려고 애를 썼다. 그러나 뇌를 건드리는 것은 손쉬운 수술이 아니라는 것을 해리도 알고 있었다.

The parents tried to *downplay* Christmas because their daughter was very young and they didn't want her to become so excited that she wouldn't be able to sleep.
딸이 아직 어리고, 또 너무 흥분해서 잠도 못 자는 것이 아닌가 하는 생각에 부모는 크리스마스를 무시하려고 했다.

The hero *downplayed* his role in rescuing the children, but everyone knew what he had done.
그 영웅은 아이들을 구하는 데 있어서 자신이 별로 큰 역할을 하지 않았다고 말했다. 그러나 모든 사람들은 그가 큰 일을 했다는 것을 알고 있었다.

**DRACONIAN** [dreikóuniən] adj **harsh ; severe ; cruel** 엄격한 ; 가혹한 ; 잔혹한

This word is very often capitalized. It is derived from the name of Draco, an Athenian official who created a notoriously harsh code of laws. Because of this history, the word is most often used to describe laws, rules, punishments, and so forth.
이 단어는 흔히 대문자로 시작한다. 이는 매우 가혹한 법률을 만든 것으로 악명 높은 아테네의 관리, 드라콘의 이름에서 유래한 것이다. 이러한 역사적 배경 때문에 이 단어는 흔히 법이나 규칙, 형벌 등등에 관해 설명할 때 자주 쓰인다.

Locking the children in a dungeon for eleven years was a slightly *draconian* punishment, considering that all they had done was take a few cookies from the cookie jar.
아이들이 고작 했던 짓이 과자 항아리에서 과자 몇 개를 가져갔을 뿐이라는 것을 고려해볼 때, 11년 동안 그 아이들을 지하감옥에 가두어 두는 것은 다소 가혹한 형벌이었다.

The judge was known for handing down *draconian* sentences ; he had once sentenced a shoplifter to life in prison without parole.
그 판사는 가혹한 판결을 내리기로 유명했다 ; 그는 언젠가는 단순한 좀도둑에게 가석방 없이 감옥에서 평생을 보내라고 판결을 한 적도 있었다.

Mrs. Jefferson is a *draconian* grader ; her favorite grade is D, and she has never given an A in her entire life.
제퍼슨 부인은 학점을 가혹하게 주는 사람이다 ; 그녀가 흔히 주는 학점은 D이며, 전 생애를 통해 한번도 A학점을 준 적이 없었다.

**DROLL** [droul] adj **humorous ; amusing in an odd, often understated, way** 우스운 ; 기묘하고, 종종 줄여 말하는 방식으로 재미있는

This word is slightly stilted, and it is not a perfect substitute for funny in every situation. The Three Stooges, for example, are not *droll*.
이 단어는 다소 과장의 의미가 있으며, 모든 상황에서 funny라는 단어를 완벽하게 대체할 수 있는 것이 아니다. 예를 들면, Three Stooges라는 TV프로를 droll하다고 말하지는 않는다.

The children entertained the dinner guests with a *droll* rendition of their parents' style of arguing.
아이들은 부모님이 논쟁하는 모습을 익살스럽게 연출하여 만찬에 모인 손님들을 즐겁게 해주었다.

The speaker's attempts to be *droll* were met with a chilly silence from the audience.
연설자는 사람들을 웃기려고 농담을 했지만, 관객들은 냉랭한 침묵으로 응답할 뿐이었다.

**DROSS** [drɔːs] n **worthless stuff, especially worthless stuff arising from the production of valuable stuff** **쓸모 없는 것, 특히 가치가 있는 상품의 생산에서 부수적으로 생기는 가치없는 것**

In metal smelting, the *dross* is the crud floating on top of the metal once it is molten. Outside of this precise technical meaning, the word is used figuratively to describe any comparably worthless stuff.
금속을 제련하는 데 있어서 the dross는 1차 제련했을 때, 용해된 주철 표면에 뜨는 불순물을 의미한다. 이러한 기술적인 의미에서 벗어나면, 이 단어는 비유적으로 비교적 가치 없는 물건을 가리킬 때 사용된다.

Hilary's new novel contains three or four good paragraphs ; the rest is *dross*.
힐러리의 새로운 소설에서 서너 개의 단락은 좋지만 나머지는 보잘것없다.

The living room was filled with the *dross* of Christmas: mounds of wrapping paper and ribbon, empty boxes, toys that no one would ever play with.
거실에는 크리스마스의 잔해로 가득했다: 산더미 같은 포장지와 리본, 빈 상자, 그리고 아무도 갖고 놀 것 같지 않은 장난감 등등.

**DURESS** [duːərés/djúəres] n **coercion ; compulsion by force or threat** **강압 ; 힘이나 협박으로 강제함**

* 이 단어는 흔히 under와 함께 쓰인다.

Mrs. Maloney was under *duress* when she bought her son a candy bar ; the nasty little boy was screaming and crying and threatening to pull down his new pants if she didn't.
맬로니 부인은 아들에게 협박을 받아 어쩔 수 없이 막대사탕을 사주었다 : 심술궂은 아들이 소리를 지르고 울면서 사탕을 사주지 않는다면 새 바지를 무릎아래로 내려버리겠다고 했던 것이다.

The court determined that the old man had been under *duress* when he signed his new will, in which he left all his money to his lawyer ; in fact, the court determined that the lawyer had held a gun to the old man's head while he signed it.
재판정은 그 노인이 협박을 받고서 어쩔 수 없이 자신의 모든 재산을 변호사에게 남긴다는 새로운 유언장에 서명을 했다는 결론을 내렸다 : 사실, 법정은 변호사가 노인의 머리에 총구를 들이대고 사인을 강요했다고 판단했다.

## QUICK QUIZ 33

Match each word in the first column with its definition in the second column. Check your answers in the back of the book.

| | |
|---|---|
| 1. doldrums | a. forbidding |
| 2. doleful | b. humorous |
| 3. dolt | c. senility |
| 4. dotage | d. double meaning |
| 5. double entendre | e. stupid person |
| 6. dour | f. harsh |
| 7. downcast | g. worthless stuff |
| 8. downplay | h. coercion |
| 9. draconian | i. minimize |
| 10. droll | j. sorrowful |
| 11. dross | k. low spirits |
| 12. duress | l. dejected |

**EBB** [eb] v **to diminish ; to recede** **줄다 ; 감퇴하다**

Ebb comes from an old word meaning low tide, and it is still used in this way. When a tide *ebbs*, it pulls back or goes down.
ebb는 썰물을 의미하는 고어에서 유래한 것이다. 그리고 여전히 같은 의미로 사용되고 있다. 조수가 빠진다는 표현은 물이 빠지거나 수위가 내려간다는 의미이다.

Other things can *ebb*, too. My interest *ebbed* quickly when my date began to describe the joys of stamp collecting.
다른 것에도 ebb라는 표현을 쓸 수 있다. 데이트 상대가 우표 수집의 재미에 대해 설명하기 시작하자 흥미가 급속도로 없어졌다.

The team's enthusiasm for the game *ebbed* as the other team ran up the score.
상대팀이 점수를 올리자 그 팀의 경기에 대한 열정은 식어버렸다.

* 반의어는 flood, 또는 flow.

On a typical trading day, the Dow Jones Industrial Average *ebbs* and flows in a seemingly haphazard way.
보통, 일상적으로 다우존스 지수는 겉으로는 우연에 의한 것처럼 보이는 방식으로 등락을 거듭한다.

**ECCLESIASTICAL** [iklìːziǽstikəl] adj **having to do with the church** **교회의**

The priest had few *ecclesiastical* duties, because he had neither a church nor a congregation.
그 신부는 교회를 담당하지도 않고, 집회도 열지 않았기 때문에 성직의 의무를 거의 갖고 있지 않았다.

At the New Year's Eve party, the visiting bishop engaged in some highly *unecclesiastical* behavior, including dancing on the piano.
새해가 되기 전 날 파티에서, 초빙된 주교는 피아노 위에 올라가 춤을 추는 등 대단히 성직에 어긋나는 행동을 몇 가지 했다.

The large steeple rising from the roof gave the new house an oddly *ecclesiastical* feel.
지붕 위에 솟아 있는 커다란 첨탑은 새 집이 기묘한 교회 같다는 느낌을 주었다.

**ECLIPSE** [iklíps] v **to block the light of ; to overshadow ; to reduce the significance of ; to surpass** **~의 빛을 가로막다 ; 그늘지게 하다 ; ~의 의미를 축소하다 ; 능가하다**

In an *eclipse* of the moon, the sun, earth, and moon are arranged in such a way that the earth prevents the light of the sun from falling on the moon. In an *eclipse* of the sun, the moon passes directly between the earth and the sun, preventing the light of the sun from falling on the earth. In the first instance, the earth is said to *eclipse* the moon ; in the second instance, the moon is said to *eclipse* the sun.
월식이 일어날 때는, 태양과 지구와 달이 일렬로 늘어서 지구가 태양의 빛을 가로막음으로써 빛이 달까지 닿지 않게 된다. 일식은 달이 태양과 지구 사이를 직접 지나감으로써 태양의 빛이 지구에 닿는 것을 막는다. 첫 번째 사례에서는 지구가 달을 그늘지게 하는 것이다 ; 두 번째 사례에서는 달이 태양을 그늘지게 하는 것이다.

* 이 단어는 비유적인 의미로도 쓰일 수 있다.

Lois's fame *eclipsed* that of her brother, Louis, who made fewer movies and was a worse actor.
로이스의 명성은 오빠인 루이스의 명성을 능가했다. 루이스는 영화 출연 편수도 더 적고, 연기도 더 못하는 배우였다.

The spelling team's glorious victory in the state spelling championship was *eclipsed* by the arrest of their captain on charges of possessing cocaine.
주 철자법 대회 결승전에서 그 팀이 거둔 영광스러운 승리는 주장이 코카인 소지죄로 기소되어 체포되는 바람에 그 빛을 잃었다.

## ECOSYSTEM [ékousìstəm, í:kou-] n a community of organisms and the physical environment in which they live 유기체 집단과 그들이 살아 가는 자연의 환경, 생태계

* 발음에 주의할 것. 첫음절에서 'ek' 대신에 'ee' 로 발음될 수도 있다.

The big muddy swamp is a complex *ecosystem* in which the fate of each species is inextricably linked with the fate of many others.
크고 질퍽한 늪지대는 각각의 생명체의 운명이 다른 많은 생명체들의 운명과 복잡하게 뒤얽혀 있는 복합 생태계이다.

*Ecology* is the science of the relationships between organisms and their environment.
생태학은 생명체와 그들의 환경 사이의 연관관계를 연구하는 학문이다.

* 형용사는 ecological [èkəládʒikəl, ì:kə-].

## EDICT [í:dikt] n an official decree 공식적인 포고, 칙령

The new king celebrated his rise to power by issuing hundreds of *edicts* governing everything from curbside parking to the wearing of hats.
새로 등극한 왕은 가두 주차장 설치에서 모자 착용에 이르기까지 모든 것을 관장하는 수백 개의 칙령을 선포함으로써 자신이 권좌에 오른 것을 기념했다.

By presidential *edict*, all government offices were closed for the holiday.
대통령령에 의해, 모든 정부 기구는 휴일에 문을 닫았다.

## EDIFICE [édəfis] n a big, imposing building 크고 인상적인 건물

Mr. and Mrs. Stevens had originally intended to build a comfortable little cottage in which to spend their golden years, but one thing led to another and they ended up building a sprawling *edifice* that dwarfed all other structures in the area.
스티븐스 부부는 처음에는 노후를 보낼 작고 편안한 시골집을 지으려고 했었다. 그러나 하나를 만들면 또 다른 것이 부족한 것 같아, 결국 집은 보기 흉하게 커다란 건물이 되어, 그 지역의 다른 구조물들은 모두 난쟁이처럼 보이게 만들었다.

An architect who designs massive or grandiose buildings is sometimes said to have an "*edifice* complex." Get it?
거대하고 웅장한 건물을 설계하는 건축가는 간혹 "거대 건물 콤플렉스"를 갖고 있다고 말해진다. 알겠는가?

## EFFECTUAL [ifékt∫uəl] adj effective ; adequate 효과적인, 유능한 ; 알맞은

Polly is an *effectual* teacher, but she is not a masterful one ; her students come away from her class with a solid understanding of the subject but with little else.
폴리는 유능한 선생님이긴 하지만, 능수 능란한 사람은 아니다 ; 그녀의 수업을 듣는 학생들은 그 과목에 대한 알찬 이해를 얻기는 하지만, 다른 것은 얻은 것이 거의 없는 채로 교실을 나온다.

Even with all her years of experience, Mrs. Jones had not yet hit on an *effectual* method of getting her children to go to bed.
수년간에 걸친 경험에도 불구하고, 존스 부인은 아이들을 잠자리에 들게 만드는 효과적인 방법을 아직도 찾지 못했다.

* 반의어는 ineffectual [ìnifékt∫uəl].

The plumber tried several techniques for stopping a leak, all of them *ineffectual*.
배관공은 누수를 막기 위해 몇 가지 기술을 동원했다. 그러나 모두 효과가 없었다.

## EFFICACY [éfikəsi] n effectiveness 유효성

Federal law requires manufacturers to demonstrate both the safety and the *efficacy* of new drugs. The manufacturers must prove that the new drugs are efficacious [èfəkéiʃəs].

연방법은 새로운 약의 효능과 안전성을 입증할 것을 제조업자들에게 요구하고 있다. 제조업자들은 반드시 새로 개발된 약이 치료효능이 있다는 것을 증명해야만 한다.

## EFFIGY [éfidʒi] n a likeness of someone, especially one used in expressing hatred for the person of whom it is a likeness 누군가를 닮게 만든 것, 특히 그 사람과 똑같이 만들어서 증오를 표현하는 데 사용하는 것

The company's founder had been dead for many years, but the employees still passed under his gaze, because his *effigy* had been carved in the side of the building.

회사의 설립자는 이미 수년 전에 죽었지만, 직원들은 아직도 그의 눈길을 받으며 지나다녔다. 그의 초상이 건물 측면에 새겨져 있기 때문이었다.

The members of the senior class hanged the principal in *effigy* ; they made a dummy out of some old burlap bags and strung it up in the tree beside the parking lot.

고학년 학생들은 교장의 형상을 만들어 목을 매달았다 ; 그들은 낡은 마대자루를 모아 인체모형을 만들고 줄을 묶어 주차장 옆에 있는 나무에 매달았다.

## ELATION [iléiən] n a feeling of great joy 대단히 기분 좋게 느낌, 의기양양

A tide of *elation* swept over the crowd as the clock ticked down to zero and it became clear that the college's team really had made it to the quarterfinals of the countywide tiddlywinks competition.

시계가 0을 가리키고 그 대학팀이 정말로 전국 원반 튕기기 경기 준준결승까지 올라갔다는 것이 확정되자 관중석에는 기쁨의 열기가 넘쳤다.

Harry's brother's *elation* at having defeated him in the golf match was almost more than Harry could bear.

골프 시합에서 해리를 이겼다고 의기양양해진 형의 모습은 해리가 참고 볼 수 없는 정도였다.

* 형용사는 elated.

After rowing across the Pacific Ocean in a bathtub, I felt positively *elated*.

목욕통을 타고 태평양을 횡단한 후에, 나는 정말로 우쭐해졌다.

## QUICK QUIZ 34

Match each word in the first column with its definition in the second column. Check your answers in the back of the book.

1. ebb
2. ecclesiastical
3. eclipse
4. ecosystem
5. edict
6. edifice
7. effectual
8. efficacy
9. effigy
10. elation

a. official decree
b. feeling of great joy
c. having to do with the church
d. big, imposing building
e. likeness of someone
f. surpass
g. effective
h. effectiveness
i. diminish
j. organisms and their environment

**ELECTORATE** [iléktərət] n **the body of people entitled to vote in an election ; the voters** 선거에서 투표를 할 자격이 있는 사람 전체, 선거민 ; 유권자

* 발음에 주의할 것.

In order to be elected, a candidate usually has to make a lot of wild, irresponsible promises to the *electorate*.
선거에 당선되기 위해서, 후보자는 대개 유권자들에게 떠들썩하고 무책임한 공약들을 많이 내놔야 한다.

The losing candidate attributed her loss not to any fault in herself but to the fickleness of the *electorate*.
선거에서 패배한 후보자는 자신의 실패를 자기가 가진 결함 탓이 아니라 유권자의 변덕 탓으로 돌렸다.
* 형용사는 electoral [iléktərəl] .

**ELEGY** [élədʒi] n **a mournful poem or other piece of writing ; a mournful piece of music** 슬픈 시나 슬픈 글 ; 슬픈 음악

Most critics agreed that Stan's best poem was an *elegy* he wrote following the death of his pet pigeon.
대부분의 평론가들은 스탄의 최고 작품이 애완용 비둘기가 죽은 뒤에 쓴 비가라는 사실에 동의했다.

My new book is an *elegy* to the good old days—the days before everything became so terrible.
나의 새 책은 좋았던 옛 시절에 대한 비가이다. — 모든 것이 그토록 끔찍하게 변하기 전의 그 시절.

* 형용사는 elegiac [èlədʒáiək, ilí:dʒiæ̀k] .

The little article in the newspaper about Frank's retirement had an *elegiac* tone that Frank found disconcerting.
신문에 실린 프랭크의 퇴직에 관한 작은 기사는 프랭크에게는 당혹스러울 정도로 슬퍼하는 듯한 논조였다.

**ELITE** [ilíːt, eilíːt] n **the best or most select group** 최고의, 혹은 극상의 사람들

Alison is a member of bowling's *elite* ; she bowls like a champion with both her right hand and her left.
알리슨은 뛰어난 볼링 솜씨를 가지고 있다 : 그녀는 양손을 모두 사용하며 챔피언 같은 볼링 실력을 보인다.

As captain of the football team, Bobby was part of the high school's *elite*, and he never let you forget it.
풋볼팀의 주장으로서 바비는 그 학교의 엘리트의 일원이었으며, 남들이 그 사실을 잊지 못하게 했다.

* 이 단어는 형용사로도 쓰인다.

The presidential palace was defended by an elite corps of soldiers known to be loyal to the president. To be an *elitist*[ilíːtist, ei-] is to be a snob.
대통령궁은 충성심이 강하다고 알려진 정예부대의 군인들이 호위하고 있었다. 엘리트주의자는 속물이다.

**ELOCUTION** [èləkjúːʃən] n **the art of public speaking** 대중 웅변술

The mayor was long on *elocution* but short on execution ; he was better at making promises than at carrying them out.
시장은 웅변은 길고 실행은 짧았다 : 그는 공약을 실행하는 것보다는 공약 자체를 남발하는 것을 더 잘했다.

Professor Jefferson might have become president of the university if he had had even rudimentary skills of *elocution*.
제퍼슨 교수는 기본적인 웅변술만 갖추었더라면, 대학의 총장이 될 수도 있었을 것이다.

In *elocution* class, Father Ficks learned not to yell "SHADDDUPPP" when he heard whispering in the congregation.
웅변 수업시간에 픽스 신부님은 교회 목회 시간에 속삭이는 소리를 듣더라도 "입다아악쳐"라고 소리치지 말라고 배웠다.

* locution[loukjúːʃən]은 특별한 단어나 어구를 의미한다.
* eloquent[éləkwənt]는 달변적임을 의미하는 형용사.

**EMACIATE** [iméiʃièit] v **to make extremely thin through starvation or illness** 기아나 병 때문에 매우 마르게 만들다

* 발음에 주의할 것.

A dozen years in a foreign prison had *emaciated* poor old George, who had once weighed more than three hundred pounds but now weighed less than ninety.
불쌍하고 늙어버린 조지는 12년간의 외국 감옥 생활로 매우 말랐다. 그는 한때 300파운드 이상 나갔지만, 이제는 90 파운드도 되지 않았다.

Sylvia thought she looked slender and beautiful, but she really looked *emaciated* ; you could see her ribs poking right through her T-shirt.
실비아는 자신이 아름답고 날씬하다고 생각했다. 그러나 그녀는 사실 말라 보였다 : 티셔츠 위로 갈비뼈가 바로 드러나 보였다.

* 명사형 emaciation[imèiʃiéiʃən] — 쇠약함, 수척함.

The saddest thing to see in the refugee camp was the *emaciation* of the children, some of whom had not had a real meal in many weeks.
난민 수용소를 돌아보며 가장 슬펐던 일은 바싹 마른 아이들이었다. 몇몇 아이들은 수주 동안 음식다운 음식이라곤 먹어보지 못했다.

**EMANATE** [émənèit] v **to come forth ; to issue** 나오다 ; 분출하다

Contradictory orders *emanated* from many offices in the government building, leaving the distinct impression that no one was in charge.
정부 청사 안의 많은 기구에서 서로 반대되는 지시사항이 나와서, 책임자가 없다는 분명한 인상을 주었다.

The dreadful sound *emanating* from the house up the street turned out to be not that of a cat being strangled but that of a violin being played by someone who didn't know how to play it.
거리 위쪽에 위치한 집으로부터 흘러나온 끔찍한 소리는 목이 졸리고 있는 고양이의 소리가 아니라 아직 연주하는 방법도 모르는 누군가가 바이올린을 켜고 있는 소리인 것으로 밝혀졌다.

* 명사형은 emanation [èmənéiʃən] — 발산.

The mystic claimed to be receiving mental *emanations* from the ghost of Alexander's long-dead aunt.
신비한 힘을 가진 그 사람은 오래 전에 죽은 알렉산더의 숙모의 영혼으로부터 정신적 감응을 받고 있다고 주장했다.

**EMANCIPATE** [imǽnsəpèit] v **to liberate ; to free from bondage or restraint** **석방하다 ; 구속이나 속박으로부터 자유롭게 해주다**

Refrigerators, microwave ovens, and automatic dishwashers have *emancipated* modern homemakers from much of the drudgery of meal preparation and cleanup.
냉장고, 전자레인지, 자동 식기세척기 덕분에 현대의 주부들은 식사 준비와 청소라는 고역으로부터 해방되었다.

My personal computer has *emancipated* me from my office ; I am now able to work out of my home.
컴퓨터 덕분에 나는 사무실에서 해방되었다 : 나는 지금 내 집 밖에서도 업무 처리를 할 수 있다.

* 명사형은 emancipation [imæ̀nsəpéiʃən].

President Lincoln announced that he had *emancipated* the slaves in his *Emancipation* Proclamation.
링컨 대통령은 노예해방선언을 통해 흑인 노예들이 해방되었음을 천명했다.

**EMBARGO** [embɑ́ːrgou] n **a government order suspending foreign trade ; a government order suspending the movement of freight-carrying ships in and out of the country's ports** **외국과의 교역을 중지하라는 정부의 명령 ; 항구를 통해 화물선이 들어오고 나가는 것을 중지하라는 정부의 명령**

For several months before the Gulf War, the United Nations tried to persuade Iraq to pull its troops out of Kuwait by imposing an *embargo* on all exports to Iraq.
걸프전이 발발하기 전 몇 달 동안, UN은 이라크로 들어가는 모든 수출품에 대한 통상금지 조처를 내리고, 쿠웨이트에서 군대를 철수하도록 이라크를 설득하려고 애를 썼다.

For many years, there has been an *embargo* in the United States on cigars produced in Cuba ; to buy Cuban cigars, one could travel to a country where the importation of Cuban cigars is not illegal.
수년 동안, 미국은 쿠바에서 생산되는 시가에 대해 통상금지 조처를 취해왔다 : 쿠바산 시가를 구입하기 위해서는, 사람들은 쿠바산 시가의 수입이 불법이 아닌 나라에 가야만 할 것이다.

Jerry imposed a household *embargo* on rented movies ; for the next six months, he said, no rented movies would be allowed in the house.
제리는 가족들이 영화를 빌려 보는 것에 대해 금지조처를 내렸다 : 그의 말에 의하면, 그 이후 6개월 동안, 집에서는 영화를 빌려 보는 것이 허락되지 않을 것이었다.

**EMBELLISH** [embéliʃ] v **to adorn ; to beautify by adding ornaments ; to add fanciful or fictitious details to** **장식하다 ; 장식을 더해 아름답게 만들다 ; 기발하거나 꾸민 세부 묘사를 더하다**

* belle은 젊고 아름다운 여성을 의미한다. embellish는 아름답게 만들거나 치장하는 것을 의미한다. 이 단어는 이야기에 거짓을 보태 꾸며내는 사람처럼 부정적인 의미로도 쓰일 수 있음을 기억하라.

Cynthia *embellished* her plain white wedding gown by gluing colorful bits of paper to it.
신시아는 평범한 흰색의 웨딩 가운에 다양한 색깔의 종이 조각을 붙여서 예쁘게 장식을 했다.

Hugh could never leave well enough alone ; when he told a story, he liked to *embellish* it with facts that he had made up.
휴는 기왕에 들은 얘기를 그대로 두는 법이 없었다 : 그가 이야기를 할 때면, 자신이 꾸며낸 이야기로 덧붙이고 윤색하기를 좋아했다.

Edward was guilty of *embellishing* his résumé by adding a college degree that he had not earned and a great deal of job experience that he had not had.
에드워드는 실제로는 받아보지 못한 대학 졸업장과 풍부한 업무 경험을 거짓으로 만들어 자신의 이력서를 꾸며내는 죄를 저질렀다.

**EMBODY** [embɑ́di] v **to personify ; to give physical form to** **구체화하다 ; 물리적인 형태를 주다**

Kindly old Mr. Benson perfectly *embodied* the loving philosophy that he taught.
친절한 노인인 벤슨씨는 그가 가르치는 사랑의 철학을 구체적으로 구현했다.

The members of the club were a bunch of scoundrels who came nowhere near *embodying* the principles upon which their club had been founded.
그 클럽의 회원들은 클럽이 설립되었던 취지를 제대로 구현하고 있는 사람은 아무도 없는 건달들일 뿐이었다.
* 명사형은 embodiment.

## QUICK QUIZ 35

Match each word in the first column with its definition in the second column. Check your answers in the back of the book.

| | |
|---|---|
| 1. electorate | a. art of public speaking |
| 2. elegy | b. body of voters |
| 3. elite | c. government order suspending trade |
| 4. elocution | d. adorn |
| 5. emaciate | e. personify |
| 6. emanate | f. mournful poem |
| 7. emancipate | g. liberate |
| 8. embargo | h. most select group |
| 9. embellish | i. make extremely thin |
| 10. embody | j. come forth |

**EMBROIL** [imbrɔ́il] v **to involve in conflict ; to throw into disorder** **분쟁에 관련시키다 ; 혼란스런 상황에 빠뜨리다**

For the last twenty years, Mr. and Mrs. Brown have been *embroiled* in a legal battle with the city over the camels in their backyard.
지난 20년 동안, 브라운 부부는 뒷마당에서 낙타를 키우는 문제 때문에 시를 상대로 법적 분쟁에 휘말려 있었다.

Fighting and shouting *embroiled* the classroom, leading the teacher to jump out the window.
교실 안은 싸움질과 고함소리로 난장판이었고 선생님은 창문 밖으로 뛰어나갔다.
* 명사 embroglio[embróuljou]는 혼란스럽고, 어렵고, 어쩔 줄 모르는 상황.

## EMBRYONIC [èmbriάnik] adj undeveloped ; rudimentary 미개발의 ; 형성기의, 초보의

An *embryo*[émbriou] is any unborn animal or unformed plant that is in the very earliest stages of development. *Embryonic* can also has a broader meaning.
embryo는 아직 태어나지 않고, 태내에 있는 동물이나 발생의 초기 단계에 있어서 형태를 다 갖추지 않은 식물을 의미한다. embryonic은 더 폭넓은 의미를 지닐 수도 있다.

The plans for the new building are pretty *embryonic* at this point ; in fact, they consist of a single sketch on the back of a cocktail napkin.
새로운 건물에 대한 계획안은 지금 시점에서는 아직 초기 단계이다 : 사실, 계획안은 칵테일 받침 냅킨의 뒷면에 그린 한 장의 밑그림이 전부이다.

Our fund-raising campaign has passed the *embryonic* stage, but it still hasn't officially gotten under way.
우리의 기금마련 행사는 초기 단계를 지났다. 그러나 공식적으로는 여전히 진행이 안 되고 있다.

## EMISSARY [éməsèri/éməsəri] n a messenger or representative sent to represent another 사자, 혹은 대표로 파견된 대리인

* emit는 보낸다는 뜻이다. emission은 보내진 것을 의미. emissary는 메신저나 대표로 보내진 사람을 뜻한다.

The king was unable to attend the wedding, but he sent an *emissary*: his brother.
왕은 결혼식에 참석할 수가 없었다. 그래서 그는 대리인을 보냈다: 바로 그의 형.

The surrender of the defeated country was negotiated by *emissaries* from the two warring sides.
두 교전 당사국에서 파견된 밀사들이 패배한 나라의 항복에 관한 문제를 협상했다.

The company's president couldn't stand to fire an employee two days before his pension would have taken effect, so he sent an *emissary* to do it instead.
그 회사의 사장은 연금이 개시되기 이틀 전에 종업원을 해고하는 짓을 할 수가 없었다. 그래서 그는 자기 대신에 대리인을 시켜 그 일을 하도록 했다.

## EMPATHY [émpəθi] n identification with the feelings or thoughts of another 다른 사람의 생각이나 감정과 동일화되는 것, 감정이입

Shannon felt a great deal of *empathy* for Bill's suffering ; she knew just how he felt.
섀논은 빌의 고통을 아주 깊게 공감할 수 있었다 : 그녀는 그가 어떻게 느끼는지 알고 있었다.

* 동사형은 empathize[émpəθàiz], 형용사는 empathic[empǽθik].

Harry's tendency to *empathize* with creeps may arise from the fact that Harry himself is a creep.
좀도둑들에게 공감을 하는 해리의 성향은 해리 자신이 바로 좀도둑이라는 사실에서 기인한 것일 수 있다.

This word is sometimes confused with *sympathy*, which is compassion or shared feeling, and *apathy*[ǽpəθi], which means indifference or lack of feeling.
* 이 단어는 간혹 동정이나 공감을 뜻하는 단어, sympathy와 혼동되기도 한다. 또한 무관심이나 냉담함을 의미하는 apathy와 혼동하는 일도 종종 있다.

## EMPOWER [impáuər] v to give power or authority to ; to enable 권한이나 권력을 부여하다 ; 가능하게 하다

The city council *empowered* the dog catcher to do whatever he wanted to with the dogs he caught.
시의회는 개 잡는 사냥꾼에게 그가 잡은 개를 마음대로 처분 할 수 있도록 했다.

In several states, legislatures have *empowered* notaries to perform marriages.
몇몇 주에서는, 입법으로 공증인에게 결혼식을 주관할 수 있는 권한을 부여했다.

The sheriff formed a posse and *empowered* it to arrest the fugitive.
보안관은 민병대를 조직하고 탈주자를 체포할 수 있는 권한을 부여했다.

**ENDEAR** [indíər] v **to make dear ; to make beloved** 귀염받게 하다 ; 사랑 받게 하다

Merv *endeared* himself to Oprah by sending her a nice big box of chocolates on her birthday.
머브는 오프라의 생일에 크고 멋진 초콜릿 한 상자를 선물로 보냄으로써 그녀의 사랑을 받게 되었다.

I did not *endear* myself to my teacher when I put thumbtacks on the seat of her chair.
나는 선생님의 의자에 압정을 올려놓았기 때문에 귀염을 받지 못했다.

Edgar has the *endearing* [indíəriŋ] habit of giving hundred-dollar bills to people he meets.
에드가는 만나는 사람들에게 100 달러짜리 지폐를 주는 귀여운 습관이 있다.

* 명사형 endearment [indíərmənt] 는 애정의 표시를 의미한다.

"My little pumpkin" is the *endearment* Arnold Schwarzenegger's mother uses for her little boy.
"작은 내 호박"은 아놀드 슈왈츠제네거의 엄마가 어린 아들을 부르는 애칭이다.

**ENGAGING** [ingéidʒiŋ] adj **charming ; pleasing ; attractive** 매력적인 ; 애교 있는 ; 사람의 마음을 끄는

Susan was an *engaging* dinner companion ; she was lively and funny and utterly charming.
수잔은 식사를 같이 하기에 매력적인 사람이었다 ; 그녀는 생기가 넘치고 재미있으며, 아주 매력적이었다.

The book I was reading wasn't terribly *engaging* ; in fact, it was one of those books that is hard to pick up.
내가 읽고 있는 책은 지독하게도 사람의 마음을 끄는 데가 없었다 ; 사실, 그 책은 선택하기 힘든 그런 책들 중의 하나였다.

**ENMITY** [énməti] n **deep hatred ; animosity ; ill will** 깊은 증오 ; 원한 ; 악의

* enmity 는 서로 적(enemies)인 사람들이 상대방에 대하여 느끼는 감정이다.

The *enmity* between George and Ed was so strong that the two of them could not be in a room together.
조지와 에드 사이의 적의는 너무나 깊어서 두 사람이 한 방에 있을 수조차 없었다.

There was long-standing *enmity* between students at the college and residents of the town.
그 도시의 주민과 대학의 학생들간에는 아주 오래된 원한 같은 것이 있었다.

**ENNUI** [á:nwi:] n **boredom ; listless lack of interest** 권태 ; 흥미없고 활기가 없는 생활

* ennui 는 권태(boredom)를 의미하는 프랑스어이다.

Studying French vocabulary words fills some people with *ennui*.
프랑스어 어휘를 공부하는 것은 어떤 사람들에게는 따분한 일이 될 것이다.

The children were excited to open their Christmas presents, but within a few hours an air of *ennui* had settled on the house, and the children were sprawled on the living room floor, wishing vaguely that they had something interesting to do.
아이들은 흥분으로 들떠서 크리스마스 선물을 개봉했지만, 시간이 얼마 흐르기도 전에 집안에는 따분한 기운이 내려앉았다. 아이들은 거실 바닥에 팔다리를 쭉 펴고 드러누워 뭔가 재미있는 일이라도 했으면 좋겠다고 막연히 생각했다.

The playwright's only real talent was for engendering *ennui* in the audiences of his plays.
그 극작가의 진짜 유일한 재능은 그의 연극을 관람하는 관객에게 따분함을 선사한다는 것이었다.

**ENSUE** [insú:] v **to follow immediately afterward ; to result** ~뒤에 즉시 연달아 일어나다 ; 결과로써 생기다

Janet called Debbie a liar, and a screaming fight *ensued*.
자넷이 데비를 거짓말쟁이라고 부르자, 곧이어 소리를 지르는 싸움이 뒤를 이었다.

I tried to talk my professor into changing my D into an A, but nothing *ensued* from our conversation.
나는 교수님께 D학점을 A로 바꿔 달라고 부탁을 해보았지만, 우리의 대화로 달라진 것은 아무 것도 없었다.

## QUICK QUIZ 36

Match each word in the first column with its definition in the second column. Check your answer in the back of the book.

| | |
|---|---|
| 1. embroil | a. charming |
| 2. embryonic | b. messenger or representative |
| 3. emissary | c. make dear |
| 4. empathy | d. involve in conflict |
| 5. empower | e. identification with feelings |
| 6. endear | f. boredom |
| 7. engaging | g. undeveloped |
| 8. enmity | h. give authority |
| 9. ennui | i. follow immediately afterward |
| 10. ensue | j. deep hatred |

**ENTAIL** [intéil] v **to have as a necessary consequence ; to involve** 필연적인 결과로써 수반하다 ; 포함하다

Painting turned out to *entail* a lot more work than I had originally thought ; I discovered that you can't simply take a gallon of paint and heave it against the side of your house.
페인트 작업은 내가 처음에 생각했던 것보다 훨씬 더 많은 노동이 필요했던 것으로 드러났다 : 단순히 일 갤런의 페인트를 가져와 집 벽면에 대고 쏟아 붓기만 하면 되는 것이 아니라는 것을 알게 되었다.

Peter was glad to have the prize money, but winning it had *entailed* so much work that he wasn't sure the whole thing had been worth it.
피터는 상금을 받게 되어 기뻤다. 그러나 상금을 획득하는 것은 너무나 힘든 노력의 결과이기 때문에, 그는 그것이 정말 그럴만한 가치가 있는 일이었는지 확신을 가질 수가 없었다.

Mr. Eanes hired me so quickly that I hadn't really had a chance to find out what the job would *entail*.
이언스씨가 워낙 급하게 나를 채용하는 바람에, 나는 그 업무가 어떤 일을 포함하고 있는 지 알아볼 기회조차 없었다.

**ENTITY** [éntəti] n **something that exists ; a distinct thing** 존재하는 것 ; 개별적인 것, 실체

The air force officer found an *entity* in the cockpit of the crashed spacecraft, but he had no idea what it was.
공군 장교는 폭발한 우주선의 조종실에서 어떤 물체를 발견했다. 그러나 그는 그것이 무엇인지 알지 못했다.

The identity card had been issued by a bureaucratic *entity* called the Office of Identity Cards.
신분증은 신분증 발행국이라고 불리는 관료기관에서 발행하고 있었다.

Mark set up his new company as a separate *entity* ; it had no connection with his old company.
마크는 분리 독립된 형태로 새 회사를 설립했다 ; 그 회사는 그의 전 회사와는 아무 관계가 없었다.

* 반의어는 nonentity.

**ENTREAT** [intríːt] v **to ask earnestly ; to beg ; to plead** **진정으로 부탁하다 ; 간청하다 ; 탄원하다**

The frog *entreated* the wizard to turn him back into a prince, but the wizard said that he would have to remain a frog a little bit longer.
개구리는 마법사에게 자신을 도로 왕자로 변하게 해달라고 간청했다. 그러나 마법사는 왕자가 조금 더 오래 개구리로 남아있어야 한다고 말했다.

My nephew *entreated* me for money for most of a year, and in the end I gave him a few hundred dollars.
내 조카는 거의 일년 동안이나 나에게 돈을 달라고 간청을 했다. 결국 나는 조카에게 몇 백 달러의 돈을 주고 말았다.

* 명사형은 entreaty [intríːti].

The police officer was deaf to my *entreaties* ; he gave me a ticket even though I repeatedly begged him not to.
경찰관은 나의 간청을 들은 척도 안 했다 ; 내가 계속해서 빌고 빌었지만, 결국 그는 교통딱지를 끊고 말았다.

**ENTREPRENEUR** [àːntrəprənə́ːr] n **an independent business person ; one who starts, runs, and assumes the risk of operating an independent business enterprise** **자영업자 ; 독립적 기업을 설립하고 운영하며 위험부담도 끌어안는 사람, 기업가**

* 발음에 주의할 것.

Owen left his job at IBM to become an *entrepreneur* ; he started his own computer company to make specialized computers for bookies.
오웬은 독립적인 기업가가 되기 위해 직장인 IBM을 떠났다 ; 그는 마권 업자들을 위한 전문 컴퓨터를 만드는 자신의 회사를 차렸다.

A majority of beginning business school students say they would like to become *entrepreneurs*, but most of them end up taking high-paying jobs with consulting firms or investment banks.
창업스쿨의 대다수 학생들은 기업가가 되고 싶다고 얘기한다. 그러나 그들 중 대부분은 결국 컨설팅 회사나 투자은행에서 높은 급료를 받는 직업을 얻는다.

* 형용사는 entrepreneurial [àːntrəprənə́ːriəːl].

Hector started his own jewelry business, but he had so little *entrepreneurial* ability that he soon was bankrupt.
헥터는 보석을 취급하는 자신의 회사를 차렸다. 그러나 그는 기업가의 자질이 부족한 탓에 곧 파산하고 말았다.

**ENUMERATE** [inúːmərèit/injúː-] v **to name one by one ; to list** **일일이 이름을 부르다 ; 열거하다**

When I asked Beverly what she didn't like about me, she *enumerated* so many flaws that I eventually had to ask her to stop.
비벌리에게 나의 어떤 점이 좋지 않느냐고 물었을 때, 그녀가 너무나 많은 결점을 일일이 나열하는 바람에 나는 결국 그만 하라고 부탁을 해야만 했다.

After the doctor from the public health department had *enumerated* all the dreadful sounding diseases that were rampant in that area, I decided I didn't want to visit it after all.
보건소에서 나온 의사가 그 지역에서 창궐해 무섭게 번지고 있는 질병들을 모두 일일이 나열하자, 나는 결국 그 곳에 가고 싶지 않았다.

* 너무 많아서 일일이 셀 수 없을 때, innumerable [inúːmərəbl] 이라는 단어를 사용한다.

**ENVISION** [invíʒən] v **to imagine ; to foresee** 상상하다 ; 예견하다

When Bert asked Irene for a date, he did not *envision* that one day she would try to kill him.
버트는 아이린에게 데이트를 신청했을 때 언젠가 그녀가 자신을 죽이려고 할 것이라는 사실을 전혀 상상도 하지 못했다.

Perry's teachers *envisioned* great things for him, so they were a little surprised when he decided to become a professional gambler.
페리의 선생님들은 그가 대단한 인물이 될 것이라고 상상했다. 그래서 페리가 프로 도박사가 되겠다고 했을 때, 선생님들은 다소 놀랐다.

* 이 단어는 envisage[invízidʒ] — 마음에 그리다, 직시하다 — 라는 단어와 다르긴 하지만 상당히 비슷한 의미를 갖고 있다. envisage가 조금 더 과장의 의미가 있긴 하지만, 두 단어는 대체하여 쓸 수 있다.

**EPICURE** [épikjùər] n **a person with refined taste in wine and food** 와인과 음식에 세련된 기호를 가지고 있는 사람, 미식가

Epicurus was a Greek philosopher of the fourth century B.C. who believed that pleasure (rather than, say, truth or beauty) was the highest good. The philosophical system he devised is known as Epicureanism. A teeny shadow of Epicurus is retained in our word *epicure*, since an *epicure* is someone who takes an almost philosophical sort of pleasure from fine food and drink.
Epicurus는 기원전 4세기 경, 쾌락(말하자면 진실이나 아름다움보다도 오히려)이 가장 최고의 선이라고 믿었던 그리스의 철학자이다. 그가 창안한 철학 체계는 에피쿠루스학파 — 쾌락주의 — 로 알려져 있다. 에피쿠루스의 잔영이 오늘날 epicure라는 단어에 아주 조금 남아 있다. epicure는 맛있는 음식과 술로부터 철학적 의미의 즐거움을 얻는 사람들을 가리키는 단어이기 때문이다.

Ann dreaded the thought of cooking for William, who was a well-known *epicure* and would undoubtedly be hard to please.
윌리엄은 워낙 유명한 미식가인데다가, 그를 만족시키기가 어렵다는 것은 너무나 분명했으므로 앤은 그를 위해 요리를 할 생각에 두렵기만 했다.

* 형용사는 epicurean.

**EPILOGUE** [épilɔ̀ːg] n **an afterword ; a short concluding chapter of a book ; a short speech at the end of a play** 후기 ; 책에서 짧게 쓴 맺음말 ; 연극의 말미에 하는 짧은 말

In the theater, an *epilogue* is a short speech, sometimes in verse, that is spoken directly to the audience at the end of a play. In classical drama, the character who makes this concluding speech is called *Epilogue*. Likewise, a *prologue*[próulɔːg] is a short speech, sometimes in verse, that is spoken directly to the audience at the beginning of a play. A *prologue* sets up the play, an *epilogue* sums it up. *Epilogue* is also (and more commonly) used outside the theater.
연극에서, epilogue는 연극이 끝날 무렵에 관객들을 향해 직접적으로 하는 짧은 말이나 간혹 행해지는 시를 의미하는 말이다. 고전극에서는, 이러한 끝맺음 말을 하는 배우를 Epilogue라고 불렀다. 마찬가지로, a prologue는 연극의 초반에 관객에게 직접적으로 전달하는 짧은 말이나 시구를 의미한다. prologue가 연극의 시작을 열면, epilogue가 그것을 요약 정리한다. epilogue는 또한 (더 흔하게) 연극외적으로 사용된다.

In a brief *epilogue*, the author described what had happened to all the book's main characters in the months since the story had taken place.
작가는 간단한 후기에서, 처음 사건이 벌어지기 시작한 다음부터 몇 달 동안 주요 등장 인물들에게 일어났던 일들을 설명했다.

**EPOCH** [épək/íːpɔk] n **an era ; a distinctive period of time** 시대 ; 특별한 일이 있었던 시대

* 서사시를 의미하는 epic과 혼동하지 말 것.

The coach's retirement ended a glorious *epoch* in the history of the university's football team.
코치의 퇴직으로 대학의 풋볼팀의 역사상 영광스러웠던 한 시대를 마감하게 되었다.

* 형용사는 epochal[épəkəl/íːpɔk-]. an epochal event 는 아주 중요하고 신기원으로 정의될 수 있을 만큼 의미가 있는 사건을 뜻한다.

The British Open ended with an *epochal* confrontation between Jack Nicklaus and Tom Watson, the two best golfers in the world at that time.
브리티쉬 오픈은 당시 세계 최고의 두 골퍼, 잭 니클라우스와 탐 왓슨의 획기적인 대결로 막을 내렸다.

* 발음에 주의할 것.

**EQUESTRIAN** [ikwéstriən] adj **having to do with horseback riding** 승마의

* 발음에 주의할 것.

*Equus*, a famous Broadway play by Peter Shaffer, portrays a troubled stable boy and his relationship with horses. *Equine* [í:kwain] means horselike or relating to horses.
피터 쉐퍼의 유명한 브로드웨이 연극, Equus(에쿠우스)는 말썽많은 마구간 소년과 말들과의 관계를 그리고 있다. Equine은 '말같은' '말에 관한'의 뜻이다.

* equine은 형용사.

I've never enjoyed the *equestrian* events in the Olympics, because I think people look silly sitting on the backs of horses.
나는 사람들이 말 등에 올라 타고 있는 모습이 어리석어 보인다고 생각했기 때문에, 올림픽에서 승마 경기를 본 적이 한 번도 없었다.

Billy was very small but he had no *equestrian* skills, so he didn't make much of a jockey.
빌리는 체구는 매우 작았지만 승마 기술이 없었다. 그래서 그는 썩 훌륭한 기수가 되지는 못했다.

* equestrian은 기수를 의미하는 명사로도 쓰인다. 여자 기수는 equestrienne [ikwèstrién].

## QUICK QUIZ 37

Match each word in the first column with its definition in the second column. Check your answers in the back of the book.

| | |
|---|---|
| 1. entail | a. having to do wish horseback riding |
| 2. entity | b. era |
| 3. entreat | c. independent businessperson |
| 4. entrepreneur | d. imagine |
| 5. enumerate | e. something that exists |
| 6. envision | f. person with refined taste |
| 7. epicure | g. plead |
| 8. epilogue | h. afterword |
| 9. epoch | i. have as a necessary consequence |
| 10. equestrian | j. name one by one |

**ESTIMABLE** [éstəməbl] adj **worthy of admiration ; capable of being estimated** 존경할 만한 ; 평가할 수 있는

* 발음에 주의할 것.

The prosecutor was an *estimable* opponent, but Perry Mason always won his cases.
그 검사는 존경할 만한 적수이기는 했지만, 페리 메이슨은 항상 소송을 승리로 이끌었다.

He swallowed a hundred goldfish, ate a hundred hot dogs in an hour, and drank a dozen beers, among other *estimable* achievements.
존경할 만한 그의 업적 중에는, 한 시간 동안 백 마리의 금붕어를 꿀꺽하고, 백 개의 핫도그를 먹었으며, 열두 병의 맥주를 마신 일도 있었다.

The distance to the green was not *estimable* from where the golfers stood, because they could not see the flag.
골퍼들이 서있는 곳에서 그린까지의 거리는 가늠하기가 힘들었다. 그들에게는 (홀컵의) 깃발이 보이지 않았기 때문이었다.

* 측정할 수 없는 것을 의미하는 형용사는 inestimable [inéstəməbl].

The precise age of the dead man was *inestimable*, because the corpse had thoroughly decomposed.
시체가 완전히 부패했기 때문에, 사망한 사람의 정확한 나이는 측정할 수가 없었다.

## ESTRANGE [istréindʒ] v to make unfriendly or hostile ; to cause to feel removed from
소원하게, 또는 적대적으로 만들다 ; 멀어진 느낌을 갖게 하다

Mary Ellen's *estranged* husband had been making unkind comments about her ever since the couple had separated.
매리 엘렌과 사이가 멀어진 남편은 부부가 별거에 들어간 이후로 그녀에 대해서 나쁜 말을 하고 다녔다.

Isaac had expected to enjoy his twenty-fifth reunion, but once there he found that he felt oddly *estranged* from his old university ; he just didn't feel that he was a part of it anymore.
이삭은 25회 동창회를 즐길 기대감에 부풀어 있었다. 그러나 일단 그곳에 가서는, 그는 옛 대학 친구들에게서 기묘한 거리감을 느꼈다 ; 그는 더 이상 그 동창회의 한 구성원으로 느껴지지가 않았다.

## ETHICS [éθiks] n moral standards governing behavior 행위를 통제하는 도덕적 기준, 윤리

Irene didn't think much of the *ethics* of most politicians ; she figured they were all on the take.
아이린은 대부분의 정치가들이 그다지 윤리적인 사람이 아니라고 생각했다 ; 그녀는 그들이 모두 뇌물의 기회를 노리는 사람이라고 이해했다.

The dentist's habit of stealing the gold dentalwork of his patients was widely considered to be a gross violation of dental *ethics*.
금으로 된 환자들의 치아 장치를 훔치는 습관을 가진 치과 의사는 치과계의 윤리를 위반한 추잡한 사람으로 널리 알려지게 되었다.

* 형용사는 ethical [éθikəl].

Stealing gold dentalwork is not *ethical* behavior. It is *unethical* [éθikəl] behavior.
금으로 된 치아 장치를 훔치는 것은 도덕적인 행동이 아니다. 그것은 비도덕적인 행동이다.

## EULOGY [júːlədʒi] n a spoken or written tribute to a person, especially a person who has just died 어떤 사람에게 말이나 글로 하는 칭송, 특히 이제 막 죽은 사람에 대한 찬사

The *eulogy* Michael delivered at his father's funeral was so moving that it brought tears to the eyes of everyone present.
아버지의 장례식에서 마이클이 읽은 헌사는 너무나 감동적이어서 참석한 사람들을 모두 눈물짓게 만들었다.

Mildred was made distinctly uncomfortable by Merle's *eulogy* ; she hated for other people to make a fuss about her.
멀리의 칭찬은 의심할 바 없이 밀드리드를 불편하게 만들었다 ; 그녀는 다른 사람들이 자신에 대해 야단스럽게 떠들어대는 것을 아주 싫어했다.
* 동사형은 eulogize [júːlədʒàiz].

## EVINCE [ivíns] v to demonstrate convincingly ; to prove 수긍이 가도록 보여주다 ; 증명하다

Oscar's acceptance speech at the awards ceremony *evinced* an almost unbearable degree of smugness and self-regard.
수상식에서 들려준 오스카의 수락 연설은 거의 참을 수 없을 정도로, 잘난 척하는 태도와 오만함을 드러냈다.

The soldiers *evinced* great courage, but their mission was hopeless, and they were rapidly defeated.
군인들은 대단한 용기를 보여주었지만, 그들의 임무는 절망적이었다. 그들은 순식간에 패배했다.

**EVOKE** [ivóuk] v **to summon forth ; to draw forth ; to awaken ; to produce or suggest**
**앞으로 불러내다 ; 끌어내다 ; 깨우다 ; 만들어내거나 제안하다**

The car trip with our children *evoked* many memories of similar car trips I had taken with my own parents when I was a child.
아이들과 함께 하는 자동차 여행은 내가 어렸을 때 부모님과 함께 하던 자동차 여행에 대한 기억을 많이 생각나게 했다.

Professor Herman tried repeatedly but was unable to *evoke* any but the most meager response from his students.
Herman 교수는 반복해서 설명했지만, 학생들에게서는 아주 썰렁한 반응만 돌아올 뿐, 분위기를 환기시킬 수가 없었다.

Paula's Christmas photographs *evoked* both the magic and the crassness of the holiday.
폴라의 크리스마스 사진은 성스러운 크리스마스 휴일의 마력과 볼썽사나움을 동시에 상기시켰다.

* 명사형은 evocation [èvəkéiʃən].

A visit to the house in which one grew up often leads to the *evocation* of old memories.
자신이 성장했던 옛 집으로의 방문은 오래된 기억을 되살려준다.

* 형용사는 evocative [ivákətiv].

The old novel was highly *evocative* of its era ; when you read it, you felt as though you had been transported a hundred years into the past.
오래된 그 소설은 그 당시의 시대를 잘 그려내고 있었다 ; 그 책을 읽게 된다면, 마치 백년을 건너 뛰어 과거로 이동한 것 같은 느낌을 받을 것이다.

* 후에 다루게 될 invoke와 혼동하지 말 것.

**EXCISE** [eksaíz] v **to remove by cutting, or as if by cutting** **잘라서 혹은 자른 것처럼 제거하다, 삭제하다**

Ralph's editor at the publishing house *excised* all of the obscene parts from his novel, leaving it just eleven pages long.
출판사의 편집자가 랠프의 소설을 편집하는 과정에서 단 11페이지만 남기고, 외설적인 부분을 모두 삭제했다.

The surgeon used a little pair of snippers to *excise* Alice's extra fingers.
외과 의사는 앨리스의 필요 없는 손가락을 절단하기 위해 작고 날카로운 가위를 사용했다.

The *excision* [eksíʒən] of Harold's lungs left him extremely short of breath.
해롤드는 폐 절단 수술을 받고 호흡이 극도로 짧아졌다.

**EXEMPT** [igzémpt] adj **excused ; not subject to** **면제된, 용서를 받은 ; ~을 면한**

Certain kinds of nonprofit organizations are *exempt* from taxation.
어떤 종류의 비영리 단체들은 세금을 면제받는다.

David was *exempt* from jury duty, because he was self-employed.
데이비드는 자영업자였기 때문에 배심원의 의무에서 면제되었다.

* exempt는 동사로도 쓰인다.

Doug's flat feet and legal blindness *exempted* him from military service.
더그는 평발이고 법이 정하는 한계의 문맹이기 때문에 병역의 의무에서 면제되었다.

* 명사는 exemption [igzémpʃən] 으로 면제받은 상태, 혹은 면제를 주는 행위 자체를 일컫는다.

**EXHUME** [igzú:m/ekshjú:m] v **to unbury ; to dig out of the ground** **발굴하다 ; 땅에서 파내다**

Grave robbers once *exhumed* freshly buried bodies in order to sell them to physicians and medical students.
언젠가 도굴꾼들이 매장된 지 얼마 안 되는 시신들을 내과 의사나 의과 대학생들에게 팔아먹기 위해 묘를 파헤친 적이 있었다.

Researchers *exhumed* the body of President Garfield to determine whether he had been poisoned to death.
조사자들은 가필드 대통령의 독살 여부를 판단하기 위해 그의 시신을 무덤에서 파냈다.

While working in his garden, Wallace *exhumed* an old chest filled with gold coins and other treasure.
월리스는 정원에서 일을 하다가 금화와 각종 보물이 가득 들어있는 오래된 상자를 하나 발굴하게 되었다.

* 관련 단어로 posthumous 항목을 참조할 것.

## EXODUS [éksədəs] n a mass departure or journey away 집단 탈출, 혹은 집단 여행

* 발음에 주의할 것.

*Exodus* is the second book of the Bible. It contains an account of the *Exodus*, the flight of Moses and the Israelites from Egypt. When the word refers to either the book of the Bible or the flight of Moses, it is capitalized. When the word refers to any other mass departure, it is not.
Exodus는 성경 제 2권이다. 그 안에는 이집트를 떠나는 모세와 이스라엘 민족의 대이동을 의미하는 Exodus에 관한 이야기가 나온다. 이처럼 성서 중의 한 책이나 모세의 대이동을 말할 때는 대문자로 써야 한다. 그 외에 집단이동이나 탈출을 의미할 때는 대문자로 시작하지 않는다.

Theodore's boring slide show provoked an immediate *exodus* from the auditorium.
따분하기 그지없는 테오도르의 슬라이드 전시는 곧 강당을 빠져나가는 관객들의 대이동을 야기했다.

City planners were at a loss to explain the recent *exodus* of small businesses from the heart of the city.
도시 계획자들은 최근 벌어지고 있는 도심에서 벗어나는 소기업들의 대이동을 어떻게 설명해야 할 지 몰랐다.

### QUICK QUIZ 38

Match each word in the first column with its definition in the second column. Check your answers in the back of the book.

| | |
|---|---|
| 1. estimable | a. summon forth |
| 2. estrange | b. remove by cutting |
| 3. ethics | c. excused |
| 4. eulogy | d. spoken or written tribute |
| 5. evince | e. unbury |
| 6. evoke | f. mass departure |
| 7. excise | g. demonstrate convincingly |
| 8. exempt | h. moral standards |
| 9. exhume | i. make hostile |
| 10. exodus | j. worthy of admiration |

## EXORBITANT [igzɔ́:rbətənt] adj excessively costly ; excessive 엄청나게 비싼 ; 과도한

This word literally means out of orbit. Prices are *exorbitant* when they get sky-high.
이 단어는 문자 그대로 궤도를 벗어났다는 의미이다. 천정부지로 가격이 오르면, 가격이 엄청나게 비싼(exorbitant) 것이다.

Meals at the new restaurant were *exorbitant* ; a single stuffed mushroom cost seventy-five dollars.
새로운 레스토랑의 음식 값은 터무니없이 비쌌다 ; 버섯요리 한 접시에 75달러나 되었다.

The better business bureau cited the discount electronic store for putting an *exorbitant* mark-up on portable tape recorders.
상업 개선 협회는 그 전자제품 할인 매장이 휴대용 녹음기의 가격을 터무니없이 올렸다고 지적했다.

The author was *exorbitant* in his use of big words ; nearly every page in the book sent me to the dictionary at least a dozen times.
작가는 거창한 단어들을 엄청 많이 사용했다 ; 그의 책을 보려면, 모든 페이지마다 적어도 12번씩은 사전을 찾아야 했다.

**EXPIATE** [ékspièit] v **to make amends for ; to atone for** **보상하다 ; 속죄하다**

The convicted murderer attempted to *expiate* his crime by making pot holders for the family of his victim.
기소된 살인자는 희생자의 가족에게 삼발이를 만들어줌으로써 자신의 죄를 속죄하고자 했다.

* 명사형은 expiation [èkspiéiʃən].

Wendell performed many hours of community service in *expiation* of what he believed to be his sins as a corporate lawyer.
웬델은 회사의 변호사로서 자신이 잘못했다고 생각하는 과실을 속죄하는 마음으로 많은 시간을 사회 봉사에 할애했다.

**EXPLICATE** [éksplәkèit] v **to make a detailed explanation of the meaning of** **~의 의미에 대해 상세한 설명을 하다**

The professor's attempt to *explicate* the ancient text left his students more confused than they had been before the class began.
교수는 고대의 원본을 상세하게 설명하려고 했지만, 학생들은 수업을 듣기 전보다 더 혼란스러워졌다.

* 명사형은 explication [éksplәkèiʃən].

*Explication* of difficult poems was one of the principal activities in the English class.
어려운 시에 대한 해설은 영어 수업 시간의 주요한 활동 중의 하나였다.

* inexplicable은 설명할 수 없다는 뜻.

**EXPOSITION** [èkspәzíʃən] n **explanation ; a large public exhibition** **설명 ; 대규모의 전시회, 박람회**

The master plumber's *exposition* of modern plumbing technique was so riveting that many of the young apprentice plumbers in the audience forgot to take notes.
현대 배관 기술에 관한 일급 배관공의 설명은 너무나 매혹적이어서 강의를 듣던 젊은 견습배관공들의 대다수는 필기를 하는 것조차 잊고 있었다.

Charlie was overwhelmed by the new fishing equipment he saw displayed and demonstrated at the international fishing *exposition*.
찰리는 국제 낚시 박람회에서 전시하여 선전하고 있는 새로운 낚시 도구를 보고는 놀라움을 금치 못했다.

* 동사 expound는 상세한 설명을 하다. 형용사는 expository [ikspázitɔ̀:ri/-pɔ́zitəri].

**EXPOSTULATE** [ikspástʃulèit] v **to reason with someone in order to warn or dissuade** **경고하거나 단념시키기 위하여 누군가를 설득하다, 따지다, 훈계하다**

When I told my mother that I was going to live in a barrel on the bottom of the sea, she *expostulated* at great length, hoping she could persuade me to stay at home.
바다의 바닥에 내려가 둥그런 통 안에서 살 계획이라고 엄마에게 말씀드렸더니, 엄마는 나를 집에 있도록 설득하시기 위해 아주 오랜 시간에 걸쳐 훈계를 하셨다.

**EXPUNGE** [ikspʌ́ndʒ] v **to erase ; to eliminate any trace of** 삭제하다 ; ~의 흔적을 제거하다

Vernon's conviction for shoplifting was *expunged* from his criminal record when lightning struck the police computer.
좀도둑질에 대한 버논의 유죄 판결은 번개가 경찰서 컴퓨터를 망가뜨리는 바람에 범죄기록에서 삭제되었다.

The blow to Harry's head *expunged* his memory of who he was and where he had come from.
해리는 머리에 가해진 충격 때문에, 자신이 누구이며 어디서 왔는지의 기억을 모두 잃어버렸다.

It took Zelda seven years and fifteen lawsuits to *expunge* the unfavorable rating from her credit report.
젤다는 자신의 신용 기록에서 불량 거래자라는 등급을 삭제하는 데 7년이나 걸려 열다섯 번의 민사 소송을 치렀다.

**EXQUISITE** [ikskwízit] adj **extraordinarily fine or beautiful ; intense** 아주 훌륭한, 아주 아름다운 ; 격렬한

* 발음에 주의할 것.

While we had cocktails on the porch, we watched an *exquisite* sunset that filled the entire sky with vivid oranges and reds.
베란다에서 칵테일을 마시다가, 우리는 선명한 오렌지 빛과 붉은 빛이 온통 하늘을 수놓는 아주 아름다운 일몰을 보게 되었다.

The weather was *exquisite* ; the sun was shining and the breeze was cool.
날씨는 더할 나위 없이 좋았다 : 태양은 빛나고 산들 바람은 상쾌했다.

Pouring the urn of hot coffee down the front of his shirt left Chester in *exquisite* agony.
뜨거운 커피 주전자를 그의 셔츠 앞자락에 쏟았기 때문에, 체스터는 격렬한 고통을 느꼈다.

**EXTANT** [ékstənt/ekstǽnt] adj **still in existence** 여전히 현존하는

Paul rounded up all *extant* copies of his embarrassing first novel and had them destroyed.
폴은 부끄러운 자신의 첫 소설의 남아있는 사본을 모두 끌어 모았다. 그리고 그것들을 모두 파기해버렸다.

So many copies of the lithograph were *extant* that none of them had much value.
그 석판화의 복사본은 아직도 너무나 많이 남아 있었기 때문에, 그다지 가치가 별로 없었다

**EXTORT** [ikstɔ́:rt] v **to obtain through force, threat, or illicit means** 폭력이나 위협 등 불법적인 수단을 통해서 얻다

The root "tort" means to twist. To *extort* is to twist someone's arm to get something.
"tort"라는 어근은 비튼다는 의미가 있다. extort는 뭔가를 얻기 위해 누군가의 팔을 비트는 것이다.

The maid *extorted* money from her employer by threatening to reveal publicly that he collected pornographic videotapes.
하녀는 주인에게 포르노 비디오 테이프를 모으고 있다는 사실을 공개적으로 폭로하겠다고 협박을 해서 돈을 갈취했다.

* 명사형은 extortion [ikstɔ́:rʃən].

Joe's conviction for *extortion* was viewed as an impressive qualification by the mobsters for whom he now worked.
강도 행각에 대한 조의 유죄 판결은 그가 현재 몸담고 있는 갱단들의 세계에서는 감동적인 자격증을 받는 것처럼 여겨졌다.

* tortuous 항목을 참조할 것.

**EXTREMITY** [ikstrémәti] n **the outermost point or edge ; the greatest degree ; grave danger ; a limb or appendage of the body** 가장 멀리 있는 지점, 혹은 가장자리 ; 가장 최고의 등급 ; 심각한 위험 ; 신체의 팔다리나 부속 기관

The explorers traveled to the *extremity* of the glacier, then fell off.
탐험가들은 빙하의 끝까지 갔다. 그리고 추락했다.

Even in the *extremity* of his despair, he never lost his love for tennis.
지독한 절망에 시달리면서도, 그는 결코 테니스에 대한 사랑을 잃어버리지 않았다.

Ruth was at her best in *extremity* ; great danger awakened all her best instincts.
루스는 궁지에 몰리자 최고의 능력을 발휘했다 ; 심각한 위험이 그녀의 최고의 잠재 능력을 일깨웠다.

During extremely cold weather, blood leaves the *extremities* to retain heat in the vital organs.
극도로 추운 날씨에서는, 피는 생명 유지에 중요한 기관들에 열을 유지하기 위하여 팔다리를 방치한다.

**EXUBERANT** [igzú:bәrәnt] adj **highly joyous or enthusiastic ; overflowing ; lavish** 대단히 즐겁고 열광적인 ; 넘쳐흐르는 ; 풍부한

The children's *exuberant* welcome brought tears of joy to the eyes of the grumpy visitor.
아이들의 열광적인 환영에 심술궂은 성격의 손님 눈에도 기쁨의 눈물이 맺혔다.

Quentin was nearly a hundred years old, but he was still in *exuberant* health ; he walked twelve miles every morning and worked out with weights every evening.
퀀틴은 거의 백 살이나 먹었지만, 여전히 기력이 넘쳐흘렀다 ; 그는 매일 아침 12마일이나 걸었으며, 밤마다 역기로 운동을 했다.

The flowers in Mary's garden were *exuberantly*[igzú:bәrәntli] colorful ; her yard contained more bright colors than a box of crayons.
메리의 정원에 핀 꽃들은 화려한 색깔을 자랑했다 ; 그녀의 정원은 크레파스의 색깔보다도 더 선명한 빛깔을 갖고 있었다.

* 명사형은 exuberance[igʒú:bәrәns].

The *exuberance* of her young students was like a tonic to the jaded old teacher.
어린 학생들의 생기발랄함은 늙고 지친 선생님에게는 청량제와 같았다.

## QUICK QUIZ 39

Match each word in the first column with its definition in the second column. Check your answer in the back of the book.

| | |
|---|---|
| 1. exorbitant | a. excessively costly |
| 2. expiate | b. highly joyous |
| 3. explicate | c. make amends for |
| 4. exposition | d. outermost point |
| 5. expostulate | e. make a detailed explanation of |
| 6. expunge | f. obtain through force |
| 7. exquisite | g. explanation |
| 8. extant | h. still in existence |
| 9. extort | i. reason in order to dissuade |
| 10. extremity | j. extraordinarily fine |
| 11. exuberant | k. erase |

**FACADE** [fəsɑ́:d] n **the front of a building ; the false front of a building ; the false front of misleading appearance of anything** **건물의 전면 ; 건물의 그릇된 모습 ; 사물의 그릇된 인상을 주는 허울뿐인 외관**

* 불어식 발음에 주의할 것.

The building's *facade* was covered with so many intricate carvings that visitors often had trouble finding the front door.
그 건물의 외관은 너무나 복잡한 조각물로 덮여 있어서, 방문자들은 종종 현관을 찾지 못해 애를 먹었다.

What appeared to be a bank at the end of the street was really a plywood *facade* that had been erected as a set for the motion picture.
도로 끝에 은행처럼 보이는 것은 사실은 영화를 찍기 위해서 세트장으로 만든, 합판으로 만든 건물이었다.

Gretchen's kindness is just a *facade* ; she is really a hostile, scheming creep.
그레첸의 상냥함은 단지 겉으로만 그럴 뿐이다 ; 그녀는 사실 적개심이 많고, 교활한 좀도둑이다.

**FACET** [fǽsit] n **any of the flat, polished surfaces of a cut gem ; aspect** **깎은 보석의 평평하고 광택이 있는 단면 ; 면**

Karen loved to admire the tiny reflections of her face in the *facets* of the diamonds in her engagement ring.
카렌은 약혼 반지에 있는 다이아몬드의 깎은 면에 작게 투영된 자신의 얼굴을 황홀하게 바라보는 것을 좋아했다.

The two most important *facets* of Dan's personality were niceness and meanness.
댄의 성격에서 가장 중요한 두 가지 측면은 친절함과 야비함이었다.

* 다면적인 성격을 가지고 있다는 뜻의 형용사는 multifaceted [mʌ̀ltifǽsitid].

Lonnie is a *multifaceted* performer ; she can tell jokes, sing songs, juggle bowling balls, and dance.
로니는 여러 가지 재능이 있는 연기자이다 ; 그녀는 코미디도 하고, 노래도 부르며, 볼링 공으로 저글링도 하고 춤도 춘다.

**FALLACY** [fǽləsi] v **a false notion or belief ; a misconception** **그릇된 생각이나 믿음 ; 오해**

Peter clung to the *fallacy* that he was a brilliant writer, despite the fact that everything he had ever written had been rejected by every publisher to whom he had sent it.
지금까지 자신이 집필한 모든 작품들이 출판사로부터 투고한 족족 모두 거부를 당했음에도 불구하고, 피터는 자신이 뛰어난 작가라는 그릇된 생각을 고집했다.

That electricity is a liquid was but one of the many *fallacies* spread by the incompetent science teacher.
전기가 액체라는 것은 그 무능한 과학 선생님이 퍼뜨리는 많은 오해 중의 하나일 뿐이었다.

* 형용사는 fallacious [fəléiʃəs].

**FATHOM** [fǽðəm] v **to understand ; to penetrate the meaning of** 이해하다 ; ~의미를 꿰뚫다

At sea, a *fathom* is a measure of depth, and it is equal to six feet. *Fathoming*, at sea, is measuring the depth of the water, usually by dropping a weighted line over the side of a boat. On land, to *fathom* is to do the rough figurative equivalent of measuring the depth of water.
바다에서 a fathom은 깊이를 측정하는 단위로 6피트와 같다. fathoming은 바다에서 쓰일 때는 수심을 측정하는 것이며, 대개 배 위에서 추를 매달은 줄을 바다 밑으로 떨어뜨려 수심을 잰다. 육지에서라면, to fathom은 수심을 측정하는 것처럼 비유적인 의미로 속을 안다는 의미가 들어 있다.

I sat through the entire physics lecture, but I couldn't even begin to *fathom* what the professor was talking about.
물리학 강의 시간 내내 앉아 있었지만, 나는 교수가 얘기하고 있는 것을 조금도 이해할 수가 없었다.

Arthur hid his emotions behind a blank expression that was impossible to *fathom*.
아서는 도저히 꿰뚫어 볼 수 없는 무표정으로 자신의 감정을 숨겼다.

**FAUX** [fou] adj **false** 모조의, 가짜의

*Faux* marble is wood painted to look like marble. A *faux pas* [fòu pɑ́:] literally means false step, but is used to mean an embarrassing social mistake.
faux marble은 대리석처럼 보이도록 색깔을 입힌 나무이다. a faux pas는 문자 그대로는 잘못된 발걸음을 의미하지만, 난처한 사교적 실수를 의미하는 것으로 쓰인다.
* 이 단어는 불어이므로 발음에 주의할 것.

**FAWN** [fɔ:n] v **to exhibit affection ; to seek favor through flattery ; to suck up to someone** 호의를 보이다 ; 아첨을 해서 애정을 구하다 ; 누군가에게 아첨하다

The old women *fawned* over the new baby, pinching its cheeks and making little gurgling sounds.
나이가 많은 여자들은 아이의 볼을 꼬집기도 하고 작은 소리로 '깍꿍' 소리를 내며 새로운 아기에게 관심을 보였다.

The king could not see through the *fawning* of his court ; he thought all the princes and princesses really liked him.
왕은 궁정 사람들의 아첨을 제대로 꿰뚫어볼 수가 없었다 : 그는 왕자와 공주들이 정말로 자신을 사랑하고 있다고 생각했다.

**FEIGN** [fein] v **to make a false representation of ; to pretend** 거짓 표현을 하다, 가장하다 ; ~인 체하다

Ike *feigned* illness at work in order to spend the day at the circus.
아이크는 서커스를 보러 가기 위해 작업 중 아픈 척 했다.

The children *feigned* sleep in the hope of catching a glimpse of Santa Claus.
아이들은 산타클로스의 모습을 보기 위해 자는 척했다.

Agony of the sort that Frances exhibited cannot be *feigned* ; she had obviously been genuinely hurt.
프란시스가 보여준 그러한 모습의 고통은 결코 거짓일 리가 없다 : 그녀는 정말로 심각한 상처를 입었다.
* 가장하여 남을 속이는 동작이나 제스처, 행동 등을 a feint[faynt]라고 한다. feint는 동사로도 쓰인다.

The boxer *feinted* with his right hand and then knocked out his distracted opponent with his left.
그 권투 선수는 오른 손을 쓰는 척했다. 그러나 다음 순간, 속아넘어간 상대 선수를 왼 손으로 KO시켰다.

**FESTER** [féstər] v **to generate pus ; to decay** 곪다 ; 부패하다

Mr. Baker had allowed the wound on his arm to *fester* for so long that it now required surgery.
베이커씨는 팔에 난 상처가 다 곪도록 너무나 오래 동안 방치해 두어서 이제는 수술을 해야할 판이었다.

For many years, resentment had *festered* beneath the surface of the apparently happy organization.
여러 해 동안, 겉으로 드러난 화목함 밑으로 조직 내의 적개심은 썩어문드러지고 있었다.

**FETISH** [fétiʃ] n **an object of obsessive reverence, attention, or interest 도가 지나친 경외감이나 애정, 관심의 대상물**

Jeff had made a *fetish* of cleaning his garage ; he even waxed the concrete floor.
제프는 지나칠 정도로 차고를 깨끗이 하는 데에 집착했다 : 그는 심지어 콘크리트 바닥까지 왁스로 닦았다.

Clown shoes were Harriet's *fetish* ; whenever she saw a pair, she became sexually aroused.
해리엇의 성적 대상물은 어릿광대의 신발이었다 : 한 켤레의 신발을 보고 있을 때면, 그녀는 언제나 성적인 자극을 받았다.

**FIASCO** [fiǽskou] n **a complete failure or disaster ; an incredible screwup 완전한 실패, 또는 큰 재난 ; 믿어지지 않는 중대한 실수**

* 발음에 주의할 것. 복수는 fiascoes.

The tag sale was a *fiasco* ; it poured down rain all morning, and nobody showed up.
차고에서 여는 벼룩 시장은 완전히 실패였다 : 아침 내내 비가 쏟아졌으므로 아무도 구경오지 않았다.

The birthday party turned into a *fiasco* when the candles on the cake exploded.
케이크의 초가 폭발하는 바람에 생일 파티는 엄청난 재난으로 변했다.

**FIAT** [fáiət/-æt] n **an arbitrary decree or order 독단적인 법령이나 명령**

* 발음에 주의할 것.

The value of the country's currency was set not by the market but by executive *fiat*.
그 나라의 통화 가치는 시장이 아니라 행정부의 독단적인 명령에 의해서 결정되었다.

The president of the company ruled by *fiat* ; there was no such thing as a discussion of policy, and disagreements were not allowed.
그 회사의 사장은 독단적인 명령으로 경영을 해나갔다 : 정책 토론 같은 것은 있지도 않았을 뿐더러 이의를 제기하는 것도 허용되지 않았다.

**FICKLE** [fíkl] adj **likely to change for no good reason 별다른 이유도 없이 잘 변하는, 변덕스러운**

Students are *fickle*; one day they love you, the next day they attach a pipe bomb to the chassis of your car.
학생들은 변덕스럽다. 오늘은 너를 좋아하다가도, 다음 날에는 네 차 섀시에 파이프 폭탄을 붙여놓을 지도 모른다.

The weather had been *fickle* all day ; one moment the sun was shining, the next it was pouring down rain.
하루 종일 날씨가 변덕을 부렸다 : 잠깐 해가 비치더니, 다음 순간 비가 쏟아지기 시작했다.

The Taylors were so *fickle* that their architect finally told them he would quit the job if they made any more changes in the plans for their new house.
테일러씨 가족들이 너무나 변덕을 부렸기 때문에, 새 집을 짓기 위해 고용된 건축가는 마침내 설계도를 더 이상 바꾸면, 아예 집 짓는 일을 그만두겠다고 말했다.

I wish my dog loved me, but she's so *fickle* that she'd go off with anyone who offered her a dog biscuit.
내 개가 나만 좋아하면 좋을 텐데, 그러나 그 개는 워낙 변덕이 심해서 강아지용 비스킷을 주는 사람이라면 누구에게나 뛰어가곤 했다.

## QUICK QUIZ 40

Match each word in the first column with its definition in the second column. Check your answers in the back of the book.

| | |
|---|---|
| 1. facade | a. object of obsessive reverence |
| 2. facet | b. exhibit affection |
| 3. fallacy | c. complete failure |
| 4. fathom | d. make a false representation of |
| 5. faux | e. front of a building |
| 6. fawn | f. decay |
| 7. feign | g. arbitrary decree |
| 8. fester | h. misconception |
| 9. fetish | i. penetrate the meaning of |
| 10. fiasco | j. likely to change for no good reason |
| 11. fiat | k. aspect |
| 12. fickle | l. false |

**FIGMENT** [fígmənt] n **something made up or invented ; a fabrication** 지어내거나 꾸며낸 것 ; 거짓말, 지어낸 이야기

The three-year-old told his mother there were skeletons under his bed, but they turned out to be just a *figment* of his overactive imagination.
세 살짜리 꼬마가 자기 침대 밑에 해골들이 있다고 엄마에게 얘기했다. 그러나 그것들은 모두 아이의 지나친 상상력이 만들어 낸 허구에 지나지 않는 것으로 밝혀졌다.

These French-speaking hummingbirds inside my head—are they real, or are they a *figment*?
내 머리 안에서 불어로 말하는 벌새들 — 그들의 존재는 진짜일까? 허구일까?

**FISCAL** [fískl] adj **pertaining to financial matters ; monetary** 재정 문제에 관한 ; 재정의, 회계의

Having no sense of *fiscal* responsibility, he was happy to waste his salary on a life-size plastic flamingo with diamond eyes.
재정 문제에 관한 책임감이라곤 없었기 때문에, 그는 다이아몬드로 눈을 만든 실물 크기의 홍학 모형을 사는데 월급을 다 쓰면서도 그저 행복하기만 했다.

A *fiscal* year is any twelve-month period established for accounting purposes.
1회계년은 회계를 목적으로 하여 확립된 12개월간을 의미한다.

Scrooge Enterprises begins its *fiscal* year on December 25, to make sure that no one takes Christmas Day off.
스크루지 기업은 크리스마스 날 아무도 놀지 못하게 하려는 방편으로 회계 연도를 12월 25일에 시작한다.

**FLEDGLING** [flédʒliŋ] adj **inexperienced or immature** 경험이 없거나 미숙한

A *fledgling* bird is one still too young to fly ; once its wing feathers have grown in, it is said to be *fledged*.
a fledgling bird는 날기에는 아직 너무 어린 새이다 : 새의 날개 깃털이 다 자라게 되면, 이제 새는 날 수 있는 성숙한 새가 되었다고 말한다.

Lucy was still a *fledgling* caterer when her deviled eggs gave the whole party food poisoning.
겨자를 발라 구운 계란으로 파티의 음식을 모두 못 쓰게 만들어버린 것을 보니 루시는 아직 초보 요리 조달자였다

* full-fledged는 완전하게 성숙한 것을 의미한다.

Now that Lucy is a *full-fledged* gourmet chef, her deviled eggs poison only a couple of people annually.
루시의 겨자를 발라 구운 계란에 질겁하는 사람도 매년 두 사람 밖에 없을 정도이니, 그녀도 이제 맛을 잘 아는 완벽한 요리 조달자이다.

**FLIPPANT** [flípənt] adj **frivolously disrespectful ; saucy ; pert ; flip** 경박한 ; 건방진 ; 방자한 ; 무례한

I like to make *flippant* remarks in church to see how many old ladies will turn around and glare at me.
나는 교회에서 얼마나 많은 할머니들이 얼굴을 돌려 나를 쳐다보는지 알아보느라 무례한 말을 하기를 좋아한다.

* 명사는 flippancy [flípənsi] .

The *flippancy* of the second graders was almost more than the substitute teacher could stand.
2학년 학생들의 버릇없는 행동은 그 임시교사가 도저히 참을 수 없을 정도였다.

**FLORID** [flɔ́:rid] adj **ruddy ; flushed ; red-faced** 불그스레한 ; 홍조 띤 ; 얼굴을 붉히는

Ike's *florid* complexion is the result of drinking a keg of beer and eating ten pounds of lard every day.
아이크의 붉어진 얼굴빛은 날마다 한 통의 맥주와 10 파운드의 돼지 기름을 먹어댄 결과이다.

* florid와 floral과 florist는 모두 꽃과 관련된 단어로 지나치게 꽃이 많고, 극적이며, 장식적으로 화려하게 꾸민 것을 의미한다.

My brother is still making fun of that *florid* love poem Ted sent me.
오빠는 여전히 테드가 나에게 보낸 미사여구의 사랑시를 놀리고 있다.

**FODDER** [fádər] n **coarse food for livestock ; raw material** 가축에게 주는 거친 음식, 사료 ; 가공하지 않은 날것의 재료

The cattle for some reason don't like their new *fodder*, which is made of ground-up fish bones and Hershey's Kisses.
어떤 이유 때문인지, 소들은 가루로 만든 생선 뼈와 허쉬 초콜릿으로 만든 새로운 사료를 좋아하지 않는다.

Estelle was less embarrassed than usual when her father acted stupid in public, because his behavior was *fodder* for her new stand-up comedy routine.
에스텔은 아버지가 다른 사람들 앞에서 바보 같은 행동을 했는데도 평소보다도 놀라지 않았다. 아버지의 행동은 그녀가 하는 재담 코미디 연기를 위한 새로운 재료가 되었기 때문이었다.

* fodder와 food는 같은 어근을 가지고 있다.

**FOLLY** [fáli] n **foolishness ; insanity ; imprudence** 어리석음 ; 미친 짓 ; 경솔함

You don't seem to understand what *folly* it would be to design a paper raincoat.
너는 종이로 된 비옷을 만든다는 것이 얼마나 어리석은 일인지 잘 모르고 있는 것 같다.

The policeman tried to convince Buddy of the *folly* of running away from home ; he explained to him that his bed at home was more comfortable than a sidewalk, and that his mother's cooking was better than no cooking at all.

경찰은 버디에게 집에서 도망치는 것이 얼마나 어리석은 일인지를 납득시키려고 애를 썼다 : 그는 집안에 있는 침대가 길거리보다 더 편안하며, 그의 엄마의 요리가 전혀 먹을 요리가 없는 것보다 낫다는 것을 버디에게 설명했다.

The Territory of Alaska was once called Seward's *Folly*, after William Henry Seward, the secretary of state who had pushed through its purchase by the United States. It was popularly thought at the time that the big piece of frozen real estate was worthless.

국무 장관이었던 윌리암 헨리 슈워드가 미국 정부를 강력하게 밀어붙여 알래스카 땅을 매입하게 된 이후로, 알래스카는 한 때, '슈워드의 어리석은 짓거리' 라고 불렸었다. 그 당시에는 다들 알래스카를 아무런 가치도 없는 커다란 얼음 덩어리라고 생각했던 것이다.

* folly와 fool은 같은 어근에서 유래한 것이다.

**FORAY** [fɔ́:rei] n **a quick raid or attack ; an initial venture** **빠른 습격이나 공격 ; 새로운 것에 대한 최초 도전**

* 발음에 주의할 것.

The minute Shelly left for the party, her younger sisters made a *foray* on her makeup ; they ended up smearing her lipstick all over their faces.

셸리가 파티에 가자마자 곧, 여동생들은 그녀의 화장품에 손대기 시작했다 : 그들은 마침내 언니의 립스틱으로 얼굴을 온통 문질렀다.

My *foray* into the world of advertising convinced me that my soul is much too sensitive for such a sleazy business.

광고 시장으로의 진출을 통해서, 나는 그처럼 타락한 사업을 하기에는 나의 영혼이 너무나도 섬세하다는 것을 확인할 수 있었다.

The young soldier's ill-fated *foray* into the woods ended with his capture by an enemy patrol.

젊은 병사는 처음으로 그 숲에 들어가게 되었지만, 불행하게도 적군의 경비병에게 체포되고 말았다.

**FOREBODE** [fɔ:rbóud] v **to be an omen of ; to predict ; to foretell** **예시하다 ; 예견하다 ; 예언하다**

The baby's purple face, quivering chin, and clenched fists *forebode* a temper tantrum.

아기의 자주빛 얼굴과 떨리는 턱, 움켜진 주먹 등은 울화통을 터뜨릴 것이라는 것을 말해준다.

Sometimes to *forebode* means to predict or *prophesy*[prɑ́fəsài].

때때로 to forebode는 예언하거나 앞일을 예견하는 것을 의미한다.

Lulu *forebodes* tragedy every time she gazes into her crystal ball, unless the person paying for her fortune-telling wants only the good news.

루루는 그녀의 점에 대해 돈을 지불하는 사람이 오로지 좋은 소식만을 원하는 것이 아니라면, 언제나 수정 구슬을 들여다보면서 비극만을 예언한다.

* foreboding 은 막 일어날 것 같은 일에 대해서 가지는 두려운 느낌, 육감, 예감.

When Harry saw the killer shark leap toward him with a gun under one fin and a knife under the other, he had a *foreboding* that something not particularly pleasant was about to happen to him.

해리는 한쪽 지느러미에는 총을, 다른 쪽에는 칼을 숨긴 식인 상어가 자신을 향해 달려드는 것을 보았을 때, 뭔가 좋지 못한 일이 막 벌어지려 한다는 불길한 예감이 들었다.

* bode와 forebode는 동의어.

**FORECLOSE** [fɔ:rklóuz] v **to deprive a mortgagor of his or her right to redeem a property ; to shut out or exclude** **재산을 되찾을 수 있는 저당자의 권리를 박탈하다 ; 들어오지 못하게 하다, 배제하다**

If you don't make the mortgage payments on your house, the bank may *foreclose* on the loan, take possession of the house, and sell it in order to raise the money you owe.

만약 여러분이 주택을 담보로 얻은 대출금을 갚지 않는다면, 은행은 대출금에 대한 권리를 박탈하고, 집에 대한 소유권을 가져가서 여러분이 빚진 돈을 회수하기 위해 그 집을 팔아버릴 것이다.

Even though he never made a single payment on his house, Tom still can't understand why the bank *foreclosed* on the mortgage.
탐은 집을 담보로 한 대출금을 단 한 번도 갚지 않았으면서도, 왜 은행이 저당물에 대하여 권리를 박탈했는지 여전히 이해하지 못하고 있다.

When he lost both hands in an automobile accident, the pianist was *foreclosed* from the only activity he really enjoyed: eating corn on the cob.
피아니스트인 그는 교통사고로 양손을 모두 잃게 되자, 그가 정말로 좋아했던 유일한 활동을 못하게 되었다: 옥수수 통구이 먹기.

* 명사는 foreclosure[fɔːrklóuʒuər].

## QUICK QUIZ 41

Match each word in the first column with its definition in the second column. Check your answers in the back of the book.

| | |
|---|---|
| 1. figment | a. foolishness |
| 2. fiscal | b. inexperienced |
| 3. fledgling | c. something made up |
| 4. flippant | d. raw material |
| 5. florid | e. quick raid |
| 6. fodder | f. monetary |
| 7. folly | g. ruddy |
| 8. foray | h. be an omen of |
| 9. forebode | i. frivolously disrespectful |
| 10. foreclose | j. shut out |

**FORENSIC** [fərénsik] adj **related to or used in courts of law** **법정에서 사용되는, 법에 관계된**

* 발음에 주의할 것.

Before seeking an indictment, the prosecutor needed a report from the *forensic* laboratory, which he felt certain would show that the dead man had been strangled with his belt.
기소에 앞서, 검사에게는 법의학 실험실에서 온 보고서가 필요했다. 그 보고서는 사망한 사람이 자신의 허리띠로 목이 졸렸다는 사실을 알려줄 것이라고 검사는 확신했다.

One of the things a *forensic* anthropologist might do is identify different parts of a skeleton for a jury, in order to help the jury decide whether the guilty-looking defendant really ought to go to jail.
법정의 인류학자가 해야 하는 일들 중의 하나는, 배심원들이 용의자로 지목된 피고가 정말로 감옥에 가야만 하는 것인지를 판단하는 데 도움을 주기 위해 그들에게 서로 분리된 뼈들을 확인시켜 주는 것이다.

**FORESTALL** [fɔːrstɔ́ːl] v **to thwart, prevent, or hinder something from happening ; to head off** **훼방놓다, 방해하다, 어떤 일이 일어나는 것을 미리 손써서 막다 ; 가로막다**

To *forestall* embarrassing questions about her haircut, Ann decided to wear a bag over her head for the rest of her life.
그녀의 머리 모양에 대한 곤란한 질문들을 피하기 위해서, 앤은 남은 평생 동안 머리에 자루를 쓰고 다니기로 결심했다.

Let's *forestall* a depressing January by not spending any money on Christmas presents this year.
올해는 크리스마스 선물에 한 푼도 쓰지 않는 방법으로, 우울한 1월이 되는 것을 막아보자.

**FORSWEAR** [fɔːrswɛ́ər] v **to retract, renounce or recant ; to take back** **취소하다, 단념하다, 철회하다 ; 되돌아가다, 철회하다**

The thief had previously testified that he had been in Florida during the theft, but a stern glance from the judge quickly made him *forswear* that testimony.
절도범은 절도사건이 있던 시간에 자신은 플로리다에 있었다고 이미 증언했다. 그러나 판사가 준엄하게 한번 쳐다보자 재빨리 자신의 증언을 철회했다.

For my New Year's resolution, I decided to *forswear* both tobacco and alcohol ; then I lit a cigar and opened a bottle of champagne to celebrate the new me.
새해의 각오로서, 나는 담배와 술 모두를 끊기로 결심했다 ; 그리고 나서 새로 태어나는 나를 기념하기 위해 샴페인을 따고 담배에 불을 붙였다.

*Forswear* your gluttonous ways! Go on a diet!
게걸스럽게 먹는 습관을 버려라! 다이어트를 시작하라!

**FORTE** [fɔːrt] n **a person's strong point, special talent, or specialty** **개인의 강점, 특별한 재능, 특기**

Lulu doesn't really have a *forte* ; she doesn't really do anything particularly well.
룰루는 정말로 특기가 없다 ; 그녀는 특별히 잘하는 게 정말로 아무 것도 없다.

Uncle Joe likes to knit, but his real *forte* is needlepoint.
조 삼촌은 털실 뜨개질을 좋아한다. 그러나 그의 진짜 특기는 바느질이다.
* 발음에 주의할 것. [fɔːrtéi]로 발음하면, 강하게 또는 큰 소리로 울부짖듯이 하라는 음악용어가 된다.

**FORTHRIGHT** [fɔ́ːrθràit] adj **frank ; outspoken ; going straight to the point** **솔직한 ; 거리낌 없이 말하는 ; 직설적인**

When the minister asked Lucy if she would take Clayton as her lawfully wedded husband, she answered with a *forthright* "No!"
목사가 합법적인 결혼으로 클레이튼을 남편으로서 받아들이겠냐고 루시에게 물었을 때, 그녀는 솔직하게 "싫다"고 대답했다.

I know I asked for your candid opinion on my dress, but I didn't expect you to be that *forthright*.
내 옷에 대한 너의 솔직한 의견을 듣고 싶다고 했던 것은 사실이야. 그러나 네가 그렇게 직설적으로 얘기하리라고는 생각 못했다.

**FOSTER** [fɔ́ːstər] v **to encourage ; to promote the development of** **육성하다 ; ~의 발달을 촉진하다**

Growing up next door to a circus *fostered* my love of elephants.
서커스단 바로 이웃에서 성장했기 때문에, 나는 코끼리를 사랑하게 되었다.

By refusing to be pressured into burning its "controversial" books, the library will *foster* new ideas instead of smothering them.
'물의를 일으키고 있는' 책들을 불태우라는 압력을 거부함으로써 도서관은 새로운 생각들을 억누르는 대신 장려할 것이다.

The wolves who raised me lovingly *fostered* my ability to run on my hands and knees.
애정으로 나를 길러준 늑대들이 양손과 무릎으로 달릴 수 있는 능력을 길러주었다.

**FRAGMENTARY** [frǽgməntèri/-təri] adj **incomplete ; disconnected ; made up of fragments** **불완전한 ; 따로 떨어진 ; 파편으로 이루어진**

Since the coup leaders refuse to allow the press into the country, our information is still *fragmentary* at this point.
쿠데타의 지도자들이 외국 기자들의 입국을 허락하지 않기 때문에, 지금 시점에서 우리의 정보는 여전히 불완전하고 단편적이다.

She has only a *fragmentary* knowledge of our national anthem ; she can sing the first, fifth, and eleventh lines, and that's all.
그녀는 우리의 국가를 부분적으로만 알고 있다 ; 그녀는 첫 번째, 다섯 번째, 열한 번째 소절만 노래할 수 있다. 그것이 전부이다.

* 동사 fragment[frǽgmənt] 는 여러 조각으로 부순다는 뜻이다.
* 발음에 주의할 것.
* 형용사 fragmented 는 쪼개지거나 나뉘어졌다는 뜻.
* fragmentary와 fragmented 는 동의어가 아니다.

**FRUITFUL** [frú:tfəl] adj **productive ; producing good or abundant results ; successful** **생산적인 ; 좋은 또는 풍부한 결과를 낳는 ; 성공적인**

The collaboration between the songwriter and the lyricist proved so *fruitful* that last year they won a Tony for Best Musical.
작곡가와 작사자의 협력은 아주 성공적이어서 지난 해 토니상의 최고 뮤지컬 상을 받았다.

Our brainstorming session was very *fruitful* ; we figured out how to achieve world peace and came up with a way to convert old socks into clean energy.
아이디어 개발 회의는 아주 성과가 좋았다. 우리는 세계평화를 쟁취할 수 있는 방법을 마련했고, 낡은 양말을 청정에너지로 전환할 수 있는 방법을 제출했다.

* fruitless[frú:tlis] 는 쓸모 없고, 무의미하고, 보답이 없고, 수확이 없다는 뜻이다.

A cherry tree without any cherries is *fruitless* in both the literal and the figurative sense of the word. A *fruitless* search turns up nothing.
버찌가 열리지 않는 벚나무는 글자 그대로, 또 비유적인 의미에서도 결실이 없는 것이다. 결실을 맺지 못한 탐구란 아무 것도 찾아내지 못한 것이다.

To reach *fruition* [fru:íʃən] is to accomplish or fulfill what has been sought or striven for. The *fruition* of all Diana's dreams arrived when Charles asked her to be his wife.
결실에 이른다는 말은 노력하여 찾고 있거나 추구하고 있던 목표를 성취, 또는 완수한다는 의미이다. 찰스가 다이애나에게 구혼했을 때, 그녀의 모든 꿈들은 실현되었다.

* 발음에 주의할 것.

**FUEL** [fjú:əl] v **to stimulate ; to ignite ; to kindle, as if providing with fuel** **자극하다 ; ~에 불을 붙이다 ; 연료를 제공함으로써 타오르게 하다**

Her older sister's sarcasm only *fueled* Wendy's desire to live several thousand miles away.
언니의 빈정거림은 단지 수천마일 떨어진 먼 곳에서 살고 싶다는 웬디의 갈망을 자극할 뿐이었다.

Harry *fueled* Harriet's suspicions by telling her out of the blue that he was not planning a surprise party for her.
해리는 해리엇에게 그녀를 위한 깜짝파티를 계획하고 있지 않다고 느닷없이 말하는 바람에 해리엇의 의심만 증폭시켰다.

The taunts of the opposing quarterback backfired, by *fueling* our team's quest for victory.
상대편 쿼터백의 조롱 작전은 우리 선수들의 승리에 대한 의지를 불붙게 해서 오히려 실패로 돌아갔다.

**FULMINATE** [fʌ́lmənèit] v **to denounce vigorously ; to protest vehemently against something** 격렬하게 비난하다 ; 무엇인가를 반대하여 격렬하게 항의하다

In every sermon, the bishop *fulminates* against the evils of miniskirts, saying that they are the sort of skirt that the devil would wear, if the devil wore skirts.
설교 때마다 매번, 주교는 미니스커트의 사악함에 대해 맹렬히 비난을 퍼붓는다. 그는 만약 악마가 치마를 입게 된다면, 미니스커트야말로 악마가 입을 종류의 치마라고 말한다.

The old man never actually went after any of his numerous enemies ; he just sat in his room *fulminating*.
노인은 수많은 자신의 적들 중 누구도 실제로 뒤쫓지는 않았다 ; 그는 단지 방 안에 앉아 맹렬히 비난을 퍼부을 뿐이었다.

The principal's *fulminations* [fʌ̀lmənéiʃəns] had no effect on the naughty sophomores ; they went right on smoking cigarettes and blowing their smoke in his face.
교장의 성난 부르짖음도 말썽꾸러기 2학년생들에게는 효과가 없었다 ; 그들은 곧장 담배를 피우더니 교장의 얼굴에다 담배연기를 불어댔다.

## QUICK QUIZ 42

Match each word in the first column with its definition in the second column. Check your answer in the back of the book.

| | |
|---|---|
| 1. forensic | a. used in courts of law |
| 2. forestall | b. outspoken |
| 3. forswear | c. special talent |
| 4. forte | d. thwart |
| 5. forthright | e. stimulate |
| 6. foster | f. encourage |
| 7. fragmentary | g. retract |
| 8. fruitful | h. productive |
| 9. fuel | i. denounce vigorously |
| 10. fulminate | j. incomplete |

**GAFFE** [gæf] n **a social blunder ; an embarrassing mistake ; a faux pas** **사교상의 큰 실수 ; 난처한 실수 ; 과실, 실책**

In some cultures, burping after you eat is considered a sign that you liked the meal. In our culture, it's considered a *gaffe*.
어떤 문화권에서는, 식사 후의 트림을 당신이 음식을 잘 먹었다는 신호로 받아들인다. 우리 문화권에서는, 그러한 모습을 난처한 실수로 여긴다.

You commit a *gaffe* when you ask a man if he's wearing a toupee.
남자에게 가발을 썼느냐고 묻는다면, 그것은 대단히 실례를 범하는 것이다.

Michael Kinsley defines a politician's *gaffe* as "when one inadvertently tells the truth."
마이클 킨슬리는 정치가의 실수를 "정치가가 부지불식중에 진실을 말하는 것"이라고 정의한다.

**GALVANIZE** [gǽlvənàiz] v **to startle into sudden activity ; to revitalize** **놀라게 해서 갑자기 활기를 띠게 하다 ; 소생시키다**

The student council president hoped his speech would *galvanize* the student body into rebelling against standardized tests. But his speech was not as *galvanic*[gælvǽnik] as he would have liked, and his listeners continued to doze in their seats.
학생회장은 자신의 연설이 학생들의 기운을 북돋아 규격화된 시험에 반대하는 저항운동을 일으키기를 원했다. 그러나 그의 연설은 그가 원했던 만큼 활력을 주지 못했으며, 연설을 듣는 학생들은 자리에서 계속 졸기만 했다.

Dullsville was a sleepy little town until its residents were *galvanized* by the discovery that they all knew how to whistle really well.
덜스빌은 주민들이 모두 휘파람을 정말로 잘 분다는 사실을 알게 되어 활력을 찾기 전까지는 생기 없는 작은 마을에 불과했다.

**GAMBIT** [gǽmbit] n **a scheme to gain an advantage ; a ploy** **유리한 입장에 서기 위한 책략 ; 계획**

Bobby's opening *gambit* at the chess tournament allowed him to take control of the game from the very beginning.
바비는 체스 선수권대회에서 첫 경기 초반 첫 수로 인해, 시작부터 경기의 주도권을 잡게 되었다.

Meg's *gambit* to get a new car consisted of telling her father that everyone else in her class had a new car.
새 차를 얻기 위한 멕의 술책은 아빠에게 자신의 반 아이들은 모두 새 차를 갖고 있다고 말하는 것이었다.

My young son said he wanted a drink of water, but I knew that his request was merely a *gambit* to stay up later.
어린 아들은 물을 마시고 싶다고 말했지만, 나는 아들의 부탁이 순전히 더 늦게까지 자지 않고 있으려는 술책이라는 것을 알고 있었다.

**GAMUT** [gǽmət] n **the full range (of something)** 전 범위

The baby's emotions run the *gamut* from all-out shrieking to contented cooing.
아이의 감정은 전력을 다해 소리를 지르는 것부터 시작해서 만족한 옹알이에 이르기까지 갖은 표현을 다 한다.

My professor said that my essay covers the *gamut* of literary mistakes, from bad spelling to outright plagiarism
교수는 나의 수필이 철자법이 틀린 것부터 시작해서 공공연한 표절에 이르기까지 온갖 문학적 오류로 가득하다고 말했다.

**GARNER** [gɑ́:rnər] v **to gather ; to acquire ; to earn** 모으다 ; 획득하다 ; 얻다

Steve continues to *garner* varsity letters, a fact that will no doubt *garner* him a reputation as a great athlete.
스티브는 대학팀의 초청장을 계속해서 획득하고 있다. 의심할 바 없이 그러한 사실은 그에게 최고의 선수라는 명예를 얻게 해줄 것이다.

Mary's articles about toxic waste *garnered* her a Pulitzer Prize.
메리는 유독성 폐기물에 관한 기사로 퓰리처상을 수상했다.

**GASTRONOMY** [gæstrɑ́nəmi] n **the art of eating well** 잘 먹는 기술, 미식법

The restaurant's new French chef is so well versed in *gastronomy* that she can make a pile of hay taste good. In fact, I believe that hay is what she served us for dinner last night.
레스토랑의 프랑스인 새 주방장은 미식에 관해 대단히 조예가 깊은 사람이라 건초더미라 하더라도 맛있는 것으로 만들어낼 수 있다. 사실, 나는 지난밤에 그녀가 우리에게 저녁식사로 제공했던 것이 건초라고 믿고 있다.

I have never eaten a better meal. It is a *gastronomic*[gæ̀strənɑ́mik] miracle.
나는 이보다 더 좋은 음식을 먹어본 적이 없다. 그것은 요리법의 기적이다.

**GENERIC** [dʒənérik] adj **general ; common ; not protected by trademark** 전반적인 ; 공통적인 ; 특정 상표로 보호되지 않는

The machinery Pedro used to make his great discovery was entirely *generic* ; anyone with access to a hardware store could have done what he did.
페드로가 그의 위대한 발명품을 만드는 데 사용한 기계는 아주 흔한 것이었다 : 철물점에 갈 수 있는 사람은 누구나 그가 발명한 것을 발명할 수 있었을 것이다.

The year after he graduated from college, Paul moved to New York and wrote a *generic* first novel in which a young man graduates from college, moves to New York, and writes his first novel.
폴은 대학을 졸업한 해에 뉴욕으로 이사를 갔으며, 대학을 졸업한 젊은이가 뉴욕으로 이사가서 자신의 첫 번째 소설을 쓴다는 상식적인 내용의 첫 소설을 썼다.

Instead of buying expensive name-brand cigarettes, Rachel buys a *generic* brand and thus ruins her health at far less expense.
값이 비싼 유명상표의 담배를 사는 대신에, 레이첼은 상표가 없는 담배를 산다. 훨씬 적은 비용으로 건강을 망치는 것이다.

**GENESIS** [dʒénəsis] n **origin ; creation ; beginning** 기원 ; 창조 ; 시작

*Genesis* is the name of the first book of the Bible. It concerns the *genesis* of the world, and in it Adam and Eve realize that it is never wise to listen to the advice of serpents.
창세기는 성경의 첫 번째 권의 명칭이다. 창세기는 천지창조에 관한 이야기를 다루고 있으며, 아담과 이브가 뱀의 말을 듣는 것이 결코 현명하지 못하다는 것을 깨닫는 내용이 들어있다.

It's hard to believe that the *Concorde* has its *genesis* in the flimsy contraption built by the Wright brothers.
콩코드 여객기의 기원이 라이트 형제가 만든 보잘것 없는 기계였다는 사실은 믿기가 힘들 정도이다.

It's been so long since we began building our backyard hydrogen bomb that I can't even remember the *genesis* of the project.
우리가 뒷마당에 수소 폭탄을 설치하기 시작한 뒤로 너무 오랜 시간이 흘러서 그 일을 어떻게 해서 시작하게 됐는지 기억할 수조차 없다.

**GENOCIDE** [dʒénəsàid] n **the extermination of a national, racial, or religious group** **민족이나 인종, 종교적 단체에 대한 말살**

Hitler's policy of *genocide* has made him one of the most hated men in history.
히틀러는 인종 말살 정책으로 인류 역사상 가장 미움을 받는 사람 중의 하나가 되었다.

When a word ends with the suffix "cide," it generally has to do with some form of murder. *Homicide*[hɑ́məsàid] means murder ; *matricide*[mǽtrəsàid] means mother-murder ; *patricide*[pǽtrəsàid] means father-murder ; *suicide*[sú:əsàid] means self-murder. An *insecticide*[inséktəsàid] is a substance that "murders" insects.
접미사 "cide"로 끝나는 단어는 일반적으로 살인의 형태와 관련이 있는 경우가 많다. homicide는 살인을 의미한다 ; matricide는 어머니를 살해하는 것을 의미한다 ; patricide는 아버지를 살해하는 것을 의미하고 ; suicide 는 자살이라는 뜻이다. insecticide는 곤충을 죽이는 물질, 즉 살충제를 의미한다.

**GERMANE** [dʒə:rméin] adj **applicable ; pertinent ; relevant** **적절한 ; 꼭 들어맞는 ; 관련된**

"Whether or not your mother and I give you too small an allowance," said Cleo's father sternly, "is not *germane* to my suggestion that you should clean up your room more often."
"엄마와 내가 너에게 너무 적은 용돈을 주는지 아닌지는, 네가 좀더 자주 네 방을 청소해야 한다는 내 말과는 별 관계가 없다"고 클레오의 아버지는 엄격하게 말했다.

One of the many *germane* points he raised during his speech was that someone is going to have to pay for all these improvements.
연설을 하는 도중 그가 제기한 여러 가지 적절한 요점 중의 하나는 이 모든 진보에 대해 누군가는 그 대가를 지불해야 한다는 것이었다.

Claiming that Arnold's comments were not *germane* to the discussion at hand, the president of the company told him to sit down and shut up.
아놀드의 견해는 그 논쟁과는 직접적인 관련이 없었다고 소리치면서, 사장은 그에게 앉아서 입이나 다물라고 말했다.

## QUICK QUIZ 43

Match each word in the first column with its definition in the second column. Check your answer in the back of the book.

| | |
|---|---|
| 1. gaffe | a. full range |
| 2. galvanize | b. gather |
| 3. gambit | c. startle into sudden activity |
| 4. gamut | d. art of eating well |
| 5. garner | e. social blunder |
| 6. gastronomy | f. extermination of a national, racial, or religious group |
| 7. generic | g. origin |
| 8. genesis | h. scheme to gain an advantage |
| 9. genocide | i. common |
| 10. germane | j. applicable |

**GHASTLY** [gǽstli/gɑ́ːst-] adj **shockingly horrible ; frightful ; ghostlike** 엄청나게 무서운 ; 무시무시한 ; 귀신 같은

The most *ghastly* crime ever recorded in these parts was committed by One-Eye Sam, and it was too *ghastly* to describe. (Oh, well, all right. He rounded up several dozen townspeople and chopped them into tiny bits.)
이곳에서 지금까지 기록된 가장 무시무시한 범죄는 애꾸눈 샘이 저지른 것이다. 그 범죄는 너무나 끔찍해서 입에 담기도 무섭다. (오, 좋아요, 좋아. 그는 수십 명의 마을 사람들을 잡아다가 작은 조각으로 잘라놓았답니다.)

You have a rather *ghastly* color all of a sudden. Have you just spotted One-Eye Sam?
너, 갑자기 파랗게 질려 있다. 애꾸눈 샘이라도 본 거니?

**GRATIS** [gréitəs] adj **free of charge** 무료로, 무료의

Since Gary drove his car through the Whitneys' plate-glass living room window, he provided them with a new one, *gratis*.
게리는 자동차를 운전하다가 휘트니네 거실 창문 판유리를 깨뜨렸기 때문에, 한 푼도 받지 않고 새 유리로 갈아주었다.

I tried to pay for the little mint on my pillow, but the chambermaid explained that it was *gratis*.
나는 베개 값으로 약간의 돈을 지불하려고 했으나, 호텔 종업원은 그 베개가 무료라고 말해 주었다.

When the waiter told Herbert that the drink was *gratis*, Herbert started to shout. He said, "I didn't order any damned *gratis*. I want some brandy, and I want it now!"
웨이터가 와서 이 음료는 무료라고 말하자, 허버트는 소리치기 시작했다. "난 빌어먹을 gratis를 주문한 적이 없단 말이오. 나는 브랜디를 마시고 싶소, 그것도 지금 당장!"이라고 허버트가 말했다.

* gratis는 [grǽtis]로 발음되기도 한다. 그러나 [grɑ́ːtis]는 잘못된 발음이다.

**GRIEVOUS** [gríːvəs] adj **tragic ; agonizing ; severe** 비극적인 ; 괴로운 ; 통렬한

The losses on both sides were *grievous* ; the battlefield was covered with bodies, and the stream ran red with blood.
양측 모두 참혹한 피해를 당했다 ; 전투가 벌어졌던 곳은 시체가 즐비했고, 강물은 붉은 피로 물들었다.

The memory of all the times I've yelled at my children is *grievous* to me.
아이들에게 호통치던 때의 기억이 나를 괴롭게 한다.

**GRIMACE** [gríməs, griméis] v **to make an ugly, disapproving facial expression** 추하고 못마땅한 얼굴 표정을 짓다

Don't *grimace*, dear, or your face will freeze that way!
얘야, 얼굴을 찌푸리지 말아라. 그렇지 않으면, 얼굴이 그런 모양으로 굳어져 버릴 것이다.

Tom couldn't help *grimacing* when he heard that the Pettibones were coming over for supper ; he had hated the Pettibones ever since they had borrowed his riding lawn mower and ridden it into the lake.
페티본가 사람들이 저녁 식사에 올 것이라는 얘기를 듣고, 탐은 얼굴을 찌푸리지 않을 수 없었다 ; 페티본네 사람들이 자동 잔디깎기 기계를 빌려가서 호수에 처박아 버린 뒤로 탐은 페티본가 사람들을 증오해 왔다.

* 이 단어는 명사로도 쓰인다. grimace는 명사로 얼굴에 나타난 찌푸린 표정을 의미한다.

The *grimace* on the face of the judge when Lila played her violin did not bode well for her chances in the competition.
리라가 바이올린 연주를 할 때, 심사위원의 얼굴에 나타난 찌푸린 표정은 경연대회에서 좋은 성적을 낼 가망이 없다는 것을 의미하는 것이었다.

**GUISE** [gaiz] n **appearance ; semblance** 외형 ; 모습, 변장, 가장

Every night the emperor enters the princess's room in the *guise* of a nightingale, and every night the princess opens her window and shoos him out.
황제는 매일 밤 나이팅게일이라는 새의 모습을 하고 공주의 방으로 찾아가고, 공주는 매일 밤 창문을 열어 그를 쉬이하고 쫓아낸다.

* guise는 또한 거짓된 모습이나 변장을 의미하기도 한다.

How could I help trusting Hortense? She had the *guise* of an angel!
어떻게 호르텐스를 믿지 않을 수 있었겠는가? 그녀는 천사로 가장하고 있었는데!

## QUICK QUIZ 44

Match each word in the first column with its definition in the second column. Check your answer in the back of the book.

| | |
|---|---|
| 1. ghastly | a. free of charge |
| 2. gratis | b. shockingly horrible |
| 3. grievous | c. make an ugly face |
| 4. grimace | d. tragic |
| 5. guise | e. appearance |

**HABITUATE** [həbítʃuèit] v **to train ; to accustom to a situation** 길들이다 ; 상황에 익숙해지게 하다

* 악센트에 주의할 것.

Putting a clock in a puppy's bed is supposed to help *habituate* it to its new home, but most puppies become homesick anyway.
강아지의 침대에 시계를 놓아두면 새로운 집에 길들이는 데 도움이 된다고 알려져 있다. 그러나 대부분의 강아지들은 그렇게 하더라도 향수병에 걸린다.

The best way to *habituate* yourself to daily exercise is to work out first thing in the morning.
매일 매일 운동하는 습관을 들이는 가장 좋은 방법은 아침에 일어나자마자 제일 먼저 운동부터 하는 것이다.

If you are a frequent visitor to a place, you may be said to be a *habitué*[həbítʃu] of that place. Alice is a *habitué* of both the bar at the end of her street and the gutter in front of it.
만약, 어떤 장소에 아주 빈번하게 찾아가는 사람이 있다면, 우리는 그런 사람을 단골이라고 부른다. 앨리스는 골목 끝에 있는 술집과 그 앞의 빈민가의 단골이다.

**HALCYON** [hǽlsiən] adj **peaceful ; carefree ; serene** 평화스러운 ; 태평한 ; 조용한

* 발음에 주의할 것.

Why does everyone talk about the *halcyon* days of youth? Most of the kids I know don't exactly live serene, carefree lives.
왜 사람들은 자신의 평화로운 젊은 날에 대해 얘기하는가? 내가 아는 대부분의 아이들은 반드시 조용하고 평화로운 삶을 사는 것이 아니다.

These *halcyon* skies are a good harbinger of a pleasant vacation.
평화로운 하늘은 즐거운 휴가가 되리라는 신호이다.

**HARASS** [hǽrəs, hərǽs] v **to attack repeatedly ; to torment or pester** 반복적으로 괴롭히다 ; 고통을 주거나 못살게 굴다

The unruly students so *harassed* their uncoordinated physical education teacher that she finally went crazy and quit.
말썽꾸러기 학생들이 그들과 조화되지 않는 체육선생님을 너무나도 괴롭힌 나머지, 결국 선생님은 격분해서 학교를 그만두었다.

Warren is a terrible boss ; he *harasses* his female employees all day long by making lewd remarks to them and asking them to give him back rubs.
워렌은 지독한 사장이다 ; 그는 여자 직원들에게 음란한 말을 해대고, 자신의 등을 문질러 달라고 부탁을 하는 등, 여자 직원들을 하루종일 피롭힌다.

Warren's female employees are victims of sexual *harassment*[hǽrəsmənt, hərǽs-]. If People outside his company ever find out about Warren's record of sexual *harassment*, he'll never be able to get another job. Good !
워렌의 여직원들은 성희롱의 희생자이다. 회사의 외부 사람들이 워렌의 성희롱에 관한 이야기를 알게 된다면, 그는 더 이상 다른 직업을 얻을 수는 없을 것이다. 당연하다!

**HARBINGER** [háːrbindʒər] n **a precursor ; an indication ; an omen** **선구자 ; 징후 ; 조짐**

* 발음에 주의할 것.

When a toilet overflows, it is usually a *harbinger* of plumbing problems to come.
화장실이 넘친다면, 그것은 대개 배관 설비에 문제가 생길 것이라는 징후이다.

Priscilla found a silver dollar on the floor, and she viewed it as a *harbinger* of the good luck she was certain to have on the slot machines that night.
프리실라는 마루 바닥에서 은화를 발견했다. 그녀는 그 사실을 그날 밤 자동 도박기에서 얻게 될 확실한 행운의 조짐이라고 생각했다.

The vultures circling overhead were viewed as a *harbinger* of doom by the starving, thirst-stricken settlers trying to claw their way across the sweltering desert floor several hundred feet below.
수백 피트 아래의 찌는 듯한 사막 바닥을 필사적으로 손으로 헤치며 건너가려고 애쓰고 있는, 굶주리고 목마른 개척자들에게 머리 위에서 회전하고 있는 대머리수리들은 나쁜 운명의 징후로 여겨졌다.

**HARP** [haːrp] v **to repeat tediously ; to go on and on about something** **지루하게 되풀이하다 ; 뭔가를 계속해서 반복하다**

"Will you quit *harping* on my hair?" Tim shouted at his mother. "I don't have to get it cut if I don't want to!"
"머리에 대한 잔소리 좀 그만할 수 없나요?" 팀이 엄마에게 소리쳤다. "원하지 않는 한 머리를 꼭 잘라야 할 필요는 없단 말이에요!"
* 지나치게 불평을 하거나 합당하지 못한 일을 집어낸다는 뜻의 carp[carp]와 혼동하지 말 것.

If you were to complain that someone had been *harping* on something when they actually hadn't been, you would be *carping*.
실제로는 그렇지 않은데, 누군가가 반복해서 지루하게 되풀이한다고 불평을 한다면, 여러분은 괜한 트집을 잡는 것이다.

**HARRY** [hæri] v **to harass ; to annoy** **괴롭히다 ; 성가시게 굴다**

The soldiers vowed to *harry* their opponents until they finally surrendered the town.
병사들은 그 도시를 기어이 함락시킬 때까지 적들을 끝까지 괴롭힐 것을 맹세했다.

* 형용사는 harried.

No wonder that mother has a *harried* look. She's been taking care of six children all day.
엄마가 엉망인 모습으로 있는 것도 그리 놀랄 일은 아니다. 그녀는 하루종일 여섯 아이들을 돌보고 있는 것이다.

**HEINOUS** [héinəs] adj **shockingly evil ; abominable ; atrocious** **지독하게 사악한 ; 혐오스러운 ; 극악한**

* 발음에 주의할 것.

Bruno is a *heinous* villain ; his crimes are so horrible that people burst into tears at the mere sound of his name.
브루노는 극악무도한 악당이다 ; 그의 범죄 행위는 너무도 끔찍해서 사람들은 단지 그의 이름만 들어도 울음을 터트린다.

Gertrude's treatment of her cat was *heinous* ; she fed him dry food for nearly every meal, and she never gave him any chicken livers.
걸트루드가 고양이를 다루는 법은 잔인하기 짝이 없었다 ; 그녀는 매번 끼니때마다 고양이에게 마른 음식을 먹였으며, 닭고기 간 같은 것은 한 번도 준 적이 없었다.

**HERALD** [hérəld] n **a royal proclaimer ; a harbinger** **왕의 전달자 ; 선구자**

The queen sent a *herald* to proclaim victory.
여왕은 승리를 선언하도록 전령사를 보냈다.

A robin is sometimes viewed as a *herald* of spring ; its song announces that winter has finally ended.
개똥지빠귀는 때때로 봄의 전령사로 여겨진다 ; 개똥지빠귀의 노래는 겨울이 마침내 물러갔음을 알리는 것이다.

* herald는 동사로도 쓰인다. 선언하다, 공표하다, 소식을 전하다.

The members of the football team *heralded* their victory through the town by honking their car horns continuously while driving slowly up and down every street for several hours.
풋볼팀 선수들은 몇 시간 동안이나 위아래 모든 도로를 천천히 달리면서 계속해서 차 경적을 울려대며 온 시가지에 승리의 소식을 전했다.

**HOARY** [hɔ́:ri] adj **gray or white with age ; ancient ; stale** **나이들어 회백색이 된 ; 고색 창연한 ; 진부한**

The dog's *hoary* muzzle and clouded eyes betrayed her advanced age.
회백색의 주둥이와 흐릿한 눈은 그 개가 나이가 많다는 것을 은연중에 드러내고 있었다.

The college's philosophy department was a bit on the *hoary* side ; the average age of those professors must have been at least seventy-five.
그 대학의 철학과는 교수들이 좀 늙은 편이었다 : 교수들의 평균 연령이 적어도 75세는 되었음에 틀림없었다.

Don't you think that joke's getting a little *hoary*? You must have told it twenty times at this party alone.
그 농담, 좀 진부하다고 생각지 않니? 오늘 파티에서만 스무 번이나 얘기한 것 같은데.

**HOMAGE** [ɑ́midʒ, hɑ́-] n **reverence ; respect** **경의 ; 존경**

Every year, thousands of tourists travel to Graceland to pay *homage* to Elvis Presley ; thousands more stay home and pay *homage* to him in their local supermarkets and pizza parlors, where they catch glimpses of him ducking into the men's room or peering through the windows.
매년, 수천 명의 관광객들이 엘비스 프레슬리에게 경의를 표하기 위하여 그레이스랜드를 방문한다 : 그보다 더 많은 사람들은 집을 떠나지 않고도 자기 동네의 슈퍼마켓이나 피자 가게에서 엘비스에게 경의를 표한다. 그 곳에서 사람들은 엘비스가 화장실을 들락거리거나 창문을 통해서 안을 들여다보는 모습을 목격하곤 한다.

Orville erected the new office building in *homage* to himself ; he had a statue of himself installed in the lobby, and he commissioned a big sign proclaiming the building's name: the Orville Building.
어빌은 자신을 기념하기 위해 새로운 사무용 빌딩을 세웠다 : 그는 로비에 자신의 동상을 설치하고, 건물의 이름을 알리는 커다란 현판을 달았다: 어빌 빌딩

**HUBRIS** [hjú:bris] n **arrogance ; excessive pride** **오만 ; 지나친 자만**

* 발음에 주의할 것.

If you're ever assigned to write an essay about why the hero of a play comes to a tragic end, it's a safe bet to say that it was *hubris* that brought about his downfall.
왜 연극의 주인공이 비극적 결말을 맞이해야 하는지에 대해서 평론을 쓰는 숙제를 받았다면, 그의 몰락을 가져온 것은 오만함이었다고 말하는 것이 가장 안전한 대답이 될 것이다.

Steven has a serious case of *hubris* ; he's always claiming to be the handsomest man on the beach when he's really a ninety-seven-pound weakling.
스티븐은 심각할 정도로 자만심이 강한 성격이다 : 실제로는 97파운드의 약골이면서 그는 항상 자신이 해변 최고의 매력적이고 잘생긴 사람이라고 주장한다.

**HYPOCRISY** [hipɑ́krəsi] n **insincerity ; two-facedness** **불성실 ; 두 얼굴을 가짐, 위선**

* 발음에 주의할 것.

The candidate's most obvious qualification for office was his *hypocrisy* ; he gave speeches in praise of "family values," even though his own family was in a shambles.
직책에 대한 그 후보의 두드러진 자질은 바로 그의 두 얼굴이었다 : 자신의 가족은 황폐해졌음에도 불구하고, 그는 가족의 가치를 찬양하는 연설을 했다.

**Mary despises *hypocrisy* so much that she sometimes goes too far in the other direction. When Julia asked if Mary liked her new dress, Mary replied, "No. I think it's ugly."**

메리는 워낙 위선을 혐오하기 때문에 때때로 그 반대의 극단으로 치닫곤 한다. 줄리아가 자신의 새 옷이 어떠냐고 물었을 때, 메리는 "별로. 옷이 형편없는 걸"하고 대답할 정도이다.

* hypocrite [hípəkrìt]는 위선자로 말과 행동이 다른 사람을 일컫는다.

* 형용사는 hypocritical [hìpəkrítikəl].

**It's *hypocritical* to praise someone for her honesty and then call her a liar behind her back.**

본인 앞에서는 정직하다고 칭찬해놓고 그가 없는 곳에서는 거짓말쟁이라고 욕하는 것은 위선적이다.

## QUICK QUIZ 45

Match each word in the first column with its definition in the second column. Check your answers in the back of the book. Note that "attack repeatedly" is the answer for two questions.

| | |
|---|---|
| 1. habituate | a. arrogance |
| 2. halcyon | b. peaceful |
| 3. harass | c. royal proclaimer |
| 4. harbinger | d. insincerity |
| 5. harp | e. gray or white with age |
| 6. harry | f. attack repeatedly (2) |
| 7. heinous | g. reverence |
| 8. herald | h. repeat tediously |
| 9. hoary | i. accustom to a situation |
| 10. homage | j. shockingly evil |
| 11. hubris | k. precursor |
| 12. hypocrisy | |

**IDIOM** [ídiəm] n **an expression whose meaning is different from the literal meaning of the words ; a language or dialect used by a group of people** **문자 그대로의 의미와는 다른 의미를 담고 있는 표현, 관용어 ; 특정한 사람들이 사용하는 말이나 방언**

It's sometimes hard for foreigners to grasp all the *idioms* we use in English. They have special trouble with expressions like "letting the cat out of the bag." To let the cat out of the bag is to give away a secret, not to let a cat out of a bag. The expression is an *idiom*, not a literal statement of fact. Other languages have *idioms*, too. In French. "my little cabbage" is a term of endearment.
외국인이 우리가 영어에서 사용하는 관용어를 모두 이해한다는 것은 어려운 일이다. 그들은 "letting the cat out of the bag" 같은 표현을 만나면, 특히 어려움을 겪는다. "letting the cat out of the bag"은 고양이를 가방 밖으로 나오게 하는 것이 아니라, 비밀을 누설한다는 뜻이다. 이러한 표현을 관용어라 하는데, 문자 그대로의 의미와는 관계가 없다. 다른 언어에도 관용어는 많이 있다. 프랑스어에서 "my little cabbage"는 친밀감을 표시하는 용어이다.

Jerry didn't get along very well with the people in the computer department, because he didn't understand their *idiom*.
제리는 컴퓨터과 사람들이 쓰는 독특한 언어들을 잘 알지 못하기 때문에 그들과 그다지 친하게 지내지 못했다.

* 형용사는 idiomatic [ìdiəmǽtik] .

**IMBUE** [imbjúː] v **to inspire ; to permeate or tinge** **(감정 등을) 불어넣다 ; 스며들다, 물들이다**

Was it the young poet's brilliant writing or his dashing appearance that *imbued* the girls with such a love of poetry?
소녀들에게 그처럼 시를 사랑하는 마음을 불어 넣어준 것이 젊은 시인의 훌륭한 작품 때문인가, 아니면 그의 화려한 용모 때문인가?

Henrietta soaked her white dress in a bathtub of tea to *imbue* it with a subtle tan color.
헨리에타는 하얀 색의 옷을 홍차가 들어있는 욕조에 넣어 신비한 황갈색으로 물들였다.

**IMPASSE** [ímpæs] n **a deadlock ; a situation from which there is no escape** **막다른 골목 ; 더 이상 도망갈 데 없는 상황, 난국**

After arguing all day, the jury was forced to admit they had reached an *impasse* ; they had examined and reexamined the evidence, but they still could not reach a unanimous verdict.
하루 종일 토론을 거친 후에, 배심원단은 그들이 막다른 골목에 다다랐다는 것을 받아들이지 않을 수 없었다 ; 그들은 증거를 가지고 검토에 검토를 거듭했지만, 만장일치의 평결을 내릴 수가 없었다.

We seem to have reached an *impasse*. You want to spend the money on a pair of hockey skates for yourself, while I want to donate it to charity.
우리는 막다른 골목에 몰린 것 같다. 너는 하키용 스케이트를 사는 데 돈을 쓰기를 원하지만, 나는 그 돈을 자선단체에 기부했으면 한다.

**IMPEACH** [impíːtʃ] v **to accuse or indict ; to challenge ; call into question** 비난하다, 기소하다 ; 이의를 제기하다 ; 의심을 품다

Congress is still trying to decide whether to *impeach* the president for spilling fingerpaint in the Oval Office.
의회는 대통령 집무실에서 물감을 엎지른 일에 대해 대통령을 탄핵할 것인지 결론을 내리기 위해 여전히 고심하고 있다.

To *impeach* a political figure is not to throw him or her out of office ; it is to accuse him or her of an offense for which he or she will be thrown out of office if found guilty. Had President Nixon been *impeached*, he would have been tried by the Senate. If found guilty, he would have been given the boot. Instead, realizing the jig was up, he resigned.
정치인을 탄핵하는 것은 그를 직책에서 내쫓는 것은 아니다 : 탄핵은 만약 유죄가 분명하다면, 직책에서 쫓겨날 만한 위법 사실에 대해 그 죄를 추궁하는 것이다. 닉슨 대통령이 탄핵을 받았더라면, 상원에서 심리절차를 거쳤을 것이다. 유죄가 인정이 되었더라면, 그는 해임되었을 것이다. 그러나 닉슨 대통령은 모든 것이 다 끝났다는 사실을 깨닫고 나서 스스로 사임했다.

* impeach는 또한 정치적인 인물을 직책에서 제거하는 것과는 관계가 없는 의미를 담고 있다.

It's not fair to *impeach* my morals just because I use swear words every once in a while.
단지 가끔 가다가 한번씩 신의 이름을 더럽히는 욕을 사용한다는 이유로 나의 도덕성을 비난하는 것은 옳지 못하다.

* unimpeachable은 의심의 여지가 없거나 비난할 수 없다는 뜻이다.

If the president proves to be a man of *unimpeachable* honor, he will not be *impeached*.
대통령이 비난받을 여지가 없는 명예로운 사람으로 판명된다면, 그는 탄핵을 받지 않을 것이다.

**IMPECUNIOUS** [ìmpikjúːniəs] adj **without money ; penniless** 돈이 없는 ; 무일푼의

Can you lend me five million dollars? I find myself momentarily *impecunious*.
내게 오백만 달러를 빌려주시겠습니까? 제가 당장은 무일푼이라서 말이죠.

When his dream of making a fortune selling talking T-shirts evaporated, Arthur was left *impecunious*, his sole possession a warehouse of talking T-shirts.
말하는 티셔츠를 팔아서 부자가 되겠다는 꿈이 산산조각이 났을 때, 아서는 무일푼이 되었으며, 그의 유일한 재산은 말하는 티셔츠를 보관하던 창고뿐이었다.

* pecuniary [pikjúːnièri/-njəri] 는 돈과 관련이 있다는 의미이다.
* peculate [pékjulèit] 는 공금을 횡령하거나 돈을 훔치는 것을 의미한다.

**IMPEDE** [impíːd] v **to obstruct or interfere with ; to delay** 방해하다, 훼방놓다 ; 지체시키다

The faster I try to pick up the house, the more the cat *impedes* me ; he sees me scurrying around, and, thinking I want to play, he runs up and winds himself around my ankles.
내가 집을 빨리 치우려 하면 할수록, 고양이는 점점 더 나를 방해한다 : 내가 허둥대는 모습을 보고 고양이는 내가 놀고 싶어한다고 생각하는지, 내게로 달려와 발목에 몸을 감는다.

The fact that the little boy is missing all his front teeth *impedes* his speaking clearly.
소년은 앞니가 전부 빠져서 분명하게 발음하는 데 방해를 받고 있다.

* impediment [impédəmənt] 는 장애물.

Irene's inability to learn foreign languages was a definite *impediment* in her study of French.
아이린이 외국어를 배울 수 없는 것은 프랑스어를 공부하는 데 명확한 장애가 되었다.

**IMPENDING** [impéndiŋ] adj **approaching ; imminent ; looming** 가까이 다가와 있는 ; 임박한 ; 불안한 일이 다가오는

Jim's *impending* fiftieth birthday filled him with gloom ; he was starting to feel old.
오십 번째 생일이 다가오면서, 짐은 우울한 기분이 되었다 : 그는 자신이 늙었다는 것을 깨닫기 시작했다.

The scowl on her husband's face alerted Claire to an *impending* argument.
남편의 얼굴에 나타난 험악한 표정은 클레어에게 곧 터질 싸움을 경고하는 듯했다.

The reporter didn't seem to notice his rapidly *impending* deadline; he poked around in his office as if he had all the time in the world.
기자는 빠르게 다가오는 마감시간을 전혀 깨닫지 못하는 것 같았다: 그는 마치 세상의 모든 시간을 다 가지고 있는 듯이 사무실에서 어슬렁거렸다.

* 동사는 impend.

**IMPENETRABLE** [impénətrəbl] adj **incapable of being penetrated ; impervious ; incomprehensible** 꿰뚫을 수 없는 ; 통과시키지 않는 ; 이해할 수 없는

The fortress on the top of the hill was *impenetrable* to the poorly armed soldiers ; although they tried for days, they were unable to break through its thick stone walls.
산꼭대기에 있는 요새는 무장이 완전치 않은 병사들이 뚫고 들어갈 수가 없었다 ; 며칠 동안 계속 시도를 했지만, 그들은 요새의 두터운 돌담을 깨뜨릴 수가 없었다.

For obvious reasons, knights in the Middle Ages hoped that their armor would be *impenetrable*.
몇 가지 분명한 이유 때문에, 중세의 기사들은 그들의 갑옷이 절대 뚫을 수 없는 것이기를 원했다.

This essay is utterly *impenetrable*. There isn't one word in it that makes sense to me.
이 에세이는 전혀 이해할 수가 없다. 내가 보기엔, 이 글에는 이치에 합당한 말이 하나도 없다.

I was unable to guess what Bob was thinking ; as usual, his expression was *impenetrable*.
밥이 무엇을 생각하고 있는지 짐작조차 할 수 없었다 ; 여느 때처럼 그의 표정은 이해하기가 힘들었다.

**IMPERATIVE** [impérətiv] adj **completely necessary ; vitally important** 반드시 필요한 ; 너무나 중요한

It is *imperative* that you put out the fire in your hair ; if you don't do it immediately, your scalp will be severely burned.
네 머리에 붙은 불은 반드시 꺼야 한다 ; 빨리 그렇게 하지 않는다면, 네 머리 가죽은 심각한 화상을 입을 것이다.

The children couldn't quite accept the idea that cleaning up the playroom was *imperative* ; they said they didn't mind wading through the toys strewn on the floor, even if they did occasionally fall down and hurt themselves.
놀이방을 청소하는 것이 반드시 해야만 하는 일이라는 생각을 아이들은 정말로 수긍할 수가 없었다 ; 아이들은 종종 넘어지고 다치기도 하지만, 바닥에 잔뜩 흩어져 있는 장난감 사이를 걸어다니는 일에 별로 개의치 않는다고 말했다.

* 이 단어는 명사로 쓰일 경우, 명령이나 지시, 요구, 의무, 책임 등을 의미한다.

A doctor has a moral *imperative* to help sick people instead of playing golf—unless, of course, it's his day off, or the people aren't very sick.
의사는 골프를 치기보다는 아픈 사람을 돌보아야 한다는 도덕적 의무를 가지고 있다. 물론 비번이거나 사람들이 그다지 아프지 않다면, 그렇지 않겠지만.

**IMPETUOUS** [impétʃuəs] adj **rash ; overimpulsive ; headlong** 성급한 ; 지나치게 충동적인 ; 경솔한

* 발음에 주의할 것.

Jeremy is so *impetuous* that he ran out and bought an engagement ring for a girl who smiled at him in the subway.
제레미는 지하철에서 자신을 보고 미소짓던 소녀를 위해 약혼 반지를 사러 달려나갔을 정도로 성격이 급하다.

Olive's decision to drive her car into the lake to see if it would float was an *impetuous* one that she regretted as soon as water began to seep into the passenger compartment.
차가 호수에서 뜰 수 있는지를 알기 위해 차를 몰고 호수로 달려나가려는 올리브의 결심은 너무나 충동적인 것이었다. 그녀는 좌석으로 물이 스며들기 시작하자마자 곧 자신의 경솔함을 후회했다.

"Let's set fire to the Town Hall," Allie suggested *impetuously*.
"시청을 불태우자" 고 알리는 충동적으로 제안했다.

## QUICK QUIZ 46

Match each word in the first column with its definition in the second column. Check your answers in the back of the book.

| | |
|---|---|
| 1. idiom | a. accuse |
| 2. imbue | b. approaching |
| 3. impasse | c. nonliteral expression |
| 4. impeach | d. obstruct |
| 5. impecunious | e. without money |
| 6. impede | f. inspire |
| 7. impending | g. rash |
| 8. impenetrable | h. completely necessary |
| 9. imperative | I. deadlock |
| 10. impetuous | j. impervious |

**IMPLICATION** [ìmpləkéiʃən] n **something implied or suggested ; ramification** **함축되거나 암시된 것 ; 지류**

When you said I looked healthy, was that really meant as an *implication* that I've put on weight?
나보고 건강해 보인다고 말한 것, 사실은 내가 뚱뚱하다는 것을 암시하는 말이었니?

A 100 percent cut in our school budget would have troubling *implications* ; I simply don't think the children would receive a very good education if they didn't have teachers, books, or a school.
학교 예산이 100% 삭감되었다는 것은 곤란한 의미를 담고 있다 ; 나는 아이들에게 선생님이나 책, 학교 등이 없어도, 최상의 교육을 받을 수 있다고는 생각지 않는다.

When Peter's girlfriend said, "My, you certainly know how to drive a car fast, don't you?" in a trembling voice, she was *implying* that Peter was really going too fast. To *imply* something is not at all the same thing as to *infer*[infə́:r] it, even though many people use these two words interchangeably. To *infer* is to figure out what is being *implied*. Peter was so proud of his driving that he did not *infer* the meaning of his girlfriend's *implication*.
"너 정말로 고속으로 차를 운전하는 법을 알고 있지, 그렇지 않니?"라고 피터의 여자친구가 떨리는 목소리로 말했을 때 그녀가 암시하는 것은 피터가 너무 빨리 달리고 있다는 것이었다. 암시한다(imply)는 것은 어떤 일에 대해서 추측한다(infer)는 것은 결코 아니다. 그럼에도 많은 사람들은 이 두 단어를 상호 대체하여 사용하기도 한다. infer는 암시된 내용을 이해하는 것이다. 피터는 자신의 운전 솜씨가 너무나 자랑스러웠기 때문에 여자친구가 암시하는 내용의 진짜 의미를 이해하고 있지 못했다.

* 명사는 inference[ínfərəns].

**IMPORTUNE** [ìmpərtú:n/-tjú:n] v **to urge with annoying persistence ; to trouble** **성가시게 고집을 부려 재촉하다 ; 괴롭히다**

* 발음에 주의할 것.

"I hate to *importune* you once again," said the woman next door, "but may I please borrow some sugar, eggs, milk, flour, butter, jam, and soup?"
"다시 한번 당신을 괴롭히고 싶지는 않아요." 이웃집의 여자가 말했다. "그러나 제발 부탁이니, 설탕과 계란과 우유와 밀가루와 버터와 잼과 수프 좀 빌려주시겠어요?

The ceaseless *importuning* of her children finally drove Mary Elizabeth over the brink ; she stuffed the entire brood in a canvas bag and pitched it over the railing of the bridge.
아이들이 끊임없이 졸라대는 통에, 메리 엘리자베스는 마침내 벼랑 끝까지 몰렸다 ; 그녀는 병아리들을 모두 삼베 가방에 집어넣은 뒤 다리 난간 너머로 던져버렸다.

* 형용사는 importunate [impɔ́ːrtʃənit].

Leslie's *importunate* boyfriend called her day and night to ask her if she still loves him ; after the hundredth such phone call, she understandably decided that she did not.
귀찮게 추근거리는 레슬리의 남자 친구는 그녀에게 밤낮으로 전화를 걸어, 아직도 자신을 사랑하고 있는지 묻는다 ; 그런 전화가 백 번째 온 뒤에, 그녀는 당연하게도 자신이 남자친구를 사랑하지 않는다는 결론을 내렸다.

## IMPOVERISH [impávəriʃ] v **to reduce to poverty ; to make destitute** 곤궁하게 하다 ; 가난하게 만들다

Mr. DeZinno spent every penny he had on lottery tickets, none of which was a winner ; he *impoverished* himself in his effort to become rich.
드지노 씨는 갖고 있던 돈을 모두 복권을 사는데 써버렸다. 당첨된 복권은 하나도 없었다 ; 그는 부자가 되고 싶어 한 행동 때문에 오히려 가난해졌다.

The ravages of the tornado *impoverished* many families in our town and placed a heavy strain on our local government's already limited resources.
토네이도의 파괴력은 우리 시의 많은 가정을 빈곤의 경지로 몰아넣었으며, 이미 제한된 자치 정부의 재원에 큰 부담을 안겨주었다.

* impoverishment [impávəriʃmunt]는 가난하거나 곤궁하게 되는 것을 의미하는 명사형.

The Great Depression led to the *impoverishment* of many formerly well-off families in America.
미국의 대공황은 이전에는 부유했던 많은 가정들을 빈곤층으로 만들었다.

## IMPREGNABLE [imprégnəbl] adj **unconquerable ; able to withstand attack** 난공불락의 ; 공격을 견뎌낼 수 있는

Again and again, the army unsuccessfully attacked the fortress, only to conclude that it was *impregnable*.
다시 또 계속해서, 군대는 그 요새를 공격했지만 실패만 거듭하고, 결국 그 요새는 함락시킬 수 없다는 결론을 내렸다.

There's no point in trying to change Mr. Roberts's attitude about hairstyles ; you will find that his belief in a link between long hair and communism is utterly *impregnable*.
머리 모양에 대한 로버트씨의 태도를 변화시키려고 애쓰는 것은 쓸데없는 짓이다 ; 긴 머리와 공산주의가 관련이 있다고 생각하는 그의 신념은 정말로 견고하다는 것을 당신도 알게 될 것이다.

Thanks to repeated applications of Turtle Wax, my car's finish is *impregnable* ; the rain and snow bounce right off it.
거북이표 왁스를 반복해서 칠해준 덕분에, 내 차는 무엇에도 상하지 않을 만큼 손질이 잘 되어 있다 ; 비와 눈이 곧바로 튕겨 나갈 정도다.

## IMPRESARIO [ìmprəsáːriou] n **a person who manages public entertainments (especially operas, but other events as well)** 공연 행사를 주관하는 사람 (특히 오페라, 다른 행사도 마찬가지)

Monsieur Clovis, the *impresario* of the Little Rock Operetta House, is as temperamental as some of his singers ; if he doesn't get his way, he holds his breath until he turns blue.
Little Rock Operetta House의 감독인 클로비스씨는 몇몇 가수들만큼이나 성격이 급하다 ; 그는 자기가 원하는 방법대로 되지 않으면, 얼굴이 파랗게 되도록 숨을 쉬지 못한다.

Arnie calls himself an *impresario*, but he is really just a lazy guy who likes to hang around rock concerts making a nuisance of himself.
아니는 자신을 감독이라고 말하지만, 사실 그는 단지 남에게 폐나 끼치며, 록 콘서트 주변을 배회하기를 즐기는 게으른 사람일 뿐이다.

**IMPROMPTU** [imprámptuː/-tjuː] adj **done without preparation, on the spur of the moment** 사전 준비 없이 이루어지는, 즉흥적인

When Peter's mother-in-law dropped in without warning, he prepared her an *impromptu* meal of the foods he had on hand—coffee and tomato sauce.
피터의 장모가 예고도 없이 불시에 방문하자, 피터는 마침 가지고 있는 커피와 토마토 소스로 즉석에서 음식을 만들어 대접했다.

The actress did her best to pretend her award acceptance speech was *impromptu*, but everyone could see the notes tucked into her dress.
여배우는 수상 소감을 즉석에서 하는 것처럼 보이기 위해 최선을 다했다. 그러나 소감을 메모한 노트가 그녀의 드레스 안에 있다는 것을 누구나 알 수 있었다.

**IMPROVISE** [ímprəvàiz] v **to perform without preparation ; to make do with whatever materials are available** 준비 없이 즉석에서 연주하다 ; 이용할 수 있는 재료는 무엇이나 이용해서 일을 하다

Forced to land on a deserted island, the shipwrecked sailors *improvised* a shelter out of driftwood and sand.
어쩔 수 없이 무인도에 정박을 해서, 난파한 배의 선원들은 떠내려오는 나무와 모래를 이용해서 즉석에서 오두막을 지었다.

When the choir soloist forgot the last verse of the hymn, she hastily *improvised* a version of her own.
성가대의 독창자는 찬송가의 마지막 가사를 잊어버리자, 재빨리 즉석에서 독자적으로 가사를 지어 불렀다.

* improvisation [imprὰvəzéiʃən, ìmprəvi-] 은 즉석에서 지어낸 곡 등을 의미한다.

That driftwood shelter was an *improvisation*. The forgetful choir soloist fortunately had a knack for *improvisation*.
떠다니는 나무로 지은 오두막은 즉석에서 만든 시설물이었다. 곡을 잊어먹은 성가대 독창자는 다행히도 즉석에서 가사를 지어낼 수 있는 솜씨가 있었다.

**IMPUNITY** [impjúːnəti] n **freedom from punishment or harm** 처벌이나 해를 입지 않음

Babies can mash food into their hair with *impunity* ; no one gets angry at them, because babies aren't expected to be polite.
아기들은 음식을 짓이겨 머리에 발라놓아도 벌을 받지 않는다 ; 아기들이 예의바르게 행동할 것이라고 기대하지 않기 때문에, 사람들은 아무도 아기들에게 화를 내지 않는다.

In the children's book *Impunity Jane*, a doll named Jane undergoes all kinds of rough handling without breaking.
"벌받지 않는 제인"이라는 어린이 책을 보면, 제인이라는 이름을 가진 인형이 아무리 험하게 다루어도 부숴지지 않는다.

**INADVERTENT** [ìnədvə́ːrtənt] adj **unintentional ; heedless ; not planned** 고의가 아닌 ; 부주의한 ; 계획적이지 않은

Paula's snub of Lauren was entirely *inadvertent* ; she hadn't meant to turn up her nose and treat Lauren as though she were a piece of furniture.
폴라가 로렌을 푸대접한 것은 정말이지 고의가 아니었다 ; 그녀는 콧대를 세우려는 것도 아니었고, 로렌을 마치 가구인양 모른 척 하려던 것도 아니었다.

Isabelle's *inadvertent* laughter during the sad part of the movie was a great embarrassment to her date.
이사벨은 영화가 슬픈 장면인데도 부주의하게 웃음을 터뜨려서 데이트 상대를 난처하게 만들었다.

While ironing a shirt, Steven *inadvertently* scorched one sleeve ; it was really the collar that he had meant to scorch.
셔츠를 다림질하면서 스티븐은 의도와는 다르게 한쪽 소매를 태웠다 : 그가 정말로 태우려고 했던 것은 사실은 깃이었다.

**INALIENABLE** [inéiljənəbl] adj **sacred; incapable of being transferred, lost, or taken away** 신성한 ; 양도하거나 잃어버리거나 빼앗길 수 없는

In my household, we believe that people are born with an *inalienable* right to have dessert after meals.
우리 집안에서는, 누구나 식사 후에 디저트를 먹을 수 있는 신성한 권리를 갖고 태어났다고 믿고 있다.

According to the religion Jack founded, all left-handed people have an *inalienable* right to spend eternity in paradise ; needless to say, Jack is left-handed.
잭이 설립한 종교에 의하면, 모든 왼손잡이들은 천국에서 영원을 누릴 수 있는 불가침의 권리를 갖고 있다 ; 말할 필요도 없이 잭은 왼손잡이이다.

## QUICK QUIZ 

47

Match each word in the first column with its definition in the second column. Check your answers in the back of the book.

| | |
|---|---|
| 1. implication | a. unintentional |
| 2. importune | b. urge with annoying persistence |
| 3. impoverish | c. person who manages public entertainments |
| 4. impregnable | d. something suggested |
| 5. impresario | e. freedom from punishment |
| 6. impromptu | f. unconquerable |
| 7. improvise | g. done on the spur of the moment |
| 8. impunity | h. unassailable |
| 9. inadvertent | i. reduce to poverty |
| 10. inalienable | j. perform without preparation |

**INCARNATION** [ìnkɑːrnéiʃən] n **embodiment** 구체화

* 발음에 주의할 것.

Nina is the *incarnation* of virtue ; she has never done anything wrong since the second she was born.
니나는 미덕의 화신이다 ; 그녀는 태어난 그 순간부터 지금까지 옳지 않은 일이라는 것을 해 본적이 없다.

Nina's brother Ian, however, is so evil that some people consider him the devil *incarnate* [inkɑ́ːrneit]. That is, they consider him to be the very embodiment of the devil, or the devil in human form.
그러나, 니나의 오빠인 이안은 너무나 사악해서 어떤 사람들은 그를 악마가 사람의 모습을 하고 나타난 것이라고 생각한다. 다시 말해서, 사람들은 그를 악마의 화신, 즉 인간의 형상을 한 악마일 것이라고 생각한다.

If you believe in *reincarnation* [rìːinkɑːrnéiʃən], you believe that after your body dies, your soul will return to earth in another body, perhaps that of a housefly. In such a case, you would be said to have been *reincarnated* [rìːinkɑ́ːrneitid], regrettably, as a housefly.
만일, 여러분이 환생을 믿는다면, 육체가 죽은 후에도 영혼은 다른 육체 — 혹여 그것이 집파리 같은 것일지라도 — 를 빌어 이 세상에 다시 오게 된다는 설을 믿는 것이다. 그런 경우에는, 유감스럽긴 하지만, 여러분은 집파리로 환생했다고 말할 수 있을 것이다.

**INCENDIARY** [inséndièri] adj **used for setting property on fire ; tending to arouse passion or anger ; inflammatory** 자산을 방화하는데 사용된 ; 열정이나 분노를 일으키는 경향이 있는 ; 선동적인

Although the inspector from the arson squad found a scorched *incendiary* device in the gutted basement of the burned-down house, the neighbors insisted that the fire was accidental.
화재 감식반에서 조사원이 나와 불에 타서 재가 되어버린 집의 파괴된 지하실에서 검게 그슬린 방화 장치를 발견했음에도 불구하고, 이웃 주민들은 화재가 실화였다고 주장했다.

The lyrics of the heavy-metal star's songs are so *incendiary* that his fans routinely trash the auditorium during his performances.
그 헤비 메탈 가수가 부르는 노래의 내용은 너무나 선동적이어서 그의 팬들은 공연이 진행되는 동안 상습적으로 공연장을 무차별 파괴한다.

On July 3, the newspaper published an *incendiary* editorial urging readers to celebrate the nation's birthday by setting flags on fire.
7월 3일에, 그 신문은 국기를 태우는 행위를 통해 독립 기념일을 기념할 것을 독자들에게 촉구하는 선동적인 사설을 실었다.

* incense [inséns] 는 성나게 만든다는 뜻.

**INCLINATION** [ìnklənéiʃən] v **tendency ; preference ; liking** 경향 ; 선호 ; 애호

My natural *inclination* at the end of a tiring morning is to take a long nap rather than a brisk walk, even though I know that the walk would be more likely than the nap to make me feel better. It could also be said that I have a *disinclination* [dìsinklinéiʃən] to take walks.
피곤한 아침의 말미에는, 나는 활기 있게 산책을 하기보다는 선잠이라도 더 오래 자려는 경향이 있다. 물론 나도 선잠보다는 산책을 하는 것이 기분을 더 좋게 할 수 있다는 것을 알고는 있다. 또한 나는 산책하는 것을 싫어하는 경향이 있다고 말할 수도 있을 것이다.

Nudists have an *inclination* to ridicule people who wear clothes, while people who wear clothes have the same *inclination* toward nudists.
나체주의자들은 옷을 입는 사람들을 비웃는 경향이 있다. 반면에, 옷을 입고 사는 사람들도 나체주의자들에 대하여 같은 태도를 보인다.

* 형용사는 inclined [inkláind].

I am *inclined* to postpone my study of vocabulary in order to take a nap right now.
나는 지금 낮잠을 자기 위해서 어휘 공부는 뒤로 미루고 싶다.

**INCULCATE** [inkʌ́lkeit] v **to instill or implant by repeated suggestions or admonitions** 반복되는 암시나 훈계로 (사상 등을) 주입하거나 심다

It took ten years, but at last we've managed to *inculcate* in our daughter the habit of shaking hands.
십 년이 걸리기는 했지만, 마침내 우리는 우리 딸에게 악수하는 습관을 심어줄 수 있게 되었다.

The preacher who believes that stern sermons will *inculcate* morals in his congregation frequently finds that people stop coming to church at all.
엄격한 설교가 신도들에게 도덕성을 심어줄 수 있다고 믿는 그 전도사는 사람들이 전혀 교회에 나오지 않게 되는 것을 자주 발견하게 된다.

**INCUMBENT** [inkʌ́mbənt] adj **currently holding on office ; obligatory** 현재 직책을 맡고 있는 ; 의무적인

The *incumbent* dog warden would love to surrender his job to someone else, but no one else is running for the job.
현직 개 관리인은 다른 사람에게 그 일을 넘기고 싶어하지만 아무도 그 일에 지원하려고 하지 않는다.

An *incumbent* senator usually has a distinct advantage over any opponent, because being in office makes it easier for him or her to raise the millions of dollars needed to finance a modern political campaign.
현직 상원의원은 일반적으로 다른 상대 후보를 능가하는 명백한 이점이 있다. 왜냐하면, 오늘날과 같은 현대적인 선거 운동의 시대에 꼭 필요한 수백만 달러의 자금을 모금하는 데 있어서 현직에 있는 사람이 더 유리하기 때문이다.

* incumbent는 명사로도 쓰인다.

In a political race, the *incumbent* is the candidate who already holds the office.
정치권의 선거에 있어서, incumbent는 이미 그 직책을 맡고 있는 후보자, 즉 현직자를 의미한다.

* incumbent가 "obligatory(의무를 가진)"의 뜻일 경우, 대개 upon과 함께 나온다.

It is *incumbent* upon me, as Lord High Suzerain of the Universe, to look out for the welfare of all life forms.
세계의 창조주 하나님으로서, 모든 생명체의 행복에 주의를 기울이는 것은 나의 의무이다.

**INCURSION** [inkə́:rʒən] n **a hostile invasion ; a raid** **적국의 침입 ; 습격**

After repeated *incursions* into the town, the enemy soldiers finally realized that the townspeople would never surrender.
적국의 병사들은 반복적인 침략을 거듭한 후에 결국은, 시민들이 결코 항복하지 않을 것이라는 사실을 깨달았다.

Todd's midnight *incursions* on the refrigerator usually meant that at breakfast time no one else in the family had anything to eat.
한밤중에 수 차례에 걸쳐서 토드가 냉장고를 습격하고 나면, 그것은 다음날 아침 식사에 가족들이 먹을 음식이 하나도 남아있지 않다는 것을 의미했다.

**INDICT** [indáit] v **to charge with a crime ; to accuse of wrongdoing** **범죄 행위로 기소하다 ; 나쁜 행위에 대하여 고발하다**

* 발음에 주의할 것.

After a five-day water fight, the entire freshman dorm was *indicted* on a charge of damaging property.
5일간에 걸친 물싸움을 벌인 후에, 모든 신입생 기숙사 생도들은 기물을 파손한 죄로 기소되었다.

The mob boss had been *indicted* many times, but he had never been convicted because his high-priced lawyers had always been able to talk circles around the district attorney.
폭력단의 두목은 여러 번 기소되었지만, 비싼 돈을 받고 일하는 그의 변호사들이 지방 검찰보다 몇 배는 말을 더 잘했기 때문에 항상 유죄판결을 면할 수 있었다.

* 명사는 indictment.

The broken fishbowl and missing fish were a clear *indictment* of the cat.
깨진 어항과 어디론가 없어진 물고기는 고양이의 범행이라는 명백한 증거였다.

**INDUCE** [indú:s/-djú:s] v **to persuade ; to influence ; to cause** **설득하다 ; 영향을 미치다 ; 야기하다**

"Could I *induce* you to read one more chapter?" the little boy asked his father at bedtime ; the father was so astonished that his little boy understood such a big, important-sounding word that he quickly complied with the request.
"한 단원 더 읽어줄 수 있으시겠어요?" 작은 소년이 잠자리에서 아빠에게 부탁했다 : 아버지는 자신의 어린 아들이 그토록 점잖고, 중요한 의미를 갖는 단어를 이해하고 있다는 것에 너무나 놀라서 재빨리 아이의 요청에 응해주었다.
* inducement는 설득해서 유인함.

The dusty, neglected-looking mannequins in the store window were hardly an *inducement* to shop there.
상점 창문에 있는 먼지 끼고, 볼썽사나운 그 마네킹은 그 곳에서 쇼핑하도록 유인하는 역할을 거의 하지 못했다.

**INELUCTABLE** [ìnilʌ́ktəbl] adj **inescapable ; incapable of being resisted or avoided**
**피할 수 없는 ; 저항하거나 도망갈 수 없는**

The overmatched opposing football team could not halt our *ineluctable* progress down the field, and we easily scored a touchdown.
풋볼 경기에서 실력이 한참 모자라는 상대팀은 운동장을 내달리는 우리 팀의 불가항력적인 공격을 막을 수가 없었다. 우리는 쉽게 터치다운에 성공해 점수를 올렸다.

If you keep waving that sword around in this crowded room, I'm afraid a tragedy will be *ineluctable*.
네가 사람들로 붐비는 이 방에서 계속 그 검을 휘두른다면, 불가피하게 비극적인 상황이 발생할 수도 있어 걱정이 된다.

With slow but *ineluctable* progress, a wave of molasses crept across the room, silently engulfing the guests at the cocktail party.
천천히, 그러나 불가항력적인 진행 속도로, 당밀의 물결이 방 안에 슬며시 퍼져 칵테일 파티를 즐기고 있던 손님들을 조용히 삼켜버렸다.

**INERADICABLE** [ìnirǽdikəbl] adj **incapable of being removed or destroyed or eradicated** **제거하거나 파괴하거나 근절할 수 없는**

The subway officials did their best to scrub the graffiti off the trains, but the paint the vandals had used proved to be *ineradicable* ; not even cleaning fluid would remove it.
지하철 직원들은 열차에 그려진 낙서들을 지우려고 갖은 애를 다 썼다. 그러나 무뢰한들이 사용한 페인트는 제거가 불가능한 것으로 밝혀졌다 : 크리닝 용액으로도 낙서를 지울 수가 없었다.

Tim wore saddle shoes and yellow socks on the first day of high school, garnering himself an *ineradicable* reputation as a dweeb.
고등학교에 처음 가던 날, 팀은 끈을 매게 되어 있는 새들 신과 노란 양말을 신었다. 그로 인해 얼간이라는 씻을 수 없는 불명예를 얻게 되었다.

## QUICK QUIZ 48

Match each word in the first column with its definition in the second column. Check your answers in the back of the book.

| | |
|---|---|
| 1. incarnation | a. hostile invasion |
| 2. incendiary | b. instill |
| 3. inclination | c. used for setting properly on fire |
| 4. inculcate | d. currently holding office |
| 5. incumbent | e. charge with a crime |
| 6. incursion | f. tendency |
| 7. indict | g. embodiment |
| 8. induce | h. persuade |
| 9. ineluctable | i. incapable of being removed |
| 10. ineradicable | j. inescapable |

**INFLAMMATORY** [inflǽmətɔ̀ːri/-təri] adj **fiery ; tending to arouse passion or anger ; incendiary** **불같은 ; 열정이나 분노를 일으키는 ; 선동적인**

Maxine's *inflammatory* speech about animal rights made her listeners so angry that they ran out of the building and began ripping the fur coats off passersby.
청중들은 동물의 권리에 관한 맥신의 불같은 연설에 너무나 격앙되어서, 건물 밖으로 뛰쳐나가 지나가는 사람의 모피 코트를 벗겨버리기 시작했다.

* inflammatory는 inflammable이나 flammable과 혼동하지 말아야 한다. 뒤의 두 단어는 모두 문자 그대로 쉽게 불이 붙는 것을 의미한다.

An angry speech is *inflammatory*, but fortunately it is not *inflammable*. (In careful usage, *inflammable* is preferred ; *flammable* was coined to prevent people from thinking that things labeled *inflammable* were incapable of catching on fire.)
분노에 가득 찬 연설은 선동적이지만, 다행히도 인화성이 있는 것이 아니므로 화재가 나는 것은 아니다. (좀더 정확한 어법에서는, inflammable을 더 많이 사용한다 ; flammable은 사람들이 inflammable이라는 표가 붙은 물건을 불이 붙지 않는다는 뜻으로 오해하지 않도록 하기 위해 만들어진 신조어이다.)

* 동사는 inflame.

**INFLUX** [ínflʌ̀ks] n **inflow ; arrival of large numbers of people or things ; inundation** **유입 ; 많은 수의 사람들이나 사물이 밀어닥치는 것, 쇄도 ; 범람**

The *influx* of ugly clothes in the stores this fall can only mean that fashion designers have lost their minds once again.
이번 가을, 상점마다 추한 모양의 옷이 범람하는 것은 단지 패션 디자이너들이 다시 한번 미쳐버렸다는 의미일 것이다.

Heavy spring rains brought an *influx* of mud to people's basements.
집중적으로 쏟아진 봄비 때문에 집집마다 지하실에 진흙탕이 유입되었다.

**INFRACTION** [infrǽkʃən] n **violation ; infringement ; the breaking of a law** **위반 ; 위배 ; 법을 어기는 것**

* fracture 는 깬다는 뜻이며, infraction은 법이나 규칙을 깨는 행위, 즉 위반을 의미한다.

"I'm warning you, Prudence," said the headmistress. "Even the slightest *infraction* of school rules will get you expelled."
"프루던스, 너에게 경고한다. 아주 적은 것이라도 학교 규칙을 위반 할 경우에는 퇴학당할 것이다."라고 여교장이 말했다.

Driving seventy miles an hour in a thirty-mile-an-hour zone is what Fred would call a minor *infraction* of the traffic laws, but the policeman did not agree, and Fred's license was suspended for a year.
프레드는 시속 30마일로 운전해야 하는 지역에서 시속 70마일로 운전하는 것을 교통법규를 크게 위반한 것은 아니라고 말했다. 그러나, 경찰은 그 말에 동의하지 않았다. 프레드는 일년간의 면허 정지 처분을 받았다.

**INFRASTRUCTURE** [ínfrəstrʌ̀ktʃər] n **the basic framework of a system ; foundation** **조직의 기본적인 구성 ; 기초, 토대**

The country's political *infrastructure* was so corrupt that most of the citizens welcomed the coup.
그 나라의 정치 구조는 너무나 부패한 탓에 대부분의 시민들은 쿠데타를 환영했다.

When people talk about "the nation's crumbling *infrastructure*," they are usually referring to deteriorating highways, crumbling bridges, poorly maintained public buildings, and other neglected public resources.
사람들이 "붕괴되고 있는 국가의 기간 시설"에 대해서 이야기하고 있다면, 그들이 얘기하고 있는 것은 대개 열악한 고속도로, 붕괴되는 교량, 불완전한 공공 시설, 그 외에 낙후된 공공 자원 등에 관한 것이다.

**INFRINGE** [infríndʒ] v **to violate ; to encroach or trespass** **위반하다 ; 침해하거나 침입하다**

The court ruled that the ugly color of Zeke's neighbor's house did not *infringe* on any of Zeke's legal rights as a property owner.
법정은 제크의 이웃이 자신의 집에 불쾌한 색깔을 칠한 것은 사적재산 소유자로서의 제크의 법적 권리를 침해한 일이 아니라는 판결을 내렸다.

Whenever Patrick comes into her room, Liz always shouts, "Mom! He's *infringing* on my personal space!"
패트릭이 리즈의 방으로 들어가기만 하면 리즈는 언제나 소리친다. "엄마! 패트릭이 나의 사적인 공간에 침입해요!"

* 명사는 infringement.

It is a clear *infringement* of copyright to photocopy the entire text of a book and sell copies to other people.
책의 전체 내용을 복사해서 다른 사람들에게 파는 행위는 명백하게 저작권을 침해하는 것이다.

**INFUSE** [infjú:z] v **to introduce into ; to instill** **~에 불어 넣다 ; 주입시키다**

Everyone in the wedding party was nervous until the subtle harmonies of the string quartet *infused* them with a sense of tranquillity ; of course, they had also drunk quite a bit of champagne.
현악 4중주의 매력적인 화음이 사람들에게 평온한 감정을 불어넣어 주기 전까지 결혼 피로연에 참석한 모든 사람들은 불안해하고 있었다 ; 물론 그들은 샴페인을 꽤 마시기도 했다.

The couple's redecoration job somehow managed to *infuse* the whole house with garishness ; before, only the kitchen had been garish.
집을 새로 장식하는 두 사람의 작업은 그럭저럭 집 전체에 화려함이 스며들게 했다 ; 전에는, 겨우 부엌만이 화려함을 갖추고 있었다.

* 명사는 infusion.

Whenever I have a cough, my grandmother steeps an *infusion* of herbs that cures me right away.
내가 기침을 할 때마다, 할머니는 언제나 허브를 우려낸 물에 담뿍 적셔 주시는데 그러면 곧 낫게 된다.

All the critics agree that the novel needed an *infusion* of humor ; the book was so deathly serious that almost no one could bear to read it all the way through.
모든 비평가들은 그 소설은 유머의 도입이 필요했다는 사실에 동의한다 ; 그 책은 극단적으로 심각해서 거의 아무도 소설을 끝까지 참고 견디며 읽을 수 없었다.

**INGRATIATE** [ingréiʃieit] v **to work to make yourself liked** **자신을 좋아하게 만들기 위해 (남에게) 뭔가를 하다, 환심을 사다**

Putting tacks on people's chairs isn't exactly the best way to *ingratiate* yourself with them.
사람들의 의자에 압정을 놓아두는 일은 그 사람들의 환심을 살 수 있는 최선의 방법이 결단코 아니다.

Licking the hands of the people he met did not *ingratiate* Harold with most of the guests at the cocktail party, although he did make quite a favorable impression on the poodle.
비록, 해롤드가 푸들에게는 상당히 좋은 인상을 주었다고는 해도, 만나는 사람마다 손을 핥는 해롤드의 행동은 칵테일 파티에 모인 대부분의 손님들의 환심을 살 수 없었다.

* 명사는 ingratiation [ingrèiʃiéiʃən].

Eileen's attempts at *ingratiation* were unsuccessful ; her teacher could tell she was being insincere when she told him how nice he looked.
남들에게 잘 보이려고 하는 아이린의 시도는 실패로 끝났다 ; 아이린이 선생님께 아주 멋져 보인다고 말을 했을 때, 선생님은 그녀가 거짓말을 하고 있다는 것을 알아차렸다.

"That's the loveliest, most flattering dress I've ever seen you wear, Miss Ford," the class goody-goody told the teacher *ingratiatingly*.
"포드 선생님, 내가 지금까지 본 선생님의 옷 중에서 그 옷이 가장 사랑스럽고, 가장 실물을 돋보이게 하는 옷이네요." 착한체 하는 학생이 선생님에게 아양을 떨며 말했다.

**INIMICAL** [inímikəl] adj **unfavorable ; harmful ; detrimental ; hostile** 호의적이지 않은 ; 해로운 ; 불리한 ; 적대적인

All that makeup you wear is *inimical* to a clear complexion ; it smothers your pores and prevents your skin from breathing.
네가 하고 있는 모든 화장법은 깨끗한 얼굴빛과는 어울리지 않는다 ; 화장은 털구멍을 막히게 해서 피부가 숨쉬는 것을 방해한다.

The reviews of his exhibition were so *inimical* that Charles never painted another picture again.
전시회에 관한 비평이 너무나 적대적이었기 때문에, 찰스는 다시는 그림을 그리지 않았다.

* 관련 단어인 enemy에서 철자가 i로 바뀌면서 달라지는 발음에 주의할 것.

**INIMITABLE** [inímitəbl] adj **impossible to imitate ; incomparable ; matchless ; the best** 흉내낼 수 없는 ; 비길 데 없는 ; 상대할 수 없는 ; 최고의

* 발음에 주의할 것.

Dressed in a lampshade and a few pieces of tinsel, Frances managed to carry off the evening in her usual *inimitable* style.
반짝이는 작은 조각을 장식한 갓 모양의 드레스를 입고, 프란시스는 평소와 같은 흉내낼 수 없는 스타일로 그 밤을 그럭저럭 버틸 수 있었다.

Fred's dancing style is so *inimitable* that anyone who follows his act looks like a drunk elephant by comparison.
프레드의 춤추는 스타일은 워낙 비길 데 없이 뛰어나다. 그에 비하면, 그의 동작을 따라하는 사람들은 모두 술 취한 코끼리 같다.

**INNUENDO** [ìnjuéndou] n **an insinuation ; a sly hint** 풍자 ; 교활한 말

I resent your *innuendo* that I'm not capable of finishing what I start.
내가 시작한 것을 끝내지도 못한다는 너의 빈정거림에 분개할 뿐이다.

Oscar tried to hint that he wanted a new fishing pole for his birthday, but Maxine didn't pick up on the *innuendo*, and she gave him a bowling ball and some cross-country skis instead.
오스카는 생일날에 새로운 낚싯대를 받고 싶다는 것을 넌지시 알리려고 애를 썼다. 그러나 맥신은 속뜻을 감춘 그 말을 이해하지 못했다. 대신, 그녀는 오스카에게 볼링 공과 크로스컨트리 스키를 사주었다.

* 복수는 innuendos.

Although his opponent never actually said Senator Hill cheated on his wife, the public *innuendos* were enough to ruin Hill's chances for re-election.
비록, 상대 후보가 힐 상원의원이 아내를 속였다는 얘기를 실제로 한 적은 없었다고 해도, 그 일을 암시하는 공공연한 말들은 힐의 재선 가능성을 깎아먹기에 충분했다.

## QUICK QUIZ 

Match each word in the first column with its definition in the second column. Check your answers in the back of the book.

| | |
|---|---|
| 1. inflammatory | a. basic framework of a system |
| 2. influx | b. violate |
| 3. infraction | c. tending to arouse passion or anger |
| 4. infrastructure | d. violation |
| 5. infringe | e. insinuation |
| 6. infuse | f. harmful |
| 7. ingratiate | g. inflow |
| 8. inimical | h. work to make yourself liked |
| 9. inimitable | i. introduce into |
| 10. innuendo | j. impossible to imitate |

**INQUISITION** [ìnkwəzíʃən] n **ruthless questioning ; an official investigation characterized by cruelty** 무자비한 심문 ; 무자비한 성격의 공식적인 조사

I keep telling you that the reason I got home late is because I missed the bus! What is this, some kind of *inquisition*?

내가 집에 늦게 온 이유는 버스를 놓쳤기 때문이라고 계속해서 말하지 않는가! 도대체, 이것은 일종의 심문인가?

During the Spanish *inquisition*, people were substantially better off if they were not found to be heretics. The Spanish *inquisitors* weren't too fond of heresy.

스페인의 종교 재판 동안, 사람들은 이교도였다는 것만 밝혀지지 않는다면, 대체로 그들은 더 잘 살게 되었다. 스페인의 종교 재판관은 너무나도 이교를 인정하지 않았다.

* inquisitive[inkwízətiv] person은 호기심이 많은 사람을 의미한다. 이 단어에는 잔혹함이나 무자비함 같은 뜻을 내포하고 있지 않다.

When a five-year-old asks where babies come from, he is being *inquisitive* ; he is not behaving like an *inquisitor*.

다섯 살 짜리 꼬마가 아기는 어디서 오느냐고 묻는다면, 그 아이는 호기심이 많은 것이다 : 그 아이는 심문하는 사람처럼 행동하고 있는 것이 아니다.

**INSOUCIANT** [insú:siənt] adj **nonchalant ; lighthearted ; carefree** 무관심한 ; 태평한 ; 걱정이 없는

Rex delighted in observing the *insouciant* play of children, but he didn't want any children of his own.

렉스는 태평스럽게 놀고 있는 아이들의 모습을 보면, 마음이 즐거웠다. 그러나 그는 자신의 아이를 갖고 싶지는 않았다.

She is so charmingly *insouciant*, with her constant tap dancing and her little snatches of song, that no one can stand to be in the same room with her. Her *insouciance*[insú:siəns] drives people crazy.

그녀는 이상할 정도로 무신경해서, 계속해서 탭댄스를 추어대고, 짧은 노래들을 불러대는 통에, 더 이상 아무도 그녀와 함께 같은 공간에 있는 것을 참아낼 수가 없다. 그녀의 무신경은 사람들을 미치게 만든다.

"I don't care whether you marry me or not," Mike said *insouciantly*. "I've decided to join the circus anyway."

"네가 나와 결혼하든지 안 하든지 신경 쓰지 않아. 어쨌든 서커스단에 입단하기로 결정했으니까." 마이크가 무신경하게 말했다.

**INSUFFERABLE** [insʌ́fərəbl] adj **unbearable ; intolerable** 참을 수 없는 ; 견딜 수 없는

The smell of cigar smoke in this room is absolutely *insufferable* ; I'm afraid I'll suffocate if I remain here for another minute.
이 방의 담배 연기 냄새는 정말이지 참을 수 없다 ; 여기에 몇 분이라도 더 있다가는 숨막힐까 걱정된다.

Gretchen's husband is an *insufferable* boor ; he spits in peoples' faces and wipes his nose on the tablecloth.
그레첸의 남편은 참을 수 없을 정도로 촌뜨기이다 ; 그는 사람들의 얼굴에 침을 튀기기도 하고, 테이블보로 코를 닦기도 한다.

**INSUPERABLE** [insú:pərəbl] adj **unable to be overcome ; insurmountable ; overwhelming** 극복할 수 없는 ; 이겨낼 수 없는 ; 저항할 수 없는

* 발음에 주의할 것.

There are a number of *insuperable* obstacles in my way, beginning with that mile-high boulder directly in my path.
내가 가는 길에는 바로 앞에 1마일 높이의 암석부터 시작해서 극복하기 힘든 수많은 장애물이 놓여있다.

Against seemingly *insuperable* odds, the neighborhood touch-football team made it all the way to the Super Bowl.
도저히 극복할 수 없을 것 같던 실력 차이를 딛고, 마을의 터치풋볼팀은 슈퍼볼까지 진출했다.

Henry believes that no task is *insuperable* ; the key to success, he says, is to break the task into manageable steps.
헨리는 극복할 수 없는 일이란 없다고 믿는다 : 그의 말에 의하면, 성공의 열쇠는 어려운 일을 가능한 단계로 나누어서 하면 된다는 것이다.

**INSURRECTION** [ìnsərékʃən] n **an act of open rebellion against authority ; a revolt** 권력에 대항하는 공개된 반란 ; 폭동

When their mother denied them TV privileges for a week, the Eisenman twins organized an *insurrection* in which they stormed the den, dragged the TV into their bedroom, and barred the door.
엄마가 일주일 동안 TV를 볼 수 있는 권한을 빼앗자, 아이즈먼 쌍둥이들은 반란군을 조직하여 소굴(TV가 있는 곳)을 공격했다. 그리고, TV를 자기들의 방으로 끌고 와서 문을 잠가버렸다.

**INTEGRAL** [íntigrəl] adj **essential ; indispensable** 본질적인 ; 필수 불가결한

Knitting needles are an *integral* part of knitting a sweater. So is wool.
뜨개질용 바늘은 스웨터를 짜는 데 있어서 곡 필요한 요소이다. 털실도 마찬가지이다.

After opening the case, Harry discovered why his new computer didn't work: several *integral* parts, including the microprocessor, were missing.
뚜껑을 열어보고 나서, 해리는 새 컴퓨터가 작동하지 않은 이유를 알아냈다 ; 중앙 처리 장치를 포함하여 몇 가지 꼭 필요한 부분들이 없었던 것이다.

* integral은 때때로 전체나 완전한 것을 의미하기도 한다.

For me, no day is *integral* unless I can eat chocolate at some point during it.
나에게 있어, 하루 중 어느 때에 먹건 초콜릿을 먹지 않고 지나가는 날은 없다.

* integral은 모아서 전체를 만들거나 완전한 수를 만들어낸다는 의미의 integrate와 관련이 있다.

**INTERIM** [íntərim] n **meantime ; an intervening time ; a temporary arrangement** 한동안 ; 중간의 시기 ; 일시적인 조치

* 발음에 주의할 것.

Miss Streisand will not be able to give singing lessons until her laryngitis is better. In the *interim*, Miss Midler will give lessons instead.
스트레이샌드씨는 후두염이 낫기 전에는 음악 수업을 할 수 없을 것이다. 그 동안, 미들러 선생님이 대신 수업을 진행할 것이다.

* 이 단어는 형용사로도 쓰인다.

The *interim* professor had an easier time with the unruly students than did his predecessor, because he carried a large club to class with him every day.
임시로 강의를 맡은 교수님은 전임자보다 통제가 힘든 말썽꾸러기 학생들과 더 쉽게 잘 지내셨다. 그가 매일 수업에 들어올 때 커다란 곤봉을 가지고 들어왔기 때문이었다.

**INTERLOPER** [íntərlòupər] n **intruder ; trespasser ; unwanted person** 침입자 ; 불법 침입자 ; 원하지 않았던 사람

I love deer in the wild, but when they get into my backyard I can't help thinking of them as *interlopers*.
나는 들판의 사슴을 좋아한다. 그러나 사슴들이 우리 마당에 들어올 때는, 나도 그들을 침입자로 생각하지 않을 수 없다.

The year-round residents of the resort town viewed summertime visitors as *interlopers* who contributed nothing to the town except traffic jams and trash.
휴양 도시에서 일년 내내 살고 있는 주민들은 여름 휴가기의 방문객들을 교통 체증과 쓰레기를 제외하고는 그 도시에 아무런 도움도 되지 않는 침입자라고 생각했다.

**INTERLUDE** [íntərlùːd] n **an intervening episode ; an intermission ; a pause** 중간에 삽입되어 있는 에피소드 ; 휴게 시간 ; 일시 중지

Wasn't that a pleasant *interlude*? I just love getting away from my office and shooting the rapids for an hour or two.
그것은 재미있는 휴식이 아니었니? 나는 사무실을 벗어나 한 시간이나 두 시간쯤 급류 타는 것을 너무 좋아한다.

"Clara's *Interlude*" is a musical piece written by — who else? — Clara.
"클라라의 간주곡"은 당연히 클라라가 쓴 음악 소품이다.

Miss Prince's School for Young Ladies is so genteel that during games they call halftime "the *interlude*."
젊은 여성을 위한 미스 프린스의 수업은 너무나 고상한 척하는 터라 경기 중간의 하프타임도 "막간(the interlude)"이라고 부른다.

* prelude 항목을 참조할 것.

**INTERMINABLE** [intə́ːrmənəbl] adj **seemingly unending ; tediously long** 끝이 없는 것 같은 ; 지루할 정도로 긴

* terminate는 영화 Terminator(터미네이터)에서 처럼 끝낸다는 뜻. interminable은 끝나지 않는 것.

The meeting was supposed to be short, but Ted's *interminable* lists of statistics dragged it out for three hours.
회의는 짧게 할 예정이었다. 그러나 테드가 끝없이 긴 통계 자료를 가져와서 회의를 세 시간 동안 질질 끌었다.

Winter must seem *interminable* in Moscow ; the weather usually starts getting cold in September and doesn't warm up until April.
모스크바에서는 겨울이 한없이 지루하게 계속되는 것 같다 : 대개 9월에 추위가 시작돼서 4월까지는 좀처럼 따뜻해지지 않는다.

## QUICK QUIZ 50

Match each word in the first column with its definition in the second column. Check your answers in the back of the book.

| | |
|---|---|
| 1. inquisition | a. nonchalant |
| 2. insouciant | b. unbearable |
| 3. insufferable | c. unable to he overcome |
| 4. insuperable | d. act of open rebellion |
| 5. insurrection | e. intruder |
| 6. integral | f. seemingly unending |
| 7. interim | g. meantime |
| 8. interloper | h. ruthless questioning |
| 9. interlude | i. essential |
| 10. interminable | j. intervening episode |

**INTERMITTENT** [ìntərmítənt] adj **occasional ; repeatedly starting and stopping ; recurrent** **이따금씩 진행되는 ; 작동과 중지를 반복하는 ; 정기적으로 재발하는**

The *intermittent* hooting of an owl outside my window made it hard for me to sleep last night ; every time I would begin to drop off, the owl would start up again.
창 밖으로 이따금씩 들리는 올빼미의 울음 소리 때문에 지난 밤에는 잠을 자기가 힘들었다 ; 잠이 들려고 할 때마다 올빼미는 다시 울기 시작하곤 했다.

*Intermittent* rain showers throughout the day kept the lawn too wet for croquet.
하루 종일 간헐적으로 퍼부어 대던 소나기가 크로켓을 할 수 없을 정도로 잔디밭을 적셔놓았다.

Alan's three-year-old is only *intermittently* polite to grown-ups ; sometimes he answers the questions they ask him, and sometimes he throws blocks at them.
앨런의 세 살 짜리 아이는 단지 이따금씩만 어른들에게 예의를 차린다 ; 때때로 아이는 어른들의 질문에 대답을 하기도 하지만, 더러는 블록 장난감을 던지기도 한다.

**INTERSPERSE** [ìntərspə́ːrs] v **to place at intervals ; to scatter among** **간격을 두고 놓아두다 ; 여기저기 뿌려두다**

When I plant a row of tomatoes, I always *intersperse* a few marigold plants, because even a scattering of marigolds helps to keep pests away.
나는 토마토를 줄지어 심을 때, 항상 금잔화를 조금 사이사이에 심어둔다. 드문드문 심어진 금잔화라도 해충을 쫓아내는 데 도움이 되기 때문이다.

The wildly unpredictable company had had periods of enormous profitability *interspersed* with periods of near-bankruptcy.
대강의 예측도 할 수 없는 그 회사는 막대한 수익을 올렸던 시기가 있었지만, 간간이 파산할 지경으로 몰린 시기도 있었다.

The place mats are made of straw *interspersed* with ribbon.
그 식탁용 접시 받침들은 간간이 매듭이 있는 짚으로 만들어져 있다.

**INTERVENE** [ìntərví:n] v **to come between opposing groups ; to mediate ; to take place ; to occur between times** 서로 적대하고 있는 그룹 사이에 끼어 들다 ; 중재하다 ; 일어나다, 발생하다 ; 두 시간대 사이에 일어나다

Barry and his sister might have argued all day if their mother hadn't *intervened* ; she stepped between them and told them she would knock their heads together if they didn't stop bickering.
엄마가 끼어들지 않았더라면, 배리와 그의 여동생은 하루 종일 싸우고 있었을 것이다 ; 엄마는 둘 사이에 들어와서, 둘 다 말다툼을 그만두지 않는다면 서로의 머리를 부딪히게 할 것이라고 말했다.

Don't hesitate to *intervene* if you see a cat slowly creeping toward a bird ; the cat is up to no good, and the bird will thank you for butting in.
고양이가 새를 향해 천천히 기어가고 있는 것을 보게 된다면, 망설이지 말고 끼어들어라 ; 그 고양이는 좋지 않은 일을 하려고 하는 중이므로, 새는 당신의 간섭에 감사할 것이다.

Al and Mike were having a pretty good time in their sailboat until the hurricane *intervened*.
알과 마이크는 허리케인이 발생하기 전까지 요트를 타고 아주 즐거운 시간을 보내고 있는 중이었다.

So much had happened to Debbie in the *intervening* years that she felt a little nervous on her way to her twenty-fifth high school reunion.
몇 년 사이에 데비에게 너무나 많은 일들이 일어나서, 그녀는 25회 고등학교 동창회로 가는 길이 다소 불안했다.

**INTIMATE** [íntəmeit] v **to hint or imply** 넌지시 알리거나 암시하다

* 발음에 주의할 것.

Rosie said she was fine, but her slumped, defeated-looking posture *intimated* otherwise.
로지는 괜찮다고 말했지만, 그녀의 구부정한, 좌절한 듯한 자세는 괜찮지 않다는 것을 은연중에 보여주었다.

Are you *intimating* that I'm not strong enough to lift these measly little barbells?
작고 하찮은 이 바벨도 들어올리지 못할 만큼 내가 힘이 없다는 것을 암시하는 것이니?

**INTRICATE** [íntrəkit] adj **complicated ; sophisticated ; having many parts or facets** 복잡한 ; 정교한 ; 여러 부분, 여러 면이 존재하는

It's always a mistake to put off assembling *intricate* toys until Christmas Eve.
크리스마스 이브까지 복잡한 장난감을 조립하는 것을 미루는 것은 항상 잘못된 일이다.

The details of the agreement were so *intricate* that it took four lawyers an entire year to work them out.
협정의 세부 조항은 너무나 복잡해서 네 명의 변호사가 그것을 이해하는데 꼬박 일년이 걸렸다.

The *intricately* carved prism cast a beautiful rainbow across the ceiling.
여러 면으로 깎아 만든 프리즘은 천장을 가로질러 아름다운 무지개 빛을 만들어냈다.
* 명사는 intricacy[íntrikəsi].

**INTRIGUE** [íntri:g] n **a secret scheme ; a crafty plot** 음모 ; 간사한 계획

When the king learned of the duke's *intrigue* against him, he had the duke thrown into the dungeon.
왕에게 반기를 들려는 공작의 음모를 알게 되자, 왕은 공작을 지하 감옥에 가둬버렸다.

Monica loves *intrigue* ; she's never happier than when she's reading a long, complicated spy story.
모니카는 복잡한 음모를 좋아한다 : 그녀는 복잡하고 긴 탐정 소설을 읽고 있을 때보다 더 행복한 적이 결코 없다.
* 발음에 주의할 것, 동사는 [intrí:g]로 발음된다.

**INVIDIOUS** [invídiəs] adj **causing envy or resentment ; offensively harmful** 질투나 원한을 사는 ; 불쾌할 정도로 해로운

Under the guise of paying them a compliment, Stephanie made an *invidious* comparison between the two girls, causing them to feel jealous of each other instead of flattered.
겉으로는 그들을 칭찬하는 것처럼 가장해서, 스테파니는 중간에서 두 소녀를 불쾌할 정도로 비교했다. 그리하여 두 소녀가 우쭐해지는 기분을 갖는 대신 서로를 질투하게 만들었다.

The racist candidate brought the crowd's simmering hatred to a boil with an *invidious* speech in which he referred to whites as "the master race."
인종 차별주의자인 후보는 백인을 "지배 종족"이라고 표현한 불쾌한 연설을 함으로써 폭발 직전의 군중들의 증오를 끓어 넘치게 만들었다.

**INVIOLATE** [inváiəlit] adj **free from injury ; pure** 상해를 입지 않는 ; 순수한

* 발음에 주의할 것.

The tiny church remained *inviolate* throughout the entire war ; although bombs dropped all around it, not a stone in its facade was harmed.
그 작은 교회는 전쟁 기간 내내 손상을 입지 않고 남아 있었다 ; 비록, 교회 주변으로 폭탄들이 많이 떨어지기는 했지만, 교회 내에 있는 돌 하나도 손상을 입지 않았다.

Her morals are *inviolate* even after years in college ; in fact, she was a senior before she even saw a keg of beer.
대학에서 수년을 지낸 후에도 그녀의 도덕성은 순수하다 ; 사실, 그녀는 맥주통을 구경하게 된 것도 4학년이 되고 난 이후였다.

* inviolable [inváiələbl] 와 unassailable는 동의어, 불가침의, 거역할 수 없는 이라는 뜻.

There's no such thing as an *inviolable* chain letter ; sooner or later, someone always breaks the chain.
거역할 수 없는 연쇄 편지(주: 행운의 편지 같은 것) 같은 것은 존재하지 않는다 ; 조만간에 누군가가 늘 그 연쇄 고리를 깨기 마련이다.

**INVOKE** [invóuk] v **to entreat or pray for ; to call on as in prayer ; to declare to be in effect** 간청하다, 기원하다 ; 기도로써 간청하다 ; 효력이 발생함을 선포하다

Oops! I just spilled cake mix all over my mother's new kitchen carpet. I'd better go *invoke* her forgiveness.
아이구! 나는 지금 엄마의 새 부엌 카펫 위에 케이크 반죽을 쏟았다. 엄마에게 용서를 빌러 가는 것이 좋을 것 같다.

This drought has lasted for so long that I'm just about ready to *invoke* the Rain God.
이번 가뭄은 너무나 오랫동안 지속되어서, 나는 비의 신께 언제라도 기도로써 간청할 준비가 되어 있다.

The legislature passed a law restricting the size of the state's deficit, but it then neglected to *invoke* it when the deficit soared above the limit.
입법부는 주 정부의 적자 규모를 제한하는 법률을 통과시켰다. 그러나, 재정 적자가 한계점 이상으로 늘어났을 때, 정작 법을 적용하는 일에는 소홀했다.

* 명사는 invocation [ìnvəkéiʃən] .

**IRIDESCENT** [ìrədésənt] adj **displaying glowing, changing colors** 강렬한 빛을 드러내는 ; 색깔을 바꾸는

* 이 단어는 눈의 색깔이 있는 부분, 즉 홍채를 가리키는 iris라는 단어와 관련이 있다.

It's strange to think that plain old gasoline can create such a lovely *iridescent* sheen on the water's surface.
평범하고 오래된 석유가 물 표면에서 그토록 멋지고 강렬한 빛깔의 광채를 만들어낼 수 있다고 생각하면 참으로 기묘한 일이다.

An appraiser judges the quality of an opal by its color and *iridescence* [ìrədésəns] more than by its size.
감정사는 크기보다는 색깔과 광채를 보고서 오팔의 품질을 평가한다.

## QUICK QUIZ 51

Match each word in the first column with its definition in the second column. Check your answers in the back of the book.

| | |
|---|---|
| 1. intermittent | a. secret scheme |
| 2. intersperse | b. displaying glowing, changing colors |
| 3. intervene | c. pray for |
| 4. intimate | d. complicated |
| 5. intricate | e. hint |
| 6. intrigue | f. come between opposing groups |
| 7. invidious | g. occasional |
| 8. inviolate | h. causing resentment |
| 9. invoke | i. place at intervals |
| 10. iridescent | j. free from injury |

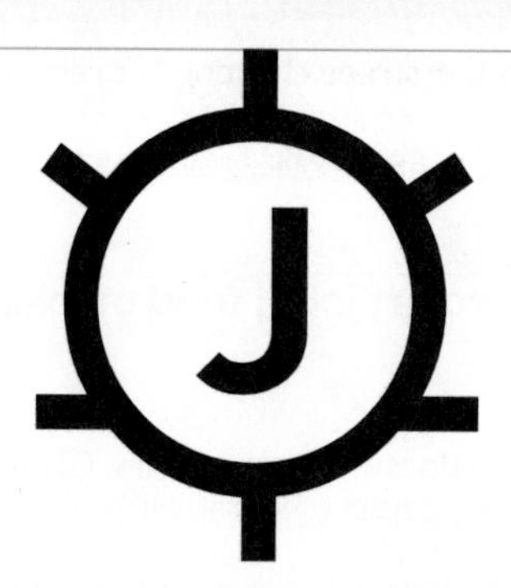

**JARGON** [dʒɑ́ːrgən] n **the specialized language or vocabulary of a particular job or trade ; meaningless or pretentious language ; a local dialect or idiom or vernacular** 특별한 직업이나 업종에서 쓰는 전문화된 언어나 어휘 ; 무의미하거나 겉치레의 말 ; 방언, 관용어, 전문용어

This contract is full of legal *jargon* ; there are so many heretofores and whereinafters that I can't figure out where I'm supposed to sign it.
이 계약서는 전문적인 법률어로 되어 있다 ; heretofores와 whereinafters 같은 전문어가 워낙 많아서 나는 어디에 사인을 해야할지 알 수 없을 정도다.

Ever since she went into therapy, Liz has been talking about "healingness" and "connectedness" and spouting so much other self-help *jargon* that it's sometimes hard to listen to her.
치료를 시작한 이래로, 리즈는 '치료'와 '연관성'에 대해서 계속 이야기를 하고 있으며, 그 외에도 자신만이 아는 전문적인 언어를 워낙 많이 늘어놓기 때문에 때때로 그녀의 말을 알아듣기가 힘들다.

If you pad a term paper with big words and convoluted phrases, your professor may say you've been writing *jargon*.
만약, 네가 학기말 보고서를 허풍 섞인 말과 복잡한 문구를 넣어 길게 늘어놓는다면, 교수는 네가 횡설수설하고 있다고 말할지도 모른다.

When he visited a tiny island off the coast of France, Phil commented, "I've studied French for twenty years, but I'll be damned if I can make out a word of the *jargon* on this island."
프랑스 연안의 작은 섬을 방문했을 때, 필은 다음과 같이 논평했다. "나는 20년 동안이나 프랑스어를 공부했다. 그런데도, 이 섬에서 쓰이는 사투리를 한마디도 이해할 수 없다."

**JAUNT** [dʒɔːnt] n **a short pleasure trip** 짧고 유쾌한 여행, 소풍

My uncle never stays home for long ; he's always taking off on *jaunts* to hot new vacation spots.
우리 삼촌은 결코 장시간 집에 머무르는 법이 없다 ; 그는 항상 최신의 새로운 휴양지를 찾아 짧은 여행을 떠난다.

* jaunt 는 동사이기도 하다.

If my uncle keeps *jaunting* off to all these hot new vacation spots, he'll spend all the money I'm hoping to inherit from him.
우리 삼촌이 이 모든 최신의 새로운 휴가 장소들을 계속해서 여행한다면, 그는 내게 유산으로 남겨줄 것이라고 기대했던 모든 돈을 다 써버리고 말 것이다.

* jaunty [dʒɔ́ːnti] 는 근심 걱정 없이 마음이 편하고, 유쾌하며, 활기가 넘치는 것을 의미한다.

The happy young girl walked down the street with a *jaunty* step.
행복한 소녀는 경쾌한 발걸음으로 거리를 활보했다.

**JINGOISM** [dʒíŋgouìzm] n **belligerent, chauvinistic patriotism ; war-mongering** 호전적이고, 국수주의적인 애국심 ; 전쟁 도발

The president's aggressive foreign policy betrays the *jingoism* that hides below his genial surface.
대통령의 공격적인 외교 정책은 그의 온화한 얼굴 밑으로 숨기고 있는 광신적 애국심을 은연중에 드러내는 것이다.

The skinheads marched down the street chanting "Foreigners Go Home!" and other *jingoistic*[jing goh IS tik] slogans.
스킨헤드족은 "외국인은 물러가라!"는 말과 그 외 다른 국수주의적인 슬로건을 되풀이하며 거리 행진을 벌였다.

**JOCULAR** [dʒɑ́kjulər] adj **humorous ; jolly ; fond of joking** 익살스런 ; 명랑한 ; 농담을 좋아하는

* 발음에 주의할 것.

Even her husband's *jocular* mood doesn't cheer up Mrs. Claus on Christmas Eve.
크리스마스 이브에, 남편의 익살스러운 분위기도 클라우디 부인을 즐겁게 하지는 못한다.

Annabelle's *jocular* nature was evident in the grin that was almost always on her face.
애너벨의 쾌활한 본성은 그녀의 얼굴에서 거의 언제나 떠나지 않는 싱긋 웃음에 분명히 드러났다.

* jocund [dʒɑ́kənd]의 뜻은 jocular와 유사하다. 그러나 정확히 같은 의미는 아니다. 전자는 명백하게 웃기는 것이라기보다는 유쾌하고 즐거우며, 기뻐한다는 뜻이다.

* jocose [dʒoukóus]도 비슷한 의미의 단어로 jocular보다 조금 더 강한 의미로 익살맞다는 뜻이다.(jocular가 "little joke"을 의미하는 라틴어에서 유래한 반면에, jocose는 "joke,"을 의미하는 라틴어에서 유래한 것이다.)

**JUBILATION** [dʒù:bəléiʃən] n **exultant joy** 큰 기쁨, 환희

In an excess of *jubilation* at the good news, Rebecca flung her arms around a total stranger.
좋은 소식을 듣고 지나치게 환호를 하다가, 레베카는 전혀 모르는 사람과 팔을 걸고 다녔다.

The *jubilation* of the crowd was palpable when the mayor announced that the rich old lady had given the town seven million dollars toward the construction of a new zoo.
부자인 노부인이 새로운 동물원을 건설할 칠 백만 달러를 시에 기부했다는 소식을 시장이 발표하자 군중들이 기뻐하는 것은 누가 보아도 알 수 있었다.

* 형용사는 jubilant [dʒú:bələnt].

New Year's Eve parties are supposed to be *jubilant*, but they're usually kind of depressing.
새해를 맞이하는 전날 밤 파티는 기쁨에 넘칠 것이라고 생각하지만, 대개는 어느 정도의 우울함이 있기 마련이다.

A *jubilant* celebration, especially one connected with an important anniversary, is a *jubilee* [dʒú:bəli:]
축하 축제, 특히 중요한 기념일과 관계된 축제를 jubilee(기념 축제)라고 한다.

**JUNCTION** [dʒʌ́ŋkʃən] n **convergence ; linkup ; the act or state of being joined together** 합류점 ; 연결 ; 연합

I was supposed to turn left after the *junction* of Elm Street and Apple Avenue, but I never found the spot where they intersected.
나는 엘름가와 애플로가 만나는 지점에서 왼쪽 방향으로 갈 예정이었다. 그러나, 나는 그 길들이 교차하는 지점을 찾을 수가 없었다.

As a child, Tommy spent most of his time at the railroad *junction* hoping he'd spot a passing boxcar he could jump into.
아이였을 때, 토미는 기차 선로가 교차하는 지점에서 자신이 뛰어오를 수 있을 만한 화차를 발견하기를 바라면서 대부분의 시간을 보냈다.

* juncture [dʒʌ́ŋktʃər]는 junction과 같은 뜻이기는 하지만, 사건의 중대성이나 시간상으로 중요한 시점을 언급하는 데 더 자주 쓰인다.

"At this *juncture*, we can't predict when she'll come out of the coma," the doctor said soberly.
"이 시점에서는, 그녀가 언제 혼수 상태에서 깨어날 수 있을지 아무도 예측할 수 없습니다."라고 의사가 진지하게 말했다.

* conjunction [kəndʒʌ́ŋkʃən]는 협력, 연합, 결합 등을 의미한다.

The Ham Radio Club and the Chess Club are working in *conjunction* to prepare the second annual Nerds' Jamboree.
무선 방송 클럽과 체스 클럽은 두 번째 네르드의 잼보리 대회를 준비하기 위해 협력하여 일하고 있다.

**JUNTA** [húntə/dʒʌ́ntə] n **a small group ruling a country after a coup d'état 쿠데타 후에 나라를 통치하는 소수의 그룹, 임시 군사 정부**

* 발음에 주의할 것.

After the rebels had executed the king, they installed a *junta* of former generals to lead the country until elections could be held.
왕의 사형을 집행한 후에, 반란군은 새로운 선거가 열릴 수 있을 때까지 나라를 이끌기 위해 전임 장성들을 모아 임시 정부를 구성했다.

The first thing the *junta* did after seizing power was to mandate ice cream at breakfast.
임시 군사 정부가 권력을 잡은 후에 처음으로 한 일은 아침 식사로 아이스크림을 지시한 것이었다.

The president's principal advisers were so secretive and so protective of their access to the president that reporters began referring to them as the *junta*.
대통령의 중요한 측근들의 대통령에 대한 접근이 워낙 비밀리에, 외부에 알려지지 않고 이루어졌기 때문에, 기자들은 그들을 임시 정부라고 부르기 시작했다.

**KARMA** [kɑ́ːrmə] n **good or bad emanations from someone or something 사람이나 사물에서 나오는 좋거나 나쁜 분위기, 인과응보, 업**

In Hindu or Buddhist belief, *karma* has to do with the idea that a person's actions in life determine his or her fate in a future existence. "If you keep on messing up your rooms," the baby-sitter warned the children, "it will be your *karma* to come back to earth as a pig."
힌두교나 불교에서의 "업"이라고 하는 것은 현세에서의 사람의 행동이 다음 생의 운명을 결정한다는 사상과 관련이 있는 말이다. "네 방을 엉망인 채로 계속 놔둔다면, 다음 세상에서 돼지로 태어나는 것은 바로 너의 업보일 거야"라고 베이비시터가 아이들에게 경고했다.

In popular usage, *karma* is roughly the same thing as vibes. "This house has an evil *karma*," the same baby-sitter told her charges. "Children who don't go to bed on time end up with a mysterious curse on their heads."
일반적인 의미에서 karma는 대략적으로 vibes(감정적 반응, 직감적으로 느끼는 분위기 등)와 같은 뜻이다. "이 집은 사악한 기운이 느껴져 자야할 시간에 잠자리에 들지 않는 아이들은 결국은 머리 위로 알 수 없는 저주가 내릴 거야"라고 베이비시터가 자신이 돌보고 있는 아이들에게 말했다.

## QUICK QUIZ 52

Match each word in the first column with its definition in the second column. Check your answers in the back of the book.

| | |
|---|---|
| 1. jargon | a. humorous |
| 2. jaunt | b. specialized language |
| 3. jingoism | c. good or bad emanations |
| 4. jocular | d. belligerent patriotism |
| 5. jubilation | e. small ruling group |
| 6. junction | f. exultant joy |
| 7. junta | g. short pleasure trip |
| 8. karma | h. convergence |

**LARCENY** [lɑ́ːrsəni] n **theft ; robbery** **절도 ; 도둑질**

Bill's ten previous convictions for *larceny* made the judge unwilling to suspend his latest jail sentence.
빌은 열 번이나 절도죄로 유죄 판결을 받은 적이 있었기 때문에, 판사는 그의 최근 징역형에 대해 집행 유예를 선고하고 싶지 않았다.

Helping yourself to a few cookies is not exactly *larceny*, but just try explaining that to Aunt Edna, who believes that if people want to eat in her house they should bring their own food.
쿠키 몇 개 정도 맛보는 것은 엄밀하게 말해서 절도 행위는 아니다. 그러나 사람들이 그녀의 집에서 먹기를 원한다면, 자신의 음식을 가져와서 먹어야 한다고 생각하는 에드나 아줌마에게는 반드시 해명을 해야 한다.

The strict legal definition of *larceny* is theft without breaking in, or without the use of force. *Grand larceny* is major theft.
'절도' 의 정확한 법률적 정의는 침입하는 행위 없이 무력을 사용하지 않고, 도둑질을 하는 것을 의미한다. grand larceny는 대형 절도 사건이다.

* 형용사는 larcenous [lɑ́ːrsənəs].

Amy and Tim felt almost irresistibly *larcenous* as they walked through their rich aunt's house admiring paintings and antiques that they hoped to inherit someday ; it was all they could do to keep from backing their car up to the front door and making off with a few pieces of furniture.
에이미와 팀은 부자인 숙모의 집을 돌아다니다가 언젠가는 그들이 물려받을 것이라고 기대하는 그림들과 골동품들에 감탄하여 훔치고 싶은 억누를 수 없는 충동을 느꼈다 : 그들이 할 수 있었던 일은 차를 현관문 앞에 밀리지 않도록 해놓고 몇 가지 가구를 훔쳐 달아나는 것이 고작이었다.

**LASCIVIOUS** [ləsíviəs] adj **lustful ; obscene ; lewd** **호색의 ; 음란한 ; 음탕한**

* 발음에 주의할 것.

Chaperones at a fifth-grade dance are probably unnecessary ; it's not as if the average fifth grader is about to engage in *lascivious* conduct right there in the gym.
5학년 댄스 파티에서 여자를 보호하는 역할을 맡는 사람들은 아마도 필요 없을 것이다 : 보통의 5학년 학생들이 바로 체육관 같은 곳에서 음란한 행동을 하려고 하지는 않을 것 같다.

Clarence's *lascivious* comments made his female associates extremely uncomfortable.
클래런스의 음란한 말들은 여자 동료들을 아주 불편하게 만들었다.

**LAVISH** [lǽviʃ] v **to spend freely or bestow generously ; to squander** **마음놓고 돈을 낭비하거나 손크게 주다 ; 탕진하다**

My father *lavishes* so many birthday presents on his relatives that they panic when it's time for them to give him something in return.
아버지는 친척들의 생일에 인심을 후하게 쓰며 너무나 많은 선물을 해서, 친척들은 보답으로 아버지에게 무엇을 주어야 하는 때가 되면, 공포를 느낄 정도이다.

City Hall has *lavished* money on the street-cleaning program, but our streets are dirtier than ever.
시청은 거리 청소 사업에 많은 돈을 들였다. 그러나 거리는 이전보다 더 더럽다.

* lavish는 형용사로도 쓰인다.

Don't you think Miss Hall is a little too *lavish* with her praise? She slathers so much positive reinforcement on her students that they can't take her seriously at all.
미스 홀이 다소 지나칠 정도로 칭찬을 남발하는 것 같지 않나요? 그녀는 학생들에게 긍정적인 격려를 지나칠 정도로 많이 해서 학생들은 그녀를 전혀 진지하게 받아들일 수가 없다.

**LAX** [læks] adj **negligent ; lazy ; irresponsible** **태만한 ; 게으른 ; 무책임한**

Mike is a rather *lax* housekeeper ; he washes dishes by rinsing them in cold water for a couple of seconds and then waving them gently in the air.
마이크는 상당히 게으른 가정부이다 ; 그는 그릇들을 찬물에 2초 동안 헹군 다음 물 밖에서 조용히 한 번 흔들어주는 방법으로 설거지를 끝낸다.

I hate to say it, but Carol's standards are too *lax* ; anyone who would hire a slob like Mike as a housekeeper can't be serious about wanting a clean house.
나는 그렇게 말하기는 싫지만, 캐롤의 기준은 너무나 느슨하다 ; 마이크 같은 지저분한 사람을 가정부로 고용하는 사람이 깨끗한 집을 원한다는 것은 진심일 리가 없다.

* 명사는 laxity[lǽksəti].

**LAYMAN** [léimən] n **a nonprofessional ; a person who is not a member of the clergy** **비전문가 ; 성직자가 아닌 사람, 평신도**

The surgeon tried to describe the procedure in terms a *layman* could understand, but he used so much medical jargon that I had no idea what he was talking about.
외과 의사는 비전문가들도 알아들을 수 있는 용어로 경과를 설명하려고 했다. 그러나 그가 전문적인 의학 용어를 너무나 많이 사용했기 때문에, 나는 그가 말하고 있는 내용에 대해 이해하지 못했다.

Miriam considered herself an excellent painter, but she was distinctly a *layman* ; she couldn't make much headway on any canvas that didn't have numbers printed on it.
미리암은 자신을 뛰어난 화가라고 생각했지만 그녀는 정말로 아마추어에 지나지 않았다 ; 그녀는 번호가 인쇄되어 있지 않은 캔버스에서 그다지 나아가지 못했다.

* 평신도나 비전문가를 집합적으로 일컬을 때는 the laity[léiəti]라고 쓴다.

The new minister tried hard to involve the *laity* in his services ; unfortunately, the last time a *layman* preached a sermon, he spent most of the time talking about his new boat. Perhaps that's just the risk you run when you use a *lay* preacher.
새로 온 목사는 평신도들을 예배에 참가시키려고 열심히 노력했다 ; 불행히도, 지난 번에 평신도가 설교를 했을 때, 그는 대부분의 시간을 자신의 새 보트에 관한 이야기에 할애했다. 아마도, 그것이 평신도를 설교자로 세울 때 감수해야 하는 위험일 것이다.

**LIAISON** [líːəzɑ̀n, liːéizɑn] n **connection ; association ; alliance ; secret love affair** **연락 ; 연합 ; 동맹, 제휴 ; 밀통, 간통**

* 발음에 주의할 것.

In her new job as *liaison* between the supervisor and the staff, Anna has to field complaints from both sides.
감독관과 직원들 사이의 연락을 맡는 새로운 업무에서, 애너는 양측의 불평을 처리해야만 한다.

The condor breeders worked in *liaison* with zoo officials to set up a breeding program in the wild.
콘도르 사육사는 야생에서 번식할 수 있는 프로그램을 완수하기 위해 동물원 직원들과 제휴하여 일했다.

You mean you didn't know that the conductor and the first violinist have been having an affair? Believe me, that *liaison* has been going on for years.
지휘자와 제 1 바이올린 연주자가 불륜 관계에 있다는 것을 모르고 있었습니까? 내 말을 믿으세요. 그들의 불륜은 이미 수년 동안 계속되고 있는 걸요.

**LICENTIOUS** [laisénʃəs] adj **lascivious ; lewd ; promiscuous ; amoral** **음탕한 ; 외설의 ; 난잡한 ; 도덕 관념이 없는**

* 발음에 주의할 것.

Barney's reputation as a *licentious* rake makes the mothers of teenage girls lock their doors when he walks down the street.
바니가 성적으로 방탕하다는 평판이 있어서, 십대의 딸을 가진 엄마들은 바니가 길거리에 나타나기만 해도 문을 잠근다.

Ashley said the hot new novel was deliciously *licentious*, but I found the sex scenes to be dull and predictable.
애쉬리는 최근에 나온 소설이 외설적인 내용의 재미있는 책이라고 말했다. 그러나, 나는 그 책의 성애 장면이 지루하고 평범하다는 것을 알게 되었다.

* 명사는 licentiousness.

The Puritans saw *licentiousness* almost everywhere.
청교도들은 거의 모든 곳에서 방탕함을 보았다.

**LIMPID** [límpid] adj **transparent ; clear ; lucid** **투명한 ; 맑은 ; 명료한, 알기 쉬운**

The river flowing past the chemical plant isn't exactly *limpid* ; in fact, it's as opaque as paint, which is apparently one of its principal ingredients.
화학 공장을 거쳐 흘러가는 강물은 반드시 맑지는 않다 : 사실, 물은 페인트만큼이나 불투명하다. 페인트도 분명히 더러운 강물을 구성하는 한 요소일 것이다.

Elizabeth's poetry has a *limpid* quality that makes other writers' efforts sound stiff and overformal.
엘리자베스의 시는 명료한 특징이 있어서, 다른 작가들의 작품을 경직되고 지나치게 형식위주의 글인 것처럼 보이게 만든다.

In bad writing, eyes are often described as being "*limpid* pools."
서투른 글에서, 눈은 흔히 "맑은 호수"라고 묘사된다.

**LISTLESS** [lístlis] adj **sluggish ; without energy or enthusiasm** **활기가 없는 ; 힘이나 열정이 없는**

You've been acting awfully *listless* today. Are you sure you're feeling well?
너는 오늘 정말로 활기 없이 움직이더구나. 몸은 괜찮은 거니?

The children had been dragged to so many museums that by the time they reached the dinosaur exhibit, their response was disappointingly *listless*.
아이들은 너무나 많은 박물관으로 끌려 다니는 바람에, 공룡 전시관에 도착했을 때에는 아이들의 반응은 실망스러울 정도로 무관심했다.

Harry's *listless* prose style constantly threatens to put his readers very soundly to sleep.
해리의 단조로운 산문체는 그의 책을 읽는 독자들을 아주 곤한 잠에 빠뜨릴 우려가 끊임없이 있다.

The lettuce looked so *listless* by the time I got around to making a salad that I threw it out and served tomatoes instead.
샐러드를 만들려고 꺼내보니, 양상추가 너무나 싱싱하지 않은 것 같아서 모두 내다버리고 대신 토마토를 내놓았다.
* 명사는 listlessness.

**LITANY** [lítəni] n **recital or list ; tedious recounting** **낭송이나 목록 ; 지루하게 나열하는 것**

Ruth's *litany* of complaints about her marriage to Tom is longer than most children's letters to Santa.
탐과의 결혼에 대해 늘어놓고 있는 루스의 불평은 대부분의 아이들이 산타클로스에게 보내는 편지보다도 더 길다.

She's so defensive that if she suspects even a hint of criticism, she launches into a *litany* of her accomplishments as a topless ventriloquist.
그녀는 워낙 자신을 변호하는 데 뛰어나서, 어떤 비판의 기색이라도 눈치채게 되면, 자신의 뛰어난 복화술자로서의 재능을 장황하게 설명하기 시작한다.

## QUICK QUIZ 53

Match each word in the first column with its definition in the second column. Check your answers in the back of the book. Note that "lewd" is the answer for two questions.

| | |
|---|---|
| 1. larceny | a. negligent |
| 2. lascivious | b. theft |
| 3. lavish | c. connection |
| 4. lax | d. nonprofessional |
| 5. layman | e. to spend freely |
| 6. liaison | f. lewd (2) |
| 7. licentious | g. tedious recounting |
| 8. limpid | h. transparent |
| 9. listless | i. sluggish |
| 10. litany | |

**LIVID** [lívid] adj **discolored ; black and blue ; enraged** 변색된, 퇴색된 ; 검푸른, 멍든 ; 격노한

Her *livid* countenance was testimony to the horrors she'd suffered in the haunted mansion.
흙빛이 되어버린 그녀의 얼굴은 유령이 나오는 대저택에서 겪은 공포에 대한 증거였다.

Proof of George's clumsiness could be seen in his *livid* shins ; he bumped into so many things as he walked that his lower legs were deeply bruised.
조지의 서투름을 드러내는 증거는 멍이든 정강이를 보면 알 수 있었다 ; 그는 걸을 때마다 워낙 많이 부딪히기 때문에 다리 아래쪽은 심하게 타박상을 입었다.

When Christopher heard that his dog had chewed up his priceless stamp collection, he became *livid*, and he very nearly threw the poor dog through the window.
크리스토퍼는 자신의 개가 값으로도 환산할 수 없는 귀중한 우표 수집을 씹었다는 얘기를 듣고 노발대발했다. 그리고는 불쌍한 개를 창문 밖으로 거의 집어던지려 했다.

* livid를 pale과 같은 의미로 쓰는 경향이 있다. 이는 그 단어의 실제 의미와 거의 반대되는 의미로 쓰이게 되는 것이다.

When you see a ghost, your face does not become *livid* ; it becomes pallid.
유령을 만나게 되면, 사람들의 얼굴은 검푸르게 되지는 않는다 ; 창백해지는 것이다.

**LOATH** [louθ] adj **extremely unwilling ; reluctant** 매우 싫은 ; ~하기를 꺼려하는

Edward was *loath* to stir out of his house on the freezing cold morning, even though he had signed up to take part in the Polar Bear Club's annual swim.
에드워드는 매년 열리는 북극곰 클럽의 수영 대회에 참가하겠다고 등록을 했었지만, 얼어붙을 듯이 추운 아침이 되자 집 밖으로 나가기가 정말 싫었다.

I am *loath* to pull my finger out of the dike, because I am afraid that the countryside will flood if I do.
만일 내가 손가락을 뺀다면 온 마을이 물에 잠길까봐 걱정이 되기 때문에 둑에서 손가락을 빼낼 수가 없다.

* loath는 사람의 기분을 나타내는 형용사이다. loathsome은 사람이나 사물이 아주 싫거나 혐오스럽다는 것을 묘사할 때 쓰인다.

Cold water is so *loathsome* to Edward that no one knows why he even joined the Polar Bear Club.
에드워드에게 차가운 물은 끔찍이도 싫은 것이기 때문에, 그가 북극곰 클럽에 참가한 이유를 아무도 모른다.

* loath와 loathe를 혼동하지 말아라. 후자는 혐오하거나 증오한다는 의미의 동사이다.

I *loathe* eggplant in every form. It is so *loathsome* to me that I won't even look at it.
나는 어떤 형태로 있건 가지를 무척 싫어한다. 가지는 내게 너무 혐오스러운 것이기 때문에 그것을 보려고 하지도 않을 것이다.

**LOBBY** [lábi] v **to urge legislative action ; to exert influence** **법률적인 조치를 취하도록 설득하다 ; 영향력을 행사하다**

The Raisin Growers' Union has been *lobbying* Congress to make raisins the national fruit.
건포도 재배 협회는 건포도를 국가를 상징하는 과일로 책정하도록 의회에 로비 활동을 해오고 있다.

Could I possibly *lobby* you for a moment about the possibility of turning your yard into a parking lot?
당신네 마당을 주차장으로 전환하는 문제에 대해서 잠시 동안만 당신에게 설명을 해도 되겠습니까?

* lobbyist[lábiist]는 로비 활동을 하는 사람.

The *lobbyist* held his thumb up as the senator walked passed him to indicate how the senator was supposed to vote on the bill that was then before the Senate. A *lobbyist* works for a special interest group, or *lobby*.
그 로비스트는 당시에 상원에 상정된 법안에 대해 어떻게 투표해야 할 것인지를 지시하기 위해서 그 상원 의원이 자신의 앞을 지나쳐 갈 때 엄지 손가락을 위로 들었다. 로비스트는 특별한 이익집단이나 압력 단체를 위해서 일하는 사람이다.

**LOUT** [laut] n **boor ; oaf ; clod** **시골뜨기 ; 멍청이 ; 바보**

The visiting professor had been expecting to teach a graduate seminar, but instead he found himself stuck with a class of freshman *louts* who scarcely knew how to write their own names.
초빙된 교수는 대학원의 세미나를 가르치기를 원했었다. 그러나, 원하는 것과는 달리, 자신의 이름 쓰는 법도 제대로 모르는 멍청한 1학년 학생들을 맡게 되었다는 사실을 알게 되었다.

That stupid *lout* has no idea how to dance. I think he broke my foot when he stepped on it.
저 멍청한 시골뜨기는 춤추는 법도 모른다. 그가 내 발을 밟았을 때 내 발 뼈가 부러졌다고 생각한다.

* 형용사는 loutish.

Jake's *loutish* table manners disgust everyone except his seven-year-old nephew, who also prefers to chew with his mouth open.
제이크의 촌뜨기 같은 식사 태도는 그처럼 입을 벌리고 음식을 씹기 좋아하는 그의 일곱 살 된 조카를 제외하고는 다른 모든 사람들에게 혐오감을 준다.

**LUDICROUS** [lúːdəkrəs] adj **ridiculous ; absurd** **우스꽝스러운 ; 어리석은**

It was *ludicrous* for us to expect that our teenaged children would look after the house while we were gone ; we should have known that they would throw a big party and spill beer all over the furniture.
우리가 집을 비운 동안, 10대인 우리 아이들이 집을 잘 지키고 있을 것이라고 생각한 것은 어리석은 일이었다 ; 아이들이 대단한 파티를 벌이고 모든 가구마다 맥주를 쏟아놓을 것이라는 사실을 우리는 알고 있어야만 했다.

Wear glass slippers to a ball? Why, the very idea is *ludicrous*! One false dance step and they would shatter.
무도회에 유리로 된 덧신을 신는다고? 음, 너무나 어리석은 생각이야! 한번 스텝이 엉키면, 신발은 박살이 나고 말 거야.

**LYRICAL** [lírikəl] adj **melodious ; songlike ; poetic** **선율이 있는 ; 노래 같은 ; 시적인**

* lyrics는 노래를 위한 언어이다. 그러나 lyrical은 다른 것에도 적용될 수 있다.

Even the sound of traffic is *lyrical* to the true city lover.
심지어 자동차 같은 교통 수단의 소리도 진실로 도시를 사랑하는 사람들에게는 노래일 수 있다.

Albert is almost *lyrical* on the subject of baked turnips, which he prefers to all other foods.
앨버트는 잘 익은 순무라는 주제에 대해서 거의 시를 만들어낸다. 순무는 그가 다른 어떤 음식보다도 좋아하는 것이다.

**The Jeffersons' *lyrical* description of the two-week vacation in Scotland made the Washingtons want to pack their bags and take off on a Scottish vacation of their own.**

스코틀랜드에서 보낸 2주일간의 휴가에 대한 제퍼슨씨 가족의 시적인 묘사 때문에, 워싱턴씨네 사람들은 자신들 역시 직접 스코틀랜드에서 휴가를 보내기 위해 짐을 꾸려 떠나고 싶어졌다.

## QUICK QUIZ 54

Match each word in the first column with its definition in the second column. Check your answers in the back of the book.

| | |
|---|---|
| 1. livid | a. extremely unwilling |
| 2. loath | b. ridiculous |
| 3. lobby | c. black and blue |
| 4. lout | d. oaf |
| 5. ludicrous | e. melodious |
| 6. lyrical | f. urge legislative action |

**MALAPROPISM** [mǽləprɑ̀pizm] n **humorous misuse of a word that sounds similar to the word intended but has a ludicrously different meaning** 발음은 비슷하지만 그 의미가 우스운 뜻을 가진 단어를 의도적으로 잘못 사용하여 익살스럽게 하는 것

In Richard Sheridan's 1775 play, *The Rivals*, a character named Mrs. Malaprop calls someone "the pineapple of politeness" instead of "the pinnacle of politeness." In Mrs. Malaprop's honor, similar boo-boos are known as *malapropisms*. Another master of the *malapropism* was Emily Litella, a character played by Gilda Radner on the television show *Saturday Night Live*, who thought it was ridiculous for people to complain that there was "too much violins" on television. Incidentally, Sheridan derived Mrs. Malaprop's name from *malapropos*, a French import that means not apropos or not appropriate.

리차드 셰리던의 1775년 희곡, "경쟁자들"에 보면, 말라프롭 부인이라는 인물은 어떤 사람을 가리켜 '우아함의 극치' 라고 해야할 것을 '우아함의 파인애플' 이라고 부른다. (pinnacle과 pineapple의 발음이 비슷한 데서.) 말라프롭 부인을 기념하여, 이와 비슷한 말실수를 malapropisms 라고 부르게 되었다. 또 다른 단어 오용의 대가는 Saturday Night Live라는 TV프로그램에서 질다 래드너가 연기한 에밀리 리텔라라는 인물이다. 랜더는 사람들이 TV에 "너무나 많은 바이올린"(violence와 violins의 발음이 비슷한 데서.)이 있다고 불평하는 것은 웃기는 것이라고 생각했다. 덧붙여 말하자면, 셰리던은 말라프롭 부인의 이름을 적절하지 못하다는 의미를 가진 프랑스어 malapropos에서 따왔다.

* apropos 항목을 참조할 것.

**MANIA** [méiniə] n **crazed, excessive excitement ; insanity ; delusion** 광적으로, 지나치게 흥분함 ; 광기 ; 환상

At Christmas time, a temporary *mania* descended on our house as Mother spent hour after hour stirring pots on the stove, Father raced around town delivering presents, and we children worked ourselves into a fever of excitement about what we hoped to receive from Santa Claus.

크리스마스가 되면, 일시적인 광적 흥분이 우리 집을 급습했다. 어머니는 난로 위에 올려놓은 냄비를 몇 시간이고 계속해서 휘젓고, 아버지는 선물을 전달하러 온 마을을 뛰어다녔다. 그리고 우리 아이들은 산타클로스에게 받고 싶은 선물을 생각하며 흥분의 도가니에 빠져들었다.

Molly's *mania* for cleanliness makes the house uncomfortable—especially since she replaced the bedsheets with plastic dropcloths.

몰리의 광적인 결벽증은 집을 편안하지 못한 곳으로 만든다. — 특히, 그녀가 침대 시트를 플라스틱 시트로 교체했기 때문에 더욱 그랬다.

The *mania* of the Roman emperor Caligula displayed itself in ways that are too unpleasant to talk about.

로마의 황제 칼리귤라의 광기는 말로 표현할 수도 없을 만큼 역겨운 형태로 펼쳐졌다.

* 광적인 것을 가지고 있는 사람을 maniac[méiniæk]이라고 한다.

Molly, the woman with the *mania* for cleanliness, could also be said to be a *maniac* for cleanliness, or to be a cleanliness *maniac*.

광적인 결벽증을 가지고 있는 여성인 몰리는 청결함에 대한 편집증 환자, 또는 광적인 청결 애호가라고 할 수도 있다.

* maniac은 maniacal[mənáiəkəl]로 쓰기도 한다.

A *maniacal* football coach might order his players to sleep with footballs under their pillows, so that they would dream only of football.

광적인 축구 코치라면, 오직 축구에 관한 꿈만 꾸도록 하기 위해 선수들의 베개 밑에 축구공을 넣고 자라고 명령할지도 모른다.

* 광기를 가진 사람을 manic[mǽnik]이라고 표현하기도 한다.

A *manic-depressive* is a person who alternates between periods of excessive excitement and deep depression. A *manic* tennis player is one who rushes frantically around the court as though her shoes were on fire.

조울병 환자란 지나친 흥분과 깊은 우울함의 시기가 번갈아 나타나는 사람이다. 광기가 있는 테니스 선수는 마치 자신의 신발에 불이라도 붙은 듯이 코트 위를 미친 듯이 돌아다니는 사람이다.

* 발음에 주의할 것.

**MARGINAL** [mɑ́ːrdʒənəl] adj **related to or located at the margin or border ; at the lower limit of quality ; insignificant** **변두리 또는 경계에 위치한, 혹은 그에 관계된 ; 최저 한계에 달하는 ; 하찮은**

The *marginal* notes in Sue's high school Shakespeare books are really embarrassing to her now, especially the spot in *Romeo and Juliet* where she wrote "How profound!"

수가 고등학교 시절에 셰익스피어 책의 가장자리에 써넣은 문구들은 오늘날 그녀를 정말로 당황하게 만든다. 특히, 「로미오와 줄리엣」에 그녀가 써넣은 "얼마나 심오한가!"라는 글은 더욱 그러하다.

Mrs. Hoadly manages to eke out a *marginal* existence selling the eggs her three chickens lay.

호들리 부인은 세 마리의 닭이 낳는 달걀을 팔아서 최저 생활을 근근히 유지하고 있다.

Sam satisfied the *marginal* requirements for the job, but he certainly didn't bring anything more in the way of talent or initiative.

샘은 업무에서 요구하는 최소한의 필요 조건을 갖추고 있었지만, 재능이나 창의력이라는 부분에서는 확실히 좀 더 많은 것들이 부족했다.

The difference in quality between these two hand towels is only *marginal*.

이 두 개의 손수건의 질적인 차이는 아주 하찮은 것이다.

* 부사는 marginally.

Arnie was *marginally* better off after he received a ten-dollar-a-week raise.

아니는 주당 십달러의 급료 인상을 받게 된 이후 생활이 조금 더 나아졌다.

**MATERIALISTIC** [mətìəriəlístik] adj **preoccupied with material things ; greedy for possessions** **물질적인 것에 몰두하는 ; 소유욕이 많은**

All very young children are innocently *materialistic* ; when they see something that looks interesting, they don't see why they shouldn't have it.

아주 나이가 어린 아기들은 철없이 물욕을 갖는다 ; 그들은 재미있어 보이는 것을 보게 되면, 그것을 가지면 왜 안 되는지 그 이유를 알지 못한다.

The *materialistic* bride-to-be registered for wedding presents at every store in town, including the discount pharmacy.

물질적인 것에 욕심이 많은 신부감은 할인 약국을 비롯하여 도시 내의 모든 상점마다 받고 싶은 결혼 선물을 점찍어 두었다.

People are always going on and on about today's *materialistic* society, but the craving to own more stuff has probably been with us since prehistoric times.

사람들은 오늘날의 물질적인 사회에 대해 언제나 떠들어대곤 한다. 그러나 더 많은 것을 소유하고자 하는 욕망은 아마도 선사 시대부터 우리와 함께 있었을 것이다.

The *materialistic* eighties are over, and now, in the nineties, we're finally beginning to think about spiritual values and what really matters in life. After 1999, though, it'll be back to materialism.

물질에 집착하던 80년대는 지나가고, 90년대에 들어선 오늘날에 우리들은 마침내 정신적인 가치, 인생에서 정말로 중요한 것에 대해 생각하기 시작했다. 1999년 이후, 다시 물질만능주의로 회귀하게 될지도 모르지만.

**MAWKISH** [mɔ́:kiʃ] adj **overly sentimental ; maudlin** 지나치게 감상적인(역겨운) ; 걸핏하면 우는

It's hard to believe that Trudy's *mawkish* greeting card verses have made her so much money ; I guess people really do like their greeting cards to be filled with mushy sentiments.
트루디의 안부 카드에 적힌 지나치게 감상적인 글 덕분에 그녀가 그렇게 많은 돈을 벌었다는 것은 믿을 수 없다 : 나는 사람들이 감상으로 가득한 안부 카드를 정말로 좋아한다고 생각한다.

I would have liked that movie a lot better if the dog's death scene, in which a long line of candle-bearing mourners winds past the shrouded doghouse, hadn't been so *mawkish*.
촛불을 든 조문객들이 길게 줄을 서서 수의로 덮은 개집을 돌아나가는 것으로 묘사된 개의 죽음에 관한 장면을 그토록 감상적으로 처리하지 않았더라면, 나는 그 영화를 훨씬 더 좋아했을 것이다.

**MEANDER** [miǽndər] v **to travel along a winding or indirect route ; to ramble or stray from the topic** 구불구불한 길이나 우회로를 따라 가다 ; 본 주제를 벗어나다, 두서없이 말하다

Since I hadn't wanted to go to the party in the first place, I just *meandered* through the neighborhood, walking up one street and down another, until I was pretty sure everyone had gone home.
무엇보다도 나는 파티에 가고 싶지 않았기 때문에, 모든 사람이 집으로 돌아갔을 것이라는 확신이 서게 될 때까지, 이 거리 저 거리를 걸어다니며 온 동네를 어슬렁거리고 다녔다.

The river *meanders* across the landscape in a series of gentle curves.
강은 부드러운 곡선들을 그리며 주변의 경치를 가로질러 굽이쳐 흐른다.

Professor Jones delivered a *meandering* lecture that touched on several hundred distinct topics, including Shelley's hairstyle, the disappearance of the dinosaurs, Latin grammar, and quantum mechanics.
존스 교수는 수백 가지 서로 다른 주제를 언급하면서 강의를 두서없이 했다. 그 중에는 셸리의 헤어스타일이나 공룡의 멸종, 라틴어 문법, 양자역학 같은 주제도 들어 있었다.

**MEDIUM** [mí:diəm] v **the means by which something is conveyed or accomplished ; a substance through which something is transferred or conveyed ; the materials used by an artist** 어떤 일을 전달하거나 성과를 내게 하는 수단, 방편, 매체 ; 어떤 물질이 변환하거나 전달되는 과정을 돕는 물질, 매개물 ; 화가들이 사용하는 재료

We are trying to decide whether print or television will be a better *medium* for this advertisement.
우리는 이번 광고에 더 알맞은 매체로 인쇄물이 좋을지 아니면 텔레비전 방송이 더 좋을지 결정하기 위해 고심중이다.

Coaxial cable is the *medium* by which cable television programming is distributed to viewers.
동축 케이블은 유선 방송을 시청자에게 전달하기 위한 수단이다.

Phil is an unusual artist ; his preferred *medium* is sand mixed with corn syrup.
필은 별난 화가이다 : 그가 선호하는 미술 재료는 옥수수 시럽을 섞은 모래이다.

* 복수는 media.

When people talk about the *media*, they're usually talking about the communications *media*: television, newspapers, radio, and magazines. The *media* instantly seized on the trial's lurid details.
사람들이 미디어에 대해서 얘기를 할 때, 대개 그들이 얘기하고 있는 것은 통신 수단으로서의 매체를 의미한다: 텔레비전, 신문, 라디오, 잡지 등. 매체들은 재판에서 드러난 소름끼치는 세부 내용들을 즉각적으로 포착했다.

* 정확한 어법에서, media는 대략적으로 언론처럼 집합명사로 사용될 때조차도 복수로 인정한다.

The *media* have a responsibility to report the facts fairly and without favor.
대중매체는 편파적이지 않고 공정하게 진실만을 보도해야 하는 의무가 있다.

**MELANCHOLY** [mélənkɑ̀li] adj **gloomy ; depressed and weary** **우울한 ; 의기소침하고 지쳐 있는**

Thomas always walks around with as *melancholy* an expression as he can manage, because he thinks that a gloomy appearance will make him seem mysterious and interesting to girls.
토마스는 언제나 될 수 있는 한 우울한 얼굴 표정으로 돌아다닌다. 우울한 모습을 하고 있으면, 자신이 신비스럽게 보이고 소녀들의 관심을 끌 수 있을 것이라고 생각하기 때문이다.

The *melancholy* music in the restaurant basically killed what was left of my appetite ; the songs made me feel so sad I didn't want to eat.
우울한 음악이 흐르는 레스토랑이 내게 남아 있던 식욕마저 완전히 앗아갔다 ; 그 노래들이 나를 너무나 슬프게 해서 음식을 먹고 싶은 마음이 없었다.

* melancholy는 명사이기도 하다.

The spider webs and dead leaves festooning the wedding cake brought a touch of *melancholy* to the celebration.
웨딩 케이크에 장식으로 꾸며놓은 거미줄과 말라붙은 잎은 그 결혼식을 우울하게 만들었다.

* 형용사 melancholic [mèlənkɑ́lik] 과 명사 melancholia [mèlənkóuliə] 도 간혹 위의 단어 대신에 사용되기도 한다.

**MELEE** [méilei/mélei] n **a brawl ; a confused fight or struggle ; a violent free-for-all ; tumultuous confusion** **싸움 ; 혼란스러운 싸움이나 분쟁 ; 격렬한 난상 토론 ; 소란스러운 혼란 상태**

* 발음에 주의할 것.

A *melee* broke out on the football field as our defeated players vented their frustrations by throwing dirt clods at the other team's cheerleaders.
경기에 패한 우리 팀이 좌절감을 발산하느라 상대팀의 치어리더들에게 진흙을 던졌기 때문에, 풋볼 경기장에는 난투극이 벌어졌다.

In all the *melee* of shoppers trying to get through the front door of the department store, I got separated from my friend.
백화점 현관을 통과하려고 애쓰는 구매객들의 혼란한 틈바구니 속에서, 나는 내 친구를 잃어버렸다.

**MENAGERIE** [mənǽdʒəri] n **a collection of animals** **동물의 무리, 동물원**

In olden times, kings kept royal *menageries* of exotic animals. These were the first zoos.
옛날에는, 왕실에 이국적인 동물들을 모아놓은 동물원이 있었다. 이것이 바로 최초의 동물원이었다.

The Petersons have quite a *menagerie* at their house now that both the cat and the dog have had babies.
이제 개와 고양이가 새끼를 낳았으므로 피터슨네는 집 안에다 아주 상당한 규모의 동물원을 갖게 된 셈이다.

## Q U I C K  Q U I Z 

Match each word in the first column with its definition in the second column. Check your answers in the back of the book.

| | |
|---|---|
| 1. malapropism | a. travel along a winding route |
| 2. mania | b. humorous misuse of a word |
| 3. marginal | c. the means by which something is conveyed |
| 4. materialistic | d. preoccupied with material things |
| 5. mawkish | e. crazed excitement |
| 6. meander | f. gloomy |
| 7. medium | g. insignificant |
| 8. melancholy | h. overly sentimental |
| 9. melee | i. collection of animals |
| 10. menagerie | j. brawl |

**METICULOUS** [mətíkjuləs] adj **precise and careful about details ; fussy** 세세한 일에까지 정확하고 신중한 ; 세심한, 까다로운

Patrick is *meticulous* about keeping his desk clean ; he comes in early every morning to polish his paper clips.
패트릭은 책상을 깨끗하게 유지하는 일에 있어서 꼼꼼한 편이다 ; 그는 매일 아침마다 서류용 클립을 닦으려고 일찍 온다.

The doctor paid *meticulous* attention to his patients ; he made careful notes of even tiny changes in their illnesses.
의사는 자신의 환자들에게 세심하게 관심을 쏟았다 ; 그는 환자들의 병에 관한 것이라면 아주 조그마한 변화라도 자세하게 기록을 했다.

Putting together a dollhouse is too *meticulous* a job for a three-year-old child ; there are too many small parts and too many details that have to be attended to.
인형의 집을 조립하는 것은 세 살 짜리 아이에겐 너무나 까다로운 작업이다 ; 집중을 필요로 하는 작은 부품과 부속품들이 너무나 많이 있다.

**MILLENNIUM** [miléniəm] n **a period of 1,000 years ; a thousandth anniversary** 천년의 시기 ; 천 번째 기념일

You'd better line up a baby-sitter for New Year's Eve, 1999. It's always hard to get sitters at the end of a *millennium*.
1999년의 마지막 날에 아이를 봐줄 사람을 확보해두는 것이 좋다. 천년의 마지막 날에 아이를 봐주는 사람을 구하기란 언제나 힘든 법이다.

In the first *millennium* after the birth of Christ, humankind made great progress—but pre-sweetened cereals didn't appear until close to the end of the second *millennium*.
예수의 탄생 후 첫 천년 동안, 인류는 위대한 발전을 이룩했다. — 그러나 설탕을 가미한 시리얼은 두 번째 천년이 끝나갈 무렵이 되어서야 겨우 나타났다.

In fundamentalist Christian belief, "the *millennium*" refers to a period of one thousand years during which Christ will return to reign on earth.
기독교 근본주의자들의 신앙에서, "천년"은 예수가 이 땅에 재림하는 날이 이르는 한 시기로서의 천년을 의미한다.

* 형용사는 millennial [miléniəl].

**MIRE** [maiər] n **marshy, mucky ground** 늪지 ; 더러운 땅

Walking through the *mire* in spike heels is not a good idea ; your shoes are liable to become stuck in the muck.
끝이 뾰족하고 높은 굽의 신발을 신고 더러운 땅을 걷는 것은 좋은 생각이 아니다 : 그런 신발은 쓰레기 더미 속에 박히기가 쉽다.

So many cars had driven in and out of the field that the grass had turned to *mire*.
워낙 많은 차들이 운동장을 들락날락했기 때문에, 잔디는 이미 진창으로 변했다.

* mire는 비유적인 의미나 원래 뜻 그대로의 동사로도 쓰인다.

The horses were so *mired* in the pasture that they couldn't go another step.
말들은 목장의 진흙탕에 빠져서 한 발짝도 나갈 수가 없었다.

I'd love to join you tonight, but I'm afraid I'm *mired* in a sewing project and can't get away.
오늘 밤 너와 함께 어울리고 싶지만, 나는 재봉일을 해야하기 때문에 빠져나갈 수가 없어서 정말이지 유감이다.

* quagmire는 늪지나 진창, 그리고 비유적인 의미로 헤어날 수 없는 곤경을 의미한다. They say that twenty people sank into the quagmire behind Abel's Woods and their bodies were never found. Because she was afraid that everyone would hate her if she told the truth, Louise entangled herself in a quagmire of lies and half-truths, and everybody hated her. 아벨의 숲 뒤에 있는 수렁에 스무 명의 사람들이 빠졌으며, 시신은 하나도 발견되지 않았다고 한다. 그녀가 진실을 말하면, 사람들이 모두 자기를 미워할 것이라고 생각했기 때문에, 루이스는 절반의 진실과 거짓의 수렁 속으로 숨어버렸고, 결국 사람들은 모두 그녀를 미워했다.

**MODE** [moud] n **method of doing ; type ; manner ; fashion** 일의 방법 ; 유형 ; 방식 ; 양식

Lannie's *mode* of economizing is to spend lots of money on topquality items that she thinks will last longer than cheap ones.
래니의 절약 방법은 싸구려 물건보다 오래 쓸 수 있을 것이라고 생각되는 최고 품질의 물건에 많은 돈을 지불하는 것이다.

When a big tree fell across the highway, Rex shifted his Jeep into four-wheel *mode* and took off across country.
큰 나무가 고속도로 중간에 넘어졌을 때, 렉스는 자신의 지프차를 4륜 구동 방식으로 바꾸어 시골길을 달렸다.

I'm not interested in dressing in the latest *mode* ; a barrel and a pair of flipflops are fashionable enough for me.
나는 최신 유행의 옷을 입는 데에는 관심이 없다 : 기름 한 통(즉, 자동차)과 한 켤레의 고무 슬리퍼면, 나로서는 충분히 유행을 따른 것이다.

**MODULATE** [mάdʒəlèit/mɔ́djulèit] v **to reduce or regulate ; to lessen the intensity of** 줄이다, 규제하다 ; ~의 강도를 줄이다

Please *modulate* your voice, dear! A well-bred young lady doesn't scream obscenities at the top of her lungs.
목소리 좀 줄여 주세요! 예절바른 숙녀라면 목청이 터져라 하고 큰 소리로 음담패설을 말하지 않는답니다.

Milhouse *modulated* his sales pitch when he realized that the hard sell wasn't getting him anywhere.
밀하우스는 강매를 하는 방법이 어디에서도 통하지 않는다는 것을 알게 되자, 자신의 판매 방법을 조절했다.

* 발음에 주의할 것.

**MOMENTUM** [mouméntəm] n **force of movement ; speed ; impetus** 추진력 ; 속도 ; 힘

The locomotive's *momentum* carried it through the tunnel and into the railroad terminal.
기관차의 추진력은 터널을 지나 철도의 마지막 종착역까지 기차를 몰아갔다.

She starts out small, with just a little whimpering. Then her bad mood picks up *momentum*, and in no time at all she's lying on the floor kicking and screaming.
그녀는 처음에는 작고, 나지막한 흐느낌으로 시작한다. 곧이어 그녀의 우울한 기분은 추진력을 얻게 되고 얼마 지나지 않아, 그녀는 마루 바닥에 누워 발을 구르며 절규하고 있다.

Even when they're both being driven at the same speed, a big car is harder to stop than a small one, because it has more *momentum*.
두 대의 차량이 같은 속도로 달려가고 있다 할지라도, 큰 차는 더 큰 타성을 갖고 있기 때문에, 작은 차보다 정지하기가 더 힘들다.

Harry's birdie on the seventeenth hole provided the *momentum* that carried him to victory.
17번 홀에서 기록한 버디 덕분에, 해리는 그를 승리로 이끈 추진력을 얻었다.

**MORATORIUM** [mɔ̀rətɔ́:riəm] n **a suspension of activity ; a period of delay** **활동의 중지 ; 유예 기간**

The president of the beleaguered company declared a *moratorium* on the purchase of office supplies, hoping that the money saved by not buying paper clips might help to keep the company in business a little bit longer.
곤경에 처한 회사의 사장은 사무 용품의 구입에 대해 일시적 정지를 선언했다. 그는 서류용 클립을 구입하지 않음으로써 절약되는 돈이 회사의 경영을 조금이라도 더 연장하는 데 도움이 되기를 원했다.

The two countries agreed to a *moratorium* on the production of new nuclear weapons while their leaders struggled to work out the terms of a permanent ban.
지도자들이 핵무기 개발의 지속적인 금지라는 협의안을 내기 위해 애쓰는 동안, 두 나라는 새로운 핵무기의 생산을 잠정 중지하자는 안에 동의했다.

**MORES** [mɔ́:reiz] n **customary moral standards** **관습적인 도덕 기준**

* 이 단어는 항상 복수 형태이다. 발음에 주의할 것.

According to the *mores* of that country, women who wear revealing clothing are lewd and licentious.
그 나라의 관습에 의하면, 노출이 있는 옷을 입는 여자들은 음탕하고 방종한 것이다.

**MOTIF** [moutí:f] n **a recurring theme or idea** **반복적으로 나오는 주제나 사상**

The central *motif* in Barry's first novel seems to be that guys named Barry are too sensitive for other people to appreciate fully.
배리의 첫 번째 소설의 중심 주제는 배리라는 이름을 가진 남자들은 너무나 섬세해서 다른 사람들이 그들을 완전하게 알 수는 없다는 내용인 것 같다.

Andrea's new apartment's okay-looking, but it would be more impressive if owls weren't the main decorative *motif*.
안드레아의 새 아파트는 아주 좋아 보인다. 그러나, 아파트 장식의 주요 테마가 올빼미가 아니라면, 더 인상이 좋을 것이다.

**MOTLEY** [mɑ́tli] adj **extremely varied or diverse ; heterogeneous ; multicolored** **아주 다양한, 매우 잡다한 ; 이질적인 ; 다양한 색깔로 되어 있는**

Louise's friends are a *motley* group of artists, bankers, and sanitation engineers.
루이스의 친구들은 화가들이나 은행원들, 보건 위생 기술자 등, 아주 다양하다.

One glance at her date's *motley* tuxedo convinced Cathy that she didn't want to go to the prom after all ; the jacket looked more like a quilt than like a piece of formal clothing.
데이트 상대의 매우 잡다한 턱시도를 힐끗 한번 보고 나서, 캐시는 댄스 파티에 정말로 가고 싶지 않다는 확신이 들었다 ; 그의 상의는 정식 야회복이 아니라 누비 이불에 더 가까워 보였다.

**MUNICIPAL** [mju:nísəpəl] adj **pertaining to a city (or town) and its government** **시와 시 정부에 소속된**

All the *municipal* swimming pools close after Labor Day because the city doesn't have the staff to keep them open any longer.
모든 시립 수영장은 노동절 이후에 문을 닫는다. 시에는 더 이상 수영장을 관리할 직원들이 없기 때문이다.

The town plans to build a *municipal* birdhouse to keep its pigeons off the streets.
그 도시는 비둘기들이 도로에 나오지 못하도록 하기 위해 시에서 관리하는 새장을 만들 계획이다.

* municipality [mjuːnìsəpǽləti] 는 자신만의 고유한 행정부를 가지고 있는 별개의 시나 읍 등을 의미한다. municipal government는 그러한 자치 단체의 행정부를 의미한다.

## MUSE [mjuːz] v to ponder ; to meditate 숙고하다 ; 묵상하다

"I wonder if I'll win the flower-arranging prize," Melanie *mused*, staring reflectively at her vaseful of roses and licorice sticks.

"내가 과연 꽃꽂이 대회에서 우승할 수 있을까." 멜라니는 자신이 장미와 감초 줄기로 장식한 꽃병을 바라보며 깊은 생각에 잠겼다.

Fred meant to get some work done, but instead he sat at his desk *musing* all afternoon, and then it was time to go home.

몇 가지 처리해야 할 일이 있었지만, 프레드는 그 대신에, 오후 내내 명상을 하면서 책상에 앉아 있었다. 그리고 이제 집에 갈 시간이었다.

* muse는 명사이기도 하다.

In Greek mythology, the nine Muses were patron goddesses of the arts. In modern usage, a *muse* is anyone who inspires an artist's creativity.

그리스 신화에 보면, 아홉 명의 뮤즈 여신은 예술을 보호하는 여신들이었다. 현대 어법에서 muse는 예술가의 창조에 영감을 불어넣는 누군가를 일컫는 단어이다.

"Beatrice, you are my *muse*. You inspire all my best poetry," John said to his pet guinea pig.

"베아트리체, 당신은 나의 뮤즈 여신이오. 그대는 모든 나의 시에 아름다운 숨결을 불어넣는다네." 존은 그의 애완용 돼지쥐에게 말했다.

* bemused는 몰두하고 있거나 정신이 팔려 있다는 뜻이다.

Charlie was too *bemused* to notice that wine from a spilled goblet was dripping into his lap.

찰리는 너무나 몰두한 나머지 쓰러진 술잔에서 와인이 흘러나와 무릎에 뚝뚝 떨어지고 있다는 사실을 깨닫지 못했다.

## MUSTER [mʌ́stər] v to assemble for battle or inspection ; to summon up 전투나 점검을 위해 소집하다 ; 불러내다

The camp counselor *mustered* the girls in her cabin for bunk inspection. She really had to *muster* up all her courage to do it, because the girls were so rowdy they never did what she told them. Luckily, the cabin passed *muster* ; the camp director never noticed the dust under the beds. ("To pass *muster*" is an idiomatic expression that means to be found to be acceptable.)

캠프 지도원은 침대 점검을 하기 위해 그녀의 오두막에 소녀들을 소집했다. 사실은, 그녀는 그 일을 하기 위해서 모든 용기를 다 불러내야만 했다. 소녀들이 너무나 난폭한 탓에 결코 그녀가 지시한대로 하지 않았기 때문이었다. 다행히도, 그 오두막은 점검에 통과했다 : 캠프 감독관은 침대 밑의 먼지를 보지 못했다. ("To pass muster"는 만족할 만해서 허락된다는 의미의 관용적 표현이다.)

## MYSTIC [místik] adj otherworldly ; mysterious ; enigmatic 내세의 ; 신비한 ; 수수께끼 같은

The swirling fog and the looming stalactites gave the cave a *mystic* aura, and we felt as though we'd stumbled into Arthurian times.

소용돌이치는 안개와 희미하게 보이는 종유석 탓에 동굴에는 신비한 분위기가 감돌았다. 우리는 마치 아서왕의 시대로 걸어들어간 것 같은 기분이었다.

* 동의어는 mystical [místikəl].

The faint, far-off trilling of the recorder gave the music a *mystical* quality.

아득히 멀리서 들려오는 희미한 리코더 소리가 음악에 신비감을 더했다.

* mystic은 다른 세상과 접촉하는 사람, 즉 신비주의자를 의미하는 명사로도 쓰인다.

Michaela the *Mystic* stared into her clouded crystal ball and remarked, "Time to get out the Windex."

신비한 힘을 가진 미셸라는 뿌연 수정 구슬을 들여다보았다. 그리고 나서, "윈덱스사를 떠나야 할 시간"이라고 말했다.

*Mysticism* [místəsìzm] is the practice or spiritual discipline of trying to reach or understand God through deep meditation.

신비주의적 신앙은 깊은 명상을 통해 신에게 도달하거나 신을 이해하려는훈련이나 영적인 수양을 의미한다.

## QUICK QUIZ 

Match each word in the first column with its definition in the second column. Check your answer in the back of the book.

| | |
|---|---|
| 1. meticulous | a. method of doing |
| 2. millennium | b. reduce or regulate |
| 3. mire | c. extremely varied |
| 4. mode | d. force of movement |
| 5. modulate | e. period of one thousand years |
| 6. momentum | f. recurring theme |
| 7. moratorium | g. precise and careful about details |
| 8. mores | h. otherworldly |
| 9. motif | i. customary moral standards |
| 10. motley | j. marshy, mucky ground |
| 11. municipal | k. assemble for battle |
| 12. muse | l. ponder |
| 13. muster | m. suspension of activity |
| 14. mystic | n. pertaining to a city or town |

**NEBULOUS** [nébjuləs] adj **vague or indistinct ; unclear ; hazy** 희미한, 불분명한 ; 명백하지 않은 ; 흐릿한

Jake's ideas about a career are a little *nebulous* at this point. He says he wants to have a job that will entitle him to have a telephone on his desk, but that's all he's figured out so far.
직업에 대한 제이크의 생각은 현재로선 약간 막연하다. 그는 자신의 책상 위에 전화를 둘 수 있는 정도의 지위가 있는 일자리를 원한다고 말한다. 그러나, 지금까지 그가 구체화하고 있는 것은 그것이 전부이다.

The stage lighting was so poor that you could see only a few *nebulous* outlines of the set.
무대 조명이 너무나 빈약하기 때문에, 겨우 무대 장치의 희미한 윤곽만 볼 수 있었다.

A *nebula*[nébjulə] is a cloud of interstellar gas and dust, and, from our vantage point here on earth, it is just about as *nebulous* as you can get. The plural of *nebula* is *nebulae*[nébjuli].
성운은 별들 사이에 존재하는 가스나 먼지의 뿌연 덩어리이다. 여기 지구의 한 지점에서, 여러분이 보는 것처럼, 그것은 단지 뿌옇게 보일 뿐이다.

* 발음에 주의할 것.

**NEMESIS** [néməsis] n **unconquerable opponent or rival ; one who seeks just compensation or revenge to right a wrong** 극복하기 어려운 상대나 경쟁자 ; 잘못된 것을 바로 잡기 위해 보상이나 복수를 하려고 하는 사람

In Greek mythology, *Nemesis* was the goddess of divine retribution. If you were due for a punishment, she made sure you got it.
그리스 신화에서 네메시스는 하늘의 응징을 관장하는 여신이었다. 벌을 받을 만한 일을 했다면, 네메시스는 반드시 응징을 했다.

Nacho-flavored Doritos are the dieter's *nemesis*; one bite, and you don't stop eating till the bag is gone.
나초 향이 가미된 도리토스 스낵은 다이어트를 하는 사람에게는 극복할 수 없는 유혹이다. 한 입만 먹으면, 봉지가 바닥날 때가지 멈출 수가 없다.

Betsy finally met her *nemesis*, in the form of a teacher who wouldn't accept any excuses.
벳시는 마침내 어떠한 변명도 절대 용납하지 않는 선생님이라는 최고의 강적을 만났다.

**NEOPHYTE** [níːəfàit] n **beginner ; novice** 초보자 ; 풋내기

The student librarian was such a *neophyte* that she reshelved all the books upside down.
학생 사서는 새로 온 신참이었기 때문에, 위에 있는 모든 책을 다시 아래로 내리는 선반 정리를 했다.

I'm not being fussy. I just don't like the idea of having my cranium sawn open by a *neophyte* surgeon!
나는 야단법석을 떨고 있는 것이 아니다. 나는 단지, 신출내기 외과 의사가 내 두개골을 톱으로 절개한다는 생각이 끔찍할 뿐이다.

The prefix "neo" means new, recent, or revived. A *neologism*[niálədʒizm], for example, is a new word or an old word used in a new way. A *neonate*[ní:ənèit] is a newborn. *Neoprene*[ní:əprì:n] is a new kind of synthetic rubber-or at least it was new when it was invented. (It's the stuff that wet suits are made of.)

"neo"라는 접두사는 '새로운, 최근의, 다시 태어난 것'을 의미한다. 예를 들면, neologism은 신조어나 새로운 방식으로 쓰이는 옛말을 뜻한다. neonate는 신생아를 의미한다. Neoprene은 신종 합성고무이다. — 적어도 발명 당시에는 새로운 물질이었다.(네오프렌은 잠수용 옷을 만드는 재료이다.)

* 발음에 주의할 것.

**NIRVANA** [nə:rvá:nə/niər-] n **a blissful, painless, worry-free state** **더없이 행복하고 고통 없고, 걱정 없는 상태, 해탈**

According to Buddhist theology, you reach *nirvana* once you have purged your soul of hatred, passion, and self-delusion. Once you have reached *nirvana*, you will no longer have to undergo the cycle of reincarnation.

불교의 이론 체계에 의하면, 증오와 욕심과 망상의 망령을 버리면 열반의 경지에 이를 수 있다. 한번 열반의 경지에 이르게 되면, 더 이상 윤회의 사슬에 얽매이지 않게 된다.

In common English usage, the word's meaning is looser, and *nirvana* often refers to a mental state rather than a physical one. A person might claim that she'd achieved *nirvana* as a result of listening to some particularly tedious New Age music, for example. She might also say that, for her, a hot fudge sundae is *nirvana*.

일반적인 영어 어법에서, 이 단어는 더 막연한 의미로 사용되어, 흔히 육체적인 상태보다는 정신적인 상태를 가리키는 것으로 많이 사용된다. 예를 들자면, 어떤 사람은 아주 지루한 뉴에이지 음악을 듣고 나서 '정신적인 안정'을 얻었다고 말할 수도 있다. 그녀는 또한 캔디 아이스크림이 자신에게는 '정신적 안정' 그 자체라고 말할지도 모른다.

**NOISOME** [nɔ́isəm] adj **offensive or disgusting ; stinking ; noxious** **불쾌한 ; 악취가 나는 ; 유해한**

When I opened the refrigerator after returning from vacation, such a *noisome* odor leaped out at me that I bolted from the apartment.

휴가를 마치고 돌아와서 냉장고를 열어보니, 아주 고약한 냄새가 나를 덮쳤다. 나는 아파트에서 도망쳐버렸다.

The *noisome* brown liquid seeping out of the floor of my bathroom certainly isn't water. At any rate, it doesn't taste like water.

욕실 바닥에서 새어나오는 고약한 악취가 나는 갈색 액체는 확실히 물은 아니다. 어쨌거나, 그것은 물맛도 나지 않는다.

* 이 단어의 뜻을 잘 기억할 것. noise(소음)와는 아무런 관계도 없다.

**NOMADIC** [noumǽdik] adj **wondering from place to place ; without a permanent home** **이곳 저곳을 옮겨 다니는 ; 정착하고 사는 집이 없는**

A *nomad*[nóumæd] is one of a group of wandering people who move from place to place in search of food and water for themselves and for their animals. The Bedouins, members of various Arab tribes that wander the deserts of North Africa and elsewhere, are *nomads*.

유목민은 자신들과 가축들이 먹을 식량과 물을 찾아서 이곳저곳을 돌아다니며 생활하는 사람들을 말한다. 북아프리카의 사막 지대와 다른 곳을 옮겨 다니는 다양한 아랍 종족 가운데 하나인 베두인족도 유목민이다.

* 형용사는 nomadic.

Lila spent her senior year living in a tent with a *nomadic* tribe of sheep herders.

리라는 졸업반 때 양을 치는 유목 민족과 함께 천막에서 생활했다.

Ever since he graduated from college, my brother has been living a *nomadic* life; his only home is his car, and he moves it every day.

대학을 졸업한 이후로, 형은 방랑 생활을 계속하고 있다. 그의 유일한 집은 자동차이고, 매일 다른 곳으로 옮겨다닌니다.

## NOMENCLATURE [nóumənklèitʃər] n **a set or system of names ; a designation ; a terminology** 명칭의 체계 ; 명칭 ; 용어

I'd become a botanist in a minute, except that I'd never be able to memorize all that botanic *nomenclature*.

모든 식물의 학명 체계를 암기할 수 없다는 것만 제외한다면, 나는 언제라도 식물학자가 될 수 있을 것이다.

In the Bible, Adam invented *nomenclature* when he gave all the animals names. You could call him the world's first *nomenclator* [nóumənklèitər].

성서에 의하면, 아담은 모든 동물들에게 이름을 지어줌으로써 최초로 명칭을 만들었다. 우리는 아담을 세계 최초로 '명칭을 만든 사람'이라고 불러도 좋을 것이다.

* nomenclator는 학명 등의 이름을 붙인 사람.

## NONCHALANT [nɑ̀nʃəlɑ́:nt] adj **indifferent ; coolly unconcerned ; blasé** 무관심한 ; 냉담하고 관심이 없는 ; 무감동한

Omar was acting awfully *nonchalant* for someone who had just been invited to dinner at the White House ; he was yawning and using a corner of the invitation to clean his nails.

오마는 백악관의 만찬에 지금 막 초대받은 사람치고는 아주 무관심한 것처럼 행동했다 ; 그는 하품을 하면서 초대장의 귀퉁이로 손톱 소제를 하고 있었다.

"I don't care that my car was stolen," Lucy said in a *nonchalant* voice. "Daddy will buy me a new one."

"차를 도둑맞은 사실에 신경 쓰지 않아. 아빠가 새 차를 사주실 걸." 루시는 아무렇지도 않은 목소리로 말했다.

Unconcerned with all the worry his disappearance had caused, the cat sat down and *nonchalantly* began to wash his face.

고양이의 실종 때문에 야기되었던 온갖 걱정에는 나몰라라하며, 그 고양이는 주저앉아 무관심하게 세수를 하기 시작했다.

* 명사는 nonchalance.

## NULLIFY [nʌ́ləfài] v **to repeal ; to cancel ; to void** 무효로 하다 ; 취소하다 ; 폐지하다

* null은 아무 것도 없거나 효과가 없는 것을 의미한다. 수학에서 null set은 하나도 없는 집합, 즉 공집합을 뜻한다. nullify는 무효로 하다, 효력을 없게 만든다는 뜻이다.

A moment after the ceremony, the bride asked a lawyer to *nullify* the prenuptial contract she had signed the day before ; she no longer felt that $50,000 a month in alimony would be enough.

결혼식이 끝나자마자, 신부는 변호사에게 전날 서명했던 혼전 계약서를 무효로 하겠다고 말했다 ; 그녀는 한 달에 5만 달러라는 별거수당이 충분하지 않다고 마음을 바꿨던 것이다.

It's hard to believe that Saudi Arabia still hasn't *nullified* the law that prohibits women to drive.

사우디 아라비아가 여성들의 운전을 금지하는 법률을 여전히 폐지하지 않고 있다는 사실은 믿기가 어렵다.

* annul은 결혼이나 법률을 폐지하거나 취소한다는 뜻이다.

## QUICK QUIZ 

Match each word in the first column with its definition in the second column. Check your answer in the back of the book.

| | |
|---|---|
| 1. nebulous | a. wondering from place to place |
| 2. nemesis | b. vague |
| 3. neophyte | c. blissful, worry-free state |
| 4. nirvana | d. system of names |
| 5. noisome | e. downfall |
| 6. nomadic | f. repeal |
| 7. nomenclature | g. indifferent |
| 8. nonchalant | h. beginner |
| 9. nullify | i. offensive or disgusting |

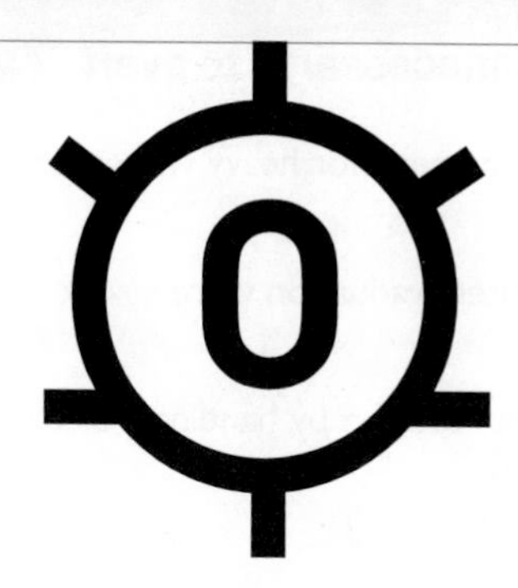

**OBEISANCE** [oubéisəns] n **a bow or curtsy ; deep reverence** 인사, 절 ; 깊은 존경

* 발음에 주의할 것.

When the substitute teacher walked into the room, the entire class rose to its feet in mocking *obeisance* to her.
보조 선생님이 교실로 들어왔을 때, 학생들은 그녀를 조롱하는 인사로 일어섰다.

"You'll have to show me *obeisance* once I'm elected queen of the prom," Diana proclaimed to her servile roommates, who promised that they would.
"내가 댄스파티의 여왕으로 뽑힌다면, 너희들은 내게 복종하는 모습을 보여주어야 해."라고 다이애나는 신하가 되겠다고 약속한 룸메이트들에게 공언했다.

* 관련 단어로 obedience와 obey가 있다.

**OBJECTIVE** [əbdʒéktiv] adj **unbiased ; unprejudiced** 공평한 ; 편견이 없는

It's hard for me to be *objective* about her musical talent, because she's my own daughter.
그녀의 음악적 재능을 편견 없이 평가하기란 어려운 일이다. 그녀가 내 딸이기 때문이다.

Although the judges at the automobile show were supposed to make *objective* decisions, they displayed a definite bias against cars with tacky hood ornaments.
자동차 쇼의 심사위원들은 공평한 결정을 내리기로 했음에도 불구하고, 보닛을 볼품없이 꾸민 차량에는 명확하게 반감을 드러냈다.

* 명사 objectivity [àbdʒektívəti]는 객관성, 타당성을 의미.

It was hard to have much faith in the magazine's film reviewer, since he was trying to sell a script he had written to the studios whose movies he was reviewing.
잡지사의 영화 평론가에게 깊은 신뢰성을 갖기란 어려운 일이었다. 그가 평론을 쓰고 있는 영화를 만든 제작자 측에 원고 초안을 팔려고 했기 때문이다.

* objective는 명사로 쓰일 경우, 목표, 목적지, 의도나 계획 등을 의미한다.

My life's one *objective* is to see that my father never embarrasses me in public again. The opposite of *objective* is *subjective*.
내 인생의 한가지 목표는 아버지가 다시는 다른 사람들 앞에서 나를 면박하는 것을 보지 않게 되는 것이다. objective의 반대말은 subjective.

**OBTRUSIVE** [əbtrú:siv] adj **interfering ; meddlesome ; having a tendency to butt in** 간섭하는 ; 지겹게 참견하는 ; 참견하기 좋아하는

I like to walk up and down the halls of my dorm checking up on my friends' grades after midterms. People call me *obtrusive*, but I think of myself as caring and interested.
나는 중간 고사가 끝난 후, 내 친구들의 성적을 확인하면서 기숙사 복도를 오르락내리락하기를 좋아한다. 사람들은 나를 주제넘은 참견꾼이라고 부르지만 나는 다정하고 호기심이 많은 사람이라고 생각한다.

The taste of anchovies would be *obtrusive* in a birthday cake ; it would get in the way of the flavor of the cake.
안초비 향은 생일 케이크와는 너무 어울리지 않을 것이다 ; 그것은 생일 케이크의 맛을 방해할 것이다.

* 동사는 obtrude이고 intrude와 관계가 있다.

**OBVIATE** [ábvièit] v **to make unnecessary ; to avert** 무용지물로 만들다 ; (위험 등을) 막다

Their move to Florida *obviated* the need for heavy winter clothes.
플로리다로 이사하자 두꺼운 겨울 옷들은 필요가 없어졌다.

My worries about what to do after graduation were *obviated* by my failing three of my final exams.
마지막 시험에서 세 과목이나 낙제하는 바람에 졸업 후에 무엇을 할 것인가 하는 걱정은 쓸데없는 일이 되었다.

Robert *obviated* his arrest for tax evasion by handing a blank check to the IRS examiner and telling him to fill in any amount he liked.
로버트는 국세청 조사원에게 백지 수표를 내밀고 그에게 원하는 액수를 쓰라고 함으로써 탈세 행위에 대한 구속을 피했다.

**OCCULT** [əkʌ́lt, ákʌlt] v **supernatural ; magic ; mystical** 초자연적인 ; 마법 같은 ; 신비로운

I don't mind having a roommate who's interested in *occult* rituals, but I draw the line at her burning chicken feathers under my bed.
나는 초자연적인 종교 의식에 관심을 갖고 있는 같은 방 친구에게 그다지 신경 쓰지 않는다. 그러나, 그녀가 내 침대 밑에서 닭 깃털을 태우는 행위는 인정하지 않는다.

There's a store on Maple Street called Witch-O-Rama ; it sells crystal balls, love potions, and other *occult* supplies.
매플가에는 Witch-O-Rama(라마의 마녀)라는 이름의 가게가 있다 ; 그 가게는 수정 구슬이나 사랑의 묘약, 그 밖의 신비한 물품들을 판다.
* occult는 명사로도 쓰인다.

Marie has been interested in the *occult* ever since her stepmother turned her into a gerbil.
마리는 계모가 그녀를 게르빌루스쥐로 만들어버린 이후로 초자연적인 마술에 대해 관심을 갖고 있었다.

**ODIOUS** [óudiəs] adj **hateful ; evil ; vile** 미운; 사악한 ; 야비한

That three-eyed giant has the *odious* habit of grinding the bones of Englishmen to make his bread.
눈이 세 개인 그 거인은 자신이 먹을 빵을 만들기 위해 영국인의 뼈를 갈아서 사용하는 사악한 습관이 있었다.

Don won the election by stooping to some of the most *odious* tricks in the history of politics.
돈은 부끄러운 줄도 모르고 정치 역사상 가장 비열한 수법을 몇 가지 동원하여 선거에서 승리하였다.
* odium [óudiəm] 은 증오, 깊은 경멸, 불명예 등을 의미한다.

At Camp Winnipesaukee, hairdryers, electric toothbrushes, and electric blankets are held in utter *odium*.
위니페소키 캠프에서는 헤어드라이어, 전동 칫솔, 전기 담요는 아주 혐오스러운 것으로 여겨진다.

**ODYSSEY** [ádəsiː] n **a long, difficult journey, usually marked by many changes of fortune** 많은 운명의 변화를 겪게 되는 길고 힘든 여행

In Homer's epic poem *The Odyssey*, Odysseus spends ten years struggling to return to his home in Ithaca, and when he finally arrives, only his dog recognizes him. In modern usage, an *odyssey* is any long and difficult journey.
호머의 서사시인 오디세이를 보면, 오디세우스는 이타카에 있는 자신의 고향으로 돌아오기 위해 힘든 과정을 거치며 십 년을 보낸다. 그가 마침내 집으로 돌아왔을 때는, 오직 그의 개만이 그를 알아본다. 현대 어법에서 odyssey는 장기간의 힘든 여행을 의미한다.

Any adolescent making the *odyssey* into adulthood should have a room of his own, preferably one that's not part of his parents' house.
어른으로 성장하기 위해 장기간의 방황을 겪는 청소년들은 가급적이면 부모의 집에 속해 있는 방이 아니라 자신만의 공간을 가져야만 할 것이다.

My quick trip up to the corner hardware store to buy a new shower head turned into a day-long *odyssey* that took me to every plumbing-supply store in the metropolitan area.
새 샤워 꼭지를 사러 모퉁이의 철물점에 잠깐 다녀오려던 외출은 대도시 전역의 수도관 수리 용품 가게를 모두 뒤지고 다니는 하루 종일의 긴 방랑이 되었다.

**OLFACTORY** [ɑlfǽktəri] adj **pertaining to the sense of smell** 후각에 관계된

That stew's appeal is primarily *olfactory* ; it smells great, but it doesn't have much taste.
저 스튜 요리의 매력은 주로 그 냄새에 있다 : 냄새는 아주 좋지만 그다지 맛은 좋지 않다.

I have a very sensitive *olfactory* nerve. I can't be around cigarettes, onions, or people with bad breath.
나는 상당히 후각 신경이 예민하다. 나는 담배나 양파나 나쁜 냄새가 나는 숨을 쉬는 사람들 근처에는 있을 수가 없다.

**OLIGARCHY** [áləgɑ̀ːrki] n **government by only a very few people** 소수의 사람들에 의해서 통치되는 정권, 과두정치

They've set up a virtual *oligarchy* in that country ; three men are making all the decisions for twenty million people.
그들은 그 나라에 사실상의 소수 독재 정치를 수립했다 : 세 명의 사람이 2천만 국민의 모든 결정권을 행사하고 있다.

Whenever Rick's parents tell him that they're in charge of the family, he tells them that he can't survive under an *oligarchy*.
부모님이 가족을 모두 책임지고 있다고 릭에게 말할 때마다, 릭은 부모님에게 독재 정치 밑에서는 살 수 없다고 대꾸하곤 한다.

* oligarch [áləgɑ̀ːrk] 는 소수의 지배자 중의 어느 한 사람, 즉 독재자를 의미한다.

**OMINOUS** [ámənəs] adj **threatening ; menacing ; portending doom** 험악한 ; 위협적인 ; 파멸을 예고하는

Mark's big brother has an *ominous*, I'm-going-to-pound-you-into-the-ground look.
마크의 큰 형은 마크를 두들겨 패서 납작하게 만들겠다고 위협을 한다.

The sky looks *ominous* this afternoon ; there are black clouds in the west, and I think it is going to rain.
오늘 오후의 하늘은 험악한 날씨를 예고하는 듯하다 : 서쪽 하늘에는 먹구름이 있고, 나는 비가 올 것이라고 생각한다.

Mrs. Lewis's voice sounded *ominous* when she told the class that it was time for a little test.
학생들에게 쪽지 시험을 볼 시간이라고 말하는 루이스 선생님의 목소리는 불길한 운명을 예고하는 듯했다.

* 관계있는 단어로 omen(예시, 징조)이 있다.

## QUICK QUIZ 58

Match each word in the first column with its definition in the second column. Check your answer in the back of the book.

| | |
|---|---|
| 1. obeisance | a. make unnecessary |
| 2. objective | b. unbiased |
| 3. obtrusive | c. pertaining to the sense of smell |
| 4. obviate | d. threatening |
| 5. occult | e. deep reverence |
| 6. odious | f. government by only a very few people |
| 7. odyssey | g. interfering |
| 8. olfactory | h. long, difficult journey |
| 9. oligarchy | i. hateful |
| 10. ominous | j. supernatural |

**OMNISCIENT** [amníʃənt] adj **all-knowing ; having infinite wisdom** 모든 것을 다 아는 ; 무한한 지혜를 가진

* 발음에 주의할 것.

A small child sees his parents as *omniscient*. A teenager, by contrast, thinks they don't know anything at all.
어린 아이들은 자신의 부모가 모든 것을 알고 있다고 생각한다. 반대로 십대들은 부모들이 아무 것도 모른다고 생각한다.

In a novel with an *omniscient* point of view, the narrator knows what every character in the book is thinking.
전지적 작가 시점 소설에서는, 이야기를 이끌어 가는 사람은 책 속의 모든 등장 인물이 생각하는 것을 알고 있다.

* 접두사 omni는 '모든 것'을 의미한다. omnipotent[amnípətənt]는 전능하다는 뜻이다. omnivorous[amnívərəs] animal은 고기와 채소를 포함해서 모든 것을 먹는 잡식성 동물을 가리킨다. omnipresent[àmnəprézənt]는 모든 곳에 다 있다는 뜻이다.

In March, mud is *omnipresent*.
3월에는 어느 곳이나 진흙탕이다.

"Sci" is a word root meaning knowledge or knowing. *Prescient*[préʃənt] means knowing beforehand ; *nescient*[néʃənt] means not knowing, or ignorant.
"Sci" 라는 어근은 지식, 또는 앎을 의미한다. prescient는 미리 아는 것이다 ; nescient는 알 수 없거나 무지하다는 뜻이다.

**OPPROBRIOUS** [əpróubriəs] adj **damning ; extremely critical ; disgraceful** 비난하는 ; 혹독하게 비난하는 ; 수치스러운

The principal gave an *opprobrious* lecture about apathy, saying that the students' uncaring attitude was ruining the school.
교장은 학생들의 무관심이 학교를 망치고 있다는 내용으로 학생들의 무관심에 대해서 혹독하게 비난하는 설교를 하셨다.

John's *opprobrious* conduct in church included making disgusting noises during the sermon and leering at women in the congregation whenever the Bible passages were even mildly suggestive.
교회에서 벌인 존의 상스러운 행동에는 설교 중에 혐오스런 소음을 낸 것과 성서의 구절이 약간만 성적인 것을 암시해도 회중 속의 여자들을 곁눈질해서 보곤 하는 행동도 들어 있었다.

* opprobrium[əpróubriəm]은 망신이나 비난, 불명예의 뜻이다.

Penny brought *opprobrium* on herself by robbing the First National Bank and spray painting naughty words on its marble walls.

페니는 First National Bank를 털고 스프레이로 은행 대리석 벽에 외설적인 낙서를 한 것 때문에 비난을 받았다.

## ORDINANCE [ɔ́ːrdənəns] n law ; regulation ; decree 법령 ; 규칙 ; 포고

I'm sorry, but you'll have to put your bathing suit back on; the town passed an *ordinance* against nude swimming at this beach.

유감스럽게도, 여러분은 수영복을 다시 입어야만 할 것이다. 그 도시는 이 해변에서 나체로 수영하는 것을 금지하는 법안을 통과시켰다.

According to a hundred-year-old local *ordinance*, two or more people standing on a street corner constitutes a riot.

백년이나 이어져 온 자치 단체 법령에 의하면, 길 모퉁이에 둘 또는 그 이상의 사람들이 모여 있는 것은 소요죄에 해당한다.

* ordinance와 ordnance[ɔ́ːrdnəns]를 혼동하지 말 것. ordnance는 군대의 무기나 대포를 일컫는다.

## OSCILLATE [ɑ́səlèit] v to swing back and forth ; to pulsate ; to waver or vacillate between beliefs or ideas 앞뒤로 흔들리다 ; 진동하다 ; 종교나 이념의 문제에서 동요하거나 흔들리다

We watched the hypnotist's pendulum *oscillate* before our eyes, and soon we became very, very sleepy.

우리는 눈 앞에서 진동하고 있는 최면술사의 진자를 쳐다보았다. 그러자, 우리는 곧 아주 깊은 졸음에 빠져들었다.

Mrs. Johnson can't make up her mind how to raise her children ; she *oscillates* between strictness and laxity depending on what kind of mood she's in.

존슨 부인은 아이들을 어떻게 양육할 것인지 마음을 정하지 못하고 있다 ; 그녀는 기분에 따라 엄격함과 관대함 사이에서 왔다 갔다 한다.

## OSMOSIS [ɑzmóusis] n gradual or subtile absorption 점진적이고 미세한 흡수, 삼투

* 과학 분야에서의 osmosis는 유동체가 얇은 막을 통해 퍼지는 것을 의미한다. 세포를 통한 액체의 흐름을 조절하는 것도 osmosis라 한다. 일반적인 어법에서, osmosis는 흡수에 대한 비유적인 한 예로 쓰인다.

I learned my job by *osmosis* ; I absorbed the knowledge I needed from the people working around me.

나는 다른 것에서 흡수하는 방법으로 업무를 배웠다 ; 내 주변의 사람들에게서 내가 필요로 하는 지식을 흡수했다.

## OSTRACIZE [ɑ́strəsàiz] v to shun ; to shut out or exclude a person from a group 배척하다 ; 집단에서 한 사람을 내쫓다, 추방하다

After she'd tattled to the counselor about her bed being short-sheeted, Traces was *ostracized* by the other girls in the cabin ; they wouldn't speak to her, and they wouldn't let her join in any of their games.

자신의 침대에 누군가 장난을 쳤다고 지도원에게 고자질하고 난 후, 트레시스는 야영지의 오두막에서 다른 소녀들에게 따돌림을 당했다 ; 다른 소녀들은 트레이스에게 말도 하지 않으려 했으며, 그녀를 어떤 놀이에도 끼워주려 하지 않았다.

That poor old man has been *ostracized* by our town for long enough ; I'm going to visit him this very day.

그 불쌍한 노인은 우리 마을에서 너무나 오랫동안 배척을 당해왔다 ; 나는 바로 오늘 그를 방문할 예정이다.

* 명사는 ostracism[ɑ́strəsìzm].

Carl's letter to the editor advocating a cut in the school budget led to his *ostracism* by the educational committee.

칼은 학교 예산의 삭감을 옹호하는 편지를 편집자에게 보낸 일 때문에 교육위원회에서 추방당했다.

## OUST [aust] v to eject ; to expel ; to banish 축출하다 ; 내쫓다 ; 추방하다

Robbie was *ousted* from the Cub Scouts for setting fire to his Cub Scout manual.
로비는 컵스카우트 안내서에 불을 붙였기 때문에 컵스카우트에서 쫓겨났다.(Cub Scout는 Boy Scouts 중의 어린이 단원.)

If the patrons at O'Reilly's get rowdy, the bartender *ousts* them with a simple foot-to-behind maneuver.
오우렐리에 오는 단골들이 싸움을 하게 되면, 그 집의 바텐더는 돌려차기 한 방으로 손님들을 쫓아낸다.

* 명사는 ouster[áustər].

After the president's *ouster* by an angry mob, the vice president moved into his office and lit one of his cigars.
성난 폭도들에 의해 대통령이 축출된 이후, 부통령은 대통령의 집무실로 들어가 그의 시가를 하나 꺼내 불을 붙였다.

## OVERRIDE [òuvəráid] v to overrule ; to prevail over 무효로 하다 ; 압도하다

The governor threatened to *override* the legislature's veto of his bill creating the state's first income tax.
주 최초의 소득세를 신설하자는 그의 법안에 대해 입법부가 거부권을 행사해도, 주지사는 거부권을 무시할 것이라고 큰 소리를 쳤다.

My mother *overrode* my decision to move into my girlfriend's house.
어머니는 여자 친구의 집으로 이사하겠다는 내 결정을 무시했다.

Greed *overrode* common sense yesterday as thousands of frenzied people drove through a major blizzard to catch the post-holiday sales.
수 천명의 사람들이 휴일이 끝난 후의 세일 판매를 놓치지 않기 위해 심한 눈보라도 마다 않고 미친 듯이 차를 몰고 몰려간 것을 보니, 어제는 탐욕이 상식을 압도한 날이었다.

## OVERTURE [óuvərtʃər] n opening move ; preliminary offer 개시 동작 ; 예비로 제시되는 것, 제의

* 음악에서, overture는 긴 작품을 소개하는 악곡이다. 흔히 뒤에 나올 곡에서 여러 부분들을 짜 맞추는 것으로 서곡이라 한다. (대부분의 사람들은, 꼭 그런 것만은 아닌데도 서곡부터 시작해야 좋은 것이라고 생각한다.) 이 단어는 음악 분야를 벗어나면, 관련은 있지만 전혀 다른 의미를 가지고 있다.

The zoo bought a new male gorilla named Izzy to mate with Sukey, its female gorilla, but Sukey flatly rejected Izzy's romantic *overtures*, and no new gorillas were born.
동물원은 암컷 고릴라인 수키와 짝 지워주기 위해 이지라는 이름의 수컷 고릴라를 한 마리 샀다. 그러나, 수키는 이지의 구애를 단호하게 거절했고, 새로운 아기 고릴라들은 태어나지 못했다.

At contract time, management's *overture* to the union was instantly rejected, since the workers had decided to hold out for significantly higher wages.
협상을 하면서, 노조는 경영자 측의 제안을 즉석에서 거부했다. 노동자들이 상당한 수준의 임금 인상안을 계속 고수하기로 결정했기 때문이었다.

## OXYMORON [àksimɔ́:rɑn] n a figure of speech in which two contradictory words or phrases are used together 두 개의 반대되는 단어나 문구를 동시에 사용하는 말의 표현 기법, 모순 어법

"My girlfriend's sweet cruelty" is an example of an *oxymoron*. Other examples of *oxymorons* are "jumbo shrimp," "fresh-squeezed juice from concentrate," "super-ette," and "White House experts."
"내 여자 친구의 달콤한 잔인성"이라는 표현은 모순 어법의 한 예이다. 또 다른 예로 "코끼리 새우"나 "농축액에서 새로 짜낸 신선한 주스"나 "소형 슈퍼마켓", "백악관의 전문가" 등의 표현이 있다.

## QUICK QUIZ 59

Match each word in the first column with its definition in the second column. Check your answer in the back of the book.

| | |
|---|---|
| 1. omniscient | a. exclude from a group |
| 2. opprobrious | b. swing back and forth |
| 3. ordinance | c. eject |
| 4. oscillate | d. damning |
| 5. osmosis | e. gradual or subtile absorption |
| 6. ostracize | f. law |
| 7. oust | g. figure of speech linking two contradictory words or phrases |
| 8. override | h. all-knowing |
| 9. overture | i. opening move |
| 10. oxymoron | j. prevail over |

**PALATABLE** [pǽlətəbl] adj **pleasant to the taste ; agreeable to the feelings** 맛이 좋은 ; 기분이 좋은

You can certainly drink hot chocolate with lobster soufflé if you want to, but champagne might be a more *palatable* alternative.
원한다면, 바다가재 수플레와 함께 뜨거운 초콜릿을 마셔도 괜찮습니다. 그러나 그것 보다는 샴페인이 더 맛이 좋을 것입니다.

Rather than telling Frank that his essay was worthless, Hilary told him that his essay was not quite worthy of his talents ; by diluting her criticism she made it more *palatable* to Frank.
에세이가 형편없다고 프랭크에게 말하는 대신, 힐러리는 그의 에세이가 그의 재능을 따라가지 못했다고 말했다 ; 비평의 수위를 낮춤으로써, 힐러리는 프랭크의 기분을 한결 좋게 만들었다.

The word *palate*[pǽlət] refers both to the roof of the mouth and, more commonly, to the sense of taste. A gourmet is said to have a finely developed *palate* ; someone who finds even the most exotic foods boring is said to have a jaundiced *palate*.
palate라는 단어는 입천장과, 좀 더 흔하게 미각, 모두를 의미한다. 미식가는 정교하게 발달된 미각을 가지고 있다고 할 수 있다 ; 최고의 이국적인 음식조차도 따분할 뿐이라고 하는 사람은 편견에 치우친 미각을 갖고 있는 사람이다.

**PALLOR** [pǽlər] n **paleness ; whiteness** 창백함 ; 순백

Regina's ghostly *pallor* can only mean one thing: she just caught sight of her blind date for the evening.
유령처럼 창백하게 질린 레지나의 얼굴이 의미하는 것은 오직 한 가지이다.: 그날 밤 블라인드 데이트의 상대를 보았던 것이다.

The pediatrician was concerned by the child's *pallor* but could find no other symptoms of illness.
소아과 의사는 아이의 창백한 안색에 걱정이 되었지만 다른 증상은 발견할 수 없었다.

In the nineteenth century, a *pallid*[pǽlid] look was fashionable among European and American women. To maintain an attractive *pallor*, women kept out of the sun and sometimes took drugs to lighten their complexions.
19세기의 유럽과 미국 여성들에게는 하얀 얼굴이 유행이었다. 매력적인 흰 얼굴을 유지하기 위해서, 여성들은 태양을 피했고, 때로는 얼굴색을 밝게 하기 위해 약을 먹기도 했다.

**PANDEMIC** [pændémik] adj **prevalent throughout a large area** 전지역에 널리 퍼진

The Black Plague was virtually *pandemic* throughout Europe during the fourteenth century.
실제로, 14세기의 전 유럽에 걸쳐 흑사병이 광범위하게 퍼졌다.

Cheating was *pandemic* on the campus of the military academy ; cadets were carrying more crib sheets than books.
군사 학교의 캠퍼스에는 부정 행위가 널리 퍼져 있었다 ; 사관생도들은 책보다는 컨닝페이퍼를 더 많이 들고 다녔다.

* 이 단어는 명사로도 쓰인다. pandemic은 epidemic[èpədémik] 보다 규모가 더 큰 것이다.

The shortage of vaccine turned the winter flu *epidemic* into a *pandemic*.
백신의 부족으로 동절기 독감이 소규모 유행에서 전지역으로 확대되었다.

* 라틴어 "omni" 처럼, 그리스어 접두어인 "pan" 도 '모든' 을 의미한다.
panacea[pæ̀nəsíːə]는 만병통치약을, panoramic[pæ̀nərǽmik] view는 우리를 둘러싸고 보이는 전경을 의미한다.

The *Pan-American* Games are open to contestants from throughout the Western Hemisphere.
전미 체전의 문은 서반구 전 지역에서 오는 선수들에게 열려 있다.

* 관련있는 단어로 endemic[endémik]이 있다. 이 단어는 특정한 장소나 사람에게 고유한, 즉 풍토성을 의미한다.

## PANEGYRIC [pæ̀nədʒírik] n elaborate praise ; eulogy 공들인 칭찬 ; 찬양

As the Soviet official's brief introductory speech turned into a three-hour *panegyric* on the accomplishments of Lenin, the members of the audience began to snooze in their seats.
소비에트 당국자의 짧은 인사말이 레닌의 업적을 찬양하는 세 시간 짜리 연설로 바뀌자 청중들은 의자에 앉아 졸기 시작했다.

Dan has been in advertising for too long ; he can't say he likes something without escalating into *panegyric*.
댄은 너무나 오랫동안 광고를 해오고 있다 : 그는 무엇인가를 좋아한다고 말하면 결국은 그것에 대한 찬사로 발전시킨다.

"All these *panegyrics* are embarrassing me," lied the actress at the dinner in her honor.
"이 모든 찬사는 나를 당황하게 합니다." 라고 그녀를 위한 만찬에서 그 여배우는 거짓말을 했다.

## PARABLE [pǽrəbl] n religious allegory ; fable ; morality tale 종교적인 비유 ; 우화 ; 교훈적인 이야기

The story of the tortoise and the hare is a *parable* about the importance of persistent effort.
토끼와 거북에 관한 이야기는 끊임없는 노력의 중요성에 대해 이야기하는 우화이다.

Early religious lessons were often given in the form of *parables* because the stories made the lessons easier to understand.
비유가 종교적인 교훈을 더 쉽게 이해할 수 있게 해주었기 때문에, 초기의 종교적인 교훈은 비유의 형태로 많이 이루어졌다.

## PARAGON [pǽrəgɑ̀n, -gən] n a model or pattern of excellence 뛰어난 모범, 혹은 전형

Irene is a such a *paragon* of virtue that none of her classmates can stand her ; they call her a goody-goody.
아이린은 대단한 도덕적 순결함의 전형이라서 급우들은 그녀를 참을 수가 없다 : 그들은 그녀를 독실한 척하는 얼간이라고 부른다.

The new manual is unusual in the computer world in that it is a *paragon* of clear writing ; after reading it, you understand exactly how the software works.
새 안내서는 컴퓨터 업계에서는 보기 드문 것이다. 그 안내서는 쉬운 글쓰기의 본보기이다 : 안내서를 읽고 나면, 여러분도 그 소프트웨어가 어떻게 작동하는지 정확하게 이해할 수 있다.

Mario named his fledgling restaurant *Paragon* Pizza, hoping that the name would make people think his pizzas were better than they actually were.
마리오는 신장개업한 자신의 레스토랑에 Paragon Pizza라는 이름을 붙였다. 그 이름 덕분에 사람들이 그 집의 피자가 실제보다 더 맛있다고 생각하게 되기를 바랬다.

## PARALLEL [pǽrəlèl] adj similar ; comparable 비슷한 ; 대등한

Before they learn to cooperate, young children often engage in what psychologists call *parallel* play ; rather than playing one game together, they play separate games side by side.
아이들은 협력하는 것을 배우기 전에, 심리학자들이 병렬놀이라고 부르는 놀이 방법에 몰두하는 경향이 있다 : 아이들은 한 가지 놀이를 함께 하기보다는 서로 다른 놀이를 하며 따로따로 논다.

Bill and Martha have *parallel* interests in the yard ; Bill's favorite activity is mowing, and Martha's is pruning.
빌과 마사는 정원에 대해서 비슷한 관심을 가지고 있다 : 빌이 좋아하는 것은 잔디깎기이며, 마사가 좋아하는 것은 가지 치기이다.

* parallel은 명사로 쓰일 경우, 본질적인 면에서 볼 때, 동일하거나 비슷한 것을 의미한다.

Pessimistic economists sometimes say that there are many disturbing *parallels* between today's grim economy and the Great Depression of the thirties.
간혹, 비관적인 경제학자들은 오늘날의 경제 침체와 30년대의 대공황 사이에는 무서울 정도로 동일한 면이 많이 있다고 말한다.

* parallel은 동사로도 쓰인다.

To say that two murder cases *parallel* each other is to say that they are similar in many ways.
두 개의 살인 사건이 서로 닮았다고 말하는 것은 사건의 많은 측면이 비슷하다는 뜻이다.

**PARANOIA** [pæ̀rənɔ́iə] n **a mental illness in which the sufferer believes people are out to get him ; unreasonable anxiety** 다른 사람들이 자신을 괴롭히려 한다고 생각하는 정신질환, 편집증 ; 합리적이지 못한 걱정, 망상

Margaret's *paranoia* has increased to the point where she won't even set foot out of the house because she is afraid that the people walking by are foreign agents on a mission to assassinate her.
마가렛의 편집증은 집 밖으로는 한 발짝도 나가지 않으려는 지경에까지 이르렀다. 거리에서 스쳐지나가는 사람들이 자신을 암살하는 임무를 띠고 온 외국의 스파이라고 두려워하기 때문이다.

Worrying that one is going to die someday is not *paranoia* ; it's just worrying, since one really is going to die someday.
언젠가 죽을지도 모른다고 걱정하는 것은 편집증은 아니다 : 실제로 누구나 언젠가는 죽게되므로 그것은 단지 걱정일 뿐이다.

* 형용사는 paranoid[pǽrənɔ̀id]로, 엄밀하게 의학적인 의미로 쓰인다기보다는 흔히 비유적인 의미로 사용된다.

When Harry told Sally that she was *paranoid* to believe her dinner guests hated her cooking, he didn't mean she was mentally ill ; he meant that she was worrying needlessly.
해리는 저녁 식사에 초대받은 손님들이 샐리가 요리한 음식을 꺼려한다고 생각하는 것은 과대망상이라고 그녀에게 말했다. 해리의 말은 그녀가 정신적인 질병이 있다는 뜻이 아니었다 : 그는 단지 샐리가 필요도 없는 걱정을 하고 있다고 말하는 것이었다.

**PARANORMAL** [pæ̀rənɔ́ːrməl] adj **having to do with an event or events that can't be explained scientifically ; supernatural** 어떤 사건 등이 과학적으로 설명할 수 없는 ; 초자연적인, 불가사의한

Numerous *paranormal* events have occurred in that house since the Austins bought it ; last night, an umbrella opened itself and began flying around the room, and just this morning the dining-room table turned into a little man with a long gray beard.
오스틴네가 그 집을 구입한 이래로, 과학적으로는 도저히 설명할 수 없는 사건들이 무수히 일어났다 : 지난 밤에는, 우산이 저절로 펴지더니 방 안을 날아다니기 시작했고, 오늘 아침만 해도, 주방의 식탁이 회색의 긴 수염을 기른 작은 난쟁이로 변했다.

Extrasensory perception, clairvoyance, and the ability to bend spoons with one's thoughts are said to be examples of *paranormal* phenomena.
초감각적 감지 능력이나 투시력, 염력만으로 숟가락을 구부리는 능력 등은 과학적으로 설명할 수 없는 현상의 보기들이다.
* paranormal은 흔히 사기나 가짜를 고상하게 부를 때도 쓰인다.

**PAROXYSM** [pǽrəksìzm] n **a sudden, violent outburst ; a severe attack** 갑자기 일어나는 격렬한 폭발 ; 맹렬한 공격

* 발음에 주의할 것.

When his mother accidentally threw away Sheldon's slide rule, he flew into a *paroxysm* of rage, hurling a chair through the living-room window and setting the kitchen on fire.
엄마가 실수로 쉘던의 계산자를 버렸을 때, 쉘던은 갑자기 격분하여 거실 창문 밖으로 의자를 집어던지며, 주방에 불을 질렀다.

I've been having *paroxysms* of guilt ever since I led the Cub Scouts over the precipice.
나는 컵스카우트 아이들을 벼랑으로 내몰았던 이래로 지금까지 격렬한 죄의식에 시달리고 있다.

Forty years of cigarette smoking had made John prone to agonizing *paroxysms* of coughing.
40년간 담배를 피운 것 때문에 존은 고통스러운 기침 발작에 시달리기 일쑤였다.

## QUICK QUIZ 60

Match each word in the first column with its definition in the second column. Check your answers in the back of the book.

| | |
|---|---|
| 1. palatable | a. model of excellence |
| 2. pallor | b. pleasant to the taste |
| 3. pandemic | c. supernatural |
| 4. panegyric | d. prevalent throughout a large area |
| 5. parable | e. morality tale |
| 6. paragon | f. sudden, violent outburst |
| 7. parallel | g. paleness |
| 8. paranoia | h. unreasonable anxiety |
| 9. paranormal | i. similar |
| 10. paroxysm | j. elaborate praise |

**PARTITION** [pɑːrtíʃən] n **division ; dividing wall** 분할 ; 칸막이

The teacher's *partition* of the class into "smarties" and "dumbies" may not have been educationally sound.
학생들을 '우수한 아이들'과 '모자라는 아이들'로 구분하는 선생님의 방식은 교육적으로 올바르지 않았을 것이다.

In the temporary office there were plywood *partitions* rather than real walls between the work areas.
임시 사무실은 각 부서간에 진짜 벽이 있는 것이 아니라 베니어합판으로 만들어진 칸막이로 구분을 두었다.

* partition은 동사로도 쓰인다.

After the Second World War, Germany was *partitioned* into two distinct countries, East Germany and West Germany.
세계 제2차 대전이 끝난 후, 독일은 동독과 서독이라는 두 개의 독립된 나라로 분할되었다.

Ann and David used a wall of bookcases to *partition* off a study from one corner of their living room.
앤과 데이비드는 거실 한쪽 구석에서 서재를 분리하기 위해 책장을 벽으로 사용했다.

**PASTORAL** [pǽstərəl] adj **rural ; rustic ; peaceful and calm, like the country** 시골의 ; 전원의 ; 시골처럼 평화롭고 조용한

When I'm in the city, I long for the *pastoral* life, but the second I get into the country, I almost die of boredom.
나는 도시에 있을 때에는, 전원생활을 그리워한다. 그러나 시골에 가게 되면, 곧 나는 지루해서 죽을 지경이다.

Lyme disease has made people a little less intrigued with living in *pastoral* splendor than they used to be.
라임 질환 탓에 사람들은 전원의 태양 속에서 사는 것에 대한 관심을 전보다 조금 덜 갖게 되었다.

Bruce is writing the *pastoral* movement of his symphony now. The harps will symbolize the gentle patter of rain pattering down on the fields and spoiling everyone's vacation.
부르스는 요즘 그의 교향곡의 전원 악장을 작곡 중이다. 하프는 대지 위에 떨어져서 사람들의 휴가를 망치는 부드러운 빗방울의 후두둑 소리를 상징하게 될 것이다.

**PATHOS** [péiθɑs] n **that which makes people feel pity or sorrow 사람들에게 연민이나 슬픔을 느끼게 만드는 것, 파토스**

* 발음에 주의할 것.

Laura's dog gets such a look of *pathos* whenever he wants to go for a walk that it's hard for Laura to turn him down.
로라의 개는 산책이 나가고 싶어지면, 너무나 애절한 모습을 보이기 때문에 로라는 거부하기가 어렵다.

There was an unwitting *pathos* in the way the elderly shopkeeper had tried to spruce up his window display with crude decorations cut from construction paper.
늙숙한 상점 주인이 공작용 색판지를 잘라서 만든 볼품없는 장식으로 가게 진열장을 꾸며보려고 애쓴 것에는 부지중의 비애가 들어 있었다.

* pathos와 bathos[béiθɑs]를 혼동하지 말 것. 후자는 진부하고, 성의 없으며, 정에 호소하는 싸구려 정서를 의미한다.

Terry said the new novel was deeply moving, but I found it to be filled with *bathos*, and I didn't shed a tear.
테리는 새 소설이 아주 감동적이라고 말했지만 나는 그 책이 값싼 감상으로 가득하다는 것을 알게 되었다. 나는 눈물 한 방울 흘리지 않았다.

**PATINA** [pǽtənə] n **surface discoloration caused by age and oxidation 오랜 세월과 산화 작용으로 인한 표면의 변색, 고색**

* 발음에 주의할 것.

Antiques dealers don't refer to the tarnish on old silver as tarnish ; they call it *patina*, and say that it adds value to the silver.
골동품 상인들은 오래된 은에 생긴 변색을 변색이라고 말하지 않는다 : 그들은 그것을 고색 창연한 퇴색이라고 부르며, 그것이 은제품의 가치를 더 높여준다고 말한다.

Long use and exposure to sunlight give old furniture a *patina* that is impossible to reproduce in modern imitations ; the color of a new piece never looks quite as rich and dark as the color of an old one.
오랫동안 햇빛에 노출되고 오래 사용하게 되면, 고가구는 현대의 모조품에서는 만들어낼 수 없는 고색 창연한 모습을 갖게 된다 : 새로 만든 가구에서는 오래된 가구의 색깔과 같은 짙고 거무스름한 빛을 절대 볼 수가 없다.

**PATRIMONY** [pǽtrəmòuni] n **an inheritance, especially from a father ; a legacy 특히 아버지로부터 물려받은 세습 재산 ; 유산**

This thorny patch of ground isn't much, but it's my *patrimony*; it's all that my father left to me in his will.
이 거친 땅 덩어리는 크지는 않지만, 나의 세습 재산이다. 그것이 아버지가 유언을 통해 내게 물려주신 전부이다.

If Bob keeps spending at this rate, he will have exhausted his entire *patrimony* by the end of the year.
밥이 지금처럼 계속해서 돈을 낭비한다면, 올해가 가기 전에 아버지로부터 물려받은 재산은 모두 바닥이 나고 말 것이다.

**PECULIAR** [pikjú:ljər] adj **unusual ; bizarre ; individual ; belonging to a particular region**
**비범한 ; 기괴한 ; 독특한 ; 특정 지역에 속한**

There's a *peculiar* smell in this room. Are you wearing perfume made from floor wax and old socks?
이 방에는 기괴한 냄새가 난다. 마루 닦는 왁스와 오래 묵은 양말로 만든 향수라도 사용한 것 아니니?

The *peculiar* look in his eye just before he opened the door was what tipped me off to the surprise party awaiting me inside.
문을 열기 바로 직전에, 그의 눈에 드러난 이상한 표정은 안에서 나를 위한 깜짝파티가 기다리고 있다는 것을 넌지시 암시하는 것이었다.

That method of cooking shrimp is *peculiar* to this region ; it isn't done anywhere else.
그 새우 요리법은 이 지역에만 있는 독특한 방식이다 ; 다른 곳에서는 전혀 그렇게 하지 않는다.

Marlene's way of pronouncing "orange" is *peculiar* to a tiny region in Upstate New York.
마린느의 "orange" 발음은 뉴욕주의 북부에 있는 작은 시골 특유의 발음이다.

**PEREGRINATION** [pérəgrənèiʃən] n **wandering ; traveling ; expedition** **방랑 ; 여행 ; 원정**

The baby made a wavering *peregrination* around the room in search of all the raisins she had dropped during her previous wavering *peregrination*.
아기는 자기가 돌아다니면서 흘린 건포도를 찾아서 뒤뚱거리며 온 방안을 돌아다녔다.

Matthew's *peregrinations* across Europe have given him a vaguely continental accent and a walletful of unusable currency.
유럽 전역을 돌아다닌 여행으로 인해 매튜에게 남은 것은 희미한 유럽 쪽 악센트와 지갑의 쓸모 없는 화폐이다.

**PERPETRATOR** [pə́:rpətrèitər] n **the one who committed the act** **행위를 한 사람**

Police officers sometimes refer to the *perpetrator* of a crime simply as the "perp."
경찰관들은 때때로 범죄 행위를 저지른 사람을 간단히 줄여서 "perp"라고 부른다.

When Miss Walsh found glue on her chair, she speedily apprehended the *perpetrator* and sent him to the principal.
왈쉬 선생님은 의자에 접착제가 있는 것을 발견하자, 재빨리 범인을 붙잡아서 교장 선생님께 보냈다.

The restaurant critic so disliked his meal at Pierre's restaurant that he referred to Pierre not as the meal's chef but as its *perpetrator*.
피에르의 레스토랑에서 먹은 음식이 너무나 마음에 들지 않았기 때문에, 레스토랑 비평가는 그를 그 음식을 만든 요리사가 아니라 그 음식을 만든 범인이라고 불렀다.

**PERPETUATE** [pərpétʃuèit] v **to make something perpetual ; to keep from perishing**
**영속시키다 ; 죽지 않게 하다**

By calling his secretary Fluffy, Quentin helped *perpetuate* the stereotype of office personnel as unskilled employees.
퀀틴은 자신의 비서를 얼간이라고 부름으로써 사무실 직원들은 서툰 사람들이라는 고정관념이 지속되는 데 일조했다.

The new forestry bill contained conservation measures intended to help *perpetuate* the nation's timber resources.
새로운 삼림법안은 국가의 산림 자원을 영구적으로 지키기 위한 보존 방법에 대한 내용을 포함하고 있었다.

**PERVERSE** [pərvə́:rs] adj **contrary ; stubborn** 심술궂은 ; 완고한

It is *perverse* of Tim to insist on having the window seat, since looking down from great heights makes him airsick.
높은 곳에서 아래를 내려다보면 멀미가 나는 데도 불구하고, 창가 자리에 앉겠다고 우기는 걸 보면 팀은 아주 고집이 세다.

Ralph takes a *perverse* pleasure in making his garden the ugliest on the block; it pleases him to know that he deeply annoys his neighbors.
랠프는 동네에서 가장 지저분한 정원을 만들어놓고는 심술궂게 즐거워 한다. 그는 이웃사람들을 깊이 화나게 만든다는 사실을 알게 되면 즐거워 한다.

## QUICK QUIZ 61

Match each word in the first column with its definition in the second column. Check your answers in the back of the book.

| | |
|---|---|
| 1. partition | a. keep from perishing |
| 2. pastoral | b. division |
| 3. pathos | c. rural |
| 4. patina | d. the one who committed the act |
| 5. patrimony | e. stubborn |
| 6. peculiar | f. surface discoloration |
| 7. peregrination | g. wandering |
| 8. perpetrator | h. that which makes people feel pity or sorrow |
| 9. perpetuate | i. unusual |
| 10. perverse | j. inheritance |

**PHANTASM** [fǽntæzm] n **apparition ; ghost ; phantom** 도깨비 ; 유령 ; 환영

The fountain that seemed to be gurgling on the horizon turned out to be a *phantasm* ; after hours and hours of driving, Meredith was still surrounded by nothing but sand.
지평선 위로 콸콸 솟아나는 것처럼 보였던 샘물은 환영일 뿐이었다 ; 차를 몰고 몇 시간을 헤매고 다녔는데도, 메레디스는 여전히 모래 말고는 아무 것도 없는 사막 한가운데 있었다.

Though Aaron seems confident, fear and insecurity hover in his background like *phantasms* ready to haunt him again at any moment.
아론은 자신감이 있는 듯 보이지만, 언제라도 그를 다시 덮치려고 하는 유령처럼 공포와 불안이 그의 주위를 맴돌고 있다.
* 발음에 주의할 것.

**PHLEGMATIC** [flegmǽtik] adj **calm or indifferent ; not easily roused to excitement** 조용하거나 무관심한 ; 쉽게 흥분하지 않는

* phlegmatic은 phlegm[flem] — 담, 점액 — 에서 유래한 단어이다. 중세의 민간 요법에 의하면, phlegm은 '네 가지 체액' 중의 하나로 기능을 둔화시키는 역할을 했다고 한다. 오늘날에도, phlegm은 점액을 의미하긴 하지만, phlegmatic person이라고 하면 코에서 점액이 흐르고 있는 사람을 뜻하는 것이 아니다.

It must be true that opposites attract ; Debbie becomes upset at the slightest provocation, while Webbie is so *phlegmatic* that nothing seems to bother him at all.
서로 반대되는 것끼리 끌어당기는 것은 틀림없는 사실인 것 같다 ; 데비는 아주 작은 자극에도 화를 내는 반면에, 웨비는 여간해서는 흥분하지 않는 사람이라 그를 성가시게 할 일이라는 것은 아무 것도 없어 보인다.

Vinnie tried to be *phlegmatic* about his eleven last-place finishes on field day, but as soon as he got home, he broke down and cried like a baby.
비니는 운동회 날 열한 번이나 꼴등으로 들어온 것에 대해서 냉정해지려고 애를 썼다. 그러나 집에 도착하자마자 곧, 그는 쓰러져서 아기처럼 울부짖었다.

## PILGRIMAGE [pílgrəmidʒ] n religious or spiritual journey ; excursion ; peregrination
**종교적 여행, 정신적 편력 ; 여행 ; 방랑**

* pilgrim은 종교적이거나 정신적인 이유로 집을 떠나서 오랜 여행을 하는 사람을 말한다. pilgrimage는 순례 여행.

Every year, thousands of tone-deaf people make a *pilgrimage* to the shrine of St. Piano, hoping that musical ability will be restored to them.
해마다 수천 명의 음치들이 자신들의 음악적 재능이 돌아오기를 희망하면서 성 피아노의 묘소를 순례한다.

Someday I'm going to make a *pilgrimage* back to the most important spots of my childhood, beginning with the McDonald's across the street from my old house.
나는 옛집의 길 건너편에 있는 맥도날드부터 시작해서, 어린 시절의 가장 중요했던 곳으로 언젠가는 순례 여행을 떠날 것이다.

## PLACEBO [pləsí:bou] n a fake medication ; a fake medication used as a control in tests of the effectiveness of drugs
**위약 ; 약의 유효성 테스트에서 대조 표준으로 사용된 거짓 약물**

* 발음에 주의할 것.

Half the subjects in the experiment received the real drug ; half were given *placebos*. Of the subjects given *placebos*, 50 percent reported a definite improvement, 30 percent reported a complete cure, and 20 percent said, "Oh, I bet you just gave us a *placebo*."
실험 대상자의 반은 진짜 약을 받았다 ; 나머지 반은 실험을 위해 가짜 약을 주었다. 가짜 약을 받은 사람의 50%는 뚜렷한 치료 효과가 있었으며, 30%는 완치가 되었고, 나머지 20%는 이렇게 말했다. "당신이 우리에게 가짜 약을 주었다는데 돈을 걸겠소."

Mrs. Walters is a total hypochondriac ; her doctor prescribes several *placebos* a week just to keep her from calling him so often.
월터스 부인은 심한 우울증 환자이다 ; 담당 의사는 단지 그녀의 빈번한 전화를 막기 위해서 일주일에 몇 개의 가짜 약을 처방한다.

## PLATONIC [plətάnik] adj nonsexual ; purely spiritual **성적인 면이 없는 ; 순수하게 정신적인**

*Platonic* love is love that never gets physical. It is supposed to be free from desire and possessiveness, which is why you hardly ever see it in real life. The word is derived from the name of the Creek philosopher Plato, who believed, among other things, that physical objects are just the impermanent representations of unchanging ideas.
플라토닉 러브는 결코 육체를 탐하지 않는 사랑이다. 그것은 성욕과 소유욕이 없는 것으로 되어 있다. 실제 삶에서 그러한 사랑을 거의 볼 수 없는 것은 바로 그것 때문이다. 이 단어는 그리스의 철학자, 플라톤의 이름에서 유래한 것이다. 그는 무엇보다도 육체적 대상은 변하지 않는 이성의 일시적인 표현에 지나지 않는다고 믿었다.

"Let's keep our relationship *platonic* for a while," Ken told his would-be girlfriend. "After all, we only met five minutes ago, and it won't be dark for several hours."
"당분간, 우리의 관계를 순수하게 정신적인 것으로 하자." 켄이 장래 여자친구에게 말했다. "아무튼, 우리는 단지 오 분 전에 만났을 뿐이고, 어두워지려면 아직 몇 시간이나 남았으니까."

Ken and Gina's marriage is entirely *platonic* ; they live in separate cities, and they seldom even speak to each other.
켄과 지나의 결혼은 전적으로 정신적인 것이다 ; 그들은 서로 다른 도시에 살고 있고, 서로 말을 하는 일도 거의 없다.

**PLAUSIBLE** [plɔ́:zəbl] adj **believable ; convincing** **믿을 수 있는 ; 설득력 있는, 수긍이 가는**

"You're going to have to come up with a more *plausible* alibi," Doris told her drunken husband sternly after he told her he had been working late and then fell face forward into the living room.
"당신은 좀더 설득력 있는 알리바이를 만들어내야 할 거예요." 남편이 늦도록 일하고 거실에서 앞으로 엎어졌다고 말하는 것을 듣고 난 후, 도리스는 술 취한 남편에게 단호하게 말했다.

Irene's excuse is hardly *plausible* ; how could a parakeet chew up someone's homework?
아이린의 변명은 거의 믿을 수가 없다 : 어떻게 잉꼬가 사람의 숙제를 씹어먹을 수 있었겠는가?

* 반의어는 implausible.

The theory that tiny little men move the pictures around inside the television is interesting but *implausible* ; for one thing, you never see anyone putting food in a TV.
아주 작은 사람들이 텔레비전 안에서 사진을 움직인다는 이론은 재미는 있지만, 믿기 어려운 이야기이다 : 한 가지 예를 들자면, 아무도 텔레비전 안으로 음식을 넣어주는 것을 본 적이 없다.

* 명사는 plausibility, 반의어는 implausibility.

**PLIABLE** [pláiəbl] adj **flexible ; easy to bend ; easy to convince, persuade, or mold** **유연한 ; 구부리기 쉬운 ; 납득시키거나 설득하거나 모양을 만들기 쉬운**

If you work the modeling clay until it is *pliable*, you will find that it is easier to mold into shapes.
만약 여러분이 공작용 찰흙이 유연해질 때까지 작업을 한다면, 형상을 만들기가 더 쉬어진다는 것을 알게 될 것이다.

The tennis coach preferred working with very young children, because he found them to be more *pliable* than older players, who had often become set in their ways.
테니스 코치는 나이가 아주 어린 아이들과 운동하는 것을 더 좋아했다. 흔히 자신의 방식대로 굳어져 있는 어른들보다 아이들이 더 가르치기 쉽다는 것을 알게 되었기 때문이었다.

Sharon was so *pliable* that she would instantly change her mind whenever anyone disagreed with her.
샤론은 워낙 남의 말을 잘 따르기 때문에, 다른 사람이 자신의 의견과 다를 때는 언제나 즉시 마음을 바꾸곤 했다.

* 명사는 pliability [plàiəbíləti].

William's heavy vinyl gloves lost their *pliability* in the cold weather, and he found it difficult to move his fingers.
윌리엄의 두꺼운 비닐 장갑은 추운 날씨 속에서 유연성이 없어졌다. 그는 손가락조차 움직이기 어렵다는 것을 깨달았다.

* comply 항목을 참조할 것.

**PLIGHT** [plait] n **a dangerous, distressing or unpleasant situation** **위험하고 비참하며 불쾌한 상황, 곤경, 궁상**

Whenever the heroine finds herself in a seemingly hopeless *plight* in an old-fashioned movie—whether it's being tied to railroad tracks or hanging on to a cliff edge—it's pretty certain she'll be rescued soon.
오래된 옛날 영화를 보면, 여자 주인공이 겉으로 드러난 절망적인 곤경에 빠질 때마다 — 철도 선로에 묶여 있는 상황이건, 절벽에 매달려 있는 상황이건 간에 — 그녀가 곧 구출될 것임은 너무나 분명하다.

"What a *plight* you're in," Claudia observed as she watched her sister cowering in a corner surrounded by rabid dogs.
"너, 곤경에 처해 있구나." 여동생이 광견병에 걸린 개들에게 둘러싸여 구석에서 잔뜩 움츠리고 있는 것을 보고 클라우디아는 말했다.

Moved by the *plight* of the hostages, the rich man assembled an army of mercenaries to rescue them.
인질들의 비참한 상황에 연민을 느끼고, 그 부자는 인질들을 구출하기 위해 용병을 모집했다.

**PLUNDER** [plʌ́ndər] v **to loot ; to ransack** 약탈하다 ; 빼앗다

Mrs. Ort told her son to stop *plundering* the refrigerator before he ate up all the food that she had prepared for her guests.
오트 부인은 그녀의 아들에게 손님들을 위해서 준비한 음식을 모두 먹어치우기 전에 냉장고 약탈은 그만두라고 말했다.

The victorious soldiers *plundered* the town until there was nothing left to steal.
전투에서 승리한 병사들은 그 도시에서 더 이상 훔칠 것이 남아있지 않을 때까지 약탈을 자행했다.

* plunder는 명사이기도 하다.

The pirates' ship was loaded with *plunder*, all of which had been stolen from merchant vessels.
해적선은 약탈에서 얻은 물건들을 잔뜩 실었다. 그것들은 모두 상인들의 배에서 훔친 것이었다.

**PLURALISM** [plúərəlìzm] n **a condition of society in which distinct groups exist and function together yet retain their own identities** 서로 다른 그룹들이 함께 존재하고 맡은 바 기능을 하면서도 자신만의 고유한 정체성을 유지하는 사회 형태, 다원주의

*Pluralism* is the only hope for American society ; our country is made up of too many different kinds of people for a single culture to prevail.
다원주의는 미국 사회의 유일한 희망이다 ; 미국은 수많은 서로 다른 인종으로 구성되어 있어서 어느 하나의 문화가 우세를 점할 수 없다.

Anne's reading habits reflected a healthy *pluralism* ; she read all the classics, but she also enjoyed murder mysteries and historical novels.
앤의 독서 습관은 건전한 다원주의를 반영했다 ; 그녀는 고전을 모두 읽었지만, 또한 추리소설이나 역사소설도 좋아했다.

* 형용사는 pluralistic [plùərəlístik].

The members of a *pluralistic* society must accommodate themselves to a broad range of cultural peculiarities.
다원적 사회의 구성원은 다양한 형태의 독특한 문화에 적응할 수 있어야만 한다.

## QUICK QUIZ 62

Match each word in the first column with its definition in the second column. Check your answers in the back of the book.

| | |
|---|---|
| 1. phantasm | a. fake medication |
| 2. phlegmatic | b. nonsexual |
| 3. pilgrimage | c. coexistence of distinct groups |
| 4. placebo | d. religious journey |
| 5. platonic | e. calm or indifferent |
| 6. plausible | f. flexible |
| 7. pliable | g. believable |
| 8. plight | h. dangerous situation |
| 9. plunder | i. apparition |
| 10. pluralism | j. ransack |

**PONTIFICATE** [pantífikeit] v **to speak pompously or dogmatically** 거드름을 피우며 말하다, 독단적으로 말하다

Whenever my next-door neighbor begins *pontificating* about zoning laws, I quietly tiptoe back inside ; I am tired of being lectured by that pompous ass.
옆집에 사는 이웃이 도시계획법에 대하여 거드름을 피우며 말하기 시작하면, 나는 언제나 발뒤꿈치를 들고 조용히 집 안으로 돌아온다 ; 그 잘난 척하는 고집불통의 설교를 듣는 것은 정말 지겹다.

Mr. Burgess doesn't so much speak as *pontificate* ; he makes even "hello" sound like a proclamation from on high.
버제스씨는 거드름을 피우며 말한다. 그의 말은, "이봐요"하는 말조차도 높은 곳에서 선언하는 것처럼 들린다.

* 명사는 pontification [pantìfikéiʃən]

**POROUS** [pɔ́:rəs] adj **filled with many tiny holes ; permeable ; absorbent** 작은 구멍으로 가득한 ; 투과할 수 있는 ; 흡수하는

* 발음에 주의할 것.

You just can't build a *porous* boat and expect it to float.
구멍이 뚫린 배를 만들어서 그것이 물에 뜨기를 기대할 수는 없다.

If my socks were not made of a *porous* material, my feet would be soaking wet with perspiration.
내 양말이 투과성이 있는 재료로 만들어지지 않는다면, 내 발은 땀으로 흠뻑 젖어있을 것이다.

They're advertising a paper towel so *porous* that one sheet can soak up a whole sinkful of water.
그들은 종이 타월이 워낙 흡수성이 좋아서 한 장만으로도 싱크대 한 통의 물을 다 빨아들일 수 있다고 광고하고 있다.

* 명사는 porousness, 또는 porosity [pɔ:rásəti].

*Porosity* is not a desirable quality in an umbrella.
다공성은 우산에는 바람직하지 못한 특성이다.

**POSTERITY** [pastérəti] n **future generations ; descendants ; heirs** 미래 세대 ; 자손 ; 상속자들

Richard necessarily paints for *posterity*, nobody alive has any interest in his pictures.
리차드는 어쩔 수 없이 다음 세대를 위해 그림을 그린다 ; 동시대의 사람들은 아무도 그의 그림에 관심을 보이지 않는다.

There's no point in protecting the world's oil reserves for *posterity* if we don't also leave posterity any air to breathe.
우리가 우리 자손에게 숨 쉴 공기를 남겨두지 않는다면 자손을 위해 세계의 석유 보유지를 보호한다는 것은 의미없는 일이다.

Samantha is saving her diaries for *posterity* ; she hopes that her daughters and granddaughters will enjoy them.
사만다는 후손을 위하여 일기를 보관하고 있다 ; 그녀는 딸과 손녀들이 그 일기들을 읽어주기를 바라고 있다.

**POSTHUMOUS** [pástʃəməs/pɔ́stjuməs] adj **occurring after one's death ; published after the death of the author** 사후에 발생하는 ; 저자의 사망 후에 출판된

Charles's reputation as a humanitarian suffered a *posthumous* blow when his widow revealed that he had beaten her every day of their marriage.
찰스가 사망한 이후에, 그의 아내가 결혼생활을 하는 동안 매일 자신을 구타했다는 사실을 폭로하자 인도주의자로서의 그의 명예는 사후 심각한 손상을 입었다.

The *posthumous* publication of Hemingway novels has become a minor literary industry, even though Hemingway clearly had good reasons for keeping the novels unpublished.
헤밍웨이의 소설 가운데 사후 출판된 것은 문학계에서 그다지 빛을 보지 못했다. 헤밍웨이가 그 소설들을 출판하지 않은 것은 충분한 이유가 분명히 있었음에도 불구하고 (후세 사람들이) 출판했던 것이다.

**POSTURE** [pástʃər] v **to act or speak artificially or affectedly** **인위적으로나 꾸며서 말하거나 행동하다**

Jessica is always *posturing* about the plight of farm workers, even though she has never set foot on a farm in her life.
제시카는 태어나서 한번도 농장에 발을 디뎌본 적도 없으면서, 언제나 농부들의 고통에 대해서 짐짓 아는 척을 한다.

The creative writing workshop quickly disintegrated into an orgy of *posturing* by the self-important student poets, all of whom were trying to prove that they were tortured geniuses.
창작 연구 모임은 곧 오만한 학생 시인들이 허세를 부리는 떠들썩한 난장판으로 변했다. 그들은 모두, 자신들의 천재성 때문에 괴로움을 받고 있다는 것을 증명하려고 애썼다.

**PRATTLE** [prǽtl] v **to chatter on and on ; to babble childishly** **계속해서 재잘거리다 ; 아이처럼 더듬거리다**

Billie Jean *prattles* ceaselessly about the only things that interest her : makeup, shopping, and her weight.
빌리 진은 오로지 자신이 흥미를 가지고 있는 것에 대해서만 끊임없이 재잘댄다 ; 화장과 쇼핑과 몸무게 같은 것들.

* 이 단어는 명사로도 쓰인다.

A baby's *prattle* is utterly adorable unless you have to listen to it all day long.
아이의 혀짤배기 소리는, 하루종일 그것을 듣고 있어야만 하는 상황이 아니라면 상당히 귀엽게 보인다.

**PRECARIOUS** [prikέəriəs] adj **dangerously insecure or unsteady** **위태로울 정도로 불확실하거나 불안정한**

The boulder was balanced in a *precarious* position over the lip of the cliff, and it threatened to fall at any moment onto the heads of the heedless skiers below.
둥근 돌이 절벽 가장자리 끝의 불안정한 지점에 균형을 잡고 놓여 있었다. 그 돌은 절벽 아래서 스키를 타고 있는 조심성없는 누군가의 머리 위로 언제라도 떨어질 것처럼 위태롭게 보였다.

Juliet is earning a *precarious* living as a strolling knife-sharpener ; her position would be considerably less *precarious* if more people were interested in having their knives sharpened by someone strolling down the street.
떠돌이 칼갈이 일을 하는 줄리엣의 수입은 불안정하다 ; 사람들이 길거리를 다니며 일하는 사람에게 칼을 갈게 하는데 더 많은 관심을 기울인다면, 그녀의 처지도 불확실함에서 상당히 벗어날 수 있을 것이다.

**PRECOCIOUS** [prikóuʃəs] adj **unusually mature ; uncommonly gifted** **보통과는 달리 성숙한 ; 특별히 재능을 부여받은**

The *precocious* child could tie her shoes five minutes after she was born and tap dance before she was a month old.
상당히 발달이 빠른 그 아기는 태어나서 5분만에 신발끈을 묶었으며, 한 달이 되기도 전에 탭댄스를 출 수 있었다.

Beethoven's father was so proud of his son's *precocious* musical genius that he used to wake the boy up in the middle of the night and make him play the piano for guests.
베토벤의 아버지는 아들의 천부적인 음악적 재능을 너무나 자랑스러워했다. 그래서 그는 손님들을 위해서 피아노를 치라고 한밤중에도 아들을 깨우곤 했다.

* 명사는 precociousness, 또는 precocity [prikásəti]를 쓴다.

Mr. and Mrs. Sherman were alarmed by the *precocity* of their son ; at age fourteen, he was dating a thirty-year-old divorced woman, and at age fifteen, he was engaged to be married.
쉐르먼 부부는 아들의 조숙함에 놀라고 있었다 ; 아들은 열네 살에 서른 살의 이혼녀와 데이트를 하고 있었고, 열다섯 살이 되어서는 약혼을 했던 것이다.

**PREDECESSOR** [prédəsèsər/príːdisèsər] n **someone or something that precedes in time** **시간적으로 앞선 사람이나 사물, 선배, 전임자**

"My *predecessor* left this office rather messy," Mr. Griggs apologized as he led his associates past a pile of dusty boxes.

"전임자가 이 사무실을 상당히 지저분하게 사용했어요." 그릭스씨는 동료들을 데리고 먼지투성이 상자 더미 옆을 지나면서 동료들에게 해명을 했다.

His *predecessor* had been so beloved by the nation that the new president resigned himself to being viewed as inferior.

전임자가 온 국민들로부터 너무나 많은 사랑을 받았기 때문에, 새로 취임한 대통령은 그보다 모자란 사람으로 취급받는 것을 감수할 수밖에 없었다.

The new model of the minivan is a wonderful vehicle, but its *predecessor* was riddled with engineering flaws.

새로운 모델의 미니밴은 굉장히 멋진 차이다. 그러나, 전 모델은 기계적 결함이 많이 있었다.

Just as a *predecessor* comes before, a *successor*[səksésər] comes after. People who hadn't liked the old minivan were pleased by its *successor* because the manufacturer had eliminated most of the engineering flaws that had plagued the earlier vehicle.

predecessor가 먼젓 것이라면 successor는 나중 것이다. 구형 미니밴을 좋아하지 않았던 사람들은 후에 나온 신형 모델에 만족했다. 제조업자가 이전의 미니밴을 괴롭힌 기계적 결함을 대부분 제거했기 때문이었다.

**PREDICAMENT** [pridíkəmənt] n **a dangerous or unpleasant situation ; a dilemma** **위험하고 불쾌한 상태 ; 궁지, 딜레마**

Lisa's kitten is always having to be rescued from one *predicament* or another ; yesterday, she got stuck inside a hollow log, and the day before, Lisa closed her in the automatic garage door.

리사의 새끼 고양이는 계속되는 곤경에서 언제나 구해주어야만 한다 ; 어제는 속이 빈 통나무에 끼이기도 했고, 그제는 리사가 자동식 차고 문 안에 고양이를 가두기도 했다.

"Now, let's see. How will I escape from this *predicament*?" asked Monty as he stared at the tiger charging toward him.

"자, 생각해보자. 어떻게 이 곤경에서 빠져나가지?" 몬티는 자신을 향해 달려드는 호랑이를 보며 중얼거렸다.

## QUICK QUIZ 63

Match each word in the first column with its definition in the second column. Check your answers in the back of the book.

| | |
|---|---|
| 1. pontificate | a. occurring after one's death |
| 2. porous | b. future generations |
| 3. posterity | c. unusually mature |
| 4. posthumous | d. filled with many tiny holes |
| 5. posture | e. dangerously insecure |
| 6. prattle | f. chatter on and on |
| 7. precarious | g. speak pompously |
| 8. precocious | h. dangerous situation |
| 9. predecessor | i. speak artificially |
| 10. predicament | j. something that precedes in time |

**PREDISPOSE** [prìːdispóuz] v **to make susceptible ; to put in a frame of mind for ; to incline toward** ~하기 쉽게 만들다 ; ~을 좋아하도록 하다 ; ~에 기울게 하다

The fact that Selma grew up in the desert probably *predisposed* her to working with cactuses.
사막에서 성장했다는 사실 때문에, 아마도 셀마는 선인장을 관리하는 일을 즐기게 되었을 것이다.

Since the little boy was used to moving, he arrived in the new neighborhood already *predisposed* to make new friends.
그 작은 소년은 이사 다니는 것에 익숙했기 때문에, 새로운 마을에 도착해서 이미 새 친구를 쉽게 사귈 소지가 있었다.

* 명사는 predisposition [prìːdispəzíʃən].

Mr. Bigelow had a strong *predisposition* against eating lunch, but when he saw the sumptuous banquet laid out in the conference room, he pushed his way to the head of the line and made a pig of himself.
비젤로우 씨는 점심을 먹지 않는 고집스런 성향이 있었다. 그러나 연회장에 차려진 진수성찬을 보고는, 그는 사람들을 밀치고 늘어선 줄의 맨앞으로 나아가 돼지처럼 먹어댔다.

**PREDOMINANT** [pridámənənt] adj **most important ; dominant ; having power over others** 가장 중요한 ; 지배적인, 유력한 ; 다른 사람을 지배하는 힘이 있는

* 발음에 주의할 것.

The *predominant* quality of Luther's painting is its boring grayness ; he calls it "Fog at Dusk."
루터의 그림에서 가장 두드러진 특징은 지루하게 만드는 회색이다 ; 그는 그 색을 "황혼 무렵의 안개"라고 부른다.

Miranda's speech ranged over many topics, but its *predominant* subject was the need for more vending machines in the student lounge.
미란다의 연설은 여러 가지 문제를 언급했다. 그러나, 연설의 주된 주제는 학생 휴게실에 자동 판매기가 더 많이 필요하다는 내용이었다.

The admiral's audience was composed *predominantly* of penguins ; there were a few polar bears here and there, but for the most part it was penguins, penguins, penguins.
그 해군 장성의 청중들은 펭귄이 압도적인 다수를 차지하고 있었다 : 여기저기에 북극곰들이 조금 있었지만, 절대다수를 차지하고 있는 것은 펭귄, 펭귄이었다.

* 동사는 predominate [pridámənèit].

Deep discounts *predominated* the week before Christmas as retailers tried frantically to boost sales at the end of a disappointing holiday season.
소매상인들이 별 볼일 없는 휴일의 말미에 판매를 촉진하기 위해 몹시 혈안이 되어 있어서 크리스마스 전 주에는 대폭적인 할인 행사가 주를 이뤘다.

**PREGNANT** [prégnənt] adj **highly significant ; overflowing** **의미심장한 ; 넘쳐흐르는**

* 발음에 주의할 것.

Biologically speaking, to be *pregnant* is to carry a developing fetus in one's uterus ; outside of this precise usage, the word has a more general, figurative meaning.
생물학적으로 말해서, pregnant는 사람의 자궁 속에 성장 중인 태아를 임신하고 있는 상태를 의미한다 : 이러한 정확한 의미를 벗어나면, pregnant는 좀 더 일반적이고 비유적인 의미로 사용된다.

There was a *pregnant* pause in the room as the elves considered the alarming implications of Santa's announcement that from now on all toys would be bought from Toys "R" Us.
산타 클로스가 앞으로는 계속해서 모든 장난감을 토이스알어스 사에서 사겠다고 선언하자, 꼬마요정들은 이 놀라운 선언이 함축하고 있는 의미를 깊이 생각했다. 방에는 의미심장한 침묵이 감돌았다.

India's message to her boyfriend contained only three words, yet those three words were *pregnant* with meaning ("I am *pregnant*").
남자 친구에게 보낸 인디아의 편지에는 단지 세 단어만 적혀 있었다. 그러나 그 세 단어는 대단히 의미심장한 내용이었다("나 임신했어").

**PRELUDE** [prélju:d, préilu:d] n **introduction ; something that precedes something else** **서론 ; 다른 것에 앞서 나온 것**

As a *prelude* to her recital, Mrs. Oliver lectured for about an hour on some of the finer points of the composition she was about to sing.
공연에 들어가기에 앞서서, 올리버는 이제 부르려고 하는 곡목의 몇 가지 장점에 대해 한 시간이나 설명을 했다.

Stretching exercises should be a *prelude* to any long bout of exercise ; stretching muscles before exerting them helps protect them from injury.
어떤 운동이든지 오랜 시간 운동을 하기 전에는 준비운동으로 스트레칭 운동이 반드시 필요하다 : 힘을 쓰기 전에 근육을 펴주게 되면, 근육의 손상을 막을 수 있다.

* 발음에 주의할 것.

**PREMEDITATED** [pri:médətèitid] adj **planned beforehand ; prearranged ; plotted** **사전에 계획된 ; 사전에 협의된 ; 계획된**

* meditate는 뭔가에 대해서 오랫동안 심각하게 생각하는 것이다.
premeditate는 어떤 일을 하기 전에 용의주도하게 계획을 세우거나 생각해두는 것을 말한다.

*Premeditated* murder is considered worse than just killing someone on the spur of the moment, because deliberate violence is viewed as being more heinous than spontaneous fury.
계획적인 살인은 순간적인 우발적 충동에 의한 살인보다 더 나쁜 것으로 여겨진다. 계획적인 폭력은 무의식적인 격분보다 더 극악한 것으로 생각되기 때문이다.

Jerry's seemingly fortuitous rise to the presidency had actually been carefully *premeditated*; for twenty years, he had been quietly sucking up to anyone in the company whom he felt could advance his career.
겉보기에는 우연인 것 같던 제리의 사장 승진은 실제로는 용의주도한 사전 계획에 의한 것이었다. 20년 동안, 그는 자신의 출세에 도움이 될 것이라고 생각한 회사 내의 사람들에게 보이지 않게 아첨을 떨어왔던 것이다.

**PREPONDERANCE** [pripándərəns] n **superiority in weight, number, size, extent, influence, etc. ; majority ; predominance** 무게, 수량, 크기, 넓이, 영향력 등등에 있어서의 우세, 우위 ; 다수, 우위의 세력 ; 탁월함

Looking around the well-dressed crowd at the ball, Richard was surprised to notice a *preponderance* of women wearing baseball caps.
무도회에서 잘 차려입은 사람들을 둘러보다가 리차드는 야구 모자를 쓴 여성들이 대다수라는 것을 발견하고 깜짝 놀랐다.

The *preponderance* of onions in the stew made us suspect that our host had been trying to save money when he made it, because onions were its least expensive ingredient.
스튜요리 속에 양파만 잔뜩 있는 것을 보고, 우리는 주인이 요리를 하면서 돈을 아끼려고 한 것은 아닌가 하는 생각이 들었다. 양파야말로 가장 싼 재료였기 때문이다.

**PRESAGE** [présidʒ] v **to portend ; to foreshadow ; to forecast or predict** ~의 전조가 되다 ; 징조를 보이다 ; 예언 또는 예상하다

* 발음에 주의할 것.

Patty's sullen looks *presage* yet another family battle.
패티의 부루퉁한 모습은 또 한번 가족 싸움이 벌어질 징조이다.

They say a bad dress rehearsal *presages* a good performance, but I have found that often a bad dress rehearsal is followed by an equally bad show.
총연습에서의 실수는 실제 공연이 성공할 것이라는 징조라고 사람들은 말한다. 그러나, 나는 총연습에서의 실수가 실제 공연으로 이어지는 것을 흔히 보아왔다.

The meteorologist's record at *presaging* the weather was not very impressive ; he was correct only about half the time.
날씨를 예측하는 데 있어 그 기상학자의 기록은 그다지 신통치 않았다 : 그의 예보는 절반 정도만 맞았다.

**PRESENTIMENT** [prizéntəmənt] n **the feeling that something(especially something bad) is about to happen** 어떤 일(특히, 나쁜 일)이 곧 닥칠 것 같은 느낌, 육감

My *presentiment* that I was about to be fired turned out to be incorrect ; my boss had asked to see me only because he wanted to tell me that he had given me a raise.
내가 곧 해고될 것 같은 예감은 틀린 것으로 드러났다 : 단지 사장은 나의 급료를 올려주었다는 얘기를 하고 싶었기 때문에 나에게 만나자고 했던 것이었다.

"I knew the boat would sink," Aunt Louise said triumphantly. "I just had a *presentiment* about it when I saw that leaky bottom."
"나는 그 배가 가라앉을 것을 알고 있었다." 루이즈 숙모는 의기양양하여 말했다. "바닥이 새는 것을 보고 그런 예감이 들었던 것 뿐이야."

**PRESUMABLY** [prizú:məbli] adv **probably ; the assumption is that ; doubtless** 아마도 ; 가정하건대 ; 아마

*Presumably* Elsie would have worn her glasses if she had known that her driver's test was today.
운전 면허 시험이 오늘이라는 것을 알았더라면, 엘시는 아마도 안경을 썼을 것이다.

The gardener said he would come a little early next week, *presumably* to rake up all the dead leaves before mowing.
아마도 잔디를 깎기 전에 낙엽부터 치워야 할 것 같으므로, 정원사는 다음 주에 조금 일찍 오겠다고 말했다.

**PRESUPPOSE** [prìːsəpóuz] v **to assume beforehand ; to take for granted in advance ; to require as a prior condition** 미리 추정하다 ; 미리 앞서서 당연한 것으로 생각하다 ; 전제 조건으로 요구하다

We mustn't *presuppose* that the new headmaster hates girls just because he's always been in charge of boys' schools before ; after all that time spent living with boys, it may actually be boys whom he hates.
단지 신임 교장이 이전에는 항상 남자 학교만 맡았다는 이유로, 그가 여학생들을 싫어한다고 함부로 추정해서는 안 된다 ; 남학생들과 생활하고 나서, 교장이 정말로 싫어하게 된 것은 남학생일지도 모른다.

A high score does not *presuppose* good play by either team ; sometimes sloppy teams run up a big score through carelessness.
높은 점수를 보고, 어느 한쪽 팀이 아주 좋은 경기를 했다고 함부로 추정해서는 안 된다 ; 때로는 별 볼일 없던 팀이 아무 생각없이 경기를 하다가 높은 점수를 얻기도 한다.

Because his father is a famous actor, Phil often encounters the *presupposition* that he can act, too.
아버지가 유명한 배우이기 때문에, 필은 그도 당연히 연기를 할 수 있을 거라는 추측들과 흔히 만나게 된다.

## QUICK QUIZ 64

Match each word in the first column with its definition in the second column. Check your answers in the back of the book.

1. predispose
2. predominant
3. pregnant
4. prelude
5. premeditated
6. preponderance
7. presage
8. presentiment
9. presumably
10. presuppose

a. majority
b. portend
c. most important
d. feeling that something is about to happen
e. introduction
f. make susceptible
g. planned beforehand
h. highly significant
i. assume beforehand
j. probably

**PRIMAL** [práiməl] adj **first ; original ; of the greatest importance** 최초의 ; 처음의 ; 가장 중요한

All of us can trace our ancestry back to one-celled creatures swimming about in a sort of *primal* soup of water, amino acids, gunk, and who knows what else.
우리 모두의 조상을 밟아 올라가 보면 물과 아미노산과 끈적끈적한 오물과 그 밖에 다른 것들이 섞인 원시적 형태의 수프 속에서 유영하던 단세포 생물에 이른다.

The throbbing music engendered a sort of *primal* excitement in the crowd, causing people to bang their chests and jump up and down on their seats. *Primal* among a puppy's needs is access to expensive shoes that it can chew.
역동적인 음악은 군중들에게 원시적인 형태의 흥분을 유발해서 사람들이 자기의 가슴을 치며 자리에서 팔짝팔짝 뛰게 만들었다. 강아지의 욕구 중에서 가장 주요한 욕구는 씹을 수 있는 값비싼 신발에 접근하는 것이다.

**PRISTINE** [prístiːn] adj **perfectly clean and untouched ; uncontaminated** 매우 깨끗하고 손대지 않은 ; 오염되지 않은

* 발음에 주의할 것.

We had thought the forest was *pristine* until we spotted the tin cans buried under the moss.
이끼 밑에 묻혀있는 깡통을 발견하기 전까지, 우리는 그 숲이 아주 깨끗한 천연의 상태일 거라고 생각했다.

My mother likes her kitchen so *pristine* that she'd really prefer that no one use it at all.
어머니는 깨끗한 주방을 너무나 좋아해서 아예 아무도 주방을 사용하지 않는 것을 더 좋아할 정도이다.

The *pristine* page in his typewriter seemed to taunt the struggling author, who couldn't think of anything whatsoever to write.
타자기에 걸린 순백의 종이가, 무엇을 써야 할지 아무 것도 생각나지 않아 발버둥치는 작가를 조롱하는 것처럼 보였다.

**PRIVATION** [praivéiʃən] n **lack of comforts or necessities ; poverty** 편리시설이나 필수품의 부족 ; 가난

* 발음에 주의할 것.

Oh, come on, Debbie! Not having an indoor swimming pool isn't exactly a *privation*, you know!
자! 데비야, 실내 수영장이 없다는 것은 반드시 가난하다는 것을 의미하는 것은 아니란다. 알겠지!

In wartime, most people readily accustom themselves to a level of *privation* that they would never accept under ordinary circumstances.
보통의 상황이라면 결코 적응하지 못했을 정도의 결핍도, 전시에는 대부분의 사람들이 쉽게 익숙해진다.

For Owen, the fact that he never had to make his bed more than made up for the numerous *privations* of life in a pup tent.
오웬에게 있어서는 잠자리를 정리하지 않아도 된다는 사실이, 소형 텐트에서 생활하면서 겪는 여러 가지 결핍을 보상해 주고도 남았다.
* 명사는 deprivation[dèprəvéiʃən], 특히 인간의 기본적인 복지를 위해서 중요한 것들의 결핍.

**PROCLAIM** [proukléim] v **to announce ; declare ; make known** 선언하다 ; 공표하다 ; 알리다

"I hereby *proclaim* that today is Hot Dog Day," announced the befuddled governor on the first day of Hot Dog Week.
"이에 의거하여 선언하노니, 오늘은 핫도그의 날이다." 엉망으로 취한 주지사가 핫도그 주간의 첫날 이렇게 선언했다.

The blossoms on the cherry trees *proclaimed* spring from every branch.
벚나무의 개화는 모든 가지마다에서 봄을 알리고 있었다.

Ordinary people don't usually *proclaim* things, unless they're trying to throw their weight around.
보통의 사람들은 자신의 중요성을 파시하는 경우가 아니라면, 일반적으로 뭔가를 선언하는 일을 하지 않는다.

The king *proclaimed* that taxes would be raised throughout the realm. Mr. Bendel reported the king's *proclamation* [prɑ̀kləméiʃən] to his family.
왕은 전 왕국에서 세금을 올릴 것이라고 선언했다. 벤들씨는 왕의 선언 내용을 가족들에게 전했다.

**PROCURE** [proukjúər] v **to obtain or acquire by special means** 특별한 방법으로 조달하다, 획득하다

It took a lot of effort and know-how to *procure* Oreos at the health spa, but Stuart bribed the chief chef.
헬스 센터에서 오레오스를 조달하는 데는 많은 노력과 기술이 필요했다. 그러나 스튜어트는 주방장을 뇌물로 매수했다.

Our efforts to *procure* a thousand cases of champagne in time for the party ended in failure ; we were able to find only nine hundred.
우리는 파티에 사용할 천 상자의 샴페인을 시간 안에 구하기 위해 노력했지만, 결국 실패했다 ; 우리는 단지 900 개밖에 못 찾았다.

The bookstore manager said that the bestseller was sold out, and that additional copies were not *procurable* [proukjúərəbl].
서점 지배인은 그 베스트셀러가 다 팔렸으며, 추가로 나온 책들은 구할 수 없다고 말했다.

* 명사는 procurement.

The practical joker seemed listless and depressed while he waited for the novelty company to ship his next *procurement* of exploding cigars.
경험이 풍부한 조커도 신고안품 회사가 그의 다음 조달 품목인 폭발하는 시가를 선적하기를 기다리는 동안에는 생기를 잃고 의기소침해진 것 같았다.

**PROGENY** [prádʒəni] n **offspring ; descendants** 자손 ; 후예

Mr. March is rich in nothing but *progeny* ; he says he'd rather have a million children than a million dollars.
마치씨는 오로지 자손들이 아주 많다 ; 그는 백만 달러보다 백만 명의 아이들을 갖는 것이 더 낫다고 말한다.

The first release of the word-processing software was balky and unreliable, but its *progeny* have been quite impressive.
워드프로세서 소프트웨어가 처음 세상에 나왔을 때는 갑자기 멈추기도 하고 신뢰할 수가 없었다. 그러나 그 후예들은 매우 인상적이었다.

A single rabbit may be the *progenitor* [proudʒénətər] of hundreds of offspring in his lifetime.
한 마리의 토끼는 일생 동안 수백 마리의 자손을 둘 수도 있다.

**PROPAGATE** [prápəgèit] v **to reproduce ; to multiply ; to spread or disseminate** 번식하다 ; 증식시키다 ; 확장하거나 퍼뜨리다

It shocked the nation when Tom gave up his career in professional basketball and devoted his life to *propagating* tree fungi.
탐이 프로농구 선수 생활을 그만두고 균류 재배에 일생을 바치겠다고 했을 때, 온 국민이 충격을 받았다.

The Cold Sun Society is dedicated to *propagating* the theory that the sun is a huge iceball, and its members wear winter coats all year long to protect them from icy blasts of sunlight.
Cold Sun Society는 태양이 거대한 얼음 덩어리라는 이론을 전파하는 데 헌신적이다. 그 단체의 회원들은 햇빛의 차가운 바람을 피하기 위해 일년 내내 겨울코트를 입고 다닌다.

* 명사는 propagation [pràpəgéiʃən].

Because there are so many endangered plants nowadays, many gardeners have become interested in the *propagation* of rare seeds, in order to keep old strains from disappearing.
오늘날에는 멸종 위기에 처한 식물들이 아주 많기 때문에, 오래된 혈통이 사라지지 않도록 하기 위해서 원예가들은 희귀한 종자의 번식에 많은 관심을 갖게 되었다.

**PROPOUND** [prəpáund] v **to set forth or propose ; to offer for consideration** 발표하다, 제안하다 ; 고려해 볼 것을 제의하다

* propound, propose, proposition 등은 "앞으로 나가는"이라는 의미의 라틴어에 뿌리를 두고 있다.

"This evening," began the scientist, "I plan to *propound* my hypothesis that trees grow because invisible giants pull them out of the ground."
과학자가 말하기 시작했다. "오늘밤, 나는 나무가 자라는 까닭은 보이지 않는 거인들이 지표면 밖으로 나무를 끌어내기 때문이라는 가설을 제안할 생각입니다."

In a flimsy effort to get Thomas off the hook, the defense lawyer *propounded* a preposterous scenario in which a gun thrown by someone on the street flew through the window, landed in Thomas's hand, and accidentally fired six times at Hannah as she scrambled frantically around the room while Thomas inadvertently shouted, "I'm really going to kill you now, you insufferable old curmudgeon."
피고측 변호사는 토마스를 궁지에서 구해낸답시고 말도 안 되는 시나리오를 내놓았다. 거리에서 누군가가 던져버린 총이 창문을 넘어와 토마스의 손으로 떨어졌으며, 토마스가 고의성 없이 "정말로 너를 죽이고 말겠어, 더 이상 참을 수 없어. 이 늙은 심술쟁이 구두쇠 같으니"라고 소리치는 동안, 몹시 흥분하여 방안을 휘젓고 다니던 한나를 향해 여섯발의 총알이 사고로 발사되었다는 것이 그 시나리오의 내용이었다.

**PROTÉGÉ** [próutəʒèi] n **a person under the care of someone interested in his welfare or career** 자신의 복지나 직업상의 일에 관심을 가지고 있는 누군가의 보호를 받고 있는 사람, 피보호자, 부하

* 이 단어는 프랑스어. 발음에 주의할 것.

"I would like you to meet my *protégé*, Dirk Simpson," said Miss Charlton. "I am training him to manage my estate and will leave the bulk of my fortune to him when I pass away."
"당신이 나의 심복, 덕 심슨을 만나보았으면 좋겠습니다. 나는 그에게 내 재산을 관리하도록 훈련시키고 있으며, 내가 죽게 되면 그에게 재산의 대부분을 주려고 합니다." 미스 찰톤이 말했다.

What an apple polisher Walter is! He's always approaching important men in the company and asking them to be his mentor. But nowadays most executives don't have time for *protégés* ; they're too busy looking after their own jobs.
왈터는 대단한 아첨꾼이다. 그는 항상 회사 내의 중요한 간부들에게 접근해서 좋은 조언을 해달라고 부탁한다. 그러나, 오늘날의 대부분의 간부들은 부하를 위한 시간을 갖지 못한다 ; 그들은 자신들의 업무만 따라가기에도 너무 바쁘다.
* 좀더 정확하게 말하면, 여성 피보호자는 protégée라고 쓴다.

Under the watchful eye of her guardian, the little *protégée* flourished, was introduced into society, and made a very advantageous marriage.
보호자의 철저한 보살핌 속에서 작은 소녀는 무럭무럭 자라났고, 사회에 첫 발을 디뎠으며, 매우 유리한 결혼을 하게 되었다.

**PROTOCOL** [próutəkɔ̀:l] n **diplomatic etiquette and customs** 외교상의 예절이나 관습

* 발음에 주의할 것.

When she was made ambassador to France, she spent months studying French *protocol* before she felt comfortable with her new role.
프랑스로 파견되는 대사가 되자, 그녀는 새로운 역할이 편안하게 느껴질 때까지 몇 달에 걸쳐 프랑스의 외교상의 예절과 관습을 공부했다.

It isn't exactly *protocol*, but diplomats' children can generally behave as badly as they want and not get punished for it.
그것이 반드시 외교적 관례인 것은 아니다. 그러나 외교관의 자녀들은 자신들이 일반적으로 원하는 만큼 나쁜 짓을 해도 그것으로 처벌을 받지 않을 수 있다.

## QUICK QUIZ 65

Match each word in the first column with its definition in the second column. Check your answers in the back of the book.

| | |
|---|---|
| 1. primal | a. reproduce |
| 2. pristine | b. set forth |
| 3. privation | c. original |
| 4. proclaim | d. person under the care of someone |
| 5. procure | e. lack of comforts |
| 6. progeny | f. announce |
| 7. propagate | g. diplomatic etiquette |
| 8. propound | h. perfectly clean and untouched |
| 9. protégé | i. offspring |
| 10. protocol | j. obtain by special means |

**PROVOCATION** [prɑ̀vəkéiʃən] n **the act of provoking ; incitement ; cause** 자극하는 행위 ; 선동 ; 원인

That stupid dog starts barking at any *provocation*, including the sound of a window washer clearing his throat.
바보 같은 그 개는 창문 청소하는 사람의 헛기침 소리를 비롯해서, 아무 거나 보고 짖기 시작한다.

The police arrested the young man without *provocation* ; he had been doing nothing illegal.
경찰은 정당한 이유도 없이 그 젊은이를 체포했다 : 그는 불법적인 일을 한 적이 없었다.

Despite the bully's *provocations*, Peter refused to be drawn into a fight.
깡패의 집적거림에도 불구하고, 피터는 싸움에 말려들지 않았다.
* 동사 provoke [prəvóuk]는 누군가를 화나게 만드는 것이다.

**PROWESS** [práuis] n **exceptional skill or strength ; uncommon bravery** 특별한 기술이나 힘 ; 보기 드문 용감성

Annie is famous all across the country for her *prowess* on horseback ; in fact, some people say she's one of the most talented trick riders in the world.
애니의 말타는 솜씨는 그 지역에서 아주 유명하다 : 사실, 어떤 사람들은 그녀가 세계에서 가장 뛰어난 승마 기술을 가지고 있는 사람 중의 하나라고 말하기도 한다.

Although he boasts of having great *prowess* in the kitchen, Harold knows how to make nothing but toast.
해롤드는 조리 분야에서 뛰어난 기술을 가지고 있다고 자랑하지만, 사실, 그가 할 줄 아는 것이라고는 토스트를 굽는 것뿐이다.

**PRURIENT** [prúəriənt] v **having lustful thoughts or desires ; causing lust** 외설적인 생각이나 욕구를 지닌 ; 성적인 욕구를 야기하는

* 발음에 주의할 것.

Since Miss Goggins was afraid that art books with naked statues in them would appeal to teenagers' *prurient* interests, she had all the art books removed from the library shelves.
미스 고진스는 벌거벗은 조각상이 들어 있는 미술 책들이 십대들의 성적인 호기심을 자극할까봐 걱정이 되었다. 그래서 그녀는 도서관 서고에서 모든 미술 책들을 치워버렸다.

The principal didn't care what the students did at home or in the backseat of their car, but he was offended by openly *prurient* behavior in the halls, and he issued a rule requiring students to keep their clothes on during school hours.
교장은 학생들이 집이나 자신들의 차 뒷자리에서 무엇을 하건 관여하지 않았다. 그러나, 강당 안에서 공개적으로 하는 외설적인 행동은 참을 수가 없었다. 그는 학생들에게 학교에서는 반드시 옷을 입을 것을 요구하는 규칙을 공표했다.

* 명사는 prurience [prúəriəns].

Gael's love of exotic foods almost amounted to *prurience* ; she eats them with an eagerness that can only be described as lust.
게일의 외국 음식에 대한 애정은 거의 성적인 열망에 가까울 정도였다 ; 그녀는 거의 성욕이라고밖에 표현할 수 없는 정열을 가지고 음식들을 먹는다.

**PSEUDONYM** [sú:dənim] n **a false name ; an alias** 가명 ; 별명

* 발음에 주의할 것.

Dr. Seuss was the *pseudonym* of Theodor Seuss Geisel.
세우스 박사는 테오도르 세우스 지젤의 별명이었다.

The philandering couple used *pseudonyms* when they checked into the hotel for the afternoon, because they didn't want anyone to know what they were up to.
연애 중인 두 연인은 오후에 호텔에 들어갈 때 가명을 사용했다. 다른 사람들이 그들의 일을 알게 되기를 원하지 않았기 때문이었다.

"I'm going to use a *pseudonym* so as not to attract people's attention when I go out in public," announced the famous actor. "I'll call myself Rumblebumble Wart."
"나는 대중 앞에 나설 때, 사람들의 관심을 끌지 않기 위해서 가명을 사용할 것이다. '덜커덕윙윙 사마귀' 라는 이름을 가명으로 할 것이다." 라고 그 유명한 배우가 말했다.

* pseudo [sú:dou] 라는 접두사는 거짓을 의미한다. pseudointellectual은 지적인 일에 관심이 있는 척하는 사람을 가리키는 말이다. pretentious people은 속어로 pseuds (잘난 척하는 사람)라 한다.

**PSYCHE** [sáiki] n **the human soul ; the mind ; the spirit** 인간의 영혼 ; 마음 ; 정신

* 두 음절의 발음에 주의할 것.

While in medical school, Nancy noticed that she was far more interested in her patients' *psyches* than in their bodies, so she decided to become a *psychiatrist*.
의과 대학원에 다니는 동안, 낸시는 환자의 신체보다는 그들의 정신에 훨씬 더 많은 관심이 있다는 것을 깨닫게 되었다. 그래서 그는 정신과의사가 되기로 마음먹었다.

Mel has a very fragile *psyche* ; when anyone criticizes him, he pouts for days and refuses to eat.
멜은 매우 상처받기 쉬운 영혼의 소유자이다. 누군가 그를 비난하기라도 하면, 그는 며칠 동안 토라져서, 먹는 것조차도 거부한다.

**PUMMEL** [pʌ́məl] v **to pound or punch with the fists** 주먹으로 난타하다, 치다

Unable to think of a clever rejoinder to her brother's taunts, Tracy decided to *pummel* him.
오빠의 조롱에 현명한 대답이 생각나지 않았기 때문에, 트레이시는 오빠를 주먹으로 때리기로 했다.

You often have to *pummel* bread dough in order to knead it correctly.
빵을 만들 때, 제대로 반죽하기 위해서는 흔히 반죽을 연달아 쳐주어야 한다.

The unprepared football team suffered an embarrassing *pummeling* in the opening round of the state tournament ; they lost by a score of 58-0.
준비가 안 된 그 풋볼팀은 주 선수권대회의 첫 번째 경기에서 창피할 정도로 두들겨 맞았다. 58대 0으로 졌다.

**PUNCTILIOUS** [pʌŋktíliəs] adj **meticulously attentive to detail ; scrupulously (and sometimes annoyingly) exact** **사소한 일에도 세심하게 신경을 쓰는 ; 꼼꼼하고 (때로는 성가실 정도로) 정확한**

Mr. Richards's secretary drives him crazy with her *punctilious* habit of going through his correspondence and correcting grammatical errors in the letters people send to him.
사람들이 자신에게 보내는 편지들을 샅샅이 훑어보고, 문법적 오류를 일일이 교정할 정도로 꼼꼼한 습관을 갖고 있는 비서 때문에 리처즈는 미칠 지경이다.

The prosecutor's *punctilious* recitation of the case against the defendant left the jury no choice but to convict.
피고인에게 불리한 사건 내용에 대해 검사가 꼼꼼하고 정확하게 진술했기 때문에 배심원단은 유죄를 평결하는 것말고는 달리 선택할 길이 없었다.

The new architect was hardly *punctilious* ; when he drew the plans for the new skyscraper, he forgot to put in any floors.
새로 온 건축가는 꼼꼼함이라는 것이 거의 없었다 ; 새로운 고층건물의 도면을 그리면서도 건물의 바닥면을 그려 넣는 것을 잊어버렸다.

Mr. Tholen's *punctiliousness* about table manners made his children tremble as they approached the dining room.
식탁예절에 관해 매우 엄격한 톨렌씨 때문에, 아이들은 식당에 갈 때마다 벌벌 떨었다.

**PUNDIT** [pʌ́ndit] n **an expert ; an authority ; a learned person** **전문가 ; 권위자 ; 학식이 깊은 사람**

I can never decide what the most important issues of the day are, so I let the *pundits* who write the columns on the editorial page tell me.
나는 그날의 주제를 무엇으로 해야 할지 결정할 수가 없다. 그래서 사설란에 칼럼을 쓰는 전문가에게 조언을 해달라고 부탁한다.

Mrs. Meetz is quite a *pundit* on the history of needlepoint, if she can get anyone to listen to her.
미츠 부인은 사람들이 그녀에게 귀를 기울이게 할 수만 있다면, 바늘뜨개질의 역사에 대한 상당한 전문가가 될 터인데.

**PUNGENT** [pʌ́ndʒənt] adj **sharp-tasting or sharp-smelling ; acrid ; caustic or incisive** **자극적인 맛, 또는 자극적인 냄새가 나는 ; 신랄한 ; 통렬하거나 날카로운**

Peter's parents are such bland eaters that every time they come to dinner he purposely serves them some incredibly *pungent* dish. Olives marinated in lemon juice, chili pepper, and garlic was his latest attempt to wake up their palates.
피터의 부모님은 부드러운 음식만 먹는 사람들이기 때문에, 피터는 부모님이 식사를 하실 때, 일부러 아주 자극적인 음식을 준비한다. 최근에는 레몬 주스에 담근 올리브, 칠레 후추, 마늘로 그들의 미각을 일깨우려 했다.

The simmering soup gave off a *pungent* aroma that stung the nostrils of the cook.
부글부글 끓고 있는 수프는 요리사의 코를 찌르는 자극적인 향을 발산했다.

Racket's wit is a little too *pungent* for me ; there is a tinge of cruelty in the jokes she tells about her friends.
라켓의 기지는 내게는 조금 지나칠 정도로 독설적이다 ; 그녀가 자신의 친구에 대해서 이야기하는 우스개 소리는 조금 잔인한 감이 있다.

**PUNITIVE** [pjúːnətiv] adj **inflicting a punishment** 벌을 가하는

Zoe's father was incredibly *punitive* ; once, he grounded her for breathing too loudly.
조의 아버지는 대단히 가혹했다 ; 한번은, 그녀의 숨소리가 시끄럽다는 이유로 외출금지를 내렸다.

Claude designs clothes so tight that wearing them is almost *punitive*.
클라우드는 옷들을 너무 꽉 조이게 디자인하기 때문에, 그의 옷을 입는다는 것은 거의 형벌이나 다름없다.

Todd was ordered to pay a one-thousand-dollar fine plus three thousand dollars in *punitive* damages for having written insulting graffiti on the Purvises' garage door.
토드는 퍼바이스네 차고 문에 모욕적인 낙서를 한 것에 대해서 천 달러의 벌금과 명예훼손에 따른 보상으로 삼천 달러를 내도록 판결받았다.

**PURBLIND** [pə́ːrblàind] adj **dim-sighted ; practically blind ; lacking understanding or imagination** 시력이 약한 ; 거의 소경과 다름없는 ; 상상력이나 이해력이 부족한

Surgery is not a job for the *purblind* ; last week, the myopic Dr. Jones sewed his watch inside someone's abdomen.
외과는 시력이 약한 사람에게는 맞는 업종이 아니다 ; 지난 주, 근시인 존스 박사는 어떤 사람의 복부에 자신의 시계를 넣고 꿰맸다.

"I can no longer live with such a *purblind* woman," moaned the famous tenor. "She actually finds it embarrassing when I break into song in the middle of the street."
"나는 그렇게 아둔한 여자와 더 이상 살 수 없어요. 내가 길 한가운데서 노래를 부르기 시작하면, 그녀는 정말로 그것을 창피하게 여깁니다." 라고 유명한 테너는 개탄했다.

**PURITANICAL** [pjùərətǽnikəl] adj **very severe and strict about morals** 도덕관념이 매우 엄격하고 철저한

In the sixteenth and seventeenth centuries, the *Puritans* were a group of Protestants who viewed pleasure and luxury as sinful and adhered strictly to simple and very severe religious beliefs. With a capital *P*, *Puritanical* means having to do with the Puritans ; with a lower-case *p*, *puritanical* has a broader meaning, and it is almost never a compliment.
16세기와 17세기의 청교도들은 신교도의 한 분파로 쾌락과 사치를 죄라고 생각했다. 그리하여, 그들은 단순하고 매우 엄한 종교적 신념을 엄격하게 고수했다. 대문자로 시작하는 Puritanical은 청교도와 관련이 있다는 의미이다 ; 소문자 p로 시작하는 puritanical은 더 넓은 의미로 사용되며, 이 단어는 그다지 칭찬의 의미가 아니다.

Ursula's parents are quite *puritanical* ; they won't let her talk to boys, and won't let her stay out past seven-thirty without a chaperon.
어슬라의 부모님은 아주 엄격하신 분들이다 ; 그들은 딸이 남자들과 말도 할 수 없게 하며, 7시 반 이후로는 보호자 없이 외출하는 것도 허락하지 않으려 한다.

Molly was so anxious not to be thought *puritanical* that she told the Hell's Angels she would love to spend the week with them in Las Vegas.
몰리는 금욕적이라고 생각되는 게 너무나 싫었기 때문에, '지옥의 천사들' 이라는 오토바이 폭주족에게 라스베가스에서 그들과 함께 일 주일을 보내고 싶다고 말했다.

## QUICK QUIZ 66

Match each word in the first column with its definition in the second column. Check your answers in the back of the book.

| | |
|---|---|
| 1. provocation | a. false name |
| 2. prowess | b. having lustful thoughts or desires |
| 3. prurient | c. dim-sighted |
| 4. pseudonym | d. incitement |
| 5. psyche | e. very severe about morals |
| 6. pummel | f. inflicting a punishment |
| 7. punctilious | g. exceptional skill or strength |
| 8. pundit | h. pound with fists |
| 9. pungent | i. learned person |
| 10. punitive | j. meticulously attentive to detail |
| 11. purblind | k. human soul or mind |
| 12. puritanical | l. sharp-tasting |

**QUAINT** [kweint] adj **pleasantly old-fashioned ; picturesque** 유쾌하게 고풍스러운 ; 멋있어 보이는

Janet had always longed to live in a *quaint* old cottage, so when she bought her split-level ranch house she glued moss and hollyhocks all over the outside.
재닛은 항상 예스러운 정취가 있는 낡은 오두막에서 살기를 원했었다. 그래서 난평면(주: 1층과 2층 사이에 중간 2층이 있는 집)의 농가를 사들였을 때, 그녀는 집 바깥 전체에 이끼와 접시꽃을 심었다.

In this town people have the *quaint* custom of throwing their plates at the hostess when they've finished eating.
이 도시의 사람들은 식사가 끝나고 나면, 초대한 여주인에게 접시를 던지는 기이한 풍습이 있다.

**QUANDARY** [kwándəri] n **state of perplexity ; predicament** 당황한 상태 ; 곤경

Joe is in a *quandary* ; tomorrow he's scheduled to marry three different women in three different towns, and he can't decide whether to try to pull it off or move to another country.
조는 어찌할 바를 모르고 있다 : 그는 내일 서로 다른 세 도시에서 서로 다른 세 명의 여자와 결혼을 하기로 되어 있다. 그는 어떻게 하든 그 일을 무사히 해내야 할지 아니면, 다른 나라로 도망이라도 가야할지 결정을 내릴 수가 없다.

"You place me in a *quandary*," observed the professor to his pleading student. "If I don't give you an A, you'll be expelled—even though your work deserves no higher than a D-plus." Then the professor remembered that Candy almost never came to class, and decided he wasn't in much of a *quandary* after all.
"너는 나를 난처하게 만드는구나. 비록 너의 작품은 D⁺이상을 받을 만한 가치가 없지만, 그래도 내가 너에게 A학점을 주지 않는다면, 너는 쫓겨날 거야." 교수는 간청하는 학생에게 말했다. 그리고 나서 교수는 캔디가 거의 수업에 들어오지 않았다는 것을 상기하고, 마침내는 더 이상 곤란해 할 필요가 없다는 결론을 내렸다.

**QUASI** [kwéizai] adv or adj **almost ; near ; resembling** 거의 ; 가까운 ; 닮은, 유사한

* 이 단어는 항상 다른 단어와 결합하여 사용된다. 발음에 주의할 것.

She managed to come up with a *quasi-plausible* excuse for being out all night, so the headmistress decided to give her one more chance.
그녀는 외박을 한 것에 대해서 거의 그럴듯한 변명을 만들어냈다. 그래서 여교장은 그녀에게 한번 더 기회를 주기로 결정했다.

Claire makes all her own clothes ; as a result, she always looks *quasi-fashionable* instead of truly stylish.
클레어는 자신의 옷을 모두 손수 만든다 : 그렇기 때문에, 그녀는 사실 맵시는 없지만 항상 거의 최신 유행에는 맞게 보인다.

Our invention was a *quasi-success* ; it didn't do what we wanted it to do, but it also didn't blow up.
우리의 발명은 반은 성공한 것이었다 : 그것은 우리가 원했던 대로 작동하지는 않았지만, 그렇다고 폭발하지도 않았다.

**QUAY** [kiː] n **a landing on the edge of the water ; wharf ; pier** 물가에 만들어 놓은 상륙장 ; 부두 ; 방파제

* 발음에 주의할 것.

The party is being held on the *quay* ; that means that at least five people will get pushed into the water at some point during the evening.
파티는 방파제 위에서 진행중이다 ; 그것은 저녁에 적어도 다섯 명의 사람이 물 속으로 떠밀릴 것 이라는 사실을 의미한다.

The hurricane washed away every boat moored along the *quay*, but the boats that had been pulled onto dry land before the storm were undamaged.
허리케인은 부두에 정박하고 있던 모든 배들을 쓸어갔다. 그러나, 폭풍이 오기 전에, 육지 위로 끌어놓았던 배들은 손상을 입지 않았다.

**QUELL** [kwel] v **to put an end to ; to squelch ; to suppress** 끝을 내다 ; 진압하다 ; 억압하다

Only his girlfriend could *quell* Whit's wrath at not having been chosen for the varsity team.
오직 여자 친구만이 대학 대표팀에 발탁되지 못한 윗의 분노를 진정시킬 수 있었다.

A mutiny arose when the cafeteria ran out of ice cream, but the food service manager *quelled* it quickly by offering beer instead.
카페테리아의 아이스크림이 바닥나자 소동이 일어났다. 그러나, 지배인은 아이스크림 대신에 맥주를 제공하여 신속하게 소동을 진정시켰다.

**QUERY** [kwíəri] n **a question ; an inquiry** 의문 ; 질문

Please save any *queries* for the end of the lecture, or the professor will lose his train of thought and start singing the national anthem.
강의가 무사히 끝날 수 있도록 질문을 자제해 주세요. 그렇지 않으면, 교수님은 생각의 흐름을 놓치고 애국가를 부르기 시작할 수도 있어요.

The manuscript was so covered with *queries* from her editor that Nancy could see immediately that she had a major revision ahead of her.
원고에는 편집자가 쓴 질문들이 잔뜩 있어서, 낸시는 자신보다 먼저 편집자가 대폭적인 교정을 했다는 사실을 즉시 깨달을 수 있었다.

* query는 동사이기도 하다.

"Do you really think the earth is round?" Doug *queried* scornfully.
"정말로 지구가 둥글다고 생각하니?" 비웃는 표정으로 더그가 물었다.

**QUEUE** [kjuː] n **a line or file** 줄 ; 열

The British are famous for waiting patiently in long *queues*, while the Germans are notorious for pushing to the head of the line.
영국 사람들은 긴 줄에서도 느긋하게 기다리는 것으로 유명하다. 반면에, 독일인들은 새치기하는 것으로 악명 높다.

* queue는 동사로도 쓰인다.

People were so eager for tickets that they started to *queue* up the night before the box office opened.
사람들은 너무나 간절히 입장권을 원했기 때문에, 매표소가 문을 열기 전날 밤부터 미리 줄을 서기 시작했다.

**QUIESCENT** [kwaiésənt] adj **motionless ; at rest ; still** 정지한 ; 휴식중인 ; 움직이지 않는

Clear your brain of all irrelevant thoughts ; let your mind become *quiescent*. Then, and only then, will you truly be ready to learn why I should take over the world.
모든 무의미한 생각들을 머리 속에서 지워버려라 ; 너의 영혼을 쉬게 하라. 오직 그렇게 했을 때만이 진정으로 내가 세상을 접수해야 하는 이유를 알 준비가 된 것이다.

Theodore was bubbling over with energy as a young man, but in old age he settled into a peaceful *quiescence* [kwaiésəns].
젊었을 때의 테오도르는 혈기가 넘쳤다. 그러나 나이가 들자, 그도 편안한 휴식에 안주했다.

**QUINTESSENTIAL** [kwintəsénʃəl] adj **being the most perfect example of** **가장 완벽한 본보기가 되는, 전형의**

Lacey is the *quintessential* volunteer ; she works twenty-three hours a day on different charitable causes.
래씨는 자원봉사자의 전형이다 ; 그녀는 여러 가지 자선의 명분으로 하루에 스물 세 시간씩 일을 한다.

* 명사는 quintessence.

When you have reduced something to its most pure and concentrated form, you have captured its *quintessence*.
어떤 사물을 가장 순수하고 농축된 형태로 줄였을 때, 우리는 그 사물의 진수를 얻은 것이다.

**QUIZZICAL** [kwízikəl] adj **teasing ; mocking ; questioning ; inquisitive** **짓궂은 ; 조롱하는 ; 미심쩍어하는 ; 캐묻는**

* 발음에 주의할 것.
* 고대 영어에서 quiz는 다른 사람을 조롱한다는 의미였다. 여기에 나온 단어 quizzical은 고대에 쓰였던 의미의 흔적이 남아 있는 것이다.

Josh gave Jennifer's waistline a *quizzical* glance as she reached for her third piece of pie.
조시는 제니퍼의 허리선을 조롱하듯이 힐끗 쳐다보았다. 그녀가 파이를 세 조각째 먹고 있었기 때문이었다.

Increasingly in modern usage, *quizzical* also means questioning or inquisitive.
현대 어법에서는 갈수록, quizzical은 미심쩍어하거나 질문을 많이 한다는 의미로도 쓰인다.

The policeman's *quizzical* expression hinted that perhaps I hadn't explained very well why I had to speed on the highway.
경찰의 미심쩍어하는 표정을 보고, 나는 내가 고속도로에서 과속을 해야 했던 이유를 제대로 설명하지 못했다는 것을 눈치챘다.

**QUOTIDIAN** [kwoutídiən] adj **daily ; everyday ; ordinary** **매일의 ; 날마다의 ; 평범한**

Having an airplane crash in your backyard isn't exactly a *quotidian* event ; in fact, for most people it isn't even a weekly one.
뒷마당에 비행기가 추락하는 것은 날마다 일어나는 사건이 아닌 것만은 분명하다 ; 사실, 대부분의 사람들에게 있어서, 그 일은 (날마다는 고사하고) 일주일에 한 번 정도 일어날 수 있는 사건도 아니다.

Marvin's diary was dull to read ; it was filled almost entirely with thoroughly *quotidian* observations about meals and the weather.
마빈의 일기는 지루해서 읽을 수가 없었다 ; 일기는 한결같이 식사와 날씨에 대한 아주 시시한 관찰 내용을 적어놓은 것이었다.

## QUICK QUIZ 67

Match each word in the first column with its definition in the second column. Check your answers in the back of the book.

| | |
|---|---|
| 1. quaint | a. pleasantly old-fashioned |
| 2. quandary | b. question |
| 3. quasi | c. motionless |
| 4. quay | d. being the most perfect example of |
| 5. quell | e. put on end to |
| 6. query | f. a landing on the edge of the water |
| 7. queue | g. teasing |
| 8. quiescent | h. state of perplexity |
| 9. quintessential | i. daily |
| 10. quizzical | j. almost |
| 11. quotidian | k. line |

**RAMPANT** [rǽmpənt] adj **widespread ; uncontrollable ; prevalent ; raging** 만연한 ; 통제할 수 없는 ; 유행하는 ; 사나운

A rumor the princess is expecting triplets is running *rampant* through the village ; by noon, everyone in the county will have heard it.
공주가 세 쌍둥이를 임신했다는 소문은 온 마을에 급속도로 퍼지고 있다 ; 정오가 되면, 나라 안의 모든 사람들이 그 소문을 듣게 될 것이다.

Crime was *rampant* in the high school building ; every locker had been broken into, and even the seventh graders carried guns.
고등학교 건물에는 범죄 행위가 만연했다 ; 모든 사물함은 부서지고, 심지어 7학년 학생들은 총을 갖고 다니기도 했다.

A *rampant* horde of squealing fans tore the clothes off the rock star.
한 무리의 맹렬하고 요란스런 팬들이 그 록 가수의 옷을 찢었다.

**RAPTURE** [rǽptʃər] n **ecstasy ; bliss ; unequaled joy** 황홀경 ; 최고의 행복 ; 다시없는 기쁨

Nothing could equal the Americans' *rapture* on spotting a Burger King in Calcutta ; they had been terrified that they were going to have to eat unfamiliar food.
캘커타에서 버거킹을 만났을 때처럼 그 미국사람들에게 최고의 기쁨을 선사하는 일은 없었다 ; 그들은 생소한 음식을 먹어야만 한다는 사실에 겁을 먹고 있었던 것이다.

Winning an Oscar sent Dustin into a state of *rapture*. "I can't believe this is happening to me!" he exclaimed.
오스카상 수상으로 더스틴은 다시없는 최고의 기쁨을 누렸다. "이런 일이 나에게도 일어나다니 정말 믿을 수 없어요!" 그는 큰소리로 외쳤다.

* 형용사는 rapturous [rǽptʃərəs].

Rex doesn't go in for *rapturous* expressions of affection ; a firm handshake and a quick punch on the shoulder is enough for him.
렉스는 열광적인 애정 표현을 좋아하지 않는다 ; 그는 굳은 악수와 살짝 어깨를 치는 것으로 충분하다.

* Rapt [ræpt]는 무아경에 빠지거나 희열이 넘친다는 의미로 쓰이는 형용사이다.

The children listened with *rapt* attention to the storyteller ; they didn't notice the pony standing in the hallway behind them. The dog stared *raptly* at the meat on the counter.
아이들은 이야기를 해주는 사람에게 넋이 빠진 채 집중해서 귀를 기울이고 있었다 ; 아이들은 그들 뒤의 복도에 조랑말이 서 있는 것도 알아채지 못했다. 개는 계산대 위에 있는 고기를 넋을 놓고 쳐다보았다.

* enraptured [enrǽptʃərd]는 황홀경에 빠지거나 누군가에게 홀려있는 것을 의미한다.

*Enraptured* by Danielle Steele's thrilling prose style, Frank continued reading until the library was ready to close.
다니엘 스틸의 스릴 넘치는 문체에 빠져서, 프랭크는 도서관이 문을 닫을 준비를 할 때까지 계속해서 책을 읽었다.

**RAREFIED** [rέərəfàid] adj **esoteric ; interesting to a select group only ; exalted** 심원한 ; 오직 선택된 소수만이 흥미를 갖는 ; 고귀한

Wendell's musical compositions are so *rarefied* that only a few people can really appreciate them.
웬델의 음악들은 너무나 심오해서 소수의 사람들만이 진짜 가치를 알고 감상할 수 있다.

Your book is too *rarefied* to reach a mass audience ; why don't you take out the Old French epics and throw in a few car chases or something?
너의 저서는 너무나 심오해서 일반 대중에게는 맞지 않다 ; 옛 프랑스의 영웅담을 빼내고 자동차 추격 장면 같은 것들을 넣는 게 좋겠다.
* 동사는 rarefy [rέərəfài] 로 희박해지다, 또는 세련되게 한다는 의미를 갖는다. 그래서 rarefied에는 희박하다는 의미도 있다.

The atmosphere *rarefied* so much as Kelly scaled Mount Everest that she had to catch her breath.
에베레스트 산을 오르면 오를수록 공기는 희박해져서 켈리는 헐떡이며 숨을 쉬어야 했다.

**RATIFY** [rǽtəfài] v **to confirm ; to approve something formally** 확증하다 ; 공식적으로 승인하다

If the latest version of the disarmament treaty isn't *ratified* soon, we must prepare for the possibility of war.
최근에 벌어지고 있는 군비 축소 협약이 비준을 받지 못한다면, 즉시 우리는 전쟁의 가능성에 대비해야 한다.

The powerless legislature had no choice but to *ratify* the edicts of the dictator.
권력이 없는 입법부는 독재자의 명령을 공식적으로 승인하는 것 외에는 달리 선택권이 없었다.

According to the rules of P.S. 49, the student council president cannot take office until the entire student body has *ratified* his election. That is why P.S. 49 has never had a student council president.
공립학교 49의 규칙에 의하면, 학생회장은 모든 학생 구성원들이 그의 당선을 인준하기 전에는 업무를 시작할 수 없다. 그것이 공립학교 49가 학생회장을 한번도 가져보지 못한 이유이다.
* 명사는 ratification.

**RATIOCINATION** [ræ̀ʃiɑ́sənéiʃən] n **logical reasoning** 논리적인 추론

Winning the love of Wilma was clearly not a problem that could be solved by *ratiocination* alone ; Wendell decided to turn off his computer and ask her out.
윌마의 사랑을 얻는 것은 논리적인 추론에 의해서만 해결될 수 있는 문제가 분명히 아니었다 ; 웬델은 컴퓨터를 끄고 그녀를 밖으로 불러내기로 결심했다.
* 동사는 ratiocinate [ræ̀ʃiɑ́sənèit]. 발음에 주의할 것.

**RATIONALE** [ræ̀ʃənǽl/-nɑ́:l] n **underlying reason ; basis ; reasoning** 근본적인 이유 ; 논거 ; 추론

"My *rationale* is simple," the doctor explained as he rummaged around in his drawer for a larger spoon. "If one dose of medicine is good, fifty doses must be better."
"내 논리는 간단합니다. 1회 분량의 약이 효과가 있다면, 50회분의 약은 틀림없이 더 큰 효과가 있다는 것이죠." 의사는 서랍 속에서 더 큰 숟가락을 찾으며 말했다.

A powerful need to make phone calls from her car was Alice's *rationale* for buying a car phone.
차에서 전화를 해야할 필요성이 아주 많다는 것이 앨리스가 자동차 휴대폰을 사려는 근본적인 이유였다.
* 동사 rationalize [rǽʃənəlàiz] 는 합리화한다는 뜻이지만, 변명을 한다는 의미를 더 많이 담고 있다.

**RAUCOUS** [rɔ́:kəs] adj **stridently loud ; harsh ; rowdy** 귀에 거슬리는 소리가 나는 ; 거친 ; 떠들썩한

Crows are my least favorite bird in the early morning ; their *raucous* cawing wakes me, and I can't get back to sleep.
이른 아침의 까마귀는 내가 가장 싫어하는 새이다 ; 귀에 거슬리는 까마귀의 까악까악 소리는 단잠을 깨우고, 그러고 나면 나는 다시 잠을 이루지 못한다.

"If you don't stop that *raucous* behavior, I'll-I'll put you in the corner!" said the new teacher in a quavering voice as the students prepared to push Jeremy out the window.
"거친 행동을 그만두지 않는다면, 정말로 구석으로 보내버릴 거야." 학생들이 제레미를 창문 밖으로 밀칠 준비를 하고 있을 때, 새로 온 선생님은 떨리는 목소리로 말했다.

Jed laughed *raucously* when his sister toppled off her chair.
여동생이 의자에서 뒤뚱거리다 넘어지자, 제드는 거칠게 웃음을 터뜨렸다.

**REACTIONARY** [riːǽkʃənèri/-ʃənəri] adj **ultraconservative ; right-wing ; backward - thinking** **극단적 보수주의의 ; 우익의, 보수적인 ; 과거 회귀적인 사상의**

Grandpa Gus is so *reactionary* that he doesn't think women should be allowed to vote.
구스 할아버지는 너무나 보수적이어서 여자들에게는 투표권을 주지 않아도 된다고 생각한다.

There's no point in proposing a welfare bill as long as this *reactionary* administration remains in power.
이 보수적인 정권이 계속 권력을 유지하는 한, 복지 법안을 제안해봐야 소용없다.

* 이 단어는 명사로도 쓰인다.

I am a *reactionary* on the subject of candy ; I believe that the old, established kinds are the best.
나는 사탕 문제에 관한 한 복고주의자이다 : 나는 옛날, 오래 전에 나왔던 사탕이 최고라고 생각한다.

**REBUFF** [ribʌ́f] v **to snub ; to reject** **상대하지 않다 ; 거절하다**

Ashley has been trying to tame the squirrels in her yard, but so far they've *rebuffed* her efforts ; she hasn't even been able to get them to eat the food she leaves for them on her porch.
애쉴리는 마당에서 다람쥐를 길들이려고 애쓰고 있었다. 그러나 다람쥐들은 지금까지도 그녀의 온갖 노력을 거부하고 있다 : 심지어 그녀는 다람쥐를 위해 현관에 내놓은 음식을 먹일 수조차 없었다.

Don't be surprised if Willie *rebuffs* your advances ; if you want him to kiss you, you're just going to have to invest in some false teeth.
윌리가 너의 구애를 거절하더라도 놀라지 말아라 : 그가 너에게 키스하기를 바란다면, 의치에 투자를 해야만 할 것이다.

* rebuff는 명사로도 쓰인다.

I invited my parents to the Metallica concert, but I met with a horrified *rebuff* ; in fact, my parents said they would rather die than go.
나는 메탈리카의 콘서트에 부모님을 초대했다. 그러나, 나는 충격적인 거부 의사에 직면했다 : 사실, 부모님은 거기에 가느니 차라리 죽는 것이 더 낫겠다고 말했던 것이다.

**RECIDIVISM** [risídəvìzm] n **the act of repeating an offense** **상습적인 범법 행위**

* 발음에 주의할 것.

There's not much evidence that imprisoning people reforms them; the rate of *recidivism* among released convicts is very, very high.
범법자를 교도소에 수감하는 것이 그들을 교화시킨다는 증거는 많지 않다 : 교도소를 나온 사람들의 재범율은 매우 높다.
* recidivist [risídəvist] 는재차 범법 행위를 저지르는 사람.

"My son is quite a *recidivist*," Mrs. Norman told her friends ruefully. "Every time I turn my back, he sneaks up to watch more TV."
"내 아들은 상습범입니다. 내가 안보일 때마다, 그 애는 몰래 텔레비전을 봅니다." 노먼 부인은 친구들에게 애처로이 말했다.

## QUICK QUIZ 68

Match each word in the first column with its definition in the second column. Check your answers in the back of the book.

| | |
|---|---|
| 1. rampant | a. confirm |
| 2. rapture | b. logical reasoning |
| 3. rarefied | c. ecstasy |
| 4. ratify | d. ultraconservative |
| 5. ratiocination | e. widespread |
| 6. rationale | f. stridently loud |
| 7. raucous | g. esoteric |
| 8. reactionary | h. underlying reason |
| 9. rebuff | i. snub |
| 10. recidivism | j. act of repeating an offense |

**RECLAIM** [rikléim] v **to make uncultivated areas of land fit for cultivation ; to recover usable substances from refuse ; to claim again ; to demand the restoration of** 미개척지를 농사를 지을 수 있는 땅으로 개간하다 ; 쓰레기에서 유용한 물질을 다시 찾아내다, 쓰레기를 재활용하다 ; 다시 요구하다 ; ~의 회복을 요구하다

* 발음에 주의할 것.

A century ago, turning a swamp into cropland was called *reclaiming* it ; now it is called destroying wetlands.
백년 전에는, 습지를 농경지로 바꾸는 일을 '개간한다' 고 말했다 ; 오늘날에는, 그런 일을 습지대를 파괴하는 행위라고 말한다.

At the recycling facility, massive electromagnets are used to *reclaim* steel and iron from scrap metal.
재활용 공장에서, 거대한 전자석은 고철더미에서 강철과 철을 다시 찾아내는 데 사용된다.

Anthony was able to *reclaim* his briefcase from the lost and found after accurately describing its contents to the clerk.
사무원에게 가방의 내용물을 정확하게 설명한 후에, 안토니는 분실물 센터에서 자신의 서류 가방을 회수할 수 있었다.

* 명사는 reclamation [rèkləméiʃən].

**REDEEM** [ridí:m] v **to buy back ; to fulfill ; to make up for ; to rescue from sin** 되사다 ; 약속 등을 이행하다 ; 보충하다 ; 죄로부터 구원하다

When I heard that my husband had pawned my mink coat in order to buy me a birthday present, I went straight to the pawnshop and *redeemed* it with some money I had been going to spend on a birthday present for him.
남편이 나에게 생일 선물을 사주기 위해 내 밍크 코트를 저당 잡혔다는 소리를 들었을 때, 나는 곧장 전당포로 달려가 그의 생일 선물을 사기 위해 마련해 두었던 돈을 가지고 코트를 되찾았다.

The troubled company *redeemed* its employees' shares for fifty cents on the dollar.
곤경에 처한 회사는 직원들의 주식 지분을 달러당 50센트씩 주고 되사들였다.

I won't marry you until you *redeem* your promise to build a roof over our heads.
우리가 살 집을 짓겠다는 약속을 이행하기 전까지는, 나는 너와 결혼하지 않을 것이다.

Barbara will never *redeem* herself in her boss's eyes until she returns every single paper clip she "borrowed."
바바라는 그녀가 '빌려 쓴' 모든 종이 집게를 마지막 하나까지 반환하기 전에는 사장의 감시의 눈동자에서 벗어나지 못할 것이다.

Reverend Coe is obsessed with *redeeming* the souls of the people who play cards. His favorite tactic is crashing a bridge party and asking, "Who will bid for the *redemption* [ridémpʃən] of your souls?" Someone who is so evil that they cannot be rescued from sin or wrongdoing is *irredeemable* [ìridíːməbl].
코에 목사님은 카드놀이를 하는 사람들의 영혼을 구원하는 일에 몰두하고 있다. 그가 가장 많이 쓰는 방법은 카드놀이를 망치고 나서, 이렇게 묻는 것이다. "당신의 영혼을 구원하는 일에 누가 돈을 거시겠습니까?" 너무나 사악해서 죄나 악행에서 구원받을 수 없는 사람은 irredeemable(구제 불능의)하다고 한다.

## REDRESS [ridrés] v to remedy ; to make amends for 교정하다 ; 배상, 또는 보상하다

* 발음에 주의할 것.

The head of the environmental group explained that by suing the chemical factory for violating clean air laws, he was using the courts to *redress* a civil wrong.
환경단체의 회장은 공해 방지법을 위반한 화학 공장을 고소함으로써 그가 사회의 부정을 바로잡기 위해 법정을 이용하고 있다고 설명했다.

* redress는 [ríːdres]로 발음하면, 교정, 배상 등을 의미하는 명사가 된다.

"Of course, there is no *redress* for what you've suffered," the lawyer told his client, who was wearing a neck brace and pretending to limp. "Still, I think we should ask for seven and a half million and see what happens."
"물론, 네가 고통받은 부분에 대한 보상은 없다. 그러나, 나는 아직도 우리가 7백 5십만 달러를 요구해야 하며, 무슨 일이 일어나는지 지켜보아야 한다고 생각한다." 목에 부목을 대고 있고, 다리를 저는 척하는 의뢰인에게 변호사가 말했다.

## REFERENDUM [rèfəréndəm] n a public vote on a measure proposed or passed by a legislature 입법부가 제안하거나 통과시킨 법안에 대한 국민 투표

At the very last minute, the state legislators snuck a large pay raise for themselves into the appropriations bill, but voters got wind of the scheme and demanded a *referendum*.
바로 방금 전에, 주 입법부 의원들은 자신들의 급료를 대폭적으로 인상하는 내용을 세출 예산안에 몰래 포함시켰다. 그러나, 유권자들은 그들의 음모를 소문으로 듣고 국민 투표에 부칠 것을 요구했다.

* referendum과 refer는 밀접한 관련이 있는 단어이다.

In a *referendum*, a bill from the legislature is *referred* to the electorate for approval.
일반투표는, 주 의회에서 상정된 법안을 승인 받기 위해 유권자들에게 문의하는 절차이다.

## REFRACTORY [rifrǽktəri] adj disobedient and hard to manage ; resisting treatment 순종하지 않아서 다루기 힘든 ; 치료가 듣지 않는, 난치의

Bobby is such a *refractory* little boy when it comes to haircuts that he has to be tied up and hoisted into the barber's chair.
바비는 아주 다루기 힘든 어린아이이다. 머리를 자르려고 하면, 단단히 묶어서 이발용 의자에 끌어다 앉혀야 한다

The old man viewed all children as drooling, complaining, *refractory* little monsters.
그 노인은 모든 아이들을 침을 흘리고 불평만 많고, 다루기 힘든 작은 괴물이라고 생각했다.

The doctors prescribed ten antibiotics before finding one that worked on Helen's *refractory* infection.
헬렌의 난치성 감염에 효과가 있는 한가지 물질을 발견하기 전에, 의사들은 10가지 항생물질을 처방했다.

**REGIME** [reiʒíːm, ri-] n **a governing power ; a system of government ; a period during which a government is in power** 정권 ; 정부의 체계 ; 한 정부가 권력을 잡고 있는 기간

According to rules issued by the new *regime*, anyone caught wearing red shoes will be arrested and thrown into the penitentiary.
새로운 정권이 발표한 규정에 의하면, 빨간 구두를 신은 사람들은 체포되어 교도소로 보내질 것이라고 한다.

"I'm changing the *regime* around here," Mrs. Helm announced to her family one morning at breakfast. "From now on, I will be the one to decide which toys are thrown out and which are saved."
" 나는 바로 이 자리에서 권력의 체계를 바꿀 것이다. 지금부터, 나는 어떤 장난감을 보관할 것인지 아니면 버릴 것인지를 결정하는 유일한 사람이 될 것이다." 어느 날 아침 식탁에서, 헬름부인은 가족들에게 선언했다.

The older reporters spent much of their time reminiscing bitterly about how much better things had been during the previous *regime*, when the newspaper had been owned by a private family instead of a corporate conglomerate.
나이가 많은 기자들은 지난 정권기 동안 좋은 일들이 얼마나 많았던가에 대해서 씁쓸한 추억에 잠기며 대부분의 시간을 보냈다. 그 당시에는 신문이 지금처럼 집단의 공동 소유가 아니라 한 개인적인 일가의 소유였던 것이다.

**REGIMEN** [rédʒəmən] n **a regulated course** 조정된 섭생, 양생법, 꾸준하고 엄한 훈련

Mrs. Stewart is having trouble following the new *regimen* her doctor gave her ; she can handle the dieting and exercise, but sleeping on a bed of nails is hard for her.
스튜어트 부인은 의사가 제안한 새로운 양생법을 지키느라 애를 먹고 있다. 그녀는 식이요법과 운동을 조절하는 것은 할 수 있다. 그러나, 징이 박힌 침대에서 자는 것만은 견디기가 어렵다.

It takes most new students a long time to get used to the *regimen* at boarding school ; that is why this headmaster doesn't allow children to write letters home until the beginning of the second semester.
대부분의 새로 온 학생들은 기숙 학교의 관리법에 익숙해지는 데 오랜 시간이 걸린다 ; 이 학교의 교장이 두 번째 학기가 시작될 때까지 집으로 편지를 쓰지 못하게 하는 것도 그런 이유 때문이다.

**REMISSION** [rimíʃən] n **the temporary or permanent disappearance of a disease ; pardon** 일시적인, 또는 영구적인 질병의 소멸 ; 용서, 사면

Isabel's cancer has been in *remission* for several years now—long enough for most people to have trouble remembering the dark period when she was gravely ill.
이사벨의 암은 지금까지 몇 년 동안 소멸한 상태였다. 그 기간은 그녀가 심각하게 아팠던 우울한 시기가 정말로 있었는지 대부분의 사람들이 기억하기 힘들 정도로 충분히 긴 시간이다.

The appeals court granted Ronnie a partial *remission* of his crimes ; it threw out two of his convictions, but it upheld the third.
상고심은 로니의 범죄에 대한 부분적인 사면을 인정했다 ; 법원은 유죄 판결 가운데 두 가지는 원심을 파기하고, 세 번째 것은 판결을 확정지었다.

* remit의 뜻 중에는 보내다, 송금하다라는 의미도 있다. remission에도 '송금'의 의미가 있다.

When companies ask for prompt *remissions* of their bills, I just laugh and put the bills away in a drawer.
회사가 계산서에 대해서 신속한 송금을 요청할 때, 나는 그저 웃기만 한 다음 그 계산서를 서랍에 던져 넣는다.

**REMUNERATION** [rimjùːnəréiʃən] v **payment ; recompense** 보수, 보상 ; 보답

"You mean you expect *remuneration* for working here?" the magazine editor asked incredulously when the young college graduate inquired as to what sort of salary she might expect to earn as an editorial assistant.
"여기서 일하면서 보수를 바란다는 의미인가요?" 대학을 졸업한 젊은이가 편집장의 조수로 일하면서 받게 될 급료의 형태에 관하여 물었을 때, 그 잡지사의 편집장은 의심스럽다는 듯이 되물었다.

There is a strong positive correlation between people's satisfaction with their jobs and their level of *remuneration* ; the more they're paid, the better they like their work.
사람들의 직업에 대한 만족도와 급료 수준 사이에는 아주 밀접한 관련이 있다 ; 사람들은 보수를 많이 받으면 받을수록 자신들의 직업도 더 많이 좋아한다.

The firefighter viewed the child's hug as more than adequate *remuneration* for crawling through the burning building to save her.
아이를 구하기 위해서 불타고 있는 건물을 기어다녀야 했던 소방수는 아이가 해준 포옹을 적절한 보상보다도 더 값진 것이라고 생각했다.
* 발음에 주의할 것.

**REND** [rend] v **to tear ; to rip** 찢다 ; 벗겨내다

A *heart-rending* story is one that is so very terribly sad that it tears a reader's heart in two.
가슴이 찢어지는 듯한 이야기란 아주 지독히도 슬퍼서 독자의 가슴을 두 갈래로 찢는 듯하다는 뜻이다.

I realize you're upset about not being invited to the dance, but *rending* your clothing and tearing out your hair is getting a little too emotional, don't you think?
네가 댄스파티에 초대받지 못해서 화가 나있다는 것은 알고 있다. 그러나 옷을 찢고, 머리카락을 쥐어뜯는 행동은 다소 지나치게 감정적으로 된 것 같다. 그렇게 생각하지 않니?

Either lightning or an incredibly huge ax *rent* this tree down the middle.
번개이거나 아니면 아주 커다란 도끼가 이 나무를 둘로 갈라놓았다.

## QUICK QUIZ 69

Match each word in the first column with its definition in the second column. Check your answers in the back of the book.

| | |
|---|---|
| 1. reclaim | a. remedy |
| 2. redeem | b. disobedient |
| 3. redress | c. public vote |
| 4. referendum | d. make fit for cultivation |
| 5. refractory | e. disappearance of a disease |
| 6. regime | f. regulated course |
| 7. regimen | g. payment |
| 8. remission | h. buy back |
| 9. remuneration | i. rip |
| 10. rend | j. governing power |

**RENDER** [réndər] v **to make ; to cause to be ; to provide ; to depict** ~하게 하다 ; ~가 되도록 만들다 ; 제공하다 ; 묘사하다

Steve's funny faces *rendered* his sister incoherent with laughter.
스티브의 익살맞은 얼굴 표정은 여동생을 가만히 있지 못하고 폭소를 터뜨리게 했다.

"We can *render* some form of financial assistance, if that is what you desire," the official suggested delicately.
"우리는 모종의 재정적인 원조를 제공할 수 있습니다. 그것이 당신이 원하는 것이라면요." 그 공무원은 부드럽게 제안했다.

Sitting all night on the bottom of the pond had *rendered* the car useless for almost anything except continuing to sit on the bottom of the pond.
연못 바닥에 밤새도록 가라앉아 있더니, 차는 그저 연못 바닥에 가라앉아 있는 것 말고는 아무짝에도 쓸모 없는 것이 되어버렸다.

Benson decided to *render* his mother in oil after determining that watercolor wasn't a substantial enough medium for the portrait of such a fatso. Benson's mother was not pleased with his *rendering*.
수채화는 그처럼 뚱뚱한 사람의 초상화를 그리기에는 그다지 좋은 수단은 아니라는 결론을 내린 후에, 벤슨은 어머니를 유화로 표현하기로 결정했다. 벤슨의 어머니는 아들의 표현 방식이 마음에 들지 않았다.

**REPARTEE** [rèpərtí:] n **a quick, witty reply ; witty, spirited conversation full of quick, witty replies** **빠르고 재치 있는 응답 ; 빠르고 재치 있는 응답으로 가득한 재기 발랄한 대화**

* 발음에 주의할 것.

"Toilethead" is four-year-old Max's preferred *repartee* to almost any question.
"똥통간"은 네 살배기 맥스가 거의 모든 질문에 맞받아서 하는 대답이다.

When Annette first came to college, she despaired of ever being able to keep up with the *repartee* of the clever upperclassmen, but eventually she, too, got the hang of being insufferable.
처음 대학에 왔을 때, 아네뜨는 똑똑한 상급생들의 말재간을 따라잡을 수 없다는 사실에 아주 절망적이었다. 그러나, 마침내 그녀도 역시 맞받아치는 요령을 터득하게 되었다.

**REPLICATE** [répləkèit] v **to reproduce exactly ; to duplicate ; to repeat** **그대로 재생하다 ; 복사하다 ; 되풀이하다**

* replicate는 완벽한 복사를 만드는 것이다.

Other scientists were unable to *replicate* Harold's startling experimental results, and in short order Harold was exposed as a fraud.
다른 과학자들은 해롤드의 놀라운 실험 결과를 완벽하게 재현할 수 없었다. 곧, 해롤드는 사기꾼인 것으로 밝혀졌다.

At his weekend house in the country, Arthur tried to *replicate* the cozy English cottage in which he had been raised ; his first step was to replace the asphalt shingles with thatch.
아서는 그가 어릴 때 살았던 편안하고 작은 영국식 오두막집을 시골에 있는 주말 별장에 그대로 재현하고 싶었다 ; 그가 제일 먼저 한 일은 아스팔트 재료로 만든 지붕을 짚으로 바꿔놓은 것이었다.

Some simple organisms *replicate* by splitting themselves in two.
단세포 생물은 자신을 둘로 쪼개는 분열을 통해서 복제된다.

**REPOSE** [ripóuz] n **rest ; tranquillity ; relaxation** **휴식 ; 평정 ; 휴양**

As Carol struggled to pack the enormous crates, her husband lolled back on the sofa in an attitude of *repose* ; as a matter of fact, he was sound asleep.
캐롤이 수많은 나무 상자를 포장하느라 애를 쓰고 있는데도, 그녀의 남편은 휴식이라도 취하는 자세로 소파에 축 늘어져 있었다 ; 사실을 말하자면, 그는 깊은 잠에 빠져 있었다.

"Something attempted, something done, has earned a night's *repose*" is a favorite saying of Ruby's grandmother ; it means she's tired and wants to go to bed.
"하다 만 일이든, 다 한 일이든 밤에는 중지하는 법이다"라는 속담은 루비의 할머니가 좋아하는 말이다 ; 그것은 할머니가 피곤하니까 자고 싶다는 뜻이다.

**REPRESS** [riprés] v **to hold back ; to conceal from oneself ; to suppress** 억누르다 ; 자신을 감추다 ; 진압하다

Stella could not *repress* her feeling of horror at the sight of her neighbor's wallpaper.
스텔라는 이웃의 벽지를 보고 느낀 혐오감을 감출 수가 없었다.

The government's crude attempt to *repress* the rebellion in the countryside only made it easier for the rebels to attract new recruits.
그 지역에 발생한 반란을 정부가 거친 방법으로 진압하려 했기 때문에, 폭도들은 오히려 새로운 동조자를 끌어들이기가 더 쉬워졌다.

*Repressing* painful memories is often psychologically harmful ; the painful memories tend to pop up again when one is least prepared to deal with them.
고통스런 기억을 억누르는 것은 종종 정신적인 손상을 부른다 ; 고통스런 기억은 그것에 맞설 준비가 거의 되지 않았을 때 다시 터져 나오는 경향이 있다.

* 명사는 repression.

**REPRIMAND** [réprəmæ̀nd] n **stern reproof ; official rebuke** 엄한 꾸지람 ; 공식적인 비난, 견책

David was relieved to see that the officer intended to give him a verbal *reprimand* instead of a speeding ticket.
경찰관이 속도 위반 딱지를 떼는 대신 말로 야단을 치려는 기색을 보이자 데이비드는 안심이 되었다.

Otto received his father's *reprimand* in stony silence because he did not want to give that mean old man the satisfaction of seeing his son cry.
오토는 굳은 침묵으로 아버지의 질책을 받았다. 그토록 비열한 늙은이에게 자식이 우는 꼴을 보는 흡족함을 주고 싶지 않았기 때문이었다.

* 이 단어는 동사로도 쓰인다.

Ned's governess threatened to *reprimand* him and his friends if they continued to throw water balloons at the electrical workers dangling from the utility pole across the street.
네드와 친구들이 건너편 도로에 있는 전신주에 매달려 작업을 하고 있는 전기공들에게 계속해서 물풍선을 던진다면, 네드의 가정교사는 아이들을 혼내줄 거라고 위협했다.

**REPRISAL** [ripráizəl] n **retaliation ; revenge ; counterattack** 보복 ; 복수 ; 반격

We knocked over their snowman, and in *reprisal* they burned down our clubhouse.
우리가 그들의 눈사람을 쓰러뜨리자, 그에 대한 복수로, 그들은 우리의 모임 공간에다 불을 질렀다.

The rebels issued a statement announcing that yesterday's kidnapping had been a *reprisal* for last month's bombing of a rebel stronghold.
반란군은 지난달에 자신들의 본거지를 폭격한 것에 대한 보복으로 어제의 납치가 이루어졌음을 알리는 성명서를 발표했다.

**REPROBATE** [réprəbèit] n **a depraved, wicked person ; a degenerate** 타락하고, 사악한 사람 ; 타락자

* 발음에 주의할 것.

My Uncle Bob was a well-known old *reprobate* ; he spent most of his time lying drunk in the gutter and shouting obscenities at women and children passing by.
밥 삼촌은 유명한 난봉꾼이었다 ; 그는 빈민굴에서 술에 절은 채로, 지나가는 여자와 아이들에게 음탕한 소리나 질러대면서 인생의 대부분을 보냈다.

Everyone deplored the *reprobate's* behavior while he was alive, but now that he's dead everyone wants to read his memoirs.
그가 살아있는 동안, 사람들은 모두 그 난봉꾼의 행실을 개탄했다. 그러나 그가 세상을 떠난 지금, 사람들은 그의 회고록을 읽고 싶어한다.

**REPUGNANT** [ripʌ́gnənt] adj **repulsive ; offensive ; disgusting** 불쾌한 ; 싫은 ; 혐오스러운

The thought of striking out on his own is absolutely *repugnant* to Allan ; he would much prefer to continue living in his old room, driving his parents' car, and eating meals prepared by his mother.
앨런은 자기 자신의 힘으로 새로운 길을 개척해야 한다는 생각에 무조건적으로 반감을 가지고 있다 : 그는 계속해서 자신의 오래된 방에서 살며, 부모님의 차를 빌려쓰고, 어머니가 준비해주는 식사를 먹으며 사는 것을 더 좋아할 것이다.

Even the tiniest lapse in etiquette was *repugnant* to Mrs. Mason ; when little Angela picked her nose and wiped it on the tablecloth, Mrs. Mason nearly burst her girdle.
메이슨 부인은 예절에 어긋나는 아주 작은 실수조차도 싫어했다 ; 어린 앤젤라가 코를 후비고, 식탁보에 그것을 닦는 것을 보자, 메이슨 부인은 거의 그 애의 거들을 찢으려 했다.

Ashley's roommate, a classical music major, found Ashley's love of hip-hop totally *repugnant*.
고전 음악을 전공하는 애쉴리의 룸메이트는 애쉴리가 좋아하는 힙합이 아주 혐오스럽다고 생각했다.

**RESIGNATION** [rèzignéiʃən] n **passive submission ; acquiescence** 수동적인 순종, 체념 ; 인종

* 발음에 주의할 것.

No one had expected that Warren would take being kicked off the team with so much *resignation* ; he simply hung up his uniform and walked sadly out of the locker room.
워렌이 그렇게 쉽게 체념하고 그 팀을 떠나리라고는 아무도 생각지 않았었다 : 그는 얌전히 유니폼을 벗어 걸어놓고는 라커룸을 애처로이 빠져나갔다.

There was *resignation* in Alex's voice when he announced at long last that there was nothing more that he could do.
그가 할 수 있는 일은 더 이상 아무 것도 없다고 마침내 발표한 연설에서, 알렉스의 목소리에는 체념이 들어 있었다.

After collecting several hundred rejection slips, Heather finally *resigned* herself to the fact that her novel would never be published.
수백 개의 거절 통지를 받은 후에, 헤더는 마침내 그녀의 소설이 결코 출판될 수 없다는 사실을 감수했다.

## QUICK QUIZ 70

Match each word in the first column with its definition in the second column. Check your answers in the back of the book.

| | |
|---|---|
| 1. render | a. stern reproof |
| 2. repartee | b. reproduce exactly |
| 3. replicate | c. quick, witty reply |
| 4. repose | d. depraved, wicked person |
| 5. repress | e. retaliation |
| 6. reprimand | f. cause to be |
| 7. reprisal | g. repulsive |
| 8. reprobate | h. hold hack |
| 9. repugnant | i. passive submission |
| 10. resignation | j. tranquillity |

**RESPLENDENT** [rispléndənt] adj **brilliantly shining ; radiant ; dazzling** **눈부시게 빛나는 ; 찬란한 ; 휘황찬란한**

In the morning sunlight, every drop of dew was *resplendent* with color; unfortunately, no one was awake to see it.
아침의 햇살 속에, 이슬 방울이 영롱한 빛으로 빛나고 있었다. 불행히도, 깨어나서 그것을 본 사람은 아무도 없었다.

Betsy's gown looked *resplendent* in the candlelight ; the gown was made of nylon, and it was so shiny you could practically see your reflection in it.
벳시의 가운은 촛불 아래서 반짝거리는 것처럼 보였다 ; 그 가운은 나일론으로 만들어진 것으로 너무나 번쩍거려서 들여다보면 너의 영상도 볼 수 있을 정도였다.

**RESURRECTION** [rèzərékʃən] n **return to life ; revival** **부활 ; 재생**

* 기독교 신앙에서, resurrection은 십자가에 못박힌 예수가 삼일만에 부활하는 것을 의미한다. 일반적인 어법에서는 여러 의미의 재생을 뜻한다.

Polly's tablecloth has undergone quite a *resurrection* ; the last time I saw it, she was using it as a dress.
폴리의 식탁보는 상당한 재생 과정을 거친 것이다 ; 지난번에 봤을 때는, 그녀는 그것을 옷으로 이용하고 있었다.

The new chairman brought about the *resurrection* of the company by firing a few dozen vice presidents and putting a lock on the office supplies.
신임 회장은 수십 명의 부사장들을 해고하고, 모든 사무용품의 사용을 제한함으로써 회사가 다시 부흥하는 계기를 만들었다.

**RETORT** [ritɔ́ːrt] v **to make a sharp reply** **신랄한 대답을 하다, 말대꾸하다**

* 발음에 주의할 것.

"Twinkle, twinkle, little star—what you say is what you are," Leslie *retorted* hotly when her playmate called her a doo-doo brain.
"반짝 반짝 작은 별 — 네가 하는 말이 곧, 너에게로 가는 거야." 레슬리는 놀이친구가 자신을 똥멍청이라고 부르자 불같이 화가 나서 반박했다.

When Laurie accused Peggy of being drunk, Peggy *retorted*, "Whoeryooshayingsdrunk?" and fell over on the sidewalk.
로리가 술에 취한 페기를 비난하자, 페기는 맞받아쳤다. "누가아술이엉 취했다고하는거냐~앙!" 그리고 페기는 인도에 쓰러져버렸다.

* 이 단어는 명사로도 쓰인다.

Jeff can never think of a good *retort* when he needs one ; the perfect line usually comes to him only later, usually in the middle of the night.
제프는 반박을 할 필요가 있을 때, 적당한 말을 결코 생각해낼 수가 없다 ; 딱 들어맞는 말은 언제나 뒤늦게 생각이 난다. 그것도 대개는 한밤중에.

**RETROSPECT** [rétrəspèkt] n **looking backward ; a review** **회고 ; 반성, 재음미**

In *retrospect*, I was probably out of line when I yelled at my mother for telling me she liked what I was wearing and saying that she hoped I would have a nice day.
되돌아보면, 내가 입고 있는 옷이 좋다는 말을 하고, 즐거운 하루를 보내라는 인사를 하는 엄마를 향해 화를 내며 소리를 질렀을 때는 아마도 내가 제정신이 아니었던 것 같다.

The assigned book was so boring that most of the students only read the *retrospect* that opened each chapter with a description of what had taken place in the previous one.
우리에게 지정된 책은 너무나 따분해서 대부분의 학생들은 이전 장에서 일어났던 사건들을 묘사한 각 장의 도입 부분에 있는 회상장면만 읽었다.

A *retrospective* [rètrəspéktiv] is an exhibition of an artist's work from over a period of years. Seeing an advertisement for a *retrospective* of his films made the director feel old.
회고전이란 지난 수년간에 걸친 화가의 작품을 전시하는 것이다. 그 감독은 자신의 영화 회고전 광고물을 보고서 자신이 늙었다는 것을 실감했다.
* prospect는 retrospect의 반의어. prospect는 문자 그대로의 전망, 또는 비유적인 의미로 앞날의 가망성 등을 의미한다.

George's heart sings at the *prospect* of being a game-show contestant ; he believes that answering questions on television is the true path to enlightenment.
조지는 게임쇼에 참가한다는 생각에 가슴이 설렌다 ; 그는 텔레비전에 나가 퀴즈를 푸는 것이 자기 계발의 진정한 길이라고 믿고 있다.

The Emersons named their new house *Prospect* Point, because it offered magnificent views of the surrounding countryside.
에머슨가 사람들은 새 집을 '전망대' 라고 이름을 붙였다. 집에서 보면 주변의 멋진 시골의 풍광이 들어오기 때문이었다.

**REVAMP** [riːvǽmp] v **to revise ; to renovate** **교정하다 ; 혁신하다**

The struggling college's *revamped* curriculum offers such easy electives as Shakespeare's Furniture and Spelling for Spokesmodels.
산고 끝에 혁신된 교과 과정에는 셰익스피어의 작품집과 말하는 모델을 위한 철자법 같은 쉬운 선택 과목들이 들어 있다.

Susan is *revamping* her résumé to make it seem more impressive ; she's getting rid of the part that describes her work experience, and she's adding a part that is entirely made up.
수잔은 좀더 강한 인상을 주기 위해 이력서를 수정하고 있는 중이다 ; 그녀는 자신의 경력을 서술한 부분을 지우고, 대신 완전히 날조한 부분을 첨가하고 있다.

**REVEL** [révəl] v **to enjoy thoroughly ; to take delight in ; to carouse** **한껏 즐기다 ; ~을 즐기다 ; 흥청망청 놀다**

Ken is *reveling* in luxury now that he has finally come into his patrimony.
켄은 마침내 아버지로부터 재산을 물려받게 되었으므로 호화로운 생활을 한껏 즐기고 있다.

Tammy *reveled* in every bite of the forbidden dessert ; it had been so long since she had eaten chocolate cake that she wanted it to last as long as possible.
태미는 금지된 디저트를 한 입씩 먹을 때마다 한껏 빠져들었다 ; 그녀는 초콜릿 케익을 먹어본 지가 하도 오래 되어서 그 맛이 가능한 한 오래도록 지속되기를 원했다.

* 명사는 revelry [révəlri].

The sounds of *revelry* arising from the party below kept the children awake until all of their parents' guests had gone.
아래층 파티에서 들려오는 떠들썩한 흥청거림 때문에 아이들은 부모님의 손님들이 모두 돌아갈 때까지 깨어 있었다. ( revel은 revelation과는 관계가 없다 : revelation은 reveal의 명사로 폭로, 뜻밖의 비밀을 누설함 등의 뜻이다.)

* reveler [révələr]는 술 마시고 흥청대는 사람.

Amanda thought that all her guests had gone home, but then she found one last drunken *reveler* snoring in her bedroom closet.
아만다는 모든 손님들이 집으로 돌아갔다고 생각했다. 그러나, 그녀는 침실 벽장에서 술에 취한 마지막 사람 한 명이 코를 골며 남아 있는 것을 발견했다.

**REVILE** [riváil] v **to scold abusively ; to berate ; to denounce** **욕설을 퍼부으며 꾸짖다 ; 몹시 꾸짖다 ; 비난하다**

In Dickens's *Oliver Twist*, poor Oliver is *reviled* for daring to ask for more gruel.
디킨즈의 소설 「올리버 트위스트」에서, 불쌍한 올리버는 대담하게 오트밀 죽을 조금 더 달라고 했다가 심한 꾸지람을 듣는다.

The president of the sorority *reviled* the newest member for not wearing enough makeup.
여성 클럽의 회장은 충분한 화장을 하지 않았다는 이유로 새로 들어온 회원을 무섭게 나무랐다.

**REVULSION** [rivʌ́lʃən] n **loathing ; repugnance ; disgust** **극도의 혐오감 ; 반감 ; 혐오**

The princess pulled back in *revulsion* when she realized that her kiss hadn't turned the frog into a prince after all.
공주는 자신의 키스가 결국 개구리를 왕자로 변신시키지 못하자, 극도의 혐오감을 느끼며 물러났다.

"Please don't talk about dead lizards while I'm eating," said Sally with *revulsion*.
"제발, 내가 먹고 있을 때는 죽은 도마뱀에 대해서 이야기하지 말아라." 심한 혐오감을 나타내며 샐리가 말했다.

* revulse라는 단어는 없다.

**RHAPSODIZE** [rǽpsədàiz] v **to speak extremely enthusiastically ; to gush** 매우 열정적으로 말하다 ; 신이 나서 떠벌리다

* 발음에 주의할 것.

Danielle *rhapsodized* about the little dog, saying that she had never seen a more beautiful, friendly, fabulous little dog in her entire life.
다니엘은 전 인생을 통틀어 더 아름답고, 더 친근하고, 더 멋진 개를 본 적이 없다고 말하면서 그 작은 개에 대해 열변을 토했다.

Hugh never has a kind word to say about anything, so when he *rhapsodized* about the new restaurant we figured that we probably ought to try it.
휴는 결코 어떤 것에 대해 말할 때 좋게 말하는 법이 없다. 그래서 그가 새 레스토랑에 대해 매우 열정적으로 말했을 때 우리는 아마도 거기에 가봐야 한다고 생각했다.

* 형용사는 rhapsodic [ræpsάdik].

The review of the play was far from *rhapsodic*. In fact, it was so harshly negative that the play closed the next day.
그 연극에 관한 평은 열광적인 것과는 거리가 있었다. 사실, 그 내용은 가혹할 정도로 부정적인 것이어서 연극은 그 다음날 막을 내렸다.

**RIBALD** [ríbəld] adj **indecent or vulgar ; off-color** 추잡하거나 저속한 ; 상스러운

* 발음에 주의할 것.

Most of the songs on that new album have *ribald* lyrics that will give heart attacks to mothers all over the nation.
새 앨범에 들어 있는 곡들 대부분은 전국의 엄마들이 심장마비를 일으킬 저속한 가사들로 되어 있다.

* 명사 ribaldry [ríbəldri]는 상스러운 말이나 저속한 희롱을 뜻한다.

The freshman dormitory was characterized primarily by *ribaldry* and beer.
상스러운 농담과 맥주는 신입생 기숙사의 기본적인 특징이었다.

**RIFE** [raif] adj **occurring frequently ; widespread ; common ; swarming** 자주 발생하는 ; 만연된 ; 흔한 ; 수없이 많은

Fistfights were *rife* in that part of town, largely because there was an all-night bar in nearly every storefront.
주먹다짐은 도시의 그 지역에서는 아주 흔한 일이었다. 그것은 주로, 거의 모든 길거리에 면한 빌딩의 정면에 밤새도록 영업하는 술집이 있기 때문이었다.

The committee's planning sessions were *rife* with backstabbing and petty quarrels.
위원회의 회기 동안에는 상호비방과 사소한 언쟁들이 만연했다.

Below decks, this ship is *rife* with rats and other pests.
이 배의 갑판 아래는 쥐를 비롯한 온갖 해충들이 아주 많이 있다.

**RIVET** [rívit] v **to engross ; to hold firmly** 몰두시키다 ; 굳게 유지하다

On a construction site, a *rivet* is a metal pin that is used to fasten things together, and *riveting* is the act of fastening things in this manner. Outside of a construction site, *rivet* means much the same thing, except figuratively.
건설 현장에서 말하는 rivet는 물건들을 함께 붙여 고정시키기 위해 사용되는 철로 만든 못을 의미하며, riveting은 위와 같은 방법으로 사물을 고정시키는 행위를 말하는 것이다. 건설 현장을 벗어나도, rivet는 비유적인 의미로 쓰이는 경우를 제외하면, 거의 같은 의미로 쓰인다.

After reading the first paragraph, I was *riveted* to the murder mystery until I had finished the final one.
첫 번째 단락을 읽고 난 후, 나는 마지막 단락을 끝낼 때까지 그 추리소설에 몰두했다.

Dr. Larson *riveted* the attention of his audience with a description of his method of turning straw into gold.
라슨 박사는 짚을 금으로 변하게 하는 비법을 설명함으로써 청중들의 주의를 집중시켰다.
* 위의 예문처럼 사람의 마음을 붙드는 것에도 riveting이라는 표현을 쓴다.

Cynthia has the most *riveting* green eyes I've ever seen—or perhaps those are contact lenses.
신시아는 지금까지 내가 보아온 사람 중에 가장 매혹적인(사람의 마음을 끄는) 녹색의 눈동자를 가지고 있다. 진짜가 아니라면, 아마도 그 눈은 콘택트렌즈일 것이다.

## ROUT [raut] v **to put to flight ; to scatter ; to cause a huge defeat** 패주시키다 ; 적을 쫓아버리다 ; 크게 패하게 만들다

Brighton High School's debate team *routed* the team from Pittsford, leaving the Pittsford captain sobbing among his notecards.
브라이튼 고등학교의 토론반은 피츠포드에서 온 팀을 대파했다. 그래서 피츠포드 팀의 주장을 메모장들 사이에서 울게 만들었다.

*Routing* the forces of pestilence and famine turned out to be a bigger job than Mark had anticipated, so he said the hell with it and went to law school.,
막강한 흑사병과 기아를 물리치는 일은 마크가 일찍이 예상했던 것보다 더 큰 문제였다. 그래서, 그는 지긋지긋하다는 말을 남기고 법률학교로 갔다.

* 이 단어는 명사로도 쓰인다.

Last week's football game was a *rout*, not a contest ; our team lost by a margin of more than fifty points.
지난주의 풋볼 시합은 경기가 아니라 완전한 패배였다 : 우리 팀은 50점 이상 졌다.

## RUE [ru:] v **to mourn ; to regret** 슬퍼하다 ; 후회하다

I *rue* the day I walked into this place ; nothing even remotely good has happened to me since then.
나는 이 곳에 왔던 날을 후회하고 있다 : 그때 이후로 나에게는 아주 작은 행운조차도 일어나지 않았다.

The middle-aged man *rued* his misspent youth-all that time wasted studying, when he could have been meeting girls.
중년의 남자는 놓쳐버린 젊은 시절 — 공부하느라 보내버린 그 모든 시간들, 여자들을 만날 수도 있었을 시간들 — 을 후회했다.

It's hard for Howie not to feel *rueful* when he remembers the way he fumbled the ball in the last two seconds of the game, ending his team's thirty-year winning streak.
경기 종료 마지막 2초를 남겨놓고, 공을 실수로 놓친 일이 머리에 떠오를 때면, 호위는 안타까운 마음을 가눌 수가 없다. 그의 실수로 팀은 30년간의 연승행진의 막을 내린 것이다.

Whenever Nina's mother gets a *rueful* look in her eye, Nina knows she's about to make some kind of remark about how fast time passes.
어머니의 눈에 슬픈 기색이 보일 때마다, 니나는 엄마가 세월이 얼마나 빨리 흘러가는지에 대해서 몇 말씀 하려는 신호라는 것을 알고 있다.

"If only I had remembered to change out of my bathing suit before the dance," Eileen said *ruefully*.
"춤을 추기 전에 수영복을 갈아입어야 한다는 것을 기억만 했더라도 좋았을 텐데." 아일린이 안타깝게 말했다.

## QUICK QUIZ 71

Match each word in the first column with its definition in the second column. Check your answers in the back of the book.

| | |
|---|---|
| 1. resplendent | a. enjoy thoroughly |
| 2. resurrection | b. scold abusively |
| 3. retort | c. brilliantly shining |
| 4. retrospect | d. occurring frequently |
| 5. revamp | e. revise |
| 6. revel | f. looking backward |
| 7. revile | g. engross |
| 8. revulsion | h. mourn |
| 9. rhapsodize | i. make a sharp reply |
| 10. ribald | j. put to flight |
| 11. rife | k. return to life |
| 12. rivet | l. indecent |
| 13. rout | m. speak extremely enthusiastically |
| 14. rue | n. loathing |

**SALLY** [sǽli] n **a sudden rushing attack ; an excursion ; an expedition ; a repartee ; a clever rejoinder** 갑작스런 돌격 ; 소풍 ; 여행 ; 재치있는 말대꾸 ; 답변

Our cat made a lightning-fast *sally* into the TV room, then dashed out of the house with the parakeet squawking in his mouth.
우리 집 고양이는 번개처럼 빠른 동작으로 TV가 있는 방으로 가서는 입 안에 꽥꽥거리는 잉꼬를 물고 집밖으로 달려 나갔다.

Let's take a little *sally* down Newbury Street ; there are some very nice, expensive shops there I've been meaning to peek into.
뉴베리가로 소풍을 가자 : 그 곳에는 내가 살짝 들여다 보고 싶은 멋지고 값비싼 상점들이 있단다.

Tony didn't know the answer to the professor's question, but his quick-witted *sally* made the whole class laugh, including the professor.
토니는 교수가 한 질문의 정답을 알지 못했다. 그러나, 재치 있는 답변으로 교수와 모든 학생들을 웃게 만들었다.

* 이 단어는 동사로도 쓰인다.

The first sentence of the mystery is, "One fine morning, Randall Quarry *sallied* forth from his Yorkshire mansion and was never seen again."
그 추리소설의 첫 번째 문장은 이렇게 시작한다. "어느 상쾌한 아침, 랜달 쿼리는 요크셔에 있는 자신의 집에서 뛰쳐나간 뒤 다시는 볼 수 없었다."

**SALUTATION** [sæ̀ljutéiʃən] n **greeting ; welcome ; opening words of greeting** 인사 ; 환영의 인사말 ; 인사할 때 처음 쓰는 말

"Hello, you stinking, stupid swine" is not the sort of warm, supportive *salutation* James had been expecting from his girlfriend.
"이봐! 비열하고 멍청한 욕심쟁이야." 라는 말은 제임스가 여자 친구에게 듣기를 기대했던 따뜻하고 우호적인 인사말과는 거리가 멀다.

Unable to recognize the man coming toward her, Lila waved her hand in *salutation* and hoped the gesture would fool him into thinking she knew who he was.
다가오고 있는 사람을 알아볼 수가 없었기 때문에, 리라는 인사의 표현으로 손을 흔들었다. 그녀는 그 손짓으로 자신이 그가 누구인지 알고 있다고 믿게 할 수 있을 것이라고 생각했다.

A *salutatory* [səlúːtətɔ̀ːri] is a welcoming address given to an audience. At a high school commencement, it is the speech given by the *salutatorian* [səlù:tətɔ́:riən], the student with the second-highest grade point average in the graduating class. (The student with the highest average is the valedictorian.) Paul's *salutatory* started with a few words of welcome, then disintegrated into a diatribe against what he called the envy-crazed teachers who had conspired to prevent him from becoming valedictorian.
salutatory는 관객들에게 하는 인사말이다. 고등학교 졸업식에서는, 전체 차석을 한 학생대표가 인사말로 하는 연설을 말한다.(최고 수석 학생은 valedictorian이다.) 이 학생을 salutatorian이라 한다. 폴의 환영사는 몇 마디 인사말로 시작되었다. 그러나, 곧 자신이 송별사를 하는 졸업생 대표(수석 학생)가 되지 못하도록 음모를 꾸몄던, 그가 질투에 눈이 멀었다고 말한 선생님들을 통렬하게 비난하는 연설로 바뀌어버렸다.

**SANCTION** [sǽŋkʃən] n **official permission or approval ; endorsement ; penalty ; punitive measure** 공식적인 승인이나 허가 ; 승인 ; 제재 ; 징벌의 수단

Without the *sanction* of the historical commission, Cynthia was unable to paint her house purple and put a flashing neon sign over the front door.
역사 위원회의 승인 없이는, 신시아는 자신의 집을 자주색으로 칠하거나 현관에 번쩍거리는 네온사인을 설치할 수 없었다.

The baby-sitter wasn't sure whether it was okay for Alex to knock over Andy's block tower, so she called the boys' parents and received their *sanction* first.
베이비시터는 알렉스가 앤디의 블록 탑을 부셔도 되는지 확신을 할 수가 없었다. 그래서, 그녀는 아이들의 부모에게 전화를 걸어 먼저 그들의 허락부터 받았다.

Strangely, *sanction* also has a meaning that is very nearly opposite to approval or permission (*Cleave* is another word that is very nearly its own antonym.) "Unless your puny little nation stops selling poisoned fruit to other nations," the secretary of state threatened, "we'll impose so many *sanctions* on you that you won't know which way is up."
이상하게도, sanction이라는 단어는 승인이나 허가라는 의미와 거의 반대되는 개념을 함께 갖고 있다. (Cleave도 반대되는 뜻을 동시에 가지고 있는 단어이다.) "당신의 작은 나라가 다른 나라에 유독성 과일을 판매하는 것을 그만두지 않는다면, 우리는 당신네 나라가 어떤 길도 찾을 수 없도록 많은 제재 조치들을 내릴 것이오." 라며 국무장관이 위협했다.

For many years international *sanctions* on South Africa included the banning of its athletes from competing in the Olympics.
수년 동안, 남아프리카에 내려진 국제적 제재 조치는 올림픽 경기에 선수들을 출전하지 못하게 하는 내용도 포함되어 있었다.

* 이 단어는 동사로도 쓰인다.

The manager of the apartment complex won't *sanction* your flooding the weight room to make a swimming pool.
아파트 건물의 관리인은 네가 체력 단련실에 물을 채워 수영장으로 만드는 것을 승인하지 않을 것이다.

**SARCASM** [sɑ́ːrkæzm] n **irony ; jokingly or bitingly saying the opposite of what is meant** 빈정댐 ; 실제 의미와는 반대로 장난스럽게 하는 말, 또는 악의를 가진 신랄한 말

Hank believes that *sarcasm* is the key to breaking the ice with girls. "Is that your real hair, or did you just join the circus?" he asked Jeanette, shortly before she punched him in the nose.
행크는 여자들과의 냉랭함을 녹이는 열쇠는 비꼬는 농담이라고 생각한다. "그거, 너의 진짜 머리 맞아? 아니면, 막 서커스단에 들어갔니?" 라고 행크가 제네트에게 묻자마자 그녀는 행크의 얼굴에 주먹을 날렸다.

* 형용사는 sarcastic [sɑːrkǽstik].

The mayor was enraged by the *sarcastic* tone of the newspaper's editorial about his arrest for possession of cocaine.
그가 코카인 소지죄로 체포된 것에 대해서 신문이 빈정대는 투로 사설을 쓰자 시장은 화를 냈다.

"Nice outfit," Martin said *sarcastically* as he eyed his sister's faded bathrobe, fluffy slippers, and knee-high nylons.
"멋진 옷이야!" 마틴은 여동생이 빛이 바랜 목욕용 가운에다 보풀이 일어난 슬리퍼, 무릎까지 오는 나일론 양말을 입은 것을 보고 빈정대듯이 말했다.

**SAVANT** [səvɑ́ːnt/sǽvənt] n **a scholar ; a very knowledgeable and learned person** 학자 ; 지식과 학식이 매우 높은 사람

Bertrand is a real *savant* about architecture. You can't go on a walk without him stopping to point out every architectural point of interest he sees.
버트랜드는 건축학 분야의 진정한 학자이다. 그와 함께 걸을 때면 언제나, 보는 것마다 흥미 있는 건축학적 요점을 지적하기 위해 멈추곤 한다.

The abbot of the monastery is a great *savant* in the fields of church history and religious art.
그 수도원의 원장님은 교회의 역사와 종교 미술 분야에 대단히 학식이 높은 사람이다.

Perhaps because *savant* is a French word (it derives from the French *savoir*, to know), it tends to be used in association with more sophisticated feats of knowledge. You'd be unlikely to hear someone described as a baseball *savant*, for example.
아마도 savant라는 단어가 프랑스어('알다' 라는 뜻을 가진 프랑스어 savoir)이기 때문에, 한 단계 높은 지식의 수준이라는 면과 연관해서 사용되는 경향이 있다. 예를 들면, 야구계의 학자라는 말을 듣기는 쉽지 않을 것이다.

An *idiot savant* is a person who, though severely retarded in most areas, has an astonishing mastery of one particular subject. Ed is an idiot *savant* ; he can't speak, read, or dress himself, but he is capable of playing intricate piano pieces after hearing them just once.
idiot savant는 대부분의 분야에서는 뒤처져 있지만, 특정한 한가지 주제에 대해서는 놀랄만한 능력을 가지고 있는 사람을 일컫는 말이다. 에드는 천치 석학이다 : 그는 말할 줄도, 읽을 줄도, 스스로 옷을 입을 줄도 모르지만, 아무리 난해한 곡도 한번만 들으면, 피아노로 연주할 수 있는 능력이 있다.

*Savoir-faire* [sæ̀vwɑː fɛ́ər] is a French phrase that has been adopted into English. It is social grace, or the knowledge of what to do and how to behave in any situation. Priscilla was very nervous at the diplomat's party, but her instinctive *savoir-faire* kept her from making major blunders.
savoir-faire는 영어에 차용된 프랑스어 숙어이다. 이것은 사교 예절, 또는 어떤 상황에서 무엇을 하고 어떻게 행동해야 할지를 아는 것이라는 뜻이다. 프리실라는 외교관들의 파티에서 무척이나 신경이 쓰였지만 그녀의 본능적인 사교술 덕분에 큰 실수를 하지 않고 넘어갔다.

* 발음에 주의할 것.

**SCANT** [skænt] adj **limited ; meager ; barely sufficient** **제한된 ; 빈약한 ; 간신히 충족이 되는**

Soap and water are in *scant* supply around here. You'll be able to take a shower only once a month.
이곳에서는 비누와 물이 제한적으로 공급되고 있다. 한 달에 한번 정도만 목욕을 할 수 있을 것이다.

Finding the recipe too bland, she added a *scant* tablespoonful of lemon juice to the mixture.
요리가 너무 순하고 맛이 없다는 것을 알고서, 그녀는 부족한 레몬 주스를 한 스푼 가득 더 섞어 넣었다.

Mrs. Doudy has rather *scant* knowledge of home economics. She's been teaching her students to hem things with tape and safety pins.
두디 부인은 가정 경제에 대한 지식이 상당히 부족하다. 그녀는 물건들을 테이프와 안전핀으로 싸두라고 가르쳐왔다.

* scant는 동사로도 쓰인다.

Don't *scant* me on mashed potatoes—you know they're my favorite.
으깬 감자 가지고 나에게 인색하게 굴지 말아라. 알다시피, 그것은 내가 가장 좋아하는 것이다.

* scant와 scanty [skǽnti]는 비슷하긴 하지만 완전히 동일한 의미를 갖고 있지는 않다. scant는 간신히 합계에 도달한다는 뜻이지만, 반면에 scanty는 숫자나, 범위, 수량을 간신히 채운다는 뜻이다.

The beggar has *scant* food and *scanty* clothes.
그 거지는 먹을 것은 부족하고, 옷은 몇 벌 없다.

**SCHISM** [sízm, skíz-] n **division ; separation ; discord or disharmony** **분열 ; 분리 ; 불화, 부조화**

* 발음에 주의할 것.

There's been a *schism* in the ranks of the Flat Earth Society ; one faction believes that the earth is flat because it was created that way, while the other faction believes the earth used to be round but was rolled flat by beings from outer space.
'평평한 지구 학회'의 구성원들 사이에도 불화는 있어 왔다 ; 한 파벌은 지구는 처음부터 평평하게 만들어졌기 때문에 지금 평평하다고 믿고 있고, 반면에 다른 파벌은 지구가 원래는 둥그랬으나, 외계인이 지구를 굴려서 평평하게 만들었다고 믿고 있다.

*Schism* was bound to break apart the Puritans at some point ; strict religious doctrine held them together when they first arrived in the New World, but as their opportunities expanded, it was inevitable that their viewpoints would also begin to diverge.
교회의 종파는 언젠가는 청교도들의 분열을 초래하기 마련이었다 ; 처음 신세계에 도착했을 때에는 엄격한 종교적 교리가 그들을 하나로 묶었지만, 점차 그들에게 기회가 확대됨에 따라서, 그들의 의견 또한 갈라지기 시작하는 것은 피할 수 없는 일이었다.

**SCORN** [skɔ:rn] v **to disdain ; to find someone or something contemptible** 경멸하다 ; 치사하게 생각하다

"I *scorn* your sweaty, mindless athletics," said the president of the literary club to the captain of the football team. "I prefer spending a quiet afternoon by myself reading the works of the great poets."
"땀냄새 나고, 지적인 데라곤 하나도 없는 너의 운동을 경멸해. 나는 혼자서 위대한 시인의 작품이나 읽으면서 조용한 오후를 보내는 것이 더 좋아." 문학부의 회장이 풋볼팀의 주장에게 말했다.

Morris *scorns* every kind of cat food except, amazingly, the most expensive brand.
모리스는 놀랍게도, 가장 비싼 상표를 제외하고는 모든 종류의 고양이 먹이를 다 싫어한다.

* 이 단어는 명사로도 쓰인다.

"Your clothes are totally pathetic, Dad," said Sally, her voice dripping with *scorn*. Her father gave her a *scornful* look and said, "Do you really believe I care what a five-year-old thinks of the way I dress?"
"아빠의 옷은 너무 우스꽝스러워요" 경멸이 묻어나는 목소리로 샐리가 말했다. 그녀의 아빠는 샐리에게 비웃는 표정을 보이며 말했다. "너, 설마, 내가 옷 입는 법에 대해서 다섯 살 짜리 꼬마의 생각에 신경 쓰리라고 생각하는 것은 아니겠지?"

---

**SEAMLESS** [sí:mlis] adj **without a seam ; without anything to indicate where two things were joined together ; smooth** 솔기가 없는 ; 두 부분이 함께 봉합되었다는 표시가 없는 ; 매끄러운

After lots of revision, Jennifer succeeded in reworking the two halves of her novel into a *seamless* whole.
여러번의 수정을 거친 후에야, 제니퍼는 소설의 두 부분을 표나지 않게 완전한 하나로 개정하는데 성공했다.

The most interesting thing Mary Beth said all evening was that her new, *seamless* underpants were considerably less bulky than the kind she had formerly worn.
메리 베스가 밤새도록 얘기한 것 중에서 가장 재미있는 일은 솔기 없이 매끄러운 그녀의 새 속바지가 이전에 입었던 것보다 상당히 부피가 더 작다는 얘기였다.

His excuse is *seamless*, I have to admit ; I know he's lying, but I can't find a hole in his story.
그의 변명은 그럴듯하다. 나는 받아들일 수밖에 없다 ; 나는 그가 거짓말을 하고 있다는 것을 알지만, 그의 변명 속에서 허점을 찾을 수가 없다.

---

**SECEDE** [sisí:d] v **to withdraw from an alliance** 동맹에서 탈퇴하다

When the southern states *seceded* from the Union, they probably never expected to create quite as much of a ruckus as they did.
남부의 주들은 미연방에서 탈퇴하면서, 아마도 그들이 한 일 때문에 그토록 요란한 소동이 일어나리라고는 생각지도 못했을 것이다.

If taxes keep rising, our state is going to *secede* from the nation and become a tax-free society financed by revenues from bingo and horse-racing.
만약 세금이 계속 인상된다면, 우리 주는 국가에서 탈퇴를 해서, 복권과 경마에서 얻어지는 수입으로 재정을 운영하는 비과세 공동체를 만들 것이다.

When Edward's mother made him clean his room, he *seceded* from his family and moved into the basement, where he could keep things as messy as he wanted.
어머니가 에드워드에게 방을 청소하라고 시키셨을 때, 그는 가족들에게서 벗어나 지하실로 이사갔다. 거기서 그는 원하는 만큼 마음대로 지저분하게 늘어놓고 살 수 있었다.

* 명사는 secession [siséʃən]

Edward's mother refused to recognize his *secession*. She made him clean up the basement, too.
에드워드의 어머니는 그의 탈퇴를 인정하지 않았다. 어머니는 지하실도 깨끗이 청소하라고 시키셨다.

## QUICK QUIZ 72

Match each word in the first column with its definition in the second column. Check your answers in the back of the book.

| | |
|---|---|
| 1. sally | a. biting irony |
| 2. salutation | b. scholar |
| 3. sanction | c. sudden rushing attack |
| 4. sarcasm | d. withdraw from an alliance |
| 5. savant | e. smooth |
| 6. scant | f. disdain |
| 7. schism | g. official permission or approval |
| 8. scorn | h. greeting |
| 9. seamless | i. division |
| 10. secede | j. limited |

**SECLUSION** [siklúʒən] n **aloneness ; withdrawal from other people** 고립 ; 다른 사람들로부터 벗어남

The poet spent her final years in *seclusion*, remaining alone in a darkened room and listening to "Stairway to Heaven" over and over again.
그 시인은 어두운 방에 혼자 앉아서 "천국의 계단"을 반복해서 들으며, 말년을 은둔 생활을 하며 보냈다.

Some People can study better with other people around, but I need total *seclusion* and an endless supply of Milk Duds.
어떤 사람들은 다른 사람들과 함께 어울려야 공부를 더 잘 할 수 있지만, 나는 완전한 격리와 충분한 우유 공급만 있으면 된다.

The prisoner was causing so much trouble that his guards agreed it would be best to put him in *seclusion* for the time being.
그 죄수는 워낙 말썽을 많이 부렸기 때문에, 당분간 독방에 격리 수용하는 것이 최선이라는 생각에 담당 교도관도 동의했다.

Roberta lives in a *secluded* house at the end of a dead-end street ; the lots on either side of hers are empty.
로베르타는 막다른 골목 끝에 있는 외딴 집에 살고 있다 ; 그녀의 집 양 쪽에 있는 부지는 모두 비어 있다.

* 동사는 seclude [siklú:d].

**SECT** [sekt] n **a small religious subgroup or religion ; any group with a uniting theme or purpose** 종교 내의 작은 소그룹, 또는 종파 ; 같은 주제나 목적으로 모인 그룹

Jack dropped out of college and joined a religious *sect* whose members were required to live with animals and surrender all their material possessions to the leaders of the *sect*.
잭은 대학을 중퇴하고, 동물과 생활하며 모든 물질적 재산을 지도자들에게 넘길 것을 요구하는 종교 분파에 합류했다.

After the schism of 1949, the religious denomination split up into about fifty different *sects*, all of them with near identical beliefs and none of them speaking to the others.
1949년 분파 독립 이후로, 그 종파는 다시 50개의 서로 다른 분파로 갈라졌다. 그들 모두 거의 동일한 신앙 체계를 가지고 있으면서도 서로 전혀 교류하지 않았다.

* 분파에 소속된 사람은 sectarian [sektέəriən].

The company was divided by *sectarian* fighting between the research and marketing departments, each of which had its own idea about what the new computer should be able to do.
회사는 연구부와 마켓팅 부서간에 파벌 싸움으로 나뉘어져 있었다. 그들은 새로운 컴퓨터의 기능에 대해서 각자의 생각을 고집하고 있었다.

* sectarian은 형용사로 쓰이면, 한 분파에 한결 같은 마음으로 헌신한다는 뜻이다.
* nonsectarian은 어떠한 특별한 그룹이나 분파에 소속되지 않았다는 뜻이다.

Milly has grown so *sectarian* since becoming a Moonie that she can't really talk to you anymore without trying to convert you.
밀리는 통일교 신자가 된 이후로 당파심이 아주 강한 사람이 되어서, 앞으로는 그녀가 당신에게 이야기를 할 때면 반드시 당신을 개종시키려 할 것이다.

**SEDENTARY** [sédəntèri/-təri] adj **largely confined to sitting down ; not physically active** **주로 앉아서 생활하는 ; 육체적인 움직임이 없는**

Writing is a *sedentary* life ; just about the only exercise you get is walking to the mailbox to see if anyone's sent you a check, and you don't even need to do that very often.
글쓰기는 앉아서 하는 생활이다 ; 할 수 있는 유일한 운동이라는 것은 단지 누군가가 수표를 보냈는가 알아보기 위해서 우편함까지 걸어가는 것이다. 그런데, 그 일은 그렇게 자주 할 필요는 없는 일이다.

When people get older, they tend to become more *sedentary* ; my octogenarian aunt even uses her car to visit her next-door neighbor.
사람들은 나이가 들어감에 따라서 점점 더 잘 안 움직이는 경향이 있다 ; 80대인 우리 숙모만 해도 바로 옆집에 사는 이웃을 방문할 때조차 차를 타고 간다.

If you want to stay in shape with that *sedentary* job, you'll have to make sure to get lots of exercise in your spare time.
만약 당신이 앉아서만 일하는 업종에 종사하면서 건강한 몸을 유지하고 싶다면, 여가 시간에 반드시 운동을 많이 해야 할 것이다.

**SELF-MADE** [self méid] adj **having succeeded in life without help from others** **다른 사람의 도움 없이 성공적인 삶을 사는**

John is a *self-made* man ; everything he's accomplished, he's accomplished without benefit of education or support from powerful friends. Like most *self-made* men, John can't stop talking about how much he's managed to accomplish despite his humble origins.
존은 자수성가한 사람이다 ; 그가 이룩한 모든 것은 교육의 혜택이나 권력 있는 친구의 도움 없이 이루어낸 것이다. 대부분의 자수성가한 사람들처럼, 존도 보잘것없이 시작했음에도 불구하고 자신이 얼마나 많은 것을 이룩했는지 끊임없이 얘기하고자 한다.

Being a wildly successful *self-made* politician, Maggie had little sympathy with the idea of helping others who hadn't gotten as far as she. "I pulled myself up by my own bootstraps ; why can't they?" she would say, staring out her limousine window at the wretched souls living in cardboard boxes on the streets.
매기는 힘들게 성공한 자수성가형 정치가였기 때문에, 자신보다 못한 사람을 도와주려는 동정심이 거의 없었다. "나는 정말 나 혼자의 힘으로 나 자신을 끌어올렸어 ; 그들은 왜 그렇게 못하는 거지?" 그녀는 길거리에서 판자 상자에 의존해 살고 있는 불쌍한 사람들을 리무진 창 밖으로 노려보며 말하곤 했다.

* self-esteem[self istíːm]은 자존심, 자신에 대한 평가.

Patty's *self-esteem* is so low that she can't even bring herself to say hello to people in passing, because she can't imagine why they would want to talk to her.
패티는 자신을 너무나 비천하게 생각했기 때문에 지나가는 사람들에게 인사를 하고 싶은 마음이 생기지 않았다. 그들이 왜 그녀와 말을 하고 싶어하는지 상상도 할 수 없었기 때문이었다.

* self-evident[self évədənt]는 다시 한번 지적할 필요도 없이 명백한 것.

Most Americans believe that certain rights, such as the right to speak freely, are *self-evident*.
대부분의 미국인들은 자유롭게 말할 수 있는 권리같은 어떤 권리들은 자명하다고 생각한다.

* self-possessed[self pəzést] person은 자신의 감정을 잘 다스릴 줄 아는 사람이다.

The only time Valerie's *self-possession* [self pəzéʃən] ever breaks down is when someone in the audience yawns.
발레리의 침착함이 무너지는 유일한 때는 누군가 그의 강의 시간에 하품을 할 때이다.

* self-righteous [self ráitʃəs] person은 신성한 체하며, 잘난 체 하고, 자신과 다른 것을 참지 못하며, 자신이 하는 것만 옳다고 믿는 독선적인 사람이다.

"It's a good thing some of us have proper respect for others' possessions," said Tiffany *self-righteously* after discovering that her roommate had wiped her nose with Kleenex that Tiffany had bought.

"남의 물건에 대해서도 어느 정도는 존중해줘야 모두에게 좋은 일이지." 같은 방을 쓰는 친구가 자신이 구입한 클리넥스로 코를 닦은 것을 안 티파니가 독선적으로 말했다.

* self-satisfied [self sǽtisfàid] person은 눈에 띌 정도로 자신에 대해서 만족하고 있는 사람이다.

My *self-satisfied* sister announced to my mother that she had done a much better job of making her bed than I had.

자기 만족이 강한 여동생은 침대를 정리하는 일에 있어서 나보다 자신이 훨신 더 잘 했다고 엄마에게 자랑했다.

* self-starter [self stáːrtər]는 솔선해서 하는 것, 또는 작동을 하는 데 다른 것의 도움이 필요하지 않는 것이다.

Sandra is a great *self-starter*. The second the professor gives a paper assignment, she rushes out to the library and checks out all the books she'll need. I'm not a good *self-starter* at all. I prefer to sit around watching TV until the day of the deadline, then ask the professor for an extension.

샌드라는 대단히 솔선하는 사람이다. 교수가 과제를 내주는 순간, 곧장 도서관으로 달려가 필요한 책들을 대출한다. 나는 솔선수범하는 사람이 전혀 아니다. 마감 날이 될 때까지 눌러 앉아 TV를 보다가 교수에게 날짜를 연기해 달라고 부탁한다.

## SENTENTIOUS [senténʃəs] adj preachy ; pompous ; excessively moralizing ; self-righteous 설교조의 ; 젠체하는 ; 지나칠 정도로 도덕적인 ; 독선적인

The new headmistress made a *sententious* speech in which she urged the student body to follow her illustrious example.

신임 여교장은 학생들에게 자신을 본받을 것을 강조하는 훈시를 했다.

I can stand a boring lecture, but not a *sententious* one, especially when I know that the professor giving it has absolutely nothing to brag about.

나는 지루한 강의는 참을 수 있다. 그러나, 잘난척하는 강의, 특히 전혀 자랑할만한 것이 없는 교수가 하는 젠체하는 강의는 참을 수가 없다.

## SERENE [siríːn] adj calm ; peaceful ; tranquil ; untroubled 고요한 ; 평화로운 ; 조용한 ; 침착한

In the lake's *serene* blue depths lie the keys my father hurled off the deck in a fit of temper a couple of days ago after learning that I had totaled his car.

고요하고 푸른 호수 깊은 곳에, 이틀 전, 내가 아버지의 차를 완전히 박살냈다는 것을 아신 아버지가 갑판에서 홧김에 집어던진 열쇠가 있다.

"Try to look *serene*, dear," said the pageant director to the girl playing the Virgin Mary. "Mary should not look as though she wants to punch Joseph out."

"침착하게 보이도록 애 좀 써봐. 마리아는 요셉에게 주먹이라도 날릴 듯이 쳐다보면 안 되는 거야." 야외극 연출자가 동정녀 마리아 역을 맡은 소녀에게 말했다.

* 명사는 serenity [sərénəti].

Kelly was a nervous wreck for an hour before the guests arrived, but as soon as the doorbell rang she turned into *serenity* itself.

켈리는 손님들이 오기 전 한 시간 동안 신경 과민이 되었다. 그러나, 현관 벨이 울리자마자 곧 그녀는 침착함 그 자체로 변했다.

## SERPENTINE [sə́ːrpəntìːn/-tàin] adj snakelike in either shape or movement ; winding, as a snake travels 형태나 움직임이 뱀 같은 ; 뱀이 지나가는 길처럼 구불구불한

* serpent [sə́ːrpənt]는 뱀이라는 단어이다. serpentine은 뱀 같다는 뜻이다.

Dan despises interstate highways, preferring to travel on *serpentine* state roads that wind through the hills and valleys.

댄은 언덕과 계곡을 휘감고 도는 뱀처럼 구불구불한 국도를 여행하는 것을 더 좋아하기 때문에, 각 주를 이어주는 고속도로를 멸시한다.

## SHACKLE [ʃǽkəl] n a manacle ; a restraint 수갑 ; 속박

As soon as the bad guys left the room, the clever detective slipped out his *shackles* by using his teeth to fashion a small key from a ballpoint pen.
불량배들이 방을 나가자마자, 영리한 탐정은 치아를 사용해서 볼펜을 작은 열쇠로 만들어서 수갑을 풀었다.

"Throw off the *shackles* of your restrictive upbringing and come skinny -dipping with me!" shouted Andy as he stripped off his clothes and jumped into the pool, but everyone else just stood quietly and stared at him.
"너를 구속하는 교육의 족쇄를 벗어 던져라. 그리고 나와 함께 맨 몸으로 물에 들어가자!" 앤디는 옷을 모두 벗고 수영장으로 뛰어들면서 소리쳤다. 그러나 다른 모든 사람들은 말없이 서서 그저 그를 쳐다볼 뿐이었다.

* 이 단어는 동사로도 쓰인다.

The circus trainer used heavy iron chains to *shackle* his performing bears when they weren't performing.
서커스의 조련사는 곰들이 재주부리는 공연을 하지 않을 때는 무거운 쇠사슬을 이용하여 족쇄를 채워두었다.

## SHIBBOLETH [ʃíbəliθ/-lèθ] n a distinctive word, pronunciation, or behavior that typifies a particular group ; a slogan or catchword 특정한 집단을 대표하는 특이한 단어나 발음이나 행동 ; 슬로건이나 표어

That large government programs are inherently bad is a *shibboleth* of the Republican party.
큰 정부를 지향하는 것은 본질적으로 좋지 않다라는 생각은 공화당의 슬로건이다.

* shibboleth는 본질적으로는 별 의미가 없는 상식적인 격언을 의미한다.

The old housewife's *shibboleth* that being cold makes a person more likely to catch a cold has been discredited by modern medical experts.
'춥게 하면 사람들이 감기에 더 잘 걸린다' 는 나이든 주부의 말을 현대의 의료계 전문가들은 신용하지 않았다.

## SHREWD [ʃruːd] adj wily ; cunning ; sly 약삭빠른 ; 교활한 ; 음흉한

Foxes actually are every bit as *shrewd* as they're portrayed to be in folklore ; hunters say foxes under pursuit are often able to trick even trained foxhounds into following a false trail.
여우들은 옛날 얘기에 그려진 것처럼 실제로도 아주 약삭빠른 동물이다 : 추격을 받고 있던 여우는 종종 가짜 흔적을 만들어 잘 훈련된 여우사냥개를 속이는 일도 있다고 사냥꾼들은 말한다.

There was a *shrewd* look in the old shopkeeper's eye as he watched the city slickers venture into his country store and calculated the percentage by which he would be able to overcharge them for junk that none of the locals would have given a second glance.
잘 차려입은 도시 사람들이 시골 상점으로 들어오려고 했을 때, 늙은 상점 주인의 눈에는 교활한 기색이 역력했다. 상점 주인은 그 지역 사람들은 누구도 거들떠보지 않았을 허섭쓰레기 같은 상품들을 도시 사람들에게 얼마나 바가지를 씌어 팔 수 있을지 계산하고 있었다.

## QUICK QUIZ 73

Match each word in the first column with its definition in the second column. Check your answers in the back of the book.

| | |
|---|---|
| 1. seclusion | a. wily |
| 2. sect | b. snakelike |
| 3. sedentary | c. preachy |
| 4. self-made | d. calm |
| 5. sententious | e. largely confined to sitting down |
| 6. serene | f. having succeeded without help from others |
| 7. serpentine | g. small religious subgroup |
| 8. shackle | h. manacle |
| 9. shibboleth | i. aloneness |
| 10. shrewd | j. catchword |

**SINGULAR** [síŋgjulər] adj **exceptional ; unique ; unusual** **예외적인 ; 특이한 ; 별난**

Nell has a *singular* talent for getting into trouble ; the other morning, she managed to break her leg, insult a woman at the post office, drop some eggs at the grocery store, paint her bedroom green, and cut down the big maple tree in the next-door neighbor's front yard.
넬은 말썽을 부리는 데는 남다른 재능이 있다 ; 어느 날 아침에는 다리를 부러뜨렸고, 우체국에서 어떤 여자에게 무례하게 굴었으며, 식품점에서는 계란을 떨어뜨리고, 침실을 녹색 페인트로 칠해놓고, 옆집 앞마당에 있는 커다란 단풍나무까지 베어버렸다.

Theodore's *singular* facility with numbers makes life difficult for his teacher, who finds it embarrassing to be corrected by a first grader.
숫자에 관한 특별한 재능 때문에 테오도르는 선생님의 생활을 힘들게 만든다. 일 학년 학생인 그가 선생님의 잘못을 정정하는 바람에 선생님이 무척 당황하는 것이다.

A *singular* expression crossed Rebecca's face ; she looked as if she were trying simultaneously to suppress a sneeze and swallow a pillow.
레베카의 얼굴에 기이한 표정이 교차했다 ; 그녀는 재채기를 억누르려는 것 같기도 하고, 알약을 삼키려고 하는 것 같기도 한 이상한 표정을 동시에 짓고 있었다.

* singular는 '단 하나'를 의미하지 않는다. singular는 예외적인 것이라는 뜻이며, 하나만 있다는 뜻이 아니다.

**SKIRMISH** [skə́:rmiʃ] n **a fight between small numbers of troops ; a brief conflict** **소수의 군대들이 싸우는 작은 접전 ; 작은 분쟁**

I was expecting a couple of *skirmishes* during the Scout campout—arguments about who got to shower first, and things like that—but not this out-and-out war between the girls in the different patrols.
스카우트에서 야영 활동을 하는 동안에, 약간의 사소한 다툼이 있을 것이라는 것을 예상하고 있었다 — 누가 먼저 샤워를 할 것인가 하는 문제나, 그와 비슷한 형태의 문제들에 관한 다툼들 — 그러나 다른 반 여학생들 사이에 있었던 이런 완전한 전쟁은 예상하지 못했었다.

Soldiers on both sides felt insulted when the CNN reporter referred to their recent battle as a "*skirmish*"
CNN의 기자가 최근의 전투를 "사소한 접전"이라고 말했을 때, 양측의 병사들은 모두 모욕감을 느꼈다.

A *skirmish* broke out at the hockey game when a drunken fan threw a beer bottle at the opposing team's goalie.
하키 경기 중에 술취한 팬이 상대편 골키퍼에게 맥주병을 던지는 바람에 작은 다툼이 일어났다.

* 이 단어는 동사로도 쓰인다.

The principal *skirmished* with the students over the issue of hair length.
교장은 머리 길이에 관한 문제로 학생들과 작은 언쟁을 벌였다.

**SKITTISH** [skítiʃ] adj **nervous ; easily startled ; jumpy** **신경질적인 ; 쉽게 놀라는 ; 신경과민의**

The farm animals all seemed *skittish*, and no wonder—a wolf was walking back and forth outside their pen, reading a cookbook and sharpening his knife.
농장의 동물들은 모두 신경이 예민해진 것 같았다. 놀랄 일도 아니었던 것이, 늑대 한 마리가 요리책을 읽으며, 칼을 갈면서 축사 앞을 이리저리 돌아다녔다.

"Why are you so *skittish* tonight?" the baby-sitter asked the young children. "Is it my pointed teeth, or is it the chainsaw in my knapsack?"
"오늘, 너희들 왜 그렇게 겁을 내는 거지?" 베이비시터가 아이들에게 물었다. " 내 송곳니 때문이니, 아니면 내 가방 속에 있는 사슬톱 때문이니?"

**SLAKE** [sleik] v **to quench ; to satisfy ; to assuage** **불을 끄다 ; 충족시키다 ; 진정시키다**

Soda doesn't *slake* your thirst as well as plain old water.
소다수는 맹물만큼 갈증을 덜어주지는 못한다.

Irene's thirst for companionship was *slaked* by her next-door neighbor, who spent most of every day drinking coffee with her in her kitchen.
아이린의 교제에 대한 목마름은 거의 매일 부엌에서 함께 커피를 마시면서 보내는 이웃집 여자로 충족되었다.

My hairdresser's admiration *slaked* my fear that shaving my head hadn't been the best move.
머리를 미는 것이 최선의 방법이 아니었다고 걱정하고 있는데, 미용사의 칭찬으로 걱정이 진정되었다.

**SOLACE** [sáləs] n **consolation ; comfort** **위로 ; 위안**

The broken-hearted country and western singer found *solace* in a bottle of bourbon ; then he wrote a song about finding *solace* in a bottle of bourbon.
비탄에 잠긴 컨트리 가수는 한 병의 버번 위스키에서 위안을 찾았다 ; 곧 그는 버번 위스키에서 위안을 찾는다는 내용의 노래를 썼다.

The Red Sox just lost the pennant, and there is no *solace* for baseball fans in the city of Boston tonight.
레드 삭스 팀은 방금 우승기를 놓쳤다. 오늘 밤, 보스턴 시의 야구팬들을 위로할 수 있는 것은 아무 것도 없다.

* 이 단어는 동사로도 쓰인다.

I've heard a lot of come-ons in my day, but "May I *solace* you?" has to be a first.
한창 때, 나는 수많은 유혹의 말을 들었다. 그러나 "당신을 위로해 줄까요?" 라는 말이 최고의 말임에 틀림없다.

**SOLIDARITY** [sàlədǽrəti] n **sense of unity ; a sense of sharing a common goal or attitude** **연대감 ; 공통의 목표나 사고방식을 가지고 있다는 느낌, 결속력**

Working on New Year's Eve wasn't as depressing as Russell had been fearing ; there was a sense of *solidarity* in the newsroom that was at least as enjoyable as any New Year's Eve party he had ever been to.
새해의 전날에 일하는 것은 러셀이 걱정했던 것만큼 그렇게 우울한 일은 아니었다 ; 편집실에는 함께 일하고 있는 동료들의 연대감이 있었는데 그것은 그가 지금까지 보아왔던 어떤 새해맞이 파티만큼이나 즐거운 것이었다.

To promote a sense of *solidarity* among our campers, we make them wear ugly uniforms and wake them up early ; they don't have a very good time, but they learn to stick together because they hate our rules so much.
캠프의 구성원들 사이에 결속감을 높이기 위해서, 우리는 모두에게 보기 흉한 유니폼을 입게 하고, 아침 일찍 일어나게 한다 ; 그들은 별로 즐거운 시간을 보내지는 못하지만, 우리가 만든 규칙들을 너무나 싫어하기 때문에 함께 단결하는 법을 배우게 된다.

*Solidarity* was an appropriate name for the first Polish labor union since it represented a decision by workers to stand up together against their government.
자유노조는 최초의 폴란드 노동 조합을 일컫는 고유 명칭이었다. 이 단어는 정부에 대항하여 함께 일어섰던 노동자들의 결단을 표현하게 된 이후로 그렇게 쓰이게 되었다.

**SOPHOMORIC** [sὰfəmɔ́:rik] adj **juvenile ; childishly goofy** **미숙한, 젊은 ; 유치하게 얼간이 짓을 하는**

* 발음에 주의할 것.

The dean of students suspended the fraternity's privileges because its members had streaked through the library wearing togas, soaped the windows of the administration building, and engaged in other *sophomoric* antics during Parents' Weekend.
학생 부장은 학생 단체의 특권을 정지시켰다. 단체의 회원들이 부모님 참관수업일에 예복을 입고 도서관 안을 내달렸으며, 행정본부 건물 유리창에 비누칠을 했으며, 그 외에도 점잖지 못한 괴상한 행동들을 했기 때문이었다.

"I expect the best man to be *sophomoric* — but not the groom. Now, give me that slingshot, and leave your poor fiancée alone!" the minister scolded Andy at his wedding rehearsal.
"나는 신랑 들러리는 까불 수 있다고 생각하지만 신랑은 아니네. 자, 그 새총은 내게 주고, 가엾은 자네 약혼녀를 가만히 내버려 두게." 목사는 결혼식 리허설을 하면서 앤디를 꾸짖었다.

The misbehaving tenth graders didn't mind being called *sophomoric* ; after all, they were *sophomores*[sάfəmɔ̀:rz].
품행이 좋지 못한 10학년 학생들은 유치하다는 말을 듣는 것에 개의치 않았다 ; 결국, 그들은 2학년 짜리 밖에 안되는 것이었다.

**SORDID** [sɔ́:rdid] adj **morally vile ; filthy ; squalid** **도덕적으로 타락한 ; 불결한 ; 비열한**

"What a *sordid* little story I read in the newspaper this morning," Aunt Helen said to her nephew. "Do you think they'll ever find the man who..." She whispered the rest into his ear so that her impressionable young niece wouldn't hear the terrible things the man had done.
"오늘 아침 신문에서 읽은 작은 기사는 너무나 부도덕한 이야기이구나." 헬렌 숙모는 조카에게 말했다. 그들이 그 남자를 찾을 것이라고 생각하니? 그는…" 숙모는 감수성이 예민한 어린 조카딸이 그 남자의 끔직한 행위에 대해서 듣지 못하게 하기 위해서 나머지 얘기를 조카의 귀에 대고 속삭였다.

For many years, it turned out, Mr. Rubble had been involved in a *sordid* affair with the teenaged daughter of Mr. and Mrs. Flintstone.
수년 동안, 러블씨가 십대인 플린스톤 부부의 딸과 부도덕한 관계를 맺어 왔다는 사실이 밝혀졌다.

This is just about the most *sordid* cottage I've ever seen. Look at that mold on the walls! Look at the slime on the floor! When I track down that rental agent, I'm going to give her a piece of my mind.
이 집은 내가 지금까지 보아온 것 중에서 가장 불결한 별장이다. 벽의 저 곰팡이 좀 봐라! 바닥의 진흙은 또 어떻구! 임대해준 중개인을 쫓아가서 내 생각을 전해야겠다.

**SOVEREIGN** [sάvərin] n **supreme ruler ; monarch** **최고 통치권자 ; 군주**

* 발음에 주의할 것.

Wouldn't the people in this country be surprised to learn that their *sovereign* is not a human but a mynah bird?
이 나라의 국민은 그들의 통치권자가 인간이 아니라 한 마리 구관조라는 것을 알게 되면 놀라지 않을까?

* sovereign은 형용사로 쓰일 경우, principal(주요한)이나 foremost(가장 최고의)의 뜻으로 쓰인다.

Getting those kids to school safely should be the bus driver's *sovereign* concern, but I'm afraid he's really more interested in finding a place to stop for a doughnut as soon as he has finished his route.
아이들이 안전하게 학교에 도착할 수 있도록 하는 것이 스쿨 버스 운전사의 가장 중요한 임무가 되어야 한다. 그러나, 나는 그가 운행을 마치자마자 도넛을 먹기 위해 차를 세울 곳을 찾는 데만 더 관심을 두고 있는 것은 아닌지 걱정이 된다.

* sovereignty[sɑ́vərinti]는 최고의 권위를 의미한다. — 왕이 자신의 왕국에 대하여 행사할 수 있는 권한 같은 것이다.

The disgruntled Californians declared *sovereignty* over some rocks in the middle of the Pacific Ocean, and declared their intention of establishing a new nation.
불만을 품은 캘리포니아인들은 태평양 한가운데 있는 몇몇 바위섬들에 대해서 주권 통치를 선언하고, 새로운 국가 건설의 의지를 천명했다.

## SPATE [speit] n **a sudden outpouring** 갑작스런 범람, 쏟아져 나옴

Julia has received a *spate* of media coverage in the days since her new movie was released ; last week, her picture was on the covers of both *Time* and *Newsweek*.
요즈음, 줄리아의 새 영화가 상영되고 난 뒤부터, 그녀에게 미디어로부터 갑작스런 관심이 쏟아져 왔다 : 지난 주, 타임지와 뉴스위크지의 표지에는 그녀의 사진이 실렸다.

"The recent *spate* of copycat crimes proves at least criminals are watching our news programs," said the executive of the struggling television station, "That's kind of good, isn't it?"
"최근 모방 범죄가 범람하는 것은 어찌되었거나 범죄자들이 우리 뉴스 프로그램을 보고 있다는 의미인 것이다." 힘든 상황에 있던 텔레비전 방송국의 이사가 말했다. "그건, 좋은 일이라고 할 수 있지, 그렇지 않나?"

* 영국식 영어에서, spate는 문자 그대로 홍수라는 뜻이다.

When the *spate* had abated, the villagers were horrified to discover how hard it is to remove mud from upholstered furniture.
홍수의 세력이 약해지면서, 마을 사람들은 집에 설치된 가구에서 진흙을 치우는 것이 쉽지 않은 일이라는 것을 알고서 모두 충격을 받았다.

## QUICK QUIZ 74

Match each word in the first column with its definition in the second column. Check your answers in the back of the book.

| | |
|---|---|
| 1. singular | a. consolation |
| 2. skirmish | b. sudden outpouring |
| 3. skittish | c. fight between small numbers of troops |
| 4. slake | d. quench |
| 5. solace | e. exceptional |
| 6. solidarity | f. juvenile |
| 7. sophomoric | g. nervous |
| 8. sordid | h. sense of unity |
| 9. sovereign | i. supreme ruler |
| 10. spate | j. morally vile |

**SPECIOUS** [spíːʃəs] adj **something that seems correct or appropriate but that lacks real worth ; deceptive ; misleading ; not genuine** 옳거나 적절한 것처럼 보이지만, 실제로는 가치가 없는, 그럴듯한, 허울 좋은 ; 현혹시키는 ; 오해시키는 ; 진짜가 아닌

That's very *specious* reasoning, Olivia ; the fact that both roses and blood are red does not mean that roses contain blood.
올리비아, 그것은 매우 그럴듯한 추리이기는 하다 : 그러나, 장미와 피 모두 빨갛다는 사실은 장미에 피가 들어있다는 것을 의미하지는 않는다.

Medical doctors have long viewed chiropractic as a *specious* discipline, but that attitude has changed somewhat in recent years as a number of careful studies have demonstrated the effectiveness of certain chiropractic techniques.
의학 박사들은 오랫동안 척주 지압 요법을 겉만 그럴듯한 이론으로 생각했다. 그러나, 그러한 태도는 최근 몇몇 신중한 연구들이 확실한 척추 교정 기술의 효과를 입증했기 때문에 다소 바뀌었다.

**SPECTER** [spéktər] n **ghost ; phantom** 유령 ; 도깨비

The *specter* of old Miss Shaffer still haunts this house, making mysterious coughing noises and leaving tattered issues of *TV Guide* in unexpected spots.
노처녀 쉐퍼의 유령이 기묘한 기침 소리를 내거나, 예기치 않은 장소에 너덜너덜해진 TV가이드 잡지를 놓아 두는 등, 아직도 이 집에 출몰하고 있다.

As the girls gazed at him, transfixed with horror, he gradually shriveled up and turned into a *specter* before their very eyes. "I told you we shouldn't touch that switch," Suzy snapped at Muffy.
소녀들은 그를 보자, 공포에 질려 그 자리에 얼어붙고 말았다. 그는 점점 줄어들더니, 소녀들 바로 앞에서 귀신으로 변했다. "그 스위치를 만지면 안 된다고 내가 말했잖아." 수지가 머피에게 퍼부었다.

* specter라는 단어는 반드시 글자 그대로의 유령만을 의미하지는 않는다.

The *specter* of the Great Depression continued to haunt the Reeses, making them reluctant to spend money on anything that seemed even remotely frivolous.
대공황의 유령이 계속해서 리즈가 사람들을 괴롭혔다. 그들은 조금만 쓸데 없다고 보여도 그 물건에 돈을 쓰기를 주저하게 되었다.

* 형용사 spectral [spéktrəl] 은 유령이 나올 법한, 유령 같은.

The ladies in the Library Club were hoping to give the Halloween funhouse a thoroughly *spectral* atmosphere, but their limited budget permitted them to buy only a couple of rolls of orange and black crepe paper and some candy corn.
독서 클럽의 여성들은 할로윈 유령의 집을 진짜로 유령이 나올 법한 분위기로 만들고 싶었다. 그러나, 예산이 제한되어 있었기 때문에, 그들은 오렌지색과 검은색의 주름 종이 두 롤과 캔디 콘만 조금 살 수 있었다.

**SPECTRUM** [spéktrəm] n **a broad sequence or range of different but related things or ideas** 서로 다르지만 관계 있는 사물이나 생각들의 연속, 혹은 범위

The entire *spectrum* of acting theories is represented in this workshop, from the notion that all you have to do to act is act to the belief that you must truly become the character in order to be convincing.
이번 강습회에서는, 연기하기 위해 해야 하는 모든 것이 연기라는 개념에서부터, 설득력을 가지기 위해서는 진정으로 자신이 맡은 인물 그 자체가 되어야만 한다는 신념에 이르기까지, 연기 이론의 전체를 배우게 된다.

If the *spectrum* of political beliefs were an actual line, Rob's views would occupy a point slightly left of center. He's liberal enough to irritate his parents, but too conservative to earn the total trust of his leftist friends.
정치적 신념의 범위를 구체적인 선으로 표현한다면, 랍의 관점은 중앙에서 약간 왼쪽에 있는 점에 위치할 것이다. 그는 부모님을 초조하게 할 정도로 개방적이고 자유주의적이지만, 충분히 보수적인 면이 있어서 좌파 친구들의 전폭적인 신뢰를 받지는 못한다.

**SPURN** [spəːrn] v **to reject disdainfully ; to scorn** **경멸하여 거부하다 ; 경멸하다**

The female peacock *spurned* the male's advances day after day ; she took so little notice of him that he might as well have sold his tail feathers and tried to make time with the chickens.
암컷 공작은 수컷 공작의 구애를 날마다 거부했다 : 암컷 공작이 수컷에게 거의 눈길 한번 주지 않았기 때문에, 수컷은 꼬리 깃털을 팔아버리고 차라리 암탉들과 데이트하는 것이 더 나을 것 같았다.

Preschoolers usually *spurn* their parents' attempts to serve them healthy meals ; they turn up their noses at nice, wholesome fruits and vegetables and ask where the chips are.
취학전의 아이들은 몸에 좋은 음식을 먹이고자 하는 부모들의 의도를 대개 무시하고 거부한다 : 아이들은 맛도 좋고, 건강에도 좋은 과일이나 야채에는 코방귀를 뀌면서 감자칩이 있는 곳만 찾아댄다.

Elizabeth *spurned* Jeff's apologies ; she could see that he wasn't sorry at all, and that he was, in fact, on the verge of laughing.
엘리자베스는 제프의 사과를 무시했다 : 그녀는 제프가 전혀 미안해하고 있지 않다는 것, 사실은 웃음을 터뜨리기 직전이라는 것을 알 수 있었다.

**STALWART** [stɔ́ːlwərt] adj **sturdily built ; robust ; valiant ; unwavering** **튼튼한 체격의 ; 강건한 ; 용감한 ; 확고한**

"Don't forget," Elbert droned to Frieda, "that those brawny, *stalwart* youths you seem to admire so much have little to recommend them, intellectually speaking."
"지적인 면으로 말하자면, 네가 그토록 동경해마지 않는 것 같은 건장하고 힘이 넘치는 저 젊은이들은
다른 사람의 호감을 살만한 사람들이 아니라는 사실을 잊지 말아라." 엘버트가 프리다에게 말했다.

The chipmunk made a *stalwart* effort to defend her babies from the sallies of the cat, but it was my own efforts with a water pistol that finally drove the attacker away.
다람쥐는 고양이의 공격에 맞서 새끼들을 지키느라 온갖 노력을 다했다. 그러나, 결국 그 공격자를 물러나게 한 것은 내가 열심히 쏘아댄 물총이었다.

Ernie has been a *stalwart* friend through thick and thin, even when I used to pretend not to recognize him as I passed him in the hall.
강당에서 내가 그의 옆을 지나치면서 모른 척하곤 했는데도, 어니는 시종일관 충실한 친구가 되어 주었다.

**STARK** [stɑːrk] adj **utter ; unmitigated ; harsh ; desolate** **순전한 ; 완전한 ; 엄한 ; 황량한**

If you play that song one more time, I will go *stark*, raving mad, and throw the stereo out the window.
네가 그 노래를 한 번 더 튼다면, 나는 정말로 완전히 미쳐서 스테레오를 창 밖으로 집어던질 것이다.

*Stark* terror leaped into the baby-sitter's eyes when she realized that both the car and the triplets were missing.
자동차와 세쌍둥이를 잃어버렸다는 사실을 알게된 베이비시터의 눈에 극심한 공포가 떠올랐다.

A lump rose in Lulu's throat when she saw the view out her apartment window for the first time, the room faced a *stark*, deserted alley whose only adornment was a rusty old fire escape.
낡고 녹슨 비상구 하나 달랑 있는 황폐하고 인적이 끊긴 골목과 면하고 있는 방에서 처음으로 아파트 창 밖의 풍경을 내다보았을 때, 루루는 복받치는 감정으로 목이 메었다.

* 이 단어는 부사로 쓰일 경우, '완전히, 절대적으로' 라는 뜻이다.

Ella used to answer the door *stark* naked, just to see what would happen ; lots of things happened.
엘라는 무슨 일이 일어나는지 보기 위해서 완전히 벌거벗고 현관으로 방문객을 맞으러 나가곤 했다 : 많은 일들이 일어났다.

**STINT** [stint] v **to restrict or hold back on ; to be frugal** **제한하다, 자제하다 ; 절약하다**

"Please don't *stint*, ladies," wheedled the con man as he waved his jar around drunkenly. "Every penny you give me goes to support the orphanage."
"숙녀분들, 돈을 아끼지 마세요. 제게 돈을 주시면, 고아원을 돕는 데 쓰입니다." 사기꾼이 술에 취해서 항아리를 흔들며 사람들을 속이고 있었다.

David's eyes glowed as he beheld his hot fudge sundae ; the waiter certainly had not *stinted* on the hot fudge, which was flowing out of the bowl and onto the tablecloth.
자신의 핫 퍼지 선디(주: 아이스크림의 일종)를 보았을 때 데이비드의 눈이 기쁨으로 빛났다 ; 웨이터는 확실히 핫 퍼지를 아끼지 않고 넣었다. 그것은 잔에서 넘쳐 식탁보에 흘러내렸다.

* 형용사는 stinting.

* stint가 명사로 쓰일 경우, 일정 기간 동안의 특별한 임무나 직업적인 노동을 의미한다.

Ed would have done a *stint* in the military, but he didn't like the thought of having to keep his sergeant's shoes polished.
에드는 군대에서 할당된 일을 했을 것이다. 그러나, 그는 하사관의 구두를 번쩍거릴 정도로 닦아 놓아야 한다는 생각은 좋아하지 않았다.

**STIPEND** [stáipend] n **income ; allowance ; salary** **수입 ; 수당 ; 봉급**

* 발음에 주의할 것.

The *stipend* this university pays its teaching assistants is so low that some of them are forced to rummage for food in the dumpster behind McDonald's.
이 대학이 조교들에게 지급하는 수당은 너무 낮아서, 강사들 몇몇은 먹을 것을 찾아 맥도널드 뒷골목의 쓰레기통이라도 뒤지지 않으면 안될 지경이다.

In addition to his commissions, the salesman received a small *stipend* to cover his travel expenses.
그 세일즈맨은 판매 수수료에 덧붙여서, 교통비로 쓸 수 있는 약간의 수당을 더 받았다.

An allowance is a *stipend* that a child receives from his or her parents. It is always too small.
용돈이란, 아이가 부모에게서 받은 일종의 수당이다. 용돈은 언제나 너무 작은 법이다.

**STOLID** [stálid] adj **not easily roused to emotion ; impassive ; apathetic ; phlegmatic**
**감정의 변화가 쉽지 않은, 둔감한 ; 무감각한 ; 냉담한 ; 차분한, 침착한**

Not a ripple of emotion passed across her brother's *stolid* countenance when she told him that his best friend had just asked her to marry him. "That's nice," he said, without looking away from the TV.
오빠의 가장 친한 친구가 자신에게 구혼을 했다고 여동생이 말을 했는데도 그녀의 오빠의 무감각한 표정에는 아무런 감정의 변화도 나타나지 않았다. "좋구나." TV에서 눈을 떼지 않은 채 그가 말했다.

Our local veterinarian no longer treats farm animals because the *stolid* expressions of cows make him feel uneasy and depressed.
소의 무표정 때문에 불안하고 의기소침해진 우리 동네 수의사는 더 이상 농장의 동물들을 치료하지 않는다.

In professional football, the *stolid* performers sometimes have longer careers than the flashy superstars, who have a tendency to burn themselves out after a few years.
프로 축구에서는, 때때로 몇 년 안에 자신의 모든 기량을 소진시키는 경향이 있는 화려한 슈퍼스타보다 기복이 없는 선수들이 더 오래 선수 생활을 한다.

**STOUT** [staut] adj **plump ; stocky ; substantial** **포동포동한 ; 단단한 ; 내용이 알찬**

Karen has been working in the candy store for just a week, but she's already become noticeably *stouter*. In fact, she has started to waddle.
캐런은 사탕 가게에서 겨우 일주일째 일하고 있다. 그러나, 그녀는 이미 눈에 띌 정도로 뚱뚱해졌다. 사실, 그녀는 벌써 오리처럼 뒤뚱거리며 걷게 되었다.

Mr. Barton was built a little bit like a beach ball ; he was *stout* in the middle and skinny at either end.
바톤씨는 비치볼처럼 약간 부풀어올랐다 ; 그는 가운데 배 부분은 불룩하고, 양 쪽 끝은 살이 없었다.

Mr. Reardon never goes for a walk without carrying a *stout* stick along ; he uses it to steady his balance, knock obstacles out of his path, and scare away dogs and small children.
레어든씨는 튼튼한 지팡이를 가지지 않고는 절대 산책을 나가는 법이 없다 ; 그는 그 지팡이를 균형을 유지하고, 길거리에 있는 장애물을 치우며, 개나 아이들을 쫓아버리는 데 사용한다.

* stout는 용감하다, 왕성하다, 단호하다라는 뜻도 있다.

**The "*stout-hearted* men" in the well-known song are courageous men.**
유명한 노래에 나오는 "stout-hearted men"은 용기 있는 남자를 말한다.

**"I don't mind walking home over Haunted Hill," the little boy said *stoutly*.**
"나는 귀신 나오는 언덕을 지나서 집에 걸어가는 것이 두렵지 않아요." 작은 소년이 용감하게 말했다.

## QUICK QUIZ 75

Match each word in the first column with its definition in the second column. Check your answers in the back of the book.

| | |
|---|---|
| 1. specious | a. stocky |
| 2. specter | b. reject |
| 3. spectrum | c. robust |
| 4. spurn | d. restrict |
| 5. stalwart | e. phantom |
| 6. stark | f. desolate |
| 7. stint | g. not easily roused to emotion |
| 8. stipend | h. deceptive |
| 9. stolid | i. broad sequence |
| 10. stout | j. allowance |

**STRATAGEM** [strǽtədʒəm] n **a maneuver designed to outwit an enemy ; a scheme ; a ruse** 적을 속이기 위한 계획적 조치, 전략 ; 계략 ; 책략

**The Pied Piper's *stratagem* was successful ; entranced by the sound of his pipe, the rats followed him out of town and never came back.**
하멜린의 피리 부는 사람의 전략은 성공적이었다 ; 그의 피리 소리에 정신이 나간 쥐들은 그를 따라 마을을 떠나 다시는 돌아오지 않았다.

**Our *stratagem* for replacing the real newspaper with a parody issue involved kidnapping the driver of the delivery truck and taking over the delivery route ourselves.**
진짜 신문 대신에 패러디 간행물을 넣으려는 우리의 계획 속에는 배달 트럭의 운전사를 납치하여 배달 구역을 넘겨받는 것까지 포함되어 있었다.

**Jordan has devised a little *stratagem* to test whether Santa Claus really exists ; the next time he writes Santa a letter, he's going to drop it in the mailbox without showing it to his parents first.**
조단은 정말로 산타클로스가 있는지 알아보기 위해 약간의 전략을 짰다 ; 다음에 그가 산타클로스에게 편지를 쓸 때에는, 먼저 부모에게 보여주지 않고 바로 우체통에 넣을 것이다.

* develop a strategy는 특별한 목적을 위해 전략을 짜다.

**STUPENDOUS** [stu:péndəs/stju:-] adj **remarkable ; extraordinary ; remarkably large or extraordinarily gigantic** 놀랄만한 ; 보통이 아닌 ; 몹시 크거나 기이할 정도로 거대한

Everyone had told Chet to expect a *stupendous* view from the top of the World Trade Center, but the weather was foggy on the day he visited, and all he could see was clouds.
세계 무역 센터 꼭대기에서 보면, 놀라운 광경이 보일 것이라고 사람마다 체트에게 말했다. 그러나, 그가 찾아간 날은 안개가 끼었기 때문에, 그가 볼 수 있었던 것은 구름뿐이었다.

A *stupendous* pile of laundry awaited Phyllis when she returned from her business trip ; she had forgotten to tell her children that they should do their own wash while she was gone.
필리스가 출장을 마치고 집으로 돌아왔을 때, 그녀를 기다리고 있는 것은 거대한 빨래더미였다 ; 그녀는 자신이 없는 동안 빨래는 스스로 알아서 해야만 한다는 것을 아이들에게 말하는 것을 잊었던 것이다.

To climb Mount Everest on a bicycle would be a *stupendous* accomplishment.
자전거를 타고 에베레스트 산을 오른다면, 대단한 업적이 될 것이다.

**STUPOR** [stú:pər/stjú:-] n **a stunned condition ; near-unconsciousness ; apathy ; inertia** 기절한 상태 ; 거의 의식이 없는 상태, 인사불성 ; 무감각 ; 무력증

After Thanksgiving dinner, we were all too full to do anything except lie around on the floor in a *stupor* and watch the dog walk in circles in front of the fireplace.
추수감사절 만찬 후에, 우리는 모두 너무나 많이 먹었기 때문에, 인사불성인 채로 마룻바닥에 널브러져 벽난로 앞의 개가 제자리를 맴도는 것을 보는 것 말고는 아무 것도 할 수 없었다.

Polls indicated that the new anchorman was sending viewers into a *stupor* of boredom, so he was quickly replaced by a baton twirler and relegated to doing the weather report.
새로운 앵커맨은 시청자들을 지루해서 망연자실하게 만든다는 여론조사가 나왔다. 그래서, 곧 그는 새로운 인물에게 바통을 넘기고 일기예보를 하는 자리로 좌천되었다.

Rachel's first view of college was not an impressive one ; immediately after stepping out of the taxi, she ran into a group of seniors weaving around the quadrangle in a drunken *stupor*.
레이첼은 대학에 대한 첫인상이 그리 좋지 않았다 ; 택시에서 내리자마자, 그녀는 술에 취해 인사불성이 되어 대학 안을 이리저리 돌아다니고 있는 일단의 상급생들과 부딪혔던 것이다.

* 형용사는 stuporous [stú:pərs] . 동사는 stupefy [stú:pəfài] .

**SUBSIDE** [səbsáid] v **to sink or settle ; to diminish ; to lessen** 가라앉거나 앉다 ; 감소하다 ; 줄어들다

The house's foundation *subsided* to the point where the first floor windows were in danger of disappearing from view.
일층 창문이 거의 보이지 않을 지경으로 집의 지반이 가라앉았다.

Mrs. Bailey eyed her students sternly until their chattering had *subsided* and they were ready to hear her views on linguistic development.
베일리 여사는 학생들의 재잘거림이 가라앉고 언어의 발달에 관한 그녀의 강의를 들을 준비가 될 때까지 매서운 눈으로 학생들을 쳐다보았다.

The popular new drug helps anxieties to *subside*, but it does not eliminate them completely.
인기를 끌고 있는 신종 약품은 불안을 가라앉히는 데는 효과가 있다. 그러나, 불안을 완전히 제거하지는 못한다.

Cornelia's homesickness *subsided* rapidly, and by the end of the first week, she found that she had come to prefer being at camp to being at home.
코넬리아의 향수병은 급속도로 가라앉았다. 첫 주가 끝날 무렵이 되자, 그녀는 집에 있는 것보다 야영에 참가한 것을 더 좋아하게 된 자신을 발견했다.

**SUBSIDIARY** [səbsídièri] adj **supplemental ; additional ; secondary or subordinate 보충하는 ; 추가된 ; 보조적인, 부수적인, 하급자의**

The Watsons pay their kids both a weekly allowance and a *subsidiary* sum for doing particular chores ; the system worked until the children decided they would rather be broke than do chores.
왓슨씨 부부는 아이들에게 일주일에 한번씩 용돈을 주고 있고, 특별한 집안 일을 했을 때는 그 대가로 추가 용돈을 지급한다 ; 아이들이 집안 일을 하기보다는 무일푼이 되는 것이 더 낫겠다고 결정할 때까지, 이러한 방식으로 운영되었다.

Poor Carrie doesn't seem to realize that she's stuck in a *subsidiary* position for at least the near future ; Mr. Vitale will never promote her unless someone quits, and no one's going to quit with the job market the way it is.
가엽게도, 캐리는 당분간 자신이 보조적인 위치에 머물러 있게 된다는 것을 모르고 있는 듯하다 ; 누군가 그만두지 않는다면, 비테일씨는 그녀를 결코 승진시키지 않을 것이다. 그리고, 인력 시장이 지금과 같다면, 아무도 그만두려 하지 않을 것이다.

* 이 단어는 명사로 쓰일 경우, 큰 회사에 소속되어 있거나, 연합하고 있는 업체를 가리키는 말로 종종 쓰인다.

Acme Corp's main business is manufacturing boomerangs, but it has *subsidiaries* that make everything from tennis balls to french fries.
악미 법인의 주요 사업은 부메랑을 제조하는 것이다. 그러나, 테니스 공에서 감자 튀김에 이르기까지 모든 상품을 생산하는 자회사들을 두고 있다.

**SUBSIDIZE** [sʌ́bsədàiz] v **to provide financial aid ; to make a financial contribution 재정적인 도움을 주다 ; 재정적인 지원이나 기부를 하다**

"We'll lend you money for your apartment, but we're not *subsidizing* your boyfriend, too," Amanda's parents told her. "Either he contributes to the rent, or he moves out."
"너에게 아파트 대금을 빌려 주마. 그러나, 너의 남자 친구까지 도와주지는 않을 거야. 걔더러 임대료를 내든지, 아니면, 집에서 나가라고 해라." 아만다의 부모가 그녀에게 말했다.

The professor's assertion that cigarette smoking can be healthful was discredited when a reporter discovered that the tobacco industry had *subsidized* his research.
흡연이 건강에 도움이 된다는 교수의 주장은 담배 회사가 그 교수의 연구에 보조금을 지급했다는 사실이 한 기자에 의해 밝혀지면서 불신을 받게 되었다.

The school lunch program is *subsidized* by the state ; the school system is reimbursed by the state for a portion of what it spends on pizza and peach cobbler.
학교 급식 프로그램은 주 정부의 보조를 받고 있다 ; 학교는 피자와 복숭아 음료를 사는 데 들이는 돈의 일부를 주 정부로부터 지원받는다.

**SUBSTANTIATE** [səbstǽnʃièit] v **to prove ; to verify ; to confirm 증명하다 ; 입증하다 ; 확실하게 하다**

Experts from the transit department were unable to *substantiate* the woman's assertion that little men from the center of the earth had invaded the subway system and were planning to take over the world.
교통국에서 나온 전문가들은 지구의 중심에서 나온 작은 사람들이 지하철 운영을 방해했으며, 전세계를 정복하려고 했다는 그 여성의 주장을 입증할 수가 없었다.

The prosecutor did her best to *substantiate* the charge against the defendant, but it was an uphill job ; she couldn't find a single witness willing to testify against him.
검사는 피고인의 유죄를 입증하려고 최선을 다했다. 그러나, 그것은 쉽지 않은 일이었다 ; 검사는 기꺼이 그의 유죄를 증언해줄 목격자를 단 한 사람도 찾을 수가 없었다.

Lawrence's entire scientific career is built on *unsubstantiated* theories ; a case in point is his ten-year study of communication between rocks.
로렌스의 과학적인 경력은 전부 입증되지 않은 이론에 입각해 있다 ; 그 적절한 사례가 돌들 사이의 의사소통에 관한 그의 십년간의 연구이다.

**SUBTERFUGE** [sʌ́btərfjùːdʒ] n **artifice ; a trick or stratagem ; a ruse** **술책 ; 속임수나 책략 ; 계략**

Pearl isn't allowed to wear jeans to school, so she has gotten into the habit of leaving a pair of jeans in the bushes behind her house and changing into them in her best friend's garage. This little *subterfuge* is about to be discovered, however, because Pearl's mother is dropping in on the school unexpectedly today to bring her the lunchbox she left at home this morning.
펄은 학교에 갈 때, 청바지를 입는 것이 금지되어 있다. 그래서, 그녀는 집 뒤의 나무숲에다 청바지를 감추어 놓고, 가장 친한 친구네 차고에서 바지를 갈아입곤 하는 습관을 갖게 되었다. 그러나, 오늘 아침, 펄이 집에 점심 도시락을 두고 가는 바람에, 펄의 엄마는 도시락을 들고 예기치 않게 학교를 방문할 예정이고, 따라서 이 작은 속임수도 발각될 처지에 놓였다.

**SUFFICE** [səfáis] v **to be sufficient ; to be enough** **충분하다**

At Thanksgiving dinner, Grandma said that she wasn't very hungry, and that a crust of bread and a few drops of water would *suffice*.
추수감사절 만찬에서, 할머니는 그다지 배가 고프지 않다고 하시면서, 딱딱한 빵껍질과 약간의 물이면 충분하다고 말하셨다.

Instruction in reading and writing alone will not *suffice* to prepare our children for the real world ; they must also be given a solid grounding in mathematics, and a passing familiarity with the martial arts.
읽기와 쓰기 교육만으로는 우리의 아이들이 현실의 세계를 준비하는 데 충분하지 않을 것이다 ; 그들은 수학의 확고한 기초와 무술에 정통하는 법도 배워야 한다.

Rosemary passed out at the table and woke up many hours later in the guest bed in a pool of vomit ; *suffice* it to say that she was not invited back to that house again.
로즈마리는 식탁에서 취해 인사불성이 되었다. 그리고 몇 시간 후에 구토물로 범벅이 된 채 손님 방에서 깨어났다 ; 그녀가 다시는 그 집에 초대받지 못했다는 것은 두말할 필요도 없다.

**SUFFRAGE** [sʌ́fridʒ] n **the right to vote** **투표권**

* 발음에 주의할 것.

Amazing though it seems today, *suffrage* for woman was a hotly contested issue at the beginning of the twentieth century. Many men—and many women, for that matter—seriously believed that choosing among political candidates would place too great a strain on women's supposedly feeble intellects, and women were not guaranteed the right to vote until 1920.
오늘날에는 놀랄만한 일이겠지만, 20세기 초반만 해도 여성의 투표권은 뜨거운 논쟁을 불러일으킨 주제였다. 많은 남성들은 — 이 문제에 관한 한 많은 여성들도 마찬가지로 — 정치지도자를 선택하는 일은 미약할 것으로 여겨지는 여성의 지적 능력이 감당하기에는 너무나 큰 부담이 될 것이라고 굳게 믿고 있었다. 그리하여, 여성들은 1920년이 될 때까지 투표권을 보장받지 못했다.

Women who advocated the extension of *suffrage* to women were known as *suffragettes* [sʌ̀frədʒéts].
투표권을 여성에게로 확장해야 한다는 주장을 한 여성들을 여성 참정권론자라고 불렀다.

Universal *suffrage* is the right of all people to vote, regardless of race, sex, ownership of property, and so forth.
보통 선거권은 인종과 성과 재산 유무, 등등에 관계 없이 모든 사람들 누구나 투표할 수 있는 권리를 말한다.

## QUICK QUIZ 76

Match each word in the first column with its definition in the second column. Check your answers in the back of the book.

| | |
|---|---|
| 1. stratagem | a. prove |
| 2. stupendous | b. stunned condition |
| 3. stupor | c. artifice |
| 4. subside | d. maneuver designed to outwit an enemy |
| 5. subsidiary | e. provide financial aid |
| 6. subsidize | f. remarkable |
| 7. substantiate | g. sink |
| 8. subterfuge | h. supplemental |
| 9. suffice | i. be sufficient |
| 10. suffrage | j. right to vote |

**SUFFUSE** [səfjúːz] v **to cover ; to overspread ; to saturate** 뒤덮다 ; 온통 펼쳐져 있다 ; 가득 채우다

A crimson blush *suffused* the timid maiden's ivory cheeks as she realized that she had forgotten to put on clothes before leaving the house.
집을 떠나기 전에 옷 입는 것을 잊었다는 사실을 깨닫게 되자, 부끄러워하는 소녀의 상아빛 뺨이 온통 진홍색으로 물들었다.

The room that was once filled with dazzling sunbeams is now *suffused* with the ugly grayish light of a fluorescent lamp.
한때는 눈부신 햇살이 가득했던 방을, 지금은 형광등의 불쾌하고 희끄무레한 빛이 가득 채우고 있다.

*Suffusing* the meat with a marinade will add flavor, but it won't tenderize the meat.
매리네이드에 고기를 담뿍 적시면, 향이 좋아진다. 그러나, 고기를 연하게 하지는 못한다.
(주: 매리네이드는 식초와 포도주 향신료를 넣은 액체)
* 형용사는 suffuse [səfjúːs] .

**SUMPTUOUS** [sʌ́mptʃuəs] adj **luxurious ; splendid ; lavish** 사치스러운 ; 화려한 ; 헤픈

The walls were covered with *sumptuous* silk tapestries, the floors with the finest Eastern rugs, and I felt stupid standing there, because I was wearing cutoffs.
벽에는 화려한 실크 태피스트리가 가득했고, 바닥에는 최고급의 동양식 융단이 깔려 있었다. 나는 무릎에서 대충 자른 청바지를 입고 있었기 때문에, 거기에 서 있는 것이 어리석게 느껴졌다.

A *sumptuous* feast awaited the travelers when they reached the great hall of the king's castle.
여행자들이 왕의 성에 있는 대형 식당에 들어서자, 거기에는 호화로운 음식들이 그들을 기다리고 있었다.

**SUPERSEDE** [sùːpərsíːd] v **to take the place of ; to supplant ; to make (something) obsolete** ~을 대신하다 ; 대체하다 ; ~을 폐물로 만들다

Every few minutes, someone introduces a new antiaging cream that allegedly *supersedes* all the existing antiaging creams on the market ; it's a wonder we haven't all turned into babies.
수분마다 한번씩, 누군가는 기존에 있던 모든 노화 방지 크림을 대체한다고 주장하는 새로운 노화 방지 크림을 시장에 내놓는다 ; 우리가 다시 아기로 돌아가지 않은 것이 이상할 뿐이다.

Your new address list *supersedes* the address list you were given last week, which *superseded* the list of the previous week, and will be *superseded* next week by an updated list to be distributed at that time.
새로운 주소록은 지난주에 받은 주소록을 무용지물로 만든다. 지난주의 주소록은 그 전 주의 주소록을 폐기하게 했고, 다음 주에 배포되는 최신 개정판 주소록 때문에 다시 폐기될 것이다.

* 철자법에 주의할 것.

**SUPINE** [suːpáin] adj **lying on one's back** 등을 바닥에 대고 누운

* 발음에 주의할 것.

Shirley lay *supine* on her deck chair, soaking up the sunshine and, in the process, turning her complexion into leather.
셜리는 접이 의자에 반듯하게 누워서 햇살을 담뿍 받고 있다. 그렇게 하는 동안, 그녀의 얼굴은 가죽처럼 변해간다.

When you've got both broken legs in traction, you'd better stay *supine* or you'll be awfully uncomfortable.
부러진 양쪽 다리의 견인 치료에 들어가면, 반듯이 누워있는 것이 좋다. 그렇지 않으면, 너는 대단히 불편할 것이다.

* supine은 활동력이 없거나 행동이 느린 사람을 비유적으로 표현할 때도 쓰인다.

A Chinese legend speaks of a man so *supine* that he starved to death because he couldn't be bothered to turn around a necklace of biscuits his wife had placed around his neck.
중국의 옛날 이야기에는 한 남자가 너무 게으른 나머지 아내가 그의 목에 걸어 놓은 비스킷 목걸이를 돌리는 것이 귀찮아서 그만 굶어 죽었다는 얘기가 있다.

* supine의 반의어는 prone[proun]. prone은 엎드려 누운 것을 말한다.

**SUPPLICATION** [sʌ̀pləkéiʃən] n **humble prayer ; earnest entreaty** 겸손한 기도 ; 진지한 탄원

It's almost frightening to walk through the streets of any city nowadays, there are so many people making *supplications* for food or spare change.
오늘날, 어떤 도시든지 거리를 걸어 다니는 것은 거의 공포에 가까운 일이다. 음식이나 잔돈을 구걸하는 사람들이 너무나 많기 때문이다.

The priest asked our prayers and *supplications* for the sick and dying of the parish.
신부님은 우리에게 교구 내의 병들고 죽어가는 사람들을 위해 기도와 탄원을 해달라고 부탁했다.

* 동사는 supplicate[sʌ́pləkèit]. supplicant[sʌ́pləkənt]는 탄원하는 사람.

The king has set aside a part of every day to hear the petitions of his *supplicants*, some of whom have journeyed hundreds of miles in order to ask him favors.
왕은 탄원하러 온 사람들의 사정을 듣기 위해 날마다 하루 중 약간의 시간을 할애했다. 그들 중에는 왕에게 자신의 청을 부탁하기 위해 수백 마일을 달려온 사람들도 있었다.

**SUPPRESS** [səprés] v **to overpower ; to subdue ; to quash** 억누르다 ; 정복하다 ; 진압하다

Mom and Dad *suppressed* our brief show of rebellion by threatening to hold our hands in public if we didn't behave.
엄마와 아빠는 우리가 반란군 놀이를 그만두지 않는다면, 사람들 앞에서 손을 묶어두겠다고 위협하는 것으로 우리의 잠깐 동안의 반란군 놀이를 진압하셨다.

Everyone had expected the Soviet army to *suppress* the uprisings against the coup, but for once the army was behind the populace. The soldiers' refusal to quash the demonstrators effectively ended the coup.
모든 사람들이 소련의 군대가 쿠데타에 반대하는 폭동을 진압하리라고 예상했지만, 이번 한번만은 군대도 국민을 지지했다. 시위대 진압을 거부한 군대 덕분에 사실상 쿠데타는 막을 내렸다.

* repress 항목을 참조할 것.

**SURMISE** [sərmáiz] v **to conjecture ; to guess** **추측하다 ; 추정하다**

From the messages the eight-ball has been sending me, I *surmise* that someone's going to be giving me a present soon.
8번 공이 내게로 보내졌다는 메시지를 보고, 나는 누군가가 곧 내게 선물을 보낼 것이라고 추측한다.

Gazing at the group with a practiced eye, the tour guide *surmised* that 25 percent of the tourists would want to see famous people's houses, 25 percent would want to visit museums and cathedrals, and the remaining 50 percent would spend most of the tour wondering when they would have a chance to go to the bathroom.
경험이 많은 눈빛으로 사람들을 응시하면서, 여행 안내인은 관광객들의 25%는 유명한 사람들의 생가를 보기를 원할 것이고, 다른 25%는 박물관과 대성당을 보고 싶어하며, 나머지 50%는 언제 욕실에 들어갈 기회가 생길지 궁금해 하면서 여행의 대부분을 보낼 것이라고 추측했다.

* 이 단어는 명사로 쓰일 경우 추측, 가정 등의 의미를 갖는다.

As Keats wrote, Cortez's men looked at each other "with a wild *surmise*" when they first saw the Pacific Ocean and realized that they had achieved their goal. Or, rather, they had achieved the goal of Balboa, who, as Keats either didn't know or didn't care, was actually the first European to see the Pacific from this spot.
키이츠가 썼던 것처럼, 태평양을 처음 보고 코테즈의 부하들은 "황당한 추측"을 하며 서로를 바라보았다. 그리고는 목표를 달성했다는 사실을 깨닫게 되었다. 아니, 좀 더 정확하게 말하자면, 그들은 키이츠가 알지도 못했고 관심도 없었던, 실제적으로 이 지점에서 태평양을 본 최초의 유럽인이었던 발보아의 목적지에 도달했었던 것이다.

* 명사의 발음은 [sə́rmaiz]
* 발음에 주의할 것.

**SURREAL** [sərí:əl] adj **having an unreal, fantastic quality ; hallucinatory ; dreamlike**
**실재하지 않는, 환상적인 것의 ; 환각적인 ; 꿈 같은**

Bob was so tired when he stepped off the train that his first view of India had a faintly *surreal* quality ; the swarming crowds, the strange language, and, above all, the cows walking in the streets made him feel as though he'd stumbled into a dream.
기차에서 내리자 밥은 너무나 피곤했다. 그래서 인도에 대한 그의 첫인상은 희미하고 환상적인 모습이었다 : 무수한 사람들, 이질적인 언어, 그리고, 무엇보다도 거리를 돌아다니는 소떼는 꿈속에라도 온 듯한 느낌을 갖게 했다.

Alice's adventures in Wonderland were rather *surreal*, perhaps because it turned out (disappointingly) that they actually were part of a dream.
「이상한 나라의 앨리스」에 나오는 모험은 상당히 비현실적이었다. 아마도, (실망이긴 하지만) 앨리스의 모험이 실제로 꿈이었다는 것이 밝혀졌기 때문일 것이다.

**SUSCEPTIBLE** [səséptəbl] adj **capable of being influenced by something ; capable of being emotionally affected ; vulnerable or receptive to**
**영향받기 쉬운 ; 정서적인 영향을 받을 수 있는 ; 상처 입기 쉬운, 잘 받아들이는**

Baby Willie is almost always sick ; he seems to be *susceptible* to every germ that passes by.
아기 윌리는 거의 언제나 아프다 : 그는 퍼져 있는 세균에 쉽게 감염되는 것 같다.

In *The Wizard of Oz*, the emotionally *susceptible* Tin Man begins to cry every time a remotely sad thought passes through his hollow head.
「오즈의 마법사」에서, 양철 인간은 감성이 풍부해서 텅 빈 머리에 그다지 슬프지 않은 생각이 떠오르기만 해도 언제나 눈물을 터뜨리기 시작한다.

The doctors finally gave Pam the long-dreaded news that her illness was not *susceptible* to treatment ; all she can do is hope a cure will be discovered before she runs out of time.
의사들은 병의 치료가 불가능하다는, 오랫동안 두려워해 왔던 소식을 팜에게 전해주었다 ;
그녀가 할 수 있는 일은 그녀에게 남은 시간이 다 가기 전에 새로운 치료법이 발견되기만을 바라는 것뿐이다.

Ray's *susceptibility* [səsèptəbíləti] to new fads hasn't diminished in recent years ; he now spends much of his time sitting on an aluminum foil mat in order to "metallicize" his joints and ligaments.
새로운 유행에 민감한 레이의 취향은 최근 몇 년 동안에도 결코 줄어들지 않았다 : 그는 요즘 자신의 관절과 인대를 금속화하기 위해 대부분의 시간을 알루미늄박을 입힌 돗자리에 앉아 있는 것으로 보낸다.

**SWEEPING** [swíːpiŋ] adj **far-reaching ; extensive ; wide-ranging** **(효과 등이) 멀리까지 미치는 ; 광범위한 ; 대규모의**

The new CEO's promise to bring *sweeping* change to the company basically means, "A lot of you had better be ready to get the ax."
회사에 대대적인 변화를 가져오겠다고 공언한 신임 최고 경영자의 약속은 본질적으로 다음과 같은 의미이다. "여러분의 대다수는 감원될 준비를 하는 것이 좋을 것이다."

I wish Matthew wouldn't make such *sweeping* judgments ; what gives him the right to decide that an entire continent is in bad taste?
매튜가 그토록 광범위한 평가를 내리지 않는다면 좋을 텐데 ; 무엇이 그에게 전체 대륙이 멋이 없다는 결론을 내릴 수 있는 권리를 부여하는 거지?

The principal's *sweeping* gaze made every kid in the lunchroom tremble.
교장이 학생들을 쭉 훑어보자, 학교 식당에 있던 아이들은 모두 벌벌 떨었다.

**SYNTAX** [síntæks] n **the patterns or rules governing the way grammatical sentences are formed in a given language** **주어진 언어에서 문법에 맞는 문장을 만드는 방식을 지배하는 양식이나 규칙**

Poor *syntax* is the same thing as bad grammar, ain't it?
빈약한 구문론은 서툰 문법과 같다. 그렇지 않나요?

**SYSTEMIC** [sistémik] adj **affecting the entire system, especially the entire body** **전체 조직, 특히 몸 전체에 영향을 미치는**

* 발음에 주의할 것.

The consultant said that the problem was not isolated to one department, but was *systemic* ; that is, it affected the entire company.
컨설턴트는 문제점이 한 부분에만 있는 것이 아니라 전체에 퍼져있다고 말했다 ; 다시 말해서, 회사 전체에 영향을 미치고 있다는 것이었다.

"*Systemic* circulation" is another term for the circulatory system in vertebrates.
"체순환"은 척추 동물의 혈액 순환 체계를 의미하는 용어이다.

A *systemic* illness is one that affects the entire body. *Systemic* lupus erythematosus, for example, is an autoimmune disease in which the body essentially becomes allergic to itself.
전신 질환은 몸 전체에 영향을 미치는 병을 말한다. 예를 들면, 전신성 홍반성 낭창은 몸이 본질적으로 그 자체에 알레르기를 갖게 되는 자기면역성 질병이다.

* systematic [sìstəmǽtik] 과 혼동하지 말 것. 이 단어는 규칙적이거나 조직적으로 질서를 갖춘 것을 의미한다.

# QUICK QUIZ 

Match each word in the first column with its definition in the second column. Check your answers in the back of the book.

| | |
|---|---|
| 1. suffuse | a. humble prayer |
| 2. sumptuous | b. overpower |
| 3. supersede | c. lying on the back |
| 4. supine | d. overspread |
| 5. supplication | e. grammar |
| 6. suppress | f. take the place of |
| 7. surmise | g. far-reaching |
| 8. surreal | h. luxurious |
| 9. susceptible | i. hallucinatory |
| 10. sweeping | j. affecting the entire system |
| 11. syntax | k. conjecture |
| 12. systemic | l. capable of being influenced |

**TACTICAL** [tǽktikəl] adj **having to do with tactics, especially naval or military tactics ; marked by clever tactics or deft maneuvering** **전술의, 특히 해군이나 육군의 전술의 ; 슬기로운 작전이나 교묘한 조치로 특징지어지는**

The admiral made a *tactical* error when he ordered his men to drag their ships across the desert as part of the surprise attack.
해군 제독은 부하들에게 기습 공격의 일부로 함선을 사막을 가로질러 끌고 가라는 명령을 내렸다. 이는 전술상의 오류였다.

"Tell me about that, Georgina," began Mr. Hopp — and then, realizing that the use of her first name so early in the evening had been a *tactical* blunder, he quickly added, "Miss Bringhurst, I mean."
"조지아나, 그것에 대해서 얘기해 줘." 호프씨가 시작했다. 그리고는 곧, 그날 밤 너무나 일찍 그녀의 이름을 부른 것은 전술상의 큰 실수였다는 것을 깨달았다. 그래서 그는 재빨리 덧붙였다. "제 말은, 미스 브링허스트."

**TAINT** [teint] n **contaminant ; a trace of something spoiled, contaminated, off- flavor, or otherwise offensive** **오염 물질 ; 망치고 오염되고 향이 없어지고 불쾌한 것의 흔적**

The flavor of the rich, buttery sauce picked up a slight *taint* from the mouse that had fallen into the sauceboat and drowned.
소스 그릇에 풍덩 빠져버린 쥐한테서 기름진 버터 소스의 향이 조금 흔적을 남기고 있었다.

There's a *taint* of madness in that family ; they're okay for a generation or two, and then suddenly one of them turns out to be an ax murderer.
그 가계에는 정신착란의 기미가 있다 ; 한 세대나 두 세대는 괜찮다가도 갑자기 가족 중에서 어느 한 사람이 도끼 살인자가 되기도 한다.

* 이 단어는 동사로도 쓰인다.

I'm sure my mother-in-law meant well, but as far as I'm concerned her peacemaking efforts are *tainted* by my knowledge that she tried to pay her daughter not to marry me.
나는 장모가 좋은 사람이라고 확신한다. 그러나, 내가 관련되는 한 그녀가 딸과의 결혼을 반대했었다는 사실을 알고 있기 때문에, 그녀의 우호적인 노력도 오명을 쓸 수밖에 없다.

**TEDIUM** [tí:diəm] n **dullness ; monotony ; boredom** **지루함 ; 단조로움 ; 권태**

Oh, God, another evening at Gwen's house! Always the same bland food, always the same people with nothing to say, always the same slide show of Gwen's tropical fish. I don't think I can stand the *tedium*.
어휴, 맙소사, 그웬네 집에서 또 하루저녁이라니! 항상 똑같은 밍밍한 음식에, 항상 똑같이 아무 할 말도 없는 식구들, 그리고 매일 똑같은 열대어의 움직임. 나는 도저히 그 권태로움을 참을 수가 없을 것 같다.

The initial excitement of summer vacation had gradually turned to *tedium*, and by the end of August, the children were ready to go back to school.
여름 휴가가 시작될 때 가졌던 흥분은 점차 권태로 변해갔다. 그리고, 8월이 끝나갈 무렵에는 아이들도 학교로 돌아갈 준비를 했다.

Although some find the composer's work brilliant, others find it *tedious* [tíːdiəs] ; for example, there is his seven-hour composition in which a single note is played over and over.
몇몇 사람들은 그 작곡가의 작품이 뛰어나다는 것을 알고 있지만, 다른 사람들은 그의 음악이 지루하다고 생각한다 ; 예를 들면, 그의 작품에는 한 음표가 계속적으로 반복되는 일곱 시간짜리 음악도 있다.

**TEEM** [tiːm] v **to swarm ; to be inundated ; to overrun** **많이 있다 ; 충만하다 ; 넘치다**

When the waiter brought Bob the cheese course, Bob stopped his fork just before digging in ; the cheese was *teeming* with maggots.
웨이터가 치즈 요리를 내왔을 때, 밥은 그것을 떠먹으려다 바로 직전에 포크를 멈췄다 ; 치즈 안에 구더기가 우글거리고 있었다.

On a clear night high in the mountains, the sky *teems* with stars.
맑은 날 밤 산 높은 곳에서 보면, 하늘이 수많은 별들로 빛난다.

We'd better hire some extra security for the concert ; it's going to be *teeming* with hopped-up kids, and they'll be furious when they find out that the main act canceled last night.
콘서트를 위해서 안전 요원을 더 고용하는 것이 좋을 것 같다 ; 흥분한 아이들도 수없이 많을 것이고, 지난밤에 주요 공연이 취소되었다는 것을 알게 되면, 아이들은 사납게 날뛸 것이다.

For some reason, people will sometimes say, "It's *teeming* out" during a heavy rainstorm. This is an idiomatic use of the word.
어떤 이유로, 폭풍우가 내릴 때면, 사람들은 때때로 이렇게 말하곤 한다. "엄청나게 쏟아 붓는군." 이 말은 관용적인 표현이다.

**TEMPORAL** [témpərəl] adj **pertaining to time ; pertaining to life or earthly existence ; noneternal ; short-lived** **시간의 ; 인생의 ; 현세에 존재하는 ; 유한한 ; 일시적으로 사는**

* 발음에 주의할 것.

Jet lag is a kind of *temporal* disorientation ; rapid travel across several time zones can throw off a traveler's sense of time.
시차로 인한 피로는 일종의 일시적인 시간 감각 상실이다 ; 여러 시간대를 빠른 속도로 여행하게 되면, 여행자의 시간 감각이 흐트러지게 된다.

Why is it that *temporal* pleasures seem so much more fun than eternal ones? I'd rather eat a hot-fudge sundae than sit on a cloud playing a harp.
왜 순간의 쾌락이 영원의 쾌락보다 훨씬 더 즐거운 것처럼 보일까요? 나는 구름 위에 앉아 하프를 연주하기보다는 맛있는 핫 퍼지 선디(주: 아이스크림의 일종)를 먹는 것이 더 좋습니다.

As the rich old man approached ninety, he grew less concerned with *temporal* matters and devoted more and more energy to deciding which of his children should be left out of his will.
상당히 부자인 그 노인은 90살이 가까워오자, 현생의 문제에는 관심을 덜 갖게 되었다. 대신 그는 그의 아이들 중 누구를 유언장에서 제외할 것인지를 결정하는 데 점점 더 많은 힘을 쏟았다.

**TEMPORIZE** [témpəràiz] v **to stall ; to cause delay through indecision** **교묘하게 시간을 벌다 ; 우유부단해서 일을 지연시키다**

An important skill required of television newscasters is an ability to *temporize* during technical difficulties so that viewers don't become bored and switch channels.
텔레비전 뉴스를 방송하는 사람에게 요구되는 중요한 자질은 기술적인 문제가 생겼을 때, 시청자들이 지루해져서 채널을 돌리지 않게 하기 위해 임기응변으로 시간을 벌 수 있는 능력이다.

The co-op board was afraid to tell the actress flat out that they didn't want her to buy an apartment in their building, so they *temporized* by saying they had to look into some building restrictions first.
협동 조합 간부들은 그 여배우에게 자신들의 건물에 있는 아파트를 구입하지 않기를 바란다는 내용을 솔직히 전달하지 못해 안절부절했다. 그래서 그들은 먼저 빌딩에 관한 몇 가지 제한 규정을 조사해야만 한다고 말하는 것으로 시간을 벌었다.

"All right, all right, I'll open the safe for you," Clarence *temporized*, hoping that the police would arrive soon, "but in order to do it, I'll need lots of hot water and some birthday candles."
"좋아요, 좋아. 당신을 위해서 금고를 열도록 하죠. 그러나, 그렇게 하기 위해서는 많은 양의 뜨거운 물과 약간의 생일 양초가 필요합니다." 경찰이 곧 도착하기를 기대하면서 클레런스는 시간을 끌었다.

**TEPID** [tépid] adj **lukewarm ; halfhearted** **미지근한 ; 마음이 내키지 않는**

Pizza is best when it's served piping-hot, while some salads taste better *tepid* or at room temperature.
피자는 갓 구워냈을 때 먹어야 맛이 가장 좋다. 반면에, 어떤 샐러드는 미지근하거나 실내 온도와 같을 때 더 맛이 좋다.

A baby's bathwater should be *tepid*, not hot ; you can test it with your elbow before you put the baby in.
아기의 목욕물은 뜨겁지 않고, 미지근해야만 한다 ; 아기를 목욕물에 담그기 전에 팔꿈치로 온도를 테스트하면 된다.

The teacher's praise of Tina's painting was *tepid*, perhaps because Tina's painting was a very unflattering caricature of the teacher.
티나의 그림에 대한 선생님의 칭찬은 미온적이었다. 아마도, 티나의 그림이 선생님을 매우 노골적으로 풍자한 만화였기 때문일 것이다.

"Oh, I guess I'll go to the prom with you," Mona said *tepidly*, "but I reserve the right to change my mind if something better comes along."
"너와 함께 댄스 파티에 갈 수 있을 것이라고 생각해. 하지만, 더 좋은 일이 생긴다면, 마음을 바꿀 수도 있는 권한이 내게 있는 거야." 미온적인 태도로 모나가 말했다.

**THESIS** [θí:sis] n **a theory to be proven ; a subject for a composition ; a formal paper using original research on a subject** **증명되어야 할 이론, 명제 ; 작문의 주제 ; 한 가지 주제에 관해 독창적인 연구를 활용한 공식적인 논문, 학위 논문 등**

At the first Conference on Extraterrestrials, Caroline Riggs advanced her controversial *thesis* that aliens operate most of our nation's bowling alleys.
첫번째 지구 대기권 밖의 생물에 관한 연구 회의에서, 캐롤라인 리그는 외계인이 우리 나라에 있는 볼링장의 대부분을 운영하고 있다는 내용의 논쟁의 여지가 있는 주제를 내놓았다.

* thesis statement 는 작문의 주제를 제시하는 문장이다.

Stu is writing his senior *thesis* on Anglo-Saxon building techniques, a topic he's fairly certain no one else in the senior class will be working on ; the *thesis* of his *thesis* is that Anglo-Saxon building techniques were more sophisticated than modern scholars generally believe.
스투는 앵글로색슨족의 건축 기술에 관한 졸업 논문을 쓰고 있다. 졸업반 학생 중 아무도 이같은 주제를 다루는 사람이 없다고 그는 분명히 확신하고 있다 ; 그의 졸업 논문 주제는 앵글로색슨족의 건축 기술이 현대의 학자들이 일반적으로 생각하는 것보다 훨씬 더 기교가 뛰어났다는 것이다.

* 복수는 theses [θí:siz].

*Antithesis* [æntíθəsis] is a direct opposite, as in the *antithesis* of good is evil.
'선의 반대는 악'이라는 문구처럼, antithesis는 정반대를 의미한다.
* 발음에 주의할 것.

**THORNY** [θɔ́:rni] adj **full of difficulties ; tough ; painful** **어려운 일이 많은 ; 곤란한 ; 괴로운**

A rosebush is literally *thorny*; a problem may be figuratively so.
장미는 문자 그대로 가시가 많다. 곤란한 문제는 비유적인 의미에서 그럴 것이다.

Before we go any further, we'll have to resolve the *thorny* question of who's going to pay for the next round.
더 진행하기 전에, 우리는 누가 다음 라운드 값을 지불할 것인가 하는 곤란한 문제를 먼저 풀어야만 할 것이다.

Whether to let children go out alone after dark is a *thorny* topic for the parents of urban teenagers. Is it more important to keep them safe at home or to allow them to develop a sense of independence?
해가 진 뒤, 아이들을 혼자 내보내는 것은 도시에서 십대를 가진 부모에게는 곤란한 문제이다. 안전하게 아이들을 집에만 묶어두는 것이 더 중요한가, 아니면, 독립심을 기르기 위해 밖으로 나가는 것을 허용하는 것이 더 중요한가?

**THRESHOLD** [θréʃhòuld] n **the sill of a doorway ; a house's or building's entrance ; any point of beginning or entering** 문지방 ; 집이나 건물의 출입구 ; 시작이나 진입하는 시점

No matter how many times I see home videos of a new groom dropping his bride when he tries to carry her over the *threshold*, I still laugh.
신부를 안고 문지방을 넘어가려던 새신랑이 신부를 떨어뜨리는 홈 비디오는 아무리 여러 번 봐도 여전히 웃음이 나온다.

Ambrose hung a sheaf of grain over the *threshold* of his house to keep demons away ; to keep burglars away, he put a leghold trap just inside the door.
앰브로즈는 마귀를 멀리 쫓기 위해 곡물 한 다발을 집 현관 문턱 위에 걸어 두었다 ; 강도를 쫓기 위한 방법으로, 그는 문 바로 안쪽에 다리를 잡는 덫을 설치했다.

The dean told the new graduates that they stood at the *threshold* of a great adventure ; what he didn't say was that for many of them the adventure would be unemployment.
새로운 졸업생들은 큰 모험의 세계로 나아가는 문턱에 서 있는 것이라고 학장은 말했다 ; 그가 빼놓고 말하지 않은 것은 그 모험의 세계가 대다수 학생들에게는 실업을 의미한다는 사실이었다.

## QUICK QUIZ 78

Match each word in the first column with its definition in the second column. Check your answers in the back of the book.

| | |
|---|---|
| 1. tactical | a. pertaining to time |
| 2. taint | b. stall |
| 3. tedium | c. having to do with tactics |
| 4. teem | d. dullness |
| 5. temporal | e. full of difficulties |
| 6. temporize | f. sill of a doorway |
| 7. tepid | g. swarm |
| 8. thesis | h. contaminant |
| 9. thorny | i. theory to be proven |
| 10. threshold | j. lukewarm |

**THROTTLE** [θrátl] v **to choke ; to strangle ; to work a fuel lever or feed the flow of fuel to an engine** 질식시키다 ; 목을 조르다 ; 연료 장치를 작동하다, 엔진에 연료를 공급하다

"If that cat jumps onto the counter one more time, I'm going to *throttle* her," said Bryce, rising grimly to his feet.
"그 고양이가 한 번만 더 계산대로 뛰어오르면, 목을 졸라 버릴 거야." 험악하게 일어서면서 브라이스가 말했다.

The pilot's frantic *throttling* was to no avail ; the engine would not respond because the airplane was out of fuel.
비행사는 서둘러 연료 공급 장치를 가동시켰지만, 소용이 없었다 ; 그 비행기는 연료가 바닥났기 때문에, 엔진은 좀처럼 가동되지 않았다.

* 이 단어는 명사로도 쓰인다.

A car's *throttle* is its gas pedal. To make a car go faster, you step on the *throttle*.
자동차의 연료 공급 장치는 가속기 페달(엑셀러레이터)이다. 차를 더 빨리 몰기 위해서는 가속기 페달을 밟아야 한다.

* to run an engine at full throttle는 전속력으로 달리는 것이다.
to do anything else at full throttle는 전력을 다하여 빠르게 일을 하는 것이다.

When Nicky has an idea for a poem, she runs to her desk and works at full *throttle* until the poem is finished ; she doesn't even stop to answer the phone or go to the bathroom.
시상이 떠오를 때면, 닉키는 책상으로 달려가 시를 다 쓸 때까지 오직 시에만 몰두하며 빠른 속도로 써내려 간다 ; 그녀는 전화도 받지 않고 화장실에도 가지 않는다.

**THWART** [θwɔːrt] v **to prevent from being accomplished ; to frustrate ; to hinder 일의 진행을 방해하다 ; 좌절시키다 ; 방해하다**

I wanted to do some work today, but it seemed as though fate *thwarted* me at every turn ; first someone on the phone tried to sell me a magazine subscription, then a Jehovah's Witness came to the door and wouldn't leave, then my computer's printer broke down, then I discovered that my favorite movie was on TV.
오늘 일을 좀 하려고 했지만, 매번 운명이 나를 방해하는 것 같았다 ; 처음에는 누군가 잡지 정기구독을 권하는 전화를 했었고, 그 다음에는 여호아의 증인 신도가 문을 두드리고는 갈 생각을 하지 않았으며, 그리고는 내 컴퓨터의 프린터가 고장이 났다. 그러고 나자, 이번에는 텔레비전에서 내가 좋아하는 영화가 방송중이라는 사실을 알게 되었다.

There's no *thwarting* Yogi Bear once he gets it into his mind that he wants a picnic basket ; he will sleep till noon, but before it's dark, he'll have every picnic basket that's in Jellystone Park.
요기 베어가 일단 한번 소풍 바구니가 필요하다는 생각을 마음에 새기면, 그를 방해할 수 있는 것은 아무 것도 없다 ; 그는 정오까지 잘 것이다. 그러나 어두워지기 전까지, 젤리스톤 공원에 있는 모든 소풍바구니를 갖게 될 것이다.

**TIMOROUS** [tímərəs] adj **fearful ; easily frightened 겁내는 ; 쉽게 놀라는**

"Would you mind getting off my foot, sir?" the wizened old lady asked in a tiny, *timorous* voice.
"선생님, 제 발을 치워도 되겠습니까?" 주름진 얼굴의 나이 많은 여자가 작고, 겁먹은 듯한 목소리로 말했다.

On Halloween night, the DeMados decorate their house with skeletons and bats, and *timorous* trick-or-treaters are afraid to approach their door.
할로윈날 밤에, 드마도씨네는 해골과 박쥐로 집을 장식한다. 그러면 장난을 치며 과자를 얻으러 다니던 겁 많은 아이들은 무서워서 그 집에 오지도 않는다.

Hannah's *timorous* boyfriend broke up with her by sending her a telegram announcing that he was going out with someone else.
하나의 소심한 남자 친구는 다른 누군가와 데이트를 하고 있다는 내용의 전보를 보내서 그녀와 결별하게 되었다.

* timorous와 timid는 서로 관련이 있는 단어이다.

**TITILLATE** [títəlèit] v **to excite ; to stimulate ; to tease 흥분시키다 ; 자극하다 ; 애타게 하다**

It's really cruel to *titillate* a friend's curiosity by starting to share a choice piece of gossip and then abruptly saying, "No, I really shouldn't spread this around."
소문의 일부를 함께 나누다가 단호하게 "안돼, 난 정말로 이 이야기를 널리 퍼뜨리지 말아야 돼."라고 말함으로써 친구의 호기심을 자극하는 것은 정말로 잔인한 짓이다.

Appetizers are supposed to *titillate* people's appetites, not stuff them to the gills.
전채 요리는 배를 채우는 것이 아니라 사람들의 식욕을 자극하는 것이어야 한다.

The new movie was such a turkey that even the *titillating* poster the studio created for it failed to attract any viewers at all.
그 새 영화는 완전 실패작이어서 영화 홍보를 위해 제작사가 만든 자극적인 포스터조차도 관객들을 전혀 끌어들이지 못했다.

**TITULAR** [títʃulər] adj **in title or name only ; nominal** 단지 이름뿐인, 명의상의 ; 명목상의

* 발음에 주의할 것.

The *titular* head of the company is Lord Arden, but the person who's really in charge is his secretary ; she tells him whom to hire, whom to fire, and whom to meet for lunch.
회사의 명목상 사장은 로드 아덴이다. 그러나, 실질적 권한을 가지고 있는 사람은 그의 비서이다 ; 그녀는 고용이나 해고문제, 점심에 누구와 함께 식사할 것인가 하는 문제에 대해 그에게 알려준다.

The family's *titular* breadwinner is my father, but it's Mom's trust fund that actually puts food on the table.
명목상 가족의 생계를 책임지는 사람은 아버지이다. 그러나, 실제적으로 식탁에 음식을 올릴 수 있는 것은 어머니의 신탁 자금 덕분이다.

* titular는 제목과 같은 이름을 가졌다는 의미로 쓰이기도 한다.

Flipper, the *titular* star of the TV show *Flipper*, was in reality a female dolphin named Suzy.
텔레비전 쇼 '플리퍼'와 같은 이름을 가진 스타 플리퍼는 사실은 수지라는 이름을 가진 암컷 돌고래였다.

**TOIL** [tɔil] n **hard work ; labor ; drudgery ; exhausting effort** 노역 ; 노동 ; 고역 ; 몹시 힘든 노력

"Am I going to have to *toil* in the fields like this all day?" asked Celia plaintively after being asked by her mother to pick some chives from the garden.
"하루 종일 지금처럼 들판에서 노역을 해야만 하나요?" 채소밭에서 골파를 캐오라는 엄마의 부탁을 받고 실리아는 애처롭게 물었다.

Meeting the manufacturing deadline required weeks of unremitting *toil* from the designers, some of whom worked past midnight nearly every night.
제조 기일을 맞추기 위해서 디자이너들은 쉬지도 못하고 수주일 동안 계속 힘든 일을 해야 했기 때문에, 그들 중 몇몇은 거의 매일 밤 자정 너머까지 일을 했다.

* 이 단어는 동사로 쓰일 경우 '힘든 노동을 하다' 라는 듯이다.

*Toiling* in the hot sun all morning had made Arnold tired and thirsty.
아침 내내 뜨거운 태양 아래서 힘든 노동을 한 탓에 아놀드는 피곤하고 갈증이 났다.

**TORTUOUS** [tɔ́ːrtʃuəs] adj **winding ; twisting ; serpentine ; full of curves** 구불구불한 ; 비비꼬인 ; 뱀처럼 구불구불한 ; 곡선으로 많이 구부러진

* 발음에 주의할 것.

* torturous [tɔ́ːrtʃərəs] 와 혼동하지 말 것. 이 단어는 고문으로 고통스럽다는 뜻이다.

A movie with a *tortuous* plot is one that is hard for a viewer to follow ; a movie with a *torturous* plot is one that is agonizing for a viewer to watch.
전체 구성이 비비꼬인 영화는 관객들이 따라가기 힘든 영화이다 ; 그렇게 꼬인 영화는 영화를 보는 관객들을 짜증나게 만든다.

On the *tortuous* path through the woods to the tent, one or two of the Cub Scouts always managed to get lost.
막사로 가는 구불구불한 숲길 위에는, 언제나 컵스카우트의 어린이 단원 한 둘이 길을 잃고 헤매기 마련이었다.

Sybil had to use *tortuous* reasoning to persuade herself that it was really all right to shoplift, but after a bit of mental gymnastics she was able to accomplish the task.
시빌은 좀도둑질 정도는 정말로 괜찮다고 자신을 납득시키기 위해 비뚤어진 합리화를 이용해야만 했다. 그러나, 약간의 정신적인 갈등을 겪은 후, 그녀는 그 일을 해낼 수 있었다.

**TOXIC** [tɑ́ksik] adj **poisonous** 유독한

After the storm, the beach was covered with spilled oil, spent nuclear fuel, contaminated medical supplies, and other *toxic* wastes.
폭풍이 지나가고 난 후, 해변은 유출된 기름과 핵연료 폐기물과 오염된 의료용품과 그 밖의 유독성 쓰레기들로 가득했다.

*Toxic* residues from pesticides can remain on or in fruits and vegetables even after they have been washed with soap.
비누로 씻었다고 할지라도 살충제에 들어 있는 유독성 물질은 과일과 채소의 겉이나 안에 그대로 남아있을 수 있다.

It is now clear that cigarettes are *toxic* not only to smokers but also to nonsmokers who breathe in exhaled smoke.
담배가 흡연가들뿐만 아니라 내뿜어진 담배 연기를 호흡하게 되는 비흡연가들에게도 해롭다는 것은 오늘날 명백한 사실이다.

* 명사는 toxin[táksin].

Some shellfish contain a *toxin* that can make diners violently ill.
몇몇 조개에는 사람을 치명적인 병에 걸리게 할 수도 있는 독소가 들어 있다.

**TRANSFIX** [trænsfíks] v **to cause to stand motionless with awe, amazement, or some other strong emotion ; to rivet** **두려움이나 놀람, 또는 그 밖의 강한 감정 등으로 사람을 꼼짝못하게 하다 ; 시선 등을 고정시키다**

The children stood *transfixed* at the astonishing sight of Mary Poppins rising into the air with her umbrella.
메리 포핀스가 우산을 타고 하늘로 날아오르는 것을 본 아이들은 놀라서 꼼짝도 못하고 서 있었다.

The hunter aimed his flashlight at the eyes of the bullfrog, hoping to *transfix* his prey so that it would be easier to catch.
황소 개구리를 움직이지 못하게 해서 더 쉽게 잡으려는 생각으로, 사냥꾼은 손전등을 개구리의 눈에다 비추었다.

The students were *transfixed* with disgust at the sight of their gym teacher setting up square dance equipment.
체육 선생님이 스퀘어 댄스(주: 한 쌍씩 짝을 지어 네 쌍이 마주 보고 추는 춤) 장비를 설치하는 것을 본 학생들은 아연실색하여 못 박힌 듯 꼼짝도 하지 않았다.

**TRAUMA** [trɔ́:mə] n **severe shock or distress ; a violent wound ; a wrenching experience** **심한 충격이나 고통 ; 심한 상처 ; 고통스런 경험**

Ella needs some spoiling right now to help her recover from the *trauma* of her parents' divorce.
엘라는 부모님의 이혼으로 받은 심한 충격에서 회복되기 위해서는 바로 지금, 어느 정도의 응석을 받아주는 일이 필요하다

In medical terms, a *trauma* is a serious wound or shock to the body. The gunshot victim was hurried to the hospital's new *trauma* center, which was staffed by physicians experienced in treating big, ugly wounds.
의학적인 용어로, trauma는 신체에 가해진 심각한 외상이나 충격을 말한다. 총탄에 맞은 사람은 새로 만들어진 병원의 외상 센터로 서둘러 옮겨졌다. 그 곳에는 심각하고 위험한 상처를 치료하는 데 많은 경험이 있는 의사들이 포진해 있었다.

* 형용사는 traumatic[trəmǽtik].

Having their carpets cleaned is a *traumatic* experience for people who believe that their carpets have suffered enough.
카펫이 형편없이 훼손되었다고 생각하는 사람들에게 카펫을 깨끗이 청소하는 일은 상처 깊은 경험이다.

* 동사 traumatize[trɔ́:mətàiz]는 상처를 입힌다는 뜻.

The fox *traumatized* the hens by sneaking into the henhouse and licking his lips.
여우는 닭장으로 몰래 들어와 입맛을 다심으로써 닭들에게 정신적 충격을 주었다.

## QUICK QUIZ 79

Match each word in the first column with its definition in the second column. Check your answers in the back of the book.

| | |
|---|---|
| 1. throttle | a. severe shock |
| 2. thwart | b. prevent from being accomplished |
| 3. timorous | c. choke |
| 4. titillate | d. poisonous |
| 5. titular | e. in name only |
| 6. toil | f. excite |
| 7. tortuous | g. fearful |
| 8. toxic | h. winding |
| 9. transfix | i. cause to stand motionless |
| 10. trauma | j. hard work |

**TRAVESTY** [trǽvəsti] n **a grotesque or shameful imitation ; a mockery ; a perversion**
**우스꽝스럽거나 졸렬하게 모방한 것 ; 조롱을 목적으로 한 흉내 ; 왜곡**

The defense lawyer complained that the continual snickering of the judge had turned his client's trial into a *travesty*, and he demanded that the case be thrown out.
피고측 변호사는 판사의 계속적인 낄낄거림이 의뢰인의 공판을 웃음거리로 만들었다고 불만을 표시했다. 그리고 그는 재판을 끝낼 것을 요구했다.

Every year at homecoming, the college glee club puts on a *travesty* of a popular play or movie, and their show is always popular with drunken alumni.
매년 동창회에서, 대학 합창단은 인기 있는 연극이나 영화를 희화화한 쇼를 상연한다. 그리고 그들의 쇼는 언제나 술에 취한 동창생들의 환호를 받는다.

**TRENCHANT** [tréntʃənt] adj **concise ; effective ; caustic ; sarcastic** **간명한 ; 효과적인 ; 신랄한 ; 비꼬는**

The reporter's *trenchant* questions about the national deficit unhinged the White House spokesman, and after stumbling through a halfhearted response, he declared the press conference over.
국가 재정 적자에 관한 기자의 날카로운 질문은 백악관 대변인을 당황하게 했다. 그래서 내키지 않는 대답으로 말을 더듬거린 후에, 대변인은 기자 회견이 모두 끝났다고 선언했다.

Joellen's presentation was *trenchant* and well researched ; that was not surprising, since she had paid her clever new assistant to write it.
조엘린의 발표문은 간결하고 잘 조사된 것이었다 ; 그녀가 똑똑한 새 조수를 시켜 발표문을 쓰게 했으니, 그리 놀랄 일도 아니었다.

As the landlord showed the couple around, Billy managed to sound most appreciative about the new apartment, but his *trenchant* asides to his wife made it clear that he thought the place was a dump.
집주인이 두 사람에게 집을 구경시키자, 빌리는 새 아파트를 입에 침이 마르도록 칭찬했다. 그러나, 그가 아내에게 한 신랄한 귓속말을 보면, 새 아파트를 지저분한 집으로 생각하는 것이 분명했다.

**TRIUMVIRATE** [traiʌ́mvərət] n **a ruling coalition of three officials ; any group of three working jointly** 세 명의 관리에 의한 연합 통치, 삼두 정치 ; 세 명이 함께 일하는 그룹

The dying emperor appointed a *triumvirate* to succeed him because, he said, he wanted to make sure that no single person ever again held all the power in the realm.
임종을 앞둔 황제는 자신을 계승할 3인의 통치자를 지목했다. 그의 말에 따르면, 황제는 이후에 다시는 단 한사람이 왕국의 모든 권력을 잡는 일이 없도록 대책을 마련하고 싶었기 때문이다.

Mother Goose Land is ruled by a *triumvirate* consisting of the butcher, the baker, and the candlestick maker.
마더 구즈랜드는 푸줏간 주인과 빵굽는 사람과 촛대를 만드는 사람으로 구성된 3인 위원회가 통치하고 있다.

Those three girls have been a *triumvirate* of best friends ever since the first day of nursery school, when all three of them had potty accidents at once.
저 세 소녀는 유아원에 들어간 첫날 만난 이래로 가장 친한 친구가 된 삼인조이다. 세 명 모두 그날, 동시에 소변을 실수했다.

**TRYST** [trist] n **a secret meeting of lovers** 연인들의 비밀스런 만남, 밀회

Jan and Greg were always arranging *trysts* that didn't work out ; either it rained when they were going to meet under the stars, or Greg's parents came home early when they were going to meet in his backyard swimming pool.
잔과 그레그는 항상 지켜지지 못할 밀회를 약속하곤 했다 : 그들이 별빛 아래서 만나자고 하면, 비가 왔고, 그레그네 뒷마당의 수영장에서 만나자고 하면, 그레그의 부모가 일찍 집으로 돌아오시곤 했다.

"I'm perfectly happy for alley cats to have a little romance in their lives," groaned Barry, "but why do their *trysts* always have to be under my bedroom window?"
"도둑 고양이들이 자신들의 삶에서 작은 사랑을 나누는 것에 나는 정말이지 아무런 불만도 없어. 하지만, 왜 그들은 항상 내 침실 창문 밑에서 밀회를 가져야만 하는 것일까?" 라고 배리는 투덜거렸다.

In romance novels, the characters never have mere dates ; they have *trysts*.
연애 소설을 보면, 주인공들은 단순한 데이트만 즐기지는 않는다 : 그들은 밀회를 나눈다.

**TUMULT** [tjú:mʌlt] n **violent, noisy commotion ; uproar ; outbreak** 격렬하고, 소란스러운 소동 ; 야단법석 ; 폭동

* 발음에 주의할 것.

In the *tumult* of the rock concert, Bernice was unable to find her dropped contact lens.
요란한 락콘서트의 현장에서 버니스는 떨어진 콘택트 렌즈를 찾을 수가 없었다.

Such a *tumult* breaks out when the end-of-school bell rings that the teachers have learned to jump onto their desks to avoid being trampled.
수업이 끝났음을 알리는 종이 울리면, 대단한 소동이 벌어지므로, 선생님들은 밟히지 않으려면 책상 위로 올라가야 한다는 것을 알게 되었다.

* 형용사는 tumultuous [tju:mʌ́ltʃuəs].

The fans' *tumultuous* celebration at the end of the football game left the field a muddy mess.
축구 경기가 끝난 뒤, 팬들의 떠들썩한 축하 때문에 경기장은 진흙으로 엉망진창이 되었다.

**TURBID** [tə́:rbid] adj **murky ; opaque ; unclear** 안개 등이 짙은 ; 불분명한 ; 명백하지 않은

The boys were reluctant to jump into the *turbid* water ; mud stirred up by the flood had turned the water in their swimming hole the color of chocolate milk.
소년들은 탁한 물 속으로 뛰어드는 것이 너무나 싫었다 : 밀물로 진흙이 흘러 들어와 뒤섞이는 바람에 아이들이 수영할 구덩이의 물이 초콜릿 우유 색깔로 변했던 것이다.

The air was *turbid* with an oily black smoke that coated everything in soot and made noon look like midnight.
하늘에는 검은 연기가 자욱해서 모든 것을 시커멓게 만들고, 정오의 풍경을 한밤중처럼 보이게 했다.

* turbid는 또한 비유적인 의미로 혼란스럽거나 어리둥절한 상태를 뜻하기도 한다.

The professor was easily able to refute my *turbid* argument in favor of not having a final exam.
내가 기말 시험을 치르지 않기 위하여 엉터리 주장을 하자, 교수님은 간단히 반박을 할 수 있었다.
* 명사는 turbidity [təːrbídəti].

**TURMOIL** [tə́ːrmɔil] n **state of great confusion or commotion** **대단히 혼란스럽거나 동요가 일어난 상태**

The president's sudden death threw his administration into *turmoil*, as his former deputies and assistants vied with one another for power.
대통령의 갑작스런 죽음으로 정부는 혼란에 빠졌다. 그의 전 보좌관들과 부통령들이 권력을 차지하려고 서로서로 다투었기 때문이었다.

"Ever since the baby was born we've been in kind of a *turmoil*," Donna said cheerfully, kicking a pair of dirty socks under the table as she led her visitor on a tour of the house.
"아기가 태어난 이래로, 우리는 좀 혼란 상태에서 지내고 있는 셈이죠." 집을 방문한 사람에게 안내를 하는 동안, 도나는 더러운 양말 한 켤레를 탁자 밑으로 차 넣으면서 쾌활하게 말했다.

## QUICK QUIZ 80

Match each word in the first column with its definition in the second column. Check your answers in the back of the book.

| | |
|---|---|
| 1. travesty | a. secret meeting of lovers |
| 2. trenchant | b. ruling coalition of three |
| 3. triumvirate | c. murky |
| 4. tryst | d concise |
| 5. tumult | e. violent, noisy commotion |
| 6. turbid | f. grotesque imitation |
| 7. turmoil | g. state of great confusion |

**UNCANNY** [ʌnkǽni] v **extraordinary ; unimaginable ; seemingly supernatural 비정상적인 ; 상상조차 할 수 없는 ; 초자연적인 것으로 보이는**

Jessica has an *uncanny* ability for sniffing out the most expensive item in a store.
제시카는 상점에서 가장 비싼 물건을 찾아내는 데 비상한 재주가 있다.

People often say that the similarity between Ted's and Fred's mannerisms is *uncanny*, but since the two men are identical twins who have lived together all their lives, it actually isn't all that unusual.
테드와 프레드의 버릇이 서로 비슷한 것은 엄청나다고 사람들은 말한다. 그러나, 두 사람은 태어난 뒤로 계속해서 함께 살아온 일란성 쌍둥이이기 때문에, 사실 그 일이 반드시 이상한 것만은 아니다.
* 이 단어는 can에서 파생된 단어 canny(기교 있는, 교활한, 약삭빠른)의 반의어가 아니다.

**UNDERLYING** [ʌ̀ndərláiiŋ] adj **basic ; fundamental ; only noticeable under scrutiny 기초적인 ; 근본적인 ; 정밀한 조사를 통해서만 알 수 있는, 잠재적인**

The *underlying* cause of the cult's disintegration was not faithlessness but homesickness on the part of its members.
광신도들의 붕괴를 가져온 근본적인 원인은 신앙의 상실 때문이 아니라 신도들의 향수병 때문이었다.

Albert seems dopey at first, but there's a keen intelligence *underlying* those vacuous mannerisms of his.
앨버트는 처음에 멍청하게 보인다. 그러나, 그의 멍청한 듯한 행동 뒤에는 예리한 지성이 숨어 있다.

**UNDERMINE** [ʌ̀ndərmáin] v **to impair ; to subvert ; to weaken by excavating underneath 손상시키다 ; 파괴하다 ; ~밑을 파서 약화시키다**

The children's adamant refusal to learn French considerably *undermines* their teacher's efforts to teach it to them.
불어를 배우지 않겠다는 아이들의 단호한 거절이 불어를 가르치려는 선생님의 의지를 적지 않게 무너뜨린다.

The rushing waters of the flood had *undermined* the north end of the foundation, and the house was now leaning in that direction.
갑자기 밀어닥친 홍수로 북쪽 끝의 지반이 무너졌다. 그래서 이제는 집이 그쪽 방향으로 기울고 있었다.

**UNDERPINNING** [ʌ́ndərpìniŋ] n **a system of supports beneath ; a foundation or basis 아래에서 받치고 있는 것, 받침대 ; 토대, 기초**

The *underpinning* of George and Harriet's long-lasting marriage was a shared enthusiasm for bowling.
조지와 해리엇이 지속적인 결혼 생활을 할 수 있었던 근본 토대는 볼링에 대한 열정을 공유하고 있었기 때문이었다.

The *underpinnings* of our friendship extend back to childhood, when I helped Kristie steal a dollar from her mother's purse.
우리의 우정의 기초는 어린 시절에서 연유한 것이다. 당시, 나는 엄마의 지갑에서 일 달러를 훔치려는 크리스티를 도와주었다.

**UNDERSCORE** [ʌ̀ndərskɔ́ːr] v **to underline ; to emphasize** **밑줄을 긋다 ; 강조하다**

Harriet was so nervous about the exam that she ended up *underscoring* her entire textbook in yellow marker.
해리엇은 시험 때문에 너무나 신경이 예민해져서 마침내 교과서를 온통 노란 펜으로 밑줄을 그어놓았다.

"I hate you!" Ryan shouted. To *underscore* his point, he added, "I think you stink!"
"당신이 미워!" 리안이 소리쳤다. 핵심을 강조하기 위해서 그는 덧붙였다. "당신은 역겨워!"

Harold's terrible hunger *underscores* the importance of remembering to eat.
지독한 배고픔이 해럴드에게 먹는 것을 기억하는 일의 중요성을 일깨워준다.

**UNDERWRITE** [ʌ̀ndəráit, ʌ́ndəràit] v **to sponsor ; to subsidize ; to insure** **후원하다 ; 보조금을 지원하다 ; 보증하다**

There would be no such thing as public television in this country if rich American oil companies were not willing to *underwrite* the rebroadcast of expensive British television shows.
부유한 미국 석유 회사가 값비싼 영국 텔레비전 프로그램의 중계 방송을 지원하지 않으려 한다면, 이 나라에서 공영 텔레비전 방송 같은 것은 더 이상 없을 것이다.

The local bank agreed to *underwrite* the high school production of *South Pacific*, providing money for props, costumes, and the rental of a theater.
지역 은행은 소품들과 의상과 극장 임대에 필요한 경비를 제공함으로서 사우스 퍼시픽이라는 고등학교 영화 제작소를 지원하기로 약속했다.

**UNILATERAL** [jùːnəlǽtərəl] adj **involving one side only ; done on behalf of one side only ; one-sided ; not mutual** **오직 한편에만 해당되는, 일방적인 ; 한 쪽 편만을 위하여 하는 ; 한 쪽으로 치우친 ; 상호적이지 않은**

In my family, there was *unilateral* agreement on the subject of curfews ; my parents agreed that I should be home by midnight, and I did not.
야간 외출 금지라는 문제에 대하여 우리 가족은 일방적인 약속을 해버렸다 ; 부모님은 내가 자정까지는 집으로 돌아와야 한다고 합의를 보았지만, 나는 합의하지 않았다.

*Unilateral* disarmament is the decision by one side in a conflict to lay down its arms.
일방적인 군비 축소는 분쟁의 한 쪽 당사자가 군사력을 축소하는 결정을 내리는 것이다.

In law, a *unilateral* contract is a contract in which only one of the signers bears any obligation.
법률에서, 편무 계약이란, 계약서에 서명한 사람들 중 어느 한쪽만이 모든 책임을 지는 계약을 말한다.

As might be expected, *bilateral*[bailǽtərəl] means two-sided. In biology, a body whose left and right sides are mirror images of each other is said to exhibit *bilateral* symmetry. People's bodies are not *bilaterally* symmetrical–you have a spleen on only one side of your gut, for example-but worms' bodies are. Good for worms.
짐작했겠지만, bilateral은 양측에 해당되는 것을 뜻한다. 생물학에서는, 왼쪽과 오른쪽이 거울에 비친 것처럼 똑같은 신체를 가리켜 좌우대칭을 보여준다고 말한다. 사람의 몸은 완전한 좌우대칭은 아니다. — 예를 들면, 비장은 내장 중에서도 어느 한 쪽에만 있다. — 그러나, 벌레의 몸은 좌우대칭이다. 벌레에겐 잘된 일이다.

* multilateral[mʌ̀ltilǽtərəl]은 다방면에 걸쳐있다는 뜻이다. multilateral treaty는 많은 국가가 참여하는 조약.
* lateral[lǽtərəl]은 측면에 관계돼 있다는 뜻이다.

A *lateral* move in a career is one in which you switch jobs without ascending or descending the corporate hierarchy.
직업에서의 측면 이동이라는 것은 회사 조직 내에서의 승진이나 좌천 없이 업무를 바꾸는 것이다.

**USURY** [jú:ʒəri] n **lending money at an extremely high rate of interest 고율의 이자로 돈을 빌려주는 것, 고리대금**

My sister said she would lend me ten dollars if I would clean her room for a week, a bargain that I considered to be *usury*.

언니는 일주일 동안 자신의 방을 청소해 준다면, 10달러를 빌려주겠다고 말했다. 내 생각에는 상당히 고율의 이자를 받는 거래였다.

A *usurer*[jú:ʒərər] is someone who practices or commits usury. Eight-year-old Chuck is quite a little *usurer* ; if a kid in his class borrows a dime for milk money, Chuck makes him pay back a quarter the next day.

a usurer는 고리대금업을 하는 사람이다. 여덟살 짜리 소년, 척은 아주 어린 고리대금업자이다 : 그의 반에서 어떤 아이가 우유 살 돈으로 10센트를 빌리면, 척은 그 다음 날 15%를 갚게 만든다.

* 형용사는 usurious[ju:ʒúəriəs].

* 발음에 주의할 것.

## QUICK QUIZ 81

Match each word in the first column with its definition in the second column. Check your answers in the back of the book.

| | |
|---|---|
| 1. uncanny | a. system of supports beneath |
| 2. underlying | b. involving one side only |
| 3. undermine | c. basic |
| 4. underpinning | d. impair |
| 5. underscore | e. sponsor |
| 6. underwrite | f. extraordinary |
| 7. unilateral | g. lending money at extremely high rates |
| 8. usury | h. underline |

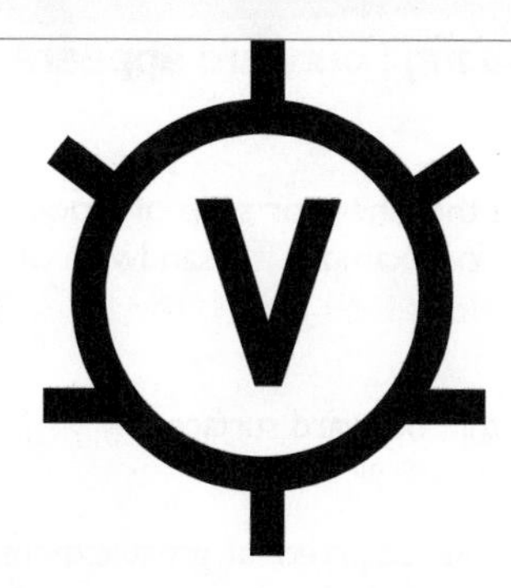

**VACUOUS** [vǽkjuəs] adj **empty of content ; lacking in ideas or intelligence** 내용이 없는 ; 생각이나 지성이 부족한

I don't think that woman understands a word you're saying ; her expression is as *vacuous* as a rabbit's.
저 여성이 네가 하고 있는 말을 이해하고 있다고는 생각지 않는다 ; 그녀의 표정은 토끼의 표정처럼 멍하다.

If Gail has to spend one more hour cooped up with Karen and her *vacuous* observations, she cannot answer for the consequences.
캐런의 얼빠진 관찰을 받으며 그녀와 한 시간 더 갇혀 있어야 한다면, 게일은 그 결과를 책임질 수 없을 것이다.

* vacuous와 vacant[véikənt]는 둘 다 비어 있는 것을 의미한다. 그러나, 같은 의미의 '비어 있음'이 아니다. vacant는 일반적으로 글자 뜻 그대로 비어있는 것을 의미한다. 거주자가 없는 아파트를 표현하는 것은 vacant이다.
* 같은 방법으로, 멍청한 사람의 사고를 의미할 때는, 그의 뇌가 문자 그대로 비어있는(vacant)것은 아니라 할지라도, vacuous를 쓴다. 그러나, vacant expression과 vacuous expression은 둘 다 멍청한 표정을 가리킨다.

**VAGARY** [véigəri, vəgɛ́əri] n **whim ; unpredictable action ; wild notion** 변덕 ; 예측할 수 없는 행동 ; 괴팍한 생각

* 발음에 주의할 것.

"This meal was a little *vagary* of your father's," said Mrs. Swain grimly as she sat the children down to plates of steak topped with whipped cream.
"다소 엉뚱한 아빠의 취향이 음식을 이렇게 만들었다." 스웨인 부인은 생크림을 얹은 스테이크 접시 앞으로 아이들을 앉히면서 겁주듯 말했다.

Thanks to the *vagaries* of fashion, everyone is wearing tennis rackets instead of shoes this summer.
변덕스러운 유행 탓에, 올 여름에는 사람들이 모두 신발 대신에 테니스 라켓을 신고 있다.

The *vagaries* of Sean's boss are a little unsettling ; one day he'll tell Sean that he is in line to become president of the company, and the next day he'll tell him to scrub the executive washroom.
신의 회사 사장의 변덕은 다소 그를 불안하게 한다 ; 어떤 날은 신에게 회사의 회장이 될 가망이 있다고 말하다가도, 그 다음날이면, 이사들의 화장실이나 박박 문질러 닦아놓으라고 말하곤 한다.

* vagaries[véigəriz, vəgɛ́əriz]라는 형태의 복수로 흔히 쓰인다.

**VANQUISH** [vǽŋkwiʃ] v **to conquer ; to overpower** 정복하다 ; 극복하다

Nancy finally *vanquished* her nail-biting habit by coating her nails with a deadly poison.
낸시는 손톱에 치명적인 독약을 발라놓는 방법으로 손톱 깨무는 버릇을 이겨냈다.

"Nyah, nyah, we *vanquished* you!" the unsportsmanlike soldiers sang as their enemies retreated.
"이야호, 우리가 너희를 이겼다!" 적군이 퇴각하자, 스포츠맨답지 않은 군인들이 노래를 불렀다.

*VANQUISH* is the name of a new toothpaste that uses muriatic acid to remove brown stains.
밴퀴쉬는 치아에 착색된 갈색의 얼룩을 제거하기 위해 염산을 이용한 새로운 치약의 이름이다.

**VENEER** [vəníər] n **facade ; coating ; outward appearance** **겉보기 ; 겉에 입히는 것 ; 외부로 드러난 모습**

To a woodworker, a *veneer* is a thin sheet or strip of wood that has been sliced or peeled from a larger piece of wood ; plywood, for example, is a sandwich of *veneers*.
목수들에게, veneer는 큰 나무에서 껍질을 벗겨낸 얇은 단판이나 얇게 저며낸 나무 조각을 의미한다 ; 예를 들면, 합판은 베니어판을 여러 겹 붙여놓은 것이다.

In general usage, a *veneer* is any thin outward surface.
일반적인 용법으로 쓰이면, veneer는 얇은 바깥 표면을 의미한다.

Under her *veneer* of sophistication—acquired, at great expense to her parents, at a Swiss finishing school—Holly is actually a shy, nervous hick.
홀리의 세련된 겉모습 — 부모가 막대한 비용을 들여서 스위스 교양학교에서 얻게된 — 뒤로는, 사실 그녀의 수줍음 많고 소심한 시골뜨기의 모습이 있다.

**VERDANT** [və́ːrdənt] adj **covered with green plants ; leafy ; inexperienced** **초록의 식물로 덮여 있는 ; 잎이 무성한 ; 미숙한**

* verdant는 초록을 의미하는 프랑스어에서 파생한 단어이다.

In springtime, the *verdant* hills seem to whisper, "Skip school and come for a walk!"
"학교는 빠지고 산책하러 가자." 하고 봄날의 푸른 언덕이 속삭이는 것 같다.

When the movie crew reached their destination, they were dismayed to find the landscape still *verdant* ; they were supposed to be making a movie about skiing.
영화 제작팀은 목적지에 도착한 뒤에 경치가 여전히 초록 일색인 것을 보고 실망했다 ; 그들은 스키에 관한 영화를 만들 예정이었다.

"I'm afraid you're a little-well-*verdant* to play Lady Macbeth," the agent apologized to thirteen-year-old Linda.
"네가 맥베드 부인 역을 하기에는 다소 어린 것 같아 걱정이다." 감독이 열 세살의 린다에게 해명했다.

**VERGE** [vəːrdʒ] n **border ; brink ; edge** **변두리 ; 가장자리 ; 가**

On the *verge* of the pond is a mushy spot where it's not safe to skate.
연못 가장자리에는 스케이트 타기에 안전하지 않은 질척한 곳이 있다.

Eleanor has been on the *verge* of tears ever since her mother told her that she would not be allowed to attend the prom.
댄스 파티에 가는 것을 허락하지 않겠다고 어머니가 말한 뒤로, 엘리노어는 거의 눈물을 쏟으려고 했다.

* 이 단어는 동사로도 쓰인다.

Nick's surly answer *verged* on rudeness, but his father decided not to swat him.
닉의 퉁명스런 대답은 거의 무례함에 가까웠다. 그러나, 그의 아버지는 그를 때리지 않기로 마음먹었다.

* converge [kənvə́ːrdʒ] 는 함께 오거나 만난다는 뜻이다.

The water is churning and frothy at the spot where the two rivers *converge*.
두 강이 함께 만나는 지점에서는, 강물이 부딪히며 거품을 낸다.

* diverge [divə́ːrdʒ, dai-] 는 갈라진다는 뜻이다.

A fork in a road is a place where two roads *diverge*.
길에 관하여 fork라는 말은 두 갈래 길로 갈라지는 지점을 말한다.

**VERITY** [vérəti] n **the quality of being true ; something true** **진실성 ; 진실한 것**

You could hardly doubt the *verity* of her claim to have been beaten, especially when she rolled up her sleeve and showed us the bruise.
그녀가 소매를 걷어서 우리에게 멍든 상처를 보여주었기 때문에, 여러분은 두들겨 맞았다는 그녀의 주장의 진실성 여부에 의심을 가질 필요가 없다.

Many truth-related words derive from the Latin root "verus" which means true. *Verisimilar* [vèrəsímələr] means having the appearance of truth, and *verisimilitude* [vèrəsimílətjù:d] is the quality of being *verisimilar*. The plastics company had found a way to make fake leather of shocking *verisimilitude*.
진실에 관련된 많은 단어들은 진실하다는 뜻의 라틴어 어근인 "verus"에서 파생한 것이다. Verisimilar는 진실의 겉으로 드러난 모습을 의미하고 verisimilitude는 진실 같다는 의미이다. 플라스틱 회사는 가짜 가죽을 놀랄만큼 진짜인 것처럼 만드는 방법을 발견했다.

*Veracious* [vəréiʃəs] means habitually truthful. It would be easier to trust Charlotte if she had a reputation for being *veracious*—but she doesn't. In fact, she's been called a liar many times before.
veracious는 습관으로 고정된 진실한 성격을 의미한다. 샤롯테가 진실한 성격으로 유명하다면, 그녀를 더 쉽게 믿었을 것이다. 그러나, 그녀는 진실하지 않다. 사실, 그녀는 전에는 여러 번 거짓말쟁이로 불린 적이 있다.

* aver [əvə́:r]는 마치 그것이 진실이라는 것을 알고 있는 것처럼 확신을 가지고 주장하는 것이다.

"Yes, that's the man, I recognize him for sure," Charlotte *averred*.
"그래요, 바로 저 사람이예요. 확실히 그를 알아볼 수 있어요." 샤롯테는 단언했다.

* verify [vérəfài]는 그것이 사실임을 증명하고, 확증을 주는 것이다.

The police were able to *verify* Bill's claim that he had been out of the country at the time of the crime, so they let him go.
경찰은 범죄가 있던 시간에 외국에 나가 있었다는 빌의 주장을 확인할 수 있었다. 그래서, 그는 무죄로 풀려났다.

**VIE** [vai] v **to compete ; to contest ; to struggle** **경쟁하다 ; 우열을 다투다 ; 싸우다**

Sally *vied* with her best friend for a promotion.
샐리는 가장 친한 친구와 승진 경쟁을 했다.

The two advertising agencies *vied* fiercely for the Lax-Me-Up account, which was worth $100 million a year in billings.
두 광고 대행사는 연간 1억 달러에 달하는 Lax-Me-Up 광고 수주를 두고 치열한 경쟁을 벌였다.

**VIGILANT** [vídʒələnt] adj **constantly alert ; watchful ; wary** **계속적으로 경계하는 ; 방심하지 않는 ; 조심성 있는**

Miss Grimble is *vigilant* against grammatical errors ; when she spots a misplaced modifier, she pounces like a tiger.
미스 그림블은 문법적인 실수를 계속 경계하고 있다 : 그녀는 수식어구의 위치라도 잘못된 것을 발견하면, 맹렬히 비난한다.

Dad *vigilantly* guarded the door of the living room to keep the children from seeing the Easter bunny at work.
한창 만들고 있는 부활절 토끼를 아이들이 보는 것을 막기 위해 아빠는 경계를 늦추지 않고 거실 문을 지키고 있었다.

* 명사는 vigilance [vídʒələns].

Distracted by the loud noise in the hallway, the guard let his *vigilance* slip for a moment, and the prisoner quickly escaped.
복도에서 나는 시끄러운 소음에 마음이 산란해진 교도관은 잠시 경계 임무를 소홀히 했다. 그 사이 그 죄수는 재빨리 탈주했다.

**VIGNETTE** [vinjét] n **a small, decorative design or drawing ; a short literary sketch ; a brief but expressive scene in a play or movie** **장식을 위한 작은 도안이나 그림 ; 짧은 문학 소품 ; 연극이나 영화에 있어서 짧지만 표현이 풍부한 장면**

Lauren decorated the top of each thank-you note with a tiny *vignette* of a dolphin leaping gracefully out of the water.
로렌은 감사장의 상단을 돌고래가 물 속에서 우아하게 도약하는 작은 그림으로 장식했다.

The editor at the publishing company told Mrs. Proutie that the *vignettes* she had written about her garden would be unlikely to sell many more copies if published as a book.
프루티 여사가 정원에 대하여 쓴 짧은 글은 책으로 출판된다고 해도 더 많은 판본이 팔리지는 않을 것 같다고 출판사의 편집장이 그녀에게 말했다.

The boring movie was enlivened somewhat by half a dozen sexy *vignettes* sprinkled through it.
영화 전반에 걸쳐 몇 번 나오는 성과 관련된 장면 덕분에, 따분한 그 영화는 약간이나마 생기를 띠게 되었다.

## Q U I C K  Q U I Z 

Match each word in the first column with its definition in the second column. Check your answers in the back of the book.

| | |
|---|---|
| 1. vacuous | a. whim |
| 2. vagary | b. border |
| 3. vanquish | c. conquer |
| 4. veneer | d. compete |
| 5. verdant | e. covered with green plants |
| 6. verge | f. facade |
| 7. verity | g. empty of content |
| 8. vie | h. quality of being true |
| 9. vigilant | i. constantly alert |
| 10. vignette | j. short literary sketch |

**VISCOUS** [vískəs] adj **thick ; gluey ; sticky** **걸쭉한 ; 들러붙는 ; 끈적거리는**

I rapidly lost my thirst as I watched the water ooze from the tap in a *viscous*, brownish stream.
수도 꼭지에서 끈적거리며 갈색을 띤 물줄기가 흘러나오자, 나는 순식간에 목마른 것도 잊어버렸다.

That *viscous* sap dripping from the gash in the trunk of the pine tree may one day harden into amber.
소나무 줄기의 상처 난 틈에서 떨어지고 있는 끈적끈적한 수액은 언젠가는 딱딱하게 굳어져 호박이 된다.

* 명사는 viscosity [viskásəti].

Motor oils are rated according to their *viscosity*; less *viscous* oils are usually used in the winter, because cold weather can cause more *viscous* grades to become excessively thick.
자동차 윤활유는 점성에 따라 등급이 구분된다. 점성이 낮은 오일은 대개 겨울에 사용되는데, 이는 추운 날씨에 점성도가 높은 윤활유는 지나칠 정도로 진해질 수 있기 때문이다.

**VIVACIOUS** [vivéiʃəs] adj **lively ; animated ; full of pep** **생기가 넘치는 ; 활기가 넘치는 ; 기운이 넘치는**

The eighth-grade girls became bubbly and *vivacious* whenever a cute boy walked by, but as soon as he was out of sight they settled back into their usual grumpy lethargy.
귀여운 소년이 옆으로 지나갈 때마다 8학년 소녀들은 발랄하고 생기가 넘쳤다. 그러나, 그가 눈에 안 보이게 되자마자 곧, 소녀들도 평소의 모습대로 뾰루퉁하고 기운 없는 상태로 돌아갔다.

* 명사는 vivacity [vivǽsəti].

Beatrice's *vivacity* dimmed noticeably when she realized that the news she was waiting for would not be good.
자신이 기다리던 소식이 좋은 내용이 아니라는 것을 알게 되었을 때 베아트리스의 쾌활하던 모습은 눈에 띄게 줄어들었다.

**VOGUE** [voug] n **fashion ; style** 유행 ; 유행형

Never throw away old clothes, outdated styles inevitably come back into *vogue*.
오래된 옷들을 버리지 말아라. 유행이 지난 것도 언젠가는 다시 유행하기 마련이다.

*Vogue* is a famous magazine filled with fashion photographs, clothing advertisements, and articles about whatever is in *vogue* at the moment.
보그는 패션 사진과 의류 광고와 당시에 유행하고 있는 모든 것에 대한 기사를 싣는 유명한 잡지이다.

The goldfish were sorry to learn that the campus *vogue* for swallowing live goldfish is back.
살아 있는 금붕어를 삼키는 유행이 대학에 다시 돌아왔다는 것을 알게 된 금붕어는 슬퍼졌다.

* 형용사는 voguish[vóugiʃ].

**VOLUMINOUS** [vəlú:mənəs] adj **large ; extensive ; having great volume** 큰 ; 광대한 ; 대단히 양이(또는 권수가) 많은

Kate frantically searched through her *voluminous* lecture notes for the phone number of the boy sitting next to her.
케이트는 옆에 앉아 있는 소년의 전화 번호를 찾기 위해 여러 권의 강의 노트를 미친 듯이 뒤졌다.

Hidden in the folds of her *voluminous* skirts are a potted plant, a small child, an electric fan, three pairs of snowshoes, and a bag of breath mints.
그녀의 폭넓은 치마 자락 안에는 화분에 담긴 식물과 작은 꼬마 아이와 전기 프라이팬과 세 켤레의 눈신과 구취를 제거하는 민트 캔디 한 봉지가 숨겨져 있다.

After Stacy's death, Henry burned their *voluminous* correspondence because he didn't want anyone to find out that he and Stacy had been exchanging letters for years.
스테이시가 죽은 뒤에, 헨리는 그들 사이에 오간 많은 양의 편지를 태웠다. 그와 스테이시가 수년 동안 서로 편지를 주고 받아 왔다는 사실을 누군가가 알게 되는 것이 싫었기 때문이었다.

**VOLUPTUOUS** [vəlʌ́ptʃuəs] adj **pleasant to the senses ; luxurious ; pleasure-seeking ; extra full and shapely** 감각을 즐겁게 하는 ; 관능적인 쾌락을 추구하는 ; 방탕한 ; 아주 풍만하고 맵시가 있는, 육감적인, 요염한

The restaurant's most popular dessert is called Sinfully *Voluptuous* Chocolate Torte ; each serving contains a pound each of chocolate and butter.
그 식당에서 가장 인기가 있는 디저트는 '지독하게 관능적인 초콜릿 파자'라는 이름으로 불린다 ; 그 각각에는 1파운드씩의 초콜릿과 버터가 들어 있다.

"Wouldn't you care for something to read?" Iris purred, lolling *voluptuously*[vəlʌ́ptʃuəsli] on her satin sheets.
"읽을 것을 원하지 않으세요?" 새틴으로 된 이불 위에 도발적인 자태로 축 늘어져서 아이리스가 만족스런 목소리로 말했다.

Doreen's figure has passed the point of being *voluptuous* and reached the point of being fat.
도린의 몸매는 풍만하고 육감적으로 보이는 정도를 지나 뚱뚱하다고 말할 만한 정도에 도달했다.

* 관능적인 쾌락에 탐닉하는 사람을 voluptuary[vəlʌ́ptʃuèri/-əri]라 한다.

**VORACIOUS** [vouréiʃəs] adj **having a huge appetite ; ravenously hungry** 대단한 식탐을 가진 ; 몹시 굶주려 있는

Whenever he goes skiing, Reed comes home *voracious*, once he even ate an entire uncooked meat loaf that his mother had intended to prepare for dinner.
스키를 타러 갈 때마다, 리드는 언제나 몹시 굶주려서 집에 온다. 한번은 어머니가 저녁을 위해 준비해 두었던 날고기 덩어리를 전부 다 먹었던 적도 있었다.

The *voracious* lions circling outside her tent made Patty hesitant to step outside.
패티의 텐트 밖에서 몹시 굶주린 사자들이 어슬렁거리고 있었기 때문에, 그녀는 밖으로 한 발짝도 못나가고 있었다.

Clay is a *voracious* reader ; he always has his nose buried in a book.
클레이는 독서광이다 : 그는 항상 책 속에 코를 박고 산다.

## QUICK QUIZ 83

Match each word in the first column with its definition in the second column. Check your answers in the back of the book.

| | |
|---|---|
| 1. viscous | a. having a huge appetite |
| 2. vivacious | b. pleasant to the senses |
| 3. vogue | c. large |
| 4. voluminous | d. fashion |
| 5. voluptuous | e. lively |
| 6. voracious | f. thick |

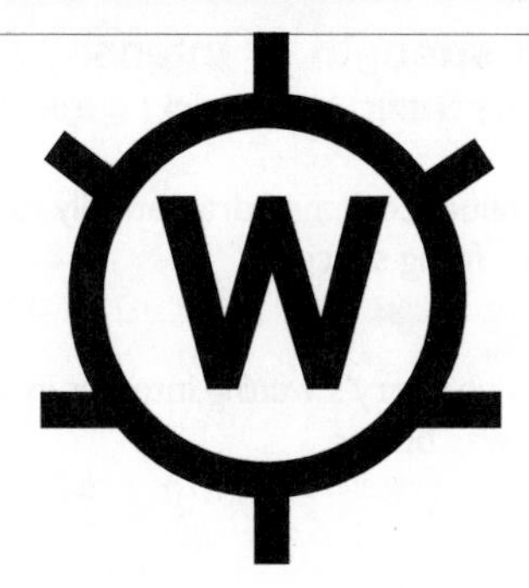

**WAFT** [wɑːft] v **to float ; to drift ; to blow** **떠돌다 ; 표류하다 ; 바람이 불다**

First a gentle little breeze *wafted* through the window, then a typhoon blew the house down.
처음에는 부드럽고 약한 미풍이 창문을 타고 넘어왔다. 그러나, 곧이어 태풍이 불어와 집을 무너뜨렸다.

Rick closed the kitchen door to keep the smell of popcorn from *wafting* upstairs because he didn't want his sister to know that he was making a snack.
릭은 팝콘 냄새가 이층으로 흘러가지 않도록 하기 위해 부엌문을 닫았다. 그가 간식 거리를 만들고 있다는 것을 여동생에게 들키기 싫었기 때문이었다.

When the odor of dead skunk *wafted* into the ballroom, the dancers lost their festive moods.
죽은 스컹크 냄새가 무도회장 안으로 들어와 떠다니는 바람에, 춤을 추던 사람들은 연회를 즐길 마음이 사라져 버렸다.

**WAIVE** [weiv] v **to relinquish (a right) ; to forgo ; to put aside for the time being** **권리를 포기하다 ; 보류하다 ; 당분간 제쳐두다**

The murder suspect *waived* his right to have a lawyer present during his questioning, saying that he had nothing to hide.
살인 용의자는 감출 것이 아무 것도 없다고 말하면서, 심문이 진행되는 동안 변호사를 대동할 수 있는 권리를 포기했다.
* 명사형은 waiver[weivər].

**WAKE** [weik] n **an all-night vigil kept over a dead body before it is buried ; the trail a boat leaves behind it in the water ; a track or path left behind something** **죽은 사람을 땅에 묻기 전에 그 앞에서 밤을 새워 지키는 것 ; 배가 지나가면서 뒤에 남기는 흔적 ; 무언가 지나간 흔적, 또는 길**

Bill's old friends turned his *wake* into a party, on the assumption that if he had been present he would have been the first to break out the beer.
빌이 여기에 있었다면, 그가 제일 먼저 축하의 맥주를 꺼냈을 것이라는 가정 아래, 빌의 오랜 친구들은 그의 초상 전 밤샘을 파티로 바꾸었다.

Jonathan loves to stand at the back of the ferry so he can watch the churning, roiling *wake* behind the boat.
조나단은 거품을 내며 소용돌이치는 배 위로 남은 흔적을 보기 위해서 연락선의 뒷쪽에 서 있는 것을 좋아한다.

What started out as an honest, pull-no-punches discussion left terribly hurt feelings in its *wake*, and the participants didn't speak to one another for many days afterward.
정직하고, 격렬하지 않은 토론으로 시작되었던 것이 끝나고 난 후에는 깊은 마음의 상처를 남기게 되었다. 참가자들은 그 후로 여러 날 동안 서로에게 말도 걸지 않았다.

**WANE** [wein] v **to decrease in strength or intensity ; to fade away ; to decline in power** 힘이나 강도가 약해지다 ; 희미해지다 ; 권력이 쇠퇴하다

Congressman Boote's political influence *waned* dramatically following his announcement that he had been kidnapped by creatures in a flying saucer.
비행 접시의 외계 생명체에게 납치를 당했었다는 그의 발표와 함께, 하원 의원인 부트의 정치적 영향력은 급속하게 약화되었다.

A trip to Greece did little to revive Barry's *waning* interest in Greek history ; in fact, it strengthened his new conviction that Greece was boring.
그리스 여행은 배리에게 그리스 역사에 대해 잃어가던 흥미를 되찾게 하지는 못했다 ; 사실, 이번 여행은 그리스가 따분한 곳이라는 확신을 새롭게 강화시켜 주었다.

* 반의어는 wax [wæks].

As the moon grows full, it is said to *wax*; as it turns into a sliver, it is said to *wane*.
달이 점점 가늘게 변하는 것을 '달이 이지러진다' 라고 표현하는 것처럼, 달이 점점 보름달이 되는 것을 '달이 찬다' 라고 표현한다.

**WARRANT** [wɔ́:rənt] v **to justify ; to provide grounds for ; to guarantee** 정당화하다 ; ~에 대한 근거를 대다 ; 보증하다

Mac's writing doesn't *warrant* a second glance ; it's unreadable garbage.
맥의 작품은 두 번 볼만한 이유가 전혀 없다 : 그것은 읽을 가치가 없는 쓰레기이다.

The employment agency *warrants* that its temporary secretaries can type 100 words a minute and that they don't mind making coffee.
그 직업 소개소는 그 곳의 임시 비서들이 타이프로 1분에 백 단어를 칠 수 있으며, 커피 타는 것도 꺼리지 않는다고 장담한다.

* warrant가 명사로 사용될 경우, 권한이나 공식적인 인가를 의미한다.

It is illegal for the police to enter someone's home uninvited unless they have a search *warrant*.
경찰이 수색 영장도 없이, 초대받지도 않고, 누군가의 집에 들어가는 것은 불법이다.

* warranty [wɔ́:rənti]는 서면으로 된 보증서이다.

Did the store provide any kind of *warranty* with that vacuum cleaner? I hope so, because it's already broken.
상점에서 그 진공청소기에 대해 어떤 종류이든지 보증서를 발급해 주었습니까? 청소기는 이미 고장났기 때문에, 그러기를 바랍니다.

**WARY** [wɛ́əri] adj **cautious ; watchful ; careful** 조심성 있는 ; 주의 깊은 ; 신중한

Billy Green is *wary* of new baby-sitters ; he hides behind his father's legs and cries when it's time for his parents to go.
빌리 그린은 새로운 베이비시터들에게 경계심을 품고 있다 : 부모들이 나갈 시간이 되자, 그 애는 아버지의 다리 뒤에 숨어 울기 시작한다.

The mouse cast a *wary* eye out of its hole and, seeing no cat, scampered into the living room.
쥐는 쥐구멍 바깥을 조심스럽게 내다보더니, 고양이가 보이지 않자 쏜살같이 거실로 뛰어들어갔다.

Ann is *wary* about picking up the telephone these days ; she is afraid that a collection agency may be on the other end.
앤은 요즘 전화 받는 일에 상당히 조심하고 있다 : 빚진 돈을 대신 받아주는 대행사가 전화를 건 것은 아닌지 걱정이 되기 때문이다.

* 동사는 beware.

So *beware*.
정말로 조심해라.

**WIZENED** [wízənd] adj **shriveled ; withered ; shrunken** 주름진 ; 말라빠진 ; 시든

The prince was horrified when he lifted his new bride's veil and found not the princess he had been expecting but a *wizened* old crone.
신부의 베일을 들어올리고 나서, 왕자는 신부가 자신이 생각했던 공주가 아니라 늙고 쭈글쭈글한 쪼그랑할멈이라는 것을 깨닫고는 너무나 충격을 받았다.

A few *wizened* apples were all we found on the tree ; all the nice ones had already been picked.
우리가 나무에서 찾아낸 것은 말라빠진 몇 개의 사과뿐이었다 ; 좋은 사과들은 모두 이미 다 따가고 없었다.

Bent and *wizened* with age, Mr. Simmons spends his days hobbling through the center of town and getting in people's way.
나이가 들면서 허리도 굽고, 쭈글쭈글해진 시몬스씨는 절룩거리며 시내 중심가를 다니면서 사람들의 길을 방해하는 것으로 시간을 보낸다.

## WOE [wou] n suffering ; affliction ; distress 고통 ; 괴로움 ; 고뇌

If I told you all the *woes* that have befallen Karl this year, you'd think I was making them up ; no one could have that much bad luck.
올 한 해, 칼에게 밀어닥친 고통을 너에게 모두 말한다면, 너는 내가 지어낸 얘기라고 생각할 것이다 ; 아무도 그처럼 많은 불행을 경험하지는 못할 것이다.

Jamie gazed up at his mother with a look of *woe*, pointing to the ant farm he had just dropped on the carpet.
제이미는 방금 카펫에 떨어뜨린 개미 집을 가리키면서, 괴로운 얼굴로 엄마를 쳐다보았다.

"Oh, *woe* is me," moaned Libby. "I'm turning forty tomorrow, and no one has planned a surprise party for me!"
"아, 슬프구나. 내일이면, 마흔 살이 되는데, 아무도 나를 위해 깜짝파티를 준비하지 않았잖아!" 리비가 한탄했다.
* 형용사는 woeful.

## WRATH [ræθ] n deep anger ; fury 심한 노여움 ; 격분

Dawn's *wrath* knew no bounds when she realized that Ron had started the dishwasher during her shower.
샤워를 하고 있는 동안, 론이 식기 세척기를 가동했다는 것을 알게 된 돈의 분노는 끝이 없었다.

The *wrathful* vampire lurched toward Marlene and bared his pointy fangs.
몹시 화가 난 흡혈귀는 매를린을 향해서 비틀거리며 걸어가서 날카로운 송곳니를 드러냈다.

"Why are you treating me this way?" Catherine demanded *wrathfully*. "I'll bet I'm the only girl in the whole sixth grade who has to pay rent to live in her own house!"
"왜 나를 이런 식으로 다루는 거죠? 장담하건대, 나는 아마도 자신의 집에 살면서 집세를 내야 하는 유일한 6학년 학생일 걸요!" 캐서린은 몹시 화가 나서 힐문했다.

**ZEITGEIST** [tsáigàist] n **the mood or spirit of the times** 시대 정신, 시대 사조

* 발음에 주의할 것.

* Zeitgeist는 글자 그대로 시대 정신을 의미하는 독일어이다.

It's interesting to see how Americans always assume the *zeitgeist* changes automatically with the arrival of a new decade. The eighties were allegedly the decade of greed ; then, on the first day of 1990, greed supposedly went out of style, and old-fashioned niceness became the order of the day. What did all those formerly greedy people do with their stuff?

미국인들이 어떻게 새로운 10년의 도래와 함께 자동적으로 시대정신의 변화를 수용하는지 살펴보는 것은 재미있는 일이다. 알려진 바에 의하면, 80년대는 탐욕의 시대였다 ; 그 뒤를 이어, 1990년의 첫 날, 탐욕은 유행을 벗어나게 되고, 고풍스런 친절함이 그 날의 새 유행이 되었다. 이전의 탐욕스런 사람들은 모두 그들의 탐욕을 어떻게 처리했을까?

**ZENITH** [zí:niθ/zén-] v **highest point ; peak ; pinnacle** 정점 ; 절정 ; 꼭대기

The *zenith* of my career as a singer came when I was asked to give a recital in Carnegie Hall for the royal family, the president, Madonna, and a boy in high school whom I'd always had a crush on ; since then, it's all sort of been downhill.

가수로서의 내 인생의 정점은 카네기 홀에서의 리사이틀을 부탁 받았을 때였다. 거기서 나는 왕실 가족과 대통령과 마돈나와 언제나 반해 있었던 한 남자 고등학생을 위해서 공연했다 ; 그때 이후로, 모든 것이 내리막길이었다.

## QUICK QUIZ 84

Match each word in the first column with its definition in the second column. Check your answers in the back of the book.

| | |
|---|---|
| 1. waft | a. justify |
| 2. waive | b. cautious |
| 3. wake | c. deep anger |
| 4. wane | d. float |
| 5. warrant | e. suffering |
| 6. wary | f. shriveled |
| 7. wizened | g. spirit of the times |
| 8. woe | h. highest point |
| 9. wrath | i. all-night vigil |
| 10. zeitgeist | j. decrease in strength |
| 11. zenith | k. relinquish |

# The Final Exam

최종 테스트

3

다음 테스트는 Part B의 모든 핵심 단어를 포함하고 있다. 답이 틀리면, 다시 돌아가 공부하기 바란다. 신중히 생각하고 답을 고를 때 단어의 의미를 곱씹어보기 바란다.

## Final Exam Drill 1 DEFINITIONS 단어와 단어 정의 연결하기

For each question below, match the word on the left with its definition on the right

| | |
|---|---|
| 1 suffrage | a arched passageway |
| 2 bauble | b. difference |
| 3 enumerate | c. gaudy trinket |
| 4 arcade | d. greedy |
| 5 acquisitive | e. right to vote |
| 6 clandestine | f. secret |
| 7 shibboleth | g. name one by one |
| 8 deign | h. catchword |
| 9 discrepancy | i. fashion |
| 10 vogue | j. condescend |

## Final Exam Drill 2 BUDDY CHECKS 반의어 찾아 연결하기

For each question below, match the word on the left with the word most nearly its opposite on the right

| | |
|---|---|
| 1 denunciation | a. dotage |
| 2 embroil | b. ingratiate |
| 3 depose | c. verdant |
| 4 cordial | d. endearment |
| 5 conspicuous | e. emancipate |
| 6 contumely | f. champion |
| 7 alienate | g. cloistered |
| 8 precocity | h. abasement |
| 9 stark | i. effrontery |
| 10 compunction | j. brusque |

## Final Exam Drill 3 DEFINITIONS 단어와 단어 정의 연결하기

For each question below, match the word on the left with its definition on the right

| | |
|---|---|
| 1 regimen | a. perform without preparation |
| 2 toil | b. regulated course |
| 3 supine | c. lying on the back |
| 4 quell | d. familiar |
| 5 prelude | e. hard work |
| 6 tumult | f. introduction |
| 7 impasse | g. belligerent patriotism |
| 8 jingoism | h. put an end to |
| 9 improvise | i. violent, noisy commotion |
| 10 conversant | j. deadlock |

## Final Exam Drill 4 BUDDY CHECKS 반의어 찾아 연결하기

**For each question below, match the word on the left with the word most nearly its opposite on the right**

| | | |
|---|---|---|
| 1 | explication | a. depleted |
| 2 | wizened | b. anathema |
| 3 | puritanical | c. expunged |
| 4 | appalling | d. demise |
| 5 | dismay | e. estimable |
| 6 | extant | f. prurient |
| 7 | resurrection | g. corpulent |
| 8 | benediction | h. dissuade |
| 9 | induce | i. exuberance |
| 10 | rife | j. inquisition |

## Final Exam Drill 5 PRONUNCIATIONS 단어와 단어 발음

**Pronounce each of the following words without looking at column a or column b. Then select the column that comes closer to your pronunciation.**

| | | | |
|---|---|---|---|
| 1 | vacuity | a. [vǽkjuːəti] | b. [vækjúːəti] |
| 2 | draconian | a. [drækóuniən] | b. [dreikɔ́ːniən] |
| 3 | tumult | a. [tʌ́məlt] | b. [tjúːməlt] |
| 4 | explicable | a. [ekspl íkəbl] | b. [éksplikəbl] |
| 5 | patina | a. [pətínər] | b. [pǽtənə] |
| 6 | presage | a. [priséi] | b. [présidʒ] |
| 7 | grimace | a. [griméis] | b. [grímis] |
| 8 | licentious | a. [laisénʃəs] | b. [laiséntiəs] |
| 9 | cabal | a. [kəbǽl] | b. [kéibl] |
| 10 | auxiliary | a. [ɔːgzíləri] | b. [ɔːgzíljəri] |

## Final Exam Drill 6 BUDDY CHECKS 반의어 찾아 연결하기

**For each question below, match the word on the left with the word most nearly its opposite on the right**

| | | |
|---|---|---|
| 1 | fledgling | a. influx |
| 2 | advent | b. defunct |
| 3 | integral | c. aftermath |
| 4 | emanation | d. auxiliary |
| 5 | suppress | e. affiliate |
| 6 | aghast | f. fuel |
| 7 | secede | g. flippant |
| 8 | acquit | h. forestall |
| 9 | accede | i. stupefy |
| 10 | galvanize | j. arraign |

## Final Exam Drill 7 DEFINITIONS 단어와 단어 정의 연결하기

For each question below, match the word on the left with its definition on the right

| | |
|---|---|
| 1 antipodal | a. make filthy |
| 2 partition | b. division |
| 3 parallel | c. tedious recounting |
| 4 implication | d. sink |
| 5 subside | e. harmful |
| 6 resplendent | f. exactly opposite |
| 7 inimical | g. abolish |
| 8 abrogate | h. something suggested |
| 9 degrade | i. similar |
| 10 litany | j. brilliantly shining |

## Final Exam Drill 8 BUDDY CHECKS 반의어 찾아 연결하기

For each question below, match the word on the left with the word most nearly its opposite on the right

| | |
|---|---|
| 1 slake | a. emaciate |
| 2 antedate | b. posturing |
| 3 exodus | c. ensue |
| 4 impassioned | d. nebulous |
| 5 drollery | e. repugnant |
| 6 insouciance | f. angst |
| 7 distinct | g. confluence |
| 8 redeeming | h. consternation |
| 9 cohort | i. dispassionate |
| 10 forthright | j. nemesis |

## Final Exam Drill 9 DEFINITIONS 단어와 단어 정의 연결하기

For each question below, match the word on the left with its definition on the right

| | |
|---|---|
| 1 deploy | a. cite |
| 2 consign | b. line |
| 3 olfactory | c. hand over |
| 4 adduce | d. something that heals |
| 5 mode | e. temporary encampment |
| 6 balm | f. method of doing |
| 7 bivouac | g. pertaining to the sense of smell |
| 8 accouterments | h. trappings |
| 9 queue | i. reduction |
| 10 diminution | j. arrange strategically |

## Final Exam Drill ⑩ BUDDY CHECKS 반의어 찾아 연결하기

For each question below, match the word on the left with the word most nearly its opposite on the right

| | | |
|---|---|---|
| 1 | fallacy | a. entity |
| 2 | insuperable | b. verity |
| 3 | doleful | c. pluralism |
| 4 | porous | d. superseded |
| 5 | chaste | e. dejected |
| 6 | cipher | f. sordid |
| 7 | gratis | g. exorbitant |
| 8 | jubilant | h. elated |
| 9 | bravado | i. impenetrable |
| 10 | solidarity | j. being demure |

## Final Exam Drill ⑪ PRONUNCIATIONS 단어와 단어 발음

Pronounce each of the following words without looking at column a or column b. Then select the column that comes closer to your pronunciation.

| | | | |
|---|---|---|---|
| 1 | diminution | a. [dimənú:ʃən] | b. [dimju:níʃən] |
| 2 | insuperable | a. [insʌ́pərəbl] | b. [insú:pərəbl] |
| 3 | hypertrophy | a. [háipətroufi] | b. [haipə́trəfi] |
| 4 | triumvirate | a. [traiʌ́mvərit] | b. [traiʌmváireit] |
| 5 | junta | a. [hú:ntə] | b. [dʒú:ntə] |
| 6 | bivouac | a. [bívæk] | b. [bívu:æk] |
| 7 | atrophy | a. [ǽtrəfi] | b. [ɑtróufi] |
| 8 | wizened | a. [wáizənd] | b. [wízənd] |
| 9 | adjunct | a. [ǽddʒəŋkt] | b. [ǽdʒəŋkt] |
| 10 | posthumous | a. [pousthə́məs] | b. [pɑ́:stʃəməs] |

## Final Exam Drill ⑫ BUDDY CHECKS 유의어 찾아 연결하기

For each question below, match the word on the left with the word most similar in meaning on the right

| | | |
|---|---|---|
| 1 | capacious | a. noisome |
| 2 | expostulate | b. propound |
| 3 | allegory | c. nomadic |
| 4 | armistice | d. voluminous |
| 5 | citadel | e. accord |
| 6 | spum | f. arsenal |
| 7 | curb | g. bulwark |
| 8 | armament | h. rebuff |
| 9 | errant | i. avert |
| 10 | odious | j. parable |

## Final Exam Drill 13 DEFINITIONS 단어와 단어 정의 연결하기

For each question below, match the word on the left with its definition on the right

| | |
|---|---|
| 1 annuity | a. model of excellence |
| 2 paragon | b. funeral song |
| 3 engaging | c. ascribing human characteristics |
| 4 intervene | d. far-reaching |
| 5 sanction | e. annual allowance |
| 6 bilious | f. charming |
| 7 anthropomorphic | g. person skilled in a craft |
| 8 dirge | h. come between opposing groups |
| 9 artisan | i. official permission or approval |
| 10 sweeping | j. ill-tempered |

## Final Exam Drill 14 BUDDY CHECKS 유의어 찾아 연결하기

For each question below, match the word on the left with the word most similar in meaning on the right

| | |
|---|---|
| 1 zenith | a. nescient |
| 2 facade | b. crescendo |
| 3 spate | c. surmise |
| 4 purblind | d. epicurean |
| 5 ascribe | e. impunity |
| 6 crux | f. attribute |
| 7 sumptuous | g. cascade |
| 8 ratiocinate | h. ribald |
| 9 titillating | i. motif |
| 10 exemption | j. facet |

## Final Exam Drill 15 DEFINITIONS 단어와 단어 정의 연결하기

For each question below, match the word on the left with its definition on the right

| | |
|---|---|
| 1 avant-garde | a. fake medication |
| 2 underlying | b. unbury |
| 3 invoke | c. summon forth |
| 4 classic | d. vanguard |
| 5 exhume | e. pray for |
| 6 evoke | f. top-notch |
| 7 mire | g. marshy, mucky ground |
| 8 trenchant | h. basic |
| 9 placebo | i. tendency |
| 10 inclination | j. concise |

## Final Exam Drill 16 BUDDY CHECKS 유의어 찾아 연결하기

For each question below, match the word on the left with the word most similar in meaning on the right

| | | |
|---|---|---|
| 1 | abeyance | a. rend |
| 2 | melee | b. replica |
| 3 | lout | c. cowering |
| 4 | fragment | d. cataclysm |
| 5 | clone | e. boor |
| 6 | craven | f. altercation |
| 7 | millennium | g. verge |
| 8 | threshold | h. moratorium |
| 9 | skirmish | i. disarray |
| 10 | conflagration | j. epoch |

## Final Exam Drill 17 PRONUNCIATIONS 단어와 단어 발음

Pronounce each of the following words without looking at column a or column b. Then select the column that comes closer to your pronunciation.

| | | | |
|---|---|---|---|
| 1 | halcyon | a. [hǽlsiːən] | b. [hǽlkjən] |
| 2 | hubris | a. [hə́bris] | b. [hjúːbris] |
| 3 | protégé | a. [próutəʒei] | b. [próutidʒ] |
| 4 | inviolate | a. [inváiəlit] | b. [inváiəleit] |
| 5 | hypocrisy | a. [hipɑ́ːkrəsi] | b. [háipɔkrisi] |
| 6 | rhapsodic | a. [rǽpsədik] | b. [ræpsɑ́ːdik] |
| 7 | motif | a. [móutif] | b. [moutíf] |
| 8 | fiasco | a. [fiːǽskou] | b. [faiǽskou] |
| 9 | rationale | a. [rǽʃənəl] | b. [ræʃənǽl] |
| 10 | fruition | a. [fruːíʃən] | b. [frúːʃən] |

## Final Exam Drill 18 BUDDY CHECKS 유의어 찾아 연결하기

For each question below, match the word on the left with the word most similar in meaning on the right

| | | |
|---|---|---|
| 1 | tryst | a. reactionary |
| 2 | concession | b. dilemma |
| 3 | dissidence | c. resignation |
| 4 | crux | d. divination |
| 5 | conservative | e. punctilious |
| 6 | augury | f. plight |
| 7 | decry | g. dissent |
| 8 | meticulous | h. abound |
| 9 | teem | i. deplore |
| 10 | affliction | j. liaison |

## Final Exam Drill 19 DEFINITIONS 단어와 단어 정의 연결하기

For each question below, match the word on the left with its definition on the right

| | |
|---|---|
| 1 amid | a. incitement |
| 2 fiscal | b. system of names |
| 3 delinquent | c. largely confined to sitting down |
| 4 double entendre | d. word made up of initials |
| 5 nomenclature | e. in the middle of |
| 6 acronym | f. gray or white with age |
| 7 provocation | g. monetary |
| 8 concomitant | h. neglecting a duty |
| 9 sedentary | i. following from |
| 10 hoary | j. double meaning |

## Final Exam Drill 20 BUDDY CHECKS 유의어 찾아 연결하기

For each question below, match the word on the left with the word most similar in meaning on the right

| | |
|---|---|
| 1 uncanny | a. elocution |
| 2 deft | b. quaint |
| 3 primal | c. gambit |
| 4 articulation | d. forswear |
| 5 peculiar | e. repartee |
| 6 abjure | f. inexplicable |
| 7 impassive | g. presume |
| 8 retort | h. aboriginal |
| 9 stratagem | i. canny |
| 10 presuppose | j. objective |

## Final Exam Drill 21 DEFINITIONS 단어와 단어 정의 연결하기

For each question below, match the word on the left with its definition on the right

| | |
|---|---|
| 1 reprobate | a. rule or law |
| 2 exposition | b. make an ugly face |
| 3 rationale | c. greeting |
| 4 canon | d. seemingly unending |
| 5 interminable | e. depraved, wicked person |
| 6 salutation | f. force of movement |
| 7 ebb | g. explanation |
| 8 momentum | h. diminish |
| 9 materialistic | i. underlying reason |
| 10 grimace | j. preoccupied with material things |

## Final Exam Drill 22 BUDDY CHECKS 유의어 찾아 연결하기

For each question below, match the word on the left with the word most similar in meaning on the right

| | | |
|---|---|---|
| 1 | lobby | a. consolidate |
| 2 | muster | b. subsidiary |
| 3 | entrepreneurial | c. advocate |
| 4 | ennui | d. cull |
| 5 | serpentine | e. highest caste |
| 6 | elite | f. self-made |
| 7 | adjunct | g. commiseration |
| 8 | pathos | h. pristine |
| 9 | garner | i. tortuous |
| 10 | untainted | j. doldrums |

## Final Exam Drill 23 PRONUNCIATIONS 단어와 단어 발음

Pronounce each of the following words without looking at column a or column b. Then select the column that comes closer to your pronunciation.

| | | | |
|---|---|---|---|
| 1 | bacchanal | a. [bǽkənəl] | b. [bətʃǽnəl] |
| 2 | schism | a. [sízm] | b. [skízm] |
| 3 | reclamation | a. [rekləméiʃən] | b. [ri:klæméiʃən] |
| 4 | punitive | a. [pə́nitiv] | b. [pjú:nətiv] |
| 5 | degradation | a. [dègrədéiʃən] | b. [dəgrèidéiʃən] |
| 6 | integral | a. [intégrəl] | b. [íntəgrəl] |
| 7 | ennui | a. [ɑ́:nwi] | b. [énwi] |
| 8 | apostasy | a. [ǽpɔsteisi] | b. [əpɑ́:stəsi] |
| 9 | prescient | a. [prí:siənt] | b. [préʃənt] |
| 10 | mores | a. [mɔ:rs] | b. [mɔ́:reiz] |

## Final Exam Drill 24 BUDDY CHECKS 반의어 찾아 연결하기

For each question below, match the word on the left with the word most nearly its opposite on the right

| | | |
|---|---|---|
| 1 | singular | a. tedious |
| 2 | bracing | b. serenity |
| 3 | jaunty | c. rarefied |
| 4 | rampant | d. hypertrophy |
| 5 | festering | e. anterior |
| 6 | attest | f. generic |
| 7 | wane | g. dismal |
| 8 | bedlam | h. query |
| 9 | posterior | i. wake |
| 10 | harbinger | j. remission |

## Final Exam Drill 25 DEFINITIONS 단어와 단어 정의 연결하기

For each question below, match the word on the left with its definition on the right

| | |
|---|---|
| 1 careen | a. shockingly horrible |
| 2 discursive | b. classification |
| 3 apprise | c. group of close associates |
| 4 sovereign | d. crazed excitement |
| 5 ghastly | e. supreme ruler |
| 6 denomination | f. aimlessly rambling |
| 7 coterie | g. swerve |
| 8 embargo | h. display threateningly |
| 9 mania | i. give notice to |
| 10 brandish | j. government order suspending trade |

## Final Exam Drill 26 BUDDY CHECKS 유의어 찾아 연결하기

For each question below, match the word on the left with the word most similar in meaning on the right

| | |
|---|---|
| 1 lascivious | a. reprimand |
| 2 inflammatory | b. herald |
| 3 override | c. occult |
| 4 revile | d. eclipse |
| 5 perverse | e. disposition |
| 6 demeanor | f. prurient |
| 7 harp | g. cavil |
| 8 mysticism | h. incendiary |
| 9 apropos | i. refractory |
| 10 presage | j. apt |

## Final Exam Drill 27 DEFINITIONS 단어와 단어 정의 연결하기

For each question below, match the word on the left with its definition on the right

| | |
|---|---|
| 1 apposite | a. political meeting |
| 2 caucus | b. direct |
| 3 channel | c. biting irony |
| 4 impresario | d. pertaining to a city or town |
| 5 commemorate | e. distinctly suitable |
| 6 archipelago | f. person who manages public entertainments |
| 7 municipal | g. honor the memory of |
| 8 sarcasm | h. group of islands |
| 9 pastoral | i. rural |
| 10 divulge | j. reveal |

## Final Exam Drill 28 BUDDY CHECKS 반의어 찾아 연결하기

For each question below, match the word on the left with the word most nearly its opposite on the right

| | |
|---|---|
| 1 confound | a. averse |
| 2 genesis | b. epilogue |
| 3 aver | c. discourse |
| 4 prattle | d. premeditated |
| 5 abet | e. debunk |
| 6 enmity | f. confederacy |
| 7 avid | g. throttle |
| 8 inadvertent | h. vigilant |
| 9 perpetuate | i. envision |
| 10 impromptu | j. thwart |

## Final Exam Drill 29 PRONUNCIATIONS 단어와 단어 발음

Pronounce each of the following words without looking at column a or column b. Then select the column that comes closer to your pronunciation

| | | |
|---|---|---|
| 1 foray | a. [fɔ́:rei] | b. [fɔ:réi] |
| 2 bilious | a. [bíliəs ] | b. [bíljəs] |
| 3 dour | a. [dauər] | b. [duər] |
| 4 deprivation | a. [dèprəvéiʃən] | b. [dəpràivéiʃən] |
| 5 titular | a. [títju:lər] | b. [títʃulər] |
| 6 insouciant | a. [insú:siənt] | b. [insú:ʃiənt] |
| 7 paroxysm | a. [pərɑ́:səm] | b. [pɑ́rkəsìzm] |
| 8 retort | a. [ritɔ́:rt] | b. [rítɔ:rt] |
| 9 liaison | a. [lí:əzɑn] | b. [liéizɑn] |
| 10 olfactory | a. [ɑlfǽktəri] | b. [ɔlfǽktəri] |

## Final Exam Drill 30 BUDDY CHECKS 반의어 찾아 연결하기

For each question below, match the word on the left with the word most nearly its opposite on the right

| | |
|---|---|
| 1 mawkish | a. convene |
| 2 corrugated | b. explicable |
| 3 conundrumlike | c. callous |
| 4 boon | d. jocular |
| 5 dour | e. adversity |
| 6 adjourn | f. concerted |
| 7 embellish | g. vivacity |
| 8 listlessness | h. seamless |
| 9 quintessence | i. dross |
| 10 unilateral | j. dilapidate |

## Final Exam Drill 31 DEFINITIONS 단어와 단어 정의 연결하기

For each question below, match the word on the left with its definition on the right

| | |
|---|---|
| 1 canvass | a. shortage |
| 2 vagary | b. free from injury |
| 3 inviolate | c. disaster |
| 4 patrimony | d. seek votes or opinions |
| 5 revamp | e. inheritance |
| 6 calamity | f. whim |
| 7 entreat | g. revise |
| 8 balk | h. diplomatic etiquette |
| 9 deficit | i. ask earnestly |
| 10 protocol | j. refuse abruptly |

## Final Exam Drill 32 BUDDY CHECKS 반의어 찾아 연결하기

For each question below, match the word on the left with the word most nearly its opposite on the right

| | |
|---|---|
| 1 paranoid | a. ancillary |
| 2 halcyon | b. harried |
| 3 timorous | c. waive |
| 4 repose | d. disquiet |
| 5 impending | e. brazen |
| 6 assert | f. stalwart |
| 7 exquisite | g. botched |
| 8 apoplexy | h. posthumous |
| 9 embryonic | i. composure |
| 10 cardinal | j. retrospective |

## Final Exam Drill 33 DEFINITIONS 단어와 단어 정의 연결하기

For each question below, match the word on the left with its definition on the right

| | |
|---|---|
| 1 precarious | a. a landing on the edge of the water |
| 2 duress | b. float |
| 3 critique | c. dangerous |
| 4 waft | d. currently holding office |
| 5 brouhaha | e. stridently loud |
| 6 muse | f. reproduce |
| 7 propagate | g. coercion |
| 8 quay | h. ponder |
| 9 incumbent | i. uproar |
| 10 raucous | j. critical review |

## Final Exam Drill 34 BUDDY CHECKS 반의어 찾아 연결하기

For each question below, match the word on the left with the word most nearly its opposite on the right

| | | |
|---|---|---|
| 1 | foreclose | a. infraction |
| 2 | sophomoric | b. opprobrium |
| 3 | bland | c. foster |
| 4 | limpid | d. august |
| 5 | obeisance | e. quiescence |
| 6 | conviction | f. hubris |
| 7 | fawning | g. pungent |
| 8 | acclaim | h. traumatize |
| 9 | avail | i. turbid |
| 10 | paroxysm | j. oscillation |

## Final Exam Drill 35 PRONUNCIATIONS 단어와 단어 발음

Pronounce each of the following words without looking at column a or column b. Then select the column that comes closer to your pronunciation

| | | | |
|---|---|---|---|
| 1 | satyr | a. [séitər] | b. [sǽtər] |
| 2 | quasi | a. [kwéizai] | b. [kwá:zi] |
| 3 | exquisite | a. [ikswízit] | b. [éskwizit] |
| 4 | electoral | a. [i:lektɔ́:rəl] | b. [iléktərəl] |
| 5 | emaciate | a. [iméiʃi:èit] | b. [iméisi:èit] |
| 6 | remuneration | a. [rimjù:nəréiʃən] | b. [ri:nù:məréiʃən] |
| 7 | crevasse | a. [krəvǽs] | b. [krévəs] |
| 8 | pathos | a. [péiθɑs] | b. [pɑ́θɔs] |
| 9 | quay | a. [ki:] | b. [kwei] |
| 10 | trauma | a. [tróumə] | b. [trɔ́:mə] |

## Final Exam Drill 36 BUDDY CHECKS 반의어 찾아 연결하기

For each question below, match the word on the left with the word most nearly its opposite on the right

| | | |
|---|---|---|
| 1 | impregnable | a. homage |
| 2 | affront | b. woe |
| 3 | allegiance | c. aspersion |
| 4 | replete | d. scant |
| 5 | copious | e. vacuous |
| 6 | bliss | f. empower |
| 7 | loathe | g. panegyric |
| 8 | eulogy | h. estrangement |
| 9 | diatribe | i. susceptible |
| 10 | nullify | j. rhapsodize |

## Final Exam Drill 37 DEFINITIONS 단어와 단어 정의 연결하기

For each question below, match the word on the left with its definition on the right

| | |
|---|---|
| 1 arid | a. loathing |
| 2 cloy | b. out of proportion |
| 3 revulsion | c. cause to feel too full |
| 4 equestrian | d. very dry |
| 5 chaff | e. displaying glowing, changing colors |
| 6 inimitable | f. impair |
| 7 undermine | g. worthless stuff |
| 8 disproportionate | h. impossible to imitate |
| 9 devout | i. having to do with horseback riding |
| 10 iridescent | j. deeply religious |

## Final Exam Drill 38 BUDDY CHECKS 반의어 찾아 연결하기

For each question below, match the word on the left with the word most nearly its opposite on the right

| | |
|---|---|
| 1 wax | a. atrophy |
| 2 discretionary | b. imperative |
| 3 plausible | c. perigee |
| 4 downplay | d. insufferable |
| 5 captivate | e. harass |
| 6 dissembling | f. aggrandizement |
| 7 compatible | g. ludicrous |
| 8 diminution | h. disaffect |
| 9 coddle | i. ballyhoo |
| 10 apex | j. forthright |

## Final Exam Drill 39 DEFINITIONS 단어와 단어 정의 연결하기

For each question below, match the word on the left with its definition on the right

| | |
|---|---|
| 1 elite | a. most select group |
| 2 obviate | b. remove by cutting |
| 3 corrosive | c. make unnecessary |
| 4 stint | d. restrict |
| 5 excise | e. smuggled goods |
| 6 lyrical | f. melodious |
| 7 contraband | g. affecting the entire system |
| 8 demographics | h. study of population characteristics |
| 9 ascertain | i. determine with certainty |
| 10 systemic | j. eating away |

## Final Exam Drill 40 BUDDY CHECKS 유의어 찾아 연결하기

**For each question below, match the word on the left with the word most similar in meaning on the right**

| | | |
|---|---|---|
| 1 | interlude | a. famine |
| 2 | toxic | b. rhapsodic |
| 3 | ineluctable | c. interim |
| 4 | elegiac | d. carcinogenic |
| 5 | privation | e. jocose |
| 6 | crevice | f. booty |
| 7 | cabal | g. oxymoron |
| 8 | antithesis | h. cohort |
| 9 | plunder | i. ineradicable |
| 10 | lyrical | j. aperture |

## Final Exam Drill 41 PRONUNCIATIONS 단어와 단어 발음

**Pronounce each of the following words without looking at column a or column b. Then select the column that comes closer to your pronunciation**

| | | | |
|---|---|---|---|
| 1 | psyche | a. [sáiki] | b. [sáike] |
| 2 | harass | a. [hǽrəs] | b. [hərǽs] |
| 3 | ascertain | a. [æsə́rtən] | b. [æ̀sərtéin] |
| 4 | antiquity | a. [ǽntaikwiti] | b. [æntíkwəti] |
| 5 | calumny | a. [kələ́mni] | b. [kǽləmni] |
| 6 | placebo | a. [pléisbou] | b. [pləsí:bou] |
| 7 | panegyric | a. [pæ̀nidʒírik] | b. [peingáirik] |
| 8 | balm | a. [bɑ:m] | b. [bɔ:m] |
| 9 | melee | a. [méilei] | b. [mí:li] |
| 10 | cordial | a. [kɔ́:rdʒəl] | b. [kɔ́:rdiəl] |

## Final Exam Drill 42 BUDDY CHECKS 유의어 찾아 연결하기

**For each question below, match the word on the left with the word most similar in meaning on the right**

| | | |
|---|---|---|
| 1 | pallid | a. derelict |
| 2 | bestow | b. melancholy |
| 3 | ostracize | c. infringe |
| 4 | arrears | d. blanched |
| 5 | accentuate | e. confer |
| 6 | assess | f. bandy |
| 7 | banter | g. aggrandize |
| 8 | breach | h. rebuff |
| 9 | rueful | i. assay |
| 10 | amass | j. underscore |

## Final Exam Drill 43 DEFINITIONS 단어와 단어 정의 연결하기

For each question below, match the word on the left with its definition on the right

| | |
|---|---|
| 1 inculcate | a. causing resentment |
| 2 denote | b. mournful poem |
| 3 suffice | c. be sufficient |
| 4 ecosystem | d. instill |
| 5 referendum | e. organisms and their environment |
| 6 affidavit | f. harmful action |
| 7 elegy | g. signify |
| 8 titular | h. in name only |
| 9 disservice | i. public vote |
| 10 invidious | j. sworn written statement |

## Final Exam Drill 44 BUDDY CHECKS 유의어 찾아 연결하기

For each question below, match the word on the left with the word most similar in meaning on the right

| | |
|---|---|
| 1 reassess | a. phlegmatic |
| 2 defile | b. precocious |
| 3 importune | c. meditate |
| 4 rout | d. supplicate |
| 5 vanquish | e. decree |
| 6 stolid | f. fiasco |
| 7 electorate | g. surmount |
| 8 cogitate | h. constituency |
| 9 shrewd | i. debase |
| 10 ordinance | j. reappraise |

## Final Exam Drill 45 DEFINITIONS 단어와 단어 정의 연결하기

For each question below, match the word on the left with its definition on the right

| | |
|---|---|
| 1 alchemy | a. envy |
| 2 contretemps | b. embarrassing occurrence |
| 3 forebode | c. be an omen of |
| 4 apostasy | d. with suspicion |
| 5 impoverish | e. humorous misuse of a word |
| 6 punitive | f. abandonment of faith |
| 7 askance | g. reduce to poverty |
| 8 malapropism | h. seemingly magical transformation |
| 9 habituate | i. accustom to a situation |
| 10 begrudge | j. inflicting a punishment |

## Final Exam Drill 46 BUDDY CHECKS 유의어 찾아 연결하기

For each question below, match the word on the left with the word most similar in meaning on the right

| | |
|---|---|
| 1 infrastructure | a. savant |
| 2 baroque | b. spectrum |
| 3 pundit | c. underpinning |
| 4 entailment | d. underwrite |
| 5 subsidize | e. corollary |
| 6 shackle | f. appellation |
| 7 gamut | g. meander |
| 8 pseudonym | h. convoluted |
| 9 peregrinate | i. impetuous |
| 10 fickle | j. impede |

## Final Exam Drill 47 DEFINITIONS 단어와 단어 정의 연결하기

For each question below, match the word on the left with its definition on the right

| | |
|---|---|
| 1 obtrusive | a. severe shock |
| 2 overture | b. interfering |
| 3 trauma | c. raw material |
| 4 fodder | d. humorous |
| 5 concoct | e. collection of animals |
| 6 aggrieve | f. create by mixing ingredients |
| 7 menagerie | g. opening move |
| 8 droll | h. mistreat |
| 9 motley | i. extremely varied |
| 10 congeal | j. solidify |

## Final Exam Drill 48 PRONUNCIATIONS 단어와 단어 발음

Pronounce each of the following words without looking at column a or column b. Then select the column that comes closer to your pronunciation.

| | | |
|---|---|---|
| 1 importune | a. [impɔ́:rtu:n] | b. [impɔ:rtú:n] |
| 2 ratiocination | a. [ræʃiousənéiʃən] | b. [reiʃiousinéiʃən] |
| 3 bravado | a. [brəvɑ́dòu] | b. [bréivædòu] |
| 4 savant | a. [sǽvənt] | b. [səvɑ́:nt] |
| 5 sophomoric | a. [sɑ̀fmɔ́:rik] | b. [sɑ̀fəmɔ́:rik] |
| 6 schematic | a. [skəmǽtik] | b. [ski:mǽtik] |
| 7 inculcate | a. [ínkʌlkèit] | b. [inkʌ́lkèit] |
| 8 vivacity | a. [vivǽsiti] | b. [vaivǽsəti] |
| 9 stipend | a. [stáipənd] | b. [stípənd] |
| 10 byzantine | a. [báizænti:n] | b. [bízənti:n] |

## Final Exam Drill 49 BUDDY CHECKS 유의어 찾아 연결하기

For each question below, match the word on the left with the word most similar in meaning on the right

| | |
|---|---|
| 1 dolt | a. phantom |
| 2 antiquity | b. transfix |
| 3 rivet | c. bemoaning |
| 4 odyssey | d. rapture |
| 5 disgruntled | e. delectable |
| 6 nirvana | f. pilgrimage |
| 7 voluptuous | g. quotidian |
| 8 diurnal | h. posterity |
| 9 wraith | i. lavish |
| 10 palatable | j. buffoon |

## Final Exam Drill 50 DEFINITIONS 단어와 단어 정의 연결하기

For each question below, match the word on the left with its definition on the right

| | |
|---|---|
| 1 deity | a. ignorant |
| 2 figment | b. seat of government |
| 3 zeitgeist | c. spacious |
| 4 commodious | d. something made up |
| 5 fulminate | e. god or goddess |
| 6 benighted | f. insignificant |
| 7 ad-lib | g. spirit of the times |
| 8 marginal | h. denounce vigorously |
| 9 capital | I. person with whom secrets are shared |
| 10 confidant | j. improvise |

## Final Exam Drill 51 BUDDY CHECKS 유의어 찾아 연결하기

For each question below, match the word on the left with the word most similar in meaning on the right

| | |
|---|---|
| 1 preponderant | a. incursion |
| 2 mores | b. depredation |
| 3 extortion | c. brusque |
| 4 clout | d. dispirited |
| 5 churl | e. ethics |
| 6 foray | f. dominant |
| 7 callous | g. curmudgeon |
| 8 appurtenance | h. appendage |
| 9 downcast | i. impecunious |
| 10 impoverished | j. prowess |

## Final Exam Drill 52 DEFINITIONS 단어와 단어 정의 연결하기

For each question below, match the word on the left with its definition on the right

| | |
|---|---|
| 1 barrage | a. beginner |
| 2 neophyte | b. accumulate |
| 3 medium | c. highly significant |
| 4 accrue | d. means by which something is conveyed |
| 5 cant | e. false information purposely disseminated |
| 6 specious | f. cautious |
| 7 guise | g. deceptive |
| 8 wary | h. outpouring of artillery fire |
| 9 disinformation | i. appearance |
| 10 pregnant | j. insincere speech |

## Final Exam Drill 53 BUDDY CHECKS 유의어 찾아 연결하기

For each question below, match the word on the left with the word most similar in meaning on the right

| | |
|---|---|
| 1 annexation | a. cache |
| 2 empathy | b. pontificating |
| 3 allot | c. osmosis |
| 4 dire | d. bromide |
| 5 adage | e. disclaim |
| 6 ratify | f. crest |
| 7 asylum | g. apportion |
| 8 sententious | h. solace |
| 9 apogee | i. warrant |
| 10 demur | j. grievous |

## Final Exam Drill 54 PRONUNCIATIONS 단어와 단어 발음

Pronounce each of the following words without looking at column a or column b. Then select the column that comes closer to your pronunciation.

| | | |
|---|---|---|
| 1 forte | a. [fɔːrtéi] | b. [fɔ́ːrt] |
| 2 vagaries | a. [vəgǽriz] | b. [véigəriz] |
| 3 repartee | a. [rèpərtéi] | b. [rèpərtíː] |
| 4 apostasy | a. [əpɑ́stəsi] | b. [ǽpousteisi] |
| 5 epochal | a. [épəkəl] | b. [əpɑ́kl] |
| 6 dolorous | a. [dəlɔ́ːrəs] | b. [dóulərəs] |
| 7 heinous | a. [híːnis] | b. [héinəs] |
| 8 jocose | a. [dʒóukous] | b. [dʒoukóus] |
| 9 feign | a. [fiːgən] | b. [fein] |
| 10 obeisance | a. [óubisəns] | b. [oubéisəns] |

## Final Exam Drill 55 BUDDY CHECKS 유의어 찾아 연결하기

For each question below, match the word on the left with the word most similar in meaning on the right

| | |
|---|---|
| 1 fathom | a. livid |
| 2 proclaim | b. underscore |
| 3 compliant | c. pummel |
| 4 surreal | d. ominous |
| 5 baleful | e. arrant |
| 6 cavalier | f. pliable |
| 7 assail | g. paranormal |
| 8 heinous | h. competent |
| 9 bristling | i. nonchalant |
| 10 effectual | j. delve |

## Final Exam Drill 56 DEFINITIONS 단어와 단어 정의 연결하기

For each question below, match the word on the left with its definition on the right

| | |
|---|---|
| 1 edifice | a. sail all the way around |
| 2 redress | b. mutual relation |
| 3 circumnavigate | c. protection |
| 4 auspices | d. cling |
| 5 cleave | e. remedy |
| 6 conservatory | f. having to do with marriage |
| 7 efficacy | g. big, imposing building |
| 8 conjugal | h. extermination of a race or religion or people |
| 9 genocide | i. effectiveness |
| 10 correlation | j. greenhouse or music school |

## Final Exam Drill 57 BUDDY CHECKS 유의어 찾아 연결하기

For each question below, match the word on the left with the word most similar in meaning on the right

| | |
|---|---|
| 1 suffuse | a. subterfuge |
| 2 intrigue | b. disperse |
| 3 contempt | c. gaffe |
| 4 impeach | d. brink |
| 5 discomfit | e. wrath |
| 6 sally | f. disconcert |
| 7 abomination | g. indict |
| 8 threshold | h. scorn |
| 9 folly | i. lax |
| 10 cursory | j. reprisal |

## Final Exam Drill 58 DEFINITIONS 단어와 단어 정의 연결하기

For each question below, match the word on the left with its definition on the right

| | |
|---|---|
| 1 bona fide | a. demonstrate convincingly |
| 2 underpinning | b. cause to spread out |
| 3 evince | c. judge |
| 4 emissary | d. human soul or mind |
| 5 deem | e. eject |
| 6 diffuse | f. thick and sticky |
| 7 karma | g. good or bad emanations |
| 8 viscous | h. sincere |
| 9 psyche | i. system of supports beneath |
| 10 oust | j. messenger or representative |

## Final Exam Drill 59 BUDDY CHECKS 유의어 찾아 연결하기

For each question below, match the word on the left with the word most similar in meaning on the right

| | |
|---|---|
| 1 compilation | a. incarnate |
| 2 astringent | b. edict |
| 3 fiat | c. expiate |
| 4 quandary | d. depict |
| 5 specter | e. anthology |
| 6 pandemic | f. draconian |
| 7 corporeal | g. predicament |
| 8 atone | h. veneer |
| 9 patina | i. rampant |
| 10 render | j. phantasm |

## Final Exam Drill 60 PRONUNCIATIONS 단어와 단어 발음

Pronounce each of the following words without looking at column a or column b. Then select the column that comes closer to your pronunciation.

| | | |
|---|---|---|
| 1 reprobate | a. [répəbèit] | b. [ri:próubèit] |
| 2 depredation | a. [dəprèidéiʃən] | b. [dèprədéiʃən] |
| 3 prophesy | a. [prɑ́fəsai] | b. [prɑ́fəsi] |
| 4 cardinal | a. [kɑ́dənəl] | b. [kɑ́dnəl] |
| 5 deity | a. [déiəti] | b. [dí:əti] |
| 6 chutzpah | a. [tʃútzpə] | b. [hústpə] |
| 7 dissemble | a. [disémbl] | b. [disəsémbl] |
| 8 fiat | a. [fí:ət] | b. [fáiət] |
| 9 prelude | a. [prélju:d] | b. [préilu:d] |
| 10 tryst | a. [trist] | b. [traist] |

## Final Exam Drill 61 BUDDY CHECKS 유의어 찾아 연결하기

For each question below, match the word on the left with the word most similar in meaning on the right

| | | |
|---|---|---|
| 1 | oligarchy | a. dissemble |
| 2 | florid | b. triumvirate |
| 3 | feign | c. substantiate |
| 4 | document | d. intricate |
| 5 | usurious | e. implication |
| 6 | stipend | f. bacchanal |
| 7 | prescience | g. exorbitant |
| 8 | gastronomy | h. remuneration |
| 9 | licentious | i. presentiment |
| 10 | innuendo | j. cuisine |

## Final Exam Drill 62 DEFINITIONS 단어와 단어 정의 연결하기

For each question below, match the word on the left with its definition on the right

| | | |
|---|---|---|
| 1 | chortle | a. short, literary sketch |
| 2 | cherub | b. hint |
| 3 | vignette | c. full of difficulties |
| 4 | access | d. intruder |
| 5 | omniscient | e. chuckle with glee |
| 6 | intimate | f. accidental |
| 7 | interloper | g. brazenness |
| 8 | chutzpah | h. supercute child |
| 9 | adventitious | i. right to approach |
| 10 | thorny | j. all-knowing |

## Final Exam Drill 63 BUDDY CHECKS 유의어 찾아 연결하기

For each question below, match the word on the left with the word most similar in meaning on the right

| | | |
|---|---|---|
| 1 | ostracism | a. tactic |
| 2 | brawn | b. intermittent |
| 3 | bluster | c. bombast |
| 4 | idiom | d. jargon |
| 5 | interspersed | e. omnivorous |
| 6 | voracious | f. infuse |
| 7 | imbue | g. hypertrophy |
| 8 | schism | h. dichotomy |
| 9 | embodiment | i. effigy |
| 10 | connivance | j. seclusion |

## Final Exam Drill 64 DEFINITIONS 단어와 단어 정의 연결하기

**For each question below, match the word on the left with its definition on the right**

| | | |
|---|---|---|
| 1 | epilogue | a. pertaining to time |
| 2 | modulate | b. afterword |
| 3 | temporal | c. reduce or regulate |
| 4 | cartography | d. command |
| 5 | behest | e. having to do with the church |
| 6 | ecclesiastical | f. highly changeable person |
| 7 | callous | g. insensitive |
| 8 | bon vivant | h. art of making maps |
| 9 | chameleon | i. luxurious liver |
| 10 | travesty | j. grotesque imitation |

# The Answers

Part B의 Quick Quiz와 Final Exam의 정답을 모아 놓았다.

## Warm-UP Test 1

All the answers are a. Sorry about that.

## Warm-UP Test 2a

1 b
2 a
3 h
4 c
5 d
6 e
7 f
8 j
9 i
10 g

## Warm-UP Test 2b

1 b
2 h
3 d
4 a
5 c
6 g
7 j
8 i
9 e
10 f

## Warm-UP Test 2c

1 f
2 c
3 i
4 d
5 a
6 e
7 h
8 b
9 j
10 g

## Warm-UP Test 2d

1 b
2 i
3 g
4 h
5 a
6 j
7 c
8 d
9 e
10 f

## Warm-UP Test 3

1 arrant
2 averse
3 cache
4 canon
5 canvass
6 careen
7 rationale
8 confidant
9 corporeal
10 demur
11 dissemble
12 systemic
13 importune
14 climatic
15 epoch

## Warm-UP Test 4

1 wakes
2 mode
3 patina
4 revel
5 atone
6 arid
7 waive
8 stout
9 mania
10 taint
11 karma
12 stint
13 avid
14 dire
15 dolt
16 abet
17 allot
18 arcade
19 balm
20 scorn
21 louts
22 loathe
23 apt
24 junta
25 spate
26 rife
27 slake

## Quick Quiz 1

1 h
2 a
3 c
4 i
5 g
6 b
7 d
8 e
9 f
10 j

## Quick Quiz 2

1 h
2 c
3 d
4 f
5 a
6 j
7 e
8 b
9 i
10 g

## Quick Quiz 3

1 f
2 j
3 i
4 d
5 b
6 a
7 g
8 c
9 e
10 h

## Quick Quiz 4

1 j
2 a
3 i
4 b
5 e
6 f
7 c
8 g
9 h
10 d

## Quick Quiz 5

1 e
2 h
3 c
4 a
5 f
6 i
7 b
8 d
9 j
10 g

## Quick Quiz 6

1 i
2 e
3 c
4 h
5 b
6 f
7 j
8 g
9 d
10 a

## Quick Quiz 7

1 c
2 g
3 a
4 e
5 h
6 b
7 a
8 f
9 i
10 d

## Quick Quiz 8

1 i
2 f
3 a
4 g
5 c
6 h
7 e
8 b
9 d
10 j

## Quick Quiz 9

1 f
2 a
3 j
4 c
5 g
6 b
7 i
8 d
9 h
10 e

## Quick Quiz 10

1 a
2 e
3 h
4 c
5 f
6 n
7 i
8 m
9 k
10 g
11 j
12 b
13 d

14 l

## Quick Quiz 11

1 g
2 b
3 i
4 d
5 j
6 c
7 f
8 a
9 e
10 h

## Quick Quiz 12

1 c
2 f
3 b
4 j
5 a
6 d
7 e
8 g
9 i
10 h

## Quick Quiz 13

1 c
2 e
3 g
4 i
5 a
6 b
7 h
8 j
9 f
10 d

## Quick Quiz 14

1 f
2 c
3 i
4 a
5 o
6 m
7 j
8 l
9 b
10 g
11 n
12 k
13 h
14 d
15 e

## Quick Quiz 15

1 h
2 c
3 j
4 i
5 a
6 b
7 f
8 d
9 g
10 e

## Quick Quiz 16

1 e
2 j
3 g
4 b
5 h
6 d
7 a
8 c
9 i
10 f

## Quick Quiz 17

1 a
2 b
3 i
4 g
5 d
6 f
7 c
8 j
9 h
10 e

## Quick Quiz 18

1 d
2 g
3 f
4 i
5 c
6 a
7 e
8 h
9 b
10 j

## Quick Quiz 19

1 f
2 d
3 h
4 b
5 j
6 a
7 c
8 e
9 g
10 i

## Quick Quiz 20

1 h
2 d
3 j
4 g
5 c
6 f
7 b
8 i
9 e
10 a

## Quick Quiz 21

1 h
2 f
3 d
4 e
5 j
6 i
7 a
8 b
9 g
10 c

## Quick Quiz 22

1 d
2 a
3 j
4 h
5 e
6 g
7 c
8 f
9 b
10 i

## Quick Quiz 23

1 b
2 i
3 c
4 h
5 e
6 f
7 a
8 j
9 g
10 d

## Quick Quiz 24

1 e
2 c
3 a
4 i
5 h
6 j
7 g
8 b
9 d
10 f

## Quick Quiz 25

1 g
2 e
3 c
4 f
5 d
6 b
7 a
8 i
9 h

## Quick Quiz 26

1 g
2 d
3 c
4 j
5 a
6 b
7 f
8 e
9 h
10 i

## Quick Quiz 27

1 i
2 c
3 f
4 a
5 j
6 g
7 h
8 b
9 e
10 d

## Quick Quiz 28

1 i
2 d
3 g
4 b
5 f
6 a
7 j
8 c
9 h
10 e

## Quick Quiz 29

1 i
2 c
3 f
4 j
5 a
6 b
7 h
8 g
9 e
10 d

## Quick Quiz 30

1 j
2 g
3 b
4 e
5 a
6 d
7 c
8 i
9 f
10 h

## Quick Quiz 31

1 h
2 e
3 c
4 i
5 b
6 a
7 d
8 f
9 g
10 j

## Quick Quiz 32

1 c
2 a
3 i
4 e
5 g
6 j
7 h
8 f
9 d
10 b

## Quick Quiz 33

1 k
2 j
3 e
4 c
5 d
6 a
7 l
8 i
9 f
10 b
11 g
12 h

## Quick Quiz 34

1 i
2 c
3 f
4 j
5 a
6 d
7 g
8 h
9 e
10 b

## Quick Quiz 35

1 b
2 f
3 h
4 a
5 i
6 j
7 g
8 c
9 d
10 e

## Quick Quiz 36

1 d
2 g
3 b
4 e
5 h
6 c
7 a
8 j
9 f
10 i

## Quick Quiz 37

1 i
2 e
3 g
4 c
5 j
6 d
7 f
8 h
9 b
10 a

## Quick Quiz 38

1 j
2 i
3 h
4 d
5 g
6 a
7 b
8 c
9 e
10 f

## Quick Quiz 39

1 a
2 c
3 e
4 g
5 i
6 k
7 j
8 h
9 f
10 d
11 b

## Quick Quiz 40

1 e
2 k
3 h
4 i
5 l
6 b
7 d
8 f
9 a
10 c
11 g
12 j

## Quick Quiz 41

1 c
2 f
3 b
4 i
5 g
6 d
7 a
8 e
9 h
10 j

## Quick Quiz 42

1 a
2 d
3 g
4 c
5 b
6 f
7 j
8 h
9 e
10 i

## Quick Quiz 43

1 e
2 c
3 h
4 a
5 b
6 d
7 i
8 g
9 f
10 j

## Quick Quiz 44

1 b
2 a
3 d
4 c
5 e

## Quick Quiz 45

1 i
2 b
3 f
4 k
5 h
6 f
7 j
8 c
9 e
10 g
11 a
12 d

## Quick Quiz 46

1 c
2 f
3 i
4 a
5 e
6 d
7 b
8 j
9 h
10 g

## Quick Quiz 47

1 d
2 b
3 i
4 f
5 c
6 g
7 j
8 e
9 a
10 h

## Quick Quiz 48

1 g
2 c
3 f
4 b
5 d
6 a
7 e
8 h
9 j
10 i

## Quick Quiz 49

1 c
2 g
3 d
4 a
5 b
6 i
7 h
8 f
9 j
10 e

## Quick Quiz 50

1 h
2 a
3 b
4 c
5 d
6 i
7 g
8 e
9 j
10 f

## Quick Quiz 51

1 g
2 i
3 f
4 e
5 d

6 a
7 h
8 j
9 c
10 b

## Quick Quiz 52

1 b
2 g
3 d
4 a
5 f
6 h
7 e
8 c

## Quick Quiz 53

1 b
2 f
3 e
4 a
5 d
6 c
7 f
8 h
9 i
10 g

## Quick Quiz 54

1 c
2 a
3 f
4 d
5 b
6 e

## Quick Quiz 55

1 b
2 e
3 g
4 d
5 h
6 a
7 c
8 f
9 j
10 i

## Quick Quiz 56

1 g
2 e
3 j
4 a
5 b
6 d
7 m
8 i
9 f
10 c
11 n
12 l
13 k
14 h

## Quick Quiz 57

1 b
2 e
3 h
4 c
5 i
6 a
7 d
8 g
9 f

## Quick Quiz 58

1 e
2 b
3 g
4 a
5 j
6 i
7 h
8 c
9 f
10 d

## Quick Quiz 59

1 h
2 d
3 f
4 b
5 e
6 a
7 c
8 j
9 i
10 g

## Quick Quiz 60

1 b
2 g
3 d
4 j
5 e
6 a
7 i
8 h
9 c
10 f

## Quick Quiz 61

1 b
2 c
3 h
4 f
5 j
6 i
7 g
8 d
9 a
10 e

## Quick Quiz 62

1 i
2 e
3 d
4 a
5 b
6 g
7 f
8 h
9 j
10 c

## Quick Quiz 63

1 g
2 d
3 b
4 a
5 i
6 f
7 e
8 c
9 j
10 h

## Quick Quiz 64

1 f
2 c
3 h
4 e
5 g
6 a
7 b
8 d
9 j
10 i

## Quick Quiz 65

1 c
2 h
3 e
4 f
5 j
6 i
7 a
8 b
9 d
10 g

## Quick Quiz 66

1 d
2 g
3 b
4 a
5 k
6 h
7 j
8 i
9 l
10 f
11 c
12 e

## Quick Quiz 67

1 a
2 h
3 j
4 f
5 e
6 b
7 k
8 c
9 d
10 g
11 i

## Quick Quiz 68

1 e
2 c
3 g
4 a
5 b
6 h
7 f
8 d
9 i
10 j

## Quick Quiz 69

1 d
2 h
3 a
4 c
5 b
6 j
7 f
8 e
9 g
10 i

## Quick Quiz 70

1 f
2 c
3 b
4 j
5 h
6 a
7 e
8 d
9 g
10 i

## Quick Quiz 71

1 c
2 k
3 i
4 f
5 e
6 a
7 b
8 n
9 m
10 l
11 d
12 g

13 j
14 h

## Quick Quiz 72
1 c
2 h
3 g
4 a
5 b
6 j
7 i
8 f
9 e
10 d

## Quick Quiz 73
1 i
2 g
3 e
4 f
5 c
6 d
7 b
8 h
9 j
10 a

## Quick Quiz 74
1 e
2 c
3 g
4 d
5 a
6 h
7 f
8 j
9 i
10 b

## Quick Quiz 75
1 h
2 e
3 i
4 b
5 c
6 f
7 d
8 j
9 g
10 a

## Quick Quiz 76
1 d
2 f
3 b
4 g
5 h
6 e
7 a
8 c
9 i
10 j

## Quick Quiz 77
1 d
2 h
3 f
4 c
5 a
6 b
7 k
8 i
9 l
10 g
11 e
12 j

## Quick Quiz 78
1 c
2 h
3 d
4 g
5 a
6 b
7 j
8 i
9 e
10 f

## Quick Quiz 79
1 c
2 b
3 g
4 f
5 e
6 j
7 h
8 d
9 i
10 a

## Quick Quiz 80
1 f
2 d
3 b
4 a
5 e
6 c
7 g

## Quick Quiz 81
1 f
2 c
3 d
4 a
5 h
6 e
7 b
8 g

## Quick Quiz 82
1 g
2 a
3 c
4 f
5 e
6 b
7 h
8 d
9 i
10 j

## Quick Quiz 83
1 f
2 e
3 d
4 c
5 b
6 a

## Quick Quiz 84
1 d
2 k
3 i
4 j
5 a
6 b
7 f
8 e
9 c
10 g
11 h

## Final Exam Drill 1
1 e
2 c
3 g
4 a
5 d
6 f
7 h
8 j
9 b
10 i

## Final Exam Drill 2
1 d
2 e
3 f
4 j
5 g
6 h
7 b
8 a
9 c
10 i

## Final Exam Drill 3
1 b
2 e
3 c
4 h
5 f
6 i
7 j
8 g
9 a
10 d

## Final Exam Drill 4
1 j
2 g
3 f
4 e
5 i
6 c
7 d
8 b
9 h
10 a

## Final Exam Drill 5
1 b
2 b
3 b
4 b
5 b ( a is also acceptable)
6 b
7 either is acceptable
8 a
9 a
10 b

## Final Exam Drill 6

1 b
2 c
3 d
4 a
5 f
6 g
7 e
8 j
9 h
10 i

## Final Exam Drill 7

1 f
2 b
3 i
4 h
5 d
6 j
7 e
8 g
9 a
10 c

## Final Exam Drill 8

1 a
2 c
3 g
4 i
5 f
6 h
7 d
8 e
9 j
10 b

## Final Exam Drill 9

1 j
2 c
3 g
4 a
5 f
6 d
7 e
8 h
9 b
10 i

## Final Exam Drill 10

1 b
2 d
3 h
4 i
5 f
6 a
7 g
8 e
9 j
10 c

## Final Exam Drill 11

1 a
2 b
3 b
4 a
5 a ( b is marginally acceptable)
6 a
7 a
8 b
9 b
10 b

## Final Exam Drill 12

1 d
2 b
3 j
4 e
5 g
6 h
7 i
8 f
9 c
10 a

## Final Exam Drill 13

1 e
2 a
3 f
4 h
5 i
6 j
7 c
8 b
9 g
10 d

## Final Exam Drill 14

1 b
2 j
3 g
4 a
5 f
6 i
7 d
8 c
9 h
10 e

## Final Exam Drill 15

1 d
2 h
3 e
4 f
5 b
6 c
7 g
8 j
9 a
10 i

## Final Exam Drill 16

1 h
2 i
3 e
4 a
5 b
6 c
7 j
8 g
9 f
10 d

## Final Exam Drill 17

1 a
2 b
3 a
4 a
5 a
6 b
7 b
8 a
9 b
10 a

## Final Exam Drill 18

1 j
2 c
3 g
4 b
5 a
6 d
7 i
8 e
9 h
10 f

## Final Exam Drill 19

1 e
2 g
3 h
4 j
5 b
6 d
7 a
8 i
9 c
10 f

## Final Exam Drill 20

1 f
2 i
3 h
4 a
5 b
6 d
7 j
8 e
9 c
10 g

## Final Exam Drill 21

1 e
2 g
3 i
4 a
5 d
6 c
7 h
8 f
9 j
10 b

## Final Exam Drill 22

1 c
2 a
3 f
4 j
5 i
6 e
7 b
8 g
9 d
10 h

## Final Exam Drill 23

1 a
2 a
3 a
4 b
5 a
6 b
7 a
8 b
9 b
10 b

## Final Exam Drill 24

1 f
2 a
3 g
4 c
5 j
6 h
7 d
8 b
9 e
10 i

## Final Exam Drill 25

1 g
2 f
3 i
4 e
5 a
6 b
7 c
8 j
9 d
10 h

## Final Exam Drill 26

1 f
2 h
3 d
4 a
5 i
6 e
7 g
8 c
9 j
10 b

## Final Exam Drill 27

1 e
2 a
3 b
4 f
5 g
6 h
7 d
8 c
9 i
10 j

## Final Exam Drill 28

1 i
2 b
3 e
4 c
5 j
6 f
7 a
8 h
9 g
10 d

## Final Exam Drill 29

1 a
2 b
3 b
4 a
5 b
6 a
7 b
8 a
9 a (b is also acceptable)
10 a

## Final Exam Drill 30

1 c
2 h
3 b
4 e
5 d
6 a
7 j
8 g
9 i
10 f

## Final Exam Drill 31

1 d
2 f
3 b
4 e
5 g
6 c
7 i
8 j
9 a
10 h

## Final Exam Drill 32

1 f
2 b
3 e
4 d
5 j
6 c
7 g
8 i
9 h
10 a

## Final Exam Drill 33

1 c
2 g
3 j
4 b
5 i
6 h
7 f
8 a
9 d
10 e

## Final Exam Drill 34

1 c
2 d
3 g
4 i
5 a
6 j
7 f
8 b
9 h
10 e

## Final Exam Drill 35

1 a
2 a
3 b
4 b
5 a
6 a
7 a
8 a
9 a
10 a (b is marginally acceptable)

## Final Exam Drill 36

1 i
2 a
3 h
4 e
5 d
6 b
7 j
8 c
9 g
10 f

## Final Exam Drill 37

1 d
2 c
3 a
4 i
5 g
6 h
7 f
8 b
9 j
10 e

## Final Exam Drill 38

1 a
2 b
3 g
4 i
5 h
6 j
7 d
8 f
9 e
10 c

## Final Exam Drill 39

1 a
2 c
3 j
4 d
5 b
6 f
7 e
8 h
9 i
10 g

## Final Exam Drill 40

1 c
2 d
3 i
4 e
5 a
6 j
7 h
8 g
9 f
10 b

## Final Exam Drill 41

1 a
2 a (b is marginally acceptable)
3 b
4 b
5 b
6 b
7 a
8 b
9 a
10 a

## Final Exam Drill 42

1 d
2 e
3 h
4 a
5 j
6 i
7 f
8 c
9 b
10 g

## Final Exam Drill 43

1 d
2 g
3 c
4 e
5 i
6 j
7 b
8 h
9 f
10 a

## Final Exam Drill 44

1 j
2 i
3 d
4 f
5 g
6 a
7 h
8 c
9 b
10 e

## Final Exam Drill 45

1 h
2 b
3 c
4 f
5 g
6 j
7 d
8 e
9 i
10 a

## Final Exam Drill 46

1 c
2 h
3 a
4 e
5 d
6 j
7 b
8 f
9 g
10 i

## Final Exam Drill 47

1 b
2 g
3 a
4 c
5 f
6 h
7 e
8 d
9 i
10 j

## Final Exam Drill 48

1 b
2 a
3 a
4 b
5 b
6 b
7 b (a is marginally acceptable)
8 a
9 a
10 b

## Final Exam Drill 49

1 j
2 h
3 b
4 f
5 c
6 d
7 i
8 g
9 a
10 e

## Final Exam Drill 50

1 e
2 d
3 g
4 c
5 h
6 a
7 j
8 f
9 b
10 i

## Final Exam Drill 51

1 f
2 e
3 b
4 j
5 g
6 a
7 c
8 h
9 d
10 i

## Final Exam Drill 52

1 h
2 a
3 d
4 b
5 j
6 g
7 i
8 f
9 e
10 c

## Final Exam Drill 53

1 c
2 h
3 g
4 j
5 d
6 i
7 a
8 b
9 f
10 e

## Final Exam Drill 54

1 b
2 a
3 b
4 a
5 a
6 b
7 b
8 b
9 b
10 b

## Final Exam Drill 55

1 j
2 b
3 f
4 g
5 d
6 i
7 c
8 e
9 a
10 h

## Final Exam Drill 56

1 g
2 e
3 a
4 c
5 d
6 j
7 i
8 f
9 h
10 b

## Final Exam Drill 57

1 b
2 a
3 h
4 g
5 f
6 j
7 e
8 d
9 c
10 i

## Final Exam Drill 58

1 h
2 i
3 a
4 j
5 c
6 b
7 g
8 f
9 d
10 e

## Final Exam Drill 59

1 e
2 f
3 b
4 g
5 j
6 i
7 a
8 c
9 h
10 d

## Final Exam Drill 60

1 a
2 b
3 a
4 b
5 b
6 b
7 a
8 b
9 a
10 a

## Final Exam Drill 61

1 b
2 d
3 a
4 c
5 g
6 h
7 i
8 j
9 f
10 e

## Final Exam Drill 62

1 e
2 h
3 a
4 i
5 j
6 b
7 d
8 g
9 f
10 c

## Final Exam Drill 63

1 j
2 g
3 c
4 d
5 b
6 e
7 f
8 h
9 i
10 a

## Final Exam Drill 64

1 b
2 c
3 a
4 h
5 d
6 e
7 g
8 i
9 f
10 j

PART

# The SAT Hit Parade

SAT 빈출 단어

1

## THE SAT HIT PARADE

미국의 대학진학 적성시험(SAT)에서 가장 많이 출제되는 단어를 빈도순으로 정리한 것이다. 여기에 제시된 단어의 정의가 사전적 의미나 우리 책에 제시된 정의와 반드시 일치하는 것은 아니다. SAT에서 출제된 용례에 따른 것이기 때문이다. 잘 익혀두기 바란다.

SAT

| | |
|---|---|
| **indifferent** | lacking a preference ; neutral 치우치지 않은 ; 중립의 |
| **apathy** | lack of emotion or interest 감정이나 관심의 결여 |
| **obscure** | 1. unclear ; clouded ; partially hidden 2. to hide<br>1. 분명치 않은 ; 흐릿한 ; 일부분은 숨겨진 2. 가리다 |
| **impartial** | unbiased ; neutral 편파적이지 않은 ; 중립의 |
| **objective** | without bias 객관적인 |
| **revere** | to worship ; to honor 숭배하다 ; 존경하다 |
| **discriminate** | to differentiate ; to make a clear distinction 구별짓다 ; 분명하게 식별하다 |
| **denounce** | to speak out against ; to condemn 반대의 의사를 말하다 ; 비난하다 |
| **innovate** | to introduce something new 새로운 사물을 받아들이다 |
| **relevant** | important ; pertinent 중요한 ; 적절한, 관련된 |
| **candid** | honest ; frank 정직한 ; 솔직한 |
| **discernment** | insight ; ability to see things clearly 통찰력 ; 사물을 명확히 볼 줄 아는 능력 |
| **disdain** | arrogant scorn ; contempt 거만한 멸시 ; 경멸 |
| **abstract** | 1. theoretical ; lacking substance (the opposite of concrete) 이론적인 ; 실체가 없는(구체적인의 반대말) |
| | 2. a summary of an idea or academic paper 학술적인 논문이나 이론의 요약, 발췌 |
| **temperate** | moderate ; restrained 자제하는 ; 삼가는 |
| **enigma** | mystery 수수께끼 |
| **inevitable** | unavoidable ; bound to happen 피할 수 없는 ; 반드시 일어나게 되어 있는 |
| **eccentric** | not conventional ; a little kooky ; irregular 전통적인 것을 벗어난 ; 다소 괴벽한 ; 불규칙한 |
| **provincial** | limited in outlook to one' s own small corner of the world ; narrow futile<br>자신만의 작은 세계에 갇혀 시야가 제한된 ; 편협하고 쓸데없는 |
| **hopeless** | without effect 가망 없는 |
| **diverse** | varied 여러 가지 다양한 |
| **benevolent** | kind ; good-hearted ; generous 친절한 ; 따뜻한 ; 관대한 |
| **pious** | reverent or devout 경건한, 독실한 |
| **conciliatory** | making peace ; attempting to solve a dispute through goodwill<br>평화적인 방법을 취하는 ; 선의로 분쟁을 해결하려는 |
| **resignation** | reluctant acceptance of a bad situation (secondary meaning)<br>나쁜 상황을 내켜하지 않지만 받아들이는 체념 또는 감수 (부차적인 의미로 ) |
| **resolute** | determined ; firm ; unwavering 굳게 결심한 ; 확고한 ; 동요하지 않는 |
| **servile** | submissive and subservient ; like a servant 순종하고 굴종하는 ; 노예 같은 |
| **acute** | sharp ; shrewd 예리한 ; 통찰력 있는 |
| **reticent** | restrained ; uncommunicative 말을 자제하는 ; 말없는 |
| **anarchy** | absence of government or control ; lawlessness ; disorder<br>정부나 통제가 없는 상태 ; 무법 상태 ; 무질서 |

| | |
|---|---|
| **virulent** | extremely poisonous ; malignant ; full of hate 매우 유해한 ; 악의가 있는 ; 증오에 찬 |
| **scrutinize** | to examine closely 면밀히 조사하다 |
| **discord** | disagreement (the opposite of concord) 불일치(일치의 반대말) |
| **repudiate** | to reject ; to deny 거절하다 ; 부인하다 |
| **diligent** | hardworking 열심히 일하는 |
| **superficial** | on the surface only ; shallow ; not thorough 단지 표면적인 ; 얕은 ; 철저하지 못한 |
| **contempt** | reproachful ; disdain 비난하는 ; 경멸 |
| **lucid** | clear ; easy to understand 명백한 ; 이해하기 쉬운 |
| **aesthetic** | having to do with artistic beauty ; artistic (not to be confused with ascetic)<br>예술적 미와 관련이 있는 ; 예술적인(근본적인 — ascetic — 과 혼동하지 말것.) |
| **prodigal** | extravagant ; wasteful 낭비하는 ; 소모적인 |
| **augment** | to add to ; to increase ; to make bigger 더하다 ; 증가시키다 ; 더 크게 만들다 |
| **complacent** | smug ; self-satisfied ; pleased with oneself ; contented to a fault<br>잘난 체하는 ; 자기만족적인 ; 자신에 만족하는 ; 지나칠 정도로 만족해하는 |
| **guile** | cunning ; duplicity 교활 ; 표리부동 |
| **squander** | to waste 낭비하다 |
| **incessant** | unceasing ; never-ending 끊임없는 ; 영원한 |
| **laudable** | worthy of praise 칭찬할 만한 |
| **deter** | to prevent 못하게 방해하다 |
| **redundant** | repetitive ; unnecessary 중복되는 ; 불필요한, 남아도는 |
| **infamous** | shamefully wicked ; having (and deserving) an extremely bad reputation<br>지독하게 사악한 ; 극히 나쁜 평판을 듣는(들어 마땅한) |
| **provocative** | exciting ; attracting attention 흥분시키는 ; 주의를 끄는 |
| **depravity** | moral corruption 도덕적 타락 |
| **gravity** | seriousness (secondary meaning) 심각함 (부차적인 의미로) |
| **banal** | unoriginal ; ordinary 독창적이지 못한 ; 평범한 |
| **extol** | to praise 칭찬하다 |
| **euphony** | pleasant sound 듣기 좋은 소리 |
| **deride** | to ridicule ; to laugh at contemptuously 비웃다 ; 경멸하는 의미로 비웃다 |
| **insipid** | dull ; banal 무미건조한 ; 진부한 |
| **austere** | unadorned ; stern ; forbidding ; without much money<br>꾸밈이 없는 ; 단호한 ; 가까이하기 어려운 ; 돈이 별로 없는 |
| **expedite** | to make faster or easier (일을) 빠르게 하거나 쉽게 하다, 촉진시키다 |
| **heresy** | an opinion violently opposed to established beliefs<br>기존 신념 체계에 맹렬히 반대하는 의견, 이단, 이설, 반대론 |
| **novel** | new ; original 새로운 ; 창의적인 |

**philanthropy** love of mankind ; donating to charity 박애주의 ; 자선행위

**tentative** experimental ; temporary ; uncertain 시험적인 ; 일시적인 ; 불확실한

**deference** submission to another' s will ; respect ; courtesy 다른 사람의 의지에 복종 ; 존경 ; 정중

**vacillate** to be indecisive ; to waver back and forth 망설이다 ; 이리저리 흔들리다

**fervor** passion 열정

**dispassionate** without passion ; objective ; neutral 감정을 갖지 않은 ; 객관적인 ; 중립적인

**pragmatic** practical ; down-to-earth 실용적인 ; 현실적인

**rigorous** strict ; harsh ; severe 엄격한 ; 가혹한 ; 심한

**solemn** serious ; grave 심각한 ; 중대한

**alleviate** to lessen ; to relieve, usually temporarily or incompletely
덜어주다 ; 누그러뜨리다, 대개 일시적이거나 불완전하게

**negligence** carelessness 태만, 부주의

**conspicuous** standing out ; obvious 두드러진 ; 명백한

**advocate** to speak in favor of ; to support 변호하다, 옹호하다 ; 지지하다

**ascetic** hermitlike ; practicing self-denial 은둔자 같은 ; 자기 억제를 실천하는

**profound** deep ; insightful (the opposite of superficial) 심오한 ; 통찰력이 있는(피상적인의 반대 개념으로)

**dogmatic** arrogantly assertive of unproven ideas ; arrogantly claiming that something (often a system of beliefs) is beyond dispute 입증되지 않은 이념을 오만하게 고집하는, 독단적인 ; (흔히 신념체계 따위의) 무엇인가가 논의의 여지가 없다고 오만스럽게 주장하는

**condone** to overlook ; to permit to happen 묵과하다 ; 일어나게 놔두다

**dissent** disagreement 의견 차이, 불일치

**volition** will ; conscious choice 의지 ; 의식적인 선택

**voluntary** willing ; unforced 자발적인 ; 강제에 의한 것이 아닌

**didactic** instructive ; intended to instruct 교훈적인 ; 가르치고자 하는

**disparate** different ; incompatible 전혀 다른 ; 양립할 수 없는

**disparage** to belittle ; to say uncomplimentary things about 얕보다 ; 흠잡는 말을 하다

**ephemeral** short-lived ; fleeting 단명의 ; 잠깐 동안의

**compliant** yielding ; submissive 고분고분한 ; 순종적인

**prosaic** dull ; unimaginative 무미건조한 ; 상상력이 없는

**profuse** flowing ; extravagant 넘치도록 많은 ; 사치스런

**expedient** providing an immediate advantage ; serving one's immediate self-interest
즉시 편의를 제공하는 ; 즉각적인 이익을 주는

**fastidious** meticulous ; demanding 까다로운 ; 일이 큰 노력을 요하는

**belligerent** combative ; quarrelsome 투쟁적인 ; 호전적인

**astute** perceptive ; intelligent 예민한 ; 총명한

**languish** to become weak, listless, or depressed 쇠약하거나 활기가 없거나 의기소침해지다

| | |
|---|---|
| **censure** | to condemn severely 혹독하게 비난하다 |
| **stagnation** | motionlessness ; inactivity 정체 ; 무기력 |
| **mitigate** | to lessen the severity of something 일의 엄중함을 완화하다 |
| **reprehensible** | worthy of blame or censure 비난하거나 꾸짖을 만한 |
| **engender** | to create ; to produce 야기하다 ; 만들어내다 |
| **exemplary** | outstanding ; setting a great example 뛰어난 ; 본보기가 되는 |
| **relegate** | to banish ; to send away 내쫓다 ; 추방하다 |
| **anecdote** | a brief, entertaining story 재미있는 짧은 이야기, 일화 |
| **scanty** | inadequate ; minimal 불충분한 ; 최소한의 |
| **fallacious** | false 그릇된 |
| **acclaim** | praise ; applause ; admiration 칭찬 ; 갈채 ; 찬양 |
| **uniform** | consistent ; unchanging ; the same for everyone ; the same everywhere<br>일관된 ; 변화가 없는 ; 획일화된 ; 어디서나 똑같은 |
| **incoherent** | jumbled ; chaotic ; impossible to understand 난잡한 ; 혼란한 ; 이해할 수 없는 |
| **articulate** | speaking clearly and well 똑똑하고 분명하게 말하는 |
| **solicit** | to ask for ; to seek 간청하다 ; 추구하다 |
| **reproach** | to scold 꾸짖다 |
| **condescend** | to stoop to someone else' s level, usually in an offensive way ; to patronize<br>다른 사람의 수준으로 자기를 낮추다, 대개 불쾌하게 ; 선심쓰는 척 생색을 내다 |
| **orthodox** | adhering to established principles or doctrines, especially in religion ; by the book<br>기존의 근본 원칙이나 주의를 고수하는, 특히 종교에 있어서 ; 규칙대로의 |
| **indolence** | laziness 나태 |
| **congenial** | agreeable ; suitable ; pleasant 마음에 드는 ; 어울리는 ; 유쾌한 |
| **preclude** | to prevent ; to make impossible 방해하다 ; 불가능하게 하다 |
| **apprehensive** | worried ; anxious 걱정하는 ; 불안한 |
| **elaborate** | 1. detailed ; careful 2. to speck further 1. 상세한 ; 신중한 2. 부연하다 |
| **arrogant** | superior ; snooty 오만한 ; 남을 얕잡아 보는 |
| **elusive** | hard to pin down ; evasive 잡히지 않는 ; 회피하는 |
| **efface** | to erase ; to rub away the features of 지우다 ; ~의 모습을 지워 없애다 |
| **taciturn** | untalkative 과묵한 |
| **ameliorate** | to make better or more tolerable 개선하다 |
| **acquiesce** | to give in ; to agree 양보하다 ; 동의하다 |
| **atrophy** | to waste away from lack of use 쓸모가 없어 위축되다, 쇠약해지다 |
| **dubious** | doubtful ; uncertain 의심스러운 ; 확실하지 않은 |
| **flagrant** | shocking ; outstandingly bad 고약한 ; 나쁜 것으로 유명한 |

| | |
|---|---|
| **concise** | brief and to the points ; succinct 짧고 적절한 ; 간결한 |
| **immutable** | unchangeable ; permanent 불변의 ; 영구적인 |
| **static** | 1. stationary ; not changing or moving 2. interference<br>1. 정지한 ; 변하거나 움직이지 않는 2. 전파 방해 |
| **credulous** | believing ; gullible 잘 믿는 ; 잘 속는 |
| **blasphemy** | irreverence ; an insult to something held sacred 불손 ; 신성 모독 |
| **coalesce** | to come together as one ; to fuse 하나로 합치다 ; 융합시키다 |
| **cryptic** | mysterious ; mystifying 신비한 ; 사람을 미혹시키는 |
| **levity** | lightness ; frivolity 경박스러움 ; 천박한 행동 |
| **ambivalent** | undecided ; blowing hot and cold 미정인 ; 이랬다 저랬다 하는 |
| **innate** | existing since birth ; inborn ; inherent 타고난 ; 선천적인 ; 고유의 |
| **sycophant** | one who sucks up to others 다른 사람에게 아첨떠는 사람 |
| **amiable** | friendly 상냥한 |
| **esoteric** | hard to understand ; understood by only a select few ; peculiar<br>난해한 ; 선택된 소수만이 알 수 있는, 비밀의 ; 기묘한 |
| **extraneous** | irrelevant ; unnecessary ; unimportant 관계없는 ; 불필요한 ; 하찮은 |
| **tedious** | boring 지루한 |
| **caustic** | like acid ; corrosive ; burning 산 같은 ; 부식성의 ; 강렬한 |
| **inadvertent** | careless ; without intention 부주의한 ; 우연한 |
| **exhaustive** | thorough ; complete 철저한 ; 완전한 |
| **incongruous** | not harmonious ; not consistent 어울리지 않는 ; 일치되지 않는 |
| **belittle** | to insult 얕보다 |
| **unprecedented** | happening for the first time ; never seen before 처음으로 발생한 ; 전례가 없는 |
| **digress** | to go off the subject 주제에서 벗어나다 |
| **appease** | to soothe ; to pacify by giving in to 달래다 ; 양보해서 진정시키다 |
| **frivolous** | not serious ; not solemn with levity 사소한 ; 경솔해서 진지하지 못한 |
| **instigate** | to provoke ; to stir up 자극하다 ; 선동하다 |
| **sage** | 1. wise 2. a wise person 1. 현명한 2. 현자 |
| **predecessor** | someone or something that came before another 전임자 또는 앞선 것 |
| **jeopardy** | danger 위험 |
| **tangible** | touchable ; palpable 만져서 알 수 있는 ; 명백한 |
| **indulgent** | lenient ; yielding to desire 너그러운 ; 욕구를 쉽게 들어주는 |
| **remorse** | sadness ; regret 비애 ; 후회 |
| **pivotal** | crucial 결정적인 |
| **scrupulous** | strict ; careful ; ethical 엄격한 ; 주의 깊은 ; 도덕적인 |

| | |
|---|---|
| **refute** | to disprove ; to prove to be false 반박하다 ; 잘못된 것을 증명하다 |
| **respite** | a rest ; a period of relief 휴식 ; 일시적인 휴식 |
| **stoic** | indifferent (at least outwardly) to pleasure 쾌락에 무관심한 (적어도 표면적으로는) |
| **volatile** | quick to evaporate ; highly unstable ; explosive 휘발성의 ; 매우 불안정한 ; 폭발성의 |
| **peripheral** | unimportant ; on the edges 중요치 않은 ; 주변적인 |
| **hedonistic** | pleasure-seeking ; indulgent 쾌락을 추구하는 ; 멋대로 하게 하는 |
| **idiom** | a peculiar expression 특정한 언어 표현 |
| **benefactor** | a generous donor 관대한 기증자 |
| **brevity** | briefness 간결함 |
| **apocryphal** | of doubtful origin ; false 출처가 의심스러운 ; 허위의 |
| **virtuoso** | masterful musician ; a masterful practitioner in some other field<br>음악의 거장 ; 그 외 다른 분야에서의 거장 |
| **slander** | to defame ; to speak maliciously and untruly of someone<br>중상하다 ; 누군가에 대해 악의를 가지고 허위사실을 말하다, 중상 모략하다 |
| **animosity** | resentment ; hostility 분노 ; 원한 |
| **deplete** | to use up ; to reduce 다 써버리다 ; 삭감하다 |
| **amity** | friendship 친선 |
| **stringent** | strict ; restrictive 엄격한 ; 제한적인 |
| **voluminous** | very large ; spacious (this word has nothing to do with sound)<br>매우 큰 ; 드넓은 (이 단어는 소리와는 관계가 없다) |
| **auspicious** | favorable ; promising ; pointing to a good result 순조로운 ; 유망한 ; 좋은 결과를 시사하는 |
| **fickle** | capricious ; whimsical ; indecisive 급변하는 ; 변덕스러운 ; 우유부단한 |
| **lethargy** | sluggishness ; laziness ; drowsiness 무기력 ; 나태 ; 졸음 |
| **hackneyed** | banal ; overused ; trite (a cliche is a hackneyed expression)<br>진부한 ; 남용하는 ; 케케묵은 (a cliche는 진부한 표현을 일컫는다) |
| **amass** | to accumulate 쌓다, 모으다 |
| **willful** | deliberate ; obstinate ; insistent on having one' s way 고의적인 ; 고집센 ; 자신의 방식만을 고집하는 |
| **bastion** | stronghold ; fortress ; fortified place 성채 ; 요새 ; 요새화한 곳 |
| **trepidation** | fear ; apprehension ; nervous trembling 공포 ; 불안 ; 불안으로 떰 |
| **desecrate** | to profane a holy place (the opposite is consecrate) 성지를 더럽히다 (반대말은 신성하게 하다) |
| **fortuitous** | accidentally fortunate ; occurring by chance 뜻밖에 운이 좋은 ; 우연히 일어난 |
| **vehement** | urgent ; passionate 긴급한 ; 열렬한 |
| **assuage** | to soothe ; to pacify ; to relieve 완화하다 ; 달래다 ; 덜어주다 |
| **prodigious** | extraordinary ; enormous 비상한 ; 거대한 |
| **torpor** | sluggishness ; inactivity ; apathy 나태함 ; 무기력 ; 무관심 |
| **furtive** | secretive 비밀의 |

| | |
|---|---|
| **supercilious** | haughty ; patronizing ; arrogant 거만한 ; 오만한 ; 거드름 부리는 |
| **prudent** | careful ; having foresight 신중한 ; 통찰력이 있는 |
| **verbose** | wordy ; overly talkative 말이 많은 ; 장황한 |
| **pedestrian** | common ; ordinary ; banal (secondary meaning) 평범한 ; 보통의 ; 진부한 (부차적인 의미로) |
| **innocuous** | harmless ; banal 무해한 ; 평범한 |
| **fanatic** | one who is extremely devoted to a cause or idea 이념이나 사상에 극단적으로 빠져 있는 사람, 광신자 |
| **enhance** | to make better ; to augment 향상시키다 ; 증가시키다 |
| **retract** | to take back ; to withdraw ; to pull back 철회하다 ; 뒤로 물리다 ; 후퇴하다 |
| **ambiguous** | unclear in meaning ; confusing 의미가 분명치 않은 ; 혼란시키는 |
| **paucity** | scarcity 부족, 결핍 |
| **rescind** | to repeal ; to take back formally 폐지하다 ; 공식적으로 폐기하다 |
| **subtle** | not obvious ; not able to make fine distinctions ; crafty 분명치 않은 ; 쉽게 구별할 수 없는 ; 교묘한 |
| **zealous** | fervent ; enthusiastically devoted to something 열정적인 ; 열광적으로 뭔가에 몰두하는 |
| **benign** | gentle ; not harmful 친절한 ; 해를 입히지 않는 |
| **emulate** | to strive to equal or excel, usually through imitation 대개 모방을 통해서 같아지거나 이기려고 노력하다 |
| **innumerable** | too many to number or count 너무 많아서 셀 수 없는 |
| **meander** | to wander slowly 정처없이 헤매다 |
| **authoritarian** | bossy ; tyrranical 권위적인, 으스대는 ; 독재적인 |
| **brawn** | bulk ; muscles 덩어리 ; 근육, 완력 |
| **contrite** | deeply apologetic ; remorseful 깊이 사죄하는 ; 후회하는 |
| **exemplify** | to serve as an example of 예시하다 |
| **facilitate** | to make easier 쉽게 하다 |
| **hypothetical** | unproven ; theoretical 증명되지 않은, 가설의 ; 이론상의 |
| **recalcitrant** | stubbornly defiant of authority or control 권위나 규제에 완강하게 반발하는 |
| **ambulatory** | able to walk ; walking 걸을 수 있는 ; 보행의 |
| **diffident** | timid ; lacking in self-confidence 소심한 ; 자신감이 부족한 |
| **drone** | to talk on and on in a dull way 낮은 소리로 단조롭게 말하다 |
| **gullible** | overly trusting ; willing to believe anything 지나치게 잘 믿는 ; 기꺼이 믿는 |
| **marred** | damaged ; bruised 손상된 ; 상처 난 |
| **nullify** | to cancel 취소하다 |
| **parsimony** | stinginess 인색함 |
| **propriety** | properness ; good manners 타당함 ; 예의바름 |
| **rejuvenate** | to make young again 다시 젊어지게 하다 |
| **skeptical** | doubting (opposite of gullible) 의심 많은 (잘 속는의 반대말) |
| **tenacious** | tough ; hard to defeat 질긴 ; 깨부수기 어려운 |

| | |
|---|---|
| **animated** | alive ; moving 살아 있는 ; 움직이는 |
| **authentic** | real 진짜의 |
| **bias** | prejudice ; tendency ; tilt 편견 ; 성향 ; 한 편으로 기울기 |
| **blithe** | carefree ; cheerful 태평스러운 ; 즐거운 |
| **dearth** | a lack of ; scarcity 결핍 ; 부족 |
| **divert** | to change the direction of ; to alter the course of ; to amuse<br>방향을 바꾸다 ; 진로를 수정하다 ; 즐겁게 하다 |
| **enthrall** | to thrill 감동시키다 |
| **heed** | to listen to ; to follow, as in advice 귀 기울여 듣다 ; 충고대로 따라가다 |
| **hindrance** | an obstruction ; an annoying interference or delay 방해물 ; 귀찮은 간섭이나 지연 |
| **irascible** | irritable 화를 잘 내는 |
| **merger** | a joining 합병 |
| **nostalgia** | a sentimental longing for the past 과거를 그리워하는 감정 |
| **pretentious** | pompous ; self-important 점잔 빼는 ; 거드름 피우는 |
| **saccharine** | sweet ; excessively or disgustingly sweet 달콤한 ; 지나치거나 메스꺼울 정도로 단 맛이 나는 |
| **stanza** | a section of a poem ; verse 시의 한 마디, 절 ; 시구 |
| **venerate** | to revere ; to treat as something holy, especially because of great age<br>숭배하다 ; 특별히 연장자에 대해 경외감을 갖고 대하다, 공경하다 |
| **vilify** | to say vile things about ; to defame ; to make into a villain<br>비열한 말을 하다 ; 중상 모략하다 ; 악한으로 만들다 |
| **soothe** | to calm ; to ease pain ; to relieve 가라앉히다 ; 통증을 덜어주다 ; 경감시키다 |
| **vigor** | strength ; liveliness 힘 ; 활기 |
| **trivial** | unimportant ; insignificant 사소한 ; 대수롭지 않은 |
| **vulnerable** | in danger ; unprotected 위험에 처해 있는 ; 무방비의 |
| **qualify** | to state exceptions to a general statement 일반적인 진술에 이의를 달다, 수정하다 |
| **essential** | important ; vital ; absolutely necessary 중요한 ; 중대한 ; 절대적으로 필요한 |
| **detrimental** | harmful ; working against 해로운 ; 나쁘게 작용하는 |
| **prosperous** | wealthy ; well-off 부유한 ; 잘 사는 |
| **somber** | gloomy ; serious 우울한, 음울한 ; 심각한 |
| **terse** | brief ; concise ; to the point 간결한 ; 간명한 ; 핵심을 찌르는 |
| **opaque (opacity)** | dark ; unclear ; impossible to see through or understand<br>어두운 ; 분명하지 않은 ; 꿰뚫어보거나 이해하기 힘든 |
| **opposition** | disagreement ; opinions against ; people against ; the other side<br>불일치 ; 반대의 의견 ; 적대적인 사람 ; 상대편 |
| **reprove** | to criticize mildly 부드럽게 꾸짖다 |
| **prolong** | to lengthen in extent or duration 범위나 기간을 늘리다 |

| | |
|---|---|
| **viable** | workable ; capable of living 작동 가능한 ; 생존 가능한 |
| **enlighten** | to inform ; to explain 계몽하다, 알리다 ; 설명하다 |
| **inquisitive** | curious 호기심이 많은 |
| **solitary** | alone ; isolated 혼자만의 ; 고립된 |
| **modest** | shy ; reserved ; not extreme 겸손한, 수줍은 ; 삼가는 ; 과격하지 않은 |
| **progressive** | moving forward 전진하는 |
| **plausible** | believable 믿을 만한 |
| **spontaneous (spontaneity)** | happening without apparent cause ; happening freely ; free<br>명백한 동기 없이 발생하는 ; 마음대로 일어나는 ; 자유로운 |
| **distinguish** | to recognize something separately 다른 것과 구분하여 인식하다 |
| **serene (serenity)** | quiet ; calm ; peaceful 고요한 ; 조용한 ; 평화로운 |
| **exotic** | foreign ; uncommon ; from a distant place ; unusual<br>외국의 ; 보통이 아닌 ; 먼 곳에서 온 ; 일반적이지 않은 |
| **ruffle** | to disturb the smoothness of ; to upset mildly<br>~의 평탄함을 깨뜨리다 ; 약간 어지럽히다 |
| **capricious (caprice)** | unpredictable ; likely to change the basic fact ; the maximum ; a final aim<br>예측할 수 없는 ; 기본적인 사실을 쉽게 바꾸는 ; 최고점 ; 최종적인 목표 |
| **transparent** | clear ; easily seen ; easily understood<br>맑은, 투명한 ; 쉽게 보이는 ; 쉽게 이해되는 |
| **theoretical** | not based on experience ; in theory only ; unproven |
| | 경험에 기초하지 않은 ; 단순히 이론적인 ; 증명되지 않은 |
| **sympathy** | shared understanding or feeling 동정, 동감 |
| **verify** | to prove or test the truth of 진실 여부를 증명, 또는 시험해보다 |
| **flourish** | to grow well ; to grow strong ; to grow abundantly<br>잘 자라다 ; 강해지다 ; 풍성하게 자라다 |
| **incidental** | occurring accidentally ; by the side ; of less importance<br>우연히 일어나는 ; 부수적인 ; 덜 중요한 |
| **morose** | gloom ; sullen ; sad 우울한 ; 부루퉁한 ; 슬픈 |
| **rotund** | round 둥근 |
| **vital** | alive ; of great importance ; crucial 살아 있는 ; 아주 중요한 ; 결정적인 |
| **widespread** | occurring widely 광범위하게 발생하는 |
| **expunge** | to erase ; to strike out 지우다 ; 삭제하다 |
| **repulse** | to send back ; to reject 퇴짜놓다 ; 거절하다 |
| **color** | to affect, especially to influence another' s opinions or beliefs<br>영향을 미치다, 특히 다른 사람의 의견이나 신념에 영향을 끼치다 |
| **prevaricate** | to lie 거짓말하다 |

| | |
|---|---|
| **meticulous** | especially careful ; paying close attention to detail<br>유별나게 신중한 ; 사소한 것에도 주의를 기울이는 |
| **effectual** | effective 효과적인 |
| **reserved** | self-restrained ; modest ; retiring ; not showy<br>스스로 삼가는 ; 겸손한 ; 삼가는 ; 허세부리지 않는 |
| **swindler** | a cheat ; a con man 교활한 녀석 ; 사기꾼 |
| **volunteer** | to offer freely ; to join a cause 아낌없이 주다 ; 하나의 주장에 합류하다 |
| **harmony** | pleasant agreement ; friendship 기분좋은 일치 ; 화목 |
| **inspire** | to encourage ; to give hope to 격려하다 ; 용기를 주다 |
| **glutton** | one who eats or consumes excessively 과도하게 먹는 사람, 지나치게 많이 소비하는 사람 |
| **isolated** | alone ; single ; unconnected 혼자의 ; 하나인 ; 교류없이 고립된 |
| **integrity** | honesty ; trustworthiness 정직 ; 신뢰성 |
| **responsive** | readily able to respond ; friendly 손쉽게 반응할 수 있는 ; 친근한 |
| **wary** | cautious ; unsure 조심스러운 ; 확신이 없는 |
| **deliberate** | to think over 신중하게 생각하다 |
| **barren** | unproductive ; lacking ; desolate 불모의 ; 부족한 ; 황폐한 |
| **corrupt** | to make impure 오염시키다 |
| **rigidity** | stiffness ; unwillingness to change or bend 단단함 ; 굽거나 변하지 않음 |
| **tonic** | something that refreshes ; a refreshing or invigorating drink<br>원기를 회복시켜 주는 것 ; 강장제 |
| **devotion** | loyalty 충성 |
| **explicit** | to make clear and specific ; stated 명백하고 구체적으로 만들다 ; 명백히 규정된 |
| **tragic** | disastrous 비참한 |
| **elegance** | refinement ; grace 세련 ; 우아함 |
| **vivid** | clear and bright 분명하고 선명한 |
| **weight** | importance 중요성 |
| **surfeit** | excess ; excessive amount ; overeating or overdrinking<br>초과 ; 지나치게 많은 양 ; 폭식, 폭음 |
| **void** | emptiness 공백 |
| **revelation** | something revealed ; insight ; an understanding given by someone else<br>폭로된 것 ; 식견 ; 다른 사람을 통해서 알게된 사실 |
| **novice** | beginner 신참 |
| **retaliation** | revenge 보복 |
| **intensify** | to increase the strength, size, or force of ; to make more severe<br>힘, 크기, 강도 등을 세게 하다 ; 더 심하게 만들다 |
| **soporific** | sleep inducing ; extremely boring 잠들게 하는 ; 몹시 지루한 |

| | |
|---|---|
| **subjugate** | to subdue and dominate ; to enslave 정복해서 지배하다 ; 노예로 만들다 |
| **superfluous (superfluity)** | extra ; unnecessary 여분의 ; 불필요한 |
| **remote** | far away ; unfriendly 멀리 떨어진 ; 비우호적인 |
| **resourceful** | able to deal effectively with different situations<br>서로 다른 상황에 효과적으로 대처할 수 있는 |
| **ratify** | to approve formally or officially 의례적으로 또는 공식적으로 인가하다, 비준하다 |
| **stalemate** | a stand-off ; a situation where nobody wins 동점 ; 아무도 이기지 못하는 상황, 무승부 |
| **sporadic** | stopping and starting ; scattered ; occurring at irregular intervals<br>산발적으로 일어나는 ; 산재한 ; 불규칙적인 주기로 발생하는 |
| **ominous** | threatening 위협적인 |
| **vociferous** | loud ; outspoken 큰소리의 ; 거리낌없이 말하는 |
| **monarch** | a single ruler ; a king or queen 유일한 통치자 ; 왕이나 여왕 |
| **kindle** | to begin to burn 불붙기 시작하다 |
| **variable** | changing 잘 변하는 |
| **trunk** | the main body of something 사물의 주요 부분 |
| **harsh** | severe ; demanding ; unfriendly 엄격한 ; 큰 노력을 요하는 ; 친근하지 않은 |
| **sanction** | formal or official approval ; a legal penalty 의례적이거나 공식적인 승인 ; 법적 제재 |
| **tranquil** | quiet ; calm ; serene 조용한 ; 평온한 ; 평화로운 |
| **synchronize** | to cause to act on the same schedule 같은 순서로 동시에 일어나게 하다 |
| **swagger** | to strut 거들먹거리며 걷다 |
| **uproar** | noisy excitement or confusion 떠들썩한 소동이나 혼란 |
| **strut** | to walk with overconfidence 오만하게 걷다 |
| **spurious** | false ; fake 거짓의 ; 속임수의 |
| **wayward** | going one's own way ; erratic ; unpredictable<br>자기 방식대로만 하는 ; 변덕스러운 ; 예측불가능한 |
| **optimism** | hope ; a positive outlook 희망 ; 긍정적인 사고 |
| **slight** | an insult 모욕 |
| **affectation (affected)** | artificial behavior, usually intended to impress<br>일반적으로 남에게 잘 보이기 위해 꾸며서 하는 행동 |
| **enhance** | to improve ; to make better 개선하다 ; 보다 낫게 만들다 |
| **extreme** | intense ; remote ; drastic ; severe 극단적인 ; 거리가 먼 ; 격렬한 ; 가차없는 |
| **malice** | ill will ; a desire to harm 악의 ; 원한 |
| **inhibit** | to hold back ; to restrain 억제하다 ; 삼가다 |
| **relieve** | to ease ; to free from an unpleasant situation 덜어주다 ; 고통스런 상황에서 풀어주다 |
| **stolid** | emotionless 무감동한 |

| | |
|---|---|
| **severe** | harsh ; demanding ; painful ; serious ; without frills<br>엄격한 ; 요구가 지나친 ; 고통스러운 ; 심각한 ; 가식이 없는 |
| **weary** | tired ; exhausted 피곤한 ; 지친 |
| **endurance** | ability to last 인내심 |
| **vertical** | upright ; standing up ; perpendicular to the ground 수직의 ; 위로 향한 ; 땅에서 직립한 |
| **table** | to remove from consideration 묵살하다 |
| **zany** | light-hearted ; crazy 쾌활한 ; 미친 |
| **durable** | lasting 지속적인 |
| **arrogant** | cocky ; overconfident 거만한 ; 자부심이 강한 |
| **tailor** | to shape or alter for a particular purpose 특별한 목적에 맞추어 모양을 만들거나 변형하다 |
| **submissive** | giving in easily 유순한 |
| **mosaic** | a detailed pattern made from many different tiles or pieces<br>많은 타일이나 조각들로 세밀하게 만들어낸 모양 |
| **trite** | unoriginal ; overused 독창적이지 못한 ; 진부한 |
| **vague** | unclear ; lacking definite shape or substance 막연한 ; 명확한 모양이나 형체가 없는 |
| **ethical** | moral ; correct ; honest 도덕적인 ; 올바른 ; 정직한 |
| **raucous** | harsh or rough-sounding 귀에 거슬리는 |
| **predicament** | a difficult situation, especially when a tough choice must be made<br>힘든 선택을 해야 하는 어려운 상황 |
| **stupor** | mental confusion 혼수상태, 인사불성 |
| **reform** | to improve ; to change for the better 개혁하다 ; 개선하다 |
| **scale** | to climb up 산을 오르다 |
| **prose** | ordinary speech or writing (as opposed to poetry)<br>일상적인 말이나 글, 산문 (시에 반대되는 개념으로) |
| **valid** | having legal force ; sound 법적인 효력이 있는 ; 법률적으로 유효한 |
| **traditional** | as was done in the past ; customary 과거에 행해진 대로의 ; 관습적인 |
| **tardy** | late 늦은 |
| **diminish** | to reduce ; to make less 줄이다 ; 작게 만들다 |
| **sullen** | sulky ; in a bad mood 음울한 ; 기분이 좋지 않은 |
| **tirade** | a long, angry speech 길고 듣기 싫은 말, 장광설 |
| **wooden** | stiff ; inflexible 뻣뻣한 ; 굽혀지지 않는 |
| **rebuff** | to reject ; to snub ; to refuse abruptly 거절하다 ; 퇴짜놓다 ; 퉁명스럽게 거부하다 |
| **anonymous (anonymity)** | of unknown identity 익명의 |
| **sluggard** | a lazy person 게으른 사람 |
| **theology** | the study of religion 신학 |
| **surmise** | to guess 추측하다 |

| | |
|---|---|
| **pompous (pomposity)** | arrogant ; cocky ; showy 거만한 ; 잘난 체하는 ; 허세부리는 |
| **profane (profanity)** | not having to do with religion ; irreligious ; unholy ; disrespectful<br>종교와 관계가 없는 ; 세속적인 ; 신성하지 않은 ; 불경스러운 |
| **newfangled** | new ; untested 최신의 ; 검증되지 않은 |
| **intricate** | detailed ; complex 상세한 ; 복잡한 |
| **well-founded** | based on solid evidence or good reasons 명백한 증거나 합리적인 이유에 근거한 |
| **fertile** | productive ; supporting plants 다산의 ; 식물이 잘 자라게 하는, 비옥한 |
| **gill** | the breathing organ of a fish 물고기의 숨쉬는 기관, 아가미 |
| **unruly** | difficult to control ; disobedient 통제하기 힘든 ; 순종하지 않는 |
| **stratagem** | a trick or deception 술책이나 속임수 |
| **splinter** | a sharp, slender piece broken or split off from something ; to split<br>깨어지거나 부서져서 생긴 날카로운 작은 조각, 파편 ; 쪼개지다 |
| **thimble** | small protective cap that protects a fingertip 손 끝을 보호하는 작은 보호막, 골무 |
| **treachery** | betrayal of trust 신뢰에 대한 배반 |
| **troupe** | a company of actors, singers, or dancers 배우나 가수, 무희가 소속된 회사, 흥행업체 |
| **virtuous** | honest ; moral ; ethical 정직한 ; 도덕적인 ; 윤리적인 |
| **blueprint** | the plan of a building ; a detailed plan 건물의 설계도 ; 세부적인 계획안 |
| **indifferent** | having no feeling about a matter ; not really caring ; unbiased<br>무관심한 ; 정말로 관심이 없는 ; 편견이 없는 |
| **jovial** | happy ; in good spirits ; jolly 행복한 ; 아주 기분 좋은 ; 즐거운 |
| **vestige (vestigial)** | the remains of something that no longer exists 더 이상 존재하지 않는 사물의 흔적, 자취 |
| **soloist** | an individual performer 독주자 |
| **vent** | to give expression to ; to release one's feelings 감정을 드러내다 ; 감정을 발산하다 |
| **undermine** | to weaken the support of ~의 기반을 약화시키다 |
| **replete (repletion)** | completely filled ; stuffed ; abounding 충분히 채워진 ; 가득 채워진 ; 풍부한 |
| **prudish (prude)** | overly concerned with being modest or proper 겸손함이나 올바름에 지나치게 신경을 쓰는 |
| **vindictive** | revengeful 복수심이 있는 |
| **trespass** | to invade another's property ; to overstep ; to commit an offense<br>다른 사람의 재산을 침해하다 ; 침범하다 ; 위반하다 |
| **bear** | to endure ; to put up with 참다 ; 인내하다 |
| **salutary** | beneficial ; wholesome 유익한 ; 건강에 좋은 |
| **renounce** | to resign ; to disown ; to give up formally ; to reject<br>사직하다 ; 관계를 부인하다 ; 공식적으로 포기하다 ; 거절하다 |
| **thrive** | to grow strong ; to flourish 강해지다 ; 번창하다 |
| **wince** | to shrink in pain 고통으로 움츠리다 |
| **meager** | thin ; of small quantity 얇은 ; 양이 적은 |

**flower** to flourish ; to mature well 번성하다 ; 잘 숙성하다

**turbulent** stormy 휘몰아치는

**erratic** inconsistent ; unpredictable ; constantly changing ; all over the place
일관성이 없는 ; 예측할 수 없는 ; 끊임없이 변하는 ; 여기저기에 다 있는

**spacious** roomy ; having a lot of space 넓은 ; 공간이 많은

**determined** firm of purpose ; unwavering 목적이 확고한 ; 동요하지 않는

**hyperbole** an exaggeration 과장법

**hypocrisy (hypocrite)** pretending to feelings or beliefs one does not have ; insincere
있지도 않은 감정이나 신념을 꾸며대는, 위선의 ; 불성실한

**uphold** to maintain or fight for 유지하거나 옹호하다

**swell** to grow large 팽창하다

**protrude** to push outward 밖으로 밀고 나오다

**uncouth** ill-mannered 무례한, 무뚝뚝한

**warm** friendly ; kind 친절한 ; 상냥한

**repress** to hold back ; to hold down ; to restrain 억제하다 ; 진압하다 ; 속박하다

**irrational** incoherent ; illogical ; without apparent reason 모순된 ; 비논리적인 ; 분명한 근거가 없는

**paradigm** a good model or example 전형, 모범

**ponder** to think over deeply 깊이 생각하다

**clarify** to make clear 분명하게 하다

**sinister** evil ; threatening 사악한 ; 불길한

**preposterous** unbelievable ; implausible 믿을 수 없는 ; 그럴듯하지 않은

**residual** left over when something is gone 어떤 것이 사라진 뒤에 남아 있는, 잔여의

**revive** to bring back to life 다시 살아나게 하다

**oasis** a fertile spot in a desert or barren place ; an enjoyable place
사막이나 불모의 땅 안에 있는 비옥한 곳 ; 안식처

**motive** a reason or justification to do something 어떤 것을 하는 이유나 변명, 정당화

**vitality** liveliness ; energetic 생기 ; 활력

**hindrance** an obstruction ; something that gets in the way 방해 ; 가로막고 있는 것

**symbolism** representation by signs or symbols 기호나 상징에 의한 표현

**formal** strictly following traditions or conventions ; stiff ; rigid
전통이나 관례를 엄격하게 따르는, 형식적인 ; 단호한 ; 엄격한

**proliferate** to spread rapidly 빠르게 퍼져나가다

**hasten** to quicken ; to speed up 재촉하다 ; 빨리 하게 하다

**summons** an order to appear in court 법정에 출두하라는 명령, 소환

**heart** courage ; spirit 용기 ; 정신

**stymie** to get in the way of ; to hinder 끼어들다 ; 방해하다

| | |
|---|---|
| **stilts** | tall, slender supporting posts 높고 가느다란 기둥 |
| **effervescent** | bubbly 거품이 이는 |
| **stratify (stratum)** | to make into layers 계층화하다 |
| **suppress** | to hold down ; to hold back 억제하다 ; 진압하다 |
| **tumor** | a local growth of abnormal tissue in the body 신체 내에 비정상적인 조직이 부분적으로 자라남, 종양 |
| **hangar** | storage facility for planes 비행기를 보관하는 창고 시설, 격납고 |
| **subside** | to sink ; to become less active 가라앉다 ; 무력해지다 |
| **pushover** | a person easily influenced or exploited 쉽게 영향받거나 이용당하는 사람 |
| **condense** | to compress ; to shorten 압축하다 ; 단축하다 |
| **compromise** | to settle differences ; to agree (rarely : to expose to suspicion or ridicule)<br>의견 차이를 해결하다 ; 동의하다(드물게 : 의심을 받거나 조롱거리가 되게 하다) |
| **extensive** | widespread 광범위한 |
| **paltry** | of a tiny or insignificant amount ; meager ; scant 아주 작거나 보잘것없는 양의 ; 빈약한 ; 부족한 |
| **ponderous** | heavy ; difficult 무거운 ; 어려운 |
| **turpitude** | shameful wickedness ; evil 부끄러운 사악함, 비열함 ; 사악함 |
| **utter** | to say 말하다 |
| **shrine** | a holy site 성지 |
| **surreptitious** | secret ; sneaky 비밀의 ; 속이는 |
| **impose** | to establish on others by force or authority<br>강제나 권한에 의해서 다른 사람에게 만들어 놓다, 부과하다, 강제하다 |
| **accolade** | an award ; an honor 상 ; 영예 |
| **impulsive** | tending to act thoughtlessly 생각 없이 행동하는 경향이 있는, 충동적인 |
| **material** | substantial ; important 실질적인 ; 중요한 |
| **synopsis** | a brief statement or outline 간단한 진술이나 개요, 요약 |
| **seminary** | a school for religious training 종교적인 교육을 하는 학교 |
| **placate** | to please ; to soothe 달래다 ; 진정시키다 |
| **proclaim** | to state publicly 공개적으로 말하다, 선언하다 |
| **savor** | to taste something delicious 맛을 즐기다, 맛을 감상하다 |
| **distant** | unfriendly ; uncommunicative 친근하지 않은 ; 잘 어울리지 않는, 말이 없는 |
| **quandary** | a state of uncertainty 불안한 상태, 곤경 |
| **miser** | a greedy person 욕심이 많은 사람 |
| **resplendent** | brilliant 빛나는 |
| **lure** | an attraction 유혹, 미끼 |
| **obstinate** | stubborn ; unyielding 완고한 ; 굴복하지 않는 |
| **ascendancy** | dominance ; being on top 지배권 ; 우세 |

| | |
|---|---|
| **sobriety (sober)** | seriousness 진지함 |
| **erroneous** | incorrect ; false ; mistaken 옳지 않은 ; 거짓의 ; 잘못 생각하고 있는 |
| **threadbare** | tattered 누더기의 |
| **unsung** | unrecognized ; uncelebrated 인정받지 못하는 ; 찬양되지 않는 |
| **rectify** | to correct ; to straighten ; to make amends for 교정하다 ; 똑바르게 하다 ; 보상하다 |
| **vulgarian** | a vulgar person 속물적인 사람 |
| **wake** | the track left when something leaves, especially a boat<br>뭔가가 지나간 흔적, 특히 배가 지나간 흔적 |
| **anxiety (anxious)** | deep nervousness 심한 걱정 |
| **gaunt** | thin and bony, especially from illness or lack of food<br>특히 질병이나 영양 부족으로 마르고 뼈만 남은 |
| **unilateral** | on one side only 한 쪽 편만의 |
| **embrace** | to hug ; to accept ; to adopt a cause ; to include 껴안다 ; 수락하다 ; 이념을 채택하다 ; 포함하다 |
| **check** | to stop ; to hold back ; to block 멈추다 ; 억제하다 ; 막다 |
| **tangential (tangent)** | off to the side ; secondary 거의 관계가 없는 ; 부차적인 |
| **trait** | a feature that characterizes someone 어떤 사람의 특징 |
| **obliterate** | to wipe out ; to destroy completely 닦아 없애다 ; 완전히 파괴하다 |
| **extricate** | to free from difficulty ; to remove something entangled ; to untangle<br>곤경에서 구해내다 ; 뒤얽혀 있는 것을 제거하다 ; 분규 등을 해결하다 |
| **tightfisted** | greedy 인색한 |
| **monotonous** | dull ; boring ; unchanging 단조로운 ; 지루한 ; 변화가 없는 |
| **superlative** | of the highest quality ; superb ; praiseworthy 최고의 ; 최고로 우수한 ; 칭찬 받을 만한 |
| **utilize** | to use 이용하다 |
| **fitful** | irregular ; subject to sudden, violent outbursts 불규칙적인 ; 갑자기 일어나는 ; 격렬한 분출의 |
| **transcribe** | to write down 적어놓다 |
| **foolhardy** | overly brave ; foolishly unaware of dangers 지나치게 무모한 ; 어리석을 정도로 위험을 무릅쓰는 |
| **torso** | the body 몸통 |
| **variegated** | diversified ; having great variety 여러 가지의 ; 아주 다양한 면이 있는 |
| **humility** | being humble 겸손 |
| **whim** | a sudden idea ; an impulse ; a caprice 갑작스러운 생각 ; 충동 ; 변덕 |

# The GRE Hit Parade

GRE 빈출 단어

2

## THE GRE HIT PARADE

GRE는 대학 졸업 인증 시험이다. GRE 중 두 파트는 전적으로 여러분의 어휘실력에 달려 있다. GRE 어휘는 SAT 어휘만큼이나 중요하다. 다음에 나오는 리스트는 GRE 시험에 자주 나오는 단어들이다. 또한 GRE에서 자주 다룰 것으로 유력시되는 단어들도 포함시켰다. GRE에서 좋은 성적을 얻기 바란다면, GRE와 SAT 힛 퍼레이드의 어휘들을 모두 잘 알고 있어야만 한다. 하루에 열 단어씩만 암기하라. 어휘에 자신 있다면 상관없지만, 그렇지 않다면, 오늘 당장 공부를 시작해야 한다.

GRE

| | |
|---|---|
| **manifest** | visible ; evident 눈에 보이는 ; 명백한 |
| **conventional** | customary ; unexceptional 습관적인 ; 예외가 아닌 |
| **partisan** | in support of a particular person, cause, or idea<br>특정한 사람이나 명분, 사상 등을 지지하는 |
| **contentious** | argumentative ; quarrelsome 논쟁하기 좋아하는 ; 싸우기 좋아하는 |
| **lament** | to mourn 슬퍼하다 |
| **allusion** | an indirect reference to something else, especially something in literature ; a hint<br>특히 문학에서 뭔가를 표현할 때, 간접적인 방법을 쓰는 암시 ; 넌지시 알림 |
| **arbiter** | one who decides 결정권자 |
| **inherent** | part of the essential nature of something ; intrinsic 본성의 한 부분인 ; 고유의, 본질적인 |
| **paradox** | a true statement or phenomenon that nonetheless seems to contradict itself<br>모순되는 것처럼 보이지만 진리인 말이나 현상 |
| **cynic** | one who deeply distrusts human nature ; one who believes people are motivated only by selfishness<br>인간의 본성을 깊이 불신하는 사람 ; 사람은 오직 이기심에 의해서만 행동한다고 믿는 사람 |
| **exposition** | expounding or explaining ; explanatory treatise 해설 또는 설명 ; 해설서 |
| **consensus** | unanimity or near unanimity 만장일치 또는 만장일치에 가까운 것 |
| **comprehensive** | covering or including everything 모든 것을 포함하거나 포괄하는 |
| **sagacious** | wise ; possessing wisdom derived from experience or learning<br>현명한 ; 경험이나 지식에서 나오는 현명함을 가지고 있는 |
| **precipitate** | to cause to happen abruptly 갑자기 일이 생기게 만들다, 재촉하다 |
| **pervade** | to spread throughout 구석구석까지 퍼지다, 스며들다 |
| **discourse** | 1. to converse ; to formally discuss a subject 2. a two-sided discussion<br>1. 담화하다 ; 공식적으로 토론하다 2. 쌍방간 토론 |
| **conjure** | to summon or bring into being as if by magic 마치 마법의 힘으로 한 것처럼 불러내다 |
| **sanction** | 1. to authorize or approve ; to ratify or confirm 2. a punitive measure<br>1. 승인하다 ; 실증하거나 확증하다 2. 제재 수단 |
| **genial** | cheerful and pleasant ; friendly 유쾌하고 즐거운 ; 친절한 |
| **indulgent** | lenient ; yielding to desire 관대한 ; 욕구에 쉽게 굴복하는 |
| **inert** | inactive ; not reacting chemically 움직이지 않는 ; 화학적으로 반응하지 않는 |
| **levee** | an embankment designed to prevent the flooding of a river 강의 범람을 막기 위해 고안된 제방 |
| **erratic** | unpredictable 예측할 수 없이 변덕스러운 |
| **luminous** | giving off light ; glowing ; bright 빛을 내는 ; 작열하는 ; 밝은 |
| **abstinent** | abstaining ; voluntarily not doing something 절제하는 ; 자발적으로 삼가는 |
| **placid** | pleasantly calm ; peaceful 기분 좋게 평온한 ; 평화스러운 |
| **exuberant** | extremely joyful or vigorous ; profuse in growth 매우 유쾌하고 기운이 넘치는 ; 성장이 잘 되는 |
| **impede** | to hinder ; to obstruct ; to slow something down 방해하다 ; 막다 ; 일을 지연시키다 |

| | |
|---|---|
| **permeate** | to spread or seep through ; to penetrate 퍼지거나 스며들다 ; 침투하다 |
| **audacity** | boldness ; impertinence 대담함 ; 건방짐 |
| **indignant** | angry, especially as a results of something unjust or unworthy<br>특별히 부당하거나 가치 없는 일의 결과로 화가 난 |
| **implicit** | implied rather than expressly stated 명백히 드러내기보다는 암시적인 |
| **renaissance/ renascence** | a rebirth or revival 부활 또는 부흥 |
| **superfluous** | extra ; unnecessary 여분의 ; 불필요한 |
| **litigate** | to try in court ; to engage in legal proceedings 소송을 제기하다 ; 법적 절차를 밟다 |
| **vex** | to annoy ; to pester 성가시게 하다 ; 괴롭히다 |
| **anomaly** | an aberration ; an irregularity ; a deviation 탈선 ; 불규칙 ; 일탈 |
| **bereave** | to leave desolate, especially through death 특히 주위 사람의 죽음으로 홀로 남기다 |
| **connoisseur** | an expert, particularly in matters of art or taste 특히 예술이나 미각에 있어 전문가 |
| **corroborate** | to confirm ; to back up with evidence 확증을 주다 ; 증거로 뒷받침하다 |
| **frenetic** | frantic ; frenzied 광란의 ; 열광적인 |
| **polemic** | a powerful argument often made in refutation of something 반박을 하는 강력한 주장 |
| **synthesis** | the combining of parts to form a whole 부분을 하나로 통합한 것 |
| **feasible** | able to be done 있음직한 |
| **forbear** | to refrain from ; to abstain 삼가다 ; 절제하다 |
| **genre** | an artistic class or category 예술의 종류 또는 범주 |
| **conciliatory** | appeasing ; attempting to resolve a dispute through goodwill<br>달래는 ; 선의로 분쟁을 해결하려 애쓰는, 회유하는 |
| **squalid** | filthy ; wretched ; degraded 더러운 ; 비참한 ; 타락한 |
| **inept** | clumsy ; incompetent 서투른 ; 무능한 |
| **mandatory** | authoritatively ordered or commanded ; necessary 강제로 명령받은 ; 필수의 |
| **disseminate** | to scatter or spread widely 널리 뿌리거나 퍼뜨리다 |
| **eclectic** | drawn from many sources 여러 재료에서 끌어낸, 절충적인 |
| **idyllic** | charming in a rustic way ; naturally peaceful 전원풍의 매력이 있는 ; 꾸밈없이 평화스러운 |
| **pristine** | unspoiled ; pure 섞이지 않은 ; 순수한 |
| **prodigy** | an extremely talented child ; an extraordinary accomplishment or occurrence<br>대단한 재능을 가진 아이, 신동 ; 뛰어난 업적 또는 이상한 사건 |
| **frugal** | economical ; penny-pinching 절약하는 ; 인색하게 구는 |
| **qualify** | 1. to modify or restrict 2. to earn a place 1.한정하거나 제한하다 2. 지위를 얻다 |
| **decorous** | in good taste ; orderly 좋은 태도를 가진 ; 예의바른 |
| **infer** | to conclude ; to deduce 결론짓다 ; 추론하다 |
| **ostentatious** | excessively conspicuous ; showing off 지나치게 눈에 띄는 ; 과시하는 |

| | |
|---|---|
| **pathology** | the science of diseases ; any deviation from a healthy, normal condition<br>병리학 ; 정상적인 건강에서 벗어난 상태 |
| **plumb** | 1. to measure the depth of something 2. perfectly vertical<br>1. 깊이를 측정하다 2. 완벽하게 수직을 이루는 |
| **spurious** | doubtful ; false 확실치 않은 ; 거짓의 |
| **subjugate** | to subdue and dominate ; to enslave 정복하여 지배하다 ; 노예로 만들다 |
| **visionary** | a dreamer 몽상가 |
| **reciprocal** | mutual ; shared 상호간의 ; 공용의 |
| **antipathy** | firm dislike ; hatred 확고한 반감 ; 증오 |
| **dissonant** | inharmonious ; in disagreement 부조화의 ; 일치되지 않는 |
| **palliate** | to hide the seriousness of something with excuses or apologies<br>변명이나 사과를 해서 일의 심각함을 숨기다 |
| **substantive** | having substance ; real ; essential ; solid ; substantial<br>실체가 있는 ; 진짜의 ; 본질적인 ; 충실한 ; 실재하는 |
| **surreptitious** | sneaky ; secret 몰래하는 ; 비밀의 |
| **equivocal** | 1. ambiguous ; intentionally confusing 2. fluctuating ; inconstant<br>1. 모호한 ; 고의적으로 혼란시키는 2. 동요하는 ; 변하기 쉬운 |
| **flippant** | frivolously shallow and disrespectful 경솔하게 천박하고 무례한 |
| **impervious** | not allowing anything to pass through ; impenetrable 침투할 수 없는 ; 받아들이지 않는 |
| **judicious** | exercising sound judgment 올바른 판단을 하는 |
| **laconic** | using few words 불필요한 말을 하지 않는 |
| **piquant** | pungent 자극적인, 입맛을 돋우는 |
| **satiric** | mocking with irony or ridicule 풍자를 하거나 비꼬아서 비웃는 |
| **sullen** | gloomy or dismal 우울한, 음침한 |
| **tacit** | implied ; not spoken 은연중의 ; 무언의 |
| **tractable** | easily managed or controlled ; obedient 쉽게 통제되거나 관리되는 ; 순종적인 |
| **impromptu** | without preparation ; on the spur of the moment 즉흥적인 ; 순간적 충동에 의한 |
| **parallel** | a comparison made between two things 두 개의 사물 사이의 비교 |
| **sterile** | unimaginative ; unfruitful ; infertile 상상력이 없는 ; 열매를 맺지 않는 ; 불모의 |
| **debauchery** | corruption by sensuality ; intemperance ; wild living 성적인 타락 ; 방종 ; 방탕한 생활 |
| **deleterious** | harmful 해로운 |
| **disinterested** | unbiased 편견이 없는, 공평한 |
| **fecund** | fertile ; productive 비옥한 ; 다산의 |
| **hermetic** | impervious to external influence ; airtight 외부의 요소가 침투할 수 없는 ; 밀폐된 |
| **salubrious** | promoting health 건강에 도움이 되는 |
| **foster** | to promote the growth or development of 성장이나 발전을 촉진시키다, 육성하다 |

| | |
|---|---|
| **transitory** | not staying for a long time ; temporary **오래 머무르지 않는 ; 일시적인** |
| **cacophony** | a harsh-sounding mixture of words, voices or sounds<br>**좋게 들리지 않는 말이나 사람의 소리나 여타 소리의 혼합, 불협화음** |
| **implement** | 1. to carry out 2. a tool **1. 실행하다 2. 도구** |
| **ingenuous** | unwarily simple ; candid ; naive **매우 순진한 ; 정직한 ; 소박한** |
| **malleable** | easy to shape or bend **형태를 잡거나 구부리기 쉬운** |
| **pungent** | forceful ; sharp or biting to the taste or smell **강렬한 ; 맛이나 냄새가 날카롭고 쏘는 듯한** |
| **savor** | to lingeringly enjoy the taste or smell of something **맛이나 냄새를 오래 음미하다** |
| **correlate** | to find or show the relationship of two things **두 사물의 상호 관계를 발견하거나 나타내다** |
| **facetious** | humorous not serious **심각하지 않고 익살맞은** |
| **kinship** | natural or family relationship **친족 관계** |
| **petulant** | cranky ; ill tempered **괴팍한 ; 성질이 나쁜** |
| **rampart** | a fortification ; a bulwark or defense **요새 ; 보루나 방어물** |
| **temerity** | boldness ; audacity **대담함 ; 대담성** |
| **truculent** | savagely brutal ; aggressively hostile **포학하게 사나운 ; 몹시 적개심을 갖고 있는** |
| **incisive** | cutting right to the heart of the matter **문제의 핵심을 정확히 집어내는** |
| **aberration** | something not typical ; a deviation from the standard **전형적이지 못한 것 ; 표준에서 벗어난 일탈 행위** |
| **abstemious** | sparing or moderate, especially in eating and drinking **아끼고 절제하는, 특히 먹는 것과 음주에 있어** |
| **alacrity** | cheerful readiness ; liveliness or eagerness **민첩하고 활기가 넘침 ; 활기 또는 열의** |
| **allocate** | to distribute ; to assign **분배하다 ; 할당하다** |
| **arid** | extremely dry ; unimaginative ; dull **메마른 ; 상상력이 빈곤한 ; 무미건조한** |
| **beget** | to cause or produce ; to engender **일을 야기하다, 만들다 ; 감정을 생기게 하다** |
| **conundrum** | a puzzle ; a riddle **수수께끼 ; 난제** |
| **debacle** | violent breakdown ; major disaster **격렬한 붕괴 ; 큰 재난** |
| **doggerel** | comic verse **엉터리 시** |
| **exorbitant** | exceedingly large or expensive **엄청나게 크거나 비싼** |
| **garrulous** | extremely chatty or talkative ; wordy or diffuse **몹시 수다스럽거나 말이 많은 ; 장황하거나 산만한** |
| **intransigent** | uncompromising ; stubborn **비타협적인 ; 고집이 센** |
| **maverick** | a nonconformist ; a rebel **순응하지 않는 사람 ; 반역자** |
| **turpitude** | shameful wickedness or depravity **부끄러운 나쁜 행동이나 타락** |
| **axiom** | a self-evident rule or truth ; a widely accepted saying **좌우명 또는 진리 ; 널리 용인된 격언이나 속담** |
| **beneficent** | doing good **좋은 일을 하는, 자선을 베푸는** |
| **capricious** | unpredictable ; likely to change at any moment **예측할 수 없는 ; 언제 어느 때고 변할 것 같은** |
| **circumlocution** | an indirect expression ; use of wordy or evasive language<br>**간접적인 표현 ; 장황하고 뜻이 분명치 않은 말의 사용** |

| | |
|---|---|
| **incursion** | a hostile invasion 적의 침입 |
| **invective** | insulting or abusive speech 무례하거나 욕설적인 말 |
| **placate** | to pacify ; to appease ; to soothe 달래다 ; 진정시키다 ; 누그러뜨리다 |
| **temperament** | one' s disposition or character 사람의 성향이나 성격 |
| **antiseptic** | free from germs ; exceptionally clean 세균이 없는 ; 아주 깨끗한 |
| **lax** | careless or negligent ; loose or slack 부주의하거나 태만한 ; 늘어지거나 맥이 빠진 |
| **accolade** | an award or honor ; high praise 상이나 영예 ; 격찬 |
| **assiduous** | hardworking ; busy ; diligent 부지런한 ; 분주한 ; 근면한 |
| **brook** | to bear or tolerate ; to put up with something 참거나 견디다 ; 참다 |
| **desiccate** | to dry out 건조시키다 |
| **erudite** | scholarly ; deeply learned 학술적인 ; 박식한 |
| **flag** | to weaken ; to slow down 약해지다 ; 속도가 떨어지다 |
| **impudent** | bold ; impertinent 대담한 ; 뻔뻔스러운 |
| **baleful** | menacing ; harmful 위협적인 ; 해로운 |
| **divergent** | differing in opinion ; deviating 의견이 다른 ; 정도에서 벗어난 |
| **effluvium** | a disagreeable or noxious vapor ; an escaping gas 악취가 나거나 유독성의 기체 ; 발산하고 있는 기체 |
| **evanescent** | vanishing or fading ; scarcely perceptible 사라지거나 없어지는 ; 거의 감지할 수 없는 |
| **exigent** | demanding prompt action ; urgent 즉각적인 조치를 필요로 하는, 급박한 ; 긴급한 |
| **exonerate** | to free completely from blame 비난을 완전히 면하게 해주다 |
| **flaunt** | to show off ; to display ostentatiously 과시하다 ; 허세를 부리듯 드러내다 |
| **improvident** | lacking prudent foresight ; careless 신중한 선견지명이 없는 ; 부주의한 |
| **ineluctable** | inescapable ; unavoidable 피할 수 없는 ; 불가항력적인 |
| **mellifluous** | sweetly flowing 듣기 좋게 유창한 |
| **oscillate** | to swing back and forth ; to fluctuate 왔다 갔다 하다 ; 동요하다 |
| **ossify** | to convert into bone ; to become rigid 뼈로 변화되다 ; 딱딱해지다 |
| **probity** | integrity ; uprightness ; honesty 완전무결 ; 공정함 ; 정직 |
| **proselytize** | to convert someone from one religion or doctrine to another ; to recruit converts to a religion or doctrine<br>종교나 신념을 바꾸게 하다, 전향시키다 ; 종교나 사상의 전향자를 모집하다, 전도하다 |
| **pundit** | a learned person ; an export in a particular field 학식 있는 사람 ; 특별한 분야의 전문가 |
| **recondite** | hard to understand 난해한 |
| **spendthrift** | extravagant or wasteful, especially with money 특히 돈을 낭비하고 방탕하게 쓰는 |
| **vacuous** | lacking ideas or intelligence 생각이나 지능이 부족한 |
| **coda** | a passage concluding a composition (in music) 음악에 있어 작곡을 마무리하는 부분 |
| **penchant** | strong taste or liking 강한 기호나 선호, 성향 |

| | |
|---|---|
| **abstruse** | difficult to understand or grasp 이해하기 어려운 |
| **cognizant** | observant ; aware of 관찰하고 있는 ; 알고 있는 |
| **gainsay** | to deny ; to speak of act against 부정하다 ; 반대하여 말하다 |
| **garner** | to gather and store ; to earn 모아서 쌓아두다, 저축하다 ; 얻다 |
| **obdurate** | stubborn ; inflexible 완고한 ; 불굴의 |
| **propinquity** | nearness 근접, 가까움 |
| **ribald** | vulgar or indecent speech or language 저속하거나 음란한 말 |
| **sinuous** | having many curves 굴곡이 많은 |
| **veracity** | truthfulness 정직, 성실 |
| **chronology** | an order of events from earliest to latest 과거에서 현재까지 일어난 사건의 순서, 연대기 |
| **economical** | frugal ; thrifty 절약하는 ; 검소한 |
| **conjoin** | to join or act together 결합하다, 모이다 |
| **panegyric** | lofty praise 격찬 |
| **pedagogue** | a teacher 교사, 선생님 |
| **reprobate** | a wicked, sinful, depraved person 사악하고 죄 많고 타락한 사람 |
| **untoward** | unfavorable or unfortunate ; improper 곤란하거나 운이 나쁜 ; 부적당한 |
| **welter** | a confused mass ; a commotion or turmoil 뒤범벅 ; 소요나 폭동 |
| **inchoate** | just beginning ; not yet organized or ordered 방금 시작한 ; 아직 조직되거나 정리되지 않은 |
| **problematic** | doubtful or questionable 의심스러운 |
| **timbre** | the quality of a sound independent of pitch and loudness<br>높낮이나 크기와는 다른 소리의 질, 음조, 음질 |
| **disavow** | to deny 부인하다 |
| **gerrymander** | to divide a state or county into election districts to gain political advantage<br>정치적 이득을 얻기 위하여 선거구를 조정하여 나누다 |
| **repugnant** | distasteful or offensive 싫고 불쾌한 |
| **taut** | tightly drawn ; tense 단단하게 당겨진 ; 긴장된 |
| **cajole** | to coax 달래서 ~하게 만들다 |
| **discomfit** | to confuse, deject, frustrate 당황하게 만들다, 낙담시키다, 좌절시키다 |
| **accrete** | to increase by growth or addition 배양이나 부착을 통해서 증가시키다 |
| **contumacious** | stubbornly rebellious or disobedient 완강히 반항하거나 복종하지 않는 |
| **fulsome** | offensively insincere 불쾌할 정도로 성실치 못한 |
| **homeostasis** | the tendency of an organic system to maintain internal stability<br>유기체가 내부의 안정성을 유지하려는 경향, 항상성 |
| **hone** | to sharpen 연마하다, 날카롭게 만들다 |
| **insolvent** | unable to pay one' s bills 지불할 수 없는 |

| | |
|---|---|
| **ligneous** | woodlike 나무처럼 생긴 |
| **motility** | spontaneous movement 자연적인 움직임, 운동성 |
| **munificent** | very generous ; lavish 매우 관대한 ; 아끼지 않는 |
| **neophyte** | a beginner 신참, 초심자 |
| **rivet** | to fix one' s attention on ; to attach 주의를 집중하다 ; 부착시키다 |
| **saturnine** | sluggish ; gloomy 활발하지 못한 ; 우울한 |
| **viscous** | thick, sticky and opaque 걸쭉하고 끈적거리며 우중충한, 찐득찐득한 |
| **distend (distension)** | to expand or extend greatly 넓히다, 팽창시키다 |
| **vilify** | to attack someone' s reputation ; to slander 다른 사람의 명예를 공격하다 ; 중상하다 |
| **din** | loud noise 시끄러운 소음 |
| **ebullient** | eager ; enthusiastic 열정적인 ; 정열적인 |
| **endemic** | native ; belonging to a specific region or people 토착의 ; 특별한 지역이나 사람들에게 속한 |
| **doff** | to take off, especially clothing 특히 옷을 벗다 |
| **somatic** | of the body 신체의, 육체의 |
| **chary** | careful ; cautious ; wary 신중한 ; 조심스러운 ; 주의 깊은 |
| **loll** | to hang out lazily 게으르게 늘어져 있다 |
| **gauche** | unsophisticated ; inelegant 세련되지 못한 ; 멋이 없는 |
| **apprise** | to inform 알리다 |
| **palatable** | tasty ; easily accepted 입에 맞는, 맛있는 ; 쉽게 받아들이는 |
| **quiescent** | to grow quiet ; calm 조용하게 되다 ; 고요한 |
| **verdant** | greenery ; fertile green fields 녹색의 ; 비옥한 녹색의 들판 |
| **wax** | to grow stronger, larger, or more intense 더 강해지고 더 커지고 더 강렬해지다 |
| **diatribe** | a bitter verbal attack 신랄하게 말로 하는 공격 |
| **aversion (averse)** | dislike 혐오 |
| **mollycoddle** | to pamper ; to spoil someone with kind treatment<br>응석을 받아주다 ; 너무 잘해줘서 사람을 망치다 |
| **profligate (profligacy)** | extravagantly wasteful ; wildly immoral 방탕한 ; 품행이 매우 나쁜 |
| **whimsy** | playfulness 장난기, 변덕 |
| **eschew** | to avoid ; to shun 피하다 ; 삼가다 |
| **recant** | to take back what was said 말한 바를 철회하다 |
| **nonplus** | to baffle ; to confuse 당황하게 만들다 ; 혼란하게 만들다 |
| **belie** | to show or prove something as false 거짓임을 보여주거나 증명하다 |
| **perfunctory** | careless ; unenthusiastic 무관심한 ; 열정이 없이 아무렇게나 하는 |
| **fulminate** | to denounce harshly 가혹하게 비난하다 |
| **macerate** | to soften by soaking 흠뻑 젖게 해서 부드럽게 만들다 |

| | |
|---|---|
| **tout** | to praise highly ; to brag publicly about 몹시 칭찬하다 ; 공개적으로 자랑하다 |
| **profuse** | flowing ; extravagant 넘치는 ; 낭비하는 |
| **serrated** | with many edges, as a knife 칼 같은 날이 많이 있는, 톱니 모양의 |
| **fluke** | a chance event ; a coincidence 요행수 ; 우연한 사건의 일치 |
| **ubiquitous** | being everywhere at the same time 동시에 모든 곳에 존재하는 |
| **supposition** | an assumption 가설 |
| **puissant** | powerful 권력이 있는 |
| **rue** | to regret 후회하다 |
| **predilection** | a natural preference for something ; an inclination ; a strong liking for<br>자연적인 선호 ; 좋아하는 성향 ; 강한 기호 |
| **tortuous** | twisting ; winding 비비꼬인 ; 구불구불한 |
| **fledgling** | a beginner ; a young bird 신참 ; 어린 새 |
| **glib** | easy and superficial in speech ; insincere 말만 그럴듯한 ; 불성실한 |
| **tendentious** | argumentative 논쟁하기 좋아하는 |
| **scotch** | to put an end to ; to injure 완전히 억누르다 ; 상해를 입히다 |
| **forestall** | to put off ; to prevent 의욕을 잃게 하다 ; 방해하다 |
| **estrange** | to alienate ; to lose the affection of someone 이간하다 ; 누군가의 애정을 상실하다 |
| **precursor** | someone or something that precedes another 다른 것보다 앞서가는 사람이나 사물, 선구자 |
| **preen** | to adorn oneself carefully ; to primp 세심하게 꾸미다 ; 치장하다 |
| **perorate** | to speak formally 정식으로 말하다 |
| **pluck** | spirit ; courage 정신 ; 용기 |
| **molt** | to shed periodically an outer covering of skin or feathers 주기적으로 허물을 벗거나 털갈이하다 |
| **altruistic** | selfless ; devoted to the welfare of others 사심이 없는 ; 다른 사람의 복지에 헌신하는 |
| **encomium** | high praise 찬사 |
| **embellish** | to beautify ; to add to, especially details to a story ; to exaggerate<br>아름답게 꾸미다 ; 덧붙이다, 특히 이야기에 세부적인 것을 더하다 ; 과장하다 |
| **derivative** | unoriginal ; coming from or based on something else 파생의 ; 다른 것에서 끌어낸, 다른 것에 기초한 |
| **armada** | a fleet of warships 전함의 함대 |
| **endow** | to give, especially a large gift 증여하다, 특히 선물을 주다 |
| **taciturn** | not talkative by nature ; silent 천성적으로 말이 없는 ; 조용한 |
| **overwrought** | overly nervous ; overly detailed or complicated 지나치게 흥분한 ; 지나치게 세밀하거나 복잡한 |
| **reconcile** | to settle a dispute ; to make up 분쟁을 해결하다 ; 조정하다 |
| **upright** | honest ; moral ; virtuous 정직한 ; 도덕적인 ; 덕이 있는 |
| **discount** | to deduct ; to disregard 공제하다 ; 소홀히 하다 |
| **exhort (hortatory)** | to urge strongly 강하게 설득하다 |

| | |
|---|---|
| **parquet (parquetry)** | a type of floor using a pattern of inlaid wooden pieces<br>나무 조각을 박아 넣어 만든 마루의 형태 |
| **peccadillo** | a minor offense 사소한 위반 |
| **epitaph** | writing on a tombstone 묘비에 씌어진 글, 비문 |
| **aspersion (asperity)** | an insult ; slander ; defamation 모욕 ; 중상 ; 명예훼손 |
| **implacable** | angry ; really pissed off ; unable to be pleased 성난 ; 정말로 짜증이 난 ; 달랠 수 없는 |
| **extirpate** | to rip out ; to uproot ; to destroy 완전히 없애다 ; 근절하다 ; 파괴하다 |
| **propensity** | natural inclination or tendency ; predilection 타고난 성향, 취향 ; 편애 |
| **pan** | to criticize harshly 신랄하게 비난하다 |
| **simper** | to smile foolishly 바보 같이 웃다 |
| **prelude** | the preliminary part, especially of a musical piece ; an introduction<br>도입부, 특히 음악곡에 있어서 ; 서론 |
| **interregnum** | the period between two successive governments 두 정부 사이의 공백 기간 |
| **don** | to put on, especially clothing 특히 옷을 입다 |
| **steadfast** | loyal ; faithful 충직한 ; 충실한 |
| **iconoclast** | one who attacks popular beliefs or institutions ; a maverick<br>대중의 믿음이나 관습을 공격하는 사람 ; 무리에서 떨어진 사람, 이단자 |
| **lope** | to run at a steady, easy pace 안정되고 가벼운 발걸음으로 달리다 |
| **ballast** | heavy material used to balance a ship 배의 균형을 맞추기 위해 사용되는 무거운 짐 |
| **conviction** | determination ; resolve 결심 ; 결단 |
| **droll (drollery)** | humorous ; funny 익살스러운 ; 재미있는 |
| **unlettered** | ignorant ; unschooled ; unsophisticated 무지한 ; 교육을 받지 못한 ; 단순한 |
| **affirm** | to declare something to be true ~을 진실이라고 단언하다 |
| **resilient** | able to recover quickly ; able to be stretched and returned to normal<br>재빨리 회복될 수 있는 ; 펴졌다가 곧바로 정상으로 돌아올 수 있는 |
| **deluge** | a flood 홍수 |
| **complaisant** | eager to please 친절한, 공손한 |
| **malapropism** | the humorous misuse of a word 말을 우스꽝스럽게 잘못 쓰는 것 |
| **agog** | eager ; excited 하고 싶어하는 ; 흥분한 |
| **pucker** | to gather into wrinkles 오므라들어 주름이 지다 |
| **alcove** | a room extension 반침 |
| **burgeon** | to expand ; to flourish 한창 번성하여 퍼지다 |
| **aver** | to assert ; to state as true 주장하다 ; 사실이라고 말하다 |
| **cornucopia** | an abundance of food 풍부한 식량 |
| **stickler** | someone who stubbornly insists on something 고집스럽게 뭔가를 주장하는 사람 |
| **striated** | with thin lines or grooves 줄무늬나 홈이 있는 |

| | |
|---|---|
| **mace** | a medieval war club 중세 시대의 곤봉 |
| **apparition** | a ghost 유령 |
| **commensurate** | of equal size ; of the proper amount 같은 크기의 ; 적당한 양의 |
| **lassitude** | exhaustion ; weakness 피로 ; 나약함 |
| **adulterate** | to contaminate, to make impure 더럽히다 ; 오염시키다 |
| **trinket** | a small piece of jewelry ; something of little value 작은 보석류 ; 사소한 것 |
| **forfeit** | to give up something, especially as a penalty 죄값으로 뭔가를 포기하다, 벌금, 박탈 |
| **transitional** | temporary ; during a time of change 일시적인 ; 변화의 시기인, 과도기적인 |
| **girder** | a steel beam used in the frame of a building 건물의 뼈대로 사용되는 강철 기둥 |
| **vertigo** | extreme dizziness 극도의 현기증 |
| **leverage** | positional advantage ; being able to exploit something to one' s advantage<br>지위 상의 잇점 ; 이익을 위해서 이용할 수 있는 |
| **sonata** | a musical composition 악곡 |
| **lumen** | a measure of light intensity 빛의 세기 · 광속의 단위 |
| **drawl** | to speak with drawn-out vowels ; to speak slowly 모음을 끌면서 말하다 ; 느리게 말하다 |
| **filibuster** | delaying tactics, especially in the political process 지연 전술, 특히 정치적 절차에서의 지연 전술 |
| **supplant** | to take the place of, especially by being better than ; to replace<br>~을 대체하다, 특히 이전보다 더 좋은 것으로 ; 대신하다 |
| **engaging** | charming, interesting 매력적인 ; 흥미를 끄는 |
| **feign (feint)** | to pretend ; to deceive ~인 체하다 ; 속이다 |
| **latitude** | freedom 자유 |
| **leaven** | to raise dough 반죽을 부풀리다, 발효시키다 |
| **ellipsis** | the omission of words from a sentence 문장에서 단어를 생략하는 것 |
| **arable** | able to be farmed 경작할 수 있는 |
| **outgrowth** | a result; a part growing out of something else ; a consequence 결과, 파생 ; 결말 |
| **metaphysics** | the study of what exists ; the study of ultimate reality<br>존재하는 것에 대한 연구, 존재론 ; 궁극적인 실체에 관한 학문 |
| **rind** | a tough outer covering, especially of a fruit 단단한 외피, 특히 과일의 외피 |
| **subdue** | to conquer ; to bring under control ; to lessen the intensity of something<br>정복하다 ; 지배하에 두다 ; ~의 강도를 줄이다, 완화하다 |
| **skiff** | a small boat 작은 보트 |
| **agenda** | program ; things to be done 일정 ; 해야 할 일 |
| **prompting** | inspiration ; strong encouragement ; incitement 고무, 격려 ; 적극적인 격려 ; 자극 |
| **rift** | a narrow crack ; a split ; a break in friendship 좁은 틈 ; 갈라진 틈 ; 우정의 균열 |
| **abeyance** | a temporary suspension 일시적인 중지 |

| | |
|---|---|
| **perquisite** | a "perk" ; something extra on top of a regular salary ; a claimed right 부수입 ; 정규적인 급여 외에 생기는 가외의 수입 ; 특권 |
| **admonish** | to scold gently ; to warn 부드럽게 야단치다 ; 경고하다 |
| **retiring** | shy ; modest 수줍은 ; 겸손한 |
| **putrefy (putrefaction)** | to rot 썩다, 부패하다 |
| **grovel** | to beg persistently 끊임없이 간청하다, 구걸하다 |
| **self-deprecating** | modest ; humble ; reserved ; retiring 겸손한 ; 자신을 낮추는 ; 삼가는 ; 내향적인 |
| **reclaim (reclamation)** | to take back what was once your own 한때 내 소유였던 것을 도로 찾다 |
| **babble** | to talk foolishly ; to chatter 바보 같이 말하다 ; 재잘거리다 |
| **castigate** | to criticize severely 혹평하다 |
| **ballad** | a folk song or poem 민요나 감상적인 시 |
| **perplex** | to confuse 당황하게 하다 |
| **irate** | extremely angry 매우 화가 난 |
| **resound** | to ring ; to sound loudly 울리다 ; 큰 소리로 들리다 |
| **decimate** | to slaughter ; to destroy utterly 학살하다 ; 완전히 파괴하다 |
| **successive** | following immediately one after another 연속적인 |
| **commodity** | a thing ; something bought or sold 물건 ; 사거나 팔 물건, 상품 |
| **coerce (coercion)** | to force someone to do something 무엇인가를 하도록 강제하다 |
| **awe** | the emotion of respect mixed with fear 두려움과 존경이 섞여 있는 감정, 경외감 |
| **retard** | to slow down ; to hold back 속력을 늦추다 ; 제지하다 |
| **receptive** | open ; willing to accept 열려 있는 ; 잘 받아들이는 |
| **murmur** | a low, unclear sound 낮고 불분명한 소리 |
| **delirious (delirium)** | incoherent ; seriously mentally confused 논리가 일관되지 않은 ; 대단히 정신적으로 혼란스러운 |
| **indomitable** | invincible ; unconquerable 불굴의 ; 정복할 수 없는 |
| **reside** | to live in a place 일정한 장소에 거주하다 |
| **sneer** | to express contempt for 경멸하다 |
| **gaffe** | an embarrassing social error 곤란한 사교적 실수 |
| **anomalous (anomaly)** | irregular ; deviating from a rule ; unusual ; unexpected 변칙적인 ; 규칙에서 벗어난 ; 별난 ; 예기치 않은 |
| **burlesque** | a silly imitation ; racy entertainment 익살스런 흉내 ; 난삽한 오락 |
| **cultivate** | to help grow ; to develop ; to farm 성장을 돕다 ; 발육시키다 ; 경작하다 |
| **mediocre (mediocrity)** | unimpressive ; of medium to poor quality 인상적이지 않은 ; 그저 그런 사소한 |
| **waver** | to swing back and forth ; to be unsure 앞뒤로 흔들리다 ; 확신하지 못하다 |
| **numismatist** | a coin collector or specialist 동전 수집가, 또는 동전 전문가 |
| **nostrum** | a quack remedy 돌팔이 약, 만병통치약 |

| | |
|---|---|
| **hieroglyphics** | illegible or incomprehensible symbols ; illegible writing<br>읽기 어렵거나 이해할 수 없는 기호들 ; 판독하기 어려운 글, 상형문자 |
| **amalgam** | a blend of different things 서로 다른 물질의 혼합물 |
| **devoid** | empty 비어 있는 |
| **heterodoxy** | conventional wisdom 관습적인 지혜 |
| **consign** | to give someone something for safekeeping 다른 사람에게 보관을 부탁하다, 위탁하다 |
| **epistemology** | the study of what can be known 무엇을 알 수 있는지에 대한 연구, 인식론 |
| **dossier** | a file of documents or records 서류철이나 기록 문서 |
| **marginal** | on the edge ; insignificant ; secondary 가장자리의 ; 대수롭지 않은 ; 부차적인 |
| **palpitate** | to beat strongly, as a heart 심장처럼 힘차게 고동치다 |
| **nest** | to fit snugly together ; to make a home 포근하게 함께 보듬다 ; 보금자리를 만들다 |
| **lavish** | extravagant ; freely given in abundance 낭비하는 ; 풍족하게 마음대로 주는 |
| **intimate** | to hint 암시하다 |
| **abscond** | to leave quickly and secretly 서둘러서 몰래 떠나다, 도망가다 |
| **routine** | habitual ; regular ; ordinary ; expected 습관적인 ; 규칙적인 ; 일상의 ; 짐작할 수 있는 |
| **dichotomy** | a division 분배 |
| **purist** | someone who observes traditions or conventions strictly 전통이나 관습을 굳게 고수하는 사람 |
| **conscript** | to draft 징병하다, 선발하다 |
| **fusillade** | a rapid outburst, as of gunfire 총을 쏘듯이 빠르게 일어나는 폭발, 연발 |
| **inborn** | present at birth, as opposed to something acquired<br>후천적으로 획득된다는 개념과 반대로 선천적으로 가지고 있는 |
| **grill** | to question aggressively 공격적으로 심문하다 |
| **burnish** | to polish 닦다 |
| **buttress** | support for a wall ; support 부벽 ; 지지자 |
| **adumbrate** | to sketch ; to outline ; to give a hint of things to come<br>약술하다 ; 윤곽을 그리다 ; 앞으로 올 일에 대한 암시를 하다 |
| **congruent** | of the same shape 같은 모양을 가진, 일치하는 |
| **atone** | to make amends for 보상하다 |
| **aggrieve** | to offend ; to treat unjustly 손상시키다 ; 부당하게 취급하다 |
| **captious** | critical ; fault-finding 비평적인 ; 흠 잡는 |
| **commiserate** | to sympathize with 동정하다 |
| **bask** | to enjoy warmth and sunshine ; to enjoy praise 햇살의 따스함을 즐기다 ; 칭찬을 받다 |
| **bereave (bereft)** | to be left alone, especially through the death of another 홀로 남겨지다, 특히 다른 사람의 죽음으로 |
| **coagulate** | to solidify 응고시키다 |
| **clamor** | to cry out loud ; public noise or protest 큰 소리로 외치다 ; 여론의 아우성이나 항의 |

| | |
|---|---|
| **bilk** | to cheat 속이다 |
| **converge** | to come together 함께 모이다 |
| **archetype** | an original mold, model, or pattern 원형, 본보기, 모형 |
| **angular** | with sharp edges 날카로운 모서리가 있는 |
| **annotation** | a note explaining or criticizing a literary work<br>문학 작품을 설명하거나 비판하기 위한 메모, 주석, 주해 |
| **elicit** | to draw out 이끌어내다 |
| **ogle** | to stare at, especially in a disrespectful or suggestive way<br>쳐다보다, 특히 무례하거나, 외설적인 눈길로 |
| **hoard** | to accumulate ; to save constantly 축적하다 ; 지속적으로 모으다 |
| **litigant** | person involved in a lawsuit 소송 사건의 당사자 |
| **foppish** | overly dressed 지나치게 맵시를 낸 |
| **histrionic** | overly dramatic ; theatrical 지나치게 연극적인 ; 연극조로 꾸미는 |
| **elucidate** | to explain ; to make understandable 해명하다 ; 이해할 수 있게 하다 |
| **operetta** | a light, operalike theater work 가볍고 오페라와 비슷한 연극 작품, 오페레타 |
| **officious** | overly helpful ; meddlesome ; interfering<br>지나치게 친절한 ; 참견하기 좋아하는 ; 남의 일에 끼어드는 |
| **efficacious (efficacy)** | effective 효과적인 |
| **martial** | warlike ; pertaining to war ; intending to fight<br>호전적인 ; 전쟁에 관련된 ; 싸우려 하는 |
| **mimic** | to imitate 모방하다 |
| **espy** | to glimpse ; to descry 어렴풋이 감지하다 ; 알아내다 |
| **insular** | of limited outlook or experience ; isolated ; insulated<br>제한된 전망의, 경험이 적은 ; 고립된 ; 단절된 |
| **penury (penurious)** | extreme poverty 궁핍 |
| **gouge** | to scoop or cut out 둥글게 파내거나 잘라내다 |
| **descry** | to perceive something, especially something hard to see ; to discern<br>특히 잘 안 보이는 것을 감지해내다 ; 눈으로 분간하다 |
| **misanthrope** | someone who hates mankind 인간을 싫어하는 사람, 염세가 |
| **iniquitous (iniquity)** | evil ; unjust 사악한 ; 공정하지 못한 |
| **emend** | to change 교정하다 |
| **ensign** | a flag ; a naval officer 깃발 ; 해군 장교 |
| **perennial** | continual ; happening again and again, year after year 계속적인 ; 해마다 계속되는 |
| **dilettante** | a dabbler ; an amateur 도락삼아 하는 사람 ; 아마추어 |
| **magnanimous (magnanimity)** | generous ; big-hearted 관대한 ; 마음이 넓은 |
| **extrapolate** | to infer ; to draw a conclusion based on past evidence ; to project a trend<br>추론하다 ; 과거의 증거에 기초해서 결론을 이끌어내다 ; 경향을 추정하다 |

| | |
|---|---|
| **obviate** | to make unnecessary 불필요하게 만들다, 미연에 방지하다 |
| **debilitate** | to weaken 약화시키다 |
| **immutable** | unchanging ; everlasting 불변의 ; 불후의 |
| **coy** | shyly flirtatious ; calculating 수줍어하며 교태부리는 ; 빈틈없는 |
| **demote** | to lower in rank 강등시키다 |
| **intractable** | not tractable ; stubborn ; unyielding ; uncompromising 다루기 어려운 ; 완고한 ; 순종하지 않는 ; 강경한 |
| **gloat** | to brag greatly 대단히 자랑스러워하다 |
| **exemplar** | an excellent model 훌륭한 모범 |
| **homeopathy** | a system of natural healing 자연적 치료 체계 |

# Word Roots You Should Know

꼭 알아두어야 할 어근

3

## 꼭 알아야 할 어근

어근을 알면 단어의 암기력을 높일 수 있다. 사전에서 단어를 찾을 때 단어의 뜻과 어근의 연관성을 꼭 살펴보기 바란다. 여기에 나온 어근을 모두 암기할 필요는 없다. 이미 여러분이 어느 정도는 알고 있는 것들이며 단어 속에 어떻게 나타나고 있는지, 그래서 어떻게 그 단어의 뜻이 형성되는지를 유심히 공부하면 된다. 그러나 같은 어근을 가진 단어라도 다른 형태의 스펠링으로 나타나기도 한다. 그것은 수천 년에 걸친 언어역사의 유산이며, 이 책에서도 다양한 예를 선보이려고 노력하였다.

## A (without)

amoral 도덕과는 관계없는
atheist 무신론자
atypical 부정형의, 불규칙적인
anonymous 익명의, 작자 미상의
apathy 무관심, 냉담
amorphous 형태가 없는, 조직이 없는
atrophy 쇠약, 위축
apartheid 인종차별정책
anomaly 예외, 변칙
agnostic 불가지론

## AB/ABS (off, away from, apart, down)

abduct 유괴하다
abhor 혐오하다, 거부하다
abolish 폐지하다
abstract 추상적인, 이론적인
abnormal 비정상적인
abdicate (왕위, 권리)를 버리다, 포기하다
abstinent 절제하는, 금욕적인
absolution 면제, 사면
abstruse 난해한
abrogate (법률)을 폐기하다
abstemious 절제하는, 검소한
ablution 목욕재계
abominate 혐오하다
aberrant 정도에서 벗어난, 탈선의

## AC/ACR (sharp, bitter)

acid 신맛 나는, 신랄한
acute 날카로운, (아픔)이 격심한
acerbic 맛이 신, 신랄한
exacerbate (고통)을 악화시키다
acrid 매운, 가혹한
acrimonious 신랄한, 독살스러운
acumen 예리함, 통찰력

## ACT/AG (to do, to drive, to force, to lead)

act 행위
agent 대행인, 관리인
agile 동작이 빠른, 민첩한
agitate 흔들다, 선동하다
exacting 엄격한, 힘겨운
litigate 소송을 제기하다
prodigal 낭비하는, 방탕한
prodigious 거창한, 놀라운
pedagogue 학자인척 하는 사람
demagogue 선동가
synagogue 유대교도의 집단
cogent 설득력이 있는
exigent 위급한

## AD/AL (to, toward, near)

adapt 적응시키다
adjacent 인접한
addict 빠지게 하다, 중독시키다
admire 찬양하다, 동경하다
address 연설하다, 말을 걸다
adhere 들러붙다, 집착하다
administer 주다, 집행하다
adore 숭배하다
advice 충고
adjoin ~에 인접하다
adultery 간통
advocate 대변자
allure 유인하다
alloy 합금하다, 섞어서 불순물로 만들다

## AL/ALI/ALTER (other, another)

alternative 양자택일의, 대안의
alias 별명
alibi 현장 부재 증명
alien 외래의, 외국인
alter ego 다른 나, 둘도 없는 친구
alienation 소외감, 이간
altruist 이타적인
altercation 언쟁
allegory 우화

## AM (love)

amateur 애호가, 비전문가
amatory 연애의, 호색적인
amorous 바람기 있는, 연애의
enamored 사랑에 빠진, 반한
amity 친선
paramour 정부, 애인
inamorata 애인, 정부
amiable 붙임성 있는, 상냥한
amicable 우호적인

## AMB (to go, to walk)

ambitious 열망하는
amble 사람이 느릿느릿 걷다
preamble 서문
ambulance 구급차
ambulatory 보행의, 이동성의
perambulator 유모차, 순시자
circumambulate 걸어 돌아다니다, 순회하다

## AMB/AMPH (around)

amphitheater 원형극장
ambit 구역, 범위

ambiance 환경, 분위기
ambient 포위한, 환경의

## AMB/AMPH (both, more than one)

ambiguous 두 가지 뜻으로 해석할 수 있는, 모호한
amphibian 양서류의, 수륙 양용의
ambivalent 서로 용납하지 않는, 양성애자
ambidextrous 양손잡이의, 두 마음을 품은

## ANIM (life, mind, soul, spirit)

unanimous 동의하는, 만장일치의
animosity 악의, 원한
equanimity 마음의 평정, 침착
magnanimous 관대한
pusillanimous 나약한, 소심한

## ANTE (before)

ante 사업 등의 분담금, 자금
anterior 전의, 전방의
antecedent 선행의, 전례
antedate 날짜 등이 ~보다 선행하다
antebellum 전쟁 전의
antediluvian 대홍수 이전의

## ANTHRO/ANDR (man, human)

anthropology 인류학
android 인조인간
misanthrope 인간을 싫어하는 사람, 염세가
philanthropy 박애주의
anthropomorphic 의인화된
philander 여자 꽁무니를 쫓아다니다
androgynous 남녀 양성의
anthropocentric 인간 중심의

## ANNU/ENNI (year)

annual 1년의, 해마다의
anniversary 기념일
biannual 1년에 두 번의
biennial 2년에 한 번의
centennial 100년마다 한 번의
annuity 연금
perennial 여러 해 계속되는, 다년생의
annals 연대기
millennium 천년간

## ANTI (against)

antidote 해독제
antiseptic 방부제
antipathy 반감, 혐오
antipodal 대척지, 정반대의

## APO (away)

apology 사죄, 변명
apostle 사도
apocalypse 묵시, 계시, 사회적인 대사건
apogee 극점
apocryphal 외경의, 출처가 의심스러운
apotheosis 신격화, 극치
apostasy 배교, 변절
apoplexy 졸중

## APT/EPT (skill, fitness, ability)

adapt 적응시키다
aptitude 적성, 소질
apt 적절한
inept 부적절한, 서투른
adept 숙달한, 숙련자

## ARCH/ARCHI (chief, principal)

architect 건축가
archenemy 인류의 대적, 사탄
archetype 원형, 전형
archipelago 군도

## ARCHY (ruler)

monarchy 군주 정치
matriarchy 모권 사회
patriarchy 부권 사회
anarchy 무정부 상태
hierarchy 계급 조직
oligarchy 과두 정치

## ART (skill, craft)

artificial 인공적인
artifice 기술, 술책
artisan 장인, 기능공
artifact 공예품
artful 기교가 뛰어난
artless 꾸밈없는, 서투른

## AUC/AUG/AUX (to increase)

auction 경매
auxiliary 보조의
augment 증가시키다
august 존엄한

## AUTO (self)

automatic 자동적인
autopsy 검시(부검)
autocrat 독재자
autonomy 자치 단체

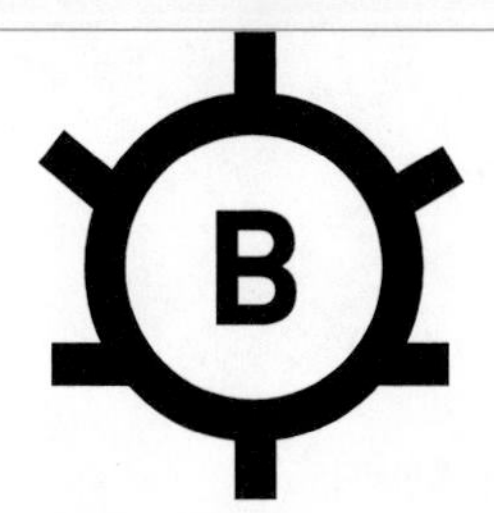

### BE (to be, to have a certain quality)

belittle 얕보다
belated 시대에 뒤떨어진
bemoan 슬퍼하다
befriend ~의 편을 들다
bewilder 당황하게 하다
begrudge ~하기를 꺼리다, 시기하다
bequeath 유언으로 증여하다
bespeak 예약하다, 주문하다
belie 실제 모습을 속여 나타내다
beguile 속이다
beset 포위하다
bemuse 멍하게 만들다
bereft 희망 등을 앗아가다, 가족을 죽음으로 잃다

### BEL/BELL (war)

rebel 반란
belligerent 교전중인, 호전적인
bellicose 호전적인
antebellum 전쟁 전의

### BEN/BON (good)

benefit 이익
beneficiary 수익자
beneficent 인정이 많은
benefactor 은혜를 베푸는 사람
benign 인자한
benevolent 자선적인, 호의적인
benediction 축복, 감사
bonus 상여금, 이익 배당
bon vivant 미식가, 유쾌한 친구
bona fide 성실한, 진실한

### BI (twice, doubly)

binoculars 쌍안경
biannual 연 2회의
biennial 2년마다의
bigamy 중혼(죄)
bilateral 양면이 있는
bilingual 두 나라 말을 하는
bipartisan 2대 정당의

### BRI/BREV (brief, short)

brief 잠깐의, 짧은
abbreviate 줄여 쓰다, 축약하다
abridge 요약하다
brevity 간결함

### CAD/CID (to fall, to happen by chance)

accident (우연한) 사고
coincidence 동시에 일어난 사건
decadent 퇴폐적인
cascade 작은 폭포
recidivism 상습적 범행
cadence 운율

### CAND (to burn)

candle 양초
incandescent 백열광을 내는
candor 허심탄회, 정직

### CANT/CENT/CHANT (to sing)

chant 노래, 노래하다
enchant (노래를 불러) 마법을 걸다
accent 악센트
recant (주장 등을) 철회하다
incantation 주문을 외움, 마법
incentive 고무하는, 자극적인

### CAP/CIP/CEPT (to take, to get)

capture 사로잡다
anticipate 예견하다
intercept 도중에서 가로채다
susceptible 받아들이는, ~을 할 여지가 있는
emancipate (노예 등을) 석방하다
recipient 받아들이는
incipient 초기의, 시작의
percipient 지각력이 있는
precept 교훈

### CAP/CAPIT/CIPIT (head, headlong)

capital 주요한
cape 곶, 갑
captain 우두머리, 선장
disciple 문하생
principle 근본 원리, 원리 원칙
principal 주요한, 제일의
precipice 절벽, 위기
precipitate 거꾸로 떨어지다
precipitous 깎아지른 듯한
capitulate (조건부로) 항복하다
capitalism 자본주의
precipitation 급격, 투하
caption 표제, 제목
recapitulate 요점을 되풀이하다

## CARD/CORD/COUR (heart)

cardiac 심장병의
courage 용기
encourage 용기를 북돋우다
concord 의견의 일치
discord 불화
accord 일치하다, 조화를 이루다
concordance 일치, 화합
cordial 충심에 의한

## CARN (flesh)

carnivorous 육식성의
carnival 사육제
carnal 육체적인, 속세의
carnage 대학살
reincarnation 윤회, 영혼 재래설
incarnation 육체를 부여함, 인간화

## CAST/CHAST (cut)

caste 카스트 계급 제도
castigate 징계하다, 혹평하다
chastise 벌하다, 비난하다
chaste 순결한

## CAUST (to burn)

caustic 부식성의
holocaust 대학살, 완전 소각

## CED/CEED/CESS (to go, to yield, to stop)

exceed ~을 초과하다, 능가하다
precede 앞장서다, 보다 우월하다
recess 휴가
concede 양보하다, 인정하다
cede 양도하다
predecessor 전임자, 조상
precedent 전례, 관례
antecedent 앞서는, 이전의
recede 물러가다, 손을 떼다
abscess 농양, 종기
cessation 중지, 휴지
incessant 끊임없는

## CENTR (center)

central 중심의
concentrate 집중시키다. 한 점에 모으다
eccentric 중심에서 벗어나, 별난
concentric 중심이 같은
centrifuge 원심분리기
egocentric 자기 중심적인

## CERN/CERT/CRET/CRIM/CRIT (to separate, to judge, to distinguish, to decide)

concern 관계가 있다
critic 비평가
secret 비밀의
crime 범죄
discrete 분리된
ascertain ~을 확인하다
certitude 확신
hypocrite 위선자
discriminate 식별하다, 차별하다
criterion 판단의 기준
discern 구별하다, 눈으로 알아보다
recrimination 역습, 반격

## CHRON (time)

synchronize 동시에 일어나다
chronicle 연대기
chronology 연대학, 연표
chronic 장기간에 걸친, 만성적인
chronological 연대순으로
anachronism 시대착오
chronometer 정밀한 시계

## CIRCU (around, on all sides)

circumference 원주, 주위
circumstances 환경, 상황
circuit 순회, 주위
circumspect 조심성 있는
circumvent 일주하다, 우회하다
circumnavigate 섬 등을 항해로 일주하다
circumambulate 걸어 돌아다니다
circumlocution 둘러 말함, 완곡한 표현, 핑계
circumscribe 영토의 경계선을 긋다, 주위를 둘러싸다
circuitous 둘러 가는 길의, 간접적인

## CIS (to cut)

scissors 가위
precise 정확한, 간결한
excise 삭제하다
incision 베기, 째기
incisive 예리한, 신랄한
concise 간명한

## CIT (to set in motion)

excite 흥분시키다
incite 자극하다, 선동하다
solicit 간청하다, 유혹하다
solicitous 걱정하는, 애쓰는

## CLA/CLO/CLU (shut, close)

closet 벽장
enclose 에워싸다, 넣고 싸다
conclude 마무리하다, 결론짓다
claustrophobia 밀실공포증
disclose 드러내다, 폭로하다
exclusive 배타적인, 독점적인
recluse 은둔한
preclude 미리 막아내다, 배제하다
seclude 차단하다, 격리하다

cloister 수도원, 은둔생활
foreclose 방해하다, 제외하다

## CLAIM/CLAM (to shout, to cry out)

exclaim 소리치다
proclaim 선언하다, 주장하다
acclaim 환호하다
clamor 군중의 떠들썩함, 아우성
disclaim 권리를 포기하다, 관계를 부인하다
reclaim 반환을 요구하다
declaim 열변을 토하다, 규탄하다

## CLI (to lean toward)

decline 쇠퇴하다
recline 기대다, 눕히다
climax 최고조, 정점
proclivity 경향, 성향
disinclination 싫증, 마음이 내키지 않음

## CO/COL/COM/CON (with, together)

connect 연결하다, 관계가 있다
confide 신뢰하다
concede 승인하다
coerce 강요하다
cohesive 결합력이 있는
cohort 군대의 일 대대
confederate 동맹한
collaborate 협력하다
compatible 양립할 수 있는
coherent 응집성의
comply 명령 등에 다르다
conjugal 부부의
connubial 결혼생활의
congenial 마음이 맞는
convivial 연회를 좋아하는
coalesce 합체하다
coalition 제휴, 연합
contrite 죄를 깊이 뉘우치는
conciliate 회유하다, 환심을 사다
conclave 비밀회의
commensurate 같은 정도의, 크기 등이 알맞은

## CRAT/CRACY (to govern)

bureaucracy 관료정치
democracy 민주주의
aristocracy 귀족정치
theocracy 제정 일치
plutocracy 금권주의
autocracy 독재정치

## CRE/CRESC/CRET (to grow)

creation 창조
increase 증가하다
crescendo 점점 세게
increment 증대, 이익
accretion 증가, 부착
accrue ~로부터 발생하다

## CRED (to believe, to trust)

incredible 믿을 수 없는
credibility 신빙성
credentials 신임장
credit 신용
creed 신조, 강령
credo 신조
credence 신임, 신용
credulity 쉽게 믿음
incredulous 쉽게 믿지 않는, 의심이 많은

## CRYP (hidden)

crypt 토굴
cryptic 숨은, 비밀의
apocryphal 출처가 의심스러운
cryptography 암호문

## CUB/CUMB (to lie down)

cubicle 칸막이로 된 작은 침실
succumb 굴복하다
incubate 알을 품다, 배양하다
incumbent 의지하는
recumbent 드러누운, 기댄, 휴식하는

## CULP (blame)

culprit 범죄자
culpable 죄가 있는
exculpate 무죄 방면하다
inculpate 죄를 씌우다, 연루시키다
mea culpa 내 탓으로

## COUR/CUR (running, a course)

occur 발생하다
recur 재발하다
current 현행의
curriculum 교과과정
courier 안내원, 밀사
cursive 필기체
concur 동의하다
concurrent 동시 발생하는
incur 비난 등을 초래하다
incursion 침입
discourse 강연, 담화
discursive 이야기가 산만한
precursor 선구자, 선배
recourse 의지, 의뢰
cursory 마구잡이의, 서두르는

## DE (away, off, down, completely, reversal)

descend 내려가다
detract 주의를 다른 데로 돌리다
decipher 암호를 해독하다
deface 외관을 더럽히다
defile 더럽히다, 모욕하다
defraud 속이다, 횡령하다
deplete 고갈시키다
denounce 비난하다
decry 비난하다
defer 뒤로 미루다
defame 중상, 모욕하다
delineate 윤곽을 그리다, 묘사하다
deferential 공손한

## DEM (people)

democracy 민주주의
epidemic 유행성의
endemic 풍토병의
demagogue 선동가
demographics 인구통계
pandemic 전국적으로 퍼지는

## DI/DIA (apart, through)

dialogue 대화
diagnose 진단하다
diameter 지름
dilate 넓어지다
digress 이야기가 빗나가다
dilatory 시간을 끄는
diaphanous 투명한
dichotomy 이분법
dialectic 변증법적인

## DIC/DICT/DIT (to say, to tell, to use words)

dictionary 사전
dictate 구술하다
predict 예언하다
contradict 부인하다
verdict 평결을 내리다
abdicate 왕위를 버리고 퇴위하다
edict 칙령, 명령
dictum 전문가의 의견, 격언
malediction 저주, 악담
benediction 축복, 감사의 기도
indict 기소하다
indite 시를 쓰다
diction 어법, 말씨
interdict 금지하다
obiter dictum 판결에 있어서 판사의 부수적 의견

## DIGN (worth)

dignity 위엄, 품위
dignitary 고위 인사
dignify 위엄 있게 하다
deign 체면을 불구하고 ~하다
indignant 분개한
condign 처벌 등이 적당한
disdain 경멸하다
infra dig 품격을 떨어뜨리는

## DIS/DIF (away from, apart, reversal, not)

disperse 흩어지게 하다
disseminate 씨나 주장을 퍼뜨리다
dissipate 흩어 놓다
dissuade 단념시키다
diffuse 퍼뜨리다

## DAC/DOC (to teach)

doctor 박사, 의사
doctrine 교리, 학설
indoctrinate 사상 등을 주입하다
doctrinaire 교조적인
docile 가르치기 쉬운, 유순한
didactic 교훈적인 , 설교하기 좋아하는

## DOG/DOX (opinion)

orthodox 정통파의
paradox 역설
dogma 교조, 교리
dogmatic 독단적인, 교조적인

## DOL (suffer, pain)

condolence 애도, 조문
indolence 게으름
doleful 서글픈
dolorous 비통한

## DON/DOT/DOW (to give)

donate 기부하다
donor 기증자
pardon 용서, 사면
condone 용서, 묵과하다
antidote 해독제
anecdote 일화
endow 증여하다
dowry 결혼지참금

## DUB (doubt)

dubious 의심스러운
dubiety 의혹
indubitable 의심할 나위 없이 확실한

### DUC/DUCT (to lead)

conduct 지도, 안내, 행위
abduct 유괴하다
conducive 이바지하는
seduce 유혹하다
induct 인도하다, 안내하다
induce 권유하다
ductile 유순한

### DUR (hard)

endure 참다
durable 오래 견디는
duress 구속
dour 음울한
obdurate 완고한

### DYS (faulty)

dysfunction 기능 장애
dystopia 디스토피아
dyspepsia 소화불량
dyslexia 난독증

### EPI (upon)

epidemic 전염성의
epilogue 에필로그
epidermis 표피
epistle 서간, 편지
epitome 발췌, 요약
epigram 경구, 풍자시
epithet 형용어구
epitaph 비문

### EQU (equal, even)

equation 동등, 평형
adequate 충분한
equivalent ~에 상응하는
equilibrium 평형, 안정
equable 균등한
equidistant 같은 거리의
equity 공평, 정당
iniquity 부정, 불법
equanimity 침착, 마음의 평정
equivocate 모호한 말을 쓰다
equivocal 뜻이 분명치 않은

### ERR (to wander)

err 잘못하다
error 잘못, 실수
erratic 엉뚱한, 산만한
erroneous 잘못된
errant 그릇된 생각이나 행위
aberrant 탈선의

### ESCE (becoming)

adolescent 청년기의
obsolescent 쇠퇴해 가는
iridescent 무지개 빛깔의
luminescent 발광성의
coalesce 합체하다
quiescent 정지한
acquiescent 묵묵히 따르는
effervescent 활기 있는
incandescent 빛나는
evanescent 순간의, 덧없는
convalescent 회복기에 있는
reminiscent 추억에 잠기는

### EU (good, well)

euphoria 행복감
euphemism 완곡 어법
eulogy 찬양, 칭송
eugenics 우생학
euthanasia 안락사
euphony 듣기 좋은 음조

### E/EF/EX (out, out of, from, former, completely)

evade 회피하다
exclude 차단하다, 제외하다
extricate 탈출시키다
exonerate 무죄임을 입증하다
extort 억지로 강제하다
exhort 훈계하다
expire 끝나다, 소멸하다
exalt 칭찬하다, 높이다
exult 의기양양하다
effervesce 거품이 일다, 흥분하다
extenuate 정상을 참작하다
efface 지우다, 말살하다
effusion 유출, 토로
egregious 지독한 , 어처구니없는

### EXTRA (outside of, beyond)

extraordinary 이상한, 특별한
extrasensory 초감각적인
extraneous 외부에서 발생한

### FAB/FAM (speak)

fable 우화
fabulous 전설적인
affable 붙임성 있는
ineffable 말로 표현할 수 없는
fame 평판, 명예
famous 유명한
defame ~를 중상하다
infamous 불명예스러운, 악명높은

### FAC/FIC/FIG/FAIT/FEIT/FY (to do, to make)

factory 공장
facsimile 복제, 팩시밀리
benefactor 학교 등의 후원자
facile 손쉬운, 편리한
faction 당쟁, 파벌
fiction 소설, 허구
factitious 인위적인
efficient 능률적인
deficient 불완전한
proficient 익숙한, 숙련된
munificent 아낌없이 주는
prolific 다산의, 다작의
soporific 최면의
figure 형상, 모양
figment 허구
configuration 윤곽, 형상
effigy 초상
magnify 확대하다
rarefy 희박하게 하다
ratify 비준하다
ramification 가지, 지류
counterfeit 위조하다
feign ~인 체하다
fait accompli 기정사실
ex post facto 과거로 소급하여

### FER (to bring, to carry, to bear)

offer 제공하다
transfer 옮기다
confer 수여하다
referendum 국민투표
infer 추론하다
fertile 다산의, 비옥한
proffer 제안하다
defer 연기하다
proliferate 증식하다

vociferous 떠들썩한

## FERV (to boil, to bubble, to burn)

fervor 열정
fervid 열렬한
effervescent 거품이 이는, 활기 있는

## FID (faith, trust)

confide 신임하다
confident 확신하는
confidant 비밀을 얘기할 수 있는 친구
affidavit 선서
diffident 자신 없는, 소심한
fidelity 충실
infidelity 배신 , 무신앙
perfidy 불성실, 배반
fiduciary 신용상의
infidel 이교도
semper fidelis 언제나 충성을
bona fide 진실한

## FIN (end)

final 최후의
finale 대단원
confine 제한하다, 경계, 국경
define 범위 등을 규정짓다
definitive 결정적인, 최종적인
infinite 무한한
affinity 인척관계
infinitesimal 극미한, 무한소

## FLAG/FLAM (to burn)

flame 불꽃
flamboyant 불타오르는 듯한
flammable 가연성의
inflammatory 격앙시키는, 선동적인
flagrant 악명 높은
conflagration 대형 화재
in flagrante delicto 현행범으로

## FLECT/FLEX (to bend)

deflect 빗나가다
flexible 구부리기 쉬운
inflect 굴곡시키다, 활용하다
reflect 반영하다
genuflect 경의를 표하기 위해 무릎을 꿇다

## FLICT (to strike)

afflict 괴롭히다
inflict 구타 등을 가하다
conflict 충돌, 대립
profligate 방탕한

## FLU, FLUX (to flow)

fluid 유동성의
influence 영향을 미치다
fluent 유창한
affluent 풍부한, 거침없는
fluctuation 파동
influx 유입, 쇄도
effluence 발산, 유출
confluence 합류
superfluous 넘치는, 여분의
mellifluous 목소리 가 매끄러운

## FORE (before)

foresight 선견지명
foreshadow 예시하다, 징조를 보이다
forestall 앞서다, 매점하다
forgo 삼가다, ~없이 지내다
forbear 억제하다

## FORT (chance)

fortune 부, 운
fortunate 운이 좋은
fortuitous 우연한

## FRA/FRAC/FRAG/FRING (to break)

fracture 분열, 깨짐
fraction 파편
fragment 파편, 산산조각
fragile 깨지기 쉬운
refraction 굴절
fractious 다루기 힘든
infraction 위반, 불완전 골절
refractory 다루기 힘든
infringe 위반하다, 침해하다

## FRUIT/FRUG (fruit, produce)

fruitful 다산의, 열매가 많은
fruition 결실, 성과
frugal 검소한

## FUND/FOUND (bottom)

foundation 토대, 설립
fundamental 기초적인, 주요한
founder 설립자
profound 심오한

## FUS (to pour)

confuse 혼동하다
transfusion 주입
profuse 풍부한, 헤픈
effusive 심정을 토로하는
diffuse 발산하다, 퍼뜨리다
suffuse 액체, 빛 등으로 뒤덮다
infusion 주입, 고취

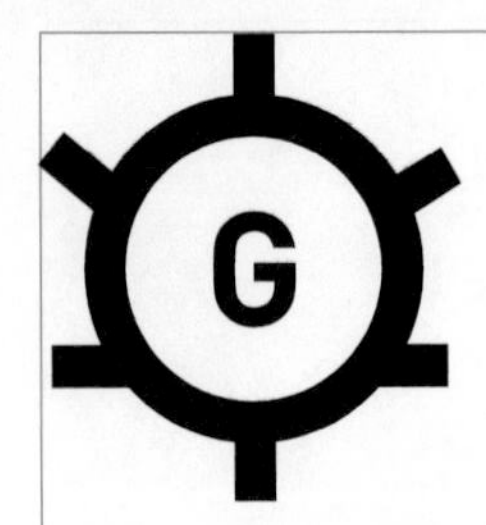

## GEN (birth, creation, race, kind)

**generous** 관대한
**generate** 낳다
**genetics** 유전학
**photogenic** 촬영에 적합한
**degenerate** 퇴화하다
**homogeneous** 동종의
**genealogy** 가계, 혈통
**gender** 성별
**genre** 장르
**genesis** 기원, 발생
**carcinogenic** 발암성의
**genial** 정다운, 온화한
**congenial** 같은 성질의
**ingenuous** 소박한, 솔직한
**ingenue** 천진난만한 소녀
**indigenous** 토착의, 지역 고유의
**congenital** 선천적인
**progeny** 자손
**engender** 낳다, 발생하게 하다
**miscegenation** 잡혼
**sui generis** 독자적인, 특수한

## GN/GNO (know)

**ignore** 무시하다
**ignoramus** 무지한 사람
**recognize** 인식하다
**incognito** 익명의
**diagnose** 진단하다
**prognosis** 예측, 예지
**agnostic** 불가지론
**cognitive** 인식의
**cognoscenti** 불가지론자
**cognizant** 인식하고 있는

## GRAND (big)

**grand** 웅장한
**grandeur** 장대, 장관
**grandiose** 장엄한
**aggrandize** 확대하다, 강화하다
**grandiloquent** 과장된, 호언장담하는

## GRAT (pleasing)

**grateful** 감사해 마지 않는
**ingrate** 은혜를 모르는, 배은망덕한 사람
**ingratiate** ~의 비위를 맞추다 , 환심을 사다
**gratuity** 팁, 선물
**gratuitous** 무료의, 호의에 의한

## GRAV/GRIEV (heavy, serious)

**grave** 중대한, 근엄한
**grief** 비탄, 큰 슬픔
**aggrieve** 고통을 주다, ~의 감정을 상하게 하다
**gravity** 중력
**grievous** 통탄할, 중대한

## GREG (herd)

**congregation** 모임
**segregation** 분리, 격리
**aggregation** 집합, 집단
**gregarious** 떼를 지어 사는, 사교적인
**egregious** 지독한, 어처구니없는

## GRAD/GRESS (to step)

**progress** 진전, 발달
**graduate** 졸업시키다
**gradual** 점진적인
**aggressive** 공격적인
**regress** 후퇴, 역행
**degrade** 좌천시키다 , 퇴화시키다
**retrograde** 되돌아가는, 역행하는
**transgress** 한도를 벗어나다, 위반하다
**digress** 이야기 등이 빗나가다
**egress** 밖으로 나가다

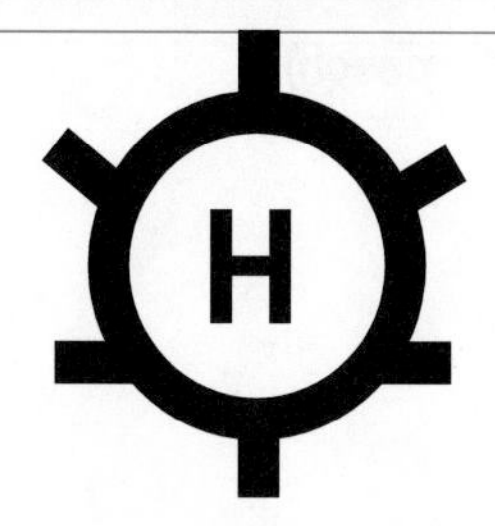


## HER/HES (to stick)

coherent 응집성의
cohesive 밀착하는, 결합력이 있는
adhesive 잘 들러붙는
adherent 점착성의, 지지자
inherent 본래부터의, 타고난

## (H)ETERO (different)

heterosexual 이성애의
heterogeneous 이질적인
heterodox 이교의, 이단의

## (H)OM (same)

homogeneous 동종의, 균질의
homonym 동음이의어
homosexual 동성애의
anomaly 변칙, 예외
homeostasis 항상성

## HYPER (over, excessive)

hyperactive 지나치게 활동적인
hyperbole 과장법

## HYPO (under, beneath, less than)

hypodermic 피하주사
hypochondriac 우울증
hypothesis 가설, 단순한 억측
hypocritical 위선의

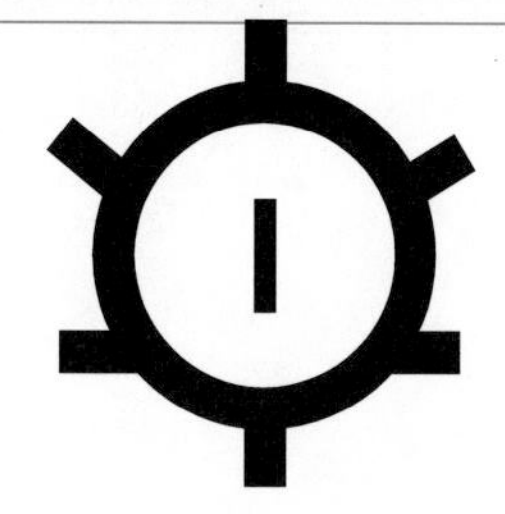


## ID (one's own)

idiot 천치, 얼간이
idiom 관용어법
idiosyncrasy 한 개인 고유의 특질

## IM/IN/EM/EN (in, into)

embrace 껴안다, 받아들이다
enclose 에워싸다
ingratiate ~의 비위를 맞추다
intrinsic 본질적인
influx 유입, 쇄도
incarnate 인간의 형상을 한
implicit 함축적인
indigenous 토착의, 원산의

## IM/IN (not, without)

inactive 움직이지 않는
indifferent 무관심한
innocuous 독이 없는
insipid 무미건조한
indolence 나태, 무통
impartial 공평 정대한
inept 부적당한
indigent 궁핍한, ~이 없는

## INFRA (beneath)

infrastructure 하부조직
infrared 적외선
infrasonic 초저주파

## INTER (between, among)

interstate 각 주(州) 간의
interim 한동안, 임시의
interloper 남의 일에 참견하고 나서는 사람
interlude 막간 , 시간과 시간의 사이
intermittent 간헐성의
interplay 상호작용
intersperse 산재시키다, 점철하다
intervene 사이에 끼이다, 개재하다

## INTRA (within)

intramural 교내의, 도시 안의
intrastate 주(州) 내의
intravenous 정맥 내의

## JECT (to throw, to throw down)

inject 주입하다
eject 배출하다
project 발사하다, 돌출하다
trajectory 궤도
conjecture 추측하다
dejected 낙심한
abject 비천한, 영락한

## JOIN/JUNCT (to meet, to join)

junction 접합, 교차
joint 접합점
adjoin 인접하다
subjugate 종속시키다
juxtapose 병렬배치하다
injunction 명령
rejoinder 답변
conjugal 부부의
junta 의회, 쿠데타 후의 임시정부

## JUR (to swear)

jury 배심원
perjury 위증
abjure 주의, 신앙 등을 버릴 것을 선언하다
adjure 엄명하다, 간청하다

## LECT/LEG (to select, to choose)

collect 모으다
elect 선출하다
select 선택하다
electorate 선거민
predilection 선입적 애호, 편애
eclectic 취사 선택하는, 절충적인
elegant 품위 있는

## LEV (lift, light, rise)

elevator 승강기
relieve 고통 등을 덜어주다
lever 지레
alleviate 덜다, 완화하다
levitate 공중부양
relevant 관계가 있는
levee 제방, 둑
levity 경솔, 변덕

## LOC/LOG/LOQU (word, speech)

dialogue 대화
eloquent 웅변의, 설득력이 있는
elocution 발성법, 웅변술
locution 말투, 관용어법
interlocutor 대담자, 질문자
prologue 서언, 프롤로그
epilogue 에필로그, 후기
soliloquy 독백
eulogy 찬양, 칭송
colloquial 구어체의, 일상 회화의
grandiloquent 과장된 말의
philology 언어학
neologism 신조어
tautology 동어의 반복
loquacious 수다스러운

## LUC/LUM/LUS (light)

illustrate 설명하다
illuminate 조명을 비추다
luminous 빛을 내는, 총명한
luminescent 발광성의
illustrious 저명한, 빛나는
lackluster 광택이 없는, 혼탁한
translucent 반투명의, 명백한
lucid 번쩍이는 , 맑은
elucidate 명료하게 해명하다

## LUD/LUS (to play)

illusion 환영, 착각
ludicrous 어이없는, 우스꽝스러운
delude 속이다, 현혹하다
elude 회피하다, 이해되지 않다
elusive 피하는, 알기 어려운, 잡히지 않는
allude 암시하다
collusion 공모, 결탁
prelude 전주곡, 도입부
interlude 시간과 시간 사이, 막간

## LUT/LUG/LUV (to wash)

lavatory 화장실
dilute 묽게 희석하다
pollute 오염시키다
deluge 대홍수, 쇄도
antediluvian 대홍수 이전의, 구시대적인

## MAG/MAJ/MAX (big)

magnify 확대하다
magnitude 거대함, 중대함
major 주요한, 대다수의
majestic 장엄한
magnanimous 도량이 큰, 관대한
magnate 거물, 고관
maxim 격언, 좌우명
magniloquent 호언장담하는, 과장하는

## MAL/MALE (bad, ill, evil, wrong)

malfunction 고장, 기능불량
malodorous 고약한 냄새가 나는, 사회적으로 받아들일 수 없는
malcontent 불평하는 사람, 체제 반항자
malign 악성의, 해로운 , 헐뜯다
dismal 음침한, 기분 나쁜
malapropism 말의 우스꽝스러운 오용
maladroit 서투른, 솜씨 없는
malevolent 악의 있는, 심술궂은
malinger 꾀병을 부리다
malfeasance 불법 행위
malefactor 악인, 범인
malediction 저주, 악담, 비방

## MAN (hand)

manual 손의, 수공의
manufacture 제조
emancipate 노예 등을 석방하다, 구속을 풀어주다
manifest 명백한
mandate 명령, 위임
mandatory 명령의, 강제의, 위임의

## MATER/MATR (woman, mother)

matrimony 결혼, 부부관계
maternal 어머니의
maternity 어머니가 됨, 모성애
matriculate 대학의 입학을 허가하다
matriarch 여자 족장, 여성 가장

## MIN (small)

minute 분(分), 작은
minutiae 상세한 일, 사소한 일
diminution 감소, 축소
miniature 축소 모형
diminish 줄이다, 감소하다

## MIN (to project, to hang over)

eminent 저명한
imminent 급박한, 절박한
prominent 두드러진, 현저한
preeminent 뛰어난

## MIS/MIT (to send)

transmit 전달하다, 보내다
manumit 노예를 해방하다
emissary 사자, 밀사
missive 보내진, 공문의
intermittent 간헐성의
remit 송금하다
remission 송금
demise 양도하다, 왕위의 양위

## MISC (mixed)

miscellaneous 잡다한, 갖가지의
miscegenation 잡혼
promiscuous 난잡한, 마구잡이의

## MON/MONIT (to warn)

monument 기념물, 기념비
monitor 충고자, 주의를 주는 것
admonish 훈계하다 , 권고하다
remonstrate 충고하다, 항의하다

## MORPH (shape)

amorphous 무정형의
metamorphosis 변형, 변질
polymorphous 여러 가지 모양이 있는
anthropomorphic 의인화된, 사람의 모습을 닮은

## MORT (death)

immortal 불멸의
morgue 시체 공시소
morbid 병적인, 무서운
moribund 다 죽어 가는, 소멸하는
mortify 억제하다, 극복하다

## MUT (change)

commute 교환하다, 대체하다
mutation 변화, 흥망성쇠, 돌연변이
mutant 돌연변이에 의한
immutable 불변의
transmutation 변형, 변질
permutation 교환, 치환

## NAM/NOM/NOUN/NOWN/NYM (rule, order)

astronomy 천문학
economy 질서, 유기적 조직
autonomy 자치단체
antimony 안티몬(금속원소)
gastronomy (어느 지방의 독특한) 요리법
taxonomy 분류학

## NAT/NAS/NAI (to be born)

natural 천연의, 타고난
native 출생지의, 타고난
naive 소박한, 원시적인, 속기 쉬운
cognate 같은 기원을 가진, 같은 종류의
nascent 발생 초기에 있는
innate 선천적인, 천부적인
renaissance 부흥, 부활

## NEC/NIC/NOC/NOX (harm, death)

innocent 무해한, 순결한
noxious 유해한, 불건전한
obnoxious 불쾌한, 비위 상하는
pernicious 유독성의 , 치명적인
internecine 서로 죽이는, 살인적인
innocuous 독이 없는
necromancy 죽은 사람과의 교감으로 미래를 예견하는 점술

## NOM/NYM/NOUN/NOWN (name)

synonym 별칭, 별명
anonymous 익명의, 작자 미상의
nominate 지명하다, 임명하다
pseudonym 필명, 아호
misnomer 틀린 명칭, 인명 오기
nomenclature 명칭, 학명
acronym 앞글자만 따서 표기하는 명칭
homonym 동명이인
nominal 이름만의, 명칭상의
ignominy 면목없음, 불명예
denomination 명명, 명칭
noun 명사
renown 명성
nom de plume (프랑스어) 필명, 아호
nom de guerre (프랑스어) 가명, 예명

## NOV/NEO/NOU (new)

novice 풋내기, 무경험자
novel 새로운, 소설
novelty 신기한 물건이나 일
renovate 쇄신하다, 수복하다
innovate 혁신하다, 새로운 것을 받아들이다
neologism 신조어
neophyte 새 세례자, 신참
nouvelle cuisine (프랑스어) 프랑스의 새로운 저칼로리 요리
nouveau riche (프랑스어) 벼락부자

## NOUNC/NUNC (to announce)

announce 알리다, 발표하다
pronounce 선언하다, 발음하다
denounce 비난하다, 탄핵하다
renounce 선서하고 버리다, 관계를 끊다

## OB/OC/OF/OP (toward, to, against, completely, over)

obese 지나치게 살이 찐
object 반대하다
obstruct 가로막다, 방해하다
obstinate 완고한, 고집 센
obscure 분명치 않은, 이해하기 어려운
obtrude 강요하다, 내밀다
oblique 비스듬히 기울다
oblivious 알아채지 못하는, 잘 잊는
obnoxious 불쾌한, 싫은
obstreperous 소란한, 사납게 날뛰는
obtuse 우둔한,
opprobrium 오명, 치욕
obsequious 아첨하는
obfuscate 판단을 흐리게 하다, 난처하게 하다

## OMNI (all)

omnipresent 어느 곳에나 존재하는
omniscient 전지의, 박식한
omnipotent 전능한, 절대적인 힘이 있는

## PAC/PEAC (peace)

peace 평화
appease 진정시키다, 달래다
pacify 평화를 회복하다, 누그러뜨리다
pacifist 평화주의자
pacifier 달래주는 사람, 조정자, 갓난아기의 고무젖꼭지
pact 조약, 협정

## PAN (all, everywhere)

panorama 파노라마, 전경
panacea 만병통치약
panegyric 찬사, 격찬
pantheon 모든 신, 모든 신을 모신 신전
panoply 한 벌, 일련의 것
pandemic 전국적으로 유행하는

## PAR (equal)

par 동등, 동위
parity 동질, 동률, 동격
apartheid 인종차별정책
disparity 불균형
disparate 서로 다른, 공통점이 없는
disparage 얕잡아보다 , 깔보다

## PARA (next to, beside)

parallel 평행의, 나란히
paraphrase 알기 쉽게 의역하다, 부연하다
parasite 기생충, 식객
paradox 역설, 모순
parody 풍자
paragon 모범, 전형, ~에 필적하다
parable 비유, 우화
paradigm 예, 모범, 전형
paramilitary 준(準) 군사적 조직의 일원
paranoid 편집증 환자, 과대망상
paranormal 과학적으로 설명할 수 없는
parapsychology 순수 심리학의 영역 밖의 심령현상을 다루는 초심리학
paralegal 법률가 보조원

## PAS/PAT/PATH (feeling, suffering, disease)

apathy 냉담, 무관심
sympathy 동정, 연민
empathy 감정이입
antipathy 반감, 혐오
passionate 정열적인
compassion 동정심
compatible 양립할 수 있는
dispassionate 공평한, 냉정한
impassive 무감각한, 의식 없는
pathos 비애, 파토스
pathology 병리학
sociopath 반사회적 이상 성격을 가진 사람
psychopath 정신병환자

## PATER/PATR (father, support)

patron 보호자, 후원자
patronize 보호하다, 후원하다
paternal 아버지의
paternalism 가부장적 태도
expatriate 국외로 추방하다
patrimony 세습재산, 집안 내림
patriarch 가장, 족장
patrician 귀족, 총독

## PO/POV/PAU/PU (few, little, poor)

poor 가난한
poverty 빈곤, 가난
paucity 결핍, 부족
pauper 극빈자, 빈민
impoverish 가난하게 하다, 불모로 만들다
puerile 미숙한
pusillanimous 무기력한, 나약한

## PED (child, education)

pedagogue 학자인 체 하는 사람, 교육자
pediatrician 소아과 의사
encyclopedia 백과사전

## PED/POD (foot)

pedal 발의
pedestal 기둥 다리, 받침대
pedestrian 보행자, 도보의
podiatrist 발에 관한 병을 연구하는 의학
expedite 진척시키다
expedient 수단, 방편, 편리한
impede 방해하다
impediment 방해, 신체장애
podium 발, 토대
antipodes 대척지, 정반대

## PEN/PUN (to pay, to compensate)

penal 형벌의
penalty 벌금
punitive 벌의, 응보의
repent 회개하다, 후회하다
penance 참회, 고행
penitent 회개하는, 참회한
penitentiary 회개의, 징계의
repine 푸념하다, 불평하다
impunity 형벌을 받지 않음

### PEND/PENS (to hang, to weigh, to pay)

depend 의존하다, ~에 달려 있다
dispense 면제하다, 의존하지 않다
expend 소비하다, 시간 등을 들이다
stipend 봉급, 연금
spend 쓰다, 소비하다
expenditure 지출, 소비
suspense 미결, 미정
compensate 배상하다, 급료를 치르다
propensity 경향, 성향
pensive 생각에 잠긴, 우수에 젖은
indispensable 없어서는 안 되는
impending 절박한, 박두한
pendulum 진자, 동요
appendix 부가물, 부록
append 덧붙이다, 추가하다
appendage 부속물, 부가된 것
ponderous 대단히 무거운
pendant 매달려 있는 장식

### PER (completely, wrong)

persistent 완고한
perforate 구멍을 내다, 꿰뚫다
perplex 당황하게 하다
perspire 발산하다
peruse 정독하다
pervade 널리 퍼지다
perjury 위증, 거짓말
perturb 혼란시키다, 교란하다
perfunctory 마지못해 하는 , 아무렇게나 하는
perspicacious 선견지명이 있는, 통찰력이 있는
permeate 스며들다, 사상 등이 퍼지다
pernicious 유해한, 치명적인
perennial 사철을 통한, 여러 해 계속되는
peremptory 절대적인, 강제적인
pertinacious 완고한, 끈질긴

### PERI (around)

perimeter 주위, 경계
periscope 잠망경, 전망경
peripheral 주위의, 주변의, 말초적인
peripatetic 걸어 다니는, 순회하는

### PET/PIT (to go, to seek, to strive)

appetite 식욕, 성욕
compete 겨루다, 경쟁하다
petition 청원, 탄원
perpetual 끊임없는, 종신의
impetuous 성급한, 충동적인
petulant 성미 급한, 성을 잘 내는
propitious 호의적인 , 상서로운

### PHIL (love)

philosophy 철학
philanthropy 박애주의
philatelist 우표 수집가
philology 문헌학
bibliophile 장서 수집가

### PHONE (sound)

telephone 전화
symphony 교향곡
megaphone 확성기
euphony 듣기 좋은 음조
cacophony 불협화음

### PLAC (to please)

placid 조용한, 차분한
placebo 일시적 위안의 말, 플라시보 효과
placate 위로하다, 진정시키다
implacable 화해할 수 없는, 증오를 달래기 어려운
complacent 마음에 흡족한, 자기 만족의
complaisant 공손한, 유순한

### PLE (to fill)

complete 완성하다
deplete 고갈시키다
complement 보충하여 완전히 채우다
supplement 추가, 보충
implement 도구, 기구
plethora 과다, 과잉
replete 충만한, 포식한

### PLEX/PLIC/PLY (to fold, to twist, to tangle, to bend)

complex 복잡한
complexion 외관, 안색
complicate 복잡하게 하다
duplex 이중의
replica 복사, 복제
comply 명령에 따르다
implicit 함축적인
implicate 포함하다, 함축하다
explicit 명백한
duplicity 표리부동, 불성실
complicity 공모, 공범
supplicate 간청하다
accomplice 공범, 연루된 사람
explicate 설명하다

### PON/POS/POUND (to put, to place)

component 구성하고 잇는
compound 합성의 , 타협하다
deposit 두다, 맡기다
dispose 배치하다
expose 드러내다, 폭로하다
exposition 박람회, 전시
expound 상세히 설명하다
juxtapose 병렬 배치하다
depose 왕위를 찬탈하다
proponent 제안한 사람, 변호사
repository 창고, 저장하는 곳

transpose 위치나 순서를 바꾸어 넣다
superimpose 위에 얹다, 포개 놓다

## PORT (to carry)

import 수입하다
portable 들고 다닐 수 있는, 휴대용의
porter 운반기, 운반인
portfolio 서류첩, 대표작품 선집
deport 운반하다, 이송하다
deportment 태도, 행동거지
export 수출하다
portmanteau 대형 여행가방
portly 비만한
purport 의미하다, 주장하다
disport 흥겹게 놀다
importune 성가시게 부탁하다, 괴롭히다

## POST (after)

posthumous 사후에 생긴, 유복자인
posterior 뒤의, 이후의
posterity 자손, 후세
ex post facto 사후에, 과거로 소급하여

## PRE (before)

precarious 불확실한, 지레짐작의
precocious 조숙한, 일찍 꽃이 피는
prelude 전주곡
premeditate 미리 계획하다
premonition 예고, 징후
presage 전조, 예감
presentiment 기미, 예감
presume 추정하다 , 상상하다
presuppose 전제로 삼다, 미리 예상하다
precedent 종전의 관례
precept 교훈, 권고
precipitous 성급한, 무모한
preclude 미리 막다, 배제하다
predilection 선입적 애호, 편애
preeminent 뛰어난
preempt 선취하다
prepossess 선입관이 되다, 마음을 빼앗다
prerequisite 필수 전제조건
prerogative 특권

## PREHEND/PRISE (to take, to get, to seize)

surprise 기습적으로 점령하다
comprehend 이해하다
enterprise 기획, 기업체
impregnable 난공불락의, 끄떡없는
reprehensible 비난할 만한
apprehension 이해력, 판단
comprise 포함하다
apprise 알리다
apprehend 의미를 파악하다, 깨닫다
comprehensive 이해가 빠른, 포괄적인
reprisal 보복, 포획

## PRO (much, for, a lot)

prolific 다산의
profuse 풍부한
propitious 호의적인, 상서로운
prodigious 막대한
profligate 낭비하는
prodigal 아낌없이 주는, 방탕한
protracted 오래 끈, 지연된
proclivity 성향
proliferate 급격히 증가하다, 번식하다
propensity 경향, 성향
prodigy 비범, 경이 , 불가사의한 것
proselytize 전도하다
propound 제출하다
provident 절약하는
prolix 지루한, 장황한

## PROB (to prove, to test)

probe 탐사하다, 조사하다
probation 시험, 검정
approbation 승인, 면허
probity 고결, 성실
opprobrium 오명, 치욕
reprobate 사악한, 타락한, 꾸짖다

## PUG (to fight)

pugilism 프로 권투
pug 프로 복서
pugnacious 싸움하기 좋아하는
impugn 비난하다, 논박하다
repugnant 적의를 품은, 반감을 가진

## PUNC/PUNG/POIGN/POINT (to point, to prick)

point 가리키다
puncture 구멍을 내다
punctual 시간을 잘 지키는
punctuate 구두점을 찍다, 강조하다
pungent 날카로운, 신랄한
poignant 매서운, 맛이 쏘는, 신랄한
compunction 양심의 가책
expunge 삭제하다, 말살하다
punctilious 세심한, 꼼꼼한

## QUE/QUIS (to seek)

acquire 획득하다
acquisition 습득, 입수
exquisite 더 없이 훌륭한
acquisitive 탐내는, 얻고자 하는
request 요청하다
conquest 정복, 애정의 획득
inquire 질문하다
inquisitive 호기심이 강한
inquest 심리, 배심
query 질문, 의문
querulous 불평이 많은
perquisite 합법적 부수입, 특권

## QUI (quiet)

quiet 조용한
disquiet ~을 불안하게 하다
tranquil 고요한 , 잔잔한
acquiesce 묵인하다, 말없이 다르다
quiescent 침묵의, 활동이 정지한

## RID/RIS (to laugh)

ridicule 비웃다
derision 조롱하다
risible 우스운

## ROG (to ask)

interrogate 심문하다
arrogant 거드름 부리는 , 오만한
prerogative 남보다 먼저 묻을 수 있는 권리, 특권
abrogate 법률 등을 폐기하다
surrogate 대리인
derogatory 경멸적인
arrogate 권리를 침해하다, 남의 탓으로 하다

## SAL/SIL/SAULT/SULT (to leap, to jump)

insult 모욕하다
assault 급습
somersault 재주넘기
salient 현저한, 돌출한
resilient 탄력있는, 기운을 회복한
insolent 건방진
desultory 일관성 없는, 산만한
exult 기뻐 날뛰다

## SACR/SANCT/SECR (sacred)

sacred 신성한
sacrifice 제물, 희생양
sanctuary 신성한 장소 , 신전
sanctify 신성하게 하다
sanction 제재
execrable 저주스러운
sacrament 종교적 의식, 성스러운 것
sacrilege 신성모독

## SCI (to know)

science 과학, 학문
conscious 인지하고 있는
conscience 양심
unconscionable 비양심적인
omniscient 전지의, 모든 것을 아는
prescient 선견지명이 있는
conscientious 양심적인
nescient 무지한, 불가지론의

## SCRIBE/SCRIP (to write)

scribble 서투르게 쓰다
describe 묘사하다
script 손으로 쓴 것
postscript 추신
prescribe 규정하다, 지시하다
proscribe 금지하다, 배척하다
ascribe ~의 탓으로 돌리다
inscribe 헌정사를 적다. 비문으로 새기다
conscription 강제 징집
scripture 경전, 성서
transcript 사본
circumscribe 주위에 경계선을 그리다, 제한하다
manuscript 필사한, 손으로 쓴
scribe 필기자, 기자, 달필가

## SE (apart)

select 고르다
separate 분리하다, 떼어내다
seduce 유혹하다
seclude 격리하다, 은둔하다
segregate 분리하다, 격리하다
secede 정당 등에서 탈퇴하다
sequester 격리하다, 은퇴시키다
sedition 치안방해, 선동

## SEC/SEQU (to follow)

second 제2의, 부가의, 보조의
prosecute 수행하다, 실행하다
sequel 소설 등의 속편, 사건의 추이나 결과
sequence 결과, 인과적 연속
consequence 결과, 영향
inconsequential 결과에 영향을 미치지 않는, 하찮은
obsequious 아첨하는
nonsequitur 그릇된 결론

## SED/SESS/SID (to sit, to be still, to plan, to plot)

preside 지배하다, 의장노릇을 하다
resident 거주하고 있는
sediment 침전물
session 회기, 회합
dissident 의견을 달리 하는 사람
obsession 망상, 강박관념
residual 나머지, 잔여의
sedate 안정시키다. 차분한
subside 가라앉다 , 침전하다
subsidy 보조금
subsidiary 보조의, 보완하는, 보조금의
sedentary 앉아 있는, 정착하고 있는
dissident 반체제의
insidious 잠행성의,
assiduous 빈틈없는, 부지런한
sedulous 꼼꼼한, 부지런한

## SENS/SENT (to feel, to be aware)

sensual 관능적인
sensory 감각의
sentiment 감정 , 정서
resent 분개하다
consent 동의하다
dissent 의견을 달리하다
assent 찬성하다
consensus 일치, 여론
sentinel 보초, 파수병
insensate 감각이 없는, 비정한
sentient 민감한, 지각력이 있는
presentiment 예감

## SOL (to loosen, to free)

dissolve 분해하다, 해산하다
soluble 녹기 쉬운
solve 문제를 풀다, 해결하다
resolve 분해하다, 설명하다, 결론짓다
resolution 결의, 분해, 해답
irresolute 결단력 없는, 우유부단한
solvent 녹이는, 지불능력이 있는
dissolution 해산, 분해, 용해
dissolute 방종한, 타락한
absolution 면제, 사면

## SPEC/SPIC/SPIT (to look, to see)

perspective 원근법, 전망
aspect 관점, 국면, 용모
spectator 구경꾼
specter 유령, 망령
spectacles 광경, 장관, 스펙터클
speculation 고찰, 성찰
suspicious 의심하고 있는
auspicious 상서로운, 길조의
spectrum 스펙트럼, 눈의 잔상
specimen 견본, 표본
introspection 자기 반성, 성찰
retrospective 회고하는, 소급의
perspicacious 선견지명이 있는
circumspect 신중한
conspicuous 확실히 보이는 , 명백한
respite 일시적으로 중지하다, 유예하다
specious 외양만 그럴듯한, 눈가림한

## STA/STI (to stand, to be in a place)

static 정지하고 있는
stationary 고정되어 있는
destitute 결핍한, 가난한
obstinate 완고한, 집요한
obstacle 장애물, 방해하다
stalwart 매우 충실한
stagnant 흐르지 않는, 정체된
steadfast 고정된, 확고한
constitute 제정하다, 설립하다, 구성하다
constant 불변의, 지속적인
status 상태, 상황
status quo 그대로의 상태, 현상
homeostasis 항상성
apostasy 배신, 변절

## SUA (smooth)

suave 부드러운
assuage 완화하다, 진정시키다
persuade 설득하다
dissuade 설득하여 단념시키다

## SUB/SUP (below)

submissive 순종하는
subsidiary 보조의, 종속적인

subjugate 복종시키다
subliminal 잠재의식의
subdue 진압하다, 억제하다
sublime 장엄한, 숭고한
subtle 불가사의한, 이해하기 어려운
subversive 멸망시키는
subterfuge 구실, 핑계, 속임수
subordinate 하급의, 하위의, 부하
suppress 진압하다, 억압하다
supposition 가정, 가설

## SUPER/SUR (above)

surpass ~보다 낫다, 능가하다
supercilious 사람을 얕보는, 거만한
superstition 미신
superfluous 여분의, 남아도는
superlative 최고의
supersede 지위를 빼앗다, 대체하다
superficial 표면적인, 피상적인
surmount 오르다, 극복하다
surveillance 감독, 감시
survey 둘러보다, 조사하다

## TAC/TIC (to be silent)

reticent 과묵한
tacit 무언의, 조용한
taciturn 과묵한

## TAIN/TEN/TENT/TIN (to hold)

contain 포함하다
detain 보류하다
pertain 속하다, 관계하다
pertinacious 끈기 있게 지속하는
tenacious 고집하는 , 참을성 있는
abstention 절제, 자제
sustain 떠받치다, 부양하다, 견디다
tenure 보유, 지속적 소유
pertinent 적절한, 관련된
tenant 거주자
tenable 유지할 수 있는
tenet 주의, 교의
sustenance 지지, 유지, 생계

## TEND/TENS/TENT/TENU (to stretch, to thin)

tension 긴장 상태
extend 늘이다, 뻗다, 확장하다
tendency 경향
tentative 시험적인, 임시의
contend 다투다, 논쟁하다
contentious 논쟁하기 좋아하는
tendentious 편향적인
contention 분쟁, 다툼, 논쟁
contender 분쟁 당사자
tenuous 가는 , 희박한
distend 넓히다
attenuate 가늘게 하다, 희석하다
extenuating 정상을 참작할 만한

## THEO (god)

atheist 무신론자
apotheosis 신격화
theocracy 신탁에 의한 정치 , 제정 일치
theology 신학

## TOM (to cut)

tome 크고 묵직한 책 한 권
microtome 절단기
epitome 발췌, 요약
dichotomy 이분법

## TORT (to twist)

tort 불법행위
extort 강제로 탈취하다, 강요하다
torture 고문
tortuous 비비 꼬인, 비틀린

## TRACT (to drag, to pull, to draw)

tractor 트렉터, 견인차
attract 주의를 끌다, 유인하다
contract 계약하다
detract 주의를 딴 곳으로 돌리다
tract 넓이, 지역
tractable 다루기 쉬운, 순종하는
intractable 고집스러운, 고치기 어려운
protract 오래 끌다, 내뻗다
abstract 추상적인, 관념적인

## TRANS (across)

transfer 옮기다, 이동하다
transaction 처리, 거래, 취급
transparent 투명한
transport 운송하다, 추방하다
transition 변천, 이행
transitory 일시적인 , 덧없는
transient 순간적인 , 일시적인
transgress 한도를 넘다, 법률 등을 위반하다
transcendent 탁월한, 초월한
intransigent 비타협적인
traduce 비방하다, 중상하다
translucent 반투병의, 명백한, 쉽게 알 수 있는

## US/UT (to use)

abase 지위 등을 떨어뜨리다
usage 관습, 관용어
utensil 기구, 도구
usurp 빼앗다, 침범하다
utility 유용, 실리
utilitarian 공리주의

## VEN/VENT (to come, to move toward)

adventure 모험
convene 회의를 소집하다
convenient 편리한
event 사건
venturesome 모험을 좋아하는, 무모한
avenue 가로수 길
intervene 사이에 끼여들다
advent 강림절, 출현
contravene 법률에 저촉되다
circumvent 일주하다, 우회하다

## VER (truth)

verdict 배심원의 평결
verify 입증하다
veracious 진실한
verisimilitude 있을 법함
aver 확언하다
verity 진실

## VERS/VERT (to turn)

controversy 논쟁
revert 되돌아가다
subvert 전복시키다
invert 거꾸로 하다
divert 전환하다, 우회하다
diverse 다른 종류의
extrovert 외향적인
introvert 내성적인
inadvertent 부주의한, 태만한
versatile 다방면의, 다재다능한
traverse 가로질러 가다
covert 은밀한
overt 명백한
avert 돌리다, 피하다
advert 주의를 돌리다

## VI (life)

vivid 생생한
vicarious 타인의 경험을 상상하여 느끼는
convivial 쾌활한
viable 생존 가능한
vivacity 활기
joie de vivre 삶의 기쁨
bon vivant 미식가, 유쾌한 친구

## VID/VIS (to see)

evident 명백한
television 텔레비전
video 비디오
vision 시력, 시각, 선견지명
provision 미래에 대한 준비, 선견지명
adviser 조언자
provident 선견지명이 있는
survey 바라보다, 조사하다
vista 멀리 내다보이는 경치, 전망
visionary 환영의, 공상적인, 계시적인
visage 얼굴, 용모

## VOC/VOK (to call)

vocabulary 어휘
vocal 음성의, 소리를 내는
provocative 성나게 하는, 도발하는
advocate 주장하다, 변호하다
equivocate 모호한 말을 쓰다, 얼버무리다
equivocal 분명치 않은, 두 가지 뜻으로 해석되는
vocation 천직, 사명,
avocation 부업, 취미
convoke (회의를) 소집하다
vociferous 큰소리로 떠드는
irrevocable 돌이킬 수 없는, 취소할 수 없는

## VOL (to wish)

voluntary 자발적인
volunteer 지원자, 자발적인, 자진하여 나서다
volition 의지, 결단력, 의욕
malevolent 남의 불행을 바라는, 심술궂은
benevolent 자선의 , 호의적인

# Common Usage Errors

흔히 저지르는 실수들

4

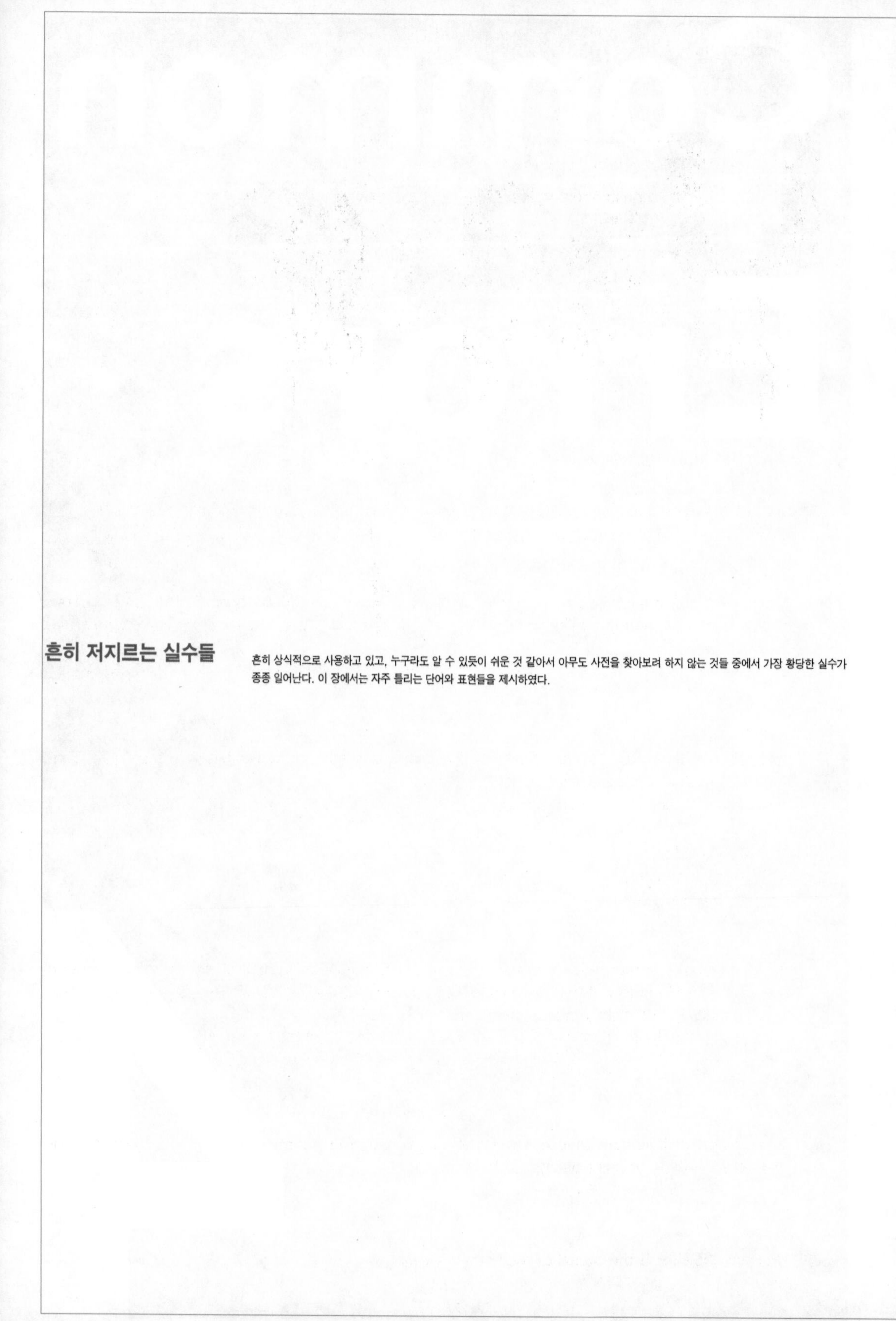

## 흔히 저지르는 실수들

흔히 상식적으로 사용하고 있고, 누구라도 알 수 있듯이 쉬운 것 같아서 아무도 사전을 찾아보려 하지 않는 것들 중에서 가장 황당한 실수가 종종 일어난다. 이 장에서는 자주 틀리는 단어와 표현들을 제시하였다.

### All RIGHT

Not "alright."
"alright"가 아니다.

### AMONG/BETWEEN

Among is used with three or more ; between is used with two.
among은 세 개나 그 이상에서 사용하고 between은 두 개일 때 사용한다.

The tin-can telephone line ran between the two houses.
깡통전화기의 선은 두 집간에 연결되었다.

Among the twelve members of the committee were only three women.
위원회 회원 12명중에서 유일하게 세 명만이 여성이었다.

Mrs. Downs distributed the candy among the four of us.
다운스 부인은 우리 넷에게 사탕을 나눠주었다.

"Between You and I" is incorrect ; between you and me is correct.
"Between You and I"는 틀린 표현이다. between이 전치사이므로 I가 아니라 me가 맞는 표현이다.

### ANXIOUS

This word properly means "filled with anxiety," not "eager."
이 단어의 정확한 의미는 "갈망하는"이 아니고 "불안한, 걱정되는"이 맞다.

Don't say you're anxious for school to end unless the ending of school makes you feel fearful .
학교가 파할까봐 불안한 것이 아니라면, anxious for school to end(학교가 파할 것이 걱정되는)라는 표현은 쓰지 않아야 한다.

### AS FAR AS‥ ‥IS CONCERNED

Not a very stylish expression, but if you use it, don't leave out the 'is concerned'. It is not correct to say, "As far as money, I'd like to be rich." Instead, you should say, "As far as money is concerned, I'd like to be rich."
그다지 멋진 표현은 아니지만, 그래도 사용하고자 할 때는 'is concerned'를 빠뜨리지 말아야 한다. "돈에 관해서라면, 나는 정말로 부자가 되고 싶다."는 말을 할 때 "As far as money, I'd like to be rich."라 표현하는 것은 잘못이다.

### AS/LIKE

You can run like a fox, but you can't run like a fox runs. Like is used only with nouns, pronouns, and grammatical constructions that act like nouns.
as는 접속사로서 뒤에 절이 나올 수 있지만, like는 전치사이므로 명사나 대명사, 그 외 명사로 기능하는 문법구조 — 동명사나 명사구 등 — 만 올 수 있다.

Joe runs like a fox.
Joe runs as a fox runs.
Joe runs the way a fox runs.

### BIWEEKLY, ETC.

Biweekly means either twice a week or once every two weeks, depending on who is using it. Likewise with bimonthly. If you need to be precise, avoid it (saying "twice a week" or "every other week," instead). Fortnightly means once every two weeks.
biweekly는 이 단어를 사용하는 사람의 의지에 따라 한 주에 두 번, 또는 이 주에 한 번을 의미한다. bimonthly도 또한 마찬가지로 한 달에 두 번, 또는 두 달에 한 번을 의미한다. 정확하게 의미를 전달하고 싶을 때는 이 단어를 사용하지 않는 것이 좋다. 대신 "twice a week(한 주에 두 번)"나 "every other week(두 주에 한 번)"를 사용한다. fortnightly는 두 주에 한 번을 의미한다.

### CAN/MAY

Can denotes ability ; may denotes permission. If you can do something, you are able to do it. If you may do something, you are permitted to do it.
can은 능력을 나타내고, may는 허가를 의미한다.

### CAPITAL/CAPITOL

Washington, D.C. is the capital of the United States.
워싱턴은 미국의 수도(capital)이다.

The building where Congress meets is the Capitol.
의회가 열리는 건물은 국회의사당(Capitol)이다.

## COMMON/MUTUAL Common means "shared" ; mutual means "reciprocal."

If Tim and Tom have a common dislike, they both dislike the same thing (anchovies). If Tim and Tom have a mutual dislike, they dislike each other.
common은 공유하고 있다는 의미이고, mutual은 상호적이라는 의미이다. 팀과 탐이 같은 것을 싫어하고 있으면 common dislike를 사용하고, 그들이 서로를 싫어하고 있다면 mutual dislike를 사용한다.

## COMMONPLACE

In careful usage, this word is an adjective meaning "ordinary" or "uninteresting." It can also be used as a noun meaning a "trite or obvious observation" or a "cliché." It should not be used sloppily as a substitute for the word "common."
조심스럽게 사용할 때는, 이 단어는 "ordinary"나 "uninteresting"처럼 형용사로서 평범하다는 의미로 쓰인다. 또한 명사로 쓰일 때는 '진부하거나 너무 뻔한 의견' 이나 '진부한 표현' 을 가리킨다. 그저 적당히 "common"의 대체어로 사용해서는 절대 안 된다.

To say that French food is the best in the world is a commonplace.
프랑스 음식이 세계에서 최고라고 말하는 것은 너무 진부한 말이다.

It is common but neither interesting nor perceptive to say that French food is the best in the world.
프랑스 음식이 세계에서 최고라고 말하는 것은 흥미롭지도 않고 감각적이지도 못한 그저 평범한 이야기일 뿐이다.

## COMPARE TO/COMPARE WITH

To compare an apple to an orange is to say that an apple is like an orange. To compare an apple with an orange is to discuss the similarities and differences between the two fruits.
To compare an apple to an orange는 사과를 오렌지와 유사하다고 비유하는 것이다. with를 사용하게 되면, 두 과일 사이의 유사점과 차이점을 논하고자 하는 것이다.

Jeff compared his girlfriend's voice to the sound of a cat howling in the night ; that is, he said his girlfriend sounded like a cat howling in the night.
제프는 여자친구의 목소리를 한밤에 고양이 울부짖는 소리에 비유했다 ; 즉, 그는 여자친구의 목소리가 한밤중의 고양이 울음 같다고 말했던 것이다.

I compared my grades with Bud's and discovered that he had done better in every subject except math.
나는 내 성적과 버드의 성적을 비교해보고서 수학을 제외한 전 과목에서 그가 나보다 좋은 점수를 받았다는 것을 알게 되었다.

## DIFFERENT FROM

Different from is correct ; "different than" is not.
different from이 맞는 표현이고, "different than"은 틀린다.

My dog is different from your dog.
내 개는 네 개와는 다르다.

## EACH OTHER/ONE ANOTHER

Each other is used with two ; one another is used with three or more.
전자는 대상이 둘일 때 사용하고, 후자는 셋 이상일 때 사용한다.

A husband and wife should love each other.
남편과 아내는 서로를 사랑해야 한다.

The fifteen members of the group had to learn to get along with one another.
그 단체의 15명의 회원들은 서로서로 사이좋게 지내는 법을 배워야만 했다.

## EQUALLY AS

Nothing is ever "equally as" anything as anything else.
다른 것만큼 똑같이 ~하다라는 표현을 쓸 때, "equally as"라는 표현을 사용하면 안 된다.

Your car and Dave's car might be equally fast. You should never say that the two cars are equally as fast. Nor should you say that your car is equally as fast as Dave's. You should simply say that it is as fast.
너와 데이브의 차는 똑같은 속도로 빠르다. 'equally as fast' 나 'equally as fast as' 라는 표현도 사용할 수 없다. 그저 'as fast' 라고 말해야 한다.

## FACT THAT/THAT

You almost never need to use "the fact that" ; that alone will suffice.
"the fact that" 이라는 표현을 쓸 필요는 거의 없다 ; that 하나만 써도 충분하다.

Instead of saying, "I was appalled by the fact that he was going to the movies," say, "I was appalled that he was going to the movies."
그가 영화를 보러 간다는 사실에 나는 놀랐다.

## FARTHER/FURTHER

Farther refers to actual, literal distance—the kind measured in inches and miles. Further refers to figurative distance. Use farther if the distance can be measured ; use further if it cannot.
전자는 실제적인 문자 그대로 거리 — 인치나 마일처럼 측정 가능한 거리 — 가 먼 것을 의미하는 것이다. 후자는 상징적인 의미의 거리를 언급하는 것이다. 측정 가능한 거리라면 farther를 사용해라. 그렇지 않다면 further.

Paris is farther from New York than London is.
파리는 런던보다는 뉴욕과의 거리가 더 멀다.

Paris is further from my thoughts than London is.
파리는 런던보다 친근한 마음이 들지 않는다.

We hiked seven miles but then were incapable of hiking farther.
우리는 7마일이나 걸었기 때문에 더 이상 걸을 힘이 없었다.

I made a nice outline for my thesis but never went any further.
학위논문의 초안은 근사하게 잡았지만 더 이상 진전이 없었다.

## FEWER, LESS

Fewer is used with things that can be counted, less with things that cannot. That is, fewer refers to number ; less refers to quantity.
전자는 셀 수 있는 것에 사용하고 후자는 셀 수 없는 것에 사용한다. 즉, fewer는 수를 말하고, less는 양을 의미한다.

I have fewer sugar lumps than Henry does.
나는 헨리보다 각설탕을 적게 가지고 있다.

I have less sugar.
나는 설탕이 적다.

Despite what you hear on television, it is not correct to say that one soft drink contains "less calories" than another. It contains fewer calories (calories can be counted) ; it is less fattening.
텔레비전에서 흔히 들을 수 있기는 하지만, 특정한 음료수가 다른 것에 비해서 "less calories(저칼로리)" 라고 하는 말은 옳은 표현이 아니다. 칼로리는 셀 수 있으므로 fewer calories라고 써야 하는 것이다 ; 그런 제품은 살이 적게 찐다.

## FORMER, LATTER

Former means the first of two ; latter means the second of two. If you are referring to three or more things, you shouldn't use former and latter.

It is incorrect to say, "The restaurant had hamburgers, hot dogs, and pizzas ; we ordered the former." Instead, say, "We ordered the first," or, "We ordered hamburgers."
전자는 둘 중에 앞에 나온 것을 의미하고, 후자라는 말은 둘 중에서 나중에 나온 것을 말한다. 셋이나 그 이상의 사물을 지칭할 때는 전자, 후자라는 말을 사용할 수 없다.
"식당에는 햄버거와 핫도그와 피자가 있었는데, 우리는 전자를 주문했다" 라는 표현은 틀린 것이다. "첫 번째 것을 주문했다", 또는 "햄버거를 주문했다" 라고 말하는 것이 옳은 표현이다.

## IRREGARDLESS

This is not a word. Say regardless or irrespective.
이것은 틀린 단어이다. '~에 상관없이' 라는 표현을 하고자 할 때는 regardless나 irrespective라는 단어를 사용한다.

## LAY/LIE

The only way to "lay down on the beach" is to take small feathers and place them in the sand.
"lay down on the beach" 할 수 있는 유일한 길은 작은 깃털(down)을 가져와서 모래사장에 놓아두는 것이다.

To lay is to place or set. Will the widow lay flowers by the grave? She already laid them, or she has already laid them. Who lies in the grave? Her former husband lies there. He lay there yesterday, too. In fact, he has lain there for several days.
lay는 놓아두거나 배치한다는 뜻이다. 미망인이 묘지에 꽃을 갖다 놓을까요? 그녀는 이미 꽃을 갖다 놓았습니다. 그 무덤은 누구의 것입니까? 그녀의 전남편이 거기에 누워있답니다. 그는 어제도 거기 있었습니다. 사실, 그는 벌써 며칠 전에 죽었습니다.

## PLURALS AND SINGULARS 복수와 단수

The following words take plural verbs 복수로 쓰이는 단어들

both
criteria
data
media
phenomena

The following words take singular verbs 단수로 쓰이는 단어들

criterion
datum
each
either
every, everybody, everyone, etc.
medium
neither
none, no one, nobody, etc.
phenomenon

## PRESENTLY

Presently means "soon," not "now" or "currently."
presently는 지금이나 현재를 의미하는 것이 아니라 '곧, 멀지 않은' 을 의미한다.

The mailman should be here presently ; in fact, he should be here in about five minutes.
우편 집배원은 곧 이리로 올 것이다 ; 사실, 그는 5분 안에 이 곳에 와야만 한다.

The mailman is here now.
우편 집배원은 지금 여기에 있다.

## STATIONARY/STATIONERY

Stationary means not moving ; stationery is notepaper.
전자는 움직이지 않고 정지해 있다는 뜻이며, 후자는 편지지를 의미한다.

## THAT/WHICH

Most People confuse these two words. Many people who know the difference have trouble remembering it. Here's a simple rule that will almost always work ; that can never have a comma in front of it ; which always will.
대부분의 사람들은 이 두 단어를 혼동한다. 차이점을 알고 있는 사람들도 정확히 기억하는데 애를 먹는다. 여기에 언제나 유효한 간단한 법칙을 소개하고자 한다 ; that은 콤마와 함께 쓰일 수 없는 반면에 which는 항상 콤마와 함께 쓰인다.

There is the car that ran over my foot.
내 다리를 친 차가 저기 있다.

Ed's car, which ran over my foot, is over there.
내 다리를 친 에드의 차가 저기에 있다.

I like sandwiches that are dripping with mustard.
나는 겨자를 잔뜩 바른 샌드위치를 좋아한다.

My sandwich, which was dripping with mustard, was the kind I like.
겨자를 잔뜩 바른 샌드위치가 바로 내가 좋아하는 것이다.

Which is used in place of that if it follows another that ; “We were fond of that feeling of contentment which follows victory.”
뒤에 또 다른 that을 이끌 때는 that의 자리에 which를 사용한다 ; “우리는 승리하고 난 후 의 성취감을 좋아했다.”

## WHETHER OR NOT

You can almost always just say whether. “I can't decide whether to go to the grocery store” uses fewer words to convey the same meaning as “I can't decide whether or not to go to the grocery store.”
거의 언제나 whether라고만 말해도 된다. “나는 상점에 가야 할지 말아야 할지 결정할 수가 없다” 라는 문장은 다음과 같은 방법을 이용하면 단어를 더 적게 사용하고도 같은 의미를 전달할 수 있다. “상점에 가야 할지 말아야 할지 나는 결정할 수 없다.”

# Abbreviations

약어

## ABBREVIATIONS 약어

여기에서는 유용한 약어들의 쓰임과 용례를 보여준다.

**ACT** American College Testing Program 미국 대학 평가
**ASAP** As soon as possible 가능한 한 빨리
**Assn.** Association 연합
**Assoc.** Associates 조합원
**asst.** Assistant 조수
**attn.** To the attention of 주목하는
**aux.** Auxiliary 보조, 준회원
**AWOL** Absent without leave 무단 결근
**B.A.** Bachelor of Arts 문학사
**BMOC** Big man on campus 학교의 유력자
**B.S.** Bachelor of Science 이학사
**BW** Black and white 흑백
**C** Celsius, centigrade 섭씨의 (온도)
**c/o** In care of 전교
**cc** Cubic centimeter ; carbon copy
세제곱 센티미터; 카본지를 쓴 사본
**CEEB** College Entrance Examination Board
미 대학입학시험 위원회
**cf.** (Latin—Confer) See also 참조하라
**CO** Commanding officer 지휘관
**Co.** Company 회사
**COD** Cash on delivery 대금상환
**Corp.** Corporation 법인
**CPA** Certified public accountant 공인회계사
**CRT** Cathode ray tube 브라운관
**DA** District Attorney 지방검사
**db** Decibels 데시벨 — 소리의 측정단위
**D.D.S.** Doctor of Dental Science 치의학 박사
**dept.** Department (행정조직이나 조직체의) 부, 국, 성
**DI** Drill instructor 훈련교관
**DJ** Disk Jockey
**D.D.M.** Doctor of Dental Medicine 치과의사
**DOA** Dead on arrival 도착시 이미 사망한
**e.g.** (Latin—Exempli gratia) For example 예를 들면
**EKG** Electrocardiogram 심전도
**EP** Extended-play record 매분 45회전의 레코드
**ESP** Extrasensory perception 초감각적 감지
**et al.** (Latin—Et alii) And others 기타 등등
**et seq.** (Latin—Et sequens) And following ... 이하 참조
**ETA** Estimated time of arrival 도착 예정 시각
**etc.** (Latin—Et cetera) And so on 기타 등등
**ETS** Educational Testing Service 교육 평가 제도
**F** Fahrenheit 화씨(온도)
**FF** Fred Flintstone 영화의 주인공 프레드 플린스톤
**ff.** And following pages 다음 페이지에
**FYI** For your information (군사용어) 참고하도록
**GI** Government issue 미군 병사
**govt.** Government 정부
**i.e.** (Latin—Id est) That is 즉, 다시 말하면
**ibid** (Latin—ibidem) In the same place
같은 장소(페이지에), 각주
**Inc.** Incorporated 주식회사
**IQ** Intelligence quotient 지능지수
**IV** Intravenous 정맥주사
**K** (Latin—kilo) Thousand 천(1000)
**km** Kilometer 킬로미터
**LP** Long-playing record 매분 33과 1/3회전의 레코드
**LPG** Liquefied petroleum gas 액화석유 가스
**M.A.** Master of Arts 문학석사
**MC** Master of Ceremonies 사회자
**M.D.** Doctor of Medicine 의학박사
**Messrs.** (French—Messieurs) Gentlemen 신사
**MIA** Missing in action (군대의) 실종자
**mm** Millimeter 밀리미터
**MS** Manuscript 필사본
**M.S.** Master of Science 이학 석사
**MSS** Manuscripts 필사본
**MVP** Most valuable player 최고 수훈선수
**op. cit.** (Latin—Opere citato) In the work previously cited 앞서 인용한 책
**p.** Page 페이지
**P.S.** (Latin—Postscriptum) Postscript 추신
**PA** Public address 공공 우편제도
**PC** Personal computer 개인용 컴퓨터
**Ph.D.** Doctor of Philosophy 철학 박사
**POW** Prisoner of war 전쟁포로
**pp.** Pages 페이지들
**QED** (Latin—Quod erat demonstrandum) Which was to be demonstrated 이미 증명된
**R & D** Research and development 연구개발
**RAM** Random access memory (컴) 등속 호출기억장치
**Rep.** Representative 대표, 외판원
**RGB** Red-green-blue 적-록-청
**ROM** Read-only memory (컴) 판독전용 기억장치
**ROTC** Reserve Officers' Training Corps
예비역 장교 훈련단, 학생 군사 훈련단
**RSVP** (French—Rondez s'il vous plt) Please reply
꼭 답장 주세요
**SAT** Ahem 주의를 환기시키는 소리
**SDI** Strategic Defense Initiative 전략방위계획
**SRO** Standing room only 입석밖에 없음
**SWAK** Sealed with a kiss
연애편지 끝에 쓰는 말, 키스를 담아서
**TCB** Taking care of business 사업을 살핌
**TKO** Technical knockout (권투) 완전녹아웃을 통한 승리
**TLC** Tender loving care 사랑으로 보살피는
**UFO** Unidentified flying object 미확인 비행물체
**VCR** Video-cassette recorder 비디오카세트 재생기
**VIP** Very important person 귀빈
**viz,** (Latin—Videlicet) Namely 바꿔 말하면
**w/** With
**w/o** Without

# The Arts

예술 용어

6

# THE ARTS 예술 용어

이 장의 단어들을 암기하고 활용하라. 그러면 사람들은 당신이 아주 유식하다는 사실을 주목할 것이다.

**ABSTRACT EXPRESSIONISM** A twentieth-century movement in painting in which the artistic focus is more on the paint itself than on anything it portrays. Jackson Pollock's enormous drip paintings are examples of abstract expressionism.

**추상표현주의** 20세기 미술 사조. 그림의 대상이 되는 사물이 아니라 그림 그 자체에 예술적 초점을 맞춘 미술 사조. 잭슨 폴록이 물감 흘리기 기법으로 그린 거대한 작품들은 추상표현주의의 좋은 예이다.

**ALLITERATION** A poetic device involving the use of two or more words with the same initial consonant sounds. Big Bird is an alliterative name.

**두운** 같은 자음을 지닌 두 개나 혹은 그 이상의 단어를 사용하는 시적 장치. Big Bird는 두운을 맞춘 이름이다.

**BAUHAUS** A German school of art and architecture founded in 1919. Bauhaus style is characterized by harsh geometric form and great austerity of detail.

**바우하우스** 1919년 독일에 세워진 건축, 조형학교. 바우하우스 양식은 엄격한 기하학적 형태와 간결한 장식을 그 특징으로 하고 있다.

**BLANK VERSE** Unrhymed verse, especially iambic pentameter.

**무운시** 운을 달지 않은 시, 특히 약강 5보격의 시.

**CHAMBER MUSIC** Music written for and performed by small ensembles of players. The string quartet (two violins, viola, and cello) is the most influential form of chamber music ensemble.

**실내악** 소규모의 연주자들을 위해 작곡되고 연주되는 음악. 현악 4중주는(2개의 바이올린, 비올라, 첼로) 실내악 협연의 가장 널리 애용되는 형태이다.

**CHIAROSCURO** An artistic technique in which form is conveyed by light and dark only, not by color.

**명암대조법** 색채에 의해서가 아니라 오직 밝고 어둠으로 전달하는 미술의 기법.

**CONCERTO** A musical composition for an orchestra and one or more soloists.

**협주곡** 오케스트라와 한 명 이상의 독주자와의 협연을 위해 만들어진 악곡.

**CUBISM** An early-twentieth-century artistic movement involving, among other things, the fragmented portrayal of three-dimensional objects, and given its highest expression by Pablo Picasso.

**입체파** 20세기초의 미술 사조. 대상을 분해하여 3차원적으로 표현하는 기법. 파블로 피카소에 의해 정점을 이루었다.

**DECONSTRUCTIONISM** A recent movement in literary criticism whose popularity on college campuses markedly exceeds its usefulness in the analysis of literary texts.

**해체주의** 최근에 대학에서 인기를 얻고 있는 문학 비평의 한 흐름. 인기에 비해서는 문학작품을 분석하는 데 있어서의 쓸모는 현저히 떨어진다.

**FREE VERSE** Unrhymed and unmetered (or irregularly rhymed and metered) verse.

**자유시** 운율을 넣지 않은 시(또는 불규칙적인 운율을 사용한 시)

**FRESCO** An artistic technique in which paint is applied to wet plaster, causing the painted image to become bound into the decorated surface.

**프레스코 화법** 갓 칠해 덜 마른 회벽토에 수채로 그림을 그리는 미술 기법. 장식된 외벽에 그림이 달라붙어 떨어지지 않게 된다.

**IAMBIC PENTAMETER** A poetic metrical form in which each line of verse consists of ten syllables, of which only the even-numbered syllables are stressed.

**약강5보격의 시** 각 행이 10음절로 이루어진 시의 운율의 한 형태. 오로지 짝수의 음절에 강세를 둔다.

**IMAGISM** An early-twentieth-century poetical movement characterized by the rejection of traditional poetic forms. The most prominent imagist was Ezra Pound.

**이미지즘(사상주의)** 20세기초에 일어난, 전통적인 시의 형태를 거부하는 시문학의 한 흐름. 가장 유명한 이미지즘 시인은 에즈라 파운드.

**IMPRESSIONISM** A late-nineteenth-century French movement in painting that attempted, among other things, to convey the effect of light more vividly than had previously been done. Claude Monet was among the most influential of the Impressionists.

**인상파** 19세기 후반 프랑스에서 일어난 미술의 한 사조. 무엇보다도 이전보다 더 생생하게 빛의 효과를 전달하기 위해 시도된 흐름. 가장 큰 영향을 끼친 화가는 클로드 모네.

**LIBERAL ARTS** A general course of study focusing on literature, art, history, philosophy, and related subjects rather than on specifically vocational instruction.

**교양 과정** 문학, 미술, 역사, 철학 등, 특별한 전문적인 분야의 교육에 제한되지 않고 관련된 여러 분야에 초점을 맞춘 전반적인 연구 과정.

**LUMINISM** A nineteenth-century American art movement that grew out of Impressionism and that, like Impressionism, was greatly concerned with the portrayal of light.

**루미니즘** 19세기에 인상파에서 갈라져 나온 미국 미술의 경향. 인상파처럼 빛의 묘사에 많은 관심을 기울였다.

**METAPHOR** A figure of speech involving the use of words associated with one thing in connection with another in order to point up some revealing similarity between the two. To refer to someone's nose as his beak is to use metaphor to say something unflattering about the person's nose.

**은유** 어떤 것을 직접 표현하지 않고 관계 있는 다른 단어를 사용해 둘 사이의 유사성을 보여줄 수 있는 뭔가를 강조하기 위한 표현기법. 어떤 사람의 코를 매부리라고 말하는 것은 그 사람의 코 모양을 노골적으로 말하기 위해 은유법을 사용하는 것이다.

**MOSAIC** An art form in which designs are produced by inlaying small tiles or pieces of stone, glass, or other materials.

**모자이크** 작은 타일이나 돌 조각, 유리 조각, 그 외 여러 재료들을 밑그림에 박아 넣어서 모양을 만드는 미술기법.

**OPERA** A drama set to music, in which the dialogue is sung rather than spoken.

**오페라** 음악으로 구성된 연극. 모든 대사는 말이 아니라 노래로 불려진다.

**OVERTURE** An introductory musical piece for an opera or other work of musical drama.

**서곡** 오페라나 기타 다른 뮤지컬 극에서 첫 도입 악곡.

**PROSODY** The study of meter and other poetic structure.

**운율학** 시의 운율과 구성을 연구하는 학문

**RENAISSANCE** The great blossoming of art, literature, science, and culture in general that transformed Europe between the fourteenth and seventeenth centuries.

**르네상스** 14세기에서 17세기에 걸쳐 미술, 문학, 과학, 그리고 문화 전반에 걸쳐 유럽을 변화시킨 문예부흥, 또는 그 시대.

**ROMAN À CLEF** A novel in which the characters and events are disguised versions of real people and events.

**로망 아 클레** 실제 인물과 사건을 각색하여 이야기에 등장시키는 소설. 실화소설.

**ROMANTICISM** An anticlassical literary and artistic movement that began in Europe in the late eighteenth century. William Wordsworth and John Keats were perhaps the preeminent Romantic poets.

**낭만주의** 고전주의 문학과 미술에 반대하여 18세기 후반 유럽에서 시작한 예술사조. 윌리엄 워즈워스와 존 키이츠가 뛰어난 낭만파 시인이라고 할 수 있을 것이다.

**SIMILE** A figure of speech in which one thing is likened to something else. To call someone's nose a beak is to use a metaphor; to say that someone's nose is like a beak is to use a simile. A simile will always contain the word like or as.

**직유법** 사물을 다른 어떤 것에 직접 비유하여 표현하는 기법. 어떤 사람의 코를 매부리라고 부르는 것은 은유법을 사용한 것이다; 그러나 매부리 같다고 직접 말하는 것은 직유법을 사용한 것이다. 직유법에는 항상 like 나 as 라는 단어가 포함되어 있다.

**SONATA** An instrumental musical composition consisting of several movements.

**소나타** 몇 개의 악장으로 이루어진 악기 연주용 악곡.

**SONNET** A verse form consisting of fourteen lines of iambic pentameter rhymed in a strict scheme or, occasionally, unrhymed.

**소네트** 약강 5보격 10음절로 이루어진, 엄격하게 운율을 지키지만 간혹 운율을 벗어나기도 하는 14행으로 된 시.

**STILL LIFE** An artistic depiction of arranged objects.

**정물화** 잘 배치된 물체들을 미적으로 묘사하는 그림.

**STREAM OF CONSCIOUSNESS** A literary technique in which an author attempts to reproduce in prose the unstructured rush of real human thought. James Joyce and William Faulkner were among the technique's more successful practitioners.

**의식의 흐름** 작가가 통일된 구성을 갖지 않는 인간의 실제 사고를 글로 재현하는 문학표현의 한 기법. 제임스 조이스와 윌리엄 포크너가 이 기법을 사용하여 가장 명성을 얻은 작가이다.

**SURREALISM** A primarily French artistic and literary movement of the early twentieth century that attempted to incorporate imagery from dreams and the unconscious into works of art.

**초현실주의** 20세기 초반 프랑스에서 처음 시작한 미술과 문학의 한 흐름. 꿈과 무의식의 세계를 예술작품에 형상화했던 예술사조.

**SYMPHONY** A major work for orchestra, usually consisting of several movements.

**교향곡** 일반적으로 몇 개의 악장으로 구성된, 오케스트라를 위하여 만들어진 규모가 큰 악곡.

# Foreign Words and Phrases

외래어

7

## 외래어 단어 & 숙어

프랑스에서는 처방약을 약국(le drugstore)에서 구입하며, 주말(le weekend)을 기다린다. 앞의 두 단어는 모두 영어에서 빌어온 단어들이다. 마찬가지로 영어에도 다른 언어에서 곧장 빌어와 사용하는 단어와 어구가 많이 있다. 이 장에서는 가장 흔히 사용되는 외래어의 단어와 어구를 묶었다. 그리고 현재 인정되고 있는 발음을 한가지 이상씩 실었다. 이는 대개 외래어 그대로의 발음과 미국식 발음 순으로 되어 있다.

**À PROPOS** [æprəpóu] adj **(French—"to the purpose") to the point ; pertinent (프랑스어 — 적절한) 적절한, 딱 들어맞는**

A comment is à propos (or apropos) if it is exactly appropriate for the situation.
상황에 정확히 딱 들어맞는 말을 했을 때, à propos라는 표현을 쓴다.

**AD HOC** [ɑd hɔ́k] adj **(Latin—"for this") for a particular purpose ; only for the matter at hand (라틴어 — 이것을 위해) 특별한 목적을 위해 ; 당면 문제에 한해서**

An ad hoc committee is a committee established for a particular purpose, or to deal with a particular problem.
특별위원회는 특정한 목적을 위해서, 혹은 특정 문제를 다루기 위해 설치된 위원회를 의미한다.

**AFICIONADO** [əfìʃiənɑ́:dou] n **(Spanish—"affectionate one") fan (스페인어 — 열렬한 애호가) 팬**

An aficionado of football is a football fan. An aficionado of theater is a theater fan.
열렬한 축구 애호가들을 축구광이라고 한다. 열렬한 연극애호가들은 연극광이라고 한다.

**AL FRESCO** [æl fréskou] adj **(Italian—"in the fresh") outside ; in the fresh air (이탈리아어 — 신선한) 야외로, 상쾌한 분위기의**

An al fresco meal is a picnic.
al fresco meal은 야외에서 간단히 하는 식사, 소풍을 의미한다.

**AU COURANT** [ou kurɔ́:n] adj **[French—"in the current"] up to date ; informed (프랑스어 — 현행의) 최신식의, 널리 알려져 일상적인**

To be au courant is to know all the latest information.
au courant는 가장 최근의 정보를 알고 있다는 의미이다.

**BÊTE NOIRE** [bet nwɑ́:r] n **(French—"black beast") something or someone that one avoids or strongly dislikes (프랑스어 — 검은 짐승(해충)) 사람들이 매우 혐오하거나 기피하는 사람이나 사물**

If you absolutely despised your landlord, you might say that he was your bête noire.
집주인이 무조건적으로 싫다면, 그를 가리켜 bete noire라는 표현을 쓸 수도 있다.

**CARTE BLANCHE** [kɑ:rt blæntʃ] n **(French—"blank card") the power to do whatever one wants (프랑스어 — 백지 카드) 원하는 것은 무엇이나 할 수 있는 힘**

To give someone carte blanche is to give that person the license to do anything.
누군가에게 carte blanche를 준다는 것은 그 사람에게 무엇이든 할 수 있는 권한을 주었다는 의미이다.

**DE FACTO** [di: fǽktou] adj **(Latin—"from the fact") actual (라틴어 — 사실에 근거한) 실제의**

Your de facto boss is the person who tells you what to do. Your de jure [di:ʒuər] boss is the person who is technically in charge of you. De jure ("from the law") means according to rule of law.
당신들의 실질적 우두머리는 당신에게 무엇을 해야할 지 명령하는 사람이다. de jure boss는 법적으로 여러분을 책임지고 있는 사람이다. de jure는 법의 규정을 따른다는 의미이다.

**DE RIGUEUR** [də rigə́:r] adj **(French—"indispensable") obligatory ; required by fashion or custom (프랑스어 — 반드시 필요한) 의무적인 ; 관습이나 유행상 필수로 여겨지는**

Long hair for men was de rigueur in the late 1960s. Evening wear is de rigueur at a formal party.
1960년대 후반, 남성들에게 긴 머리는 필수였다. 의례적인 행사에는 야회복이 필수이다.

**DÉJÀ VU** [déiʒɑ: vu:] n **(French—"already seen") an illusory feeling of having seen or done something before (프랑스어 — 이미 본 것) 전에 이미 경험했거나 본 적이 있다고 느끼는 착각**

To have a déjà vu is to believe that one has already done or seen what one is in fact doing or seeing for the first time.
deja vu는 실제로는 처음 보거나 경험하면서도 이미 전에 보거나 경험한 적이 있다고 느끼는 것을 의미한다.

**FAIT ACCOMPLI** [fèitəkɔmplí:] n (French—"accomplished fact") something that is already done and that cannot be undone (프랑스어 — 기정사실) 이미 끝난 일

Our committee spent a long time debating whether to have the building painted, but the project was a fait accompli ; the chairman had already hired someone to do it.
우리 위원회는 그 건물을 페인트칠하는 문제로 오랫동안 논의를 거듭하고 있었다. 그러나, 그 안건은 이미 끝난 일이었다 ; 의장이 이미 그 일을 할 사람을 고용했던 것이다.

**FAUX PAS** [fou pɑ́:] n (French—"false step") an embarrassing social mistake (프랑스어 — 잘못된 일) 난처한 사회적 과실

Henry committed a faux pas when he told the hostess that her party had been boring.
헨리는 파티를 주최한 여주인에게 그 파티가 따분하다고 말하는 무례를 범했다.

**IDÉE FIXE** [i:dei fí:ks] n (French—"fixed idea") a fixed idea ; an obsession (프랑스어 — 고정관념) 고정관념 ; 강박관념

An idée fixe is an idea that obsesses you or that you can't get out of your mind.
idée fixe는 우리가 버리지 못하고 있는, 우리를 옭아매고 있는 생각을 의미한다.

**JOIE DE VIVRE** [ʒwɑ: də ví:vrə] n (French—"joy of living") deep and usually contagious enjoyment of life (프랑스어 — 삶의 기쁨) 깊은, 그리고 대개는 잘 전이되는 삶의 기쁨

Henry's joie de vivre made his office a pleasant place to work for everyone connected with it.
헨리의 삶에 대한 유쾌한 태도가 사무실을 모든 사람들이 즐겁게 일할 수 있는 공간으로 변모시켰다.

**JUNTA** [húntə, dʒʌ́ntə] n (Spanish—"joined") small group that rules a country after its government is overthrown (스페인어 — 모임) 정부가 전복되고 난 후 나라를 통치하는 소규모의 집단, 임시정부, 군사정권

After the rebels had driven out the president, the Latin American country was ruled by a junta of army officers.
반란군이 대통령을 축출하고 난 후, 라틴 아메리카의 그 국가는 군장성들로 이루어진 군사정권에 의해서 통치되었다.

**LAISSEZ–FAIRE** [leisei fέər] n (French—"let do") a doctrine of noninterference by government in the economy ; noninterference in general (프랑스어 — 내버려두다) 정부의 경제에 대한 불간섭정책 ; 대개의 방임주의, 불간섭정책

To believe in laissez–faire is to believe the government should exert no control over business. It's also possible to adopt a laissez–faire attitude about other matters.
불간섭주의를 신봉하는 것은 정부가 산업활동을 통제하지 않아야 한다고 생각하는 것이다. 또한 다른 문제들에 있어서도 불간섭의 태도를 적용할 수도 있다.

**MAÑANA** [mɑnjɑ́:nə] n (Spanish—"tomorrow") tomorrow (스페인어 — 내일) 내일

**MEA CULPA** [meiɑ ku:l pɑ] n (Latin—"my fault") my fault (라틴어 — 내 탓) 나의 잘못

Mea culpa, mea culpa. I was the one who put the dog in the cat's bed.
내 탓이오, 내 잘못이요. 강아지를 고양이의 침대에 집어넣은 건 바로 나였소.

**NOLO CONTENDERE** [noulou kənténdəri] n (Latin—"I do not wish to contend") no contest (라틴어 — 나는 항쟁을 원치 않는다) 형사 소송에 있어서 피고인의 불항쟁의 답변

A plea in a court case that is the equivalent of a guilty plea but that doesn't include an actual admission of guilt.
재판에서 이와 같은 불항쟁의 답변은 유죄를 인정하는 진술이나 마찬가지 의미이다. 그러나, 실제로 유죄를 인정하는 자백을 담고 있는 것은 아니다.

**NON SEQUITUR** [nɔn sékwitər] n (Latin—"it does not follow") a statement that does not follow logically from what has gone before (라틴어 — 뒤따르지 않는다) 이전에 앞선 것과 논리적으로 연결되지 않는 진술

Bill's saying "Forty–three degrees" when Joe asked "May I have the butter?" was a non sequitur.
"버터 좀 주실래요"하는 조의 말에 "43등" 이라고 한 빌의 대답은 논리에 맞지 않는 엉뚱한 말이다.

**OUTRÉ** [uːtréi] adj **(French—"carried to excess") eccentric ; bizarre (프랑스어 — 정도를 지나친) 정상을 벗어난 ; 기괴한**

An outré fashion is an unconventional, bizarre fashion.
outré fashion은 판에 박히지 않고, 이상야릇한 패션을 의미한다.

**QUID PRO QUO** [kwid prou kwóu] n **(Latin—"something for some thing") something given or done in return for something else (라틴어 — 무엇에 상당하는 것) 다른 어떤 것에 대한 보답으로 주는 물건이나 행하는 일**

The politician said he would do what we had asked him to do, but there was a quid pro quo ; he said we had to bribe him first.
우리가 부탁했던 일을 해줄 것이라고 그 정치가는 말했다. 그러나, 그에 상응하는 대가가 있어야 했다 : 먼저 그에게 뇌물을 바쳐야만 한다고 말했던 것이다.

**RAISON D'ÊTRE** [reizoun détrə] n **(French—"reason to be") reason for being (프랑스어 — 존재 이유) 존재의 이유**

Money was the greedy rich man's raison d'être.
돈은 탐욕스런 부자들의 존재 이유이다.

**RENDEZVOUS** [rándivùː] n **(French—"present yourselves") a meeting ; a meeting place (프랑스어 — 출석하다) 회합 ; 모임 장소**

The young couple met behind the bleachers for a discreet rendezvous.
그 젊은 한 쌍은 조심스럽게 만나기 위해 외야석 뒤에서 만났다.

**SAVOIR-FAIRE** [sævwɑːr fέər] n **(French—"to know how to do") tact ; ability arising from experience (프랑스어 — 어떻게 해야 할지 알고 있다) 재치 ; 경험에서 우러나온 수완**

**SEMPER FIDELIS** [sempər fidéilis] n **(Latin—"always loyal") always loyal (라틴어 — 언제나 충실한) 언제나 충성을 다하는**

The motto of the United States Marine Corps.
미국 해병대의 좌우명.

**SINE QUA NON** [sini kwɑ nɔ́n, saini kwei nán] n **(Latin—"without which not") something essential (라틴어 — 없으면 안 되는 것) 반드시 필요한 것**

Understanding is the sine qua non of a successful marriage.
이해는 성공적인 결혼 생활의 필수 조건이다.

**STATUS QUO** [steitəs kwóu] n **(Latin—"state in which") the current state of affairs (라틴어 — 그대로의 상태) 일의 현재 상태**

The status quo is the way things are now.
status quo은 지금 현재의 상태를 의미한다.

**SUI GENERIS** [suːai dʒénəris] adj **(Latin—"of one's own kind") unique ; in a class of one's own (라틴어 — 자신만의 고유한) 독특한 ; 비길 데 없이 뛰어난**

To be sui generis is to be unlike anyone else.
sui generis는 다른 것과 같지 않다는 의미이다.

**TÊTE-À-TÊTE** [teitəté, tetətét] n **(French—"head to head") a private conversation between two people (프랑스어 — 머리를 맞대고) 두 사람간의 사적인 대담**

The two attorneys resolved their differences in a brief tête-à-tête before the trial began.
변호사와 검사 두 사람은 재판이 시작되기 전, 잠깐동안의 사담을 통해서 서로의 입장차이를 해결했다.

**VIS-À-VIS** [viːzəvíː] prep **(French—"face to face") in relation to ; compared with (프랑스어 — 얼굴을 맞대고) ~에 관하여 ; ~와 비교하여**

The students' relationship vis-à-vis the administration was one of confrontation.
학생들과 대학 당국과의 관계는 대립의 관계이다.

**ZEITGEIST** [tsáigàist] n (German—"time spirit") the spirit of the times (독일어 — 시대정신) 시대정신 ; 사조

Bill was at ways out of step with the zeitgeist ; he had short hair in 1970 and long hair in 1980.

빌은 어찌되었건 시대의 흐름과는 맞지 않는 사람이다 : 그는 1970년대에는 머리를 짧게 잘랐고, 1980년대에는 머리를 길렀다.